고등학교

화법과 작문
자습서

이삼형 교과서편

KB052749

이 책의
구성과 특징

중단원 / 소단원 도입

- 중단원 도입 글과 그림 자료를 통해 중단원에서 배울 내용을 제시하였습니다.
- 생각 열기 활동을 통해 소단원 학습을 준비할 수 있습니다.
- '알기'와 '하기'를 통해 소단원에 서 배우고 익힐 내용을 확인할 수 있습니다.

알아 두기

- 소단원 성취 기준과 관련한 이론 을 도식화하여 정리하였습니다.
- '개념 확인하기' 문제를 통해 학습 한 내용을 곧바로 확인해 볼 수 있 습니다.

소단원 학습 활동 / 정리하기

- 소단원 학습 활동 제재의 핵심 내용과 주석 을 충실하게 제시하였습니다.
- 자세하고 꼼꼼한 예시 답안을 통해 학교 숙 제를 해결하고 시험에 대비할 수 있습니다.
- 소단원에서 '출제 포인트'를 뽑아 제시하였 고, 출제 포인트의 구현 양상을 보여 주는 '대표 문제'를 통해 시험에 효과적으로 대 비할 수 있도록 하였습니다.

- 내신 정복과 수능 대비를 한 권으로!
- 수행 평가는 물론 중간·기말고사 대비까지 이 한 권으로!

소단원 / 대단원 시험 예상 문제

- 이론과 실제를 충실히 담은 소단원 시험 예상 문제를 통해 배운 내용을 점검하고 문제에 대한 적응력을 기를 수 있습니다.
- 단원별 문제, 단원 간 통합 문제, '출제 예감', '수능형', '서술형' 등 단계별 다양한 유형의 문제를 통해 완벽한 시험 준비를 할 수 있습니다.

중간·기말고사 실전 대비 문제

- 중간고사 실전 대비 문제 2회분(각 30문항), 기말고사 실전 대비 문제 2회분(각 30문항) 총 120문항을 수록하였습니다.
- 시험 직전 실전 대비 문제를 풀어 봄으로써 실전 감각을 쌓고 내신 시험을 완벽하게 대비할 수 있습니다.

정답과 해설

- '오답 해설'을 통해 동일한 유형의 문제를 반복하여 틀리는 일이 없도록 대비할 수 있습니다.
- 서술형 문제의 경우 '평가 기준'을 제시하여 중점적으로 기술해야 할 점이 무엇인지 파악할 수 있도록 하였습니다.

이 책의 **차례**

I 화법과 작문의 본질

II 화법의 원리와 실제

III 작문의 원리와 실제

IV 생활 속의 화법과 작문

대단원 한눈에 보기

1. 화법과 작문의 특성	(1) 사회적 의사소통으로서의 화법과 작문	• 의사소통의 개념 • 화법과 작문의 사회적 특성
	(2) 화법과 작문의 층위와 기능	• 화법과 작문의 층위 • 화법과 작문의 기능
	(3) 화법과 작문의 맥락	• 맥락의 개념과 기능 • 맥락과 관련된 화법과 작문의 요소
2. 화법과 작문의 가치	진심을 담은 말과 글	• 진심이 담긴 말과 글의 가치 • 진심을 담은 말과 글의 효과

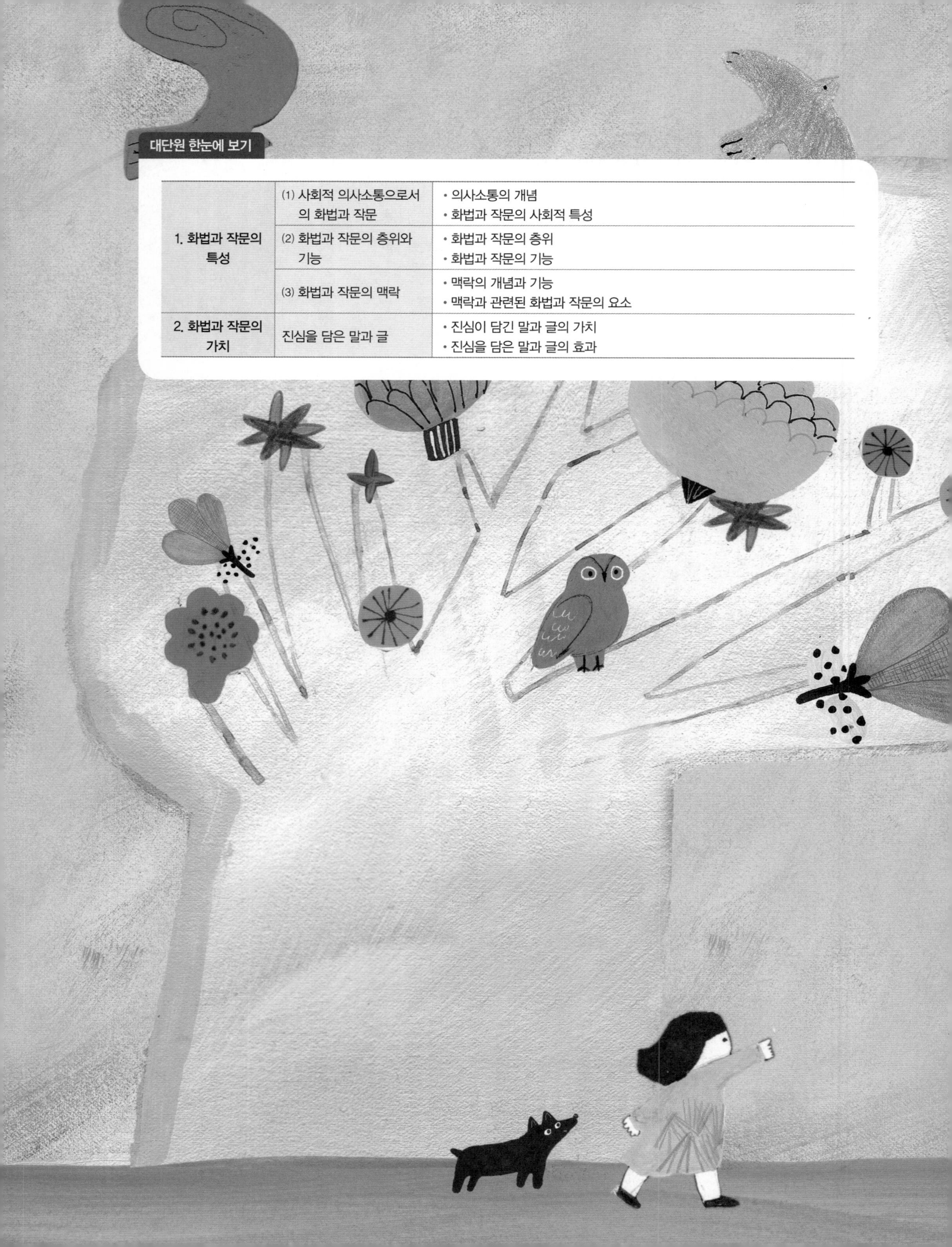

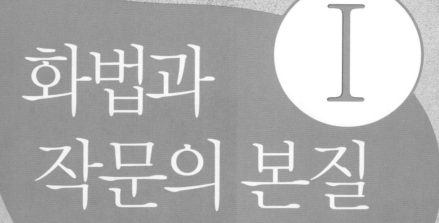

I 화법과 작문의 본질

1. 화법과 작문의 특성
2. 화법과 작문의 가치

한 권 읽기

핵심 역량

비판적·창의적 사고 역량

≫

화법과 작문의 본질 이해하기

자기 성찰·계발 역량

≫

자신의 화법과 작문 특성 점검하기

자료·정보 활용 역량

≫

한 권의 책을 읽으며 통합적으로
화법과 작문 활동 하기

문화 향유 역량

≫

책 읽기 활동을 통해
생각과 지식의 폭 넓히기

화법과 작문의 특성

학습 목표 «
• 사회적 의사소통 행위로서의 화법과 작문의 특성을 이해한다.
• 화법과 작문 활동이 자아 성장과 공동체 발전에 기여함을 이해한다.
• 맥락의 중요성을 알고 맥락을 고려한 화법과 작문 활동의 기초를 익힌다.

– 브뤼헐, 「바벨탑」

단원의 짜임

(1) 사회적 의사소통으로서의 화법과 작문

의사소통의 사회적 특성을 이해하고
⋯ 사회적 의사소통의 관점에서 화법과 작문의 본질을 탐구한다.

(2) 화법과 작문의 층위와 기능

화법과 작문의 층위와 기능을 이해하고
⋯ 화법과 작문이 자아 성장과 공동체 발전에 기여하는 양상을 탐색한다.

(3) 화법과 작문의 맥락

맥락에 따라 화법과 작문의 양상이 달라지는 점을 이해하고
⋯ 맥락을 고려한 화법과 작문의 실제를 경험해 본다.

화법은 화자와 청자가 말로써 생각과 느낌, 경험을 공유하며 의미를 만들어 가는
_{화법의 사회적 의사소통 행위}
행위이고, 작문은 필자와 독자가 글로써 의미를 공유하며 의사소통하는 행위이다. 이는
_{작문의 사회적 의사소통 행위}
화법과 작문이 모두 사회적 의사소통의 한 양상이라는 점을 뜻한다.
▶ 사회적 의사소통으로서의 화법과 작문

화법과 작문이 중요한 까닭은 그것을 통해 개인이 성장하고 공동체가 발전하기 때문이
_{화법과 작문의 기능}
다. 말과 글을 바르게 쓰는 과정에서 개인은 스스로를 점검하게 되고, 의사소통이 원활히
_{개인적 차원}
이루어지면 공동체 전체의 역량이 신장된다. 이를 뒤집어 말하면, 개인의 성장과 함께 공
_{사회적 차원}
동체 발전에 기여할 수 있는 화법과 작문이 좋은 화법과 작문이라는 뜻이다. 사람들이 서
로 말이 통하지 않아서 여러 민족으로 뿔뿔이 흩어졌다는 바벨탑의 이야기를 떠올리면 이
_{구약 성서의 창세기에 나오는 바벨탑 전설}
를 쉽게 이해할 수 있다.
▶ 화법과 작문의 층위와 기능

화법과 작문 활동을 잘하려면 맥락을 충분히 고려해야 한다. 목적이 무엇인지, 어떤 상
_{상황 맥락, 사회·문화적 맥락}
황인지, 사람들의 입장과 생각은 어떻게 다른지 등을 고려하지 않으면 원래의 의도와는
전혀 다른 결과가 나오기 쉽다. "맥락을 오해했다."라는 말이 나오지 않도록 해야, 나아가
맥락을 적극적으로 활용할 수 있어야 유능한 화자와 청자, 필자라고 할 수 있다.
▶ 맥락을 고려한 화법과 작문의 중요성

이 단원에서는 화법과 작문의 특성을 세 차원에서 알아보기로 한다. '단원의 짜임'을 중
심으로 학습할 내용을 확인해 보자.
▶ 학습할 내용 안내

(1) 사회적 의사소통으로서의 화법과 작문

핵심 질문 왜 화법과 작문을 사회적인 행위라고 할까?

>> 화법과 작문은 일방적인 말하기·듣기·쓰기에 그치지 않고 사회적 관습에 따라 다른 사람과 소통하며 공동의 문제를 해결해 가는 과정이므로 화법과 작문을 사회적인 행위라고 한다. 화법과 작문의 사회적 특성은 일대일보다 일대다, 다대다의 화법과 작문 사례에서 더 잘 드러난다.

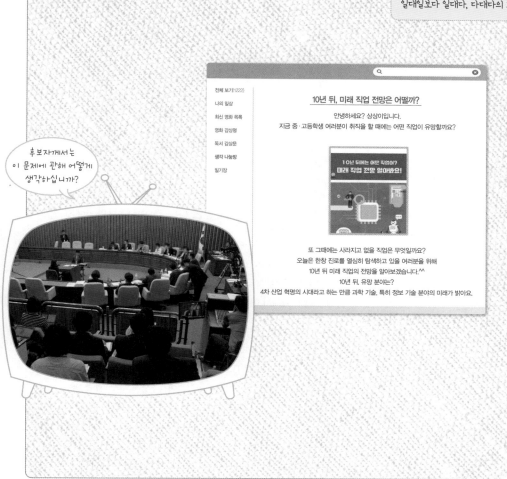

후보자께서는
이 문제에 관해 어떻게
생각하십니까?

10년 뒤, 미래 직업 전망은 어떨까?

안녕하세요? 상상이입니다.
지금 중·고등학생 여러분이 취직을 할 때에는 어떤 직업이 유망할까요?

10년 뒤에는 어떤 직업이?
미래 직업 전망 알아봐요!

또 그때에는 사라지고 없을 직업은 무엇일까요?
오늘은 한창 진로를 열심히 탐색하고 있을 여러분을 위해
10년 뒤 미래 직업의 전망을 알아보겠습니다.^^
10년 뒤, 유망 분야는?
4차 산업 혁명의 시대라고 하는 만큼 과학 기술, 특히 정보 기술 분야의 미래가 밝아요.

전체 보기(1222)
나의 일상
최신 영화 목록
영화 감상평
독서 감상문
생각 나눔방
일기장

알기

• **의사소통이란 무엇인가?**

|예시 답안| 의사소통이란 발신자와 수신자가 서로 말이나 글을 주고받으며 공동의 문제를 이해하고 해결해 가는 과정이다.

• **화법과 작문은 어떤 사회적 특성을 지니나?**

|예시 답안| 화법과 작문은 발신자와 수신자의 상호 관계로 이루어지고, 그 과정에서 사회적인 관습과 맥락이 작용하며, 화법과 작문의 결과는 집단이나 사회에 다시 영향을 끼친다.

••• 청문회의 발언자와 블로그의 필자는 누구를 대상으로 말하고 쓰고 있는가?

|예시 답안| 청문회에서는 질문자, 후보자 모두 발언자가 될 수 있는데, 이때 질문자는 후보자, 후보자는 질문자를 대상으로 말하는 것이라 볼 수 있다. 하지만 그들이 하는 말은 사회자, 속기사, 기자, 방청객 등 청문회장 안의 모든 사람이 들을 수 있다. 또한, 청문회가 방송된다면 방송을 보거나 듣는 사람들, 더 나아가 방송을 보거나 듣지 않더라도 나중에 그 기록을 보게 될 사람들 모두가 청문회 발언자의 말을 듣거나 볼 수 있다. 따라서 청문회의 발언자는 눈앞에 있는 상대방뿐 아니라 청문회에 관심 있는 사람들 모두를 대상으로 말하고 있는 것이라 할 수 있다.
반면 블로그에 올리는 글은 청문회처럼 당장의 구체적인 수신자가 보이지 않는다. 하지만 이 역시 블로그를 방문할 불특정의 독자를 염두에 두고 쓴 글이다. 즉 블로그의 필자는 어떤 방문자가 올지, 얼마나 많이 올지 확실치 않은 상황에서 블로그에 방문할 불특정 다수의 사람들을 대상으로 글을 쓰고 있는 것이다.

••• 모든 말하기와 쓰기가 이와 비슷한 성격을 지닌다고 말할 수 있을까?

|예시 답안| 모든 말하기와 쓰기가 이와 비슷한 성격을 지닌다고 할 수 있다. 혼잣말과 같이 자신을 대상으로 하는 경우를 제외한 대부분은 청자나 독자를 염두에 두고 말을 하거나 글을 쓴다. 따라서 말하기와 글쓰기를 할 때는 청자 및 독자와의 소통이 중요하다.

하기

• **언어 자료에 반영된 사회적 특성 분석하기**

>> 다양한 내용과 형식의 언어 자료를 분석하여 의사소통의 사회적인 특성을 찾아내는 활동 하기

• **사회적 특성을 고려하며 화법과 작문 활동 하기**

>> 의사소통의 당사자인 발신자와 수신자 및 그와 영향을 주고받는 사람이나 집단의 생각이나 처지, 기대나 요구, 주의할 점 등을 고려하여 상호적인 말하기·듣기·쓰기 활동 하기

알아 두기

의사소통으로서의 화법과 작문

- 의사소통은 발신자와 수신자가 서로 말이나 글을 주고받으며 공동의 목표를 달성해 가는 행위이다.
- 의사소통의 한 방법으로서의 화법과 작문은 화자와 청자(화법), 필자와 독자(작문) 사이에 이루어지는 상호 작용이다.
- 의사소통을 할 때 발신자(화자 또는 필자)는 수신자(청자 또는 독자)를 고려하여 표현하고, 수신자는 발신자의 의도가 무엇인지 생각하며 담화나 글을 이해하게 된다.

> **참고** **의사소통의 목적**
> - 정보 전달: 기록과 전달, 설명, 정보 이해 등
> - 설득: 주장, 요청, 평가, 의사 결정 등
> - 친교와 정서 표현: 친교, 자기표현, 정서 공유 등

사회적 의사소통으로서의 화법과 작문

'작은 사회'에서 이루어지는 의사소통	'큰 사회'에서 이루어지는 의사소통
개인 간의 대화나 부탁 등 사적(私的) 관계에서 이루어지는 의사소통	연설, 청문회, 선언 등 공적(公的) 상황에서 이루어지는 의사소통

↓↑

- 언어문화 형성
- 사회 공동의 가치 실현

사회적 의사소통으로서의 화법과 작문의 특성

	화법	작문
의사소통 수단	음성 언어	문자 언어
의사소통의 주체	화자와 청자	필자와 독자
상호 작용의 양상	화자와 청자의 시·공간적 상황 공유 가능 → 즉각적인 상호 작용	필자와 독자의 시·공간적 상황 공유 불가 → 맥락 구성과 추론을 통한 상호 작용
언어문화 관습	준언어적·비언어적 표현 등의 관습이 중요하게 작용	글의 종류와 구조, 표현법 등의 관습이 중요하게 작용

사회적 의사소통에서 주의할 점

- 언어의 관습과 문화, 사회의 윤리, 참여자의 요구, 다른 사람에게 미치는 영향 등을 고려해야 한다.
- 논란이 될 만한 내용을 검증 없이 퍼뜨리거나 줄인 말이나 이모티콘 등을 과도하게 사용해서는 안 된다.

---

1. 의사소통에 대한 설명으로 알맞은 것은 ○표, 알맞지 않은 것은 ×표를 하시오.

(1) 의사소통은 발신자와 수신자가 서로 말이나 글을 주고받으며 공동의 목표를 달성해 가는 행위이다. ( )

(2) 화법과 작문은 화자와 필자가 청자와 독자에게 일방적으로 내용을 전달하는 행위이다. ( )

(3) 의사소통을 할 때 발신자는 수신자를 고려하여 표현해야 한다. ( )

2. 다음 중 의사소통의 목적이 나머지 넷과 <u>다른</u> 하나는?

① 주장　　　　② 요청
③ 평가　　　　④ 의사 결정
⑤ 정보 이해

3. 다음 빈칸에 알맞은 말을 쓰시오.

> 작문은 ( )를 수단으로 하여 의사소통을 하며, 그 주체는 ( )와 독자이다. 작문 활동은 주체 간의 시·공간적 상황 공유가 불가능하기 때문에 맥락 구성과 ( )을 통해 상호 작용이 이루어진다.

4. 다음 중 사회적 의사소통에서 고려해야 할 요소가 <u>아닌</u> 것은?

① 사회적 윤리
② 언어적 관습과 문화
③ 의사소통 참여자의 요구
④ 다른 사람에게 미치는 영향
⑤ 줄인 말과 이모티콘의 적극적 사용

┃정답┃
1. (1) ○ (2) × (3) ○　**2.** ⑤　**3.** 문자 언어, 필자, 추론　**4.** ⑤

이해하기

교과서 15p

1. 화법과 작문의 사회적 특성과 관련하여 다음 진술의 타당성을 평가하고, 진술이 타당하지 않다고 생각하는 경우 그것을 타당하게 고쳐 보자.

㉠ 화자나 필자는 말을 하거나 글을 쓸 때 자신이 속한 사회의 관습과 구성원의 요구를 반영한다.

l예시 답안l ㉠은 타당한 진술이다. 실제로 의사소통 과정에서 화자나 필자는 자신이 속한 사회의 관습과 구성원의 요구를 반영하기 때문이다.

㉡ 화자와 필자가 해당 사회의 언어문화를 창조하면, 청자와 독자는 그 언어문화를 향유한다.

l예시 답안l ㉡은 부분적으로 타당한 진술이다. 해당 사회의 언어문화는 발신자가 창조하고 수신자가 향유하는 것이 아니라, 발신자와 수신자가 함께 창조하고 활용·향유하기 때문이다.

㉢ 발표, 연설 등의 독화(獨話)보다 토의, 면접 등의 대화(對話)가 사회적 속성이 더 강하다.

l예시 답안l ㉢은 타당하지 않은 진술이다. 발표, 연설 등의 독화도 청자를 대상으로 하므로 토의, 면접 등의 대화보다 사회적 속성이 약하지 않기 때문이다.

㉣ 글쓰기는 필자의 과업으로, 그 과정에 다른 사람이 개입할 여지가 거의 없다.

l예시 답안l ㉣은 타당하지 않은 진술이다. 글쓰기의 과정에는 잠재적으로 독자 및 사회의 글쓰기 관습이 개입하기 때문이다.

2. 다음 글을 읽고, 의사소통 행위로서의 글쓰기의 의미를 생각하며 아래의 활동을 해 보자.

나는 종종 나 자신에게 질문한다. 만약 내일 우주의 파국이 닥쳐 온 세상이 파괴되고, 따라서 내일 누구도 오늘 내가 쓰는 것을 읽지 못하게 될지라도, 나는 오늘 글을 쓸 것인가? 첫 순간의 대답은 "아니요."이다. 만약 누구도 나의 글을 읽지
독자가 없을 것이란 전제하에 대답함.

못할 것이라면 무엇 때문에 쓸 것인가? 두 번째 순간의 대답은 "예."이다. 왜냐하면 은하들의 파국에도 어떤 별이 살아남
독자가 있을 가능성을 염두에 둠.
아서 미래에 누군가 나의 기호들을 해독할 수 있을 것이라는
종말 직전
절망적인 희망이 있기 때문이다. 그렇다면 묵시록의 전야에
예수의 재림과 천국의 도래를 예언한 일종의 예언서
도 글쓰기는 여전히 어떤 의미를 가질 것이다.
▶독자가 있기 때문에 의미를 가지는 글쓰기
글이란 오로지 어떤 '독자'를 위해 쓰는 것이다. 단지 자기
필자가 글을 쓰는 이유
자신을 위해서만 쓴다고 말하는 사람은 거짓말을 하고 있다.
불행하고도 절망적인 사람은 미래의 '독자'에게 말을 건넬 줄
모르는 사람이다. ▶참된 글쓰기는 독자에게 말을 건네듯 쓰는 것임.

– 움베르토 에코, 「나는 독자를 위해 글을 쓴다」에서

갈래	수필
성격	설득적, 논증적, 단정적
제재	글쓰기의 참된 목적
주제	독자와의 소통을 위한 글쓰기
특징	• 자문자답의 형식을 통해 글쓰기에 관한 자기 생각을 전달함. • 자신과 다른 생각을 지닌 가상의 인물을 비판함으로써 주장을 강화함.

(1) 윗글의 필자가 스스로 대답한 "아니요."와 "예."의 의미는 무엇인지 말해 보자.

l예시 답안l "아니요."는 내일 우주의 파국이 닥쳐오는 상황에서 아무도 글을 읽어 줄 사람이 없다는 점에서 그렇게 말한 것이다. 이 경우는 명시적인 독자가 있는지 여부에 주안점이 있다. 반면 "예."는 그 상황에서도 누군가 살아남거나, 아니면 새로운 종족이 탄생해서 나의 글을 해독해 주리라는 희망에서 그런 대답을 한 것이다. 이 경우는 독자가 있을 가능성에 주안점을 두고 있다.

(2) 윗글의 필자가 '글을 쓰는 이유'를 말해 보고, 나는 왜 글을 쓰는지 생각해 보자.

l예시 답안l • 이 글의 필자는 독자를 위해 글을 쓴다. 명시적인 독자가 없더라도, 미래에 독자가 될 가능성이 있는 사람들에게 말을 건네는 태도로 글을 쓰는 것이다.
• 나는 대체로 학습한 내용을 정리하거나 지식을 정교화·내면화하기 위해 글을 쓴다. 수업 내용을 재구성하여 글로 쓰면 학습 효과를 높일 수 있기 때문이다.

적용하기

교과서 16p

3. 다음은 시각 장애 학생들의 미술 활동을 소개하고 있는 강연이다. 강연을 보고, 화법과 작문의 사회적 특성을 생각하며 아래의 활동을 해 보자.

지금 여기 있는 그림이 누구의 그림인 줄 아세요? 네, 모네 맞습니다. 이건요? 드가죠. 여기 이건 살아 있는 어떤 사람의
프랑스의 인상주의 화가   프랑스의 화가이자 조각가   시각 장애 학생
작품입니다. 자, 이 세 작품의 공통점이 하나 있는데, 뭔지 아시겠어요? 선천적이든 후천적이든 시각 장애를 가지고 있던 작가의 작품이라는 겁니다. ▶세 작가의 그림 제시

여러분, 눈이 안 보이면 그림을 그릴 수 있을까요, 없을까
요? 예? 한 번도 상상조차 안 해 보셨나 봐요. 그릴 수 있습
질문으로 청중의 참여와 관심을 유도함.
니다. 지금 보셨다시피 그 유명한 모네도 백내장을 앓을 때 이걸 그렸고, 드가도 중심부 안구가 손상돼서 말년에는 전혀 보이지 않았대요. 이 가운데 있는 그림을 그린 학생도 어렸을 때 전맹으로 태어난 아이입니다. 빛과 어둠 정도밖에 구별하
시력이 전혀 없음.
지 못하는 시력을 가진 ○○학교 중등부 학생입니다. [중략]
                        ▶세 작품을 그린 작가들 소개
미영이가 초등학교 3학년 때 처음 저랑 한 미술 수업입니다. 크레용을 주면서 "마음껏 해 봐." 그랬더니 다른 여느 아이들과 달리 온몸에다가 다 검정 칠을 하더라고요. 이 아이는 다운 증후군에, 시각 장애에, 구구단도 못 외우는 지적 장애에, 신체장애까지 가진 복합 장애였습니다. 하지만 그중에서 가장 큰 장애는 뭐냐 하면 장애 학교 안에서도 따돌림을 당하는 거예요.
                        ▶시각 장애아였던 미영이와의 첫 만남
그런데 어느 날 이렇게 작품을 들고 오더니 "선생님, 이 사진 제목이 뭐게요?" 하더군요. 그래서 제가 "뭔데?" 그랬더니 "돼지 같은 내 얼굴." 이러더라고요. 그래서 "사진 찍어 줄까?" 했더니 '탁' 이렇게 누워서 사진을 찍었습니다. 저는 그 장면을 보면서 '아, 얘가 이제 서서히 내면의 자신감을 찾아가고 있구나.' 하고 느꼈습니다. ▶미영이의 그림에 공감해 준 강연자

○○ 단체가 매년 시각 장애 학생들의 미술 공모전을 하는데요. 자, 미영이가 이걸 가지고 거기서 대상을 받았어요. 어떤 변화가 일어났을까요? 더 이상 미영이를 보이는 대로만 평가하지 않고, 심지어는 부러워하는 애들까지 생겼어요. 빨리 가서 미술 시간에 그림 그려야지, 하면서 미영이가 뭐 하는지

보는 거예요. 그래서 이 아이가, 정말 심한 따돌림을 당했고 자기 존재감이 전혀 없던 이 아이가 미술을 통해서 조금씩 자기를 찾아 가고, 자기의 모든 사소한 일상을 그리고, 만들고, 조각하는 예술가의 습관을 갖게 된 겁니다.
                    ▶미술 공모전에서 수상 후 달라진 미영이
그래서 제가 물어봐요. "미영아, 뭐 되고 싶어?" 하고. 그러면 미영이는 화가가 된다고, 사진작가가 된다고 그래요. 이런 미영이가 광주 맹아 학교에도 있고, 충주 맹아 학교에도 있고, 대전 맹아 학교에도 있습니다. 이런 많은 미영이들 중에서 미술 대학에 가고 싶어 하는 아이들이 서서히 생겨났어요.
                    ▶미술 대학에 가고 싶어 하는 장애아들이 늘어남.
우리나라 헌법에 "모든 사람은 동등하게 교육받을 권리가 있다."라는 조항이 있어요. 하지만 시각 장애 학생이 미술 대학에 들어가기는 낙타가 바늘구멍 들어가는 것보다 어렵습니다. 그래서 저희가 몇 년 전에 공개 토론회를 열었어요. 그랬더니 저희한테 돌아온 답은, "보이는 사람도 미술 대학 나와서 취직하기 어려운데 안 보이는 애들에게 이런 헛된 꿈을 주고 어떻게 책임지려고 하느냐?"라는 비난이었습니다. 우리 사회의 지도적 위치에 있는 사람들이 그런 비난을 했지요. 저는 그때 14년 전 제가 시각 장애에 관해 가졌던 편견이, 그 거대한 벽이 제 앞에서 단 1cm도 움직이지 않고 그대로 있다는 사실에 다리가 후들거렸습니다. 그렇지만 저희는 시각 장애 학생들이 미술 대학에 갈 수 있도록 지금도 계속 지원하고 있습니다.
                    ▶시각 장애 학생들의 미술 활동에 대한 지원 촉구

                    – 엄정순, 「다른 방식으로 보기」에서

갈래	강연
성격	정보 전달적, 설득적
제재	시각 장애 학생들의 미술 활동
주제	시각 장애 학생들의 미술 활동이 지니는 의미와 장애 학생들의 미술 활동에 대한 편견의 불식
특징	• 친밀한 대화체를 사용하여 청중의 참여와 반응을 이끌어 냄으로써 공감대를 형성함. • 다양한 시각 자료와 실제 사례를 제시하여 객관성을 높이고 있음.

(1) 위 강연의 내용과 강연자의 말하기 방식을 파악해 보자.

|예시 답안| 전달하고자 하는 내용
- 표층적인 내용: 시각 장애인도 미술 분야에서 자신의 꿈을 키울 수 있다.
- 심층적인 내용: 장애에 대한 편견을 없애고 장애인들이 마음껏 꿈을 키울 수 있는 사회를 만들어야 한다.

전달 효과를 높이기 위해 사용한 방법
- 예시: 모네, 드가, 미영이, 공개 토론회 등의 사례를 활용하였다.
- 질문하기: 질문을 던져 청중의 참여를 유도하고 있으며, 청중에게 질문을 하고 생각할 시간을 주어 몰입도를 높이고 있다.
- 시각 자료 활용: 예시의 일종으로, 시각 장애를 가진 화가와 학생들의 실제 작품을 보여 주어 흥미를 유발하고 있다.

(2) 위의 강연자에게 다양한 입장에서 질문하고, 강연자 입장에서 답을 말해 보자.

|예시 답안| 강연 내용에 공감하는 입장

질문	예상 답변
미영이가 마음을 열게 된 계기는 무엇이었습니까?	미영이가 그린 그림을 저의 시선으로 바라보지 않고 미영이의 입장에서 공감해 주니까 마음을 열더군요.
시각 장애뿐 아니라 장애에 대한 사회 전반의 의식을 바꾸려면 어떻게 해야 한다고 생각하십니까?	무엇보다 장애인이 우리와 함께 살아가는 동반자라는 사실을 사람들이 수시로 체감할 수 있도록 장애에 대한 문제를 숨기지 말고 당당하게 드러내야 합니다.
시각 장애 학생들에게 미술 공모전은 어떤 의미가 있나요?	시각 장애 학생들을 대상으로 하는 미술 공모전은 경쟁이 아닙니다. 시각 장애 학생들이 나도 할 수 있다는 것을 확인하고, 더불어 나와 비슷한 아이들이 많다는 것을 알아 가는 과정입니다.
시각 장애 학생들을 효과적으로 지도하는 특별한 방법이 있습니까?	아이들이 자신감을 가지고 자기의 느낌을 있는 그대로 표현할 수 있도록 지도하는 것이 중요합니다.
많은 어려움이 있음에도 포기하지 않고 시각 장애 학생들을 위한 미술 활동을 위해 지속적으로 노력을 기울이는 이유는 무엇입니까?	저는 '본다'는 것이 장애라고 생각합니다. 우리는 보기 때문에 왜곡되는 것들을, 단지 볼 수 있다는 이유만으로 망각해 버리곤 하지요. 하지만 시각 장애아들은 장애로 인해 오히려 사물의 본질에 더 가깝게 다가갈 수 있어요. 또한, 시각 외의 모든 감각을 이용하기 때문에 미술이라는 자기 표현에서 비시각 장애아보다 뛰어난 부분이 있으며, 그러한 특성을 살려 내는 것이 제가 해야 할 일이라고 생각합니다. 그리고 이 활동은 일반적인 봉사가 아닙니다. 상호 작용적인 교육을 통해 저희 예술가들이 시각 장애 학생들에게 배우는 점이 더 많답니다.

강연 내용에 문제를 제기하는 입장

질문	예상 답변
사람들의 편견이 지금도 심한데 대학이라고 다를까요?	미술을 깊이 아는 사람이라면 자신의 생각을 그림으로 표현하는 데 있어 시각은 단지 수단일 뿐이라는 것을 알고 있을 겁니다. 따라서 대학 같은 전문 기관들이 먼저 나서서 장애에 대한 편견을 무너뜨려야 해요.
이런 사업의 가장 큰 숙제는 지속 가능한가의 문제인 것 같습니다. 이 아이들이 대학에 들어갈 수 있도록 지원만 하면 될까요? 자칫 헛된 희망 고문이 될까 염려됩니다.	문제가 한 번에 해결되지는 않겠지요. 먼저 초·중·고등학교를 바꾸고, 그다음에 대학을 바꾸고, 그다음에 사회를 바꾸고, 이렇게 차근차근 바꾸어 간다면 언젠가는 장애에 대한 편견 없는 사회가 될 것이라 생각합니다.
일반인도 각자의 재능이 다르고, 그 재능을 발견하기가 어려운데 장애가 있는 아이들의 재능을 어떻게 발견할 수 있을까요?	아이의 재능을 발견하는 일은 늘 어렵습니다. 제가 강조하는 건 장애를 이유로 미리 재능을 차단하지 말자는 겁니다. 이 부분은 특수 교육 전문가들이 많이 노력하고 있으니 장애아들의 재능은 점점 더 빛을 발할 수 있을 것이라 믿습니다.

(3) 위의 강연자와 '미영'의 관계가 어떻게 변했는지 정리해 보자. 그리고 강연자는 자신과 청중의 관계가 어떻게 변하기를 기대할지 생각해 보자.

|예시 답안| 강연자와 '미영'의 관계: 강연자가 '미영'에게 일방적으로 도움을 줌. → '미영'의 변화를 보며 강연자도 자신의 행동에 신념을 갖고 보람을 느끼며 변화함.

강연자와 청중의 관계: 강연자가 청중에게 사례를 소개하고 공감을 호소함. → 강연자는 청중의 반응을 보며 자신의 생각에 대한 공감을 통해 시각 장애아에 대한 사회적인 소통에 기여할 수 있기를 기대함.

(4) 위의 강연과 다음 신문 기사에서 다루고 있는 사례에 관한 자신의 의견을 말해 보자. 그리고 사회 문제를 해결하는 데에 화법과 작문이 어떤 역할을 할 수 있는지 토의해 보자.

|예시 답안| 생략

(5) 주변에서 사회적 의사소통이 필요한 문제를 찾아, 건설적인 의견을 드러내는 포스터나 게시문을 만들어 보자.

|예시 답안|
반려동물은 쓰레기가 아닙니다.
가족이며 생명입니다.

동물은 장난감이 아닌 생명입니다.
애완동물이 아닌 반려동물로
가족이 된다는 생각의 전환이
필요합니다.

소단원 정리하기

출제 포인트 ❶ 의사소통의 개념과 특징

> 의사소통의 개념과 특징을 정확히 이해하고 있는지를 묻는 문제가 시험에 나올 거예요! 의사소통의 목적까지 공부해 둔다면 금상첨화겠죠?

개념	발신자와 수신자가 서로 말이나 글을 주고받으며 공동의 목표를 달성해 가는 행위
특징	• 발신자와 수신자 사이에 이루어지는 상호 작용임. • 발신자는 수신자를 고려하여 표현해야 함. • 수신자는 발신자의 의도가 무엇인지 생각하며 담화나 글을 이해해야 함.
목적	• 정보 전달: 기록과 전달, 설명, 정보 이해 • 설득: 주장, 요청, 평가, 의사 결정 • 친교와 정서: 친교, 자기표현, 정서 공유

출제 포인트 ❷ 사회적 의사소통으로서의 화법과 작문

> 화법과 작문을 통해 이루어지는 의사소통은 사회적 성격을 띠고 있다는 점을 잘 알아야 해요. 개인 간에 이루어지는 의사소통도 사회적 의사소통이라는 점을 꼭 기억하세요!

'작은 사회'에서 이루어지는 의사소통	'큰 사회'에서 이루어지는 의사소통
개인 간의 대화나 부탁 등 사적 관계에서 이루어지는 의사소통	연설, 청문회, 선언 등 공적 상황에서 이루어지는 의사소통

출제 포인트 ❸ 사회적 의사소통인 화법과 작문의 특성

> 사회적 의사소통으로서의 화법과 작문의 특성은 반드시 알아 두어야 해요. 화법과 작문은 사회적 의사소통 행위라는 면에서는 같지만, 둘 사이에 차이점도 있으니 그 차이점을 명확히 구분해서 알아 두세요!

	화법	작문
수단	음성 언어	문자 언어
주체	화자와 청자	필자와 독자
상호 작용 양상	화자, 청자의 시·공간적 상황 공유 가능 → 즉각적인 상호 작용	필자, 독자의 시·공간적 상황 공유 불가 → 맥락 구성과 추론을 통한 상호 작용
언어문화 관습	준언어적·비언어적 표현 등의 관습이 중요하게 작용	글의 종류와 구조, 표현법 등의 관습이 중요하게 작용

대표 문제 ❶ 의사소통에 대한 설명으로 적절하지 않은 것은?

① 발신자는 수신자를 고려하여 표현해야 한다.

② 의사소통의 방법으로 화법과 작문을 들 수 있다.

③ 의사소통은 정보 전달, 설득, 친교와 정서 표현 등을 목적으로 이루어진다.

④ 의사소통을 할 때 수신자는 발신자의 의도가 무엇인지 생각하며 담화나 글을 이해해야 한다.

⑤ 의사소통은 발신자가 수신자에게 말을 하거나 글을 씀으로써 자신의 목표를 달성해 가는 일방향적 행위를 가리킨다.

대표 문제 ❷ 다음 두 구절을 이용하여 화법과 작문을 사회적 의사소통이라고 하는 이유를 서술하시오.

> 작은 사회, 큰 사회

_____

_____

대표 문제 ❸ 다음 중 화법의 특성에 해당하지 않는 것은?

① 의사소통의 수단은 음성 언어이다.

② 의사소통의 주체는 화자와 청자이다.

③ 발신자와 수신자가 시·공간적 상황을 공유할 수 있다.

④ 준언어적·비언어적 표현 등의 관습이 중요하게 작용한다.

⑤ 발신자와 수신자가 맥락 구성과 추론을 통해 상호 작용을 한다.

소단원 시험 예상 문제

학습 활동 응용

1. 화법과 작문의 사회적 특성에 대한 설명으로 옳은 것끼리 짝 지은 것은?

> ㉠ 화자나 필자는 말을 하거나 글을 쓸 때 자신이 속한 사회의 관습과 구성원의 요구를 반영한다.
> ㉡ 화자와 필자, 청자와 독자는 해당 사회의 언어문화 를 함께 창조하고 활용하며 향유한다.
> ㉢ 발표, 연설 등의 독화(獨話)는 토의, 면접 등의 대 화(對話)보다 사회적 속성이 더 강하다.
> ㉣ 글쓰기는 필자의 과업으로, 그 과정에 다른 사람이 개입할 여지가 거의 없다.

① ㉠, ㉡ ② ㉠, ㉢ ③ ㉠, ㉣
④ ㉡, ㉢ ⑤ ㉢, ㉣

2. 다음 중 사회적 의사소통으로서의 화법과 작문에 대한 설명 으로 가장 적절한 것은?

① 연설, 청문회 등 공적 상황에서 이루어지는 의사소 통만을 가리킨다.
② 의사소통을 통해 언어문화에 영향을 끼치는 일방향 적인 성격을 지닌다.
③ 의사소통을 통해 사회 공동의 가치를 실현하고 서로 영향을 주고받는다.
④ 개인 간의 대화처럼 사적 관계에서 이루어지는 의사 소통은 포함되지 않는다.
⑤ 의사소통이 다른 사람에게 미치는 영향은 고려해야 하지만 사회적 윤리 문제와는 무관하다.

[3-5] 다음 글을 읽고 물음에 답하시오.

> 나는 종종 나 자신에게 질문한다. 만약 내일 우주의 파 국이 닥쳐 온 세상이 파괴되고, 따라서 내일 누구도 오늘 내가 쓰는 것을 읽지 못하게 될지라도, 나는 오늘 글을 쓸 것인가? ㉠첫 순간의 대답은 "아니요."이다. 만약 누구도 나의 글을 읽지 못할 것이라면 무엇 때문에 쓸 것인가?
> ㉡두 번째 순간의 대답은 "예."이다. 왜냐하면 은하들의 파국에도 어떤 별이 살아남아서 미래에 누군가 나의 기호 들을 해독할 수 있을 것이라는 절망적인 희망이 있기 때 문이다. 그렇다면 묵시록의 전야에도 글쓰기는 여전히 어 떤 의미를 가질 것이다.
> 글이란 오로지 어떤 '독자'를 위해 쓰는 것이다. 단지 자 기 자신을 위해서만 쓴다고 말하는 사람은 거짓말을 하고 있다. 불행하고도 절망적인 사람은 미래의 '독자'에게 말 을 건넬 줄 모르는 사람이다.

3. 윗글에 대한 설명으로 가장 적절한 것은?

① 용어에 대한 정의를 내려 독자의 이해를 돕고 있다.
② 대상의 변화 과정을 시간의 흐름에 따라 설명하고 있다.
③ 대비의 방식을 활용하여 대상의 차이점을 부각하고 있다.
④ 통념과는 다른 문제를 제기하고 근거를 들어 주장을 펼치고 있다.
⑤ 자신과 다른 생각을 지닌 가상의 인물을 비판함으로 써 주장을 강화하고 있다.

4. 윗글의 필자가 강조하는 글쓰기의 특성에 대한 설명으로 가 장 적절한 것은?

① 글쓰기는 독자와 상관없이 필자의 생각을 표현하는 활동이다.
② 글은 독자를 위해 쓰는 것이 아니라 필자 자신을 위 해 쓰는 것이다.
③ 필자는 써야 할 주제가 있느냐 없느냐에 따라 글을 쓸 동력을 갖기도 하고 갖지 못하기도 한다.
④ 필자는 자신의 기호를 독해하는 사람이 있든 없든 자 신의 내면에 있는 욕망에 따라 글을 쓰는 사람이다.
⑤ 글쓰기는 필자 자신만을 위한 자족적 행위가 아니라 필자와 독자 사이에 이루어지는 의사소통 행위이다.

5. ㉠과 ㉡에 대한 설명으로 적절한 것끼리 짝지은 것은?

> A. ㉠과 ㉡의 대답은 다르지만 그렇게 대답한 기준은 사실상 같다.
>
> B. ㉠이 글쓰기의 속성을 잘 모르는 상태에서 한 대답이라면 ㉡은 그 속성을 깨닫고 한 대답이다.
>
> C. ㉠이 완전히 절망한 상태에서의 대답이라면 ㉡은 작은 희망과 기대를 한 상태에서의 대답이다.
>
> D. ㉠이 글을 쓰는 사람의 입장만 고려한 대답이라면 ㉡은 글을 읽는 사람의 입장까지 고려한 대답이다.

① A, B ② A, C ③ A, D ④ B, C ⑤ C, D

[6-8] 다음 글을 읽고 물음에 답하시오.

> **(가)** 특수 학교 세우려고 장애인 부모가
> 무릎 꿇는 현실
>
> 서울 ○○구 ○○동에 장애인 특수 학교를 신설하는 문제로 지난 5일 지역 주민과 학부모들이 충돌했다. 특수 학교가 들어서면 집값이 떨어질 수 있다는 것이 반발의 주원인이었다. 이날 주민 토론회에서 장애인 부모 20여 명이 무릎을 꿇고 "장애아들도 학교는 가야 하지 않겠느냐?"라면서 눈물로 호소했다.
>
> **(나)** 주민 마음 움직인 '무릎 영상'
> 특수 학교 지지 8만 명 서명
>
> 언론 보도를 접한 뒤 ○○구 주민 사이에서는 "솔직히 집값이 떨어질 수 있다는 말에 나도 망설였다. 정말 미안하다.", "장애인, 비장애인 모두 행복한 동네로 만들자."라는 반응이 나오고 있다.
>
> 특수 학교 설립을 지지하는 서명 참여도 늘고 있다. 지역 주민들로 구성된 '○○구를 사랑하는 모임'은 지난달 말부터 누리 소통망 서비스(SNS) 등을 통해 지지 서명을 받고 있다.

6. (가)와 (나)를 통해 알 수 있는 화법과 작문의 역할에 대한 설명으로 적절하지 <u>않은</u> 것은?

① (가)의 작문 활동은 벌어진 일에 대한 공동체의 관심을 불러일으키는 역할을 하고 있다.

② (가)에 포함된 화법(장애인 부모의 말)은 사회적 상황에 문제를 제기하는 역할을 하고 있다.

③ (가)와 (나)를 통해 사회의 구성원들은 직·간접적으로 의사소통을 하고 있다.

④ (가)와 (나)의 작문 활동은 '큰 사회'에서 벌어진 일을 전달하는 역할을 하고 있다.

⑤ (가)의 작문 활동으로 촉발된 사회적 갈등은 (나)의 작문 활동을 통해 해결되는 양상을 보이고 있다.

7. (가), (나)와 같은 글의 의사소통 목적으로 가장 적절한 것은?

① 기록과 전달　　② 자기표현
③ 주장　　④ 평가
⑤ 친교

8. (가)와 (나)의 사례를 바탕으로 화법과 작문의 역할에 대해 토의한 내용으로 적절하지 <u>않은</u> 것은?

① 문제를 겪는 당사자들이 상대방의 입장을 확인하는 데에 도움을 줄 수 있어.

② 문제를 겪는 당사자들뿐만 아니라 사회의 다른 구성원들에게 그 문제에 관해 알려 줄 수 있어.

③ 문제의 발생, 진행, 해결 과정에 대한 기록은 나중에 비슷한 상황이 발생했을 때 참고가 될 거야.

④ 문제가 해결되지 않았을 때 발생할 상황을 과장되게 표현함으로써 문제 해결에 적극적으로 나서도록 독려할 수 있어.

⑤ 문제를 겪는 당사자들과는 다른 시각에서 문제를 바라보는 사람들의 의견을 당사자들에게 전달하는 역할을 할 수 있어.

(2) 화법과 작문의 층위와 기능

핵심 질문 우리 삶에서 화법과 작문을 통해 무엇을 할 수 있을까?

>> 화법과 작문은 어떤 목적이 있는 행위이고, 그 결과가 개인과 공동체의 생각이나 삶에 영향을 끼친다는 점에서 실질적인 기능을 한다. 이는 의사소통의 표현적 기능, 수행적 기능, 친교적 기능, 지시적 기능, 미적 기능, 메타적 기능 등과 연관된다.

알기

• 화법과 작문은 어떤 층위에서 이루어지나?

|예시 답안| 화법과 작문은 개인 층위와 사회 층위에서 이루어지는데, 개인 층위의 화법과 작문은 개인 내적 차원에서의 의사소통을, 사회 층위의 화법과 작문은 개인과 개인, 개인과 사회 차원에서의 의사소통을 의미한다.

• 화법과 작문은 어떤 기능을 하나?

|예시 답안| 화법과 작문은 사고와 의사소통을 돕고 문화를 창조·발전시키는 기능을 한다. 의사소통의 측면에서는 발신자의 생각이나 느낌을 표현하는 기능, 수신자의 반응이나 행동을 불러일으키는 기능, 발신자와 수신자가 관계를 맺고 유지하도록 하는 기능, 맥락과 관련하여 구체적인 정보를 담아내는 기능, 말과 글의 미적 효과를 드러내는 기능 등을 한다.

••• 어느 날 갑자기 말을 할 수 없거나 글을 쓰지 못하는 상황이 되면 어떤 일이 생길까?

|예시 답안| 어느 날 갑자기 말을 할 수 없거나 글을 쓰지 못한다면 자기를 이해하고, 자기 생각이나 느낌을 표현하는 데 어려움을 느끼게 될 것이다. 그뿐만 아니라 구체적이고 정확한 의사소통이 불가능할 것이다. 또한, 말을 하거나 글을 쓰는 행위를 강제로 못하게 한다면 그 사람의 성격이나 태도도 변하게 될 것이다.

••• 개인의 삶과 사회생활에서 화법과 작문은 어떤 기능을 하는가?

|예시 답안| 화법과 작문은 개인이 자아를 인식하고 관리하며, 타인이 자신을 바라보는 것을 인식하고 조정할 수 있게 해 준다. 또한, 의사소통 참여자들로 하여금 의미, 가치, 태도, 믿음 등을 공유함으로써 공동체 발전을 도모할 수 있도록 해 준다.

하기

• 화법과 작문을 통해 자신을 이해하고 표현하기

>> 자기 생각과 느낌을 정리하고 성찰해 보기

• 화법과 작문을 통해 타인과 관계 맺기

>> 나의 생각과 입장을 표현하고 타인의 생각과 입장을 이해하는 활동 하기

• 화법과 작문을 통해 사회·문화를 공유하고 발전시키기

>> 화법과 작문을 통해 우리 사회의 문화를 이해하고 공유하며 발전시키기 위한 바람직한 태도에 대해 생각해 보기

알아 두기

◗ 화법과 작문의 층위

화법과 작문 활동은 크게 개인 내적 차원과 개인과 개인 차원, 그리고 개인과 개인 차원에서 확장된 사회 차원에서 다양하게 이루어진다.

층위	특징
개인 내적 차원	화법과 작문의 과정에서는 명명(命名), 기억, 이해, 추론, 평가 등의 언어적 사고 작용이 이루어지는데, 이 과정에서 발신자와 수신자는 자아를 인식하고 성찰하며 타인이 자신을 바라보는 시선을 의식하게 됨. ↓ 자아 인식과 성찰, 남들이 자신을 바라보는 시선 의식
개인과 개인 차원 ↓ 확장 사회 차원	화법과 작문의 과정에서 발신자와 수신자는 언어를 통해 정보, 가치, 태도 등을 공유하며 공동의 의미를 구성하고 발전시켜 나감. ↓ 표현과 이해의 과정을 통해 공동의 의미를 구성, 발전
	화법과 작문은 개인과 사회의 의사소통, 사회와 사회 간의 의사소통 등 사회 차원의 의사소통으로 확장되기도 함. ↓ 개인과 사회(대중 매체에 글쓰기), 사회와 사회(세대와 세대, 직업과 직업 사이의 의사소통)

◗ 화법과 작문의 기능

• 화법과 작문은 긍정적 자기 정체성 함양과 공동체 발전에 기여한다.

층위	기능
개인 내적 차원	[발신자] • 정보 전달의 경우: 정보 수집, 분석, 평가 • 설득의 경우: 설득의 근거 찾기, 논리적 주장 • 정서 표현의 경우: 스스로의 생각이나 느낌을 깊이 살펴보기 [수신자] • 발신자와 비슷한 사고 작용이 일어남. ↓ 자아를 성찰하며 발전시킴.
개인과 개인 차원 (사회 차원)	발신자와 수신자가 서로 의사소통하는 가운데 지식을 공유하고 감정을 나누며 태도를 조정하고, 서로의 행동에 영향을 끼치면서 개인의 삶과 사회의 분위기를 바꿈. ↓ 사회 구성원들의 동질감을 형성하고 공동체 문화를 발전시킴.

• 화법과 작문이 자아 성장과 공동체 발전에 기여한다는 것은 자아와 공동체에 관한 성찰이 화법과 작문에 도움을 준다는 뜻이기도 하다.

자아와 공동체에 관한 성찰	→	화법과 작문의 내용을 생성하고 효과적인 표현과 전달 방법을 정할 수 있음.

• 개념 확인하기

1. 화법과 작문의 층위에 대한 설명으로 알맞은 것은 ○표, 알맞지 않은 것은 ×표를 하시오.

(1) 개인 내적 차원에서 발신자와 수신자는 자아를 인식하고 성찰한다. ( )

(2) 개인 내적 차원에서 발신자와 수신자는 자신이 타인을 바라보는 시선을 의식하게 된다. ( )

(3) 개인과 개인 차원에서 발신자와 수신자는 언어를 통해 정보, 가치, 태도 등을 공유한다. ( )

2. 화법과 작문의 층위와 그 특징을 바르게 짝지은 것의 기호를 모두 쓰시오.

┌─────────────────────┐
│ ㉠ 개인과 개인 차원 - 언어적 │
│ 사고 작용을 통해 자아와 타인 │
│ 에 대해 생각하게 됨. │
│ ㉡ 개인과 개인 차원 - 표현과 │
│ 이해의 과정을 통해 공동의 의 │
│ 미를 구성하게 됨. │
│ ㉢ 사회 차원 - 개인과 개인 차 │
│ 원의 층위가 확장되는 층위임. │
└─────────────────────┘

( )

3. 다음 중 화법과 작문의 기능에 대한 설명으로 적절하지 않은 것은?

① 개인 내적 차원에서 자아 성찰을 돕는다.

② 개인 내적 차원에서는 별다른 기능을 하지 않는다.

③ 개인 내적 차원에서 자기 정체성을 함양할 수 있도록 한다.

④ 개인과 개인 차원에서 공동체의 문화를 발전시키는 기능을 한다.

⑤ 개인과 개인 차원에서 사회 구성원들로 하여금 동질감을 형성하게 한다.

┃정답┃··
1. (1) ○ (2) × (3) ○   2. ㉡, ㉢   3. ②

소단원
학습 활동

이해하기

교과서 23p

1. 화법과 작문이 개인의 성장과 공동체 발전에 영향을 끼친다는 점과 관련하여, 다음 격언이나 속담의 의미를 말해 보자.

|예시 답안|

• 글은 곧 그 사람이다.

　…➔ 글을 통해 자기를 드러내고 타인을 이해할 수 있다.

• 말 한마디에 천 냥 빚도 갚는다.

　…➔ 말에 담긴 진정성이 중요하다.

• 말을 잃은 민족은 영혼을 잃은 것이다.

　…➔ 말에는 해당 공동체의 정신과 역사, 문화가 담겨 있다.

• 대화는 민첩한 사람을 만들고 글쓰기는 정확한 사람을 만든다.

　…➔ 화법은 논리적이고 빠른 사고가 필요하고 작문은 깊이 있는 분석적 사고가 필요하다.

2. 다음은 죽음을 앞둔 교수와의 면담 촬영 장면을 기록한 글이다. 글을 읽고, 화법과 작문의 기능을 생각하며 아래의 활동을 해 보자.

　면담이 끝나기 전, 교수님은 최근에 받은 편지 한 통을 코펠에게 읽어 주었다. 전에 다른 프로그램에서 교수님에 관한 내용을 다룬 후에 그에게는 엄청난 양의 편지가 밀려들었다. (모리 슈워츠, 루게릭병으로 사망 / 모리 교수의 삶에 관한 내용 / 사회적 파급력이 큼.) 그중 펜실베이니아주의 한 학교에서 아홉 명의 어린이를 가르치는 특수 학급 교사가 아주 특별한 내용의 편지를 보내왔다. 그 학급 학생들은 모두 한쪽 부모를 잃은 아이들이었다.

　"나는 그 교사에게 이런 답장을 해 주었습니다."

　모리 교수님은 코와 귀에 천천히 안경을 걸치면서 말했다.

　"귀하의 편지에 깊은 감동을 받았습니다. 한쪽 부모를 잃은 아이들과 함께해 온 당신의 일들이 매우 소중하게 느껴집니다. 나 또한 어린 나이에 한쪽 부모를 잃었지요."

　카메라가 계속 돌아가고 있는데 갑자기 교수님은 안경을 고쳐 썼다. 그는 말을 멈추고 입술을 깨물었다. 그는 목이 메기 시작했고 이내 눈물을 흘렸다.

　"어릴 때 나는 어머니를 잃었는데 이는 내게 아주 큰 충격이었습니다. 그때 당신이 가르치는 학급과 같은 곳이 있어서 나도 슬픔을 털어놓을 수 있었다면 얼마나 좋았을까요? 나 역시 그 학급에 들어가고 싶었을 거예요. 왜냐하면……."

　그의 목소리가 울음 때문에 갈라졌다.

　"왜냐하면 난 너무도 외로웠으니까요."

　당황한 코펠이 물었다.

　"모리, 당신의 어머니는 돌아가신 지 70년이나 지났잖습니까? 그런데 아직도 그렇게나 고통스럽습니까?"

　"그럼요."

　우리 선생님은 그렇게 속삭였다.

－ 미치 앨봄, 『모리와 함께한 화요일』에서

갈래	수필
성격	교훈적, 회상적
제재	죽음을 앞둔 노교수가 제자와 나눈 대화
주제	인생의 참된 의미와 가치
특징	• 작가의 실제 경험을 토대로 하여 설득력을 높임. • 스승과 제자가 주고받은 대화를 중심으로 내용을 전개함.

(1) 특수 학급의 교사가 전에 방송된 프로그램을 보고, 어떤 생각과 느낌으로 교수님에게 편지를 썼을지 상상하여 말해 보자.

|예시 답안| 특수 학급 교사는 한쪽 부모를 잃은 아이들을 가르치는 입장에서 모리 교수에 관한 내용을 다룬 프로그램을 보고 크게 감동했을 것이고, 모리 교수님에게 자신은 물론 자기 학급의 아이들도 그 프로그램을 통해 용기를 얻었다는 공감과 격려, 감사의 편지를 보냈을 것이다.

(2) 교수님과 특수 학급 교사 사이의 의사소통이 특수 학급의 학생들에게 어떤 영향을 주었을지 생각해 보자.

|예시 답안| 교수님과 특수 학급 교사는 교수님의 면담 방송을 통해 간접적으로 의사소통을 하였고, 특수 학급 교사의 편지를 통해 직접적으로 의사소통을 하였다. 이러한 의사소통 과정에서 특수 학급 교사는 학생들의 상황과 처지를 더 깊이 이해하고 학생들을 바라보는 시선과 자세를 가다듬어 학생들에게 더 깊은 애정과 보살핌을 주었을 것이다. 한편 특수 학급의 학생들은 교수님의 면담 방송을 통해 자신의 처지와 비슷한 모리 교수님을 보며 용기를 얻고, 선생님과 모리 교수님이 직접 편지를 주고받는 모습을 통해 감동을 받았을 것이다.

(3) 자신이 위의 면담 방송을 본 시청자라 가정하고 해당 프로그램의 누리집에 한 줄 평을 써 보자. 그리고 이러한 의사소통이 개인과 사회에 끼치는 영향을 말해 보자.

> 죽음을 앞둔 모리 교수가 자신의 삶을 돌아보며 사람들에게 깨달음을 나눠 주는 프로그램. 이익에 눈먼 각박한 세상에 경종을 울립니다.
>
> 세상에 나 혼자만 있는 것은 아니라는 사실을 알고 기운을 얻었습니다. 모리 교수님, 힘내세요.
>
> 이런 프로그램도 있네요. 자극적이고 선정적인 프로그램만 보다가 오랜만에 감동적인 프로그램을 봤습니다. 못 보신 분들은 꼭 보시기 바랍니다.

| 예시 답안 |

> 모리 교수님의 삶을 통해 세상에 대한 애정을 갖게 되었습니다. 면담 내용은 책으로도 나와 있으니 꼭 보세요.
>
> 저도 어릴 때 비슷한 경험이 있었어요. 어려울 때일수록 좋은 어른이 필요합니다.

→ 개인 내적 차원에서는 의사소통을 통해 자아의 인식과 성찰을 경험하고, 개인과 개인 차원에서는 서로 이해하고 교감하며 서로의 행동에 영향을 끼친다. 또한, 사회 차원에서는 구성원들과 동질감을 형성하고, 공동체 문화를 발전시키는 데 영향을 끼친다.

적용하기

교과서 25p

3. 글쓰기와 자아 성장의 관점에서 다음 수필을 읽고, 아래의 활동을 해 보자.

우리 부자는 강을 건너 기차역에 이르렀다. 나는 아버지께 짐을 지키고 계시라고 하고는 <u>역사</u> 안으로 들어가 차표를 샀다. 짐을 옮기려면 아무래도 짐이 많아서 짐꾼에게 웃돈을 얹어 줘야 할 것 같았다. 아버지는 그네들과 한바탕 흥정을 벌이고 계셨다. 내가 옆에서 보기에도 아버지는 역부족이었다. 내가 나서야 할 것 같았다. 그러나 아버지는 끝내 당신이 품삯을 흥정하고야 말았다.
<small>역으로 쓰는 건물</small>
<small>아버지를 낮잡아 봄.</small>

나는 기차에 올랐다. 찻간까지 따라오신 아버지는 창가 쪽에 자리를 잡아 주셨다. 나는 그 자리에 아버지가 주신 자주

색 외투를 깔았다. 아버지는 작별 인사를 하듯 이야기하셨다.

"얘야, 조심해서 가거라. 밤에는 각별히 주의하고, 그리고 감기 들지 않도록 잘해라."

아버지는 여기서 그치지 않고 또 기차 안의 심부름꾼에게 나를 부탁하는 것이었다. 나는 속으로 아버지의 어리숙함을 비웃었다.
<small>기차 안의 심부름꾼에게 다 큰 아들을 부탁하는 아버지를 부끄럽게 생각함.</small>

'돈만 아는 사람들한테 부탁은 무슨 부탁! 더군다나 나같이 이렇게 다 큰 청년을 맡기다니. 내가 스스로 알아서 어련히 잘할라고.'

아, 지금에 와서 생각해 보니 그 당시 난 지나치게 똑똑하게 굴었던 것 같다.
<small>글을 쓰며 자신의 지난 행동을 성찰하면서 반성함.</small>

나는 아버지를 안심시키는 투로 말했다.

"아버지, 이제 그만 가 보세요."

아버지는 내 말에 아랑곳하지 않고 차창 밖을 바라보시더니 이내 말씀하셨다.

"내 나가서 귤 좀 사 올 테니 너는 여기 가만히 있거라."

나는 고개를 돌려 창밖을 내다보았다. 저쪽 플랫폼 난간 밖으로 즐비하게 늘어선 상인들이 물건을 팔고 있는 것이 보였다. 하지만 그곳까지 가려면 철로를 건너야 했다. 그것도 이쪽 플랫폼에서 뛰어내린 다음 다시 저쪽 플랫폼으로 올라가야 했다. 몸이 뚱뚱하신 아버지로서는 여간 힘드는 일이 아니었다. 마땅히 내가 가야 할 것 같아 자리에서 일어났다. 그러나 아버지는 한사코 당신이 가시겠다는 것이다. 나는 하는 수 없이 도로 자리에 앉았다.

검은색 중절모를 쓰고 검은색 마고자에 남색 두루마기를 입으신 아버지의 모습이 눈에 들어왔다. 아버지는 철로 변을 약간 휘청거리면서도 천천히 살펴 가고 계셨다. 이때의 아버지는 그다지 힘들어 보이지 않았다. 이제 철로를 다 건너서 저쪽 플랫폼에 오르려고 할 때는 그리 쉽지 않을 것이다. 아버지는 먼저 양손을 플랫폼 위 바닥에 댄 채 두 다리를 모으고는 위로 오르려고 한껏 뛰셨다. 순간 뚱뚱한 몸이 중심을 잃으며 왼쪽으로 기우뚱하였다. 몹시 힘겨워하시는 모습이 역력했다.

아버지의 뒷모습을 지켜보고 있던 나는 가슴이 뭉클해졌다. 나도 모르게 눈가에 눈물이 글썽거렸다. 얼른 고개를 떨구며 눈물을 훔쳤다. 남의 시선을 의식해서였지만 무엇보다
<small>자신을 향한 아버지의 사랑을 느낌.</small>

아버지한테 눈물 자국을 보이고 싶지 않았다.

― 주쯔칭, 「아버지의 뒷모습」에서

갈래	수필
성격	서정적, 서사적, 교훈적, 회상적
제재	타지로 떠나는 아들을 배웅하는 아버지의 뒷모습
주제	자식에 대한 아버지의 애틋한 사랑
특징	아버지에 대한 감정의 변화를 통해 주제를 효과적으로 드러냄.

(1) 장면에 따라 아버지에 대한 '나'의 감정이 어떻게 변하는지 정리해 보자.

|예시 답안| 기차를 타기 전: 짐꾼과 흥정하는 모습을 보며 아버지를 낮춰 보고 있다.

기차를 탄 후: 찻간까지 따라와서 자리를 잡아 주고, 심부름꾼에게 '나'를 부탁하는 아버지를 보며 스스로를 다 컸다고 여기면서 아버지를 부끄러워하고 있다. → 아버지가 귤을 사 오기 위해 철로를 건너 플랫폼에 뛰어오르는 모습을 보며 아버지의 사랑과 진정성을 느끼고 뭉클함과 미안함, 슬픔 등의 감정을 느끼고 있다.

(2) 윗글의 주제를 생각해 보고, 글쓰기 과정에서 필자가 느꼈을 심리를 상상해 보자.

|예시 답안| • 주제: 아버지의 뒷모습을 보며 느낀 '나'에 대한 아버지의 사랑
• 필자의 심리
- 쓰기 전: 아버지의 사랑을 깨닫지 못했던 자신의 모습을 반성하고, 아버지의 사랑이 드러나는 소재와 주제로 글을 쓰겠다고 생각했을 것이다.
- 쓰는 중: 사건의 흐름을 따라가면서 자신이 느꼈던 감정들을 떠올리고, 그때 미처 깨닫지 못했던 세세한 상황이나 자신의 상태를 객관적으로 바라보았을 것이다.
- 쓴 후: 글을 마무리하면서 자신의 감정을 갈무리하고, 그날의 자신의 행동을 반성하며 아버지의 삶에 대해 어느 정도 보답이 되었으리라는 기대와 믿음을 가지게 되었을 것이다.

(3) 기억에 남는 경험을 글로 써 보고, 글쓰기가 나의 성장에 어떤 도움을 주는지 생각해 보자.

|예시 답안|

> **오천 원과 부끄러움**
>
> 동네에 오래된 약국이 있었다. 약국에는 약국만큼이나 늙은 약사 부부가 약을 팔고 있었다. 워낙 작고 낡은 곳이라 손님이 많지는 않았다.
> 하루는 미세 먼지가 심해서 그 약국에 들러 마스크를 샀다. 마스크는 천오백 원이었고 나는 오천 원을 냈으니 삼천오백 원을 거슬러 받아야 했다. 그런데 약사 할아버지가 만 원짜리로 착각했는지 팔천오백 원을 거슬러 주시는 게 아닌가. 손바닥에 오천 원짜리 한 장과 천 원짜리 세 장, 그리고 오백 원짜리 동전 하나가 놓이는 순간, 머릿속이 번개보다 더 빠르게 돌아갔다.

'이걸 그냥 받아? 아니면 잘못 거슬러 줬다고 오천 원을 돌려 줘?' 슬쩍 할아버지 눈치를 보니 아무것도 모르시는 것 같았다.

나는 그냥 모른 체하고 팔천오백 원을 다 받았다. 마스크까지 생겼으니 거저 오천 원을 번 셈이다. 그렇게 '운수 좋은 날'이라 생각하고 문을 열고 나왔으나, 약사 할아버지가 "이봐요, 잠깐. 거스름돈이 잘못된 것 같아." 하며 나를 불러 세울 것 같아 약국이 안 보일 때까지 뛰었다.

그날 이후 나는 약국 앞을 지날 때마다 늘 걸음이 빨라졌다. 그리고 창문 너머로 약사 할아버지가 보이면 행여 눈이라도 마주칠까 봐 고개를 푹 숙이고 걸었다. 겨우 오천 원에 양심을 판 일이 부끄러웠다. 뒤늦게라도 되돌려 드릴 수 있었지만 그러지 못했다.

그러던 어느 날 약국에 조등이 걸렸다. 얼마 동안 약사 할머니 혼자 약국을 지키시다가 결국 약국 문을 닫으셨다. 이후 그 자리는 분식집으로 바뀌었지만 나는 여전히 그 분식집 앞을 편히 지나지 못한다.

살면서 그보다 더 큰 잘못을 저지르거나 거짓말을 한 적이 있을 텐데도 나한테는 그 오천 원을 가진 것이 가장 크게 기억에 남는다. 어쩜 할아버지는 거스름돈을 잘못 주었다는 걸 알고 계시지 않았을까? 알면서도 도망치듯 돌아 나가는 내 뒷모습을 보며, 혹은 창문 밖으로 고개 숙이고 종종걸음 치는 나를 보며 측은히 여겼던 것은 아닐까?

무언가 양심에 걸리는 일을 마주하게 되면 그때 그 약사 할아버지의 표정이 떠오른다. 그때는 오천 원을 그렇게 벌었지만 이번에는 그러지 말자고 하면서. 그렇게 밀쳐 낸 오천 원이 여기저기 쌓여 나는 양심적인 사람이 되었지만, 그래도 여전히 부끄럽다. 손안에 꼭 쥐었던 그 오천 원 때문에.

→ 이 글을 쓰면서 다시 한번 그때의 상황과 내 심정을 떠올리게 되었다. 작은 사건이지만 가끔 생각나서 날 부끄럽게 했는데, 이렇게 글로 써서 다른 친구들과 공유하고 나니 조금은 후련해진 것 같다. 그리고 글에 쓴 대로 내 양심을 속이며 살지 말아야겠다는 생각도 강해졌다. 사람은 이렇게 작고 사소한 일에서 교훈을 얻는 것 같다.

4. 의사소통과 공동체 발전의 관점에서 다음 토의를 듣고, 아래의 활동을 해 보자.

사회자 지금까지 우리나라 저출산 문제의 심각성과 그 원인에 관해 말씀해 주셨습니다. 그러면 이번에는 저출산 문제를 해결하기 위한 방안에 관해 의견을 나누어 보겠습니다.

김지영 이미 말씀드렸듯이 저출산 문제의 이면에는 경제적 이유가 숨어 있습니다. 그러므로 이 문제를 해결하기 위해서는 출산과 양육 비용을 줄여 주어야 합니다. 요즘 대다수의 산모들은 병원에서 아기를 낳고 조리원에서 산후 조리를 합니다. 그런데 산모의 건강 검진, 아기의 상태 확인을 위한 각종 검사 등 출산 전과 후에 많은 비용이 듭니다. 양육 비용은 이보다 더 많이 들고요. 따라서 <u>의료 보험의 적용 범위를 확대하여 출산 전후의 비용을</u> _{지영이 제안한 해결 방안} <u>줄여 주고, 양육비를 지원하는 정책을 펴야 합니다.</u>

안명준　저출산의 원인이 경제적 부담 때문이라는 데에는 동의 합니다. 그렇지만 경제적인 지원은 한계가 있습니다. 또 한, 경제적인 지원을 위해서는 그만한 국가 재정을 마련 해야 하는데, 이것은 또다시 국민의 부담으로 돌아갈 수 밖에 없습니다. 그러므로 저출산 문제는 근본적으로 국 민들의 의식이 변해야만 해결할 수 있다고 생각합니다. <u>개인주의적 가치관을 중시하거나 편리함을 우선시하는 사회가 맞이하게 될 미래의 심각성을 알리고</u>, 자녀와 함 _{명준이 제안한 해결 방안} 께 누리는 삶의 소중한 가치를 느낄 수 있도록 다양한 홍보를 해야 합니다.

윤정선　경제적인 지원과 의식 변화 모두 좋은 말씀입니다. 그 를 위해서는 제도적인 장치가 먼저 마련되어야 할 것입 니다. 가임기의 여성들이 출산이나 육아에 부담을 느끼 지 않도록 사회 제도를 개선해야 한다는 뜻이죠. 현재 어린이집이 부족한 곳도 많고, 능력 있는 여성들이 출산 이나 육아 때문에 경력이 단절되는 경우도 많습니다. 설 령 그렇지 않더라도 직장에서 많은 불이익을 받는 것이 현실입니다. 미래 세대의 양육과 교육에 관해서 사회 전 체가 책임을 지기 위해서는 <u>여성이 사회생활을 하는 데 불이익이 없도록 고용 제도를 개선하고, 어린이집과 유 _{정선이 제안한 해결 방안} 치원을 대폭 확충해야 합니다.</u>

사회자　네, 의견을 잘 들었습니다. 저출산의 원인이 다양한 것 처럼 그 대책을 세우는 일도 쉽지 않을 듯합니다. 사 회·문화적 문제는 젊은이들의 의식을 변화시킬 수 있는 방향으로 장기적인 대책을 세워야 하고, 현실의 경제적 인 문제는 정부 차원에서 체계적인 해결책을 내놓아야 겠지요. 저출산 문제는 개인의 문제가 아니라 우리 모두 의 문제입니다. 오늘 같은 토의를 통해 모든 국민이 문제 의식을 갖고 최선의 해결 방법을 찾아야 할 것입니다. 정부도 좀 더 체계적이고 장기적인 대책을 마련하여 저 출산이라는 국가적 난제를 해결했으면 합니다.

　여러분, 토의에 적극적으로 참여해 주셔서 대단히 감 사합니다.

(1) 위의 토의가 이루어진 배경과 목적을 추론해 보자.

|예시 답안| • **토의의 배경:** 우리나라 저출산 문제의 심각성과 그 원인
• **토의의 목적:** 저출산 문제의 해결 방안 모색

(2) 발언자별로 위의 토의 내용을 정리해 보자.

|예시 답안|

	지적한 원인	제안한 대책
김지영	경제적 이유	의료 보험 적용 범위 확대와 양육비 지원
안명준	경제적 부담. 그러나 국가의 경제적 지원에는 한계가 있음.	국민의 의식 변화(자녀와 함께 누리는 삶의 가치 홍보)
윤정선	가임기 여성들의 경력이 단절되는 현실과 경제적 부담	제도적 장치 마련(여성 고용 제도 개선, 어린이집·유치원 확대)

(3) 위 토의의 결과를 발전시켜, 정부에 건의하는 글을 써 보자.

|예시 답안| 존경하는 ○○○님께
안녕하세요? 저는 ○○고등학교 토의 동아리장 김○○입니다.
우리나라의 저출산 문제가 날이 갈수록 심각해지고 있습니다. 저출산 문제가 심각해진 데에는 여러 가지 이유가 있지만 그중에서도 경제적인 부담과 여성의 경력 단절이 가장 현실적인 원인이라고 생각합니다. 출산을 비롯하여 양육 과정, 특히 부모의 손이 많이 필요한 취학 전 아동에 대한 양육비는 젊은 부모가 감당하기 어려운 수준입니다. 또한, 직장 내에서 임산부에 대한 불이익 등으로 인해 경력이 단절되는 경우도 많습니다. 따라서 저희는 다음과 같이 건의하고자 합니다.
첫째, 임신·출산·양육과 관련된 모든 의료 비용을 국가에서 지원해 주십시오. 의료 보험 적용의 범위를 확대하여 출산 전후의 비용을 줄여 주어야 합니다.
둘째, 어린이집과 유치원 비용을 국가에서 지원해 주십시오. 기본 학비뿐만 아니라 의료비, 식비, 교통비 등 양육에 필요한 모든 비용을 무료로 제공해 주어야 합니다.
셋째, 가족과 자녀의 소중함을 인식할 수 있도록 의식 개혁 운동을 전개해 주십시오. 결혼 적령기의 성인뿐만 아니라 전 국민이 저출산 문제에 관심을 가지도록 홍보할 수 있는 인력과 예산을 배정해 주어야 합니다.
넷째, 여성에게 출산과 육아로 인한 불이익이 없도록 제도적 장치를 마련해 주십시오. 출산·육아 및 여성 취업과 관련된 법률 보완, 출산·육아를 위한 유급 휴직 확대, 직장 내 어린이집·유치원 설치 등 제도적인 지원을 해 주어야 합니다.
존경하는 ○○○님! 경제적인 지원과 직장 내의 여성들을 위해 국민들의 의식 변화와 제도적 장치 마련에 힘써 주십시오. 끝까지 읽어 주셔서 감사합니다.
20○○년 ○○월 ○○일
○○고등학교 토의 동아리장 올림.

소단원 **정리하기**

출제 포인트 ❶ 화법과 작문의 층위

> 화법과 작문 활동은 개인적 차원과 사회적 차원에서 이루어집니다. 개인 내적 차원이 있고 개인과 개인 차원의 화법과 작문이 사회 차원으로 확장된다는 것을 잊지 마세요!

개인 내적 차원의 의사소통	화법과 작문의 과정에서는 명명(命名), 기억, 이해, 추론, 평가 등의 언어적 사고 작용이 이루어지는데, 이 과정에서 발신자와 수신자는 자아를 인식하고 성찰하며 타인이 자신을 바라보는 시선을 의식하게 됨.
개인과 개인 차원의 의사소통	화법과 작문의 과정에서 발신자와 수신자는 언어를 통해 정보, 가치, 태도 등을 공유하며 공동의 의미를 구성하고 발전시켜 나감.
사회 차원의 의사소통	개인과 개인 차원의 의사소통은 개인과 사회의 의사소통, 사회와 사회 간의 의사소통 등 사회 차원의 의사소통으로 확장되기도 함.

출제 포인트 ❷ 화법과 작문의 기능

> 개인 차원과 사회 차원에서 이루어지는 화법과 작문 활동은 어떤 기능을 하는지 잘 알아 두어야 해요!

자아 성장	화법과 작문 활동을 통해 자신을 점검하고 직간접적인 경험을 축적하며 성장함.
공동체 발전	화법과 작문 활동을 통해 사회·문화를 형성하고 계승·발전시키며 공동의 목적을 달성함.

출제 포인트 ❸ 의사소통 과정에서 일어나는 사고 작용

> 화법과 작문을 통해 의사소통을 할 때 어떤 사고 작용이 일어나는지, 어떤 과정을 거치는지를 알아 두어야 해요.

개인 내적 차원	• 머릿속 생각을 언어로 바꿈. • 언어 정보를 여러 방식으로 처리함. • 상대방이 제대로 이해할 수 있는 언어를 구사하고 있는지와 언어에 담긴 상대방의 의도가 무엇인지 등을 점검함.
개인과 개인 차원	• 표현: 발신자가 자기 생각과 느낌, 경험을 말이나 글로 나타냄. • 이해: 수신자는 그를 바탕으로 하여 자신의 관점에서 새롭게 의미를 구성해 냄. → 이 과정은 한쪽으로 의미가 일방적으로 전달되는 과정이 아니라 발신자와 수신자가 주고받는 과정임.

대표 문제 ❶ 화법과 작문의 층위에 대한 설명으로 적절하지 **않은** 것은?

① 개인과 개인 차원의 의사소통은 사회 차원의 의사소통으로 확장되기도 한다.

② 개인 내적 차원의 의사소통에서는 남들이 자신을 바라보는 것을 인식하고 조정한다.

③ 개인이 신문이나 잡지와 같은 대중 매체에 글을 쓰는 것은 사회와 사회 간의 의사소통에 해당한다.

④ 개인 내적 차원의 의사소통에서는 언어적 사고 작용이 이루어지는 과정에서 개인이 자아를 인식하게 된다.

⑤ 개인과 개인 차원의 의사소통 과정에서 발신자와 수신자는 언어를 통해 정보, 가치, 태도 등을 공유하게 된다.

대표 문제 ❷ 화법과 작문의 기능 두 가지를 쓰고, 각각의 예를 서술하시오.

_____

_____

대표 문제 ❸ 다음 중 의사소통 과정에서 일어나는 사고 작용에 해당하지 **않는** 것은?

① 개인 내적 차원에서는 머릿속 생각을 언어로 바꾸는 작용이 일어난다.

② 개인과 개인 차원에서 수신자는 발신자가 표현한 말이나 글을 그대로 수용하는 과정을 거친다.

③ 개인 내적 차원에서는 수신자가 제대로 이해할 수 있는 언어 구사인지 점검하는 작용이 일어난다.

④ 개인과 개인 차원에서 발신자는 자기 생각과 느낌, 경험을 말이나 글로 나타내는 과정을 거친다.

⑤ 개인 내적 차원에서는 선택한 언어 정보를 어떤 방식으로 처리할 것인지 결정하는 작용이 일어난다.

1. 의사소통으로서의 화법과 작문에 대한 설명으로 옳은 것끼리 짝지은 것은?

> ㉠ 개인 내적 차원, 개인과 개인 차원의 층위가 있으며, 개인과 개인 차원은 사회 차원의 의사소통으로 확장되기도 한다.
> ㉡ 개인이 뉴스 매체 등에 자신의 의견을 밝히는 것은 사회와 사회 간의 의사소통에 해당한다.
> ㉢ 개인과 사회의 의사소통으로는 세대와 세대 간, 직업과 직업 사이의 의사소통을 들 수 있다.
> ㉣ 개인과 개인, 개인과 사회 차원의 화법과 작문은 공동체의 문화를 발전시키는 기능을 하기도 한다.

① ㉠, ㉡   ② ㉠, ㉢   ③ ㉠, ㉣
④ ㉡, ㉢   ⑤ ㉢, ㉣

[2-3] 다음 글을 읽고 물음에 답하시오.

> 면담이 끝나기 전, 교수님은 최근에 받은 편지 한 통을 코펠에게 읽어 주었다. 전에 다른 프로그램에서 교수님에 관한 내용을 다룬 후에 그에게는 엄청난 양의 편지가 밀려들었다. 그중 펜실베이니아주의 한 학교에서 아홉 명의 어린이를 가르치는 특수 학급 교사가 아주 특별한 내용의 편지를 보내왔다. 그 학급 학생들은 모두 한쪽 부모를 잃은 아이들이었다.
> "나는 그 교사에게 이런 답장을 해 주었습니다."
> 모리 교수님은 코와 귀에 천천히 안경을 걸치면서 말했다.
> "귀하의 편지에 깊은 감동을 받았습니다. 한쪽 부모를 잃은 아이들과 함께해 온 당신의 일들이 매우 소중하게 느껴집니다. 나 또한 어린 나이에 한쪽 부모를 잃었지요."
> 카메라가 계속 돌아가고 있는데 갑자기 교수님은 안경을 고쳐 썼다. 그는 말을 멈추고 입술을 깨물었다. 그는 목이 메기 시작했고 이내 눈물을 흘렸다.
> "어릴 때 나는 어머니를 잃었는데 이는 내게 아주 큰 충격이었습니다. 그때 당신이 가르치는 학급과 같은 곳이 있어서 나도 슬픔을 털어놓을 수 있었다면 얼마나 좋았을까요? 나 역시 그 학급에 들어가고 싶었을 거예요.

> 왜냐하면……."
> 그의 목소리가 울음 때문에 갈라졌다.
> "왜냐하면 난 너무도 외로웠으니까요."
> 당황한 코펠이 물었다.
> "모리, 당신의 어머니는 돌아가신 지 70년이나 지났잖습니까? 그런데 아직도 그렇게나 고통스럽습니까?"
> "그럼요." / 우리 선생님은 그렇게 속삭였다.

2. 윗글의 의사소통 중 개인 내적 차원에 해당하는 것끼리 짝지은 것은?

> ㉠ 특수 학급 교사가 모리 교수에게 편지를 쓰려고 준비하고 생각하는 과정
> ㉡ 모리 교수가 특수 학급 교사에게 답장을 쓰려고 준비하고 생각하는 과정
> ㉢ 모리 교수가 코펠에게 특수 학교 교사와의 사연을 말하는 과정
> ㉣ 방송 프로그램에서 모리 교수에 관한 내용을 다루는 과정

① ㉠, ㉡   ② ㉠, ㉢   ③ ㉠, ㉣
④ ㉡, ㉢   ⑤ ㉢, ㉣

3. 윗글에서 이루어진 의사소통의 기능에 대한 설명으로 적절하지 **않은** 것은?

① 모리 교수와 교사는 편지를 통해 의사소통을 하면서 서로의 감정을 공유하게 되었을 것이다.
② 교사는 모리 교수에게 편지를 쓰는 의사소통의 과정에서 스스로를 성찰하며 발전하였을 것이다.
③ 모리 교수가 교사에게 보낸 답장은 의사소통이 한 개인의 삶과 분위기를 바꾸어 놓았음을 보여 준다.
④ 전에 모리 교수에 관한 내용을 다룬 후 그에게 엄청난 편지가 밀려들었다는 것은 대중 매체를 통한 의사소통의 파급력이 매우 크다는 것을 보여 준다.
⑤ 모리 교수가 교사에게 보낸 답장을 교사가 학생들에게 읽어 주었다면 교수, 교사, 학생이 직간접적으로 의사소통을 하며 감정을 공유하게 되었을 것이다.

[4–5] 다음 글을 읽고 물음에 답하시오.

나는 기차에 올랐다. 찻간까지 따라오신 아버지는 창가 쪽에 자리를 잡아 주셨다. 나는 그 자리에 아버지가 주신 자주색 외투를 깔았다. 아버지는 작별 인사를 하듯 이야기하셨다.

"얘야, 조심해서 가거라. 밤에는 각별히 주의하고, 그리고 감기 들지 않도록 잘해라."

아버지는 여기서 그치지 않고 또 기차 안의 심부름꾼에게 나를 부탁하는 것이었다. ㉠나는 속으로 아버지의 어리숙함을 비웃었다.

'돈만 아는 사람들한테 부탁은 무슨 부탁! 더군다나 나 같이 이렇게 다 큰 청년을 맡기다니. 내가 스스로 알아서 어련히 잘 할라고.'

㉡아, 지금에 와서 생각해 보니 그 당시 난 지나치게 똑똑하게 굴었던 것 같다.

나는 아버지를 안심시키는 투로 말했다.

"아버지, 이제 그만 가 보세요."

아버지는 내 말에 아랑곳하지 않고 차창 밖을 바라보시더니 이내 말씀하셨다.

"내 나가서 귤 좀 사 올 테니 너는 여기 가만히 있거라."

나는 고개를 돌려 창밖을 내다보았다. 저쪽 플랫폼 난간 밖으로 즐비하게 늘어선 상인들이 물건을 팔고 있는 것이 보였다. 하지만 그곳까지 가려면 철로를 건너야 했다. 그것도 이쪽 플랫폼에서 뛰어내린 다음 다시 저쪽 플랫폼으로 올라가야 했다. 몸이 뚱뚱하신 아버지로서는 여간 힘드는 일이 아니었다. 마땅히 내가 가야 할 것 같아 자리에서 일어났다. 그러나 아버지는 한사코 당신이 가시겠다는 것이다. 나는 하는 수 없이 도로 자리에 앉았다.

검은색 중절모를 쓰고 검은색 마고자에 남색 두루마기를 입으신 아버지의 모습이 눈에 들어왔다. 아버지는 철로 변을 약간 휘청거리면서도 천천히 살펴 가고 계셨다. 이때의 아버지는 그다지 힘들어 보이지 않았다. 이제 철로를 다 건너서 저쪽 플랫폼에 오르려고 할 때는 그리 쉽지 않을 것이다. 아버지는 먼저 양손을 플랫폼 위 바닥에 댄 채 두 다리를 모으고는 위로 오르려고 한껏 뛰겠다. 순간 뚱뚱한 몸이 중심을 잃으며 왼쪽으로 기우뚱하였다. 몹시 힘겨워하시는 모습이 역력했다.

㉢아버지의 뒷모습을 지켜보고 있던 나는 가슴이 뭉클해졌다. 나도 모르게 눈가에 눈물이 글썽거렸다. 얼른 고개를 떨구며 눈물을 훔쳤다. 남의 시선을 의식해서였지만 무엇보다 아버지한테 눈물 자국을 보이고 싶지 않았다.

4. 윗글을 읽고 내린 판단으로 적절하지 <u>않은</u> 것은?

① '아버지'와 '나' 사이에 이루어진 의사소통은 개인과 개인 차원의 의사소통에 해당한다.

② 필자가 이 글을 발표하여 독자가 읽게 되는 것은 개인과 사회 차원의 의사소통에 해당한다.

③ '아버지'와 '짐꾼', '심부름꾼' 사이에서 이루어진 의사소통은 개인과 개인 차원의 의사소통에 해당한다.

④ '나'가 '아버지'의 행동에 대해 내렸던 자신의 판단을 되짚어 다시 생각해 보는 것은 개인 내적 차원의 의사소통에 해당한다.

⑤ 이 글을 읽은 독자가 자기가 한 경험 속에서 아버지를 떠올려 다시 생각해 보는 것은 개인과 사회 차원의 의사소통에 해당한다.

5. ㉠~㉢에 대한 설명으로 적절한 것은?

① ㉠은 아버지의 행동을 보는 순간에 내린 판단으로 개인 내적 차원에서 자신에 대해 성찰을 한 결과이다.

② ㉡은 아버지에 대해 글을 쓰는 시점에 한 생각으로 개인과 개인 차원에서 자신에 대한 성찰을 한 결과이다.

③ ㉢은 아버지의 행동을 보며 느낀 것으로 개인과 개인 차원에서 의사소통을 하며 세대 간의 대화를 나눈 결과이다.

④ ㉡은 아버지의 행동에 대해 ㉠과 같이 판단했던 자신의 태도를, 개인 내적 차원에서 이루어진 성찰을 바탕으로 조정하게 된 결과이다.

⑤ ㉡은 아버지의 행동에 대해 논리적으로 판단한 결과이고 ㉢은 개인 내적 차원에서 자신에 대해 성찰함으로써 아버지와 감정을 나눈 후의 결과이다.

(3) 화법과 작문의 맥락

>> 맥락은 사회·문화적 맥락, 상황 맥락, 상호 텍스트적 맥락 등 다양하다. 형태가 같은 텍스트가 맥락에 따라 의미가 달라지는 현상을 살펴보며 화법과 작문 활동을 할 때 왜 맥락을 고려해야 하는지를 알 수 있다.

핵심 질문　화법과 작문 활동을 할 때 왜 맥락을 고려해야 할까?

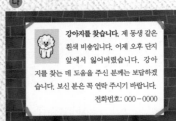

알기

• 화법과 작문에서 맥락은 어떤 기능을 하나?

| 예시 답안 | 화법과 작문에서 맥락은 발신자와 수신자가 말이나 글의 의미를 해석할 때 올바르게 해석할 수 있도록 도와주는 역할을 한다. 또한, 담화나 글이 충분한 정보를 담고 있지 않을 때 부족하거나 숨겨진 의미를 추리할 수 있는 근거가 되기도 하며, 나아가 텍스트가 실제로 어떤 가치를 지니는지 평가하는 준거 역할도 한다.

• 맥락을 구성하는 요소는 무엇인가?

| 예시 답안 | 맥락은 의사소통의 목적, 발신자와 수신자의 특성과 관계, 시간적·공간적 조건, 문화적·상호 텍스트적 배경, 담화·작문의 관습과 유형, 매체 등 다양한 요소로 구성된다.

하기

• 다양한 의사소통 상황의 맥락 분석하기

>> 다양한 상황에서의 실제 의사소통의 예를 보며 그 맥락을 추론하고 구성해 보는 활동 하기

• 맥락을 바탕으로 언어 자료 해석하기

>> 제시된 사례의 맥락을 분석하고 이를 바탕으로 다양한 언어 자료의 의미 해석하기

• 맥락을 바탕으로 화법과 작문 활동 하기

>> 화법과 작문 활동에서 맥락의 중요성과 기능에 대해 이해하고, 여러 맥락에서 화법과 작문 활동을 효과적으로 수행하는 방법 학습하기

••• (가)에서 똑같은 말이 서로 다른 뜻을 나타내는 이유는 무엇일까?

| 예시 답안 | "일요일인데요……."라는 같은 말이 상황에 따라 '월요일이 마감인데 오늘이 일요일이므로 서둘러 일을 마무리해 달라.'라는 의미와 '오늘은 일요일이므로 늦잠을 자겠다.'라는 의미를 나타내고 있다. 같은 말이지만 발신자가 이야기하고 있는 구체적인 상황 맥락이 달라서 그 의미가 달라진 것이다.

••• (나)의 두 글의 내용과 어조가 다른 이유는 무엇일까?

| 예시 답안 | '강아지'라는 같은 소재로 쓴 글이라도 그것을 둘러싼 상황과 작문 맥락에 따라 글의 내용과 어조가 달라질 수 있다. 잃어버린 강아지를 찾는 상황에서 전단지에 쓴 글과 유기견을 입양하려는 상황에서 쓴 편지는 글을 쓰는 상황과 작문 맥락이 각각 다르기 때문에 그 내용과 어조가 다르게 나타난 것이다.

알아 두기

맥락의 개념

화법과 작문의 맥락은 담화나 글을 수용하거나 생산하는 활동에 작용하는 배경을 말한다.

맥락의 종류

종류	특징
상황 맥락	• 언제, 어디서, 어떤 목적으로, 누가 참여해서 의사소통이 이루어지느냐에 따라 달라짐. • 화법과 작문에 직접 영향을 주는 시·공간적, 의사소통적 변인을 말함. • 예를 들어 친구와 사적 상황에서 나누는 대화인가 공적 상황에서 나누는 대화인가에 따라 내용과 형식이 달라짐.
사회·문화적 맥락	• 어떤 역사적, 사회적, 문화적 배경 아래에서 의사소통이 이루어지느냐에 따라 정해짐. • 의사소통이 이루어지는 역사적·사회적 배경, 공동체의 가치관과 문화, 의사소통의 규칙이나 관습, 언어적 유산 등을 가리킴. • 설득하기, 건의하기, 안내하기, 소개하기 등 의사소통 상황에 따른 독특한 관습, 호칭이나 높임법, 관용 표현 등이 사회·문화적 맥락에 속함.

맥락의 기능

• 의사소통의 경제성과 효율성을 높인다.
• 같은 맥락 안에 있는 발신자와 수신자를 긴밀하게 엮어 준다.
• 표현과 이해의 과정에서 의미를 구성하는 데 중요한 참조가 된다.

맥락과 관련된 화법과 작문의 요소

• 정확하고 효과적인 화법과 작문을 위해서는 맥락을 고려하여 표현하고 이해해야 한다.
• 맥락의 측면에서 화법과 작문 활동 시 고려할 요소는 다음과 같다.

의사소통의 목적	의사소통의 목적에 맞게 내용을 생성하고 표현해야 함.
주제	맥락을 고려하여 의사소통의 목적에 맞게 주제를 선정해야 함.
발신자와 수신자의 관계	화법과 작문 활동은 언어를 매개로 하여 발신자와 수신자가 공동으로 의미를 만들어 가는 상호 작용이므로 상호 교섭을 통해 이루어짐.
매체	어떤 매체를 선택하느냐에 따라 담화나 글의 형식이 달라짐.

화법과 작문에서의 맥락 활용

상황 맥락	문제 발견, 주제와 내용 선정, 수신자와의 관계 설정 등에서 상황 맥락을 활용함.	화법과 작문의 전 과정에서 맥락을 고려하고 활용함.
사회·문화적 맥락	담화나 글의 형식, 표현과 의사소통 방식, 배경 지식 등을 활용하여 의사소통의 효과를 높임.	

이해하기

교과서 33p

1. 화법과 작문의 맥락에 관한 다음 진술의 참과 거짓을 판단해 보자.

|예시 답안|

㉠ 맥락은 사회·문화적 배경과 상황에 따라 달라진다. 참

㉡ 어법에 맞는 말은 맥락과 관계없이 정확한 의도를 파악할 수 있다.

부분적으로 참. → 어법에 맞는 말은 정확한 의도를 파악하는 필요조건이지만 충분조건은 아니다.

㉢ 두 사람이 서로 다른 맥락에서 대화를 하면 의사소통이 어려울 수 있다. 참

㉣ 작문은 필자와 독자가 직접 대면하지 않기 때문에 맥락과 관련짓기 어렵다.

거짓 → 작문도 필자와 독자 사이의 의사소통이라는 점에서 맥락이 중요하다.

㉤ 작문의 목적에 맞는 글 유형을 선택하는 것도 맥락을 고려한 것이다. 참

2. 맥락을 바탕으로, 다음 자료를 해석하고 재구성해 보자.

가

나

(1) 위의 두 자료에 담긴 의도를 말해 보고, 이러한 변화가 생긴 배경을 알아보자.

|예시 답안|

	의도	변화가 생긴 배경
(가)	쌀을 아끼자.	· 우리나라의 쌀 생산량이 부족하다. · 밥을 배불리 먹을 수 있는 사람도 있지만 그렇지 않은 사람도 많다.
(나)	아침밥을 반드시 먹자.	· 쌀 소비량이 줄어들어 쌀이 남아돈다. · 아침을 간단히 먹거나 안 먹고 다니는 사람들이 많다.

(2) (나)의 맥락에서 다음 자료를 활용해 표어를 만들어 보자.

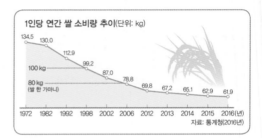

1인당 연간 쌀 소비량 추이(단위: kg)
자료: 통계청(2016년)

|예시 답안| "내가 먹는 우리 쌀, 살아나는 우리 농촌", "반을 드시나요? 조반(早飯)을 드세요." 등

적용하기

교과서 34p

3. 모둠을 만들어 다음 글을 읽고, 맥락을 고려하며 한 편의 글을 써 보자.

『우리나라 가족의 모습도 서구를 닮아 가고 있다. 한국인의
『 』: 현재 우리나라의 가족상을 진단함.
경우도 '우리 집'보다 '나'를 먼저 생각하는 사람들이 날로 늘어나는 추세이다. 식구 하나하나를 생활의 기본 단위로 보는 개인주의에 입각하여, 가족을 그 자체가 목적인 유기체로 보기보다는 식구들 각자의 개인적 목적 달성을 돕기 위한 수단적 성격의 조직체로 보는 경향이 우세하다.』물론, 모든 사람들이 서구적 가족상을 바람직하다고 생각하는 것은 아니며,

나이 든 세대 가운데는 우리나라의 전통적 가족상에 강한 애착을 느끼는 사람들도 적지 않다. 그러나 전체의 흐름은 서구적 핵가족의 방향으로 변하고 있다.
▶ 서구의 가족상을 닮아 가는 우리나라

우리나라의 전통적 가족상에는 좋은 점이 있다. <u>사람들의 자아가 개인의 테두리를 벗어나서 더욱 큰 '우리' 속에 융화된다</u>는 점이다. 작은 '나' 하나만을 지키기에 급급한 인간상보다는 좀 더 큰 '우리'를 위하여 소아(小我)를 잊을 수 있는 인간상이 바람직함에 의심의 여지가 없다.
우리의 전통적 가족상이 지닌 장점
그러나 우리나라의 전통적 가족상에는 결함도 있다. 우리나라의 전통적 가족 제도 아래서는 <u>여성의 인권이 부당하게 침해당했으며, 젊은이들의 자유가 지나친 억압을 당했다.</u>
우리의 전통적 가족상이 지닌 단점
▶ 우리나라의 전통적 가족상의 장단점

<u>개인주의의 색채가 강한 현대 서구의 가정에는 식구들이 다른 사람의 억압을 받지 않고, 각자의 뜻에 따라서 자유롭게 살 수 있다는 장점이 있다.</u>
서구적 가족상이 지닌 장점
그러나 그것은 식구들 각자가 작은 '나'의 테두리 안에 갇혀 있는 소아적 인간상을 벗어나기 어렵다는 결점도 가지고 있다.
서구적 가족상이 지닌 단점
개인과 개인 사이의 칸막이를 넘어서, 여러 사람들이 하나의 '우리'가 되어 고락을 함께하는 심성이 인간의 삶을 더욱 값진 것으로 만든다는 사실을 고려
필자의 관점이 드러남. → 가족의 가치와 중요성을 중시함.
할 때, 오늘의 서구적 가족상을 가장 바람직한 것으로 보기는 어렵다.
▶ 오늘날 변해 가는 우리의 가족상이 바람직하지는 않음.

– 김태길, 「가족 · 결혼 · 남녀」에서

갈래	수필
성격	사색적, 논리적, 교훈적, 설득적
제재	서구적 가족상과 전통적 가족상
주제	바람직한 가족상에 대한 생각
특징	전통적 가족상과 서구적 가족상의 장단점을 대비하여 필자의 생각을 뒷받침하고 현대 사회에서 전통적 가족상이 지니는 의의를 강조함.

(1) '가족상'에 관한 필자의 관점을 말해 보자.

| 예시 답안 | 필자는 가족상이 개인의 생각과 삶의 형태에 영향을 준다는 관점을 토대로 전통적 가족상과 서구적 가족상을 구별하여 각각의 장점과 단점을 비교하고 있다. 또한, 개인과 가족의 조화, 전통적 가족상과 서구적 가족상의 장점을 통해 현재 우리나라 가족상의 단점을 보완하는 것이 중요하다는 관점도 취하고 있다.

(2) (1)과 같은 필자의 관점이 다른 사람들의 가치관이나 우리 사회에 끼칠 영향을 이야기해 보자.

| 예시 답안 | 필자는 전통적 가족상과 서구적 가족상을 객관적으로 비교하고 있으나, 글의 맥락상 가족이 해체되어 가는 현대 사회에서 가족의 가치와 중요성을 강조하는 데 주안점을 두고 있음을 알 수 있다. 이와 같은 관점은 동과 서, 옛것과 새것, 개인과 공동체 등을 이원적으로 대립시켜 비교하던 사람들의 가치관이나 개인주의 색채가 강해지고 있는 우리 사회에 영향을 주어 무엇이 중요한 가치인지 깨닫게 해 줄 것이다.

(3) 모둠원끼리 서로 다른 맥락을 정하여, 각 맥락에 맞게 '가족상'에 관한 글을 200자 내외로 써 보자.

| 예시 답안 |

	제목	'반려동물'은 가족입니다.
맥락	관점	반려동물에 대한 책임을 다해야 한다.
	목적	유기견이 증가하고 주인 없는 반려동물의 안락사가 늘어나고 있는 가운데, 반려동물에 대한 책임감을 가질 수 있도록 한다.
	주제	반려동물을 가족처럼 잘 돌보자.
	매체	지역 신문 투고란
	독자	반려동물을 키우고 있거나 앞으로 키우게 될 사람들
	갈래	수필(시평)

최근 유기견과 반려동물의 안락사가 늘어나고 있다는 보도가 잇따르고 있다. 이는 반려동물을 가족으로 생각하지 않고 그저 애완동물로만 바라보기 때문이다. 귀엽다고 해서 무작정 입양하는 것보다는 장기적으로 반려동물을 키울 여건이 되는지 잘 따져 보고 입양해야 한다. 인간과 반려동물은 같은 집에서 함께 생활하는 한 가족이므로 반려동물을 끝까지 책임지고 잘 돌보아야 한다.

(4) 모둠원들의 글을 비교하며 맥락이 작문에 미치는 영향을 말해 보자.

| 예시 답안 | 생략

소단원 정리하기

출제 포인트 ❶ 맥락의 종류

화법과 작문 활동을 할 때 고려해야 하는 맥락의 종류와 그 차이점을 알고 있는지를 묻는 문제가 시험에 나올 거예요. 맥락의 개념을 명확히 이해하고, 실제 의사소통 시 상황 맥락과 사회·문화적 맥락이 어떻게 작용하는지 살펴보세요!

상황 맥락	• 언제, 어디서, 어떤 목적으로, 누가 참여해서 의사소통이 이루어지느냐에 따라 달라짐. • 화법과 작문에 직접 영향을 주는 시·공간적, 의사소통적 변인
사회·문화적 맥락	• 어떤 역사적, 사회적, 문화적 배경 아래에서 의사소통이 이루어지느냐에 따라 정해짐. • 의사소통이 이루어지는 역사적·사회적 배경, 공동체의 가치관과 문화, 의사소통의 규칙이나 관습, 언어적 유산 등

출제 포인트 ❷ 맥락의 기능

화법과 작문 활동을 할 때 맥락이 어떤 역할을 하는지에 관해 이해하고 있는지를 묻는 문제가 시험에 출제될 거예요. 구체적인 상황에서 맥락이 화법과 작문 활동에 어떻게 기여하는지를 살펴보면 맥락의 기능을 이해하는 데 도움이 될 거예요.

• 의사소통의 경제성과 효율성을 높인다.
• 같은 맥락 안에 있는 발신자와 수신자를 긴밀하게 엮어 준다.
• 표현과 이해의 과정에서 의미를 구성하는 데 중요한 참조가 된다.

출제 포인트 ❸ 맥락과 관련된 화법과 작문의 요소

맥락은 담화나 글의 수용과 생산 모두에 영향을 줄 수 있어요. 그러므로 맥락을 고려하여 화법과 작문 활동을 할 때, 화법과 작문의 어떤 요소에 맥락이 영향을 끼치는지 알아 두어야겠죠?

의사소통의 목적	의사소통의 목적에 맞게 내용을 생성하고 표현해야 함.
주제	맥락을 고려하여 의사소통의 목적에 맞게 주제를 선정해야 함.
발신자와 수신자의 관계	화법과 작문 활동은 언어를 매개로 발신자와 수신자가 함께 의미를 만들어 가는 상호 작용이므로 상호 교섭을 통해 이루어짐.
매체	어떤 매체를 선택하느냐에 따라 담화나 글의 형식이 달라짐.

대표 문제 ❶ 화법과 작문의 맥락에 대한 설명으로 적절하지 <u>않은</u> 것은?

① 의사소통 상황에 따른 독특한 관습을 따르는 것은 상황 맥락을 고려하는 것이다.
② 호칭이나 높임법, 관용 표현 등은 화법과 작문 활동을 할 때 고려해야 할 사회·문화적 맥락에 해당한다.
③ 언어 공동체마다 가지고 있는 의사소통의 규칙이나 관습을 따르는 것은 사회·문화적 맥락을 고려하는 것이다.
④ 의사소통이 이루어지는 공동체의 가치관과 문화라는 사회·문화적 맥락을 고려해야 의사소통을 원활하게 할 수 있다.
⑤ 두 사람이 사적 관계에서 대화를 나눌 때와 공적 관계에서 대화를 나눌 때 내용과 형식이 달라지는 것은 상황 맥락에 따른 것이다.

대표 문제 ❷ 발신자와 수신자의 관계에서 맥락이 어떤 기능을 하는지 서술하시오.

_____

_____

대표 문제 ❸ 맥락과 관련된 화법과 작문의 요소에 대한 설명으로 적절한 것은?

① 어떤 매체를 선택하느냐에 따라 담화나 글의 주제가 달라진다.
② 내용을 생성하고 표현할 때는 의사소통의 목적을 고려해야 한다.
③ 발신자와 수신자는 각자의 의미를 전달하는 일방향적 관계에 있다.
④ 맥락을 고려하여 주제를 선정할 때는 수신자의 수준보다 형식에 주안점을 두어야 한다.
⑤ 효과적으로 화법과 작문 활동을 하려면 맥락과 상관없이 어법에 맞는 정확한 표현을 사용해야 한다.

소단원 시험 예상 문제

학습 활동 응용

1. 화법과 작문의 맥락에 대한 설명으로 옳은 것끼리 짝지은 것은?

> ㉠ 맥락은 사회·문화적 배경과 상황에 따라 달라진다.
> ㉡ 어법에 맞는 말은 맥락과 관계없이 정확한 의도를 파악할 수 있다.
> ㉢ 작문의 목적에 맞는 글 유형을 선택하는 것은 맥락을 고려한 것이다.
> ㉣ 두 사람이 서로 다른 맥락에서 대화를 하면 의사소통이 어려울 수 있다.
> ㉤ 작문은 필자와 독자가 직접 대면하지 않기 때문에 맥락과 관련짓기 어렵다.

① ㉠, ㉡, ㉢ ② ㉠, ㉢, ㉣ ③ ㉠, ㉣, ㉤
④ ㉡, ㉣, ㉤ ⑤ ㉢, ㉣, ㉤

[2~3] 다음 글을 읽고 물음에 답하시오.

우리나라 가족의 모습도 서구를 닮아 가고 있다. 한국인의 경우도 '우리 집'보다 '나'를 먼저 생각하는 사람들이 날로 늘어나는 추세이다. 식구 하나하나를 생활의 기본 단위로 보는 개인주의에 입각하여, 가족을 그 자체가 목적인 유기체로 보기보다는 식구들 각자의 개인적 목적 달성을 돕기 위한 수단적 성격의 조직체로 보는 경향이 우세하다. 물론, 모든 사람들이 서구적 가족상을 바람직하다고 생각하는 것은 아니며, 나이 든 세대 가운데는 우리나라의 전통적 가족상에 강한 애착을 느끼는 사람들도 적지 않다. 그러나 전체의 흐름은 서구적 핵가족의 방향으로 변하고 있다.

우리나라의 전통적 가족상에는 좋은 점이 있다. 사람들의 자아가 개인의 테두리를 벗어나서 더욱 큰 '우리' 속에 융화된다는 점이다. 작은 '나' 하나만을 지키기에 급급한 인간상보다는 좀 더 큰 '우리'를 위하여 소아(小我)를 잊을 수 있는 인간상이 바람직함에 의심의 여지가 없다. 그러나 우리나라의 전통적 가족상에는 결함도 있다. 우리나라의 전통적 가족 제도 아래서는 여성의 인권이 부당하게 침해당했으며, 젊은이들의 자유가 지나친 억압을 당했다. 개인주의의 색채가 강한 현대 서구의 가정에는 식구들이 다른 사람의 억압을 받지 않고, 각자의 뜻에 따라서 자

유롭게 살 수 있다는 장점이 있다. 그러나 그것은 식구들 각자가 작은 '나'의 테두리 안에 갇혀 있는 소아적 인간상을 벗어나기 어렵다는 결점도 가지고 있다. 개인과 개인 사이의 칸막이를 넘어서, 여러 사람들이 하나의 '우리'가 되어 고락을 함께하는 심성이 인간의 삶을 더욱 값진 것으로 만든다는 사실을 고려할 때, 오늘의 서구적 가족상을 가장 바람직한 것으로 보기는 어렵다.

2. 윗글의 맥락에 대한 설명으로 가장 적절한 것은?

① 작문의 목적은 우리나라의 가족상에 대한 정보를 전달하는 데 있다.
② 문제 상황과 해결 방안을 제시하는 건의문의 작문 관습을 따르고 있다.
③ 현대 사회의 바람직한 가족상에 대한 생각이라는 주제를 전달하고 있다.
④ '우리'가 아닌 '나'를 먼저 생각하는 서구의 사회·문화적 관습을 따르고 있다.
⑤ 우리나라의 전통적 가족상에 대해 비판적인 입장에 있는 독자를 대상으로 하고 있다.

3. 윗글을 쓰기 전 필자가 다음과 같은 개요를 작성했다고 할 때 개요의 내용 중 윗글에 반영되지 않은 것은?

> Ⅰ. 우리나라 가족의 변화 양상
> • 가족에 대한 생각의 변화
> • 서구적 핵가족으로의 변화·····················㉠
> Ⅱ. 우리나라의 전통적 가족상의 장단점
> • 장점: '우리' 속에서의 융화·····················㉡
> • 단점: 여성의 인권 유린, 젊은이들의 자유 억압
> • 평가: 전통적 가족상으로의 회귀의 필요성 ······㉢
> Ⅲ. 서구적 가족상의 장단점
> • 장점: 개인의 자유 존중 ·····················㉣
> • 단점: 소아(小我)적 인간상을 벗어나기 어려움.
> • 평가: 가장 바람직한 것으로 보기 어려움.·······㉤

① ㉠ ② ㉡ ③ ㉢
④ ㉣ ⑤ ㉤

중단원 마무리

스스로 정리하기

(1) 사회적 의사소통으로서의 화법과 작문

의사소통의 개념

발신자와 수신자가 서로 말이나 글을 주고받으며 ❶□□의 목표를 달성해 가는 행위

사회적 의사소통으로서의 화법과 작문

'작은 사회'에서 이루어지는 의사소통	'큰 사회'에서 이루어지는 의사소통
사적 관계에서 이루어지는 의사소통	❷□□ 상황에서 이루어지는 의사소통

↓↑

언어문화 형성 사회 공동의 가치 실현

(2) 화법과 작문의 층위와 기능

층위	특징	기능
개인 내적	발신자와 수신자의 자아 인식과 성찰, 타인의 시선 의식	❸□□ 성찰, 발전
개인과 개인	표현과 이해의 과정을 통해 공동의 의미 구성, 발전	사회 구성원들의 동질감 형성, ❹□□□ 문화 발전

(3) 화법과 작문의 맥락

맥락의 종류

종류	특징
❺□□ 맥락	화법과 작문에 직접 영향을 주는 시·공간적, 의사소통적 변인
❻□□·□□□ 맥락	의사소통이 이루어지는 역사적·사회적 배경, 공동체의 가치관과 문화, 의사소통의 규칙이나 관습, 언어적 유산 등

맥락과 관련된 화법과 작문의 요소

의사소통의 목적	목적에 맞게 내용 생성, 표현
❼□□	맥락 고려, 목적에 맞게 선정
발신자와 수신자의 관계	발신자와 수신자가 공동으로 의미를 만들어 가는 상호 작용
매체	어떤 매체를 선택하느냐에 따라 담화나 글의 형식이 달라짐.

확장하기

다음 과제를 수행하며 이 단원의 목표를 다시 한번 환기해 보자.

화법과 작문에 관한 격언을 만들어서 모음집 엮기

말하기, 듣기, 쓰기란 무엇이며 이들이 어떤 기능을 하는지를 압축적으로 보여 주는 격언을 만들어 모음집을 엮어 보자.

⋯▸ "말은 ……", "글은 ……" 또는 "참된 말하기는 ……", "좋은 청자는 ……", "인간은 글을 쓰면서 ……"와 같은 형태로 한 문장의 격언을 만든다. 이미 있는 격언들을 찾아서 창의적으로 바꾸어도 좋다.

임의의 표현을 골라 맥락을 부여하기

임의의 구 혹은 문장을 골라 적절한 맥락을 만들고, 그 맥락에서 구나 문장이 어떤 의미를 지니는지 말해 보자.

⋯▸ 주변에서 보이는 짧은 표현들을 골라, 그런 표현이 나올 법한 상황을 상상하여 맥락을 구성하고 그 맥락에 따라 고른 표현들의 의미를 설명한다. 가급적 다른 사람이 예측하지 못할 맥락을 구성해 보자.

책 표지와 삽화 전시하기

읽은 책 중에서 표지나 삽화가 인상적인 것을 골라 전시회를 열어 보자.

⋯▸ 디자인 측면에서 잘 구성된 표지, 개성이 살아 있고 책의 내용과 부합하는 삽화 등을 선정하여 책 내용과 함께 간단한 설명을 붙여서 다양한 방식으로 전시한다.

|정답| ❶ 공동 ❷ 공적 ❸ 자아 ❹ 공동체 ❺ 상황 ❻ 사회·문화적 ❼ 주제

화법과 작문에 관한 격언을 만들어서 모음집 엮기

다음 활동은 위의 '확장하기' 활동 가운데 '화법과 작문에 관한 격언을 만들어서 모음집 엮기' 활동이다. 화법이나 작문과 관련 있는 다양한 격언들을 찾아 정리하고, 그중 일부를 수정 혹은 변형하여 화법과 작문의 특징, 기능 등을 압축적으로 보여 주는 격언 모음집을 만들어 보자.

) 활동 순서

1. 기존의 격언 찾아보기	→	2. 격언을 수정하거나 변형하기	→	3. 격언 모음집 만들기
화법이나 작문과 관련 있는 다양한 격언 찾아보기 또는 새로운 격언 만들기		기존 격언을 화법과 작문의 특징, 기능 등이 잘 드러나도록 수정하거나 변형하기		수집, 수정, 변형, 창조한 격언들을 보기 좋게 엮어 모음집 만들기

1. 기존의 격언 찾아보기

• 화법과 관련 있는 격언

① 사람을 이롭게 하는 말은 따뜻하기가 솜과 같고, 사람을 상하게 하는 말은 날카롭기가 가시 같아서 한마디 말이 사람을 이롭게 하기가 천금과 같고, 한마디 말이 사람을 다치게 함은 아프기가 칼로 베는 것과 같다.
- 「명심보감」

② 가는 말이 고와야 오는 말이 곱다.

③ 한 마디의 말이 들어맞지 않으면 천 마디의 말을 더 해도 소용이 없다. 그러기에 중심이 되는 한 마디를 삼가서 해야 한다. 중심을 찌르지 못하는 말일진대 차라리 입 밖에 내지 않느니만 못하다.
- 「채근담」

④ 질병은 입을 쫓아 들어가고 화근은 입을 쫓아 나온다.
- 「태평어람」

⑤ 말을 많이 한다는 것과 잘한다는 것은 별개이다.
- 소포클레스

• 작문과 관련 있는 격언

① 글이란 도(道)를 밝히는 그릇이다.
- 「동문선」

② 아름다운 글을 즐기고, 그 속에 담긴 의미를 그대의 것으로 만들어야 한다.
- 그라시안

③ 글쓰기는 내면을 들여다보고 다가올 미래를 그려 볼 좋은 기회다. 그러나 몸과 마음에서 우러나지 않고 풍부한 지식을 과시하기 위해 쓰는 글은 자신의 앞날에 걸림돌이 될 뿐이다.
- 나카타니 아키히로

④ 노력 즉, 고생도 없이 써 갈긴 책은 독자에게 아무런 기쁨도 줄 수 없는 그저 종이와 시간의 낭비일 뿐이다.
- 사무엘 존슨

• 새로 만든 격언

① 말[馬]은 잘 타야 하고 말(언어)은 잘 사용해야 한다.
② 글은 그 사람의 내면을 보여 주고 글씨는 성격을 보여 준다.
③ 참된 말하기는 말하지 않는 데에 핵심이 있는 말하기이다.
④ 좋은 청자는 좋은 화자를 만든다.
⑤ 인간은 글을 쓰면서 자신과 세계를 읽는다.

2. 격언을 수정하거나 변형하기

• 가루는 칠수록 고와지고 말은 할수록 거칠어진다.
  → 가루는 칠수록 줄고 말은 할수록 는다.

• 뭇사람의 말은 쇠도 녹인다.
  → 시청자 댓글은 드라마 결말도 바꾼다.

3. 격언 모음집 만들기

• 색지에 격언을 적고 그림 등을 그려 꾸민 뒤 엮어 책으로 만들기
• 격언들을 죽 늘어놓지 않고 주제별로 엮기

> **보충 자료**
>
> **말 자체가 가지는 힘의 측면**
>
> 말은 그 자체로 내적인 힘을 가지고 있다. 이런 힘은 언어를 통해 세계를 규정하고 인식한다는 측면과도 사뭇 다르다. 속담에서 말하는 말의 힘은 신성한 힘으로써 인간의 운명을 결정짓는 힘이다. 동양권 문화에서 작명(作名)이 중요한 의미를 갖는 것도 이런 측면에서 이해될 수 있다.
>
> ㉪ • 범도 제 소리하면 오고 사람도 제 말 하면 온다.
> • 호랑이도 제 말 하면 온다.
> • 말이 씨 된다.
>
> **말을 통해 이루게 되는 실질적인 효과, 특히 금전적인 효과, 인간관계상의 효과 등의 측면**
>
> 말을 어떻게 하면 상대에게 정확하게 전달하느냐도 중요하지만 그보다 어떻게 하면 말을 통해 실질적인 효과를 얻을 수 있느냐에 더 초점을 맞춘다는 것이다. 심지어는 거짓말조차도 결과적으로 실질적인 힘을 갖기 때문에 그 가치를 인정받는다.
>
> ㉪ • 말 한마디에 천 냥 빚 갚는다.
> • 말이 고마우면 비지 사러 갔다 두부 사 온다.
> • 거짓말이 외삼촌보다 낫다.
>
> - 이창덕 외, 「삶과 화법」

2

화법과
작문의 가치

– 르누아르, 「책 읽는 소녀」

단원의 짜임

진심이 담긴 말과 글의 가치 이해하기

진심이 담긴 말이나 글의 가치를 이해하고
⋯› 구체적인 상황에서 진심을 담아 의사소통하는 태도를 기른다.

진심이 담긴 책 읽기

진심이 담긴 글이 실려 있는 책을 한 권 선정해 읽고
⋯› 독서 일지를 쓰며 중심 내용과 감상을 정리해 본다.

진심이 담긴 글 쓰기

진심이 담긴 글을 쓸 계획을 세우고
⋯› 읽은 책에서 알맞은 표현을 인용하여 독자에게 자신의 진심을 전하는 글을 써 본다.

우리는 일상생활에서 주로 의견을 표시하거나 정보를 전달하기 위해 말하고 쓴다. 화법과 작문의 일상적 목적 그런데 단순한 의견 표시나 정보 전달의 언어라 할지라도, 그 안에 화자나 필자의 진심을 담으면 의견이나 정보에 관한 신뢰도가 높아지기 때문에 표현과 전달의 효과가 더욱 커진 의사소통에서 진정성이 필요한 까닭 다. 깨달음이나 감동을 전하고자 할 때도 진심을 담는 것이 중요함은 말할 것도 없다. ▶ 말과 글에 진심을 담는 것의 중요함

말이나 글에는 진심을 담아야 자신의 마음을 온전히 나타낼 수 있고, 나아가 말하거나 글을 쓰는 목적을 이룰 수 있다. 누군가에게 고백하거나 사과해야 할 때, 조언을 하거나 상담을 해 주어야 할 때와 같은 상황에서는 말이나 글에 담긴 진심이 특히 빛을 낸다. ▶ 진심이 담긴 말과 글의 가치

진심을 담아 말하거나 글을 쓰는 데 화려한 수식이나 기교가 필요한 것은 아니다. 조금은 서툴고 세련되지 않더라도, 상대방의 상황과 기분을 헤아려 가며 진심을 담아 한 단어 말과 글에 진심을 담는 방법 한 단어, 한 문장 한 문장 표현할 때 상대를 감동시킬 수 있다. ▶ 말과 글에 진심을 담아 표현하는 방법

이 단원에서는 진심을 담은 말이나 글의 가치를 이해하고, 독서 활동을 통해 진정성을 갖추어 의사소통하는 태도를 기르기로 한다. '단원의 짜임'을 중심으로 학습할 내용을 확인해 보자. ▶ 학습할 내용 안내

진심을 담은 말과 글

핵심 질문 진심을 담아 의사소통을 하려면 어떻게 해야 할까?

>> 진심은 참되고 믿을 만하며 솔직한 마음으로, 진솔한 표현을 통해 드러난다. 언제나 진심을 담아 진솔하게 표현하는 것은 쉽지 않지만 바람직한 의사소통은 진심을 기반으로 한다는 점을 잊어서는 안 된다. 또한, 아주 특별한 경우를 제외하면 진심을 진솔하게 표현하는 것만큼 효과적인 의사소통의 방법은 없다. 논리적인 내용 구성이나 수사적 기술만이 아니라 진심이 담긴 진정성이 사람들에게 감동을 주고 공감을 유발하는 힘의 원천이 된다.

알기

• **진심을 담은 말이나 글은 어떤 효과를 낳나?**

l 예시 답안 l 진심을 담은 말이나 글은 청자나 독자에게 감동을 주어 긍정적인 효과를 낳을 수 있다.

• **독서는 진심을 담은 화법과 작문에 어떤 도움을 주나?**

l 예시 답안 l 필자는 글을 쓸 때 항상 자신의 글을 읽을 독자를 머리에 떠올리며 진심을 담아 글을 쓴다. 따라서 독서를 하다 보면 어떤 표현으로 말하고 쓰는 것이 청자나 독자에게 더 큰 감동을 줄 수 있는지를 자연스럽게 깨달을 수 있다.

하기

• **진심이 담긴 말이나 글의 가치 이해하기**

>> 구체적인 경험을 떠올려 보거나 대중 매체에 소개된 여러 상황 중에서 진심이 담긴 표현이 상대방에게 감동을 주었던 사례를 찾아보고, 진심이 담긴 말과 글이 어떤 가치를 지니는지 알아보기

• **진심을 담아 생각과 느낌 표현하기**

>> 자신의 생각과 느낌을 진솔하게 표현해 보는 활동 하기

• **독서 활동을 하며 진심을 이해하고 표현하기**

>> 진심이 담긴 책을 읽으며 독서 일지를 작성하고 그것을 바탕으로 진심이 담긴 글을 직접 써 보기

••• 위 그림의 청자나 독자가 말이나 글에서 감동을 받았다면 그 까닭은 무엇일까?

l 예시 답안 l 상대방이 청자나 독자가 처한 상황이나 감정을 헤아려 진심을 담은 말을 해 주었거나 진심이 담긴 글을 써 주었기 때문에 감동을 받았을 것이다.

••• 말이나 글에 진심을 담기 위해서는 어떻게 해야 할까?

l 예시 답안 l 말이나 글에 진심을 담기 위해서는 자기의 감정을 솔직하게 표현하고 상대방을 존중·배려하면서 말을 하거나 글을 써야 한다. 이를 위해서는 상대방이 어떤 상황에 처해 있고 어떤 감정을 가지고 있는지, 무엇을 기대하고 요구하는지 등을 파악한 뒤 그것을 고려하여 자기의 생각과 감정을 진술한 표현으로 드러내야 한다.

소단원
학습 활동

 진심이 담긴 말과 글의 가치 이해하기

교과서 41p

1. 다음 글을 읽고, 아래의 활동을 해 보자.

"오늘이 마지막 비행"
손님 울컥하게 한 60대 기장의 마지막 안내 방송

○○ 항공 기장의 마지막 기내 방송이 화제를 모으고 있다.
중심 화제
지난 30일 한 온라인 커뮤니티에는 '○○ 항공 기장님의 뜻밖
의 고백에 울컥'이라는 제목의 글이 올라왔다. 글에 따르면 글
쓴이는 베트남에서 귀국하는 비행기를 타고 있었다. 인천국
제공항에 비행기가 착륙을 하고 나서 기장의 안내 방송이 나
왔다.

기장은 "승객 여러분, 이 비행기는 방금 대한민국의 인천국
제공항에 도착했습니다. 이 비행은 조종사로서 제 인생에서
의 마지막 비행이었습니다."라고 말문을 열었다.

이어 기장은 『"20대 초반 청년이 약 14년간 공군 전투기를
 『 』:자신의 삶을 요약적으로 제시함.
조종하며 우리 조국의 영공을 지켰습니다. 이후 약 26년여 기
간 동안 ○○ 항공 한곳에서 조종사로 근무하며 60대의 나이
가 되도록 약 40여 년 이상 비행을 했고, 방금 그 비행을 끝
마쳤습니다."』라고 말했다.

아울러 기장은 "그동안 승객 여러분을 안전하게 모시기 위
               기장의 진심이 담긴 말
해 최선의 노력을 다했다고 이제야 고백합니다."라고 이야기
했다.

이 말을 들은 사람들은 박수를 치며 기장의 마지막 비행에
               진심을 담은 기장의 말에 감동을 받은 승객들
보답했다. 글쓴이는 "덤덤하게 읊조리는 듯한 기장의 말투에
울컥했다."라며 "이런 경우는 처음이었다."라고 전했다.

이에 ○○ 항공 관계자는 "해당 기장은 하노이에서 인천으
로 향하는 마지막 운항을 안전하게 마치고 정년 퇴임했다."라
고 설명했다. ▶ 진심을 담은 기장의 말과 그에 감동받은 승객들
                          ─ 『조선일보』, 2017. 7. 31.

---

(1) 마지막 비행을 마친 ○○ 항공 기장이 한 말의 내용과 형식을 정리해 보자.

|예시 답안|

내용	형식
○○ 항공 기장은 오늘 비행이 조종사로서의 마지막 비행이라는 것을 안내 방송으로 알린 뒤, 조종사로서의 지난 경력과 조종을 하면서 지녔던 자신의 마음가짐을 덧붙여 이야기하였다.	기내 방송을 통해 덤덤하게 읊조리듯 고백적인 어조로 말했다.

(2) 방송을 들은 승객들이 박수를 친 까닭을 생각해 보자.

|예시 답안| 기내에 있던 승객들은 지난 40여 년간 조종사로서의 인생을 덤덤하게 읊조리듯 말하는 기장의 말에서 진심을 느끼고 감동을 받아 박수를 쳤을 것이다.

(3) 온라인 커뮤니티에 글을 쓴 사람이 기장의 말에 울컥한 까닭을 이야기해 보자.

|예시 답안| • 조종사가 진심을 담아 이번 비행이 자신의 마지막 비행이었음을 알렸기 때문이다.
• 인생의 대부분을 차지했던 조종사로서의 삶을 마무리하는 사람의 감정을 헤아렸기 때문이다.
• 군인으로서 국가를 위해, ○○ 항공기 조종사로서 승객을 위해 최선의 노력을 다한 사람의 삶에 대해 감동했기 때문이다.

(4) 위의 일화를 바탕으로, 어떤 말과 글이 사람들에게 감동을 줄 수 있는지 생각해 보자.

|예시 답안| • 자신의 경험을 바탕으로 삶에 대한 진정성이나 솔직함 등을 보여 주면 사람들이 감동을 받는 것 같다.
• 과장이나 왜곡 없이 솔직한 마음을 드러내는 말과 글이 사람들에게 감동을 주는 것 같다.

교과서 43p

2. 다음 글을 읽고, 아래의 활동을 해 보자.

목표 지향적 삶보다 경로 지향적 삶을 살아라

서른 살이 넘어도 아직 인생의 방향을 잡지 못하고 공연히 속도만 내는 젊은이들을 가끔 본다. 그럴 경우, 어떤 젊음의 속도를 낸들 그 속도가 무슨 의미가 있을까. 잘못 들어선 산길에서는 아무리 바쁜 걸음으로 걸어도 산정에 다다를 수 없다. 내비게이션을 따라 운전하다가 아차 하는 순간 방향을 놓치고도 미처 그 사실을 모른다면 아무리 달려도 목적지는 나타나지 않는다. ▶ 인생의 방향을 잡지 못하고 속도만 내는 것에 관한 비판

『인천국제공항에서 비행기가 아무런 목적지도 방향도 없이 이륙했다면 그 비행기는 아무 데도 착륙하지 못하고 인천국제공항으로 되돌아오지 않으면 안 된다. 비행기도 방향 없이 속도를 내지 않고, 배도 방향 없이 달려가지 않는다. 만일 그 배가 돛단배라면 바람의 방향에 의해 움직이는 게 아니라 돛의 방향에 의해 움직인다. 돛단배의 방향은 바람의 방향에 달려 있는 게 아니라 돛의 방향에 달려 있다.

인생의 방향도 타의에 의해 설정되는 게 아니라 나 자신의 의지와 결단에 의해 설정된다. 물론 그 방향은 선하고 성실한 방향이어야 한다. 선한 방향이 아니면 누구의 인생이든 한 걸음도 나아갈 수 없다.』 ▶ 선하고 성실한 방향으로 인생의 방향을 정해야 함.

인생이라는 여행의 방향이 정해진 뒤에는 목표 지향적 여행보다 경로 지향적 여행이 더 바람직하다. 『목표 지향적 여행을 하게 되면 자칫 방향보다 속도를 먼저 생각하게 된다. 자본주의의 천박한 속성인 경쟁에서 낙오되지 않기 위해 가능한 한 빠른 속도를 내려고 한다. 조금이라도 남에게 뒤처지면 인생 자체가 낙오된 듯 여긴다.』

그러나 경로 지향적 여행을 하게 되면 인생의 속도는 줄어든다. 어디를 거쳐 어디를 가는 게 좋을까, 그곳에서 누구를 만나 며칠 밤을 묵고 갈까 하는 여유를 지니게 된다. 그런 여유 속에서 인생은 목표보다는 경로가, 속도보다는 과정이 더 중요하다는 것을 깨닫게 되고 인생의 길 또한 하나가 아니라 여러 개라는 사실을 깨닫게 된다. 이 오솔길을 걸어가다가 저

오솔길로 걸어갈 수도 있다는 사실을 알게 돼 가다가 쉬고 싶으면 쉬고 되돌아가고 싶으면 다시 돌아갈 수 있게 된다. 인생의 깊이와 넓이가 더 깊고 넓어짐으로써 자족하는 기쁨과 평화를 얻게 된다.

목표 지향적 여행을 하게 되면 인생의 길은 오직 하나다. 그 길이 끝나면 인생이 곧 끝나 버리는 줄 알고 좌절하게 된다. 인생의 여행길에서 누구나 짊어지고 가야 할 짐조차 던져 버린다. 목표 지향에서 오는 속도 때문에, 목표를 향해 빨리 가려고 하는 조급한 마음 때문에 인생에 꼭 필요한 고통이라는 짐이 무겁게만 느껴진다. 그러나 가끔 주위를 둘러보며 이곳저곳을 기웃거리며 가는 경로 지향적 여행의 과정 속에서는 무거운 짐도 가벼워진다. 굳이 빨리 갈 필요가 없기 때문에 짐이 무거우면 잠시 내려놓고 쉬게 된다.
▶ 목표 지향적 삶의 위험성과 경로 지향적 삶의 순기능

『오늘 나는 어떤 목표를 설정해 놓고 그 목표를 향해 뒤도 돌아보지 않고 뛰어가고 있는 것은 아닌지 나를 들여다본다. 내가 짊어지고 가는 인생의 짐이 너무 무겁다고 가벼워 보이는 다른 사람의 짐을 마냥 부러워하는 것은 아닌지 성찰해 본다. 내 인생이라는 여행에서 가장 중요한 것은 목표와 속도가 아니라 경로와 과정이다.』 ▶ 자신의 삶을 성찰함.

– 정호승, 「당신이 없으면 내가 없습니다」에서

갈래	수필
성격	설득적, 교훈적
제재	목표 지향적 삶과 경로 지향적 삶
주제	인생의 방향을 정한 후 경로 지향적인 삶을 살자.
특징	• 목표 지향적 삶과 경로 지향적 삶을 비교·대조하면서 경로 지향적인 삶을 살아야 함을 강조하고 있음. • 인생을 여행에 비유하여 독자들의 이해를 돕고 있음. • 자신의 이야기를 함으로써 공감을 유발하며 독자에게 자신의 진심을 전하고 있음.

(1) 윗글의 필자가 상정한 독자는 누구이고, 글을 쓴 목적은 무엇인지 생각해 보자.

|예시 답안|

독자	목적
인생의 방향을 잡지 못하고 목적 없이 속도만 내는 젊은이들	삶을 대하는 태도를 목표 지향적 삶에서 경로 지향적 삶으로 바꾸도록 설득하기 위함.

소단원 학습 활동

(2) (1)에서 정리한 내용을 고려할 때, 윗글의 필자가 독자에게 궁극적으로 말하고자 하는 바는 무엇이겠는지 말해 보자.

|예시 답안| 인생에서 중요한 것은 목표와 속도가 아니라 경로와 과정이다.

(3) 윗글의 마지막 문단 내용을 참고하여, 필자가 어떻게 독자들의 공감을 이끌어 내고 있는지 말해 보자.

|예시 답안| 자신이 하고 싶은 말을 스스로에게 적용하여 돌아보고 성찰하는 형식을 취함으로써 독자들의 공감을 이끌어 내고 있다.

(4) 진심이 담긴 말이나 글을 통해 감정 변화를 느꼈던 자신의 경험을 떠올려 보고, 그때 왜 그런 감정의 변화를 느꼈는지 생각해 보자.

|예시 답안| 시험을 앞두고 공부에 대한 자신감이 떨어져 선생님과 상담을 했다. 선생님께서는 학창 시절 경험했던 일을 말씀해 주시면서 조언을 해 주셨다. 선생님께서 직접 경험하고 좋은 결과를 얻었던 공부법을 알려 주시는 것에서 진정성이 느껴졌다. 선생님과 상담 후 자신감이 생겨 시험을 잘 볼 수 있었다.

3. 다음은 진심이 담긴 글과 그 글을 읽고 작성한 독서 일지이다. 아래의 예를 참고하여, 진심이 담긴 책을 찾아 읽고 독서 일지를 작성해 보자.

아파트는 그 내부의 면적이 어떠하거나 같은 높이의 단일한 평면을 나누어 사용하게 되어 있다. 보통 집, 아니 다시 내 아내의 표현을 빌리면 땅집은 아무리 그 면적이 좁더라도 단일한 평면을 분할하게 되어 있지 않다. 다락방이나 지하실은 거실이나 안방과 같은 높이의 평면 위에 있지 않다. 그것들은 거실이나 안방보다 높거나 낮다. 그런데 아파트는 모든 방의 높이가 같다. 다만 분할된 곳의 크기가 다를 뿐이다. 그렇기 때문에 아파트에서의 삶은 입체감을 갖고 있지 않다. 아파트에서는 부엌이나 안방이나 화장실이나 거실이 다 같은 높이

아파트의 특징 ①
땅집의 특징
아파트의 특징 ②

의 평면 위에 있다. 그것보다 밑에 또는 위에 있는 것은 다른 사람의 아파트이다. 좀 심한 표현을 쓴다면 아파트에서는 모든 것이 평면적이다. 깊이가 없는 것이다. 사물은 아파트에서 그 부피를 잃고 평면 위에 선으로 존재하는 그림과 같이 되어 버린다. 모든 것은 한 평면 위에 나열되어 있다. 그래서 한눈에 들어오게 되어 있다. 아파트에는 사람이나 물건이나 다 같이 자신을 숨길 데가 없다. 모든 것이 열려 있다. 그러나 그 열림은 깊이가 있는 열림이 아니라 표피적인 열림이다. [중략]

아파트의 특징 ③
▶ 평면적이고 표피적인 열림이 있는 아파트에서의 삶

내가 태어나서 자란 곳은 남도의 조그마한 섬이다. 그곳은 예술가들이 많이 태어나서 이제는 꽤 이름이 알려진 곳이다. 아무튼 그 조그마한 섬에서, 『나는 산에 올라가 산 나무 열매를 따 먹거나, 떼 지어 몰려다니며 밭에서 자라는 온갖 것들을 몰래 맛보거나—목화꽃을 따 먹을 때에, 무나 감자를 몰래 캐 먹을 때에, 옥수수를 불에 구워 먹을 때에 우리는 얼마나 즐거웠던가. 어른들에게 들킬지도 모른다는 무서움까지도 우리에게는 즐거움이었다. —선창에 나가 서너 시간씩 바다를 바라보고 앉아 있으면서 어린 시절을 보냈다.』 지금도 내 어린 시절을 회상할 때면, 옻나무나 발목까지 빠지던 펄의 감촉이 맨 처음 되살아 나오고, 가도 가도 끝이 없던 여름날의 황톳길의 더위와 모깃불의 매캐한 냄새가 나를 가득 채운다. 나는 내 아이들에게 그 자연을 살게 할 수가 없는 것이다. 그 대신에 내가 소풍날에야 한두 개 얻어먹었던 삶은 달걀이나, 내가 고등학교 때에야 맛본 짜장면 따위를 시켜 주며, 그들의 관심을 '원더우먼'이나 '육백만 불의 사나이'로 돌려놓고 있다. 나의 바다와 산은 '원더우먼'이나 '육백만 불의 사나이'의 달리기와 높이 뛰어오르기 또는 높은 데서 뛰어내리기로 바뀌어져 있다. 좋은 자연을 보고 숨 쉬는 대신에 이제는 하도 먹어 맛도 없는 달걀이나 짜장면을 먹고 자라는 내 불쌍한 아이들! [중략] 나도 내 아이들처럼 아파트의 삶에 완전히 길들여져 있다. 그래서 내 주위의 모든 것을 엷게 본다. 거기에서 벗어나기란 얼마나 힘이 드는가. 그것은 거기에서 벗어나야 된다는 당위만으로 벗어날 수 있는 게 아니다. 아파트에서 벗어나야, 아니 땅집으로 가야 사물과 인간의 두께를 발견할 수 있다는 생각 자체가, 이미 내가 아파트에서의 삶에 깊이 물들어 있음을 보여 준다.

「 」: 자연과 함께했던 어린 시절의 삶
도시에서의 삶을 살고 있기 때문에
1970년대에 인기를 끌었던 미국 드라마
아파트에 살면서 자연과 교감하지 못하는 아이들에 대한 연민의 표현
필자의 자기반성, 자기모순적 사고
아파트에서의 삶에 길들여져 있기 때문에
얕은 삶

▶ 자신의 얕은 삶을 비판하면서 그것에 물든 삶의 모순을 반성함.
– 김현, 「두꺼운 삶과 얕은 삶」에서

갈래	수필
성격	고백적, 교훈적
제재	깊이가 없는 아파트의 삶
주제	아파트에서 벗어나 사물과 인간의 두께를 발견할 수 있는 삶을 살고 싶음.
특징	• '땅집'과 '아파트'라는 공간에서의 경험을 바탕으로 자연 속에서의 삶(땅집에서의 삶)과 자연과 멀어진 도시 속에서의 삶(아파트에서의 삶)을 비교함. • 자신의 자녀들의 삶에서 느끼는 안타까움을 진솔하게 토로하고 자기 삶에 대한 성찰을 드러냄으로써 독자에게 진심을 전하고 있음.

책 제목	두꺼운 삶과 얇은 삶	읽은 날짜	20○○. ○. ○○.
지은이	김현	읽은 쪽	359~367쪽
중심 내용	땅집과 달리 모든 것이 평면적인 아파트와 획일적이고 표피적인 아파트에서의 삶을 비판적으로 바라보고 있다. 필자는 어린 시절을 회상하며 자연과 교감했던 체험을 구체적으로 제시하고, 자신과 달리 어린 시절을 아파트에서 보내는 자신의 아이들을 가엾게 여긴다. 땅집에서의 삶을 가치 있게 여기고 아파트에서의 삶을 비판적으로 바라보고 있지만 자신도 아파트에서의 삶에 익숙해졌음을 고백한다.		
인상에 남는 부분과 그 까닭	나는 내 아이들에게 그 자연을 살게 할 수가 없는 것이다. → 자신이 땅집에 살지 못해 아쉬워하는 것에 그치지 않고, 자신의 아이들이 그러하지 못하는 것을 안타까워하면서 자식을 사랑하는 마음을 드러내고 있다. 자식들은 잘 모르지만, 부모님은 이런 것에서도 자식을 생각하고 걱정하는 것 같다.		
궁금 하거나 이해가 안 되는 점	나도 내 아이들처럼 아파트의 삶에 완전히 길들여져 있다. 그래서 내 주위의 모든 것을 얇게 본다. → 필자가 말하고자 하는 바가 무엇인지 어렴풋이 알겠지만 정확히는 모르겠다. 태어나서 한 번도 땅집에서 살아 본 적이 없고, 아파트에서만 살아서 그런 것 같다. '땅집'에 관해 알아보고 경험하면서 아파트의 삶에 길들여져 모든 것을 얇게 본다는 말의 의미를 다시 새겨봐야겠다.		
새로 알게 된 점 / 새로 품게 된 생각	아파트에서의 삶에 익숙한 나는 '땅집'에서의 삶을 그리워하는 필자가 신기했다. 할머니나 엄마 모두 전에 사시던 집과 지금 사는 아파트를 비교하며 아파트에서의 삶이 좋다고 말씀하시는 것만 들어 왔기 때문이다. 생각해 보니 아파트라는 공간은 참 획일적인 것 같다. 아파트에서의 삶을 매우 비판적으로 평가하던 필자가, 결국 자신도 그런 삶에 익숙해졌음을 고백하는 데에서 필자의 솔직함을 느꼈다.		

선생님 조언	도시에서 태어나 자란 학생들은 아파트나 빌라 등의 거주 공간이 익숙하죠? 땅집에 대해 알아본 내용을 선생님과 친구들에게도 알려 주면 좋겠어요. 아울러 공간이 사람에게 미치는 영향, 공간 구성에 담긴 우리 사회의 문화와 가치관 등도 알아보면 좋지 않을까요? 선생님도 이 글의 마지막 부분을 보면서 웃음이 나왔어요. 필자의 솔직함과 인간적인 면이 느껴졌거든요. 아주 특별한 경우가 아니라면, 진심을 표현하는 것만큼 효과적인 의사소통 방법은 없는 것 같아요.

| 예시 답안 |

책 제목	『문학의 숲을 거닐다』 중 「진정한 행복」	읽은 날짜	20○○. ○○. ○○
지은이	장영희	읽은 쪽	170~176쪽
중심 내용	필자 자신이 읽은 수기의 내용(청소년 시절부터 온갖 죄를 짓고 감옥을 들락거리던 범죄자가 감옥으로 후송되던 중 라디오에서 흘러나온 노래를 듣고 새 사람으로 거듭나 행복한 가장으로 살게 되었다는 내용의 수기)		
인상에 남는 부분과 그 까닭	• 인상에 남는 부분: "우리는 눈을 뜨고 있는 동안 내내 행복을 추구하지만, 막상 우리가 원하던 행복을 획득하면 그 행복을 느끼는 것은 한순간이다. 일단 그 행복에 익숙해지면 그것은 더 이상 행복이 아니기 때문이다. 그래서 행복에 관한 한 우리는 지독한 변덕꾸러기이고 절대적 행복, 영원한 행복이란 없는 듯하다." • 인상에 남는 까닭: 나는 늘 행복을 추구하면서 사는데, 행복을 획득하면 행복을 느끼는 것이 한순간이라는 점이 충격적이었다. 다시 생각해 보니 필자의 말이 맞는데, 나는 한 번도 그런 생각을 한 적 없이 살아온 것 같다.		
궁금하거나 이해가 안 되는 점	정말 노래 한 곡이 사람의 마음을 바꾸고, 삶을 바꿀 수 있을까? 나는 아직 그런 경험이 없어서 잘 이해가 안 된다.		
새로 알게 된 점 / 새로 품게 된 생각	• 새로 알게 된 점: 필자의 말처럼, 나도 행복이라는 것을 너무 큰 데서만 찾았던 것 같다. 글을 읽고 난 후 집에서 가족들과의 관계나 학교에서 친구들과의 관계처럼 당연하게 여기던 작은 것들에도 행복이 있음을 느끼게 되었다. • 새로 품게 된 생각: 나도 작은 행동이나 말로 다른 사람에게 행복을 주는 사람이 되어야겠다.		
선생님 조언	당연하게 여기던 작은 것들에 행복이 있음을 느꼈다는 점이 아주 훌륭합니다. 그런데 그런 행복도 꾸준한 노력 없이는 만들기도, 느끼기도 어렵답니다. 책을 읽고 느낀 점, 깨달은 점을 잊지 않고 일상의 행복을 누리며 지낼 수 있으면 좋겠습니다.

진심이 담긴 글 쓰기

교과서 48p

4. 자신이 읽은 책의 중심 내용과 감상을 정리해 보자.

| 예시 답안 |

책 제목	『문학의 숲을 거닐다』 중 「진정한 행복」	지은이	장영희
중심 내용	필자는 '사람들은 행복을 원하지만 진정한 행복이 무엇인지조차 잘 모르고 있으며, 행복은 어마어마하게 큰 것이 아니라 우리의 주변과 삶 속 작은 데 숨어 있을지도 모른다.'라는 이야기를 하고 있다. 한 곡의 노래를 듣고 새로운 삶을 살게 된 범죄자의 이야기, 로버트 브라우닝의 극시 「피파가 지나간다」에서 자신도 모르는 사이에 다른 사람에게 행복을 준 피파의 이야기를 들려주며, 행복이라는 것은 우리가 별로 중요하게 생각하지 않는 것들 속에 숨어 있을지도 모른다는 주제를 전하고 있다.		
감상	필자는 우리 모두가 원하는 '행복'에 대해 이야기하고 있다. 필자는 사람들이 모두 행복을 추구하지만, 막상 원하던 행복을 획득하면 그 행복을 느끼는 것은 한순간이며, 그 행복에 익숙해지면 그것을 더 이상 행복이라고 느끼지 않는다는 것을 문제 삼고 있다. 그런데 사람이란 원래 그런 존재가 아닐까? 행복을 얻으면 그것에 만족하며 남은 생을 살아야만 하는 것일까? 하나의 행복을 얻은 후 또 다른 행복을 원해야 살아가는 의미를 느끼게 되지 않을까? "행복은 우리들이 별로 중요하게 생각하지 않는 작은 순간들, 무심히 건넨 한마디 말, 별 생각 없이 내민 손, 은연중에 내비친 작은 미소 속에 보석처럼 숨어 있을지도 모른다." 나는 이 부분을 읽고 나서야 필자가 말하고자 하는 것이 무엇인지 알게 되었다. 필자는 행복을 추구하는 것 자체를 문제 삼은 것이 아니라, 작은 데서 행복을 찾으며 살아가는 삶, 이미 다가온 행복을 몰라보고 또 다른 행복만 추구하는 삶에 대해 비판적으로 이야기했던 것이다. 나는 이 구절을 통해 지금까지 진정한 행복의 의미를 깨닫지 못했던 나의 모습을 반성했다. 이 글은 누구나 흔히 생각하는 것, 즉 평범하면서도 진리에 가까운 내용을 덤덤하게 이야기하여 감동을 준다. 그리고 책을 읽으며 필자 역시 멀리 있는 행복을 추구하느라 힘들고 지쳤다가, 가까이 있는 행복을 발견하고 여유를 찾게 된 것 같다는 생각이 들면서 필자의 진정성을 느낄 수 있었다. 필자가 말한 것처럼 나도 작은 순간 속에서 그 시간의 소중함과 행복을 느끼고, 다른 사람도 나의 작은 행동이나 말에서 행복을 느낄 수 있도록 노력해야겠다는 생각이 들었다.		

5. 4에서 정리한 내용을 바탕으로, 자신의 진심이 담긴 글을 쓸 계획을 세워 보자.

| 예시 답안 |

독자와 그 독자의 상황	친구와의 갈등으로 힘들어하고 있는 친구
목적	친구와의 갈등 때문에 힘들어하고 있는 친구를 위로함.
주제	서로의 입장을 바꾸어 생각해 보고, 친구와 함께하는 그 순간을 소중하게 여기자.
책에서 인용할 부분	우리는 눈을 뜨고 있는 동안 내내 행복을 추구하지만, 막상 우리가 원하던 행복을 획득하면 그 행복을 느끼는 것은 한순간이다. 일단 그 행복에 익숙해지면 그것은 더 이상 행복이 아니기 때문이다.
개요	I. 처음: 인사말, 친구의 상황에 대한 공감과 위로 II. 중간 • 친구 관계에 대한 나의 생각과 경험 • 친구 관계 속에서의 진정한 행복 III. 끝: 끝인사

6. 5에서 세운 계획에 따라 독자에게 자신의 진심을 전하는 글을 써 보자.

| 예시 답안 | 채현아, 안녕? 새 학기가 시작된 지 얼마 안 되어서 낯설지? 게다가 너는 친하게 지내던 예주와 갈등이 생겨서 더 힘들어 보이는 것 같아.

그런 너를 보고 중학생 때의 나를 떠올리며 친구 관계에 대해 생각해 봤어. 나도 너와 비슷한 경험이 있거든. 나는 우리가 행복을 위해 친구를 사귀는 거라고 생각해. 친구가 있으면 공부를 하면서 느끼는 감정들을 나누며 공감하고, 나 혼자서는 하기 어려운 일을 함께 해내면서 도움과 격려도 주고받을 수 있잖아.

내가 읽은 책에 이런 구절이 있었어.

"우리는 눈을 뜨고 있는 동안 내내 행복을 추구하지만, 막상 우리가 원하던 행복을 획득하면 그 행복을 느끼는 것은 한순간이다. 일단 그 행복에 익숙해지면 그것은 더 이상 행복이 아니기 때문이다."

나는 기쁨과 힘겨움을 함께 나눌 수 있는 친구를 원했고, 그런 친구가 생겨서 너무 행복했는데, 어느 순간 그 행복을 행복이라고 생각하지 못했어. 그때 저 책을 읽고 그 친구가 나에게 주었던 행복에 대해 생각해 봤더니, 그 친구가 너무 소중하게 느껴지더라. 내가 내 입장과 생각만 내세워서 친구와 다투게 된 것 같고 말이야. 그래서 그 친구가 준 행복에 대해 생각하고, 그 친구 입장에서 다시 헤아려 보니 내가 양보하고 고쳐야 할 부분이 보이더라고.

나는 너와 예주 사이에 생긴 일도 내가 중학생 때 겪은 일과 비슷하다고 생각해. 그래서 내가 그때 생각했던 것들이 둘 사이에 생긴 갈등을 해결하는 데에도 도움이 될 것 같아서 이렇게 말해 주는 거야. 둘이 함께함으로써 느꼈던 행복을 떠올려 보고, 서로의 입장을 바꾸어 생각해 보면 걱정하고 있는 것보다 쉽게 너희 둘의 갈등이 해결될 거야. 어서 다시 너와 예주의 밝은 모습을 보고 싶다.

20○○년 ○○월 ○○일
문경이가

대단원 마무리

학습한 내용

✎ 이 단원에서 학습한 내용을 확인해 보자.

개념·원리		활동
의사소통의 개념, 화법과 작문의 사회적 특성	⟨⟩	• 화법과 작문 자료에서 볼 수 있는 사회적 특성 분석하기 • 사회적 의사소통을 의식하며 이해하고 표현하기
화법과 작문의 층위, 화법과 작문의 기능, 자아 성장, 공동체 발전	⟨⟩	• 자기를 이해하고 표현하기 • 타인을 이해하고 관계 맺기 • 문화를 이해하고 참여하기
맥락의 개념과 기능, 맥락과 관련하여 고려할 요소	⟨⟩	• 맥락을 바탕으로 자료 해석하기 • 맥락을 고려하여 말하고 쓰기
화법·작문과 독서의 관계, 진심이 담긴 말과 글의 가치	⟨⟩	• 의사소통의 진정성 이해하기 • 진심이 담긴 한 권의 책을 읽고 화법과 작문 활동 하기

점검·평가

✎ 이 단원에서 학습한 결과를 스스로 평가해 보자.

단원	점검 내용
1. 화법과 작문의 특성	화법과 작문이 사회적 의사소통 행위임을 이해하였는가?
	여러 사례를 통해 화법과 작문이 자아 성장과 공동체 발전에 기여함을 파악하였는가?
	활동과 사례 분석을 통해 화법과 작문에 관련되는 다양한 맥락 요소를 파악하였는가?
2. 화법과 작문의 가치	화법과 작문의 가치를 이해하고 한 권의 책을 읽으며 통합적인 화법과 작문 활동을 하였는가?
	책에 담긴 필자의 진심을 이해하며 화법과 작문 활동을 하였는가?

질문 만들기

✎ 다음 항목들과 관련하여 서로 질문과 대답을 나누고, 부족한 부분을 보충해 보자.

? 화법과 작문을 사회적 의사소통이라고 하는 까닭

|예시 답안| 갑돌: 화법과 작문을 사회적 의사소통이라고 하는 까닭이 뭐야?

을숙: 화법과 작문에는 반드시 발신자하고 수신자가 있어야 하는데, 발신자와 수신자가 존재하는 것만으로도 작은 사회가 이루어지고, 화법과 작문이 그 사회에 영향을 끼치기 때문이지.

? 인간의 삶에서 화법과 작문이 지니는 가치

|예시 답안| 갑돌: 인간의 삶에서 화법과 작문이 지니는 가치가 뭐야?

을숙: 화법과 작문을 못하면 제대로 된 의사소통이 이루어지겠어? 화법과 작문은 인간의 삶이 이루어지게 하는 기본 조건이야.

? 화법과 작문이 자아 성장과 공동체 발전에 기여한다는 근거

|예시 답안| 갑돌: 화법과 작문이 자아 성장과 공동체 발전에 기여한다는 근거가 뭐야?

을숙: 우리가 일상생활에서 대화하는 것과 스스로 일기를 쓰는 행위들은 자아 성장에 도움이 되잖아. 3.1 운동 때의 독립 선언서나 신문 사설 같은 것들은 역사와 사회 발전에 기여한 예이고.

? 의사소통 맥락의 구성 요소

|예시 답안| 갑돌: 의사소통 맥락의 구성 요소를 말해 줄래?

을숙: 음, 먼저 목적이겠고, 상황도 있고, 또 뭐가 있더라…….

갑돌: 교과서에서 찾아볼까? 아, 여기 있다. 주제, 발신자와 수신자의 관계, 매체도 맥락에 속해.

을숙: 그러니까 어떤 표현의 의미에 영향을 주는 모든 요인들을 맥락으로 볼 수 있겠네.

? 맥락이 화법과 작문에 영향을 끼치는 사례

|예시 답안| 갑돌: 맥락이 화법이나 작문에 영향을 끼친 사례는 뭐가 있을까?

을숙: 내 동생과 얼마 전에 치과를 갔어. 의사 선생님께서 "식사할 때 불편한 점은 없었어요?"라고 물어보셨는데 동생이 "미역국이 너무 짰어요."라고 대답해서 한참을 웃었어. 이처럼 맥락은 대화를 할 때 말의 의미 전달과 이해에 영향을 미치므로 상황에 따른 맥락을 올바르게 파악해야 원활한 의사소통을 할 수 있어.

? 화법·작문과 통합하여 독서할 때의 이점

|예시 답안| 갑돌: 화법과 작문을 통합해서 독서를 하면 어떤 이점이 있을까?

을숙: 눈으로만 읽는 것에 비해 읽은 책에 대해 다른 사람과 의견을 나누거나 내 느낌을 글로 쓰면 독서의 효과가 훨씬 높아질 수 있지.

[1-3] 다음 글을 읽고 물음에 답하시오.

화법과 작문은 의사소통의 한 방법으로 화자와 청자, 필자와 독자 사이에 이루어지는 상호 작용이다. 이때 발신자(화자, 필자)는 수신자(청자, 독자)를 고려하여 표현하고, 수신자는 발신자의 의도가 무엇인지 생각하며 담화나 글을 이해하게 된다. 곧, 화법과 작문은 발신자와 수신자라는 '작은 사회'에서 이루어지는 사회적 행위이다. 예를 들어 ㉠ 친구에게 부탁할 때와 ㉡ 부탁받을 때 나의 말하기 방식이 달라지는데, 이는 부탁의 관계가 바뀔 때 친구와 나 사이의 관계도 달라지기 때문이다.

또한, 화법과 작문은 개인과 관련이 있는 집단이나 문화라는 '큰 사회'에서 이루어지는 행위이기도 하다. 앞에서 살펴본 ㉢ 청문회는 개인 간의 대화를 넘어서는 공적인 행위이고, ㉣ 링컨 대통령의 연설이나 ㉤ 3.1 운동 때의 독립 선언서는 사회와 국가, 나아가 인류에 큰 영향을 끼친 행위이다. 이렇듯 우리는 말과 글을 통해 언어문화를 형성할 뿐 아니라 사회 공동의 가치를 실현하고, 그 사회와 문화는 다시 우리의 말과 글에 영향을 준다.

화법과 작문은 사회적 활동이므로 말을 주고받거나 글을 쓸 때는 ⓐ 높임법과 같은 언어의 관습과 문화를 고려해야 한다. 또한, ⓑ 사회의 윤리, 참여자의 요구, 말과 글이 다른 사람에게 미치는 영향 등도 고려해야 한다. ⓒ 논란이 될 만한 내용을 검증 없이 퍼뜨리거나, ⓓ 수신자를 고려하지 않고 또래 집단에서만 통하는 줄인 말이나 이모티콘의 과도한 사용을 절제하라는 이유도 이 때문이다.

1. 윗글의 내용과 일치하는 것은?

① 화법과 작문은 개인 차원에서 이루어지는 행위이다.

② 화법과 작문은 발신자와 수신자의 가치에 따라 표현 방식이 달라진다.

③ 화법과 작문은 높은 수준의 도덕성과 지식을 바탕으로 이루어지는 행위이다.

④ 화법과 작문은 발신자와 수신자 사이에 정해진 규칙에 따라 수행되는 행위이다.

⑤ 화법과 작문은 의사소통의 한 방법으로 발신자와 수신자 사이에서 일어나는 상호 작용이다.

수능형

2. ㉠~㉤을 비교한 내용으로 가장 적절한 것은?

① ㉠과 ㉡은 둘 다 작은 사회에서 이루어지지만, ㉠에서는 수신자가 친구이고 ㉡에서는 발신자가 친구라는 점이 다르다.

② ㉠과 ㉤은 각각 작은 사회와 큰 사회에서 이루어진다는 점은 다르지만, 둘 다 개인과 개인 사이에서 이루어지는 사적 말하기라는 점은 같다.

③ ㉡과 ㉢은 각각 작은 사회와 큰 사회에서 이루어진다는 점은 다르지만, 각각의 발화가 일대일의 관계에서만 이루어진다는 점은 같다.

④ ㉢과 ㉣은 둘 다 큰 사회에서 이루어진다는 점은 같지만, ㉢은 공공의 이익을 위한 것이고 ㉣은 개인의 이익을 위한 것이라는 점이 다르다.

⑤ ㉣과 ㉤은 둘 다 큰 사회에서 이루어진다는 점은 같지만, ㉣은 사회적 책임이 따르고 ㉤은 그렇지 않다는 점이 다르다.

출제 예감

3. ⓐ~ⓓ에 대한 설명으로 가장 적절한 것은?

① ⓐ를 고려하지 않거나 ⓓ를 절제하지 않아서 사회적 문제가 발생하면 법률적 책임을 질 수 있다.

② ⓐ와 ⓓ가 화법과 작문 활동을 할 때 지켜야 하는 윤리적 차원의 문제라면 ⓑ와 ⓒ는 관습적 차원의 문제라고 할 수 있다.

③ ⓐ, ⓑ를 고려하고 ⓒ, ⓓ를 절제하라는 것은 화법과 작문이 발신자와 수신자가 서로 영향을 주고받는 사회적 활동이기 때문이다.

④ ⓑ를 고려하지 않거나 ⓒ를 절제하지 않는다고 하여 사회적 책임을 질 필요는 없지만, 의사소통의 목적을 이루는 데는 어려움이 따른다.

⑤ ⓐ, ⓒ는 발신자가 전하고자 하는 내용을 정확하게 표현하도록 하기 위한 것이고 ⓑ, ⓓ는 발신자가 표현하는 내용의 전달력을 높이기 위한 것이다.

[4-6] 다음 글을 읽고 물음에 답하시오.

가 의사소통이 이루어지려면 반드시 발신자의 내면에서, 그리고 수신자의 내면에서 어떤 작용이 일어나야 한다. 머릿속 생각을 언어로 바꾸고, 언어 정보를 여러 방식으로 처리하며, 상대방이 제대로 이해할 수 있는 언어를 구사하고 있는지, 또는 언어에 담긴 상대방의 의도가 무엇인지 등을 계속해서 점검해야 한다. 이 과정에서 발신자와 수신자는 자아를 인식하고 성찰할 뿐만 아니라 남들이 자신을 바라보는 시선도 의식하게 된다. 이것이 개인 내적 차원의 의사소통이다.

한편 의사소통 과정에서 발신자는 자기 생각과 느낌, 경험을 말이나 글로 나타내고[표현], 수신자는 그를 바탕으로 하여 자신의 관점에서 새롭게 의미를 구성해 낸다[이해]. 이 과정은 발신자로부터 수신자에게 일방적으로 정보가 전달되는 과정이 아니라 발신자와 수신자가 언어를 통해 정보, 가치, 태도 등을 주고받으며 공동의 의미를 구성하고 발전시켜 가는 과정이다. 이것은 개인과 개인 차원의 의사소통이다.

개인과 개인 차원의 의사소통은 곧잘 사회 차원의 의사소통으로 확장된다. 대중 매체에 글을 쓰는 일은 개인과 사회의 의사소통이며, 세대와 세대, 직업과 직업 사이의 의사소통은 사회와 사회 간의 의사소통이다. 곧, 의사소통은 개인과 사회를 중심으로 다양한 층위에서 이루어진다. 화법과 작문 역시 그러하다.

나 말이나 글로써 정보를 전달하려면 정보를 수집한 뒤 분석, 평가해야 하고, 청자나 독자를 설득하려면 설득의 근거를 찾아서 논리적으로 주장해야 하며, 자신을 성찰하고 정서를 표현하려면 스스로의 생각이나 느낌을 깊이 살펴보아야 한다. 말이나 글의 이해에서도 비슷한 사고 작용이 일어난다. 즉, 화법과 작문 활동은 개인 내적 차원에서 나를 성찰하며 발전시킨다.

개인과 개인 차원의 의사소통도 이 못지않은 기능을 한다. 발신자와 수신자는 서로 의사소통하는 가운데 지식을 공유하고 감정을 나누며 태도를 조정하게 된다. 나아가 서로의 행동에 영향을 끼치면서 개인의 삶과 사회의 분위기를 바꾼다. 가족이나 세대 간의 대화를 강조하는 까닭도 이 때문이다. 곧, 화법과 작문 활동은 그에 참여하는 ㉠사회 구성원들의 동질감을 형성하고 공동체 문화를 발전시킨다.

화법과 작문이 자아 성장과 공동체 발전에 기여한다는 것은, 자아와 공동체에 관한 성찰이 화법과 작문에 도움을 준다는 뜻이기도 하다. 그런 성찰을 통해 화법과 작문의 내용을 생성하고 효과적인 표현과 전달 방법을 정할 수 있다.

4. 윗글을 바탕으로 화법과 작문의 층위에 대해 이해한 내용으로 적절하지 않은 것은?

① 대중 매체에 글을 쓰는 일은 개인과 사회의 의사소통에 해당한다.
② 개인과 개인 차원의 의사소통은 종종 사회 차원의 의사소통으로 확장된다.
③ 의사소통은 개인과 사회를 중심으로 단일한 층위에서 각각 분절되어 이루어진다.
④ 세대와 세대, 직업과 직업 사이의 의사소통은 사회와 사회 간의 의사소통에 해당한다.
⑤ 개인과 개인 차원의 의사소통은 발신자와 수신자가 언어를 통해 정보, 가치, 태도 등을 주고받으며 공동의 의미를 구성하고 발전시켜 가는 과정이다.

출제 예감

5. 윗글을 읽은 독자의 반응으로 적절하지 않은 것은?

① 화법과 작문 활동을 통해 자기의 모습을 인식하며 관리할 수 있군.
② 화법과 작문은 사회 구성원들의 동질감을 형성하고 공동체 문화를 발전시키기도 하는군.
③ 가족과 세대 간의 대화를 통해 구성원 각자는 자신의 가치관을 더욱 견고하게 할 수 있군.
④ 발신자와 수신자는 화법과 작문을 통해 서로 지식을 공유하고 감정을 나누며 태도를 조정하기도 하는군.
⑤ 발신자와 수신자는 서로의 행동에 영향을 끼치면서 개인의 삶뿐만 아니라 사회의 분위기를 바꾸기도 하는군.

서술형

6. 화법과 작문이 ㉠과 같은 기능을 할 수 있는 이유를 서술하시오.

[7-8] 다음 글을 읽고 물음에 답하시오.

사회자 지금까지 우리나라 저출산 문제의 심각성과 그 원인에 관해 말씀해 주셨습니다. 그러면 이번에는 저출산 문제를 해결하기 위한 방안에 관해 의견을 나누어 보겠습니다.

김지영 이미 말씀드렸듯이 저출산 문제의 이면에는 경제적 이유가 숨어 있습니다. 그러므로 이 문제를 해결하기 위해서는 출산과 양육 비용을 줄여 주어야 합니다. 요즘 대다수의 산모들은 병원에서 아기를 낳고 조리원에서 산후조리를 합니다. 그런데 산모의 건강 검진, 아기의 상태 확인을 위한 각종 검사 등 출산 전과 후에 많은 비용이 듭니다. 양육 비용은 이보다 더 많이 들고요. 따라서 의료 보험의 적용 범위를 확대하여 출산 전후의 비용을 줄여 주고, 양육비를 지원하는 정책을 펴야 합니다.

안명준 저출산의 원인이 경제적 부담 때문이라는 데에는 동의합니다. 그렇지만 경제적인 지원은 한계가 있습니다. 또한, 경제적인 지원을 위해서는 그만한 국가 재정을 마련해야 하는데, 이것은 또다시 국민의 부담으로 돌아갈 수밖에 없습니다. 그러므로 저출산 문제는 근본적으로 국민들의 의식이 변해야만 해결할 수 있다고 생각합니다. 개인주의적 가치관을 중시하거나 편리함을 우선시하는 사회가 맞이하게 될 미래의 심각성을 알리고, 자녀와 함께 누리는 삶의 소중한 가치를 느낄 수 있도록 다양한 홍보를 해야 합니다.

윤정선 경제적인 지원과 의식 변화 모두 좋은 말씀입니다. 그를 위해서는 제도적인 장치가 먼저 마련되어야 할 것입니다. 가임기의 여성들이 출산이나 육아에 부담을 느끼지 않도록 사회 제도를 개선해야 한다는 뜻이죠. 현재 어린이집이 부족한 곳도 많고, 능력 있는 여성들이 출산이나 육아 때문에 경력이 단절되는 경우도 많습니다. 설령 그렇지 않더라도 직장에서 많은 불이익을 받는 것이 현실입니다. 미래 세대의 양육과 교육에 관해서 사회 전체가 책임을 지기 위해서는 여성이 사회생활을 하는 데 불이익이 없도록 고용 제도를 개선하고, 어린이집과 유치원을 대폭 확대해야 합니다.

7. 위 토의를 텔레비전으로 방송하고자 할 때 해당 프로그램의 제목으로 가장 적절한 것은?

① '애 키울 돈이 없다!' – 저출산 문제의 원인과 해결 방안을 알아보는 시간
② '이젠 제발 둘이라도?' – 우리나라 출산 정책의 현주소를 알아보는 시간
③ '아이 못 낳게 만드는 사회' – 저출산 현상의 사회적 원인에 대한 분석의 시간
④ '저출산 문제의 해결 방법을 찾아서' – 각계 전문가의 냉철한 분석을 들어 보는 시간
⑤ '아기 울음소리가 들리지 않는 나라' – 출산에 대한 현대 여성들의 인식을 알아보는 시간

수능형

8. 토의를 준비하는 과정에서 〈보기〉의 자료를 수집하였다고 할 때 〈보기〉의 활용 방안으로 가장 적절한 것은?

〈보기〉
　　우리나라 여성 10명 중 4명은 결혼을 선택 사항으로 생각한다. 20일 통계청에서 발표한 자료에 따르면 2018년을 기준으로 만 16세 이상 국민 중 결혼은 선택 사항이라고 답한 경우는 여성(39.9%)이 남성(27.9%)보다 높게 나타났다. 결혼에 대해 긍정적으로 생각하는 경향은 남성이(68.5%)이 여성(56.3%)보다 높았다.

	토의자	활용 방안
①	김지영	여성들이 결혼을 꺼리는 이유가 출산 때문임을 밝히는 사례로 활용한다.
②	김지영	여성들이 자녀들의 교육비에 대한 부담을 더 느끼고 있다는 근거로 활용한다.
③	안명준	과거에 비해 아이를 양육하는 데 드는 비용이 크게 늘었다는 근거로 활용한다.
④	안명준	저출산 문제 해결을 위해 결혼에 관한 개인들의 의식 전환이 필요함을 뒷받침하는 근거로 활용한다.
⑤	윤정선	여성들이 출산과 양육으로 인해 일자리를 잃거나 불이익을 받는다는 발언을 뒷받침하는 사례로 활용한다.

[9~11] 다음 글을 읽고 물음에 답하시오.

가 맥락은 목적, 시간과 공간, 발신자와 수신자의 관계 등에 따라 결정된다. 화법과 작문 모두 구체적인 상황과 사회·문화적 배경 안에서 이루어지기 때문에, 맥락에 대한 이해 없이는 전달하고자 하는 내용을 바르게 표현하고 이해할 수 없다.

상황 맥락은 화법과 작문에 직접 영향을 주는 시·공간적, 의사소통적 변인을 말한다. 예컨대 ㉠같은 친구 사이의 대화라 할지라도 수업 시간에 이루어지는 공적인 대화와 방과 후의 사적인 대화는 그 내용과 형식이 다르고, 두 사람 사이의 관계 변화에 따라서 태도와 표현법이 바뀐다. 사전 정보 없이 회의에 참여한 경우, 회의의 목적과 내용을 이해하는 데 시간이 걸리는 것도 의사소통의 상황 맥락 때문이다.

나 사회·문화적 맥락은 의사소통이 이루어지는 역사적·사회적 배경, 공동체의 가치관과 문화, 의사소통의 규칙이나 관습, 그때까지 축적된 언어적 유산 등을 폭넓게 가리킨다. 설득하기, 건의하기, 안내하기, 소개하기 등 의사소통 상황에 따른 독특한 관습 역시 사회·문화적 맥락에 속한다. 어떤 작가가 미국에서 열린 문학 행사에서 한국 시를 영역(英譯)하여 소개한 적이 있는데, 그때 ㉡한국의 대표 시로 내세운 「진달래꽃」에 대해 미국 시인들의 반응이 영 신통치 않았다. 번역이 어색했던 이유도 있었지만, 그보다는 미국의 사회·문화적 맥락에서 볼 때는 내가 싫어서 가겠다는 사람을 군말 없이 보내는 일이 특별히 감동적인 일이 아니기 때문이다.

다 맥락은 의사소통의 경제성과 효율성을 높이고 같은 맥락 안에 있는 발신자와 수신자를 긴밀하게 엮어 주는 기능을 한다. 또한, 표현과 이해 과정에서 의미를 구성하는 데 중요한 참조가 된다. ㉢"그거 어디 있지?"라는 질문에 "저기 있잖아."라고 답할 수 있는 것은 두 사람이 상황 맥락을 공유하기 때문이고, ㉣기행문을 쓸 때 '여정-견문-감상'의 구조에 따르게 되는 것은 '기행문'이라는 글의 유형과 관련된 관습을 필자와 독자 모두가 익히 알고 있기 때문이다. 나아가, "죽는 날까지 하늘을 우러러 한 점 부끄럼이 없기를"처럼 유명한 시 구절을 활용하여 글을 쓰면 구구절절 설명하지 않아도 자기 삶의 자세를 말하고자 하는 심정과 의도를 충분히 드러낼 수 있다.

9. 윗글의 내용과 일치하지 <u>않는</u> 것은?

① 똑같은 표현은 맥락이 달라져도 그 의미는 달라지지 않는다.
② 맥락은 표현과 이해의 과정에서 의미를 구성하는 데 중요한 참조가 된다.
③ 발신자와 수신자가 상황 맥락을 공유하면 의사소통의 경제성과 효율성을 높일 수 있다.
④ 의사소통의 목적, 시간과 공간, 발신자와 수신자의 관계 등은 맥락을 결정하는 데 영향을 미친다.
⑤ 화법과 작문을 통해 전달하고자 하는 내용을 바르게 표현하고 이해하기 위해서는 맥락을 이해해야 한다.

10. 윗글을 읽고 상황 맥락에 대해 이해한 내용으로 가장 적절한 것은?

① 의사소통이 이루어질 때의 규칙이나 관습을 말한다.
② 의사소통에 직접적으로 관련되면서 영향을 미친다.
③ 의사소통이 이루어지는 역사적·사회적 배경을 가리킨다.
④ 의사소통이 이루어질 때까지 축적된 언어적 유산을 말한다.
⑤ 화법과 작문이 이루어질 때 바탕이 되는 공동체의 가치관과 문화를 가리킨다.

출제 예감

11. ㉠~㉣ 중 같은 맥락이 적용된 사례끼리 바르게 짝지은 것은?

① ㉠, ㉡-㉢, ㉣
② ㉠, ㉢-㉡, ㉣
③ ㉠, ㉣-㉡, ㉢
④ ㉠, ㉡, ㉢-㉣
⑤ ㉠-㉡, ㉢, ㉣

II

화법의 원리와 실제

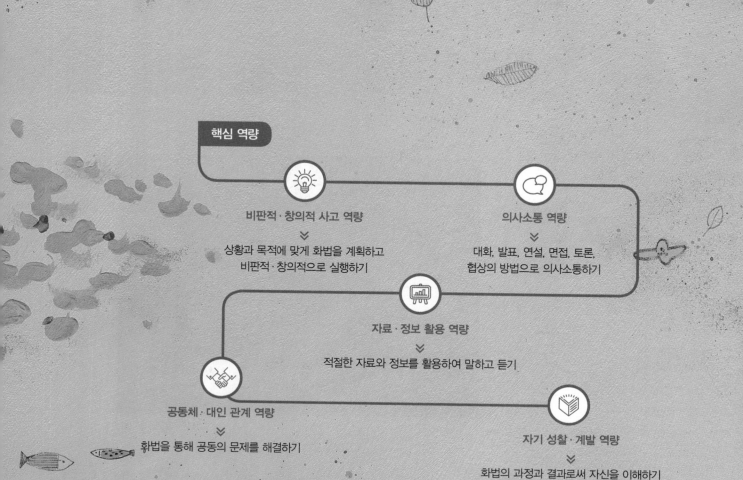

비판적·창의적 사고 역량

⌄

상황과 목적에 맞게 화법을 계획하고
비판적·창의적으로 실행하기

의사소통 역량

⌄

대화, 발표, 연설, 면접, 토론,
협상의 방법으로 의사소통하기

자료·정보 활용 역량

⌄

적절한 자료와 정보를 활용하여 말하고 듣기

공동체·대인 관계 역량

⌄

화법을 통해 공동의 문제를 해결하기

자기 성찰·계발 역량

⌄

화법의 과정과 결과로써 자신을 이해하기

대단원 한눈에 보기

1. 소통과 공감을 위한 화법	(1) 대화를 통한 자기표현과 갈등 조정	• 대화 방식에 영향을 미치는 자아 개념을 인식하고, 적절하게 자기표현하기 • 갈등 상황에서 자신의 생각이나 감정, 요구를 진술하게 표현하기
	(2) 상황에 맞는 말하기	• 대화 상황과 상대방에 맞는 적절한 말하기 방법 이해하기 • 상황에 맞게 부탁, 요청, 거절, 사과, 감사의 말 하기
	(3) 효과적인 표현 전략	• 말하기 상황을 분석하여 적절한 표현 전략 선택하기 • 상황에 맞는 언어적·준언어적·비언어적 표현 전략 사용하기
2. 대중을 향한 의사 표현의 화법	(1) 이해하기 쉬운 발표	• 청자의 요구나 관심, 수준 등 분석하기 • 청자의 특성에 맞게 내용을 구성하여 발표하기
	(2) 설득력 있는 연설	• 연설의 설득력을 높이기 위한 화자의 공신력 이해하기 • 적절한 설득 전략을 사용하여 효과적으로 연설하기
3. 상호 작용을 통한 문제 해결의 화법	(1) 효과적인 면접	• 면접에서 질문자의 의도 파악하기 • 면접에서의 답변 전략을 이해하고 면접 상황에 맞게 답변하기
	(2) 생산적인 토론	• 토론에서 반대 신문의 효과와 방법 이해하기 • 상대측 발언의 논리적 타당성에 대해 반대 신문하며 토론하기
	(3) 성공적인 협상	• 협상의 절차와 방법 이해하기 • 협상 절차에 따라 상황에 맞는 협상 전략을 사용하여 협상하기

소통과 공감을 위한 화법

학습 목표 《
- 자신에 대한 이해를 바탕으로 상대와 효과적으로 관계를 맺으며 대화할 수 있다.
- 갈등 상황에서 자신의 생각, 느낌, 의도를 진솔하게 표현할 수 있다.
- 상황에 맞게 부탁과 요청·거절·사과·감사의 말을 할 수 있다.
- 상황에 맞게 효과적으로 언어적·준언어적·비언어적 표현 전략을 사용할 수 있다.

단원의 짜임

(1) 대화를 통한 자기표현과 갈등 조정

진솔하게 말하는 방법과 관계를 조정하는 방법을 이해하고
···› 긍정적 자아 개념을 바탕으로 자기를 표현하며 문제나 갈등을 해결하는 대화를 나누어 본다.

(2) 상황에 맞는 말하기

상황에 적합하게 말하기 위해 고려해야 할 점을 이해하고
···› 부탁과 요청, 거절, 사과, 감사의 말을 효과적으로 사용해 본다.

(3) 효과적인 표현 전략

언어적·준언어적·비언어적 표현 전략을 이해하고
···› 상황에 맞는 표현 전략을 사용하여 그 효과를 평가해 본다.

– 박수근, 「여인과 소녀들」

우리는 보통 대화를 가장 기초적인 화법이라 여기고, 특별히 배우지 않아도 대화를 잘할 수 있다고 생각한다. 하지만 실제 생활에서는 대화 상황을 파악하지 못하거나 적절하지 않은 표현을 사용하여 원하지 않은 결과를 낳는 경우도 많다. 대화는 자기를 표현하는 행위인 동시에 상대방과 관계를 맺고 유지하는 행위이므로, 나와 상대에 관한 이해가 필수적이다. 나와 상대를 이해하는 과정에서 갈등이 생기기도 하지만, 자신의 생각과 느낌을 솔직하게 표현하면서 서로의 입장을 존중한다면 충분히 갈등을 조정해 나갈 수 있다.

▶ 대화의 역할─자기표현과 갈등 조정

대화는 다양한 상황에서 이루어진다. 부탁과 요청, 거절, 사과, 감사 등의 상황에 적합한 말을 효과적으로 하는 것은 의사소통을 원활하게 해 주고 상대방에게서 기대했던 행동을 이끌어 내는 데도 매우 중요하다. 이때 언어적인 표현 전략의 비중이 가장 크지만, 상황에 따라 준언어적·비언어적 표현 전략도 비중 있게 다루어진다. 모든 말하기에서 효과적인 표현을 위해서는 이러한 표현 전략을 상황에 맞게 사용해야 한다.

▶ 상황에 맞는 표현 전략을 사용하여 말하기의 중요성

이 단원에서는 자아의 인식을 바탕으로 다양한 대화 상황에 맞게 효과적인 표현 전략을 사용하여 의사소통하는 방법을 익히기로 한다. '단원의 짜임'을 중심으로 학습할 내용을 확인해 보자.

▶ 학습할 내용 안내

(1) 대화를 통한 자기표현과 갈등 조정

핵심 질문 화자와 청자는 대화를 통해 무엇을 얻고자 할까?

>> 우리는 대화를 통해 자기를 인식, 표현하고 다른 사람들과 관계를 형성해 나간다. 대화를 할 때 대화 상황에서 드러나는 발화자의 자기 인식과 말은 상대방에게 영향을 미치며, 대화는 개인의 자아 개념과 상대와의 관계 형성에 중요한 기능을 한다.

알기

• 대화에서 자아 개념이란 무엇인가?

|예시 답안| 대화에서 의미하는 자아 개념은 자신에 관한 생각뿐 아니라 타인이 생각하는 자기 모습에 관한 자기 인식이다.

• 자기표현의 방법에는 무엇이 있나?

|예시 답안| 자기표현은 개인적 차원과 사회적 차원에서 이루어지며, 상황과 맥락에 따라 그 수준과 범위가 달라질 수 있다.

• 관계 형성과 갈등 조정의 전략에는 무엇이 있나?

|예시 답안| 자신이 느낀 감정과 경험을 중심으로 표현하는 '나-전달법'이 관계 형성과 갈등 조정에 효과적이다.

하기

• 자아를 인식하고 표현하며 대화하기

>> 친구와의 대화 내용을 통해 자아 인식이 어떻게 이루어지는지 분석하고, 적절하게 자기를 표현하는 연습하기

• 공감적인 대화를 통해 관계 형성하기

>> 다양한 상황과 맥락에서 원활한 상호 작용과 관계 형성을 위한 공감적 대화해 보기

• '나-전달법'으로 갈등 해결하기

>> '사건, 감정, 기대'로 구성되는 '나-전달법'의 말하기 방식을 익히고, 이에 따라 갈등 해결해 보기

••• '선미'의 말이 '성호'에게 어떤 영향을 주었을까?

|예시 답안| 선미는 자신의 목소리에 불만을 가지고 있는 성호에게 성호의 목소리가 가진 장점을 말해 주며, 노래의 클라이맥스 부분을 맡아 달라는 부탁을 하고 있다. 이와 같은 선미의 말은 성호에게 긍정적인 영향을 미쳐 성호가 자신의 목소리에 자신감과 애정을 가질 수 있도록 해 줄 것이다.

••• '유나'가 '선미'의 기분이 나쁘지 않게 자신의 의견을 전달하려면 어떻게 말해야 할까?

|예시 답안| 유나는 선미에게 잘못을 지적하는 말을 하여 선미의 기분을 나쁘게 했다. 유나가 선미의 잘못을 지적하는 말 대신 자신이 문제로 인식한 사건과 그에 대해 느낀 감정을 진솔하게 표현하고, 문제를 해결하기 위해 자신이 바라는 선미의 행동을 구체적으로 드러내는 말을 하면 선미의 기분을 상하지 않게 자신의 의견을 전달할 수 있을 것이다.

알아 두기

◯ 대화에서의 자아 개념

- 자아 개념은 자기 자신에 대한 생각, 더 크게는 다른 사람이 자신을 어떻게 생각 하느냐에 대해 자신이 느끼고 있는 생각까지 포함된다.
- 개인의 자아 개념은 타인과의 소통을 통해 형성되는데, 개인에 대한 타인의 긍정 적인 시선은 긍정적 자아 개념을 갖게 하고, 부정적인 시선은 부정적 자아 개념을 갖게 한다.
- 긍정적인 자아 개념을 가진 사람은 적극적이고 개방적인 반면, 부정적인 자아 개 념을 가진 사람은 소극적이며 방어적인 경향을 보인다.

◯ 자기표현의 방법

≫ 자기표현의 개념
자기표현은 타인에게 자신에 대한 정보를 알리는 것으로, 인간관계의 발전은 상대 방에게 자아를 노출하는 정도에 비례한다.

≫ 자기표현과 인간관계
- 대체로 만남의 빈도와 자기표현의 정도는 인간관계의 발전과 비례한다.
- 인간관계의 발전 정도에 따라 자아 노출의 성격은 사회적 자아에서 개인적 자아 로 옮겨 가게 된다.
- 자기표현의 속도는 관계 발전 정도에 따라 적정한 수준에서 이루어져야 한다.

관계 형성의 초기	친밀한 관계
학교, 직장, 사는 곳 등 사회적 차원의 자아 를 드러냄. →	성격이나 사고방식 등 개인적 차원의 자아를 드러냄.

◯ 갈등을 조정하는 대화 방법: '나–전달법'

≫ '너–전달법'과 '나–전달법'

'너–전달법'	'나–전달법'
갈등의 원인을 상대방의 말이나 행동에서 찾고 그것을 비난하는 방식으로 말을 하는 것	상대를 탓하는 대신 자신이 느낀 감정과 경험을 표현하는 방식으로 말을 하는 것
↓	↓
대개 상대방의 마음에 상처를 주고 갈등을 심화시킴.	상대의 감정을 상하지 않게 하면서 문제 해결을 모색해 나갈 수 있음.

≫ '나–전달법'의 메시지 구성
'나–전달법'의 일반적인 메시지는 '사건, 감정, 기대'로 구성된다.

사건	자신이 문제로 인식한 상대방의 행동이나 상황을 말하는 것
감정	사건에 대해 자신이 느낀 감정을 진솔하게 표현하는 것
기대	문제를 해결하기 위해 자신이 바라는 상대방의 행동이나 상황이 무엇인지 구체적으로 드러내는 것

● 개념 확인하기

1. 대화에서의 자아 개념에 대한 설명 으로 알맞은 것은 ◯표, 알맞지 않은 것은 ×표를 하시오.

(1) 자기 자신에 대한 생각과 다른 사람이 자신을 어떻게 생각하느냐 에 대해 자신이 느끼고 있는 생각 을 말한다. ( )

(2) 개인의 자아 개념은 타인과의 소통을 통해 형성된다. ( )

(3) 인간관계의 발전 정도에 따라 자아 노출은 개인적 자아에서 사 회적 자아로 옮겨 간다. ( )

2. 〈보기〉에서 빈칸에 들어갈 알맞은 말을 찾아 쓰시오.

〈보기〉
긍정적, 부정적,
개방적, 방어적

(1) ( ) 자아 개념을 가진 사람 은 적극적이고 ( )인 경향을 보 인다.

(2) ( ) 자아 개념을 가진 사람은 소극적이고 ( )인 경향을 보 인다.

3. 다음 빈칸에 알맞은 말을 쓰시오.

'나–전달법'은 갈등 상황에서 상대를 탓하는 대신 자신이 느낀 ( )과 경험을 표현하는 대화 방법이다.

4. 다음에서 설명하고 있는 '나–전달 법'의 메시지 구성 단계는?

자신이 문제로 인식한 상황을 말하는 것

① 사건 ② 감정 ③ 행동
④ 기대 ⑤ 갈등

|정답|
1. (1) ◯ (2) ◯ (3) × 2. (1) 긍정적, 개방적 (2) 부 정적, 방어적 3. 감정 4. ①

소단원 학습 활동

하면서 배우기 📖 교과서 57p

1. 다음 만화를 보고, 아래의 활동을 해 보자.

— 「서늘한 여름밤, 나는 칭찬에 인색했다」에서

갈래	만화, 웹툰
제재	자기 인식
성격	고백적, 성찰적
주제	긍정적인 자아 개념의 중요성
특징	부정적 자아 개념을 가지고 있던 주인공이 긍정적으로 자기를 인식하게 되는 과정을 간결하고 재미있게 그려 냄.

(1) 위의 만화에서 다른 사람의 말이 '나'의 자기 인식에 어떤 영향을 주었는지 알아보자.

| 예시 답안 |

	다른 사람의 말	'나'의 자기 인식
부모님	"성적 잘 받아서 칭찬받는 게 왜 중요해?", "그 성적 받으면 부끄러워서 말도 안 했어."	자신은 칭찬받을 사람이 아니라 당연한 일들을 겨우 하는 사람이라고 인식함.
'너'	"대단해! 넌 정말 어쩜 이리 못하는 게 없어!", "진짜 효율적이야!", "너 진짜 예뻐." 등	자신은 장점이 많고, 예쁜 사람이라고 인식함.

(2) 위의 만화에서 '나'의 자아 개념 변화에 따라 의사소통 방식이 어떻게 달라질지 생각해 보자.

| 예시 답안 |

부정적 자아 개념	남을 칭찬하는 일에 인색하고, 다른 사람이 잘한 것을 인정하기보다는 비웃는 태도를 취함.

↓

긍정적 자아 개념	다른 사람의 장점을 알아보고 인정하며, 다른 사람이 잘한 일에 칭찬을 아끼지 않을 것임.

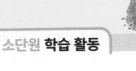

소단원 학습 활동

배워서 하기 ❶

교과서 59p

자신의 자아 개념과 대화 방식 파악하기

● 다음 표의 내용을 바탕으로 자신이 긍정적 자아 개념을 가진 사람인지, 부정적 자아 개념을 가진 사람인지 판단해 보자.

|예시 답안|

긍정적 자아 개념을 가진 사람	부정적 자아 개념을 가진 사람
자신의 의견을 항상 당당하고 자신 있게 말할 수 있다. ☐	내 생각을 이야기하는 것이 부담스럽고 자신이 없다. ☑
다른 사람이 날 어떻게 생각하는지에 연연하지 않는다. ☑	다른 사람이 날 어떻게 생각하는지 신경 쓰이고, 자신을 비하하여 말하는 데 익숙하다. ☐
칭찬을 있는 그대로 적절하게 수용한다. ☐	칭찬을 있는 그대로 수용하지 못하고 의심한다. ☑
자신의 잘못을 솔직하게 인정한다. ☑	상대방의 비난에 방어적인 태도를 취한다. ☐
매사에 자신감이 있고 타인의 성공을 기꺼이 인정하는 편이다. ☐	자신이나 타인의 성공을 인정하지 않고 비웃는 태도를 취한다. ☑

● 위의 활동을 바탕으로, 자신의 대화 방식을 어떻게 개선할 수 있을지 짝과 이야기해 보자.

|예시 답안| 나는 부정적 자아 개념을 가진 편이야. 앞으로는 자신감 있게 나를 표현하고, 나에 대한 칭찬을 적절히 수용하면서 다른 사람의 성공이나 장점을 인정하고 칭찬해 주는 방식으로 타인과 대화를 하려고 노력해야겠어.

하면서 배우기 📖

교과서 60p

2. 다음 대화를 보고, 아래의 활동을 해 보자.

㉮ 연우가 전학을 온 상황 → 처음 관계 형성이 되는 상황

선생님 자, 이번에 우리 반에 새로운 친구가 전학을 왔어요. (연우를 보며) 자기소개를 해 줄래요?

연우 (학생들 앞에서) 안녕하세요? 저는 박연우라고 합니다. 앞으로 잘 부탁합니다. └ 사회적 차원의 자아를 드러냄.

선생님 그래, 아직 모든 것이 낯설고 어색할 테니까 여러분이 잘 도와주세요. (연우를 향해) 자리는 우선 (윤정이 옆자리를 가리키며) 저기 윤정이 옆의 빈자리에 앉도록 하자. (연우, 윤정의 옆자리에 가서 앉는다.)

『윤정 안녕? 나는 하윤정이라고 해. 반갑다.

연우 어? 그래. 반갑다. 『 』: 서로 사회적 차원의 자아를 드러내며 대화함.

윤정 그런데, 너 집이 어디니?

연우 어, 학교 길 건너편에 있는 ○○동 주민 센터 근처야.

윤정 그래? 우리 집도 거기서 멀지 않은데. 주민 센터 근처에 ○○ 아파트 있잖아? 난 거기 살아.

연우 그래? 우리 집이랑 정말 가깝네.』

『윤정 잘됐다. 내일부터 같이 다니면 되겠다.

연우 (당황하며) 어? 어…… 그래.

윤정 우리 오늘 수업 끝나고 영화 보러 갈까? 넌 무슨 영화 좋아하니? 『 』: 처음 만나는 사이인데 '윤정'이 너무 과하게 자기표현을 하여 '연우'가 난처해하고 있음.

연우 영화? 어…… 글쎄…… 잘 모르겠어.

윤정 자기가 좋아하는 영화를 모른다는 게 말이 돼? 난 남녀 사이의 사랑 이야기를 다룬 영화가 좋은데……. 어제 재미있는 영화 하나 개봉했더라고. 이따가 같이 보러 가는 거다?

연우 어? 아…… (난처해하며) 나는 좀…….

윤정 왜? 끝나고 다른 일 있어?

연우 아니, 그게 좀……. 그냥 다음에 보러 가자.』

㉯ 며칠 후, 할머니와 통화하는 연우 → 친밀한 관계에서의 상황

연우 할머니, 오랜만에 전화드려요. 할머니 뵌 지 벌써 한 달쯤 됐네요. 건강하시죠?

할머니 그래, 우리 손녀딸도 건강하지? 전학 간 학교에서 친구들은 많이 사귀었니?

연우 아직 좀 그래요. 짝꿍인 친구가 잘해 주기는 하는데, <u>너무 잘해 주니까 왠지 부담스럽기도 하고요.</u> 아직은 데면데면해요. 친밀한 관계에서는 자신의 속마음을 자연스럽게 털어놓게 됨.

할머니 에구, 힘들겠구나. 하지만 시간이 좀 지나면 괜찮아질 게다. 우리 손녀는 맘이 좋아서 친구들이 금방 좋아하게 될 거야.

연우 그렇겠죠? 빨리 그렇게 되면 좋겠어요.

(1) (가)의 대화 상황에서 '윤정'의 발화가 갖는 문제점이 무엇인지 '자기표현'의 관점에서 지적해 보자.

l예시 답안l

(가)의 대화 상황	자기표현의 측면에서 본 '윤정'의 발화	'윤정'의 발화가 갖는 문제점
연우가 전학을 와서 윤정과 처음 대화를 나누는 상황	처음에는 이름, 사는 곳과 같은 사회적 차원의 자아를 드러내는 발화를 하다가 잠시 후 학교를 같이 다니자는 제안을 하거나, 취향(남녀 사이의 사랑 이야기를 다룬 영화를 좋아함.)을 말하는 등 개인적 자아를 드러내는 발화를 하고 있음.	관계에 따라 적절하게 자기표현을 하고 관계가 진행되는 속도도 서로가 받아들이기에 알맞아야 하는데, 윤정은 처음부터 개인적 자아를 드러내고 관계 맺기를 너무 빠르게 진행하여 연우에게 부담을 주고 있음.

(2) 자신이 전학 온 '연우'의 짝이 된다면 어떤 대화를 나눌지 생각해 보자.

l예시 답안l 처음 만나는 사이이므로 전에 다니던 학교나 살던 곳, 현재 사는 곳, 가족 관계 등과 같은 사회적 차원의 자아를 중심으로 대화를 나눌 것이다.

(3) '연우'가 '윤정'과 할머니 중 누구에게 더 친밀함을 느끼고 있다고 생각하는지와 그렇게 생각한 까닭을 말해 보자.

l예시 답안l 연우는 가까운 공간에서 함께 생활하는 윤정보다 멀리서 가끔 연락하는 할머니에게 더 친밀함을 느끼고 있다. 이는 연우가 윤정이와는 영화를 보는 취향과 같은 개인적 차원의 자아를 공유하는 것에 부담을 느끼고 있지만, 할머니와는 친구에 대해 느끼는 감정과 같은 개인적 차원의 자아를 스스럼없이 공유하고 있는 것을 통해 알 수 있다.

🖉 배워서 하기 ❷ ▶ 교과서 62p

관계 형성에 적절한 방법으로 자기표현 하기

● 〈보기〉의 상황에서 적절한 대화 화제를 골라 짝과 가상의 대화를 해 보자.

─〈보기〉─
• 새로운 친구를 소개받은 상황
• 오랜만에 어릴 적 친구를 만난 상황
• 매일 만나는 절친한 친구와 이야기하는 상황

l예시 답안l 매일 만나는 절친한 친구와 이야기하는 상황: 고민거리
연수: 인호야, 나 요즘 고민거리가 있어.
인호: 뭔데? 내가 다 듣고 해결해 줄게.
연수: 며칠 전에 민정이에게 화를 냈거든. 근데 내가 민정이를 오해한 것 같아. 민정이와 화해를 하고 싶은데, 어떻게 하면 좋을지 모르겠어.
인호: 글쎄, 민정이한테 그냥 솔직하게 말하고 사과하는 게 제일 좋을 것 같은데? 좀 쑥스럽겠지만 말이야.
연수: 아무래도 그렇겠지? 고마워 친구!
인호: 뭘 친구 사이에 그 정도 가지고.

🎵하면서 배우기 📖 ●●●●●●●●● 교과서 63p

3. 다음 대화를 보고, 아래의 활동을 해 보자.

누나 야, 너 왜 이렇게 텔레비전 소리를 크게 켜 놓고 있어? 시끄럽잖아.
　　　　　　　　　　　　　　　　갈등 상황
동생 뭐가 시끄럽다고 그래? 시끄러우면 귀를 막든가.
누나 뭐라고? 야, 나 시험 망치면 네가 책임질 거야?
　　　　　문제 상황의 원인을 상대방의 행동에서 찾고 있음.
동생 내가 왜 책임져? 공부 안 한 누나가 책임져야지.
누나 이게, 버릇없이 누나한테 말대답이나 하고. 빨리 소리 안 줄여?
동생 아, 몰라. 싫어.

(1) 다음은 위의 대화 상황에 관해 엄마와 아들이 나눈 대화이다. 이를 바탕으로 누나의 발화에 담긴 문제점을 말해 보자.

엄마 누나한테 왜 그런 식으로 말했는지 엄마한테 이야기해 줄래?
아들 누나가 먼저 기분 나쁘게 말을 했어요. 누나에게 말을 함부로 한 건 제 잘못이지만, 누나도 모든 게 제 탓인 양 말하지 않으면 좋겠어요.

l예시 답안l 누나는 자신이 느끼는 감정을 중심으로 이야기하지 않고 동생의 행동을 일방적으로 탓하기만 하여 동생의 감정을 상하게 하였다.

(2) 누나의 첫 번째 발화를 '나-전달법'에 따라 바꾸어 말해 보고, 위의 대화와 느낌이 어떻게 다른지 이야기해 보자.

ㅣ예시 답안ㅣ

사건	텔레비전 소리가 좀 큰 것 같아.
감정	텔레비전 소리 때문에 공부에 집중이 안 돼서 마음이 불안해.
기대	텔레비전 소리를 조금만 줄여 주면 내가 공부하는 데 도움이 될 것 같아.

→ 앞선 대화는 강압적이고 대립적으로 느껴지는 반면 '나-전달법'의 대화는 훨씬 부드럽고 협력적으로 느껴진다.

(3) 누나의 첫 번째 발화가 (2)와 같이 바뀌면 위의 대화가 어떻게 전개될지 추측해 보자.

ㅣ예시 답안ㅣ '나-전달법'을 통해 누나의 감정과 기대를 알게 된 동생이 누나의 공부를 방해한 것에 대해 사과하고 누나의 기대에 따라 텔레비전 소리를 줄일 것이라고 추측된다.

배워서 하기 **3** ▶ 교과서 64p

'나-전달법'으로 갈등을 관리하는 경험 쌓기

● 다음의 갈등 상황에서 '너-전달법'으로 한 말을 '나-전달법'으로 고쳐서 각각 말해 보자.

> ㉠ 허락 없이 자신의 물건을 사용한 친구에게
> ㉡ 시험이 다가오는데도 공부를 하지 않는 동생에게
> ㉢ 다른 친구의 잘못을 오해하여 자신을 꾸중하신 선생님께

ㅣ예시 답안ㅣ

너-전달법	나-전달법
㉠ "넌 왜 항상 허락 없이 내 물건에 손을 대고 그래?"	네가 나한테 말하지 않고 내 물건을 사용하면 속상해. 앞으로는 내 물건을 사용하고 싶을 때 나에게 먼저 말을 해 주면 좋겠어.
㉡ "넌 시험 때도 그렇게 공부를 안 해서 도대체 어떻게 하려고 그래?"	요즘 시험 기간인 것 같은데, 네가 시험공부를 소홀히 하는 것 같아서 걱정이 돼. 시험을 못 봐서 속상하지 않게 미리미리 공부를 해 두면 좋을 것 같아.
㉢ "선생님은 잘 알지도 못하시면서 왜 저한테만 뭐라고 하세요?"	제가 한 잘못이 아닌데, 선생님께서 오해를 하시고 저만 혼을 내시니 속상해요. 다음에는 혼을 내시기 전에 제가 잘못한 것이 맞는지 물어봐 주시면 좋겠어요.

● 위의 두 대화 방법을 비교해 보고, '나-전달법'으로 말하는 것이 '너-전달법'으로 말하는 것보다 갈등 관리나 상대방과의 관계 유지에 도움이 되는 까닭을 이야기해 보자.

ㅣ예시 답안ㅣ '나-전달법'으로 대화를 나누면 상대의 마음을 상하지 않게 함으로써 상대방과의 갈등을 완화하거나 방지할 수 있다. 이렇게 갈등을 관리하면 상대방과 원만한 관계를 유지하는 데 도움이 된다.

참고 '너-전달법'과 '나-전달법'의 사례

> **모둠 활동 시간에 현진이가 딴짓을 하고 있는 상황**
>
> • **'너-전달법'**
>
> 승수: 넌 왜 혼자 딴짓을 하고 있어? 다른 애들은 다 모둠 활동을 하고 있잖아! 이렇게 할 거면 우리 모둠에서 나가!
>
> 현진: 뭐? 너희들은 다 친하잖아! 나한테는 말도 안 걸었으면서 왜 이제 와서 아는 척이야? 나는 이 모둠에 있는 게 좋은 줄 알아?
>
> • **'나-전달법'**
>
> 승수: 현진아, 지금은 다 같이 힘을 합해야 하는 시간인데 너만 다른 걸 하고 있어서 속상해. 너도 다른 친구들처럼 모둠 활동에 적극적으로 참여해 주면 좋겠어.
>
> 현진: 응. 너희들끼리 너무 친해 보여서 내가 다가가기가 어려워서 그랬어. 나도 도울 테니 우리 같이 잘해 보자.

→ 위의 사례에서 '승수'와 '현진'은 모둠 활동 시간에 딴짓을 하고 있는 '현진'의 행동으로 인해 갈등을 겪고 있다. '너-전달법'에서 '승수'와 '현진'은 상대방의 행동을 문제 삼고 있는데, 이와 같은 대화법은 감정 대립을 유발해 갈등 상황을 악화시킨다. 이에 비해 '나-전달법'에서는 '승수'가 '현진'의 행동에 대해 자신의 감정을 솔직하게 말하며 바라는 바를 구체적으로 이야기하자, '승수'의 감정과 기대를 알게 된 '현진'이 '승수'의 기대에 따라 모둠 활동을 같이 하자고 말하고 있다. 이처럼 '나-전달법'은 갈등 상황을 관리하고 상대방과의 관계를 원만히 유지하는 데 효과적이다.

소단원 정리하기

출제 포인트 ① **자아 개념**

> 자아 개념이 무엇이고, 어떻게 형성되는지를 묻는 문제가 시험에 나올 거예요. 자아 개념의 유형과 특성까지 공부해 두면 좋아요.

개념	다른 사람이 자신을 어떻게 생각하느냐에 대해 자신이 느끼고 있는 생각을 포함한 자기 자신에 대한 생각
형성	타인과의 의사소통을 통해 형성되며, 이는 타인과 소통하는 방식에 영향을 줌.
유형과 특성	• 유형: 긍정적 자아 개념과 부정적 자아 개념 • 특성 　– 긍정적 자아 개념: 적극적, 개방적 　– 부정적 자아 개념: 소극적, 방어적

출제 포인트 ② **자기표현**

> 자기표현의 정도에 따라 인간관계가 어떻게 발전하게 되는지, 혹은 인간관계에 따라 자기표현의 정도를 어떻게 해야 하는지에 대한 문제가 시험에 나올 거예요.

개념	타인에게 자신에 관한 정보를 알리는 것
자기표현과 인간관계	• 일반적으로 만남의 빈도가 높아질수록 자기표현의 정도도 비례하여 높아짐. • 인간관계의 발전 정도에 따라 자아 노출의 성격이 사회적 자아에서 개인적 자아로 옮겨 가게 됨. • 자기표현의 속도는 인간관계의 발전 정도에 따라 적정한 수준에서 이루어져야 함.

출제 포인트 ③ **갈등을 조정하는 대화 방법**

> 말 한마디에 천 냥 빚을 갚는다는 말도 있듯이, 말을 어떻게 하느냐에 따라서 갈등이 심화되기도 하고, 해소되기도 해요. 갈등을 조정하는 대화 방법과 관련하여 '나–전달법'이 무엇인지와 '나–전달법'의 메시지 구성 방법을 묻는 문제가 시험에 나올 거예요.

'나–전달법'	갈등 상황에서 상대를 탓하는 대신 자신이 느낀 감정과 경험을 표현하는 것
메시지 구성	• '사건–감정–기대'로 구성됨. • 사건: 자신이 문제로 인식한 상대방의 행동이나 상황만을 대상으로 함. • 감정: 사건에 대해 자신이 느낀 감정을 진술하게 표현함. • 기대: 자신이 바라는 상대방의 행동이나 상황이 무엇인지를 구체적으로 드러냄.

대표 문제 ① 자아 개념에 대한 설명으로 적절하지 **않은** 것은?

① 자기 자신에 대한 생각을 의미한다.

② 타인과의 의사소통을 통해 형성된다.

③ 다른 사람들이 자신을 어떻게 생각하고 있는지에 대한 스스로의 생각을 의미한다.

④ 일반적으로 타인에게 긍정적인 말을 많이 들은 사람은 긍정적 자아 개념을 갖게 된다.

⑤ 부정적 자아 개념을 가진 사람은 타인의 반응에 대해 수용적인 태도를 보이는 경우가 많다.

대표 문제 ② 자기표현과 인간관계에 대한 설명으로 적절하지 **않은** 것은?

① 일반적으로 만남의 빈도와 인간관계의 발전은 비례한다.

② 일반적으로 사회적 자아를 개인적 자아보다 먼저 노출한다.

③ 자기표현의 속도가 빠를수록 인간관계의 발전에 도움이 된다.

④ 일반적으로 인간관계의 발전은 자아를 노출하는 정도에 비례한다.

⑤ 자기표현의 정도가 낮으면 인간관계의 발전을 기대하기가 어렵다.

대표 문제 ③ 갈등 상황에서 '나–전달법'으로 말을 하면 어떤 효과를 거둘 수 있는지 서술하시오.

_____

_____

1. 자아 개념에 대한 설명으로 가장 적절한 것은?

① 한번 형성된 자아 개념은 바뀌지 않는다.

② 긍정적 자아 개념을 가진 사람은 자신을 드러내는 데 소극적이다.

③ 다른 사람이 자신을 어떻게 보는지에 대한 스스로의 생각을 말한다.

④ 자아 개념은 자신과의 소통을 통해 긍정적 혹은 부정적으로 형성된다.

⑤ 부정적 자아 개념을 가진 사람은 타인의 반응을 중시하고 수용하고자 한다.

`학습 활동 응용`

2. 〈보기〉에서 긍정적 자아 개념을 가진 사람의 행동을 모두 골라 바르게 짝지은 것은?

─〈보기〉─

㉠ 자신의 잘못에 대한 타인의 지적을 수용할 줄 안다.

㉡ 자신을 지나치게 낮춰 말하거나 자신감 없이 행동한다.

㉢ 다른 사람의 인정보다는 자신의 주관에 따라 행동한다.

㉣ 타인의 성공에 대해 투덜거리거나 비웃는 태도를 취한다.

① ㉠, ㉡   ② ㉠, ㉢   ③ ㉡, ㉢

④ ㉡, ㉣   ⑤ ㉢, ㉣

[3~5] 다음 글을 읽고 물음에 답하시오.

선생님 자, 이번에 우리 반에 새로운 친구가 전학을 왔어요. (연우를 보며) 자기소개를 해 줄래요?

연우 (학생들 앞에서) 안녕하세요? 저는 박연우라고 합니다. 앞으로 잘 부탁합니다.

선생님 그래, 아직 모든 것이 낯설고 어색할 테니까 여러분이 잘 도와주세요. (연우를 향해) 자리는 우선 (윤정이 옆자리를 가리키며) 저기 윤정이 옆의 빈자리에 앉도록 하자.

(연우, 윤정의 옆자리에 가서 앉는다.)

윤정 안녕? 나는 하윤정이라고 해. 반갑다.

연우 어? 그래. 반갑다.

윤정 그런데, ⓐ 너 집이 어디니?

연우 어, 학교 길 건너편에 있는 ○○동 주민 센터 근처야.

윤정 그래? 우리 집도 거기서 멀지 않은데. 주민 센터 근처에 ○○ 아파트 있잖아? 난 거기 살아.

연우 그래? 우리 집이랑 정말 가깝네.

윤정 잘됐다. 내일부터 같이 다니면 되겠다.

연우 (당황하며) 어? 어…… 그래.

윤정 우리 오늘 수업 끝나고 영화 보러 갈까? ⓑ 넌 무슨 영화 좋아하니?

연우 영화? 어…… 글쎄…… 잘 모르겠어.

윤정 자기가 좋아하는 영화를 모른다는 게 말이 돼? 난 남녀 사이의 사랑 이야기를 다룬 영화가 좋은데……. 어제 재미있는 영화 하나 개봉했더라고. 이따가 같이 보러 가는 거다?

연우 어? 아…… (난처해하며) 나는 좀…….

3. 위의 대화 상황에 대한 설명으로 적절하지 <u>않은</u> 것은?

① 연우와 윤정은 처음 만나는 사이이다.

② 연우는 윤정의 관심을 부담스러워하고 있다.

③ 윤정은 연우에 비해 자신을 적극적으로 노출하고 있다.

④ 연우는 윤정에게 사회적 자아를 노출하는 것을 부담스러워하고 있다.

⑤ 윤정과 연우는 두 사람의 관계에 맞지 않는 자기 노출의 정도로 인해 어려움을 겪고 있다.

4. ⓐ와 ⓑ에 대한 설명으로 가장 적절한 것은?

① ⓐ와 ⓑ는 모두 관계 형성의 초기 단계에서 하기에 적합한 질문이다.

② ⓐ와 ⓑ는 모두 친밀한 관계가 형성된 후에 하기에 적합한 질문이다.

③ ⓐ와 ⓑ는 모두 사회적 차원의 자아를 드러내기를 요구하는 질문이다.

④ ⓐ는 개인적 자아를, ⓑ는 사회적 자아를 드러내기를 요구하는 질문이다.

⑤ ⓐ는 사회적 자아를, ⓑ는 개인적 자아를 드러내기를 요구하는 질문이다.

5. 〈보기〉는 연우가 전학을 하고 며칠이 지난 후 할머니와 통화를 하는 상황이다. 위의 대화와 〈보기〉를 통해 알 수 있는 사실로 가장 적절한 것은?

〈보기〉

> 연우 할머니, 오랜만에 전화드려요. 할머니 뵌 지 벌써 한 달쯤 됐네요. 건강하시죠?
>
> 할머니 그래, 우리 손녀딸도 건강하지? 전학 간 학교에서 친구들은 많이 사귀었니?
>
> 연우 아직 좀 그래요. 짝꿍인 친구가 잘해 주기는 하는데, 너무 잘해 주니까 왠지 부담스럽기도 하고요. 아직은 데면데면해요.
>
> 할머니 에구, 힘들겠구나. 하지만 시간이 좀 지나면 괜찮아질 게다.

① 자주 만나는 사이일수록 자아를 더 많이 노출하게 된다.

② 개인적 자아를 노출하면 친밀감이 빠르게 형성될 수 있다.

③ 자기표현은 친밀감을 형성하는 데에 부정적인 영향을 미친다.

④ 사회적 자아의 노출만으로도 친밀한 관계를 형성할 수 있다.

⑤ 친밀한 관계에서는 자주 만나는 사이가 아니더라도 개인적 차원의 자아를 드러낼 수 있다.

[6–7] 다음 글을 읽고 물음에 답하시오.

> 누나 ㉠야, 너 왜 이렇게 텔레비전 소리를 크게 켜 놓고 있어? 시끄럽잖아.
>
> 동생 뭐가 시끄럽다고 그래? 시끄러우면 귀를 막든가.
>
> 누나 뭐라고? 야, 나 시험 망치면 네가 책임질 거야?
>
> 동생 내가 왜 책임져? 공부 안 한 누나가 책임져야지.
>
> 누나 이게, 버릇없이 누나한테 말대답이나 하고. 빨리 소리 안 줄여?

6. 위 대화에 나타난 문제점으로 가장 적절한 것은?

① 서로에게 솔직하지 못하고 거짓말만 하고 있다.

② 상대방의 말을 듣지 않고 자신의 말만 하고 있다.

③ 상대방의 말과 행동을 비난하여 갈등을 유발하고 있다.

④ 자신이 한 행동을 숨기고 상대방의 잘못만 지적하고 있다.

⑤ 자신이 원하는 바를 말하지 않은 채 상대방의 행동 변화만을 기대하고 있다.

7. ㉠을 〈보기〉와 같이 바꾸었을 때, ㉠과 〈보기〉에 대한 설명으로 적절하지 않은 것은?

〈보기〉

> 텔레비전 소리가 좀 큰 것 같아. 그 소리 때문에 공부에 집중이 안 돼서 마음이 불안하구나. 네가 소리를 조금만 줄여 주면 내가 공부하는 데 도움이 될 것 같아.

① ㉠에는 사건에 대한 진술이 없고, 〈보기〉에는 사건에 대한 진술이 있다.

② ㉠보다 〈보기〉의 발화가 더 부드럽고 협력적인 관계를 도모할 수 있게 한다.

③ ㉠은 갈등을 조장하는 발화이고, 〈보기〉는 갈등을 해소할 수 있는 발화이다.

④ ㉠은 '너–전달법'의 구성을 가진 발화이고, 〈보기〉는 '나–전달법'의 구성을 가진 발화이다.

⑤ ㉠은 다른 사람에 대한 평가와 해석, 〈보기〉는 자신의 감정과 경험을 중심을 중심으로 한 발화이다.

8. '나–전달법'의 메시지 구성 방식을 쓰고, 다음 상황에서 '나–전달법'을 이용해 선생님과 나눌 대화의 내용을 서술하시오.

> 선생님께서 오해해서 나를 혼내고 있는 상황

(2) 상황에 맞는 말하기

핵심 질문 상황에 맞게 말하려면 어떻게 해야 할까?

>> 부탁이나 요청, 거절과 사과, 그리고 감사를 해야 하는 상황에서 말하기의 목적을 이루기 위해서는 대화 상황을 고려해야 한다. 이때 대화 상황을 고려한다는 것은 결국 적절한 대화 방법과 표현 전략을 사용하여 상대방과 원만한 관계를 유지하기 위한 것이다. 그러므로 대화 상황에 맞는 공손 어법을 익히는 일이 중요하다.

알기

• 의사소통에서 상황 맥락이 중요한 까닭은 무엇인가?

I예시 답안I 상황을 고려하지 않으면 원활한 의사소통을 하기 어려우며, 상황 맥락에 따라 같은 말이나 내용이라도 그 의미가 다르게 인식될 수 있다.

• 상황에 맞게 말하려면 무엇을 고려해야 하나?

I예시 답안I 상황에 맞게 말하기 위해서는 말하기의 주제와 목적, 청자, 담화 유형과 같은 요소를 정확히 파악하고, 말하기가 이루어지는 시·공간적 배경과 물리적 환경 등을 고려해야 한다.

••• 위의 각 장면에서는 어떤 말을 해야 하는가?

I예시 답안I ① 많은 짐을 들고 있는 여성이 지나가는 남성에게 부탁이나 요청하는 말을 해야 하는 상황이다. 여성은 남성에게 "죄송하지만 짐이 너무 많아서 그러는데 이것 좀 들어 주시면 안 될까요?" 또는 "짐이 너무 무거워요. 이것 하나만 들어 주실 수 있으세요?" 등과 같은 말을 할 수 있다.
② 남성이 자신에게 길을 알려 준 여성에게 감사의 말을 해야 하는 상황이다. 남성은 여성에게 진심을 담아 "친절하게 길을 알려 주셔서 감사합니다."와 같이 감사의 말을 할 수 있다.
③ 여성이 남성에게 거절하는 말을 해야 하는 상황이다. 여성은 남성에게 "죄송하지만 그쪽의 말씀에 응하기가 어려워요."라고 미안함을 드러내며 정중하게 거절하는 말을 하거나 거절을 바로 하기 어렵다면 "생각해 볼게요."라며 결정을 보류하는 말을 한 뒤 나중에 거절의 말을 할 수 있다.
④ 남성의 옷에 음료수를 쏟은 여성이 사과의 말을 해야 하는 상황이다. 여성은 남성에게 자신의 잘못을 인정하는 자세로 "정말 죄송해요."라고 공손하게 사과를 하고 "세탁비는 제가 드리겠습니다." 등과 같이 앞으로 어떻게 행동할 것인지에 대해 말할 수 있다.

••• 상황에 따라 효과적으로 말을 하려면 어떤 점을 고려해야 할까?

I예시 답안I 말하기의 상황과 상대방의 입장, 감정 등을 고려해야 한다.

하기

• 부탁과 요청, 거절, 사과, 감사의 상황 분석하기

>> 부탁과 요청, 거절, 사과, 감사 등의 다양한 상황 분석하기

• 효과적으로 부탁과 요청, 거절, 사과, 감사의 말 하기

>> 친구와 짝을 이루어 주어진 상황에서 효과적으로 부탁과 요청, 거절, 사과, 감사하는 말 하기

알아 두기

상황에 맞는 말하기

» 부탁·요청하는 말 하기

- 부탁·요청은 상대에게 어떤 일을 해 달라거나 필요한 일이 이루어지도록 당부하는 발화 행위이다.
- 부탁·요청의 상황은 기본적으로 상대방에게 부담이 될 수 있으므로, 말을 할 때 상대방에게 부담이 되는 표현은 최소화하고 상대방의 이익을 최대화하는 요령의 격률에 따라 말하는 것이 좋다.
- 부탁·요청의 표현은 요청할 내용을 직접적이고 명확하게 표현하는 직접 요청과 질문하기 등의 방식을 통해 의사를 간접적으로 표현하는 간접 요청이 있다.

» 거절하는 말 하기

- 거절은 상대방의 요청이나 제안, 약속 등을 수용하지 않고 거부의 의사를 나타내는 발화 행위이다.
- 거절하는 상황에서는 거절과 관련된 문제를 해결하는 동시에, 거절로 인해 상대방과의 관계가 나빠지는 것을 막기 위한 방법을 마련해야 한다.
- 거절하는 말을 할 때는 상대방의 기분이 나빠지거나 체면이 손상되는 상황이 발생하지 않도록 공손한 표현을 사용해야 한다.
- 거절하는 말을 할 때는 공손성의 원리 중 자신과 상대방의 의견 차이를 최소화하고 의견 일치를 극대화하는 동의의 격률에 따른 말하기를 하는 것이 효과적이다.

» 사과하는 말 하기

- 사과는 자신의 잘못을 빌고 용서를 바라는 의도를 나타내는 발화 행위이다.
- 사과하는 말을 할 때 가장 중요한 것은 진정성으로, 진정성은 일반적으로 예의 바른 태도를 통해서 드러난다.
- 사과 표현은 미안함을 직접적으로 드러내는 명시적인 표현과 '자책, 해명, 재발 방지 약속'과 같은 부가적인 표현을 통해 이루어진다.

» 감사하는 말 하기

- 감사는 남이 베풀어 준 호의나 도움 등에 관하여 흐뭇함과 즐거움을 표현하는 발화 행위이다.
- 일반적으로 감사를 표현할 때는 자신에 대한 칭찬은 최소화하고 자신에 대한 비방을 최대화하는 겸양의 격률에 따라 말하는 것이 좋다.
- 감사 표현에는 직접적으로 감사를 표현하는 방식과 간접적으로 감사를 표현하는 방식이 있다.

• 개념 확인하기

1. 상황에 맞는 말하기 전략에 대한 설명으로 알맞은 것은 ○표, 알맞지 <u>않은</u> 것은 ×표를 하시오.

(1) 부탁·요청의 말을 할 때는 화자 자신의 부담을 최소화할 수 있는 표현을 사용하는 것이 좋다.

(   )

(2) 거절하는 말을 할 때는 상대방의 기분이나 체면을 손상하지 않도록 공손한 표현을 사용해야 한다.

(   )

(3) 사과하는 말을 할 때 가장 중요한 것은 말의 진정성이다. (   )

2. 〈보기〉에서 빈칸에 들어갈 알맞은 말을 찾아 쓰시오.

〈보기〉
최대화, 최소화, 비난, 동의, 칭찬

(1) 요령의 격률: 상대방에게 부담이 되는 표현을 (   )하고 이익이 되는 표현을 (   )함.

(2) 겸양의 격률: 자신에 대한 (   )은 최소화하고 (   )을 최대화함.

(3) (   )의 격률: 자신과 상대방의 의견 차이를 최소화하고 의견 일치를 최대화함.

3. 사과 표현 중 부가적인 표현에 해당하는 것끼리 바르게 짝지은 것은?

① 자책 – 단언
② 변명 – 해명
③ 침묵 – 되묻기
④ 자책 – 말 돌리기
⑤ 해명 – 재발 방지 약속

┃정답┃
1. (1) × (2) ○ (3) ○ **2.** (1) 최소화, 최대화 (2) 칭찬, 비난 (3) 동의 **3.** ⑤

소단원
학습 활동

하면서 배우기 📖 교과서 66p

1. 다음 대화를 보고, 아래의 활동을 해 보자.

가 (사진관 앞에 서 있다가 정원이 와서 문을 열자)

다림 한참 기다렸어요. (필름이 든 봉투를 내밀며) <u>저, 이거 빨리 해야 되거든요. 얼마나 걸려요, 아저씨?</u>
사진을 빨리 현상해 줄 것을 요청함.

정원 (사진관 문을 열다 말고) <u>미안하지만, 조금만 이따가 오면 안 될까요?</u>
나중에 다시 올 것을 요청함.

다림 안 돼요, 아저씨. <u>저, 여기 동그라미 쳐 놓은 부분만 빨리 확대해 주세요.</u>
사진을 확대해서 뽑아 줄 것을 요청함.

나 (오토바이를 타고 지나가던 정원이 손에 짐을 들고 있는 다림 옆으로 다가간다.)

정원 어디 가요?

다림 구청에요.

정원 (손에 든 짐을 보며) 그건 뭐예요?

다림 <u>숙녀가 이렇게 무거운 것을 들고 가야겠어요?</u>
자신의 짐을 들어 줄 것을 부탁함.

정원 에휴, 단골손님인데……. 자, 뒤에 타요.

— 허진호 감독, 「8월의 크리스마스」에서

---

(1) (가)와 (나)에서 요청이나 부탁을 나타내는 말을 찾아보자.

|예시 답안| • (가): 저, 이거 빨리 해야 되거든요. 얼마나 걸려요, 아저씨? / 미안하지만, 조금만 이따가 오면 안 될까요? / 저, 여기 동그라미 쳐 놓은 부분만 빨리 확대해 주세요.
• (나): 숙녀가 이렇게 무거운 것을 들고 가야겠어요?

(2) (1)에서 찾은 말을 요청이나 부탁의 의도를 직접 드러낸 말과 간접적으로 드러낸 말로 구분해 보자.

|예시 답안|

의도를 직접 드러낸 말	의도를 간접적으로 드러낸 말
• 저, 여기 동그라미 쳐 놓은 부분만 빨리 확대해 주세요.	• 저, 이거 빨리 해야 되거든요. 얼마나 걸려요, 아저씨? • 미안하지만, 조금만 이따가 오면 안 될까요? • 숙녀가 이렇게 무거운 것을 들고 가야겠어요?

(3) 위의 대화에서 〈보기〉의 설명에 해당하는 말을 각각 찾고, 그와 같은 말의 효과를 파악해 보자.

〈보기〉
• 부탁이나 요청을 하는 까닭을 제시하는 말
• 부탁이나 요청을 하는 것에 대해 양해를 구하는 뜻을 나타내는 말

|예시 답안| • 저, 이거 빨리 해야 되거든요. → 부탁하는 말을 하는 까닭을 제시하며 완곡하게 표현함으로써 상대방이 불쾌함을 느끼지 않도록 하고 있다.
• 미안하지만 → 요청하는 말을 하기 전에 양해를 구하는 표현을 함으로써 상대방이 부담을 느끼지 않도록 하고 있다.

✏️ 배워서 하기 ① ▶ 교과서 67p

부탁·요청의 말을 상황에 맞게 효과적으로 해 보기

● **친구와 짝을 이루어 다음 상황에 적절한 표현을 사용하여 대화해 보자.**

〈조건〉
상대방의 부담을 최소화하는 말하기 전략을 사용한다.

▶ 어머니께 전화해야 하는데 휴대 전화의 배터리가 남아 있지 않아 친구에게 빌려 써야 하는 상황

|예시 답안| 미안한데, 네 휴대 전화 좀 빌려 쓸 수 있을까? 엄마한테 전화를 해야 하는데, 내 휴대 전화의 배터리가 남아 있지 않아서 그래.

---

2. 다음 대화를 보고, 아래의 활동을 해 보자.

(1) 위의 대화에서 '우신'의 부탁을 거절하는 '성진'의 거절 방식이 각각 어떻게 다른지 정리해 보자.

|예시 답안|

	거절 발화	거절 방식
첫 번째 거절	안 돼.	의견의 불일치를 조정하기보다는 상대방의 목적이나 의도를 강제로 포기하게 만드는 방식
두 번째 거절	아니, 나도 빌려주고 싶은데, 내 글씨가 워낙 엉망이라 알아보기 힘들 거야.	문제를 해결하기보다는 외면하거나 지연하면서 문제를 회피하는 방식
세 번째 거절	우신아, 사실은 내 글씨가 엉망인 게 부끄러워서 그래. 내가 나중에 컴퓨터로 정리해서 주면 안 될까?	갈등 상황에서 서로 양보하여 이해를 조정하고 협력적인 관계를 유지하는 방식

(2) '우신'의 입장에서 (1)의 세 가지 거절 방식 중 가장 받아들이기 좋은 방식은 무엇이라고 생각하는지와 그렇게 생각하는 까닭을 말해 보자.

|예시 답안| 우신의 입장에서 가장 받아들이기 좋은 방식은 세 번째 거절 방식이다. 성진이 필기한 공책을 빌려주기 싫은 이유를 솔직하고 공손하게 설명한 뒤 대안을 제시함으로써, 부탁하는 우신의 기분이나 체면을 상하지 않게 하면서 문제를 해결하는 것이 가능하기 때문이다.

✏️ **배워서** 하기 ➋ ▶ 교과서 69p

거절의 말을 상황에 맞게 효과적으로 해 보기

● 친구와 짝을 이루어 다음 상황에 적절한 표현을 사용하여 대화해 보자.

┌─〈조건〉─────────────────
　동생의 기분이 상하지 않도록 완곡하게 거절하는 전략을 사용한다.
└────────────────────

▶ 동생이 방 청소를 도와 달라고 부탁하는데, 친구와 약속이 있어서 나가 봐야 하는 상황

|예시 답안| 미안해. 나도 도와주고 싶은데, 친구와의 약속 때문에 그럴 수 없을 것 같아. 괜찮다면 지금은 놔 두고, 내가 친구를 만나고 온 후에 함께 청소하는 게 어떨까?

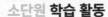

소단원 학습 활동

하면서 배우기 📖 ·········· 교과서 70p

3. 다음 대화를 보고, 아래의 활동을 해 보자.

성준 (책상 위 과자를 보며) 어? 과자네? (과자를 뜯어서 먹는다.)

미영 야, 안성준! 왜 남의 걸 허락도 없이 먹어! 그 과자 오늘 생일인 친구한테 선물할 거란 말이야.

성준 어? 미안해. 난 몰랐지. 그런데 과자 하나 먹었다고 뭘 <u>그렇게까지 난리를 치냐? 내가 하나 사 주면 될 거 아냐.</u>
　　　잘못된 사과: 진정성이 없고 상대방을 면박함.

미영 넌 매번 그런 식이지? 지난번에도 내 물건 말도 없이 그냥 가져다 쓰고. 내가 여러 번 얘기했는데도 달라지는 게 없잖아. 번번이 내 말을 무시하고.

성준 미안하다고 했잖아! 그렇게 지난 일까지 들추면서 얘기 <u>해야 해? 내가 자꾸 까먹어서 그래. 내가 원래 자주 그</u>
　　　진정성이 없고 자신을 이해해 달라며 상대방을 압박함.
　　　<u>러잖아. 이해 좀 해 주면 안 돼?</u>

미영 자꾸 그런 식으로 변명하지 마. 내가 보기에는 네가 원래 잘 까먹어서가 아니라 내 말을 무시해서 그러는 것 같아.

성준 <u>미안해. 정말 미안해.</u> 난 네가 그렇게까지 생각하는 줄
　　　명시적인 사과 표현　　　부가적인 사과 표현-해명
　　　은 몰랐어. 네 말을 무시해서 그런 게 아니야. 내가 습관
　　　이 잘못 들어서 그런 거야. 다음부터는 진짜로 안 그럴
　　　부가적인 사과 표현-자책　　　부가적인 사과 표현-재발 방지 약속
　　　게. 그러니까 화 풀어. 응?

---

(1) 위의 대화에서 '성준'의 첫 번째와 두 번째 사과에 대해 '미영'이 화를 낸 까닭은 무엇인지 말해 보자.

> • '성준'의 첫 번째 사과: "어? 미안해. 난 몰랐지. 그런데 과자 하나 먹었다고 뭘 그렇게까지 난리를 치냐? 내가 하나 사 주면 될 거 아냐."
> • '성준'의 두 번째 사과: "미안하다고 했잖아! 그렇게 지난 일까지 들추면서 얘기해야 해? 내가 자꾸 까먹어서 그래. 내가 원래 자주 그러잖아. 이해 좀 해 주면 안 돼?"

| 예시 답안 | 성준은 미영에게 미안하다고 말하고는 있지만, 미영이 자신에게 화를 냈다고 면박을 주거나 미영에게 자신을 이해해 달라고 압박하고 있다. 이와 같은 말과 행위는 성준의 사과를 진정성 있는 것으로 받아들이기 어렵게 하고 있다. 이에 미영은 성준의 사과가 진정성이 없는 것이라 생각하여 화를 내고 있는 것이다.

(2) '성준'의 마지막 사과 표현을 명시적인 표현과 부가적인 표현으로 나누어서 정리해 보자.

| 예시 답안 |

명시적인 표현	부가적인 표현
미안해. 정말 미안해.	• 난 네가 그렇게까지 생각하는 줄은 몰랐어. 네 말을 무시해서 그런 게 아니야(해명). • 내가 습관이 잘못 들어서 그런 거야(자책). • 다음부터는 진짜로 안 그럴게(재발 방지 약속).

(3) 사과하는 말을 할 때 명시적인 사과 표현만 하는 것과 부가적인 표현을 함께 하는 것 중 어느 것이 더 효과적일지 이야기해 보자.

| 예시 답안 | 자신의 잘못에 대한 자책이나 해명, 재발 방지 약속과 같은 부가적인 표현은 화자의 사과가 지닌 진정성을 청자에게 효과적으로 전달하는 데 도움이 된다. 그러므로 사과를 할 때는 명시적인 사과 표현과 더불어 부가적인 표현을 함께 사용하는 것이 좋다.

배워서 하기 ③ ▶ 교과서 71p
사과의 말을 상황에 맞게 효과적으로 해 보기

● 친구와 짝을 이루어 다음 상황에 적절한 표현을 사용하여 대화해 보자.

〈조건〉
• 명시적인 사과 표현과 다양한 부가적인 표현을 사용한다.
• 같은 상황에 사용할 수 있는 여러 문장을 만들어 표현한다.

◑ 미리 연락하지 않고 집에 늦게 들어가서 어머니께 혼나고 있는
상황

I예시 답안I 죄송해요. 어머니. 연락을 드리려고 했는데 친구들과 즐겁게 놀다가
그만 연락드리는 것을 잊어버렸어요. 다음부터는 일찍 다니고, 늦게 되면 꼭 연락
을 먼저 드릴게요.

하면서 배우기 📖📖 ·················· [교과서 72p]

4. 다음 대화를 보고, 아래의 활동을 해 보자.

금란 안녕히 주무셨어요?

나희 응. (녹즙 보며) 우리 줄라고?

금란 네. (다가가 건네며) 아버지, 드세요.

지웅 <u>그래, 고맙다.</u>
　　　직접적인 감사 표현
금란 여기 어머니 거. (건네고)

나희 <u>살다 살다 자식한테 이런 호강두 다 받아 보고!</u> 안 그래
　　　　　　　　　간접적인 감사 표현
　　　요 여보?

지웅 그러게. (금란 보며) <u>녹즙이 아주 달다.</u>
　　　　　　　　　　　　　　간접적인 감사 표현
금란 (엷게 웃고)

　　　　　　　　－ 노도철 연출·배유미 극본, 「반짝반짝 빛나는」에서

---

(1) 위의 대화에서 감사 표현을 찾아 직접적 감사 표현과 간접적
감사 표현으로 구분해 보고, 느낌이 어떻게 다른지 말해 보자.

I예시 답안I

직접적 감사 표현	그래, 고맙다.
간접적 감사 표현	• 살다 살다 자식한테 이런 호강두 다 받아 보고! • 녹즙이 아주 달다.

→ 직접적 감사 표현보다 간접적 감사 표현이 더 친근하게 느껴지고, 감사 표현을
들음으로써 녹즙을 준비한 보람이 있다고 생각할 것 같다.

(2) 대화의 마지막 부분에서 '금란'이 할 수 있는 감사 표현을
다양하게 떠올려 적어 보자. 그리고 그중 가장 마음에 드는 표
현을 골라 그 까닭을 이야기해 보자.

• 맛있다고 말씀해 주셔서 감사해요.

I예시 답안I • 맛있게 드셔 주시니 제가 더 감사해요.

• 효도할 기회를 주셔서 감사합니다.

• 변변치 않은 걸 좋다고 해 주시니 제가 더 감사해요.

• 앞으로 자주 갈아 드릴게요.

→ "변변치 않은 걸 좋다고 해 주시니 제가 더 감사해요."라는 표현이 가장 마음에
든다. 그 이유는 상대방의 칭찬에 대해 자신을 낮추어 공손히 말함으로써 예의
바른 태도를 보여 줄 수 있기 때문이다.

✍ 배워서 하기 ④ ▶ [교과서 73p]

감사의 말을 상황에 맞게 효과적으로 해 보기

● **친구와 짝을 이루어 다음 상황에 적절한 표현을 사용하여 대화
해 보자.**

─〈조건〉─
• 반 친구들이나 담임 선생님께 공을 돌려서 표현한다.
• 자신이 한 역할을 최소화하여 표현한다.

◑ 교내 합창 대회에 반 친구들과 함께 참가하여 우승을 거둔 후
담임 선생님께 칭찬을 듣고 있는 상황

I예시 답안I 감사합니다. 저는 친구들과 즐겁게 노래만 불렀을 뿐인데요. 선생님
께서 잘 지도해 주신 덕분에 이렇게 큰 상을 받게 된 것 같아요.

소단원 정리하기

출제 포인트 ❶ **부탁·요청하는 말 하기**

부탁·요청하는 말을 하는 사례를 제시하고 그것의 적절성을 묻는 문제가 시험에 나올 거예요.

개념	상대방에게 어떤 일을 해 달라거나 필요한 일이 이루어지도록 당부하는 발화 행위
전략	• 자신의 상황을 설명하거나 상대방의 의사를 묻거나, 부담을 주어서 미안하다는 표현을 하는 것이 좋음. • 상대방의 부담을 최소화하고 상대방의 이익을 최대화해야 함 (요령의 격률).

출제 포인트 ❷ **거절하는 말 하기**

거절하는 말을 할 때는 상대방과 갈등을 일으키지 않으면서 자신의 의사를 효과적으로 표현하는 것이 가장 중요해요.

개념	상대방의 요청이나 제안, 약속 등을 수용하지 않고 거부의 의사를 나타내는 발화 행위
전략	• 상대방의 기분이나 체면이 손상되는 상황이 발생하지 않도록 공손한 표현을 사용해야 함. • 자신과 상대방의 의견 차이를 최소화하고 의견 일치를 최대화하는 것이 좋음(동의의 격률).

출제 포인트 ❸ **사과하는 말 하기**

시험에는 사과하는 말을 할 때 어떤 태도를 가져야 하는지와 어떻게 사과를 해야 상대방과 갈등을 빚지 않고 효과적으로 의사 전달을 할 수 있는지에 대한 문제가 자주 출제된답니다!

개념	자신의 잘못을 빌고 용서를 바라는 의도를 나타내는 발화 행위
전략	• 가장 중요한 것은 진정성 있는 태도임. • 미안함을 직접 드러내는 명시적인 표현과 '자책, 해명, 재발 방지 약속' 등과 같은 부가적인 표현을 함께 사용함.

출제 포인트 ❹ **감사하는 말 하기**

감사하는 말을 해야 하는 이유와 감사하는 말을 어떻게 하는 것이 효과적인지를 묻는 문제가 시험에 나올 거예요.

개념	남이 베풀어 준 호의나 도움 등에 관하여 흐뭇함과 즐거움을 표현하는 발화 행위
전략	자신에 대한 칭찬은 최소화하고 자신에 대한 비방을 최대화하는 것이 좋음(겸양의 격률).

대표 문제 ❶ **다음 중 부탁·요청의 의사를 간접적으로 표현한 사례에 해당하지 않는 것은?**

① 발표자 소리가 잘 안 들려요.
② 미안하지만, 조금만 이따가 오면 안 될까요?
③ 숙녀가 이렇게 무거운 것을 들고 가야겠어요?
④ 저, 이거 빨리 해야 되거든요. 얼마나 걸려요?
⑤ 저, 여기 동그라미 쳐 놓은 부분만 빨리 확대해 주세요.

대표 문제 ❷ **다음 대화에 대한 설명으로 적절하지 않은 것은?**

> 영신: 수진아, 내가 지금 잠깐 나갔다 와야 하는데 밖에 비가 내리고 있어. 내가 우산이 없어서 그러는데 네 우산 좀 잠시 빌려줄래?
> 수진: 안 돼.

① 영신은 수진에게 부탁의 말을 하고 있다.
② 수진은 영신에게 거절의 의미를 명확하게 전달하고 있다.
③ 수진은 영신의 감정을 고려하여 거절하는 말을 하고 있다.
④ 수진의 발화는 이후 영신과의 관계 유지에 부정적인 영향을 끼칠 수 있다.
⑤ 영신은 자신의 상황을 수진에게 설명함으로써 수진의 부담을 최소화하고 있다.

대표 문제 ❸ **다음 중 부가적인 사과 표현과 그 사례를 알맞게 짝 지은 것은?**

① 미안하다고 했잖아! – 자책
② 이해 좀 해 주면 안 돼? – 되묻기
③ 내가 원래 자주 그러잖아. – 비난
④ 네 말을 무시해서 그런 게 아니야. – 해명
⑤ 내가 하나 사 주면 될 거 아냐. – 재발 방지 약속

대표 문제 ❹ **다음에서 설명하고 있는 대화의 원리를 쓰시오.**

> 자기를 낮추고 상대방을 높임으로써 상대방과 심리적 친밀감을 형성하여 감사하는 말을 하는 목적을 효과적으로 달성할 수 있게 해 주는 대화의 원리

소단원 시험 예상 문제

[1-2] 다음 글을 읽고 물음에 답하시오.

> **가** (사진관 앞에 서 있다가 정원이 와서 문을 열자)
> 다림 　한참 기다렸어요. (필름이 든 봉투를 내밀며) 저, ㉠ 이거 빨리해야 되거든요. ㉡ 얼마나 걸려요, 아저씨?
> 정원 　(사진관 문을 열다 말고) ㉢ 미안하지만, 조금만 이따가 오면 안 될까요?
> 다림 　안 돼요, 아저씨. ㉣ 저, 여기 동그라미 쳐 놓은 부분만 빨리 확대해 주세요.
>
> **나** (오토바이를 타고 지나가던 정원이 손에 짐을 들고 있는 다림 옆으로 다가간다.)
> 정원 　어디 가요?
> 다림 　구청에요.
> 정원 　(손에 든 짐을 보며) 그건 뭐예요?
> 다림 　㉐ 숙녀가 이렇게 무거운 것을 들고 가야겠어요?
> 정원 　에휴, 단골손님인데……. ㉑ 자, 뒤에 타요.

1. ㉠~㉑ 중 〈보기〉의 밑줄 친 표현이 나타나 있는 것은?

> 〈보기〉
> 부탁이나 요청을 할 때는 자신의 상황을 설명하거나, 상대방의 의사를 묻거나, 부담을 주어서 미안하다는 표현을 하는 것이 좋다.

① ㉠　　② ㉡　　③ ㉢　　④ ㉣　　⑤ ㉑

2. ㉐에 대한 설명으로 적절하지 않은 것은?

① 자신의 의사를 간접적으로 표현하고 있는 말하기이다.
② 질문하기의 방식을 통해 자신의 의사를 전달하고 있다.
③ 직접 요청에 비해 상대방이 느끼는 부담이 상대적으로 적다.
④ 상대방의 처지를 고려하지 않아 갈등을 일으키는 계기가 된다.
⑤ 무거운 짐을 들고 있는 자신의 문제를 해결해 달라는 부탁의 의미가 담겨 있다.

[3-4] 다음 만화를 보고 물음에 답하시오.

3. ㉠과 ㉡에 대한 설명으로 가장 적절한 것은?

① ㉠과 ㉡은 상대방과의 갈등을 유발할 수 있다.
② ㉠과 ㉡은 공손성의 원리에 충실한 말하기이다.
③ ㉠과 ㉡은 문제를 외면하거나 지연시킬 수 있다.
④ ㉠과 ㉡은 협력적인 관계를 유지할 수 있도록 해 준다.
⑤ ㉠과 ㉡은 상대방의 의도를 강제로 포기하게 하는 말하기이다.

서술형

4. ㉢에 나타난 거절 표현을 〈보기〉에서 모두 찾아 쓰고, ㉢과 같은 거절 방식의 장점은 무엇인지 서술하시오.

> 〈보기〉
> 비난하기, 변명하기, 말 돌리기, 대안 제시하기, 이유 설명하기

성준 (책상 위 과자를 보며) 어? 과자네? (과자를 뜯어서 먹는다.)

미영 야, 안성준! 왜 남의 걸 허락도 없이 먹어! 그 과자 오늘 생일인 친구한테 선물할 거란 말이야.

성준 어? 미안해. 난 몰랐지. 그런데 과자 하나 먹었다고 뭘 그렇게까지 난리를 치냐? 내가 하나 사 주면 될 거 아냐.

미영 넌 매번 그런 식이지? 지난번에도 내 물건 말도 없이 그냥 가져다 쓰고. 내가 여러 번 얘기했는데도 달라지는 게 없잖아. 번번이 내 말을 무시하고.

성준 미안하다고 했잖아! 그렇게 지난 일까지 들추면서 얘기해야 해? 내가 자꾸 까먹어서 그래. 내가 원래 자주 그러잖아. 이해 좀 해 주면 안 돼?

미영 자꾸 그런 식으로 변명하지 마. 내가 보기에는 네가 원래 잘 까먹어서가 아니라 내 말을 무시해서 그러는 것 같아.

성준 미안해. 정말 미안해. 난 네가 그렇게까지 생각하는 줄은 몰랐어. 네 말을 무시해서 그런 게 아니야. 내가 습관이 잘못 들어서 그런 거 [A] 야. 다음부터는 진짜로 안 그럴게. 그러니까 화 풀어. 응?

서술형

5. 사과하는 말을 할 때의 태도와 관련지어 성준의 사과에 대해 미영이 화를 낸 이유를 서술하시오.

_____

_____

6. [A]에 대한 설명으로 적절하지 <u>않은</u> 것은?

① 자신의 잘못을 자책하는 태도가 나타나 있다.

② 자신의 잘못된 발언에 대한 해명이 포함되어 있다.

③ 자신의 잘못이 재발되지 않도록 하겠다는 약속이 나타나 있다.

④ 사과 표현 중 명시적인 표현과 부가적인 표현이 모두 드러나 있다.

⑤ 용서를 바라지 않음으로써 자신의 잘못에 책임을 지려는 모습을 보이고 있다.

금란 안녕히 주무셨어요?

나희 응. (녹즙 보며) 우리 줄라고?

금란 네. (다가가 건네며) 아버지, 드세요.

지웅 그래, 고맙다.

금란 여기 어머니 거. (건네고)

나희 살다 살다 자식한테 이런 호강두 다 받아 보고! 안 그래요 여보?

지웅 그러게. (금란 보며) 녹즙이 아주 달다.

금란 (옅게 웃고) _____

7. 위 대화에 대한 설명으로 적절하지 <u>않은</u> 것은?

① 나희와 지웅은 금란의 호의에 흐뭇함과 즐거움을 느끼고 있다.

② 지웅은 직접적인 방식을 사용하여 금란에게 감사를 표현하고 있다.

③ 나희는 간접적인 방식을 사용하여 금란에게 감사를 표현하고 있다.

④ 지웅은 상대방을 칭찬하는 방식으로 감사의 마음을 표현하고 있다.

⑤ 금란은 감사를 표현하지 않음으로써 상대방과의 갈등을 일으키고 있다.

학습 활동 응용

8. 〈보기〉의 조건을 따를 때 위 대화의 마지막 부분에 들어갈 금란의 감사 표현으로 가장 적절한 것은?

〈보기〉
자신에 대한 칭찬은 최소화하고 비난은 최대화하는 '겸양의 격률'을 활용할 것

① 앞으로도 자주 갈아 드릴게요.

② 효도할 기회를 주셔서 감사합니다.

③ 맛있게 드셔 주시니 제가 더 감사해요.

④ 변변치 않은 걸 좋다고 해 주시니 제가 더 감사해요.

⑤ 녹즙이 그렇게 맛있는 것인지 몰랐네요. 어쨌든 감사합니다.

(3) 효과적인 표현 전략

핵심 질문 같은 내용이라도 효과적으로 표현하려면 어떻게 해야 할까?

> » 동일한 언어적 표현이라도 그것이 내포하는 의미는 표현의 방식에 따라 얼마든지 달라질 수 있다. 의사소통 과정에서는 언어적 표현뿐 아니라 억양이나 성량, 속도와 같은 준언어적 표현, 그리고 표정이나 몸짓과 같은 비언어적 표현도 의미의 전달에 일정 부분 기여한다. 그러므로 의미를 전달하거나 수용할 때는 언어적·준언어적·비언어적 표현을 복합적으로 고려하는 일이 중요하다.

알기

• 의사소통 상황에서 표현 전략의 효과는 무엇인가?

| 예시 답안 | 의사소통을 할 때 상황에 맞는 언어적·준언어적·비언어적 표현 전략을 활용하면 의미를 보다 명확하게 전달할 수 있다.

• 언어적·준언어적·비언어적 표현 전략에는 무엇이 있나?

| 예시 답안 | 언어적 표현 전략에는 내용과 상황에 맞는 단어, 어법에 맞는 표현, 표준어와 표준 발음을 사용하는 것 등이 있다. 이와 함께 대상, 상황과 목적, 내용에 맞는 준언어적·비언어적 표현 전략을 사용하면 보다 효과적으로 의사소통할 수 있다.

하기

• 여러 가지 표현 전략을 효과적으로 사용하기

» 축구 중계방송, 드라마의 대본과 영상 등의 자료에서 언어적·준언어적·비언어적 표현과 관련된 다양한 표현 전략을 찾아보고 그 효과를 분석하기

• 맥락을 고려하여 표현 전략의 효과 평가하기

» 각각의 표현 전략은 상황 맥락에 따라 복합적으로 작용함을 이해하고, 주어진 상황 맥락에서 여러 표현 전략을 사용하여 의미를 전달하고 그 효과를 평가해 보기

••• 위 그림의 여러 상황에서 아이가 "엄마!"라고 할 때 그 말의 의미는 어떻게 구별되는가?

| 예시 답안 | 위 그림에서 "엄마"라는 언어적 표현은 그 말을 하는 상황과 비언어적 표현 등에 따라 의미가 구별된다.
1: 아이가 엄마를 보며 환하게 웃고 있으므로 엄마를 본 것에 대한 반가움의 의미로 해석할 수 있다.
2: 아이가 선물을 받고 기분 좋아 펄쩍 뛰고 있으므로 선물을 받은 것에 대한 기쁨과 선물을 주신 엄마에 대한 고마움의 의미가 담긴 표현으로 해석할 수 있다.
3: 아이가 엄마 품에 편안하게 안겨 있으므로 엄마에 대한 사랑의 의미가 담겨 있음을 알 수 있다.
4: 고양이를 본 아이가 놀라 도망을 가는 상황이므로 엄마에게 자신을 도와 달라는 의미로 해석할 수 있다.
5: 아이가 벽돌 때문에 넘어져 울고 있는 상황이므로 아프다는 의미로 해석할 수 있다.
6: 아이가 예쁜 머리핀을 하고 수줍게 웃고 있는 상황이므로 엄마에게 예쁘게 꾸민 자신을 봐 달라거나 칭찬해 달라는 의미로 해석할 수 있다.

••• 위 그림에서 아이의 행동이나 몸짓, 표정 등은 의미 전달에 어떻게 기여하고 있는가?

| 예시 답안 | 언어적 표현으로 드러내는 의미를 보완하고 강화하여 효과적으로 의미를 전달하는 기능을 하고 있다.

알아 두기

) 언어적 표현

» 언어적 표현의 개념
어휘, 문장 등의 형태로 나타나는 기호에 의해 이루어지는 의미 작용을 가리키는 말이다.

» 언어적 표현 전략
- 언어적 표현 전략은 언어를 사용하여 의사소통 상황에 맞게 효과적으로 표현하는 것을 말한다.
- 언어적 표현 전략을 활용할 때는 대화 상황에 어울리는 어휘를 사용하고, 어법에 맞는 말하기를 하는 것이 중요하다.
- 효과적으로 표현하기 위해서는 비유법이나 강조법, 속담이나 관용구 등을 활용할 수 있는데, 이때 표현의 선택은 반드시 상황 맥락에 어울리는 것이어야 한다.

) 준언어적 표현

» 준언어적 표현의 개념
- 언어적 표현에 수반하여 언어적 표현의 의미를 강화하거나 대화 상황에 변화를 주는 기능을 수행하는 준언어적 요소들에 따른 표현을 가리킨다.
- 준언어적 표현의 요소에는 억양, 성량, 속도, 어조, 어감 등이 있다.

» 준언어적 표현 전략
- 같은 언어적 의미를 지닐지라도 준언어적 표현에 따라 그 의미가 다르게 전달될 수 있다.
- 상황 맥락에 따라 준언어적 표현을 적절하게 사용하면 효과적으로 의사소통을 할 수 있다.

) 비언어적 표현

» 비언어적 표현의 개념
- 언어에 수반하여 언어적 표현이나 준언어적 표현 이외의 방법으로 의미 전달에 영향을 미치는 표현을 가리킨다.
- 비언어적 표현에는 자세, 손동작, 몸동작, 표정, 시선 등이 있다.

» 비언어적 표현 전략
- 대상, 상황과 목적, 내용에 따라 비언어적 표현을 적절하게 사용하면 청자가 내용을 쉽게 이해할 수 있고, 화자의 의도를 효과적으로 전달할 수 있다.
- 비언어적 표현은 보강, 대체, 강조 등의 기능을 한다.

보강	언어적 메시지에 수반되어 그 의미를 보강하거나 명료하게 함.
대체	언어적 메시지를 생략하고 비언어적 표현으로만 의미를 전달함.
강조	언어적 표현의 의미를 강조하기 위해 비언어적 표현의 의미를 더함.

● 개념 확인하기

1. 효과적인 표현 전략에 대한 설명으로 알맞은 것은 ○표, 알맞지 않은 것은 ×표를 하시오.
   (1) 대화 상황에 어울리는 어휘를 사용하는 것은 언어적 표현 전략에 해당한다. ( )
   (2) 언어적 의미가 같다면 준언어적 표현의 활용 방식과 관련 없이 전달되는 의미는 같다. ( )
   (3) 비언어적 표현은 보강, 대체, 강조 등의 기능을 한다. ( )

2. 〈보기〉에서 빈칸에 들어갈 알맞은 말을 찾아 쓰시오.
   ┌〈보기〉─────────┐
   │ 언어, 준언어, 비언어 │
   └─────────────┘
   (1) ( )적 표현의 요소에는 억양, 속도, 어조 등이 있다.
   (2) 비유법이나 강조법을 사용한 표현은 ( )적 표현 전략에 해당한다.
   (3) 언어적 메시지 없이 ( )적 표현으로만 의미를 전달하는 것을 대체라고 한다.

3. 다음 빈칸에 알맞은 말을 쓰시오.
   ┌─────────────┐
   │ 표현 전략을 효과적으로 사용하 │
   │ 기 위해서는 대화 상황의 ( ) │
   │ 을 파악하는 일이 중요하다. │
   └─────────────┘

4. 다음 중 비언어적 표현에 해당하지 않는 것은?
   ① 자세   ② 손짓   ③ 표정
   ④ 성량   ⑤ 시선

| 정답 |
1. (1) ○ (2) × (3) ○ 2. (1) 준언어 (2) 언어 (3) 비언어 3. 맥락 4. ④

소단원
학습 활동

하면서 배우기 📖 ─────── 교과서 75p

1. 다음 축구 중계방송을 보고, 아래의 활동을 해 보자.

진행자　청취자 여러분, 지금부터 청룡 팀과 백호 팀의 축구 경기를 중계방송해 드리겠습니다. 말씀드리는 순간 청룡 팀의 선축으로 경기가 시작되었습니다. 위원님, 어떻습니까? 양 팀 선수들 시작부터 움직임이 활발한데요?

해설자　그러네요. <u>선수들의 움직임이 건전지를 막 갈아 끼운 장난감처럼 활발합니다.</u>
　　　　　_{비유적 표현(직유법)}

진행자　공이 경기장 한가운데서 치열하게 양쪽 진영을 왔다 갔다 합니다. 최전방에 서 있는 공격수들이 외로워 보이네요.

해설자　네, 그렇습니다. <u>마치 무인도에서 구조를 기다리고 있는 사람 같습니다.</u>
　　　　　　　　　　　_{비유적 표현(직유법)}

진행자　그런데 지금 선수들이 차고 있는 공은 지난 대회에서 사용한 축구공과 <u>틀리죠?</u>
　　　　　　　　　　　_{잘못된 언어적 표현}

해설자　맞습니다. 이번 대회부터 채택된 공은 이전까지 사용한 공보다 탄력이 더 좋다고 합니다.

진행자　네, 말씀드리는 순간, 청룡 팀 선수 한 명이 운동장에 누워 있습니다.

해설자　아, 조금 전 공중에 뜬 공을 차지하기 위해 다투는 과정에서 백호 팀 선수가 팔꿈치로 청룡 팀 선수의 얼굴을 <u>가격해 쳤습니다.</u>
　　　　　　　　_{의미의 중복}

진행자　안타깝군요. 큰 부상이 아니면 좋겠습니다.

(1) 다음은 위의 중계방송에서 진행자와 해설자가 주고받은 말의 일부이다. 대화 내용에서 어법에 어긋난 표현을 찾고, 그러한 표현의 문제점을 말해 보자. 그리고 그 표현들을 바르게 고쳐 써 보자.

• 진행자: 그런데 지금 선수들이 차고 있는 공은 지난 대회에서 사용한 축구공과 틀리죠?

ㅣ예시 답안ㅣ 위 상황에서는 '서로 같지 않다.'라는 의미의 단어가 사용되어야 하는데, '맞지 않고 어긋나다.'라는 뜻을 가진 '틀리다'가 사용되었다. 따라서 '틀리죠?'를 '다르죠?'로 고쳐야 한다.

• 해설자: 아, 조금 전 공중에 뜬 공을 차지하기 위해 다투는 과정에서 백호 팀 선수가 팔꿈치로 청룡 팀 선수의 얼굴을 가격해 쳤습니다.

ㅣ예시 답안ㅣ '가격하다'와 '치다'는 모두 '때리다'의 뜻을 가진 단어이다. 같은 뜻을 가진 단어를 불필요하게 중복하여 썼으므로, 둘 중 한 단어를 삭제하여 '가격했습니다' 혹은 '쳤습니다'로 고쳐야 한다.

(2) 해설자의 말에서 비유법이 사용된 표현을 찾아보고, 각 표현의 적절성과 표현 효과를 검토해 보자.

ㅣ예시 답안ㅣ

비유법이 사용된 표현	적절성과 표현 효과
선수들의 움직임이 건전지를 막 갈아 끼운 장난감처럼 활발합니다.	선수들의 활발한 움직임을 나타내기 위해 사용된 표현이다. '건전지를 막 갈아 끼운 장난감'은 선수들의 에너지 넘치는 모습을 효과적으로 잘 드러내 주므로 적절한 표현이라고 할 수 있다.
마치 무인도에서 구조를 기다리고 있는 사람 같습니다.	최전방 공격수가 고립되어 있음을 나타내기 위해 사용된 표현이다. '무인도에서 구조를 기다리고 있는 사람'은 섬에 고립되어 외로운 존재라는 점에서 최전방 공격수가 처해 있는 처지와 유사하므로 적절하고 효과적인 표현이라고 할 수 있다.

✏️ 배워서 하기 ① ▶ ─── 교과서 76p

상황에 맞는 언어적 표현 전략 세우기

● **다음 중 한 가지 상황을 선택하여, 〈조건〉에 따라 대본을 작성해 보자.**

> ☐ 선생님께 학급 운영 방안을 제안하는 상황
> ☐ 시험을 망쳐서 우울한 친구를 위로하는 상황
> ☐ 오랜만에 만난 친구에게 반가움을 표현하는 상황
> ☐ 친구들에게 자신이 좋아하는 연예인을 소개하는 상황
> ☐ 그 밖의 상황 (　　　　　　　　　　　　　　　)

〈조건〉
• 2명씩 짝을 지어 모둠을 만들고 모둠별로 상황을 하나씩 선택하여 상황에 맞는 말하기 내용을 구성한다.
• 속담, 관용구, 비유법, 강조법 중 한 가지 이상의 표현 전략을 사용하여 말하기 내용을 구성한다.

| 예시 답안 | 시험을 망쳐서 우울한 친구를 위로하는 상황
명기: 준영아, 너 왜 그렇게 표정이 어두워? 얼굴이 두꺼운 것 같다.
준영: 명기야. 나 어떡하지? 이번 시험을 완전히 망쳤어.
명기: 그랬구나. 너무 걱정하지 마. 실패는 성공의 어머니라고 하잖아. 이번 시험 결과를 계기로 열심히 공부해서 다음 시험을 잘 보면 돼.
준영: 이번 시험 잘 보면 엄마가 스마트폰 사 주신다고 했는데……. 아, 이 낡은 휴대 전화를 계속 써야 하다니…….
명기: 너, 시험을 망쳐서 기분이 안 좋은 게 아니라, 휴대 전화를 바꾸지 못해서 기분이 나쁜 거구나?
준영: 그게……. 그런가?

● 위에서 작성한 대본을 모둠별로 서로 바꾸어 보고, 다음 기준에 따라 평가해 보자.

| 예시 답안 |

평가 기준
전달 목적을 고려하여 내용을 조리 있게 구성하였는가? 예
정확한 단어와 어법에 맞는 표현을 사용하였는가? 예
속담, 관용 표현, 비유법, 강조법을 상황 맥락에 맞게 사용하였는가? 아니요

● 평가 결과에 따라 대본의 내용을 수정해 보자.

| 예시 답안 | '얼굴이 두꺼운 것 같다.'라는 표현은 부끄러움을 모르고 염치 없이 구는 경우에 쓰는 표현이므로 상황에 어울리지 않는다. 따라서 '얼굴이 백지장(핏기가 없이 창백한 얼굴빛을 비유적으로 이르는 말) 같다.'라고 하거나 '얼굴이 흙빛(어둡고 경직된 표정이나 얼굴빛을 비유적으로 이르는 말)이다.' 정도로 수정해야 한다.

2. 다음 드라마 대본을 읽고, 아래의 활동을 해 보자.

영업 3팀의 오 과장은 열심히 일하는 인턴 사원 장그래에게 호감을 갖는다. 장그래가 신입 사원으로 뽑힌 사실을 안 오 과장은 상무님을 찾아가 장그래를 영업 3팀으로 보내 달라고 요청한다. 이에 신입 사원이 된 장그래는 영업 3팀으로 배정을 받게 된다.

장그래 ㉠ 안녕하십니까? 신입 사원 장그래입니다.
　　　 자신을 소개하는 상황이므로 큰 소리로, 반가움과 기쁨을 드러내야 함.
　　　 (오 과장과 김 대리가 장그래를 쳐다본다.)

장그래 과장님, 저 왔습니다.

오 과장 그러니까, ㉡ 왜 또 너냐고?
　　　　 상대를 다그치듯이 말함.
김 대리 축하해! 장그래 씨!
상대를 축하하는 상황이므로 밝은 목소리로 말해야 함.
장그래 감사합니다. 그럼, 업무 보겠습니다.

오 과장 야, 안영이는 어디 간 거야?

김 대리 안영이 씨가…….

장그래 안영이 씨는 자원 팀으로 갔습니다. 한석율 씨는 섬유 팀, 장백기 씨는 철강 팀으로 갔습니다. 김석호 씨는 본사로 갔다고 합니다.

김 대리 그렇게 됐다고 합니다.

오 과장 야, 근데 너, 너는 왜 우리 팀이야?

장그래 ㉢ 과장님이 부르신 걸로 알고 있습니다.
　　　　 상대에 대한 신뢰가 드러나야 하므로 부드러운 어조로 말해야 함.
오 과장 ㉣ 내, 내, 내가? 내, 내가 언제? 앗, 네가 불렀니? 내
상대에게 자신이 몰래 한 일을 들킨 상황이므로 빠른 속도로 당황스러움을 표현해야 함.
　　　　 가 부른 거 아냐. 야, 내가 부른 게 아니라니까! 너, 너
　　　　 왜 웃어? 내가 안 불렀어. 야, 얘기 좀 해 봐. 내가 부른
　　　　 게 아니라니까.

김 대리 ㉤ 아, 저도 아니에요.
　　　　 장난스러운 어조로 상대의 말을 부인해야 함.
오 과장 야, 고 과장, 고 과장, 내가 부른 거 아냐.

－ 김원석 연출·정윤정 극본, 「미생」에서

(1) 위의 대화 상황에 어울리는 준언어적 표현 전략을 사용해
㉠~㉤을 각각 표현해 보자.

| 예시 답안 | ㉠ 억양: 첫 문장에서 소리를 높였다가, 두 번째 문장은 중간 소리로
일정하게 말함.
㉡ 성량: 큰 소리로 다그치듯 말함.
㉢ 어조: 부드러운 어조로 상대에 대한 신뢰를 드러냄.
㉣ 속도: 빠른 속도로 당황스러움을 표현함.
㉤ 성량: 큰 소리로 부인하며 자신의 결백을 드러냄.

(2) 위의 장면에 해당하는 드라마 영상을 보고, ㉠~㉤에서 사
용된 준언어적 표현 전략과 그 표현 의도를 정리해 보자.

| 예시 답안 |

	사용된 준언어적 표현	표현 의도
㉠	성량: 큰 소리	반가움과 기쁨을 드러냄.
㉡	억양: 소리가 높아짐.	따지는 듯한 느낌을 표현함.
㉢	어조: 다정하고 수줍은 어조	다정함과 감사함을 나타냄.
㉣	속도: 빠른 속도	당황함과 다급함을 표현함.
㉤	어조: 장난스러운 어조	장난스럽게 상대의 말을 부인함.

(3) 위의 장면을 대본으로 본 것과 실제 영상으로 본 것이 어
떻게 다른지 말해 보고, 준언어적 표현의 기능에 대해 이야기
해 보자.

| 예시 답안 | 대본을 통해 떠올린 대화 상황보다 실제 영상으로 본 장면에서 더 다
양하고 효과적인 준언어적 표현이 사용되었다. 이를 통해 준언어적 표현이 언어적
표현의 의미와 의도를 보다 분명하게 전달하는 기능을 한다는 것을 알 수 있었다.

✎ 배워서 하기 ➋ ▶ 교과서 79p

상황에 맞는 준언어적 표현 전략 세우기

● 다음 〈조건〉에 따라 '배워서 하기 ❶'에서 작성한 대본의 내용을
효과적으로 전달할 수 있는 준언어적 표현 전략을 세워 보자.

┌─ 〈조건〉
• 언어적 표현의 효과를 높여 줄 수 있는 준언어적 표현
전략을 세운다.
• 대본의 해당 부분에 준언어적 표현 전략을 표시하고, 표
현의 적절성을 점검해 본다.

| 예시 답안 | 시험을 망쳐서 우울한 친구를 위로하는 상황
명기: (억양: 소리를 높이며) 준영아, 너 왜 그렇게 표정이 어두워? 얼굴이 백지장
같다.
준영: 명기야, 나 어떡하지? (속도: 주저하듯 천천히) 이번 시험을 완전히 망쳤어.
명기: 그랬구나. (어조: 밝은 목소리로) 너무 걱정하지 마. 실패는 성공의 어머니라
고 하잖아. 이번 시험 결과를 계기로 열심히 공부해서 다음 시험을 잘 보면 돼.
준영: (성량: 점점 작은 목소리로) 이번 시험 잘 보면 엄마가 스마트폰 사 주신다고
했는데…… (어조: 푸념하는 듯한 어조로) 아, 이 낡은 휴대 전화를 계속 써야
하다니…….
명기: 너, 시험을 망쳐서 기분이 안 좋은 게 아니라, 휴대 전화를 바꾸지 못해서 기
분이 나쁜 거구나?
준영: (억양: 뒤로 가면서 소리를 높여) 그게……. 그런가?

📖 하면서 배우기 ⋯⋯⋯⋯⋯⋯⋯⋯ 교과서 80p

3. 다음 드라마 장면을 보고, 아래의 활동을 해 보자.

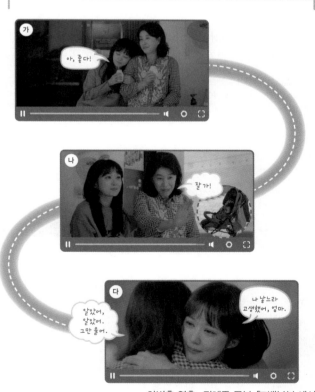

– 하병훈 연출·권혜주 극본, 「고백부부」에서

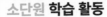

소단원 학습 활동

(1) 위의 각 장면에 나타난 비언어적 표현과 그 표현의 의미를 정리해 보자.

I 예시 답안 I

	비언어적 표현	표현의 의미
(가)	자세: 딸이 어머니에게 기댐.	어머니의 품이 포근하고 편안함을 드러냄.
(나)	손동작: 어머니가 아기에게 손을 흔들 듯.	"잘 가!"라는 말과 함께 손을 흔들어 아기에게 인사하고자 하는 의사를 보강함.
(다)	표정과 몸동작: 어머니를 안으며 슬픔과 고마움이 교차하는 표정을 지음.	어머니를 안는 몸동작을 통해 고마운 마음을 표현하고, 슬픈 표정을 통해 미안한 마음을 표현함.

(2) 위와 같은 상황에서 사용할 수 있는 다른 비언어적 표현에는 어떤 것이 있는지 생각해 보자.

I 예시 답안 I ・(가): 시선과 양 팔 – 기지개를 켜듯 시선과 양 팔을 하늘을 향하게 하여 편안한 마음을 표현함.
・(나): 표정 – 떠나는 아기에게 서운한 표정을 지어 보임으로써 아기와 헤어지는 것이 섭섭함을 표현함.
・(다): 손동작 – 상대를 앞에 두고 손으로 자신의 가슴을 감싸 안으며 어머니에게 고마움과 미안함을 표현함.

(3) 위의 활동을 바탕으로, 비언어적 표현을 사용하여 얻을 수 있는 효과를 말해 보자.

I 예시 답안 I 비언어적 표현을 사용하면 화자의 정서, 감정, 의도 등을 효과적으로 전달할 수 있다. 또한, 비언어적 표현은 언어적 표현의 의미를 보완하고 강화하는 기능을 한다.

배워서 하기 ❸ 교과서 81p

상황에 맞는 비언어적 표현 전략 세우기

● '배워서 하기 ❶, ❷'의 활동을 바탕으로, 다음 〈조건〉에 따라 대본을 완성해 보자.

〈조건〉
・대본의 해당 부분에 비언어적 표현 전략을 추가하여 대본을 완성한다.
・완성된 대본에 따라 말하기를 하고, 그 장면을 영상으로 촬영한다.

I 예시 답안 I 시험을 망쳐서 우울한 친구를 위로하는 상황

명기: (억양: 소리를 높이며) (표정: 놀라는 표정으로) 준영아, 너 왜 그렇게 표정이 어두워? 얼굴이 백지장 같다.

준영: 명기야, 나 어떡하지? (속도: 주저하듯 천천히) (몸동작: 어깨를 축 늘어뜨리고/시선: 땅을 쳐다보며) 이번 시험을 완전히 망쳤어.

명기: 그랬구나. (어조: 밝은 목소리로) 너무 걱정하지 마. 실패는 성공의 어머니라고 하잖아. (몸동작: 준영의 어깨를 두드리며) 이번 시험 결과를 계기로 열심히 공부해서 다음 시험을 잘 보면 돼.

준영: (성량: 점점 작은 목소리로) 이번 시험 잘 보면 엄마가 스마트폰 사 주신다고 했는데…….. (어조: 푸념하는 듯한 어조로) (시선: 자신의 휴대 전화를 쳐다보며) 아, 이 낡은 휴대 전화를 계속 써야 하다니…….

명기: (표정: 장난스런 표정으로) 너, 시험을 망쳐서 기분이 안 좋은 게 아니라, 휴대 전화를 바꾸지 못해서 기분이 나쁜 거구나?

준영: (손동작: 머리를 긁으며) (억양: 뒤로 가면서 소리를 높여) 그게……. 그런가?

● 촬영된 영상을 옆 모둠과 함께 보며 언어적・준언어적・비언어적 표현 전략의 측면에서 잘한 점과 개선할 점에 관해 서로 이야기해 보자.

I 예시 답안 I 생략

> **참고 준언어적 표현의 요소와 특성**
>
> ・**성량**: 장소와 청중 수를 고려하여 모두가 충분히 들을 수 있도록 성량을 조절해야 한다. 일대일 대화에서는 작게 해도 되지만 발표나 연설 등에서는 성량을 풍부하게 해야 한다. 또한, 내용을 강조하거나 주의를 집중시키기 위해 성량을 적절하게 조절할 수 있다.
> ・**속도**: 전달 내용과 분량을 고려하여 청자가 충분히 이해하며 들을 수 있도록 말의 속도를 조절해야 한다. 어려운 내용을 전달할 때, 청자가 어린이나 노인일 경우 속도를 천천히 하는 것이 좋다.
> ・**어조**: 전달 내용에 따라 어조를 달리하여 표현해야 한다. 같은 내용이라도 어조를 달리하면 각각 다른 의미로 해석될 수 있다.
>
> **비언어적 표현의 요소와 특성**
>
> ・**시선**: 시선을 통해 청자의 반응에 적절하게 대응할 수 있다. 청자는 화자와 눈을 맞춤으로써 서로 연결되어 있다는 느낌을 받을 수 있고, 화자는 자신의 진정성이나 자신감을 나타낼 수 있다.
> ・**표정**: 표정을 통해 화자의 감정 상태를 드러낼 수 있다. 전달 내용의 신뢰성을 높이려면 자신 있는 표정을 짓는 것이 좋다.
> ・**몸동작**: 역동적인 몸동작은 화자의 열정과 자신감을 드러낼 수 있지만 불필요하거나 과도하면 청자의 집중을 방해할 수 있으므로 적절하게 사용해야 한다.

소단원 정리하기

출제 포인트 ① 언어적 표현

> 언어적 표현 전략에서 가장 중요한 것은 상황과 맥락에 맞는 적절한 어휘나 수사법 사용, 어법에 맞는 표현이라는 점을 꼭 기억하세요.

개념	어휘, 문장 등의 형태로 나타나는 기호에 의해 이루어지는 의미 작용
언어적 표현 전략	• 적절한 어휘 사용 • 어법에 맞는 표현 사용 • 표현의 효과를 위한 수사법(비유법, 강조법 등) 사용 • 상황과 맥락을 고려하여 적절한 표현 사용

출제 포인트 ② 준언어적 표현

> 준언어적 표현을 사용하는 이유가 무엇일까요? 의사소통의 목적을 효과적으로 이루기 위함이겠죠? 준언어적 표현 전략에서는 표현이 적절하게 사용되었는지를 묻는 문제가 꼭 나온다는 사실을 잊지 마세요!

개념	• 언어에 수반하여 언어적 표현의 의미를 강화하거나 대화 상황에 변화를 주는 표현 • 억양, 성량, 속도, 어조 등
준언어적 표현 전략	• 같은 발화라도 준언어적 표현을 어떻게 활용하느냐에 따라 의미가 달라질 수 있음. • 효과적인 의사소통을 위해 대상, 상황, 목적, 내용 등에 따라 준언어적 표현을 적절하게 사용하는 것이 필요함.

출제 포인트 ③ 비언어적 표현

> 비언어적 표현은 실제 의사소통 상황에서 다양한 기능을 하므로 비언어적 표현의 주요 기능과 효과를 잘 정리해 두어야 해요.

개념	• 언어적·준언어적 표현 이외의 방법으로 의미를 표현하는 방법 • 시선과 표정, 몸짓, 자세 등
비언어적 표현 전략	• 대상, 상황과 목적, 내용에 따라 비언어적 표현을 적절하게 사용하면 화자의 의도를 효과적으로 전달할 수 있음. • 비언어적 표현은 보강, 대체, 강조 등의 기능을 함. 　– 보강: 언어적 표현에 수반하여 언어적 표현을 보강하거나 명료하게 함. 　– 대체: 언어적 표현을 수반하지 않고, 비언어적 표현만으로 의미를 전달함. 　– 강조: 언어적 표현에 수반하여 그 의미를 강조함.

대표 문제 ① 언어적 표현에 대한 설명으로 적절하지 <u>않은</u> 것은?

① 어휘나 문장 등의 기호 형태에 의해 이루어지는 의미 작용이다.

② 상황과 맥락에 맞는 적절한 어휘를 선택하여 말하는 것이 중요하다.

③ 어법에 어긋나는 표현을 사용하면 의사소통에 어려움을 겪을 수 있다.

④ 상황에 따라 비유법이나 속담을 사용하면 표현의 효과를 높일 수 있다.

⑤ 목소리를 크게 하거나 말의 속도를 조절하는 것은 언어적 표현 전략에 포함된다.

대표 문제 ② 〈보기〉에 대한 설명으로 가장 적절한 것은?

〈보기〉
ⓐ (갑자기 뛰어나온 사람과 부딪칠 뻔한 상황에서) 엄마!
ⓑ (무엇인가 부탁할 일이 있을 때) 엄마.
ⓒ (엄마가 준비한 선물을 보면서) 엄마!

① ⓐ~ⓒ의 발화는 같은 말이지만 그 의미는 모두 다르다.

② ⓐ~ⓒ는 모두 언어적 표현에 수반된 비언어적 표현이 사용되었다.

③ ⓐ는 언어적 표현을 수반하지 않고 자신을 도와 달라는 의미를 전달하고 있다.

④ ⓑ는 목소리 크기를 크게 함으로써 놀란 감정을 표현할 수 있다.

⑤ ⓒ는 말의 속도를 빠르게 함으로써 상황의 긴박함을 전달할 수 있다.

대표 문제 ③ 비언어적 표현의 기능에 대해 서술하시오.

1. 효과적인 표현에 대한 설명으로 적절하지 <u>않은</u> 것은?

① 표정과 몸짓, 시선은 비언어적 표현에 해당한다.

② 어법에 맞게 말하는 것은 언어적 표현 전략에 해당한다.

③ 같은 표현이라도 준언어적 표현에 따라 의미가 달라질 수 있다.

④ 비언어적 표현은 반드시 언어적 표현을 수반해야 의미를 전달할 수 있다.

⑤ 준언어적 표현은 언어적 표현에 수반하여 의미를 강화하거나 변화를 줄 수 있다.

[2-4] 다음 글을 읽고 물음에 답하시오.

> 진행자　청취자 여러분, 지금부터 청룡 팀과 백호 팀의 축구 경기를 중계방송해 드리겠습니다. 말씀드리는 순간 청룡 팀의 선축으로 경기가 시작되었습니다. 위원님, 어떻습니까? 양 팀 선수들 시작부터 움직임이 활발한데요?
>
> 해설자　그러네요. 선수들의 움직임이 (㉮) 처럼 활발합니다.
>
> 진행자　공이 경기장 한가운데서 치열하게 양쪽 진영을 왔다 갔다 합니다. 최전방에 서 있는 공격수들이 외로워 보이네요.
>
> 해설자　네, 그렇습니다. ㉯ 마치 무인도에서 구조를 기다리고 있는 사람 같습니다.
>
> 진행자　㉠ 그런데 지금 선수들이 차고 있는 공은 지난 대회에서 사용한 축구공과 틀리죠?
>
> 해설자　맞습니다. 이번 대회부터 채택된 공은 이전까지 사용한 공보다 탄력이 더 좋다고 합니다.
>
> 진행자　네, 말씀드리는 순간, 청룡 팀 선수 한 명이 운동장에 누워 있습니다.
>
> 해설자　㉡ 아, 조금 전 공중에 뜬 공을 차지하기 위해 다투는 과정에서 백호 팀 선수가 팔꿈치로 청룡 팀 선수의 얼굴을 가격해 쳤습니다.
>
> 진행자　안타깝군요. 큰 부상이 아니면 좋겠습니다.

2. 문맥상 ㉮에 들어갈 비유적 표현으로 가장 적절한 것은?

① 고삐 풀린 망아지

② 쇠로 된 신발을 신은 사람

③ 지구를 한 바퀴나 돈 사람

④ 건전지를 막 갈아 끼운 장난감

⑤ 망둥이가 뛰니까 꼴뚜기도 뛰는 것

3. ㉯와 관련 있는 한자 성어로 가장 적절한 것은?

① 고립무원(孤立無援)　　② 독야청청(獨也靑靑)

③ 고진감래(苦盡甘來)　　④ 유아독존(唯我獨尊)

⑤ 유유자적(悠悠自適)

학습 활동 응용

4. ㉠과 ㉡에 나타난 언어적 표현의 문제점을 바르게 짝지은 것은?

	㉠	㉡
①	중복 표현	주술 호응 불일치
②	주술 호응 불일치	중복 표현
③	잘못된 어휘 사용	중복 표현
④	중복 표현	잘못된 어휘 사용
⑤	잘못된 어휘 사용	주술 호응 불일치

[5-6] 다음 글을 읽고 물음에 답하시오.

> 영업 3팀의 오 과장은 열심히 일하는 인턴 사원 장그래에게 호감을 갖는다. 장그래가 신입 사원으로 뽑힌 사실을 안 오 과장은 상무님을 찾아가 장그래를 영업 3팀으로 보내 달라고 요청한다. 이에 신입 사원이 된 장그래는 영업 3팀으로 배정을 받게 된다.
>
> 장그래　안녕하십니까? 신입 사원 장그래입니다.
> 　　(오 과장과 김 대리가 장그래를 쳐다본다.)
> 장그래　과장님, 저 왔습니다.
> 오 과장　그러니까, 왜 또 너냐고?
> 김 대리　축하해! 장그래 씨!

장그래 감사합니다. 그럼, 업무 보겠습니다.

오 과장 야, 안영이는 어디 간 거야?

김 대리 안영이 씨가…….

장그래 안영이 씨는 자원 팀으로 갔습니다. 한석율 씨는 섬유 팀, 장백기 씨는 철강 팀으로 갔습니다. 김석호 씨는 본사로 갔다고 합니다.

김 대리 그렇게 됐다고 합니다.

오 과장 야, 근데 너, 너는 왜 우리 팀이야?

장그래 과장님이 부르신 걸로 알고 있습니다.

오 과장 ㉠ 내, 내, 내가? 내, 내가 언제? 앗, 네가 불렀니? 내가 부른 거 아냐. 야, 내가 부른 게 아니라니까! 너, 너 왜 웃어? 내가 안 불렀어. 야, 얘기 좀 해 봐. 내가 부른 게 아니라니까.

김 대리 아, 저도 아니에요.

오 과장 야, 고 과장, 고 과장, 내가 부른 거 아냐.

학습 활동 응용

5. 위 장면을 실제 영상으로 본다고 할 때 예상한 내용으로 가장 적절한 것은?

① 똑같은 내용을 다루고 있으므로 대본으로 볼 때와 차이가 없을 것이다.

② 대본과 다른 언어적 표현이 사용될 것이므로 내용이 전혀 다르게 이해될 것이다.

③ 대본에는 없는 비언어적 표현이 사용될 것이므로 내용이 전혀 다르게 이해될 것이다.

④ 대본에는 없는 준언어적 표현이 사용될 것이므로 의미가 더 분명하게 전달될 것이다.

⑤ 대본에는 없는 다양한 준언어적, 비언어적 표현이 사용될 것이므로 의미를 이해하기 어려울 것이다.

6. ㉠을 효과적으로 표현하기 위한 준언어적 표현 전략으로 가장 적절한 것은?

① 빠른 속도로 말함으로써 당황함을 나타낸다.

② 말꼬리를 올려 따지는 듯한 느낌을 표현한다.

③ 다정한 어조로 상대에 대한 애정을 표현한다.

④ 큰 소리로 말함으로써 반가움과 기쁨을 드러낸다.

⑤ 장난스러운 어조로 상대의 말에 가볍게 대꾸한다.

[7~8] 다음 장면을 보고 물음에 답하시오.

7. ㉮~㉰에 나타난 비언어적 표현과 그 의미를 설명한 내용으로 적절하지 **않은** 것은?

① ㉮: 눈을 감은 표정으로 편안하고 포근한 심리 상태를 드러낸다.

② ㉮: 어깨에 기댐으로써 엄마에게 의지하고 싶은 마음을 드러낸다.

③ ㉯: 아기에게 손을 흔들어 아기와 만난 반가움을 표현한다.

④ ㉰: 눈물을 글썽임으로써 엄마에 대한 고마움을 표현한다.

⑤ ㉰: 엄마를 두 팔로 끌어안아 엄마에 대한 애정을 표현한다.

서술형

8. 위 장면에서 비언어적 표현을 사용하여 얻고 있는 효과는 무엇인지 서술하시오.

중단원 마무리

스스로 정리하기

(1) 대화를 통한 자기표현과 갈등 조정

자아 개념
자신에 관한 스스로의 생각뿐 아니라 다른 사람이 생각하는 스스로의 모습에 관한 자기 인식

자기표현

만남의 빈도	일반적으로 만남의 빈도와 자기표현의 정도는 비례함.
자기표현의 방향	❶□□□ 자아 → 개인적 자아
자기표현의 속도	인간관계의 발전 정도에 따라 조정되어야 함.

갈등을 조정하는 대화 방법: '나−전달법'

사건	자신이 문제로 인식한 상대방의 행동이나 상황
감정	사건에 대해 자신이 느낀 진솔한 감정 표현
❷□□	자신이 바라는 상대방의 구체적인 행동이나 상황

(2) 상황에 맞는 말하기

상황에 맞는 말하기 전략

부탁·요청 하는 말하기	• 상대방의 부담을 최소화하고 상대방의 이익을 최대화해야 함. • 상황에 대한 설명, 상대방의 의사 묻기, 미안함을 드러내는 표현을 사용함.
❸□□하는 말하기	• 상대방의 기분이나 체면이 손상되는 상황이 발생하지 않도록 공손한 표현을 사용해야 함. • 자신과 상대방의 의견 차이를 최소화하고 의견 일치를 최대화하는 것이 좋음.
사과하는 말하기	• 사과의 뜻이 잘 전달될 수 있도록 ❹□□□ 있는 태도가 중요함. • 상대의 기분이 상하지 않도록 예의 바른 태도를 견지함.
감사하는 말하기	• 감사를 해야 하는 상황에서 이를 표현하지 않으면 예의가 없다는 오해를 받을 수 있음. • 자신에 대한 ❺□□은 최소화하고 자신에 대한 비방을 최대화함.

(3) 효과적인 표현 전략

언어적 표현

개념	어휘, 문장 등의 언어에 의해 이루어지는 의미 작용
언어적 표현 전략	• 적절한 어휘 사용, ❻□□에 맞는 말하기 • 비유법, 강조법 등의 수사법 사용

준언어적 표현

개념	• 억양, 강세, 속도, 어조 등을 언어적 표현과 함께 사용하여 의미를 ❼□□하거나 변화를 주는 표현
준언어적 표현 전략	• 같은 표현이라도 준언어적 표현의 사용을 통해 의미가 달라짐. • 대상, 상황, 목적, 내용 등을 고려하여 적절한 준언어적 표현을 사용해야 함.

비언어적 표현

개념	시선, 표정, 몸짓, 자세 등 언어 및 준언어적 표현 이외의 방법으로 의미를 표현하는 방법
비언어적 표현 전략	• 대상, 상황, 목적, 내용에 따라 효과적으로 사용해야 함. • 보강, ❽□□, 강조의 기능이 있음.

확장하기

다음 과제를 수행하며 이 단원의 목표를 다시 한번 환기해 보자.

> **누리 소통망 서비스(SNS)의 글을 보고, 자아 개념 평가하기**
>
> 누리 소통망 서비스(SNS)에서 친구와 주고받은 글을 바탕으로 자신의 자아 개념을 평가하는 말하기를 해 보자.

⋯▶ 자신이 누리 소통망 서비스(SNS)에 작성한 글들을 살펴보면서 그 글에 드러난 자신의 자아 개념을 정리해 본다. 그리고 그러한 자아 개념이 다른 친구들과 의사소통하는 데 어떤 영향을 주었는지와 다른 친구들이 자아 개념을 형성하는 데 어떤 영향을 미쳤을지를 생각해 본다.

> **상황에 맞게 부탁과 요청, 거절, 사과, 감사의 말 하기**
>
> 그동안 여러 가지 까닭으로 직접 하기 힘들었던 말을 상대에게 전달해 보자.

⋯▶ 부탁과 요청, 거절, 사과, 감사의 표현을 효과적으로 전달하기 위한 전략을 세워 상대에게 말을 해 본다. 직접 만나서 말을 하기 곤란하면 학교 방송이나 영상 편지 등으로 대신해 본다.

|정답| ❶ 사회적 ❷ 기대 ❸ 거절 ❹ 진정성 ❺ 칭찬 ❻ 어법 ❼ 강화 ❽ 대체

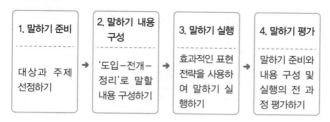

문학 작품의 내용을 친구들에게 전달하기

학급 친구와 짝을 이루어, 서로 읽은 문학 작품의 내용을 언어적·준언어적·비언어적 표현을 사용해 실감 나게 전달해 보자.

┈→ 언어적·준언어적·비언어적 표현 전략의 특성을 알고, 이를 잘 활용하여 문학 작품의 내용을 친구에게 실감 나게 전해 주도록 한다. 친구와 같은 문학 작품을 읽고 그 내용을 전달한 뒤, 친구가 사용한 언어적·준언어적·비언어적 표현 전략이 내가 사용한 전략과 어떻게 다른지 비교해 보는 것도 좋다.

상황에 맞게 부탁과 요청, 거절, 사과, 감사의 말 하기

다음 활동은 위의 '확장하기' 활동 가운데 '상황에 맞게 부탁과 요청, 거절, 사과, 감사의 말 하기' 활동이다. 상황에 맞는 말하기 전략을 선택하고, 자신이 의도한 바가 상대방에게 잘 전달될 수 있도록 말해 보자.

❯ 활동 순서

1. 말하기 준비	→	2. 말하기 내용 구성	→	3. 말하기 실행	→	4. 말하기 평가
대상과 주제 선정하기		'도입-전개-정리'로 말할 내용 구성하기		효과적인 표현 전략을 사용하여 말하기 실행하기		말하기 준비와 내용 구성 및 실행의 전 과정 평가하기

1. 말하기 준비

- 말하기 대상: 담임 선생님
- 말하기 주제: 힘들 때 자신을 위로해 주신 선생님께 감사한 마음
- 말하기 전략
  ① 겸양의 격률(자신에 대한 칭찬은 최소화하고 자신에 대한 비방을 최대화)을 활용하여 말할 것
  ② 자신의 성공을 이끌어 준 선생님에게 공을 돌리고, 자신이 받은 혜택을 표현할 것

2. 말하기 내용 구성

- '도입 – 전개 – 정리의 구성'으로 내용 조직하기

도입	• 현재 자신의 성취 제시와 직접적인 감사의 표현을 통해 선생님에 대한 자신의 마음을 드러냄..
전개	• 힘들었던 시기에 자신을 위로해 주신 선생님의 말씀을 언급함. • 선생님의 말씀 덕분에 다시 힘을 내 공부에 매진할 수 있었음을 강조함.
정리	• 선생님의 말씀이 자신에게 미친 영향과 혜택을 언급함. • 다시 한번 선생님께 공을 돌리며 감사 인사를 올림.

3. 말하기 실행

오, 캡틴, 마이 캡틴!(Oh Captain, my Captain!) 우리 반의 자랑인 담임 선생님. 「죽은 시인의 사회」의 키팅 선생님을 부르듯, 저는 선생님을 이렇게 부르고 싶습니다. 왜냐하면 선생님께서 제 삶의 방향키 같은 역할을 해 주셨기 때문이에요. 선생님, 선생님께서도 잘 아시다시피 이번에 제 성적이 많이 올랐어요. 이 모든 게 선생님 덕분이에요. 정말로 감사드려요.

제가 학기 초에 성적 때문에 많이 힘들었을 때, 선생님께서 저에게 해 주셨던 말씀들이 정말 큰 위로가 되었어요. 그 위로에 힘입어 지금의 성과를 이루게 된 것이고요. 그때 선생님께서는 지금 당장의 성적보다는 제가 무엇을 하고 싶은지를 생각하라고 하셨어요. 옆에서 경쟁하는 친구들을 보지 말고, 자기 자신을 보라고 하시며 결국 성공과 실패의 요인은 자기 자신의 내부에 있는 거라고 하셨지요. 선생님의 말씀을 듣고 제 자신을 돌아보게 되었어요. 무엇을 할지 확신이 없으니 주변 친구들의 위치가 더 신경 쓰였던 것 같아요. 제가 무엇을 좋아하는지, 또 그것을 이루기 위해 무엇을 해야 하는지를 생각하고, 그것을 이루기 위해 노력하면서 마음이 편해졌어요. 그래서 공부에 집중할 수 있게 되었고, 이와 같은 성과를 거둘 수 있었어요.

선생님, 제가 단지 지금의 성적 상승 때문에 선생님께 이렇게 감사 인사를 드리고 있는 것은 아니에요. 이제는 제 삶에 뚜렷한 목표가 생겼어요. 그리고 그것을 이루어 나갈 생각을 하니, 하루하루가 정말 신이 나요. 이 모든 게 선생님 덕분이에요. 선생님, 정말로 감사드리고 사랑합니다.

4. 말하기 평가

- 평가표에 따라 말하기 활동 평가하기

말하기 준비	• 말하기의 주제는 대상과 관련하여 적절한가? • 말하기의 성격과 관련하여 적절한 말하기 전략을 수립하였는가?
말하기 내용 구성	• '도입'에서는 말하기 화제를 적절하게 제시하고 있는가? • '전개'에서 말하기 내용의 핵심을 효과적으로 전달할 수 있도록 구성하였는가? • '정리'에 말하기의 성격에 맞게 말하기 내용을 효과적으로 요약, 강조하였는가?
말하기 실행	• 말하기의 속도와 발음은 내용 전달에 효과적이었는가? • 화자의 의도와 진정성이 효과적으로 드러났는가?

2

대중을 향한 의사 표현의 화법

학습 목표 <<
- 청자의 특성에 맞게 내용을 구성하여 발표할 수 있다.
- 화자의 공신력을 높이며 적절한 설득 전략을 사용하여 연설할 수 있다.

– 폴츠, 「페리클레스의 추도 연설」

단원의 짜임

(1) 이해하기 쉬운 발표

좋은 발표의 요건이 무엇인지 이해하고

⋯› 청자의 요구에 맞게 내용을 구성하고 효과적인 표현 전략을 사용하여 발표해 본다.

(2) 설득력 있는 연설

성공적인 연설의 요건이 무엇인지 이해하고

⋯› 화자의 공신력을 바탕으로 이성적·감성적·인성적 설득 전략을 사용하여 연설해 본다.

우리는 일생을 살아가면서 여러 사람 앞에서 공적으로 말해야 하는 상황을 종종 접하게 된다. 대중을 향한 말하기는 일대일의 사적인 말하기의 상황과는 크게 다르므로, 더 체계적인 계획과 효과적인 전략이 필요하다.
▶ 대중을 향한 말하기－체계적인 계획과 효과적인 전략이 필요함.

성공적인 발표를 위해서는 <u>발표의 목적이 무엇인지, 발표의 상황이 어떠한지 등 많은 요소를 고려해야 한다.</u> 그중에서 가장 중요한 것은 발표를 듣는 <u>청자에 관해 분석하는 것</u>
성공적인 발표를 위한 조건   청자의 요구, 지적 수준, 입장 등
이다. 발표는 <u>청자를 상대로 설명하거나 설득하는 것</u>이 목적이기 때문이다. 따라서 발표
발표하는 목적
를 준비할 때에는 청자에게 필요한 내용을 이해하기 쉽게 구성하는 노력을 기울여야 한다. 청자가 원하는 내용이 잘 구성되면 발표는 매우 순조로워진다.
▶ 성공적인 발표를 위해 고려해야 할 요소

연설은 대중을 설득하기 위한 화법이다. 연설할 때에는 <u>이성적인 논리를 갖추어서</u> 말하
연설에서 설득력을 높이는 방법 ①
되, 때로는 <u>감성에 호소함으로써</u> 청중의 마음을 움직일 수 있다. 거기에 더해 <u>연설을 하는</u>
연설에서 설득력을 높이는 방법 ②
<u>화자가 바람직한 인성을 보여 준다면</u> 공신력이 조성되어 연설의 설득력이 더욱 높아진다.
연설에서 설득력을 높이는 방법 ③
그러므로 화자는 공신력을 바탕으로 연설 상황, 목적, 대상 등을 고려하여 다양한 설득 전략을 활용해야 한다.
▶ 성공적인 연설을 위해 고려해야 할 요소

이 단원에서는 청자의 특성에 맞추어 내용을 구성하고 발표하는 방법과 설득 전략을 세워 공신력 있게 연설하는 방법을 익히기로 한다. '단원의 짜임'을 중심으로 학습할 내용을 확인해 보자.
▶ 학습할 내용 안내

(1) 이해하기 쉬운 발표

핵심 질문 청자가 이해하기 쉽게 발표하려면 어떻게 해야 할까?

>> 발표를 준비하고 실행할 때 가장 중요한 것은 발표 내용을 청자가 얼마만큼 수용할 수 있는가 하는 점이다. 따라서 사전에 청자의 요구, 관심, 수준 등을 분석하고 이를 고려하여 발표 내용을 구성해야 발표 내용을 효과적으로 전달할 수 있다.

지금 우리에게 가장 필요한 것은 무엇인가?

알기

• 발표자는 청자에 관해 무엇을 알아야 하나?

| 예시 답안 | 발표자는 청자를 고려하여 발표의 내용을 구성해야 하므로, 청자의 요구와 지적 수준, 주제에 관한 사전 지식, 주제와 관련된 입장 등을 알아야 한다.

• 발표 내용을 어떻게 구성해야 효과적인가?

| 예시 답안 | 발표의 내용은 '도입-전개-정리'로 구성하는 것이 효과적이다.

하기

• 청자가 이해하기 쉽게 발표 내용 구성하기

>> '지역 사회와 함께하는 청소년 문화 활동'에 관한 발표 계획 세우기, '떡볶이의 유래'에 관한 발표 동영상 시청하기, '더불어 생활'을 주제로 한 학생들의 발표 동영상 시청하기 등을 통해 청자를 고려하여 발표 내용을 구성하는 방법을 알아보고, 스스로 발표의 주제와 목적을 정해 청자의 특성에 맞게 발표할 내용을 구성해 보기

• 청자를 고려하여 효과적으로 발표하기

>> 발표 내용을 구성하고 활용할 매체 자료를 마련하여 반 친구들 앞에서 발표하고 평가해 보기

••• 청자에 따라 발표의 내용은 어떻게 달라져야 하는가?

| 예시 답안 | 청자가 어린아이인지, 장년층인지, 노년층인지에 따라 발표의 내용이 달라져야 한다. 연령층에 따라 관심을 가지고 있는 것이 무엇인지 파악하고, 그것을 바탕으로 그 연령대의 사람들에게 가장 필요한 것이 무엇인지에 관해 구체적으로 다루어야 한다.

••• 발표할 때 청자를 고려해야 하는 까닭은 무엇일까?

| 예시 답안 | 발표는 정보 전달이나 설득을 목적으로 이루어지는 공적 담화다. 따라서 화자는 청자가 정보를 제대로 이해하거나 화자의 의견을 수용할 수 있도록 해야 한다. 이처럼 발표는 청자 지향적인 말하기이므로 화자는 청자의 입장이나 수준, 관심사 등을 고려하여 발표의 내용을 구성하고 전달해야 발표를 성공적으로 할 수 있다.

알아 두기

⟩ 발표 준비하기

≫ 발표의 개념

여러 사람 앞에서 자기의 의견이나 어떤 사실 등에 대해 말하는 화법의 한 유형

≫ 효과적인 발표를 위해 고려해야 하는 요소

발표의 목적, 청자, 발표 장소 등에 대한 분석이 필요하다.

발표 목적	크게 정보 전달과 설득으로 구분
청자 분석	• 청자의 요구 및 지적 수준 • 주제에 관한 사전 지식, 주제와 관련된 입장 등
장소 분석	• 발표 장소의 물리적 특성(공간의 크기, 자리 배치 등) • 필요한 시설과 장비 등

⟩ 발표 내용 구성하기

≫ 발표 내용의 구성 방식

• 음성 언어를 통한 의사소통의 특성이 잘 드러나도록 구성한다.
• 발표 내용의 구성은 일반적으로 '도입 – 전개 – 정리'의 3단계로 이루어진다.

도입	청자와 주제의 관련성이 낮은 경우	청자의 흥미 유발이나 관련성을 높이기 위한 내용 구성 필요
	청자와 주제의 관련성이 높은 경우	도입부를 간결하게 구성
전개	설명형 발표	• 시·공간적 구성, 비교·대조 구성, 원인·결과 구성 등 • 설명의 흐름이 잘 드러나도록 구성
	설득형 발표	• 문제·해결 구성, 전제·결론 구성 • 문제 제기에 그치지 말고 해결책까지 제시
정리		• 발표 내용을 정리하거나 핵심 사항 강조 • 이성적이거나 논리적 메시지 외에 감성적인 메시지 사용

⟩ 발표 실행 및 평가하기

≫ 발표 실행 시 유의점

• 발표 시간을 준수하기 위해 발표 분량을 조절하고 사전 연습을 충분히 해야 한다.
• 사전에 준비한 메모나 화면 등을 참고하되, 시선을 청자에게 두고 발표를 실행해야 한다.
• 다양한 자료와 매체를 활용하되, 너무 산만해지지 않도록 조절해야 한다.
• 청중의 이해를 돕기 위해 준언어적, 비언어적 표현을 적절하게 사용해야 한다.
• 발표 중 청자의 반응이나 이해 정도를 살피면서 적절하게 발표 내용과 표현을 조정해야 한다.

≫ 발표 평가

• 발표 준비와 내용 구성, 표현과 전달의 전 과정에 대해 평가한다.
• 발표 내용에 대해서는 정확성, 신뢰성, 타당성을 기준으로 평가한다.

• 개념 확인하기

1. 발표 준비에 대한 설명으로 알맞은 것은 ○표, 알맞지 않은 것은 ×표를 하시오.

(1) 발표의 목적은 크게 정보 전달과 설득으로 구분할 수 있다. (　　)

(2) 발표 준비를 할 때는 청자보다 발표자가 전달하고자 하는 바에 집중해야 한다. (　　)

(3) 발표 장소의 물리적 특성에는 공간의 크기나 자리 배치와 같은 것이 있다. (　　)

2. ⟨보기⟩에서 빈칸에 들어갈 알맞은 말을 찾아 쓰시오.

⟨보기⟩
> 도입, 전개, 설득,
> 감성적, 관련성

(1) 발표 내용 구성 시 (　　)은 청자와 주제의 (　　) 정도에 따라 내용을 달리 구성한다.

(2) 발표 내용 구성 시 (　　)는 설명형 발표와 (　　)형 발표에 따라 내용을 달리 구성한다.

(3) 발표 내용 구성 시 정리에서는 이성적 메시지 외에 (　　) 메시지를 사용하기도 한다.

3. 다음 중 발표 실행 단계에서 고려해야 할 내용으로 적절한 것의 기호를 쓰시오.

> ㉠ 청자가 발표자의 발표 내용을 충분히 이해하고 있는지 점검한다.
> ㉡ 발표 내용에 관한 청자의 개인적 관련성 정도를 판단한다.
> ㉢ 청자가 발표 내용을 충분히 이해할 수 있도록 전달이 잘 되었는지 평가한다.

(　　)

┃정답┃
1. (1) ○ (2) × (3) ○ **2.** (1) 도입, 관련성 (2) 전개, 설득 (3) 감성적 **3.** ㉠

소단원
학습 활동

하면서 배우기 📖

교과서 87p

1. 다음 대화를 보고, 아래의 활동을 해 보자.

태민 정우야, 구청에서 '지역 사회와 함께하는 청소년 문화 활동'을 지원하는 사업을 한다고 하는데, 나랑 같이 지원해 볼래?

정우 그게 뭔데?

태민 우리 지역 사회와 관련된 중요한 문화 자원을 찾아 시민들에게 알리는 활동이야. 지원 대상으로 선정되면 활동을 위한 지원금도 나오고 활동도 적극적으로 도와준대.

정우 그래? 그거 재미있겠다. 어떻게 하면 되는데?

태민 일단 주제를 정해서 지원해야겠지? 그런 다음 우리가 활동을 어떻게 진행할 것인지에 관해 <u>구청의 교육지원과</u>
<u>심사 위원들</u> 앞에서 발표하면 돼.
　　　청자

정우 좋아, 우리 같이 준비해 보자. 주제를 뭘로 정하면 좋을까?

태민 우리 집에서 학교 가는 길가에 '정철 시비' 있는 거 봤지? 그 시비 뒤쪽에 있는 마을이 가사 문학의 대가인 송강 정철 선생님이 사셨던 곳이래. 그래서 내가 좀 알아 보니, 우리가 잘 아는 정철 선생님의 작품 중에 우리 동네를 배경으로 한 것들이 많더라고.

정우 그래? 그럼 <u>그곳을 적극적으로 알리는 운동</u>을 하면 좋겠다.
　　　　　　발표 주제

태민 맞아. 『우리 동네의 자랑스러운 문학적 자산을 소개하고,
　　　『 』: 발표 목적
그 과정을 통해 우리도 고전 문학 작품을 좀 더 친숙하게 알아 갈 수 있을 거야.』

정우 그럼, 우리 발표를 준비해 보자. 참, 그런데 발표는 어디에서 한대?

태민 <u>구청 강당</u>에서 한다고 했어.
　　발표 장소

정우 와! 거기 엄청 넓던데!

(1) '태민'과 '정우'가 하기로 한 발표의 주제와 목적을 말해 보자.

|예시 답안| ·발표 주제: 송강 정철의 작품 이해와 송강 마을 소개
· 발표 목적: 구청에서 지원하는 '지역 사회와 함께하는 청소년 문화 활동' 사업의 대상자로 선정되어, 지역 주민에게 우리 동네의 자랑스러운 문학적 자산을 소개하고, 우리의 고전 문학 작품을 좀 더 친숙하게 알아 갈 수 있도록 함.

(2) '태민'과 '정우'가 준비하고 있는 발표의 청자를 분석해 보자.

|예시 답안|

청자의 요구	우리 지역 사회와 관련된 중요한 문화 자원을 찾아 시민들에게 알릴 것
청자의 지적 수준	대체로 지적 수준이 높으며 지역 문화에 대한 관심과 이해도가 높음.
주제에 관한 사전 지식	주제와 관련한 포괄적 사전 지식은 있으나 구체적 정보는 알지 못함.
주제와 관련된 입장	지역의 문화 자원을 알리는 일에 호의적인 입장임.

(3) 발표 장소의 특성을 고려할 때, '태민'과 '정우'가 발표를 준비하면서 유의할 점을 생각해 보자.

|예시 답안| 넓은 공간에서 발표 내용을 효과적으로 전달할 수 있는 방법을 고려해야 한다. 마이크나 멀티미디어의 사용이 용이한지, 심사 위원들의 좌석 배치는 어떤지 등에 유의하여 발표를 준비해야 한다.

✎ 배워서 하기 ❶ ▶
교과서 88p

발표의 주제와 목적을 정하고 청자 분석하기

● 다음의 발표 주제 중 한 가지를 고르고, 같은 주제를 선택한 친구와 모둠을 구성해 발표 목적과 청자를 분석해 보자.

☐ 다문화 사회의 국어 교육　　☐ 학교 도서관 이용 방법
☐ 지역의 자투리 공터 활용 계획　☐ (　　　　　　　　　　)

|예시 답안| 학교 도서관 이용 방법

발표 주제	학교 도서관 이용 방법
발표 목적	신입생들에게 우리 학교 도서관 이용 방법을 알려 주는 것
청자 분석	• 청자: 우리 학교 신입생 • 청자의 요구: 학교생활을 익숙하게, 효과적으로 할 수 있는 방법을 알고 싶음. • 청자의 지적 수준: 고등학교 1학년 정도의 지적 수준을 가지고 있음. • 주제에 관한 사전 지식: 중학교 때 학교 도서관을 이용해 보았으나 현 학교의 도서관 이용법에 대해서는 잘 알지 못함. • 주제와 관련된 입장: 학교 도서관을 잘 이용할 수 있는 방법을 알고자 함.

하면서 배우기 📖📖 ━━━━━━━━━━ 교과서 89p

2. 다음은 '떡볶이의 유래'를 주제로 한 발표이다. 발표를 보고, 아래의 활동을 해 보자.

도입 안녕하세요? 저는 1조의 조장 이나경입니다. 저희 1조는 최고의 국민 간식인 '<u>떡볶이의 유래</u>'에 관해 발표하겠습니다.
_{발표 주제}
<u>학교 앞 떡볶이 가게에서 오밀조밀 모여 앉아 떡볶이를 사</u>
_{질문으로 청자의 관심을 유발함.}
<u>먹어 보지 않은 학생이 있을까요?</u> 아마 없을 거예요. 평소에 외식을 거의 하지 않는 저희 엄마도 저와 함께 학교 앞 떡볶이 가게는 자주 가신답니다. 교복을 입고 삼삼오오로 모여서 맛있게 떡볶이를 먹던 시절이 생각난다고 하시면서요. 이처럼 세대를 연결하는 고리이자 학창 시절의 추억이 담긴 떡볶이는 언제부터 만들어 먹기 시작했을까요?
▶ 도입-경험 공유를 통해 대상에 대한 호기심과 흥미를 유발함.
전개 먼저, 떡볶이의 유래를 알아보기 위해 '떡볶이'가 무엇인지 국어사전에서 그 뜻을 찾아보았습니다.
_{발표에 사용된 매체 자료}

🔍 떡볶이 가래떡을 적당한 크기로 잘라 여러 가지 채소를 넣고 양념을 하여 볶은 음식.

이 뜻풀이에서 알 수 있듯이, 떡볶이는 볶음 요리라는 이름을 가지고 있어요. 떡볶이는 원래 임금님이 즐겨 먹던 귀한 궁중 음식이었다고 합니다. 그 형태는 오늘날의 '간장 떡볶이'와 비슷해요.

다음은 한 방송에서 소개된 떡볶이 관련 영상입니다.
_{발표에 사용된 매체 자료}

오늘날 우리가 먹고 있는 대부분의 음식이 시작된 것은 조선 시대. 특히 궁궐에는 수많은 재료와 조리법으로 만들어진 다양한 요리들이 있었는데요. 그 요리의 비밀들은 여러 문헌을 통해 오늘날까지 전해지고 있습니다. 그런데 이 조리법들을 살펴보면 오늘날 우리에게 매우 익숙한 음식이 발견되는데요. 떡을 썰어 양념과 함께 볶는 음식, 바로 떡볶이입니다.
『 』발표 내용에 신뢰성을 부여함. ─『와이티엔(YTN) 사이언스』, 2017. 3. 13.

이처럼『떡볶이는 애초에 궁궐에서 만들어 먹던 요리였습니다. 가래떡에 고기와 채소를 듬뿍 넣고 버섯과 당근, 달걀 지단 등을 넣어 간장으로 양념한 음식이었지요. 궁중 떡볶이는
_{『 』떡볶이의 유래}
궁중 요리인 잡채에서 유래한 음식입니다. 고기와 채소가 주재료이지만 당면 대신 쌀떡을 넣은 것으로 쇠고기와 생나물, 마른 나물을 듬뿍 넣고 간장으로 양념을 했습니다. 떡볶이와

달리 현재의 잡채는 임금님의 수라상에 오르던 것과 큰 차이가 없습니다.』

◐ 궁중 떡볶이　　　　　　◐ 잡채

궁중 요리였던 떡볶이는 어떻게 대중 음식이 되었을까요? 정확한 시점은 알려지지 않았지만, 대체로『육이오 전쟁 중이
_{『 』떡볶이의 대중화 과정-시간의 흐름에 따른 구성}
던 1950년대부터라고 추정됩니다. 식재료가 변변치 않던 시절, 떡과 고추장, 채소 등을 버무려 볶아 낸 떡볶이가 시중에 팔리게 되면서 인기를 끌게 되었다고 해요. 그 후로도 떡볶이는 시대상을 반영하면서 여러 번 변모했어요. 가스가 공급되기 시작한 1970년대부터는 즉석에서 요리할 수 있어 길거리에서도 팔기 시작했고, 떡볶이 가게가 밀집된 지역도 생겨났어요. 1980년대부터는 자율화 물결에 따라 청소년 문화가 급속히 발전하면서 떡볶이는 지역 곳곳에 분포한 분식점들의 대표 메뉴 중 하나가 되었지요. 2000년대 이후로는 프랜차이즈 시스템이 등장하여 떡볶이에도 상표가 달렸으며, 다양한 소스와 메뉴가 개발되면서 한국의 대표 먹거리가 되었습니다.』
▶ 전개-떡볶이의 뜻과 유래 및 대중화 과정
정리 옛날 궁중에서 즐기던 떡볶이는 오늘날 대중적인 음식으로
_{전개 부분의 내용 요약}
바뀌어 계속 여러 형태로 발전하고 있습니다. 치즈 떡볶이, 카레 떡볶이는 물론이고 국물 떡볶이도 등장하였습니다. 이런 떡볶이가 앞으로도 다양한 형태로 발전하여 한국인의 입맛
_{떡볶이의 미래에 대한 바람}
뿐 아니라 세계인의 입맛을 사로잡는 날이 오기를 바랍니다.

이상으로 발표를 마칩니다. ▶ 정리-떡볶이의 발전과 세계화에 대한 기원

─ 참고: 한국식품연구원, 『식품문화 한맛한얼』 제6권 2호

(1) 위 발표의 내용을 '도입, 전개, 정리'로 구분하고, 각 부분의 내용 구성상 특징을 정리해 보자.

| 예시 답안 |

구성	발표 내용	내용 구성상 특징
도입	누구나 한 번쯤 사 먹어 봤을 만큼 많은 사람들에게 사랑받는 떡볶이	경험 공유를 통해 대상에 관한 호기심과 흥미를 유발함.

| 전개 | 떡볶이의 뜻과 유래, 대중화 과정 | 떡볶이가 궁중 음식에서 대중 음식으로 변화된 과정을 시간의 흐름에 따라 구성함. |
| 정리 | 떡볶이의 발전과 세계화에 대한 기원 | 전개 부분의 내용을 요약하고 떡볶이의 미래에 대한 바람을 제시함. |

(2) 위의 발표에 사용된 매체 자료를 정리해 보고, 매체 자료가 효과적으로 사용되었는지 생각해 보자.

| 예시 답안 |

발표 내용	사용한 매체 자료	효과
떡볶이의 뜻풀이	국어사전	발표 내용에 정확성을 부여함.
떡볶이의 기원	동영상 자료	발표 내용에 신뢰성을 부여하고, 청자가 발표 내용에 흥미를 갖도록 함.
궁중 떡볶이와 잡채	사진 자료	발표 내용을 이해하는 데 도움을 줌.

(3) 위의 발표에 추가하거나 삭제하고 싶은 내용이나 매체 자료가 있으면 말해 보자.

| 예시 답안 | 떡볶이의 유래와 직접적인 관련이 없는 잡채 사진을 삭제하는 대신 다양한 형태의 떡볶이 사진을 매체 자료로 추가하여 떡볶이의 변화 과정을 구체적으로 보여 주고 싶다.

배워서 하기 2 ▶ 교과서 91p
발표 내용을 구성하고 활용할 매체 자료 마련하기

● '배워서 하기 ❶'에서 분석한 내용을 바탕으로 발표 내용을 구성해 보자.

| 예시 답안 |

구성	발표 내용	구성 방식 / 활용할 매체 자료
도입	수행 평가를 준비하거나 책을 읽고 싶을 때 이용하는 도서관	청자의 경험을 환기하며 호기심을 유발함. / 활용할 매체 자료 없음.
전개	도서관 이용 절차, 도서관에 비치되어 있는 자료, 도서관 이용 시 주의 사항을 설명함.	도서관 이용 절차, 공간별로 비치되어 있는 자료, 도서관 이용 시 주의 사항으로 나누어 설명함. / 이용 절차를 설명하는 파워포인트(ppt), 공간별 도서관 사진 등의 매체 자료를 활용함.
정리	도서관 이용을 통해 학교생활을 효과적으로 영위할 것을 기대함.	속담이나 격언을 활용하여 감성적 메시지를 전달함. / 활용할 매체 자료 없음.

교과서 92p

하면서 **배우기**

3. 다음은 '더불어 생활'을 주제로 한 발표이다. 메모를 하며 발표를 보고, 아래의 활동을 해 보자.

저는 아주 어릴 때부터 초등학교 바른 생활 선생님께 이런 말씀을 들었습니다.

"교실 안에 있는 친구들에게 관심을 가지며 같이 '으쌰으쌰' 하며 살아가야 해요."

그 후 중학교 도덕 선생님께서는 저에게 이렇게 말씀하셨습니다.

"인간은 사회적 동물이기 때문에 다 같이 어우르면서 살아야 하고, 소외되는 사람이 있다면 당연히 그 사람들을 도와줘야 한단다."

그리고 고 3이 된 지금 저는 윤리 시간에 이런 말을 듣습니다.

"장 자크 루소의 사회 계약론에 따르면, 공동체 구성원이
프랑스의 사상가
되면 개인은 일반 의지를 실현하기 위해 자신의 이기심을 배제한다."

이처럼 저는 약 18년 동안 사람은 더불어 살아가는 존재라는 것을 배웠습니다. 내 가족을, 내 이웃을, 내 사회를 돌보면서 사회 구성원들과 조화를 이루며 살아가야 한다는 것이죠. 이렇게 배우는 것은 비단 저뿐만이 아니라 여러분 모두의 경험일 거라고 믿고 있습니다.
청자의 경험을 환기함.

우리가 배운 '더불어 생활'은 과연 우리 사회에 제대로 적용되고 있을까요? 아니, 그 이전에 우리가 '더불어 생활'에 관해 잘 알고 있다고 확언할 수 있을까요? 그래서 오늘 저희는 우
확실하게 말함.
리들의 '더불어 생활'에 관해서 다시 한번 생각하는 시간을 마련해 보았습니다.

기말고사 '더불어 생활 영역' 시험을 치를 텐데요, 시험 시
발표 내용을 시험을 치르는 형식으로 구성함.
간은 총 10분이며 준비물은 약간의 공감과 변하려는 의지입니다. 시험 범위는 이웃 문제, 사회적 약자 문제, 그리고 환경 문제까지 포괄합니다.

(시험 시작을 알리는 종소리)
발표 내용 전개와 관련 있는 음향을 사용해 청자의 흥미를 높임.

지금부터 제1회 기말고사 '더불어 생활 영역' 시험을 시작하겠습니다.

첫 번째 문제, 여러분은 여러분의 이웃을 얼마나 잘 알고 계신가요? 실제로 서울시가 시민 800명을 대상으로 한 설문 _{공신력 있는 기관의 통계 자료를 제시하여 신뢰성을 확보함.} 조사에 따르면, 58%의 시민들이 자신의 이웃에게 제대로 된 인사를 단 한 번도 건넨 적이 없다고 합니다. 2014년 기준으로, 한 가구가 자신의 거주지에서 머무는 기간을 약 4년이라고 할 때, 800명 중에서 464명은 4년 동안 단 한 번도 자신의 이웃에게 제대로 된 인사를 건넨 적이 없다는 것이죠.

이렇듯 우리는 지구 반대편에 있는 소식을 10초 안에 들을 수 있지만, 고작 열 발걸음 떨어진 곳에 사는 자기 이웃의 이름이 무엇인지, 나이는 어떻게 되는지, 아니면 그 사람이 그냥 어떤 사람인지조차 알지 못하고, 알려고 하지도 않습니다. 우리는 실시간 검색어에 오르는 여러 사망 사건에 관해서는 안타까워하고 애도를 표하지만, 정작 옆집에서 일어날 수 있는 1인 가구의 고독사에 관해서는 무관심하다는 것입니다.

이렇게 우리는 바쁘게 흘러가는 사회에 발걸음을 맞추기 위해 빠르게 달려 나가는 법을 배웠지만, 그와 동시에 양옆을 바라보는 방법을 잊어버렸습니다. 즉 '더불다'의 근본적인 의미를 망각한 채 살고 있는 것이죠. 이제는 우리의 양옆을 바라봐야 할 때입니다.

다음 문제입니다. 다음은 노인들이 사회에서 이용할 수 있는 서비스들인데요, 이들 중 가장 효과적인 것은 무엇일까요? _{질문을 하여 청자의 주의를 끎.} 우리는 현대 사회에서 전 세계를 몇 시간 만에 누비고, 필요한 정보는 인터넷을 통해서 바로바로 구하는, 아주 편리하고 풍요로운 삶을 살고 있습니다. 어쩌면 이런 삶이 보편화된 현실이라고 생각할 수도 있는데요. 과연 이게 정말 보편적인 현실일까요?

위 자료를 보시면 노인들의 인터넷 사용률이 10~30대 젊 _{구체적인 자료를 논거로 제시하여 설득력을 높임.} 은 층의 사용률보다 현저하게 떨어지는 것을 확인할 수 있습니다. 노인들은 인터넷뿐 아니라 대중교통, 그리고 에이티엠(ATM) 기계의 이용에서도 부적응의 문제를 겪고 계십니다. 다행히 노인들의 이런 소외 문제를 해결하기 위한 사회적인 노력이 존재합니다. 노인들에게 인터넷 사용 방법을 가르쳐 주는 평생 교육 프로그램이 있고, 대중교통에는 노인들을 위한 자리가 마련되어 있죠. 하지만 여기에도 보이지 않는 허점이 존재합니다. 평생 교육 프로그램을 받는 노인 인구의 비율

이 단 4%에 불과하다는 것이죠. 대중교통에 노인들을 위한 자리는 마련되어 있지만, 정작 교통 카드를 사용하는 방법조차 모르고 계신 분들이 많고, 그것을 사용하는 데 어려움을 겪고 계시는 노인들이 존재한다는 것입니다. 이렇게 노인들을 위한 정책은 겉으로는 효과적인 것처럼 보이지만, 실제로는 그 기능을 제대로 못하고 있는 것이죠.

과학 기술 발전의 화려한 빛, 그 빛에 적응하지 못하고 그림자처럼 소외된 채 살아가는 사람들은 여전히 존재합니다. 1번 문제에서 우리는 양옆에 있는 이웃들을 바라보는 방법을 배웠습니다. 이제는 우리의 뒤를 바라볼 차례입니다.

다음 3번 문제는 ○× 문제인데요. '환경 문제는 더불어 사는 삶과 관련이 있다 혹은 없다.' 여기서 말하는 환경이란 우리의 삶을 질적으로 더욱더 풍요롭게 만들기 위한 가장 기본적인 전제 조건입니다. 말이 조금 어려우니 쉽게 예를 들어서 설명해 볼까요?

『환경 문제로 고통받고 있는 고구마 마을과 말랭이 마을이 _{『』구체적인 예를 들어 설명함으로써 청자가 발표 내용을 쉽게 이해할 수 있도록 함.} 있습니다. 고구마 마을의 사람들은

"어휴, 공기가 왜 이렇게 안 좋아!"

라며 항상 불평불만을 늘어놓는 반면, 개인이 해결할 수 있는 부분은 없다고 생각하기 때문에 나서서 행동하지 않고 본인에게 편리한 자동차를 즐겨 탑니다. 반대로 말랭이 마을의 사람들은 환경 문제를 마을 주민의 문제라고 인식하여 조금 불편하더라도 양보하며 함께 자동차 이용을 줄이려고 노력합니다.』말랭이 마을이 너무 이상적인가요? 하지만 현실에서도 이런 사례를 발견할 수 있습니다.

최근에 프랑스에서는 미세 먼지가 매우 심각하다는 보고서를 받은 이후 차량 2부제를 시행했습니다. 이때 프랑스 국민들이 함께 노력한 결과, 총 미세 먼지가 6%, 이산화 질소가 10%나 감소했다고 합니다. 이처럼 환경 문제는 개인의 문제가 아닌 사회의 문제입니다. 그렇기에 우리가 상대를 배려하고, 사회를 위한 공동체적인 노력을 해야 한다는 인식을 가지는 것, 그것이 바로 더불어 살아가는 사회를 위한 방법입니다.

마지막 문제는 서술형 문제인데요. 조금 어려우니까 함께 풀어 볼까요?

우리가 살고 있는 현대 사회가 더불어 사는 사회가 되는 데 필요한 것은 무엇일까요?

저희 모둠원들 역시 이 질문의 답을 찾기 위해서 깊은 고민을 하고 많이 토론했습니다. 그 결과 뜻밖에도 답이 질문 안에 있다는 것을 발견할 수 있었는데요. 저희는 '더불어'라는 단어에 주목했습니다. 다소 언어유희적이기는 하지만 저희는 여기서 '더블(Double) 알(R)'을 발견했습니다. 이 '더블 알'에는 우리 삶에 필수적인 두 가지 알(R)로 시작하는 단어, 즉 '리싱크(Rethink)', 다시 생각하는 것과 '리치 아웃(Reach out)', 손을 내미는 것이 담겨 있습니다. 더불어 사는 사회는 그다지 멀리 있지 않습니다. 내 주위에 있는 사람들을 둘러보며 그들을 '리싱크', 다시 한번 생각하고, 또 도움이 필요한 곳을 단순히 아는 것이 아니라 조금 더 능동적으로 다가가서 손을 내미는 것, '리치 아웃'하는 것, 그것이 바로 저희 팀이 추구하는 더불어 사는 사회입니다. 그러기 위해서는 '더블 알(Double R)'이 필요합니다.

갈래	발표
성격	논리적, 독창적, 경험적, 설득적
제재	더불어 사는 사회
주제	'더불어 사는 사회'의 의미와 가치를 이해하고 더불어 사는 사회를 만들기 위해 노력하자.
특징	• 시험을 치르는 형식을 빌려 발표 내용을 전달함. • 다양한 통계 자료를 제시하여 신뢰성을 확보함. • 질문하고 답하는 방식으로 내용을 전개하여 청중의 주의를 끌고 화제를 명료하게 제시함.

(1) 위 발표 내용의 구성상 특징을 말해 보자.

I 예시 답안 I 더불어 생활과 관련된 세 가지 주제를 학생들에게 익숙한 '시험'이라는 형태로 구성하여 설명하고 있다.

(2) 위 발표의 내용을 정확성, 신뢰성, 타당성의 측면에서 평가해 보자.

I 예시 답안 I

정확성	자료에 나타난 구체적인 수치를 통해 정확성을 확보하였다.
신뢰성	공신력 있는 기관의 통계 자료를 사용하여 신뢰성을 확보하였다.
타당성	주장의 내용과 긴밀하게 연결되어 있는 뒷받침 자료와 근거들을 제시하여 타당성을 확보하였다.

(3) 위의 발표에서 발표자가 사용한 준언어적·비언어적 표현 방식의 특징을 정리하고 그 효과를 말해 보자.

I 예시 답안 I • 준언어적·비언어적 표현 방식의 특징: 청자가 알아듣기 쉽도록 적당한 성량과 속도로, 표정, 손짓, 몸동작 등의 비언어적 표현을 적절히 섞어 발표를 진행함.

• 효과: 발표 내용을 청자에게 보다 효과적이고 분명하게 전달함.

배워서 하기 ❸ 교과서 93p

발표하고 평가하기

● '배워서 하기 ❶, ❷'를 통해 준비한 내용을 바탕으로, 반 친구들 앞에서 발표를 해 보자.

I 예시 답안 I 생략

● 위에서 한 자신의 발표를 다음 기준에 따라 평가해 보자.

발표 준비	• 발표의 주제와 목적은 적절한가? • 발표를 듣는 청자의 관심과 수준 등을 고려하였는가?
내용 구성	• '도입'은 청자의 개인적 관련성 정도에 따라 구성하였는가? • '전개'는 발표의 내용을 효과적으로 전달할 수 있도록 구성하였는가? • '정리'에서 발표 내용을 적절하게 요약하고, 중요한 내용을 효과적으로 강조하였는가?
표현과 전달	• 구체적이고 간명한 언어 표현을 사용하였는가? • 준언어적·비언어적 표현을 통해 발표자에 대한 긍정적인 인상과 신뢰감을 주었는가? • 매체 자료를 적절하게 사용하였는가?

I 예시 답안 I 생략

소단원 정리하기

출제 포인트 ❶ 발표 준비

효과적인 발표 준비를 위해 고려해야 할 점이 무엇인지를 묻는 문제가 시험에 나올 거예요! 발표 준비 과정에서 분석해야 할 요소들을 구체적인 상황에 적용해 보는 연습을 해 두면 좋겠죠?

발표 목적	• 정보를 전달하는 발표 • 설득을 목적으로 하는 발표 ⑩ 우리 동네의 문화적 자산을 소개하고 고전 문학 작품을 친숙하게 이해하기 위해 송강 마을과 송강 정철의 작품 소개
청자	• 청자의 요구, 청자의 지적 수준 분석 • 주제에 관한 사전 지식, 주제와 관련된 입장 분석 ⑩ 지역의 문화 자원을 알리는 일에 호의적이며 지적인 수준과 지역 문화에 대한 관심과 이해도가 높음.
발표 장소	• 공간의 크기나 발표자와 청자의 자리 배치 등 • 공간에서 사용할 시설과 필요한 장비의 유무 ⑩ 구청 강당이라는 넓은 공간에서의 효과적인 전달 방식과 멀티미디어나 마이크의 사용, 청중의 위치나 인원수 등도 고려함.

출제 포인트 ❷ 발표 내용 구성

발표 내용을 어떻게 구성해야 하는지에 대해 묻는 문제가 시험에 나올 거예요! 각 단계별 내용 구성 방식과 각 단계별로 어떤 내용들이 포함되어야 하는지에 대해서는 반드시 숙지하고 있어야 해요.

도입	주제에 대한 청자의 개인적 관련성 정도에 따라 흥미 유발이나 관련성 설명과 같은 내용으로 구성을 할 것인지, 간결하게 시작할 것인지를 판단함.
전개	• 설명형 발표: 시·공간적 구성, 비교·대조 구성, 원인·결과 구성 등 • 설득형 발표: 문제·해결 구성, 전제·결론 구성 등
정리	• 발표 내용을 정리하고 핵심 사항을 강조함. • 필요에 따라 감성적 메시지를 사용함.

■ '떡볶이의 유래'에 관한 발표의 구성과 특징

도입	대중적 사랑을 받는 떡볶이 └ 경험 공유를 통한 흥미 유발
전개	떡볶이의 뜻과 유래, 대중화 과정 └ 시간의 흐름에 따른 구성 ※ 국어사전, 영상 자료, 사진 자료 제시
정리	떡볶이의 발전과 세계화에 대한 기원 └ 내용 요약 및 미래에 대한 바람 제시

대표 문제 ❶ 발표 준비 단계에서 고려할 내용으로 적절하지 않은 것은?

① 발표의 주제와 목적을 분명하게 설정한다.
② 청자가 요구하는 것과 청자의 지적 수준을 분석한다.
③ 발표 주제에 관해 가능한 한 상세하게 내용을 준비한다.
④ 발표에 사용할 시설이나 필요한 장비의 유무와 사용 가능 여부를 확인한다.
⑤ 발표하는 공간의 크기 및 발표자와 청자의 자리 배치가 어떻게 되는지를 점검한다.

대표 문제 ❷ 〈보기〉의 맥락에 따라 발표하고자 할 때 내용 구성의 방법으로 가장 적절한 것은?

〈보기〉
• 발표 주제: 떡볶이의 유래
• 발표 목적: 대중적 사랑을 받는 떡볶이가 어디서 유래하고 어떻게 대중화되었는지를 설명함.

① 떡볶이의 유래와 대중화 과정을 시간의 흐름에 따라 내용을 구성하여 설명한다.
② 떡볶이가 발생하고 전파되는 경로를 공간적 흐름에 따라 내용을 구성하여 설명한다.
③ 떡볶이가 대중화된 이유를 가정하고 이를 논증하는 방식으로 내용을 구성하여 설명한다.
④ 떡볶이가 대중들에게 어떻게 사랑받게 되었는지를 어묵과 비교·대조하는 방식으로 설명한다.
⑤ 떡볶이의 대중화 과정에서 발생한 문제점을 분석하고 이에 대한 해결 방법 제시로 내용을 구성하여 설명한다.

출제 포인트 ❸ 발표하기

발표를 실행하는 과정에서 유의할 점을 알고 있는지 확인하는 문제가 자주 출제된답니다! 주어진 제재의 발표 상황을 보며 유의점들을 체크하고 평가해 보면 도움이 될 거예요!

발표 시간	발표 시간 준수를 위해 발표 분량 조절 및 사전 연습을 충분히 해야 함.
시선	메모나 자료, 화면 등을 참고할 수 있으나 기본적으로 시선은 청중을 향하도록 해야 함.
매체 활용	전달 효과를 위해 자료나 매체를 사용할 수 있으나 과하지 않도록 유의해야 함.
표현	준언어·비언어적 표현을 적절하게 활용해야 함.
청중과의 교감	청중의 이해 정도나 반응을 끊임없이 살피며 발표 내용과 표현을 조절해야 함.

출제 포인트 ❹ 발표 평가

발표가 끝난 다음에는 무엇을 해야 할까요? 평가를 해야겠죠? 발표 평가에서는 청자를 고려하였는지, 발표의 내용과 구성은 적절했는지, 발표 시 다양한 표현 전략을 상황에 맞게 사용했는지 등을 평가해야 한답니다. 시험 전 발표 평가를 위한 질문들을 만들어 발표를 평가해 보는 시간을 가져 본다면 큰 도움이 될 거예요.

평가 범위	발표 준비와 발표 내용 구성 및 발표 실행 전 과정에 대해 평가함.
평가 기준	발표 내용의 경우 정확성, 신뢰성, 타당성을 기준으로 평가함.

■ '더불어 생활'에 대한 발표의 평가
• 학생들에게 익숙한 시험을 치르는 방식으로 참신하게 내용을 구성함.
• '더불어 생활'의 문제를 제기하고 이에 대한 해결 방법을 제시하는 방식으로 내용을 구성함.
• 다양한 통계 자료를 통해 신뢰성과 타당성을 확보함.
• 적절한 준언어·비언어적 표현을 사용하여 내용을 효과적으로 전달함.

대표 문제 ❸ **발표 실행 시 유의할 점으로 적절하지 않은 것은?**

① 정해진 발표 시간에 발표를 마칠 수 있도록 분량을 조절해야 한다.
② 청중의 시선을 사로잡기 위해 최대한 다양한 매체를 사용하는 것이 필요하다.
③ 메모나 자료를 참고할 수는 있으나 기본적으로 시선은 청중을 향하게 해야 한다.
④ 발표 중 청중이 내용을 충분히 이해하고 공감하고 있는지 확인하고 점검해야 한다.
⑤ 표현의 효과를 위해 언어적 표현과 함께 비언어적·준언어적 표현을 적절히 사용해야 한다.

대표 문제 ❹ **다음은 '더불어 생활'을 주제로 한 발표의 일부분이다. 발표를 본 학생의 반응으로 적절하지 않은 것은?**

> 지금부터 제1회 기말고사 '더불어 생활 영역' 시험을 시작하겠습니다.
> 첫 번째 문제, 여러분은 여러분의 이웃을 얼마나 잘 알고 계신가요? 실제로 서울시가 시민 800명을 대상으로 한 설문 조사에 따르면, 58%의 시민들이 자신의 이웃에게 제대로 된 인사를 단 한 번도 건넨 적이 없다고 합니다. 2014년 기준으로, 한 가구가 자신의 거주지에서 머무는 기간을 약 4년이라고 할 때, 800명 중에서 464명은 4년 동안 단 한 번도 자신의 이웃에게 제대로 된 인사를 건넨 적이 없다는 것이죠.

① 시험을 치르는 형식을 빌려 발표 내용을 전달하고 있군.
② 자신이 경험한 특수한 사례를 제시하여 설득력을 얻고 있군.
③ 자료에 나타난 구체적인 수치를 통해 정확한 정보를 전달하고 있군.
④ 공신력 있는 기관의 통계 자료를 사용하여 신뢰성을 확보하고 있군.
⑤ 질문하고 답하는 방식으로 내용을 전개하여 청자의 주의를 끌고 있군.

[1-2] 다음 글을 읽고 물음에 답하시오.

> 태민 정우야, 구청에서 '지역 사회와 함께하는 청소년 문화 활동'을 지원하는 사업을 한다고 하는데, 나랑 같이 지원해 볼래?
>
> 정우 그게 뭔데?
>
> 태민 우리 지역 사회와 관련된 중요한 문화 자원을 찾아 시민들에게 알리는 활동이야. 지원 대상으로 선정되면 활동을 위한 지원금도 나오고 활동도 적극적으로 도와준대.
>
> 정우 그래? 그거 재미있겠다. 어떻게 하면 되는데?
>
> 태민 일단 주제를 정해서 지원해야겠지? 그런 다음 우리가 활동을 어떻게 진행할 것인지에 관해 구청의 교육지원과 심사 위원들 앞에서 발표하면 돼.
>
> 정우 좋아, 우리 같이 준비해 보자. 주제를 뭘로 정하면 좋을까?
>
> 태민 우리 집에서 학교 가는 길가에 '정철 시비' 있는 거 봤지? 그 시비 뒤쪽에 있는 마을이 가사 문학의 대가인 송강 정철 선생님이 사셨던 곳이래. 그래서 내가 좀 알아보니, 우리가 잘 아는 정철 선생님의 작품 중에 우리 동네를 배경으로 한 것들이 많더라고.
>
> 정우 그래? 그럼 그곳을 적극적으로 알리는 운동을 하면 좋겠다.
>
> 태민 맞아. 우리 동네의 자랑스러운 문학적 자산을 소개하고, 그 과정을 통해 우리도 고전 문학 작품을 좀 더 친숙하게 알아 갈 수 있을 거야.

1. 위의 대화를 통해 알 수 있는 사실로 적절하지 **않은** 것은?

① 태민은 자신이 살고 있는 동네의 문화 자원을 사람들에게 알리고자 한다.

② 태민은 정우와 함께 구청에서 하는 청소년 문화 활동에 지원하려 하고 있다.

③ 태민은 정우에게 구체적인 발표 주제 및 발표와 관련된 정보를 제공받고 있다.

④ 태민과 정우가 발표하고자 하는 주제는 '송강 마을 소개와 송강 정철의 작품 이해'이다.

⑤ 태민과 정우가 하고자 하는 발표는 구청의 지원 사업 대상자로 선정되기 위한 과정이다.

2. '태민'과 '정우'가 준비하려는 발표의 청자는 누구인지 쓰고, 그 청자가 요구하는 바는 무엇인지 서술하시오.

_____

[3-4] 다음 글을 읽고 물음에 답하시오.

> **가** 학교 앞 떡볶이 가게에서 오밀조밀 모여 앉아 떡볶이를 사 먹어 보지 않은 학생이 있을까요? 아마 없을 거예요. 평소에 외식을 거의 하지 않는 저희 엄마도 저와 함께 학교 앞 떡볶이 가게는 자주 가신답니다. 교복을 입고 삼삼오오로 모여서 맛있게 떡볶이를 먹던 시절이 생각난다고 하시면서요. 이처럼 세대를 연결하는 고리이자 학창 시절의 추억이 담긴 떡볶이는 언제부터 만들어 먹기 시작했을까요?
>
> **나** 떡볶이는 애초에 궁궐에서 만들어 먹던 요리였습니다. 가래떡에 고기와 채소를 듬뿍 넣고 버섯과 당근, 달걀지단 등을 넣어 간장으로 양념한 음식이었지요. 궁중 떡볶이는 궁중 요리인 잡채에서 유래한 음식입니다. 고기와 채소가 주재료이지만 당면 대신 쌀떡을 넣은 것으로 쇠고기와 생나물, 마른 나물을 듬뿍 넣고 간장으로 양념을 했습니다. 떡볶이와 달리 현재의 잡채는 임금님의 수라상에 오르던 것과 큰 차이가 없습니다.
>
> **다** 궁중 요리였던 떡볶이는 어떻게 대중 음식이 되었을까요? 정확한 시점은 알려지지 않았지만, 대체로 육이오 전쟁 중이던 1950년대부터라고 추정됩니다. 식재료가 변변치 않던 시절, 떡과 고추장, 채소 등을 버무려 볶아 낸 떡볶이가 시중에 팔리게 되면서 인기를 끌게 되었다고 해요. 그 후로도 떡볶이는 시대상을 반영하면서 여러 번 변모했어요. 가스가 공급되기 시작한 1970년대부터는 즉석에서 요리할 수 있어 길거리에서도 팔기 시작했고, 떡볶이 가게가 밀집된 지역도 생겨났어요. 1980년대부터는 자율화 물결에 따라 청소년 문화가 급속히 발전하면서 떡볶이는 지역 곳곳에 분포한 분식점들의 대표 메뉴 중 하나가 되었지요.
>
> **라** 옛날 궁중에서 즐기던 떡볶이는 오늘날 대중적인 음식으로 바뀌어 계속 여러 형태로 발전하고 있습니다. 치즈 떡볶이, 카레 떡볶이는 물론이고 국물 떡볶이도 등장하였습니다. 이런 떡볶이가 앞으로도 다양한 형태로 발전하여 한국인의 입맛뿐 아니라 세계인의 입맛을 사로잡는 날이 오기를 바랍니다.

3. (가)~(라)의 내용 구성상 특징으로 적절하지 <u>않은</u> 것은?

① (가)는 청자와의 경험 공유를 통해 대상에 대한 흥미를 유발하고 있다.

② (나)는 떡볶이의 유래를 설명하며 잡채와 떡볶이를 비교하고 있다.

③ (다)는 자문자답의 형식으로 떡볶이가 대중화된 과정을 설명하고 있다.

④ (다)는 떡볶이의 대중화 과정을 시간의 흐름에 따라 설명하고 있다.

⑤ (라)는 떡볶이의 과거와 현재의 모습을 바탕으로 미래의 떡볶이의 형태를 예상하고 있다.

`학습 활동 응용`

4. 위의 발표에서 사용할 수 있는 매체 자료로 적절하지 <u>않은</u> 것은?

① 국어사전을 활용해 떡볶이의 뜻을 제시한다.

② 방송 영상을 활용해 떡볶이의 유래를 설명한다.

③ 사진 자료를 활용해 궁중 떡볶이의 모습을 보여 준다.

④ 떡볶이의 대중화를 설명한 신문 기사를 활용해 신뢰성을 확보한다.

⑤ 떡볶이 종류에 대한 선호도 조사 자료를 활용해 고추장 떡볶이가 대중화된 이유를 설명한다.

[5-6] 다음 글을 읽고 물음에 답하시오.

가 우리가 배운 '더불어 생활'은 과연 우리 사회에 제대로 적용되고 있을까요? 아니, 그 이전에 우리가 '더불어 생활'에 관해 잘 알고 있다고 확언할 수 있을까요? 그래서 오늘 저희는 우리들의 '더불어 생활'에 관해서 다시 한번 생각하는 시간을 마련해 보았습니다.

기말고사 '더불어 생활 영역' 시험을 치를 텐데요, 시험 시간은 총 10분이며 준비물은 약간의 공감과 변하려는 의지입니다.

나 첫 번째 문제, 여러분은 여러분의 이웃을 얼마나 잘 알고 계신가요? 실제로 서울시가 시민 800명을 대상으로 한 설문 조사에 따르면, 58%의 시민들이 자신의 이웃에게 제대로 된 인사를 단 한 번도 건넨 적이 없다고 합니다. 2014년 기준으로, 한 가구가 자신의 거주지에서 머무는 기간을 약 4년이라고 할 때, 800명 중에서 464명은 4년 동안 단 한 번도 자신의 이웃에게 제대로 된 인사를 건넨 적이 없다는 것이죠.

다 마지막 문제는 서술형 문제인데요. 조금 어려우니까 함께 풀어 볼까요?

우리가 살고 있는 현대 사회가 더불어 사는 사회가 되는 데 필요한 것은 무엇일까요? [중략]

저희는 '더불어'라는 단어에 주목했습니다. 다소 언어유희적이기는 하지만 저희는 여기서 '더블(Double) 알(R)'을 발견했습니다. 이 '더블 알'에는 우리 삶에 필수적인 두 가지 알(R)로 시작하는 단어, 즉 '리싱크(Rethink)', 다시 생각하는 것과 '리치 아웃(Reach out)', 손을 내미는 것이 담겨 있습니다. 더불어 사는 사회는 그다지 멀리 있지 않습니다. 내 주위에 있는 사람들을 둘러보며 그들을 '리싱크', 다시 한번 생각하고, 또 도움이 필요한 곳을 단순히 아는 것이 아니라 조금 더 능동적으로 다가가서 손을 내미는 것, '리치 아웃'하는 것, 그것이 바로 저희 팀이 추구하는 더불어 사는 사회입니다. 그러기 위해서는 '더블 알 (Double R)'이 필요합니다.

5. 위의 발표에 대한 설명으로 적절하지 <u>않은</u> 것은?

① 질문을 통해 청중이 알아야 할 사항을 환기하고 있다.

② 통계 자료를 제시하여 발표 내용에 신뢰성을 부여하고 있다.

③ 시험을 치르는 형식을 통해 전달하고자 하는 내용을 흥미롭게 구성하고 있다.

④ 청중이 경험한 바를 바탕으로 발표자가 문제시한 사회 현상을 제시하고 있다.

⑤ 언어유희적인 표현을 통해 발표자가 말하는 바의 핵심을 효과적으로 전달하고 있다.

`서술형`

6. 위의 발표에서 발표자가 문제를 해결할 방법으로 제시한 바는 무엇인지 서술하시오.

(2) 설득력 있는 연설

핵심 질문 연설의 설득력을 높이려면 어떻게 해야 할까?

>> 연설에서는 연설 주제와 성격, 그리고 청중의 특성에 따라 적합한 설득 전략이 달라질 수 있다. 어떤 경우는 이성적이고 논리적으로 문제에 접근해야 하고, 또 어떤 경우는 감성적으로 청중의 마음을 움직여야 한다. 하지만 아무리 훌륭한 연설이라도 화자를 신뢰할 수 없다면 화자가 말하는 내용 역시 믿을 수 없는 것이 된다. 그러므로 무엇보다 중요한 것은 청중으로 하여금 연설을 하는 화자의 말을 신뢰할 수 있게 하는 일이다.

경제협력개발기구(OECD) 국가의 노인층 빈곤도는 평균 13%인데, 우리나라의 노인층 빈곤도는 무려 45%나 됩니다. 노인 중 절반에 가까운 사람들이 일반 가구 소득의 반도 안 되는 소득으로 노후를 보내고 있는 것이지요. 여러분, 인생 전반에 관한 재무 설계가 필요하다는 생각이 안 드시나요?

제가 아는 김○○ 씨는 젊은 시절 먹고사는 것이 바빠 아무런 노후 대책을 세우지 못했어요. 이제 나이가 들어 건강이 안 좋아 일도 못하고, 오갈 데도 없이 아주 힘든 시간을 보내고 있답니다. 여러분, 김○○ 씨처럼 노후를 힘들게 보내지 않으려면 미리미리 노후를 위해 대책을 마련해 두어야 해요.

알기

• **연설에서 화자의 공신력이란 무엇인가?**

| 예시 답안 | 화자의 공신력은 화자가 청자에게 공적으로 신뢰를 받을 만한 능력을 의미하는 것으로, 연설의 성패에 중요하게 작용하는 요소이다.

• **연설의 설득 전략에는 무엇 있나?**

| 예시 답안 | 연설에서 청중을 설득하는 전략에는 이성적·감성적·인성적 설득 전략이 있다. 이성적 설득 전략은 인간의 이성적 능력을 바탕으로 청중을 설득하는 방법, 감성적 설득 전략은 청중의 감정에 호소하는 방법, 인성적 설득 전략은 화자의 신뢰성을 바탕으로 청중을 설득하는 방법이다.

하기

• **연설에서 여러 방법으로 공신력 갖추기**

>> 공신력을 구성하는 요소에 대한 이해를 바탕으로 청중으로부터 신뢰를 받을 수 있는 전략을 세워 공신력 있는 연설 해 보기

• **여러 가지 설득 전략을 사용하여 연설하기**

>> 이성적·감성적·인성적 설득 전략을 다양하게 활용하여 연설문을 작성하고, 실제로 연설하기

••• 위의 연설에서 두 화자가 활용한 설득 전략은 각각 어떻게 다른가?

| 예시 답안 | 왼쪽 화자는 구체적인 통계 수치를 들어 이성적이고 논리적으로 상대방을 설득하고자 하고 있고, 오른쪽 화자는 자신의 지인이 겪은 안타까운 사연을 이야기하며 감성적으로 상대방을 설득하고자 하고 있다.

••• 논리적이면서도 감동적인 연설을 하려면 어떻게 해야 할까?

| 예시 답안 | 논리적이면서도 감동적인 연설을 하려면 이성적 설득 전략과 감성적 설득 전략을 균형 있게 사용하는 것이 좋다. 하지만 무엇보다 중요한 것은 연설을 하는 화자가 공신력을 가져야 한다는 점이다.

알아 두기

⟩ 연설의 개념과 화자의 공신력

≫ 연설의 개념과 특징

개념	청중을 설득하는 것을 목적으로 하는 공식적 말하기의 한 형태
특징	• 다수의 청중을 설득해야 하므로 다양한 설득 전략과 표현 전략을 효과적으로 사용하는 것이 중요함. • 공통의 목표와 관심사를 공유한 공동체를 형성하여 사회를 긍정적인 방향으로 유지·발전시키는 데 기여함.

≫ 화자의 공신력

공신력이 중요한 이유	화자에 대한 신뢰가 없으면 연설의 효과가 반감되므로 화자의 공신력은 매우 중요함.
공신력에 영향을 주는 요소	화제에 대한 전문성, 화자의 성품, 화자의 인성이나 능력에 대한 평판 등
공신력을 높이는 태도	솔직함과 수용성, 적극성과 자신감

⟩ 연설의 설득 전략

≫ 이성적 설득 전략

개념	인간의 이성적 능력을 바탕으로 청중을 논리적으로 설득하는 전략
방법	• 연역 논증이나 귀납 논증 등의 논증 방식을 활용함. • 통계 자료, 사실적 근거 등을 제시하여 신뢰성을 확보함.

≫ 감성적 설득 전략

개념	청중이 지닌 감성적 영역을 자극하여 설득하는 전략
방법	• 청중의 욕망이나 동정심, 분노 등의 감정을 이끌어 내어 주장에 동조하게 함. • 구체적인 사례나 상황을 제시하여 청중의 감정을 자극함.

≫ 인성적 설득 전략

개념	연설을 하는 화자에 대한 신뢰성을 바탕으로 청중을 설득하는 전략
방법	• 화자의 평소 가치관이나 살아온 이력을 바탕으로 청중을 설득함. • 연설 과정에서 보여 주는 태도의 진실성으로 청중을 설득함.

⟩ 연설의 준비 및 실행

≫ 연설 준비 및 내용 구성하기

• 연설의 유형, 목적, 주제를 정한다.

• 연설 상황과 청중을 분석하고, 설득 전략을 바탕으로 연설의 내용을 구성한다.

≫ 연설하기

• 일반적으로 '도입 – 전개 – 결말'의 과정으로 연설을 실행한다.

• 공신력을 갖추어 청중으로부터 공적인 신뢰를 받을 수 있도록 한다.

• 개념 확인하기

1. 연설과 화자의 공신력에 대한 설명으로 알맞은 것은 ○표, 알맞지 <u>않은</u> 것은 ×표를 하시오.

(1) 연설은 사적인 영역에 대해 청중과 함께 정보를 공유하고 해결 방안을 모색하는 대화적 성격을 갖는다. (　　)

(2) 화제에 대한 전문성이나 화자에 대한 평판은 화자의 공신력에 영향을 준다. (　　)

(3) 화자가 솔직하고 자신감 있는 태도로 연설을 하면 화자의 공신력은 높아진다. (　　)

2. 다음 중 화자의 공신력과 가장 거리가 <u>먼</u> 것은?

① 화자의 성품
② 수용적 연설 태도
③ 적극적인 연설 태도
④ 화제에 대한 전문성
⑤ 화려하고 과장된 언변

3. 〈보기〉에서 빈칸에 들어갈 알맞은 말을 찾아 쓰시오.

─〈보기〉─
이성, 감성, 인성, 논증, 신뢰성

(1) (　　)적 설득 전략에는 연역법이나 귀납법과 같은 (　　)의 방식을 활용하는 방법이 있다.

(2) (　　)적 설득 전략은 청중의 욕망이나 동정심, 분노 등의 감정을 이끌어 내어 주장에 동조하게 하는 전략이다.

(3) (　　)적 설득 전략은 연설을 하는 화자에 대한 (　　)을 바탕으로 청중을 설득하는 전략이다.

┃정답┣┈┈┈┈┈┈┈┈┈┈┈┈┈┈┈┈┈┈
1. (1) × (2) ○ (3) ○　**2.** ⑤　**3.** (1) 이성, 논증
(2) 감성 (3) 인성, 신뢰성

소단원
학습 활동

하면서 배우기 📖

교과서 95p

1. 다음은 1963년 마틴 루서 킹이 워싱턴에서 한 연설이다. 연설을 보고, 아래의 활동을 해 보자.

동지 여러분, 저는 오늘 여러분에게 말씀드리고 싶습니다. 절망의 구렁에 빠져 허우적대지 맙시다.

비록 우리는 지금 고난을 마주하고 있지만 <u>나에게는 꿈이 있습니다.</u> 그 꿈은 아메리칸드림에 깊이 뿌리를 내리고 있습니다.
　반복적인 표현－청중의 정서적 공감을 이끌어 내고, 주제를 강조함.

나에게는 꿈이 있습니다. 언젠가 이 나라가 "모든 인간은 평등하게 태어난다는 사실을 우리는 자명한 진리로 받아들인다."라는 이 나라 건국 신조의 참뜻을 되새기며 살아가리라는 꿈입니다.

나에게는 꿈이 있습니다. 언젠가 조지아주의 붉은 언덕에서 노예의 후손과 노예 주인의 후손이 형제애라는 식탁 앞에 나란히 앉을 수 있는 날이 오리라는 꿈입니다.

나에게는 꿈이 있습니다. <u>부당함과 억압의 뜨거운 열기로 신음하는 미시시피주도</u> 언젠가 자유와 정의가 샘솟는 오아시스가 되리라는 꿈입니다.
　　　　　　당시의 사회 상황

나에게는 꿈이 있습니다. <u>언젠가 내 아이들이 자신의 피부색이 아니라 인격적으로 평가받는 나라에서 살게 되리라는 꿈입니다.</u>
　　　　　　　미래에 대한 바람

갈래	연설
성격	설득적, 감성적, 논리적
제재	흑인의 인권
주제	흑인이 차별받지 않는 평등한 세상이 오기를 희망함.
특징	반복적인 표현을 통해 청중의 공감을 이끌어 내고 있으며, 합리적이고 논리적인 근거를 들어 설득력을 높이고 있음.

(1) 다음 내용을 참고하여, 화자가 위의 연설을 하기 위해 어떤 준비를 했을지 추측해 보자.

이 연설은 인권 운동가 마틴 루서 킹이 1963년, 노예 해방 100주년 기념 평화 행진에서 한 연설이다.

100년 전인 1863년에 있었던 링컨 대통령의 노예 해방 선언 이후에도 미국 내에서의 흑인 차별은 여전히 존재했다. 1950년대에는 백인과 동등한 권리를 주장하는 흑인들의 비폭력 인권 운동이 본격적으로 일어났다. 이러한 시대 상황 속에서, 미국의 인종 차별 정책에 반대하며 흑인의 권리를 되찾기 위해 애썼던 마틴 루서 킹은 인종 차별 철폐의 진실한 소망을 연설로 표현했고, 그의 연설은 많은 사람들에게 인종 차별 문제를 해결하자는 생각을 불러일으켰다.

|예시 답안| • 목적과 주제 설정: 인종 차별 철폐의 필요성과 당위성을 주장한다.
• 사회 상황 분석: 노예 해방 100주년이 되었지만 흑인에 대한 차별은 여전했다. 흑인들은 이에 대한 불만을 드러내며 백인과 동등한 권리를 요구했다.
• 청중 분석: 주로 흑인인 청중을 대상으로 하고 있으며, 이들은 백인들에게 부당한 차별을 받고 있는 상태로, 흑인도 백인과 동등한 권리를 가져야 한다고 생각하고 있다.

(2) 위 연설의 어떤 점이 많은 사람들의 마음을 움직였을지 생각해 보자.

|예시 답안| 청중이 겪은 삶의 고통과 청중의 바람에 공감하고, 진실된 마음으로 청중이 원하는 바가 이루어지리라는 격려와 다짐을 하고 있다는 점에서 많은 사람들의 마음을 움직였을 것이다.

교과서 96p

연설의 유형, 목적, 주제를 정하고, 연설 상황과 청중 분석하기

● 다음 〈조건〉에 따라 학교생활과 관련된 연설을 준비해 보자.

〈조건〉
• 5명씩 한 모둠을 만든다.
• 연설의 성격을 고려하여 학교생활과 관련된 연설의 주제를 정한다.
　예 학교에서의 에너지 절약, 더불어 사는 교실, 학교 내에서 지켜야 할 공중도덕
• 모둠원 각자의 역할을 정하되, 연설의 화자는 연설의 주제와 관련하여 연설 능력이 가장 좋은 친구를 추천하여 결정한다.

|예시 답안| 주제: 학교에서의 에너지 절약

● 위에서 선정한 주제에 맞는 연설 유형과 목적을 정하고, 연설 상황과 청중을 분석해 보자.

|예시 답안| ・연설 유형: 설득 연설
・연설 목적: 학교에서 에너지 절약을 생활화하기를 촉구한다.
・연설 상황과 청중 분석: 냉·난방기, 전등, 멀티미디어 기기의 에너지 관리가 잘 되지 않아 에너지 낭비가 심한 상황이다. 청중은 우리 학교 학생들로서 학교에서 에너지 사용의 주체이지만 정작 에너지를 관리해야 하는 필요성을 제대로 인식하지 못하고 있다.

하면서 배우기 📖 〈교과서 97p〉

2. 다음은 영화배우 레오나르도 디카프리오가 '기후 변화'를 주제로 유엔(UN)에서 한 연설이다. 연설을 보고, 아래의 활동을 해 보자.

총장님을 비롯한 내빈 여러분께 감사합니다. 이렇게 여러분 앞에 서게 된 것을 영광으로 생각합니다. 『저는 오늘 환경 전문가가 아닌, 지난 일요일 뉴욕 거리 행진에 참여한 40만 명 가운데 의무를 느끼는 한 시민으로서, 또 세계 전체에서 기후 변화를 걱정하는 수억 명 중의 한 사람으로서 이 자리에 섰습니다.』
<small>청중</small>
<small>『 』: 화자의 특성─전문가는 아니지만 환경 운동에 참여하는 등 환경에 관심이 많음.</small>

배우는 무언가를 '가장'하는 일로 먹고삽니다. 가상의 문제를 해결하는 가상의 역할을 주로 하지요. 그런데 우리 인류는 이제까지 기후 변화를 이와 비슷한 시각으로 본 것 같습니다. 즉 만들어 낸 이야기 또는 다른 행성에서나 있을 만한 문제라는 마음으로 기후 변화를 부인하며 없어지기를 바란 것입니다.
<small>가상의 문제</small>

하지만 그렇지 않다는 것은 너무나 뻔한 사실입니다. 우리는 매주 발생하는 문제를 통해 기후 변화의 위기에 이미 봉착했다는 것을 알고 있습니다. 『가뭄은 더 심해지고 바다는 더 따뜻해지고 산성화되고 있으며 메탄 연기는 바닥에서 계속 증발하고 있습니다. 우리는 극심한 기후 변화와 지구 온난화를 눈으로 직접 보고 있습니다. 서남극과 아이슬란드의 빙하
<small>『 』: 주장을 뒷받침하는 근거</small>

는 이전 연구에서 예측했던 것보다 수십 년 더 빠르게, 이제까지 본 적이 없는 빠른 속도로 녹고 있습니다.』

제가 하는 말은 과장도 아니고 빈말도 아닙니다. 사실입니다. 과학계도 인정하고, 산업체와 정부도 다 아는 사실입니다. 미국 국방성도 사실이라는 것을 알고 있습니다. 미 해군 태평양 총독인 새뮤얼 로클리어도 기후 변화야말로 우리 보안에 가장 큰 위험 요소라고 했습니다.
<small>신뢰할 만한 인물의 말을 인용하여 근거의 타당성을 높임.</small>

친애하는 여러분, 오늘 이 자리에 모인 여러분은 유사 이래 어느 때보다 어려운 사안과 마주하고 있습니다. 따라서 이 순간, 새로운 역사를 만들든지, 아니면 비난을 받을지를 각오해야 합니다.
<small>당위적 진술을 통해 문제 해결의 필요성을 강조함.</small>

이 문제는 전구를 바꾼다든가, 친환경 자동차를 모는 것으로 해결되지 않습니다. 즉 개인의 행동으로 해결될 수 있는 범위를 훨씬 넘어섰습니다. 이제는 산업체와 세계의 모든 정부가 대단위의 결정적인 행동을 취해야만 합니다.

저는 과학자가 아닙니다. 과학자여야 할 이유도 없지요. 그러나 세계 과학계는 이미 견해를 밝혔습니다. 그리고 미래를 예측했습니다. 모두 협력해서 행동하지 않으면 함께 멸망할 것이라고 말입니다.

지금이 바로 행동을 개시할 순간입니다. 탄소 배출량에 단가를 적용하고, 석탄, 천연가스, 석유 업체로 들어가는 보조금을 중단해야 합니다. 자유 시장을 핑계로 이제까지 공짜로 혜택을 보아 온 산업공해 생산자들에게 시민의 세금을 넘겨주는 것을 차단해야 합니다. 오히려 그들을 감시해야 합니다. 우리의 생태계가 죽으면 경제도 죽기 때문입니다.

정말 다행인 것은 재생 에너지 체제가 실제로 가능하며, 경제적으로도 이로운 정책이라는 것입니다. 『새로운 연구에 의하면 기존의 기술을 이용해 생산하는 청정 재생 에너지로 2050년이 되면 지구의 수요를 100% 채울 수 있다고 합니다.』 그리고 그런 개발에 따라 수백만의 새로운 직업이 창출될 것이라고 합니다.
<small>『 』: 화제와 관련 있는 연구 결과를 제시하여 내용의 신뢰성을 높임.</small>

이 사안은 논쟁의 가치가 없습니다. 인류의 문제니까요. 깨끗한 물과 공기, 그리고 존재 가능한 기후는 인간에게서 빼앗을 수 없는 권리입니다. 또한, 이 문제의 해결에 정치적 갈등이 있어서도 안 됩니다. 우리의 도덕적 책무입니다. 매우 벅찬 임무라는 사실을 부인할 수 없지만요.

『우리가 가진 행성은 지구뿐입니다. 우리가 우리 집을 망가
└┘: 청중이 처한 상황을 제시하여 청중의 감성을 자극함.
뜨린 행위에 인류는 막중한 책임을 져야 합니다. 지구의 미래
를 보호하기 위해서는 인간이라는 종족의 의식적인 진화가
요구됩니다. 우리는 너무나 다급한 상황에 부닥쳐 있기에 이
런 다급한 이야기를 해야 합니다.』

존경하는 유엔 대표님들, 또 세계 지도자 여러분, 저는 '가
장'하는 것으로 먹고삽니다. 하지만 여러분은 아닙니다. 지난
일요일 수많은 사람들이 크게 외쳤고 그들의 행동에는 가속
도가 붙었습니다. 그들은 멈추지 않을 겁니다. 이젠 여러분의
차례입니다. 인류 존재의 가장 중대한 사안에 해답을 제시할
때입니다.

바로 지금이 용기와 정직함으로 이 문제를 직시해야 할 때
입니다. 감사합니다.

갈래	연설
성격	설득적, 감성적, 논리적
제재	기후 변화와 환경 문제
주제	기후 변화와 지구 온난화를 막기 위한 정책의 실행 촉구
특징	• 평범한 시민의 입장에서 환경 문제의 심각성을 이야기하며 대중적 공감을 불러일으킴. • 당위적 진술을 통해 문제 해결의 시급함과 필요성을 강조함.

(1) 위 연설의 화자가 궁극적으로 전달하고자 하는 내용은 무
엇인지 말해 보자.

│예시 답안│ 지구의 환경 위기를 극복하기 위해 유엔(UN)과 세계 지도자가 앞장
서서 그 해결책을 찾아야 한다.

(2) 위의 연설에서 화자가 자신의 주장을 뒷받침하기 위해 사용
한 근거를 찾고, 그 근거가 논리적으로 타당한지 판단해 보자.

│예시 답안│

주장을 뒷받침하는 근거	근거의 타당성
• 가뭄은 더 심해지고 바다는 더 따뜻해지고 산성화되고 있으며 메탄 연기는 바닥에서 계속 증발하고 있다. • 서남극과 아이슬란드의 빙하가 빠른 속도로 녹고 있다. • 미 해군 태평양 총독인 새뮤얼 로클리어는 기후 변화야말로 우리 보안의 가장 큰 위험 요소라고 말했다.	최근 몇 년 동안 세계 곳곳에서 벌어지고 있는 가뭄과 홍수, 지구 온난화와 산성화 등에 대한 연구 결과, 신뢰할 만한 인물의 말 등을 바탕으로 하고 있으므로 화자가 제시한 근거는 논리적으로 타당하다고 판단할 수 있다.

(3) 위의 연설에서 감성적 설득 전략이 나타난 부분을 찾고,
그 효과를 써 보자.

│예시 답안│

감성적 설득 전략	효과
• 모두 협력해서 행동하지 않으면 함께 멸망할 것이라고 말합니다. • 우리가 가진 행성은 지구뿐입니다. 우리가 우리 집을 망가뜨린 행위에 인류는 막중한 책임을 져야 합니다.	청중이 처한 상황을 구체적으로 제시하여 청중의 공감을 얻고 있다.

(4) 다음은 위 연설의 화자에 관한 설명이다. 이를 바탕으로,
화자의 말이 어떤 점에서 설득력을 가질 수 있는지 말해 보자.

> 레오나르도 디카프리오는 유명한 영화배우일 뿐 아니
> 라 저명한 환경 운동가이기도 하다. 그는 영화 「비치」를
> 찍다가 영화가 환경을 파괴한다는 비난을 받자, 그에 대
> 한 반성으로 환경 운동에 뛰어들었다. 이후 그는 자신의
> 이름을 딴 환경 보호 재단을 설립하고, 다양한 환경 운동
> 을 전개하며, 여러 환경 단체에 많은 기부를 하고 있다.

│예시 답안│ 화자는 스스로 환경 문제에 대한 인식을 가지고, 직접 환경 운동에
뛰어들어 환경 보호 재단을 설립하고, 다양한 환경 운동을 전개하고 있다. 이처럼
자신이 주장하는 문제에 대해 말뿐이 아니라 행동으로 실천하고 있다는 점에서 화자
의 말은 설득력을 가질 수 있다.

배워서 하기 ❷ 　　　교과서 98p

이성적·감성적·인성적 설득 전략을 사용하여 연설 내
용 구성하기

● '배워서 하기 ❶'에서 분석한 내용을 바탕으로, 이성적·감성
적·인성적 설득 전략을 마련해 보자.

│예시 답안│

설득 전략	세부 계획
이성적 설득 전략	• 통계 자료에 따르면 프랑스의 파리시에서는 건물의 에너지 소비와 온실가스 배출의 1/30이 학교에서 발생하고 있다고 함. • 전기 에너지 소비를 10% 줄이면 2년간 전국의 고등학교 학생들에게 무료로 급식을 제공할 수 있다고 함.
감성적 설득 전략	• 아프리카에는 물 부족으로 농사는커녕 식수조차 확보하지 못해 죽어 가는 어린이들이 있음. • 에너지 절약을 통해 돈이 없어 점심을 굶어야 하는 취약 계층의 학생들에게 도움을 줄 수 있음.
인성적 설득 전략	• 교내 절전 도우미로 활약하고 있음. • 교내에서 끊임없이 에너지 절약 캠페인을 하고 있음.

● 위에서 마련한 설득 전략을 사용하여 연설문을 작성해 보자.

I예시 답안I 존경하는 학우 여러분. 저는 오늘 학교에서 에너지 절약을 생활화하자는 주제로 한 말씀을 드리고자 이 자리에 섰습니다.

강당에 모인 여러분께 묻고 싶습니다. 여러분이 여기에 모여 계시니 지금 교실에는 아무도 없겠지요? 그렇다면 지금 교실의 전등은 모두 꺼져 있을까요? 에어컨은요? 사용하던 멀티미디어 기기는 모두 소리를 내지 않고 잠잠히 잘 자고 있을까요? 네, 지금 몇몇 분들의 얼굴 표정 속에 이미 그 답이 있습니다. 아마 어떤 교실은 아직 환하게 불이 밝혀져 있을 것이고, 또 어떤 교실은 에어컨이 빵빵하게 돌아가고 있을 겁니다. 그리고 전원이 켜진 채 소리를 내고 있는 멀티미디어 기기가 있는 곳도 있을 겁니다.

여러분, 이처럼 이 시간에도 학교 곳곳에서는 에너지 낭비가 일어나고 있습니다. 앞서 말씀드린 상황 외에도 불필요하게 에어컨 온도를 18도에 맞춰 놓고 춥다며 외투를 입고 있는 모습, 화장실 세면대에서 졸졸 새고 있는 물, 창문을 열어 놓은 채 돌아가는 히터. 모두 우리가 흔히 볼 수 있는 에너지 낭비의 풍경입니다. 한 통계 자료에 따르면 프랑스의 파리시에서는 건물의 에너지 소비와 온실가스 배출의 1/3이 학교에서 발생하고 있다고 합니다. 우리는 어떨까요? 우리도 크게 다르지 않겠죠? 어쩌면 더 심할지도 모르겠습니다.

우리는 학교에서의 에너지 낭비를 줄여야 합니다. 그렇게 하기 위해서는 무엇보다도 우리의 의식과 태도를 먼저 바꾸어야 합니다. 우리가 무심코 흘려 버리는 물은, 농사는커녕 식수조차 없어 죽어 가는 아프리카 어린이들에게는 생명처럼 소중한 것입니다. 그 물의 소중함을 알고, 아껴 쓰기 위해 노력해야 합니다. 또한, 빈 교실의 에어컨과 전등을 끄고, 교실의 냉·난방을 적정 온도를 유지해야 합니다. 한 통계에 따르면 전기 에너지 소비를 10% 줄이는 비용으로 2년간 전국의 고등학교 학생들에게 무료로 급식을 제공할 수 있다고 합니다. 우리가 아끼는 에너지로 어려운 학생들을 도울 수 있다면 이보다 더 의미 있는 일은 없을 것입니다.

저는 고등학교 1학년 때부터 교내 절전 도우미로서 에너지 절약을 위한 캠페인을 지속적으로 해 오고 있습니다. 그리고 다른 절전 도우미들과 함께 틈틈이 학교를 돌며 빈 교실의 전등과 냉·난방기를 끄고, 화장실의 수도꼭지를 잠그고 다닙니다. 아마도 점심시간에 어깨에 띠를 두르고 팻말을 든 제 모습을 보신 분들도 많이 있으실 겁니다. 바쁜 학교생활에서 시간을 투자하여 이런 일을 하는 것은 그만큼 이 일이 중요하고 가치 있는 일이라고 믿기 때문입니다.

여러분은 모두 원대한 꿈을 가지고 고등학교에 진학하셨지요? 인류의 미래에 기여하는 사람이 되겠다는 부푼 다짐도 했을 것입니다. 하지만 인류의 미래에 기여하는 일은 반드시 거창한 일을 도모해야 가능한 것은 아닙니다. 어쩌면 귀찮고 소소한 일일 수 있지만, 여러분의 성의가 인류를 환경의 위기에서 구하는 일이 될 수 있습니다. 그 작은 실천이 주위의 굶주린 학생들에게 소중한 도움의 손길이 될 수도 있습니다. 이것이 바로 지금, 우리가 에너지 절약을 실천해야 하는 이유입니다. 감사합니다.

3. 다음은 2015년 한 대학교 졸업식에서 그 학교의 졸업생 대표가 한 연설이다. 연설을 보고, 아래의 활동을 해 보자.

제69회 후기 학위 수여식을 맞이하여 이 자리를 빛내 주신 존경하는 총장님 이하 교직원 및 내외 귀빈 여러분께 감사드리며, 2,370여 명의 졸업생을 대표로 이 자리에 서게 된 것을 무한한 영광으로 생각합니다.
(연설 상황 / 청중)

저는 보시다시피 이렇게 휠체어를 타고 있습니다. 이 세상은 저 같은 사람을 '장애인'이라고 정의합니다. 아마도 졸업생 대표 연설 자리에 저 같은 장애인이 서는 것은 낯선 일인지도 모르겠습니다. 하지만 제 신체의 특수성 때문에 저는 조금은 다른 눈높이에서 세상을 경험할 수 있었고, 그 과정에서 저의 삶은 더욱 풍성해질 수 있었습니다. 지금까지 이러한 저의 삶을 지탱한 힘은 할 수 있다는 '가능성에 대한 믿음'이었습니다.
(화자의 연설 태도-솔직함 / 화자의 삶에 대한 태도-긍정적)

『제가 처음 장애 판정을 받았을 때, 이 아이를 부모가 키우는 것은 감당하기 어려운 일이니 아이를 시설에 맡기라는 사람도 있었다고 합니다. 초등학교에 입학하고자 했을 때는, 장애를 가진 아이는 학교에서 정상적으로 적응할 수 없을 것이라는 이유로 입학을 거부당하기도 했습니다. 이처럼 장애는 곧 불가능과 어려움 그 자체로 사람들에게 인식되었고, 저는 직·간접적으로 쏟아지는 세상의 편견을 고스란히 직면해야 했습니다. 즉 제 삶에 '가능성'을 말하는 사람은 많지 않았습니다.』
(『 』: 장애로 인해 겪은 어려움을 솔직하게 드러내고 있음.)

그러나 제게는 너무나 다행스럽게도, 불가능의 요소를 말하는 수많은 사람들과 다르게 가능성을 이야기해 주시는 부모님이 계셨습니다. 제 인생 최고의 멘토였던 부모님은 장애는 약간의 불편함을 주는 하나의 요소일 뿐, 네 삶에 어떤 불가능도 가져오지 않을 것이라고, 제가 꿈꾸고 원하는 모든 것을 이룰 수 있을 것이라고 항상 강조하셨습니다. 그 탁월한 가르침 덕분에, 저는 지금까지 제 장애를 문제나 제약 조건으로 인식하지 않고 무한한 꿈을 꿀 수 있었습니다. 저의 '가능성에 대한 믿음'의 첫 번째 원천은 사랑하는 저의 부모님이었습니다.
(부모님의 말씀을 경청하여 어려움을 극복하고 발전의 계기로 삼는 수용적 태도를 보임.)

그리고 이런 저의 삶에 새로운 희망의 날개가 되어 준 것은 이 대학교에서의 삶이었습니다. 좋은 교육 환경과 훌륭하신 교수님의 강의, 뛰어난 학우들과 함께한 시간은 이 사회에서도 제가 담당할 수 있는 역할과 공간이 있음을 믿게 해 주었습니다. 이 대학교의 학생으로서의 삶은 제 '가능성에 대한 믿음'의 두 번째 원천이 되었습니다.

마냥 기쁠 것만 같던 대학생으로서의 삶은, 처음에는 생각했던 것만큼 쉽지 않았습니다. 대학에 오면 엄청난 사람이 되는 줄 알았던 무지한 스무 살이 맞닥뜨린 세상은 너무나도 거대하고 막막했습니다. 이렇게 갈피를 잡지 못하고 방황하던 제게 한 교수님께서는 이런 말씀을 해 주셨습니다.

"조금 더 시간이 지나면 자연스럽게 알게 되겠지만 이 대학교 학생이라는 자격을 얻은 것이 앞으로의 삶에서 성공을 보장해 주지 않을 것이다. 이제 시작이니 오만함에 빠지지 말아라. 다만 이 대학교 입학이 너에게 줄 수 있는 단 한 가지는 다양한 경험을 쌓을 수 있는 기회와 시간이다. 많은 사람을 만나고 다양한 경험을 하며 세상을 이해할 수 있는 힘을 길러라."

교수님의 말씀 덕분에 저는 방향성을 갖고 대학 생활을 시작할 수 있었습니다. 받기만 했던 지난 삶을 돌아보며 내가
<u>교수님의 말씀을 적극적으로 수용함.</u>
세상에 줄 수 있는 것이 무엇일지 생각했습니다. 『제가 어릴
<u>∵ 장애로 인해 불편을 겪고 있으면서도 다양한 일들을 적극적으로 하는 태도를 보여 줌.</u>
적 겪은 어려움들을 똑같이 겪고 있을 장애 아동을 위한 교육 봉사를 시작으로 다문화 가정 어린이를 위한 봉사, 청소년 멘토링 등 '줄 수 있는 나'를 찾기 위해 바쁘게 움직였습니다. 더 넓은 세상에서 많은 것들을 보고 배우며 저의 가능성을 증명하고자 새로운 도전을 멈추지 않았습니다. 홀로 휠체어를 타고 유럽 배낭여행을 떠나기도 하고, 오스트리아 빈에 교환학생으로 가서 다양한 문화권의 학생들과 소통하며 배움의 폭을 넓혔습니다. 또한, 장애인의 몸은 아름답지 않다는 통념을 깨고, 누구보다 매력적인 여배우로 연극 무대에 섰습니다.』 이처럼 이 대학교에서의 도전과 놀라운 경험들은 제 '가능성에 대한 믿음'을 뒷받침해 주는 세 번째 증거가 되었습니다.

이제 우리는 학교라는 울타리를 벗어나 새로운 인생의 무대인 사회로 나갑니다. 살다 보면 스스로 '무엇이든 할 수 있다.'라는 믿음을 갖기에는 너무나 힘겹고 어려운 순간들이 있을 겁니다. 삼포 세대, 달관 세대 등 언론을 통해 들려오는 뉴스는 우리에게 희망이 없다고 말합니다. 하지만 그런 순간이

올 때 우리가 모교에서 함께했던 기억을 떠올리며 자신의 '가능성에 대한 믿음'을 다잡을 수 있으면 좋겠습니다. 내가 할 수 있다고 말하면 그것은 가능해지고, 내가 문제라고 말하면 그것은 넘을 수 없는 벽이 되어 돌아옵니다. <u>힘겹게만 느껴지는 그 상황을 더 나은 방향으로 변화시킬 수 있는 건 오로지</u>
<u>가능성에 대한 믿음을 가지고 노력하면 어려움을 극복할 수 있다는 자신감을 보여 줌.</u>
<u>자신뿐이라는 것을 기억합시다.</u> 그렇게 우리 한 사람 한 사람이 사회에 흩어져 불가능 속에서 가능함을 증명해 보이는 삶을 살며, 이를 통해 세상을 바꾸는 아름다운 '우리'가 되어 어두운 세상을 밝히는 희망의 증거로 함께 걸어갑시다.

졸업을 축하합니다. 감사합니다.

갈래	연설
성격	설득적, 감성적, 논리적
제재	가능성에 대한 믿음
주제	어떤 역경 속에서도 가능성에 대한 믿음과 희망을 가지고 살아야 함.
특징	장애인으로서의 자기 경험을 중심으로 이야기함으로써 화자의 공신력을 높임.

(1) 위 연설의 핵심 내용을 말해 보자.

| 예시 답안 | 삶에서 어려운 순간을 경험하더라도 가능성에 대한 믿음을 바탕으로 그것을 극복하고 세상을 바꾸는 아름다운 사람이 되자.

(2) 화자의 연설 태도를 바탕으로 화자의 공신력을 평가하고, 그렇게 평가한 까닭을 말해 보자.

| 예시 답안 |

연설 태도	평가
솔직함	장애 때문에 겪은 어려움을 솔직하게 드러냄으로써 청중의 공감을 얻고 있다.
수용성	부모님이나 교수님의 말씀을 경청하고 수용하여 어려움을 극복하고 발전의 계기로 삼고 있다.
적극성	장애로 인해 불편을 겪고 있으면서도 적극적인 태도로 봉사, 배낭여행, 교환 학생, 연극 등 다양한 활동을 하고 있다.
자신감	어려운 순간을 맞이하더라도 가능성에 대한 믿음을 가지고 노력하면 그것을 극복할 수 있다는 자신감을 보여 주고 있다.

→ 솔직하고 수용적인 태도, 적극성과 자신감이 드러나는 태도 등을 통해 화자를 공적으로 신뢰할 수 있도록 하고 있다.

(3) 다음에 제시된 화자의 이력이 화자의 공신력에 어떤 영향을 미치는지 말해 보자.

> 충청남도 당진에서 태어난 정○○ 씨는 태어난 지 11개월 만에 뇌성마비 2급 판정을 받았다. 휠체어 없이는 이동할 수 없는 신체적 불편을 겪고 있는데도, 중·고등학교를 우수한 성적으로 마친 뒤 2009년에 ○○대학교 경영학과에 입학했다. 대학생이 된 정○○ 씨는 학업에 매진하는 것 외에도 각종 봉사 활동과 학생회 활동, 장애 분야의 학술 활동 등을 하며 대학 생활을 했다.
> 다문화 가정 어린이 대상 봉사 활동 프로그램을 직접 기획하고, 정신 지체 어린이들의 예비 학교 보조 교사로 활동하며 장애 아동들의 학습을 도왔다. 또한, 장애 문화 예술 단체 '짓'을 창립해 연극배우로 활동하는 등 다양한 경험을 쌓았다.

|예시 답안| 장애인으로서 어려운 환경 속에서도 희망을 잃지 않고 적극적으로 노력하며 살고 있다는 점에서 청중으로 하여금 화자의 연설 내용을 신뢰할 수 있도록 영향을 미치고 있다.

배워서 하기 3 ▶ 교과서 101p

공신력을 높일 수 있는 태도로 연설하기

● '배워서 하기 ❷'에서 작성한 연설문을 바탕으로, 청중 앞에서 직접 연설을 해 보자.

|예시 답안| 생략

● 화자의 공신력의 측면에서 연설이 어떠했는지 다음 기준에 따라 모둠끼리 상호 평가를 해 보자.

|예시 답안|

평가 기준
화자는 주제와 관련된 내용을 충분히 숙지하였는가? 예 → 학교에서의 에너지 사용 현황과 외국의 통계 자료 등 주제와 관련된 내용을 충분히 숙지하고 있음.
연설하는 화자의 태도는 자신의 평소 생활에 비추어 솔직한 것이었는가? 예 → 평소 학교에서 교내 절전 도우미로 활약하며, 학교 에너지 절약에 관해 지속적으로 관심을 가지고 있었다는 점에서 솔직한 태도가 보임.
화자는 자신감 있고 적극적인 태도로 청중과 소통하였는가? 예 → 청중 앞에서 교내 에너지 절약에 대한 자신의 주장을 자신감 있고 적극적인 태도로 전달하고 있음.
화자는 청중과 교감하고 수용적인 태도를 가지고 있었는가? 예 → 청중에게 질문을 하고, 그에 대한 대답을 하면서 청중과 교감하고 있음.

참고 연설의 특징

연설은 화자가 청중에게 일방적으로 말을 전달하면서도 청중과의 상호 교섭이 이루어져야 하는 음성 언어 의사소통의 방법이다.
연설은 다음과 같은 담화 유형적 특징을 지닌다.
첫째, 공식적 말하기라는 것이다. 사적 내용으로 자유롭게 말하는 대화와 달리 공식적 말하기는 공공에 관계있는 내용에 관하여 일정한 형식을 갖추어 여러 사람 앞에 드러내야 한다는 것과 그 내용이 공평하고 정당해야 함을 내포하고 있다. 둘째, 일방적 말하기라는 것이다. 대부분의 담화 유형이 참여자 간의 순서 교대가 이루어지는 데 비하여 연설은 화자가 일정 시간 동안 일방적으로 자신의 생각과 의견을 전달하는 말하기이다. 셋째, 준비된 말하기라는 것이다. 대부분의 연설은 미리 상황, 주제와 시간 등이 정해진다. 넷째, 상황 제약을 많이 받는다는 것이다. 연설은 화자가 정해진 공공의 장소에서 일정 시간 동안 청중에게 말을 해야 한다. 다섯째, 비언어적, 준언어적 표현에 부담이 크다는 것이다. 일반적으로 음성 언어 의사소통에서 비언어적, 준언어적 표현은 매우 중요하다.

– 전은주, 「연설 수행 과정의 분석적 평가 방안」

연설의 설득 전략

청중에게 영향을 미칠 수 있는 연설을 하기 위해서는 다음의 세 가지 요건 – 에토스(ethos), 파토스(pathos), 로고스(logos) – 을 갖추도록 해야 한다. 이 세 가지 요건은 일찍이 아리스토텔레스가 그의 저서 『수사학』에서 청중을 통제할 수 있는 요건으로 설파한 것으로 오늘날에도 여전히 중요한 의미를 지닌다.
첫째, 에토스(ethos)란 화자의 사람 됨됨이와 그가 전하는 메시지에 대한 신뢰를 바탕으로 청중을 설복시키는 인격적 설득 방법에 기반을 둔다. 똑같은 말이라도 누가 어떻게 말하는가에 따라 그 효과가 달라질 수 있다. 화자가 말할 주제에 대한 충분한 경험과 전문성, 신중한 언어 선택과 성실하고 진지한 자세로 이야기할 때 청중의 신뢰를 얻을 수 있다.
둘째, 파토스(pathos)란 청중의 욕망과 분노심, 자긍심, 동정심 등과 같은 감정에 호소하여 청중의 마음을 움직이는 감성적 설득 방법에 기초한다. 예컨대 흡연을 하지 말아야 한다는 취지의 연설을 하기 위해서는 폐암의 90%가 흡연과 직접적인 관련이 있다는 주장을 통한 위협적 설득 방법이, 실의에 빠진 청중들에게는 여러분들도 할 수 있다는 자신감을 강조하면서 호소하는 방법이 적절한 설득 방법이 될 수 있을 것이다.
셋째, 로고스(logos)란 논리적이고 이성적인 방법으로 화자의 주장을 뒷받침한다. 일반적인 대전제로부터 구체적인 사례를 들어 결론을 도출하는 연역적 주장, 구체적인 사례들로부터 일반적인 결론에 도달하는 귀납적 주장, 어떤 사례를 이와 유사한 상황과 비교하는 유추를 통한 주장, 전문가의 말을 인용하거나 공신력 있는 기관의 통계 자료를 이용하는 방법 등을 통해서 청중을 설득할 수 있을 것이다.

– 이창덕 외, 『화법 교육론』

소단원 **정리하기**

출제 포인트 ❶ 연설의 특징

연설의 개념을 정확히 이해하고 있는지를 묻는 문제와 연설의 목적이 무엇인지를 묻는 문제가 시험에 나올 거예요! 연설의 설득력을 높이는 방법까지 공부해 두면 더 좋겠죠?

개념	화자가 자신의 주장이나 의견을 말하여 청중을 설득하기 위한 공적 화법의 한 유형
목적	청중의 생각과 행동을 변화시키는 것
설득력을 높이는 방법	• 사전에 청중이나 연설 상황 등을 분석하여 연설을 준비해야 함. • 청중에게 신뢰감을 줄 수 있는 효과적인 설득 전략을 사용해야 함.

출제 포인트 ❷ 연설의 설득 전략

연설의 목적이 무엇인가요? 청중을 설득하는 것이죠? 연설에서 설득 전략은 정말 중요해요! 시험에서는 이성적 · 감성적 · 인성적 설득 전략을 파악하는 문제가 나올 수 있어요. 가끔은 설득 전략을 활용할 때 유의할 점을 묻는 문제도 출제되니 함께 공부해 두세요.

이성적 설득 전략	• 주장에 대한 타당한 근거를 들어 논리적으로 설득하는 것을 말함. • 연역 논증이나 귀납 논증의 논증 방법을 활용하거나, 통계 자료나 전문가의 의견, 역사적 사실이나 사건 등을 근거로 제시하여 청중을 이성적으로 설득함.
감성적 설득 전략	• 청중의 자긍심, 동정심, 분노, 욕망 등의 감성적 영역을 자극하여 설득하는 것을 말함. • 청중의 마음을 움직일 수 있는 사례나 상황 등을 제시하여 청중에게 감동을 주거나, 감성적인 어휘와 표현을 선택하여 설득의 효과를 높임.
인성적 설득 전략	• 화자에 대한 청중의 신뢰성을 바탕으로 청중을 설득하는 것을 말함. • 화자의 평소 가치관이나 살아온 이력, 연설 과정에서 보여 주는 태도의 진실성 등이 중요한 요소로 작용함.

■ 레오나르도 디카프리오가 연설에서 사용한 설득 전략

이성적 설득 전략	최근 몇 년 동안 세계 곳곳에서 벌어지고 있는 가뭄과 홍수, 지구 온난화와 산성화 등에 대한 연구 결과, 신뢰할 만한 인물의 말 등을 제시하여 설득력을 높이고 있음.
감성적 설득 전략	청중이 처한 상황을 구체적으로 제시하여 청중의 공감을 이끌어 내고 있음.
인성적 설득 전략	화자가 환경 문제에 대한 인식을 가지고 환경 보호 재단 설립 및 다양한 환경 운동을 전개하고 있으므로 화자의 말은 설득력을 가질 수 있음.

대표 문제 ❶ 다음 중 연설에 대한 설명으로 적절하지 않은 것은?

① 연설은 의도적이며 목표 지향적인 의사소통 방법이다.

② 한 사람이 다수의 청자를 대상으로 행하는 공식적인 말하기이다.

③ 성공적인 연설을 위해서는 청중의 공감을 이끌어 내는 다양한 전략을 활용해야 한다.

④ 연설은 청중을 향해 화자 혼자 행하는 일방적인 말하기이므로 사회적 속성을 지니지 않는다.

⑤ 연설을 하기 위해서는 사전에 연설의 유형, 목적, 주제를 정하고 연설 상황과 청중을 분석해야 한다.

대표 문제 ❷ 〈보기〉의 연설에 사용된 설득 전략에 대한 설명으로 적절한 것은?

〈보기〉

이 사안은 논쟁의 가치가 없습니다. 인류의 문제니까요. 깨끗한 물과 공기, 그리고 존재 가능한 기후는 인간에게서 빼앗을 수 없는 권리입니다. 그리고 이 문제의 해결에 정치적 갈등이 있어서도 안 됩니다. 우리의 도덕적 책무입니다. 매우 벅찬 임무라는 사실을 부인할 수 없지만요.

우리가 가진 행성은 지구뿐입니다. 우리가 우리 집을 망가뜨린 행위에 인류는 막중한 책임을 져야 합니다. 지구의 미래를 보호하기 위해서는 인간이라는 종족의 의식적인 진화가 요구됩니다. 우리는 너무나 다급한 상황에 부닥쳐 있기에 이런 다급한 이야기를 해야 합니다.

① 청중의 동정심을 자극하여 청중에게 감동을 주고 있다.

② 솔직하고 수용적인 태도로 화자의 공신력을 높이고 있다.

③ 통계 자료를 제시하여 청중을 논리적으로 설득하고 있다.

④ 청중이 처한 상황을 구체적으로 제시하여 청중의 공감을 얻고 있다.

⑤ 화자의 경험을 적극적으로 내세우며 메시지의 신뢰성을 높이고 있다.

출제 포인트 ❸ 연설에서 화자의 공신력

연설에서 화자의 공신력의 개념과 구성 요소는 반드시 알아 두어야 해요. 시험에는 주로 공신력을 높이는 방법을 적용하는 문제가 출제됩니다!

개념	화자가 청자에게 공적으로 신뢰를 받을 만한 능력
공신력 형성에 영향을 미치는 요소	• 전문성: 화제에 관한 지식이나 경험을 충분히 갖추고 있는지에 관한 것으로, 화자의 지적 수준, 학력, 사회적 지위 등에 의해 결정됨. • 품성: 화자의 품성이 신뢰할 만한가에 관한 것으로, 화자의 말, 행동, 태도 등에 의해 결정됨. • 평판: 화자에 관한 주변의 평판이 어떠한지에 관한 것으로, 화자의 인간성, 적응력, 관계, 습관 등에 의해 결정됨.
공신력을 높이는 방법	연설 태도에 나타나는 솔직함, 수용성, 적극성, 자신감 등을 통해서 높일 수 있음.

■ ○○대학교 졸업생 대표 연설에서 화자의 공신력을 높이는 연설 내용과 태도

저는 보시다시피 이렇게 휠체어를 타고 있습니다. 이 세상 사람들은 저 같은 사람을 '장애인'이라고 정의합니다. 아마도 졸업생 대표 연설 자리에 저 같은 장애인이 서는 것은 낯선 일인지도 모르겠습니다.	→	자신이 장애인임을 솔직하게 드러냄으로써 청중의 공감을 얻고 있음.
• 제 인생 최고의 멘토였던 부모님은 장애는 약간의 불편함을 주는 하나의 요소일 뿐, ~그 탁월한 가르침 덕분에, 저는 지금까지 제 장애를 문제나 제약 조건으로 인식하지 않고 무한한 꿈을 꿀 수 있었습니다. • 교수님의 말씀 덕분에 저는 방향성을 갖고 대학 생활을 시작할 수 있었습니다.	→	부모님이나 교수님의 말씀을 경청하고 수용하여 어려움을 극복하고 발전의 계기로 삼고 있음을 밝힘.
더 넓은 세상에서 많은 것들을 보고 배우며 자신의 가능성을 증명하고자 새로운 도전을 멈추지 않았습니다.	→	장애로 인해 불편을 겪고 있으면서도 다양한 활동을 하고 있음을 통해 적극성을 드러냄.
내가 할 수 있다고 말하면 그것은 가능해지고, 내가 문제라고 말하면 그것은 넘을 수 없는 벽이 되어 돌아옵니다. 힘겹게만 느껴지는 그 상황을 더 나은 방향으로 변화시킬 수 있는 건 오로지 자신뿐이라는 것을 기억합시다.	→	어려운 순간에도 가능성에 대한 믿음을 가지고 노력하면 그것을 극복할 수 있다고 말하며 자신감을 보여 줌.

대표 문제 ❸ 〈보기〉는 ○○대학교 졸업생 대표가 한 연설의 일부이다. 연설에서 〈보기〉의 내용을 들은 청중의 반응으로 가장 적절한 것은?

─〈보기〉─

이제 우리는 학교라는 울타리를 벗어나 새로운 인생의 무대인 사회로 나갑니다. 살다 보면 스스로 '무엇이든 할 수 있다.'라는 믿음을 갖기에는 너무나 힘겹고 어려운 순간들이 있을 겁니다. 삼포 세대, 달관 세대 등 언론을 통해 들려오는 뉴스는 우리에게 희망이 없다고 말합니다. 하지만 그런 순간이 올 때 우리가 모교에서 함께했던 기억을 떠올리며 자신의 '가능성에 대한 믿음'을 다잡을 수 있으면 좋겠습니다. 내가 할 수 있다고 말하면 그것은 가능해지고, 내가 문제라고 말하면 그것은 넘을 수 없는 벽이 되어 돌아옵니다. 힘겹게만 느껴지는 그 상황을 더 나은 방향으로 변화시킬 수 있는 건 오로지 자신뿐이라는 것을 기억합시다. 그렇게 우리 한 사람 한 사람이 사회에 흩어져 불가능 속에서 가능함을 증명해 보이는 삶을 살며, 이를 통해 세상을 바꾸는 아름다운 '우리'가 되어 어두운 세상을 밝히는 희망의 증거로 함께 걸어갑시다.

① 자신의 어려운 상황을 솔직하게 이야기하여 청중의 공감을 얻고 있군.
② 어려운 순간에도 자신을 믿고, 그것을 극복할 수 있다는 자신감이 느껴지는군.
③ 자신의 상황에 도움을 주고자 주변에서 하는 말들을 수용적인 태도로 듣고 있군.
④ 어려운 상황에 굴하지 않고, 다양한 활동을 하고자 하는 적극적인 태도가 인상적이군.
⑤ 자신이 할 수 있는 것과 할 수 없는 것을 냉철하게 구별해 내는 이성적인 판단 능력을 보여 주는군.

[1~2] 다음 글을 읽고 물음에 답하시오.

동지 여러분, 저는 오늘 여러분에게 말씀드리고 싶습니다. 절망의 구렁에 빠져 허우적대지 맙시다.

비록 우리는 지금 고난을 마주하고 있지만 나에게는 꿈이 있습니다. 그 꿈은 아메리칸드림에 깊이 뿌리를 내리고 있습니다.

나에게는 꿈이 있습니다. 언젠가 이 나라가 "모든 인간은 평등하게 태어난다는 사실을 우리는 자명한 진리로 받아들인다."라는 이 나라 건국 신조의 참뜻을 되새기며 살아가리라는 꿈입니다.

나에게는 꿈이 있습니다. 언젠가 조지아주의 붉은 언덕에서 노예의 후손과 노예 주인의 후손이 형제애라는 식탁 앞에 나란히 앉을 수 있는 날이 오리라는 꿈입니다.

나에게는 꿈이 있습니다. 부당함과 억압의 뜨거운 열기로 신음하는 미시시피주도 언젠가 자유와 정의가 샘솟는 오아시스가 되리라는 꿈입니다.

나에게는 꿈이 있습니다. 언젠가 내 아이들이 자신의 피부색이 아니라 인격적으로 평가받는 나라에서 살게 되리라는 꿈입니다.

1. 위의 연설을 통해 알 수 있는 연설의 특징으로 적절하지 않은 것은?

① 화자가 자신의 주장이나 생각을 청중 앞에서 피력하는 말하기이다.

② 한 사람의 화자가 다수의 청중 앞에서 말을 하는 공적인 말하기이다.

③ 청중을 감동시키거나 청중에게 신뢰를 줄 수 있는 전략이 필요한 말하기이다.

④ 청중에게는 낯설 수 있는 전문적인 용어를 사용하여 화자의 권위를 높여야 하는 말하기이다.

⑤ 청중이 화자의 생각에 공감하게 하거나 특정한 행동을 일으키게 하는 것을 목적으로 하는 말하기이다.

2. 〈보기〉를 참고하여, 위 연설의 화자가 연설을 하기 위해 어떤 준비를 했을지를 추론한 내용으로 적절하지 **않은** 것은?

〈보기〉
이 연설은 인권 운동가 마틴 루서 킹이 1963년, 노예 해방 100주년 기념 평화 행진에서 한 연설이다.

100년 전인 1863년에 있었던 링컨 대통령의 노예 해방 선언 이후에도 미국 내에서의 흑인 차별은 여전히 존재했다. 1950년대에는 백인과 동등한 권리를 주장하는 흑인들의 비폭력 인권 운동이 본격적으로 일어났다. 이러한 시대 상황 속에서, 미국의 인종 차별 정책에 반대하며 흑인의 권리를 되찾기 위해 애썼던 마틴 루서 킹은 인종 차별 철폐의 진실한 소망을 연설로 표현했고, 그의 연설은 많은 사람들에게 인종 차별 문제를 해결하자는 생각을 불러일으켰다.

① 연설의 목적: 인종 차별 철폐의 필요성을 주장함.

② 당대 사회 상황 분석: 노예 해방 100주년이 되었지만 흑인에 대한 차별은 여전함.

③ 청중 분석: 겉으로는 노예 해방을 외치면서 인종 차별을 자행하고 있는 백인들을 대상으로 함.

④ 설득 전략: 흑인들의 염원을 자극하는 감성적인 언어를 사용하여 청중과 공감대를 형성함.

⑤ 표현 방법: 반복적인 표현을 사용하여 화자가 말하고자 하는 바를 강조함.

[3~5] 다음 글을 읽고 물음에 답하시오.

가 총장님을 비롯한 내빈 여러분께 감사합니다. 이렇게 여러분 앞에 서게 된 것을 영광으로 생각합니다. 저는 오늘 환경 전문가가 아닌, 지난 일요일 뉴욕 거리 행진에 참여한 40만 명 가운데 의무를 느끼는 한 시민으로서, 또 세계 전체에서 기후 변화를 걱정하는 수억 명 중의 한 사람으로서 이 자리에 섰습니다.

나 배우는 무언가를 '가장'하는 일로 먹고삽니다. 가상의 문제를 해결하는 가상의 역할을 주로 하지요. 그런데 우리 인류는 이제까지 기후 변화를 이와 비슷한 시각으로 본 것 같습니다. 즉 만들어 낸 이야기 또는 다른 행성에서나 있을 만한 문제라는 마음으로 기후 변화를 부인하며 없어지기를 바란 것입니다.

하지만 그렇지 않다는 것은 너무나 뻔한 사실입니다. 우리는 매주 발생하는 문제를 통해 기후 변화의 위기에 이미 봉착했다는 것을 알고 있습니다. 가뭄은 더 심해지고 바다는 더 따뜻해지고 산성화되고 있으며 메탄 연기는 바닥에서 계속 증발하고 있습니다. 우리는 극심한 기후 변화와 지구 온난화를 눈으로 직접 보고 있습니다. 서남극과 아이슬란드의 빙하는 이전 연구에서 예측했던 것보다 수십 년 더 빠르게, 이제까지 본 적이 없는 빠른 속도로 녹고 있습니다.

다 제가 하는 말은 과장도 아니고 빈말도 아닙니다. 사실입니다. 과학계도 인정하고, 산업체와 정부도 다 아는 사실입니다. ㉠미국 국방성도 사실이라는 것을 알고 있습니다. 미 해군 태평양 총독인 새뮤얼 로클리어도 기후 변화야말로 우리 보안에 가장 큰 위험 요소라고 했습니다.

라 저는 과학자가 아닙니다. 과학자여야 할 이유도 없지요. 그러나 세계 과학계는 이미 견해를 밝혔습니다. 그리고 미래를 예측했습니다. 모두 협력해서 행동하지 않으면 함께 멸망할 것이라고 말입니다.

지금이 바로 행동을 개시할 순간입니다. 탄소 배출량에 단가를 적용하고, 석탄, 천연가스, 석유 업체로 들어가는 보조금을 중단해야 합니다. 자유 시장을 핑계로 이제까지 공짜로 혜택을 보아 온 산업공해 생산자들에게 시민의 세금을 넘겨주는 것을 차단해야 합니다. 오히려 그들을 감시해야 합니다. 우리의 생태계가 죽으면 경제도 죽기 때문입니다.

정말 다행인 것은 재생 에너지 체제가 실제로 가능하며, 경제적으로도 이로운 정책이라는 것입니다. 새로운 연구에 의하면 기존의 기술을 이용해 생산하는 청정 재생 에너지로 2050년이 되면 지구의 수요를 100% 채울 수 있다고 합니다. 그리고 그런 개발에 따라 수백만의 새로운 직업이 창출될 것이라고 합니다.

마 이 사안은 논쟁의 가치가 없습니다. 인류의 문제니까요. 깨끗한 물과 공기, 그리고 존재 가능한 기후는 인간에게서 빼앗을 수 없는 권리입니다. 또한, 이 문제의 해결에 정치적 갈등이 있어서도 안 됩니다. 우리의 도덕적 책무입니다. 매우 벅찬 임무라는 사실을 부인할 수 없지만요.
㉡우리가 가진 행성은 지구뿐입니다. 우리가 우리 집을 망가뜨린 행위에 인류는 막중한 책임을 져야 합니다. 지구의 미래를 보호하기 위해서는 인간이라는 종족의 의식적인 진화가 요구됩니다. 우리는 너무나 다급한 상황에 부닥쳐 있기에 이런 다급한 이야기를 해야 합니다.

3. 위의 연설에서 화자가 궁극적으로 전달하고자 하는 내용으로 가장 적절한 것은?

① 환경 문제가 가상의 문제임을 인식해야 한다.
② 환경 문제 해결을 위해 개인주의를 버려야 한다.
③ 환경 위기 극복을 위해 우리 모두가 노력해야 한다.
④ 재생 에너지 사용을 통해 환경 문제를 극복해야 한다.
⑤ 환경 문제 해결을 위해 전 세계적으로 과학계를 지원해야 한다.

서술형

4. 위 연설의 화자에 관한 〈보기〉의 내용이 위 연설의 설득력에 어떤 영향을 줄 것인지와 그렇게 생각하는 이유는 무엇인지 서술하시오.

〈보기〉
　　레오나르도 디카프리오는 유명한 영화배우일 뿐 아니라 저명한 환경 운동가이기도 하다. 그는 영화 「비치」를 찍다가 영화가 환경을 파괴한다는 비난을 받자, 그에 대한 반성으로 환경 운동에 뛰어들었다. 이후 그는 자신의 이름을 딴 환경 보호 재단을 설립하고, 다양한 환경 운동을 전개하며, 여러 환경 단체에 많은 기부를 하고 있다.

학습 활동 응용

5. ㉠과 ㉡에 나타난 설득 전략을 비교한 내용으로 적절한 것은?

① ㉠과 ㉡은 청중의 자긍심이나 동정심에 호소하는 설득 전략을 사용하고 있다.
② ㉠과 ㉡은 객관적 통계를 보여 줌으로써 화자의 주장에 신뢰성을 부여하고 있다.
③ ㉠은 감성적인 언어로 청중을 설득하고 있고, ㉡은 논리적이고 이성적인 언어로 청중을 설득하고 있다.
④ ㉠은 구체적인 자료를 근거로 청중을 설득하고 있고, ㉡은 화자의 살아온 내력을 들어 청중을 설득하고 있다.
⑤ ㉠은 신뢰할 만한 인물의 견해를 들어 주장을 뒷받침하고 있고, ㉡은 절박함을 강조하여 청중의 공감을 얻고 있다.

[6-8] 다음 글을 읽고 물음에 답하시오.

가 제가 처음 장애 판정을 받았을 때, 이 아이를 부모가 키우는 것은 감당하기 어려운 일이니 아이를 시설에 맡기라는 사람도 있었다고 합니다. 초등학교에 입학하고자 했을 때는, 장애를 가진 아이는 학교에서 정상적으로 적응할 수 없을 것이라는 이유로 입학을 거부당하기도 했습니다. 이처럼 장애는 곧 불가능과 어려움 그 자체로 사람들에게 인식되었고, 저는 직·간접적으로 쏟아지는 세상의 편견을 고스란히 직면해야 했습니다. [중략]

그러나 제게는 너무나 다행스럽게도, 불가능의 요소를 말하는 수많은 사람들과 다르게 가능성을 이야기해 주시는 부모님이 계셨습니다. 제 인생 최고의 멘토였던 부모님은 장애는 약간의 불편함을 주는 하나의 요소일 뿐, 네 삶에 어떤 불가능도 가져오지 않을 것이라고, 제가 꿈꾸고 원하는 모든 것을 이룰 수 있을 것이라고 항상 강조하셨습니다.

나 ⊙교수님의 말씀 덕분에 저는 방향성을 갖고 대학 생활을 시작할 수 있었습니다. 받기만 했던 지난 삶을 돌아보며 내가 세상에 줄 수 있는 것이 무엇일지 생각했습니다. 제가 어릴적 겪은 어려움들을 똑같이 겪고 있을 장애 아동을 위한 교육 봉사를 시작으로 다문화 가정 어린이를 위한 봉사, 청소년 멘토링 등 '줄 수 있는 나'를 찾기 위해 바쁘게 움직였습니다. 더 넓은 세상에서 많은 것들을 보고 배우며 저의 가능성을 증명하고자 새로운 도전을 멈추지 않았습니다. 홀로 휠체어를 타고 유럽 배낭여행을 떠나기도 하고, 오스트리아 빈에 교환 학생으로 가서 다양한 문화권의 학생들과 소통하며 배움의 폭을 넓혔습니다. 또한, 장애인의 몸은 아름답지 않다는 통념을 깨고, 누구보다 매력적인 여배우로 연극 무대에 섰습니다.

다 이제 우리는 학교라는 울타리를 벗어나 새로운 인생의 무대인 사회로 나갑니다. 살다 보면 스스로 '무엇이든 할 수 있다.'라는 믿음을 갖기에는 너무나 힘겹고 어려운 순간들이 있을 겁니다. 삼포 세대, 달관 세대 등 언론을 통해 들려오는 뉴스는 우리에게 희망이 없다고 말합니다. 하지만 그런 순간이 올 때 우리가 모교에서 함께했던 기억을 떠올리며 자신의 '가능성에 대한 믿음'을 다잡을 수 있으면 좋겠습니다. 내가 할 수 있다고 말하면 그것은 가능해지고, 내가 문제라고 말하면 그것은 넘을 수 없는 벽이 되어 돌아옵니다. 힘겹게만 느껴지는 그 상황을 더 나은 방향으로 변화시킬 수 있는 건 오로지 자신뿐이라는 것을 기억합시다. 그렇게 우리 한 사람 한 사람이 사회에

흩어져 불가능 속에서 가능함을 증명해 보이는 삶을 살며, 이를 통해 세상을 바꾸는 아름다운 '우리'가 되어 어두운 세상을 밝히는 희망의 증거로 함께 걸어갑시다.

6. 위 연설의 핵심 내용으로 가장 적절한 것은?

① 가능성에 대한 믿음을 바탕으로 세상을 바꾸는 사람이 되자.
② 장애인에 대한 편견을 버리고 그들을 똑같은 사람으로 대하자.
③ 자신에게 주어진 환경을 원망하지 말고 긍정적인 마음을 가지고 살자.
④ 온갖 어려움을 극복하고 졸업을 하게 된 친구들을 진심으로 축하하자.
⑤ 어려움에 처할지라도 누군가 자신을 도와줄 것이라는 믿음을 잃지 말자.

7. 위의 연설에 대한 청중의 반응으로 적절하지 않은 것은?

① 주변 사람들의 말을 수용하여 어려움을 극복하고 발전의 계기로 삼고 있어.
② 자신이 경험한 다양한 분야의 일을 소개하며 자신의 전문성을 부각하고 있어.
③ 장애 때문에 겪은 어려움을 솔직하게 드러냄으로써 청중의 공감을 얻고 있어.
④ 장애로 인해 불편을 겪고 있으면서도 적극적인 태도로 다양한 활동을 하고 있어.
⑤ 가능성에 대한 믿음을 가지고 노력하면 어려움을 극복할 수 있다는 자신감을 보여 주고 있어.

서술형
8. 위 연설의 내용을 바탕으로, ⊙의 내용이 무엇인지 추론하고 그렇게 생각한 이유를 서술하시오.

중단원 마무리

스스로 정리하기

(1) 이해하기 쉬운 발표

◗ 발표의 개념

발표는 여러 사람 앞에서 자기 생각이나 어떤 사실에 관해 말하는 화법의 한 유형이다.

◗ 발표 준비

발표 준비 단계에서는 발표의 주제와 ❶□□에 따라 청자, 발표 장소 등을 분석해야 한다.

발표 목적	크게 정보 전달과 설득으로 구분
청자 분석	• 청자의 요구 및 지적 수준 • 주제에 관한 사전 지식, 주제와 관련된 입장 등
장소 분석	• 발표 장소의 물리적 특성(공간의 크기, 자리 배치 등) • 필요한 시설과 장비 등

◗ 발표 내용 구성

발표 내용은 '도입-❷□□-정리'로 구성하는 것이 효과적이다.

도입	주제에 대한 청자의 개인적 관련성 정도에 따라 흥미 유발이나 관련성 설명과 같은 내용으로 구성할 것인지, 간결하게 시작할 것인지 판단
전개	• 설명형 발표: 시·공간적 구성, 비교·대조 구성, 원인·결과 구성 등 • 설득형 발표: 문제·해결 구성, 전제·결론 구성 등
정리	• 발표 내용 정리 및 핵심 사항 강조 • 필요에 따라 감성적 메시지 사용

◗ 발표 실행 시 유의할 점

• 발표할 때 쪽지나 화면 자료 등을 참고하는 것은 좋지만 준비한 원고를 그대로 읽는 것은 바람직하지 않다.
• 청자와 시선을 맞추고, 청자와 질의응답하며 청자의 적극적인 반응을 이끌어 내도록 한다.
• 발표를 실행할 때는 준언어적·비언어적 표현을 효과적으로 사용하고, ❸□□의 반응을 살피면서 표현 전략을 조절해야 한다.

(2) 설득력 있는 연설

◗ 연설의 개념

연설은 화자가 청중을 대상으로 특정한 목적을 가지고 행하는 공식적인 말하기이다.

◗ 연설의 목적

연설의 목적은 청중에게 자신의 뜻을 효과적으로 전달하고 청중의 생각이나 행동을 변화시키는 데 있다.

◗ 연설의 설득 전략

❹□□□ 설득 전략	• 주장에 대한 타당한 근거를 들어 논리적으로 설득하는 전략을 말함. • 논증 방법, 통계 자료, 전문가의 의견, 역사적 사실이나 사건 등을 근거로 제시하여 주장의 신뢰성을 확보함.
❺□□□ 설득 전략	• 청중의 감정에 호소하여 설득하는 전략을 말함. • 구체적인 사례나 상황을 제시함으로써 청중의 욕망이나 동정심, 분노 등의 감정을 이끌어 내어 화자의 주장에 공감하도록 함.
❻□□□ 설득 전략	• 화자의 됨됨이나 성품 등으로 신뢰성을 확보하여 청중을 설득하는 전략을 말함. • 화자의 평소 가치관이나 살아온 이력, 연설 과정에서 보여 주는 태도의 진실성 등이 중요한 요소로 작용함.

◗ 화자의 공신력

• 연설에서 화자의 ❼□□□은 전문성, 성품, 평판 등의 요소를 통해 형성된다.

전문성	• 화제에 관한 지식이나 경험을 충분히 갖추고 있는가에 관한 것 • 화자의 지적 수준, 학력, 사회적 지위 등에 의해 결정
성품	• 화자의 성품이 신뢰할 만한가에 관한 것 • 화자의 말, 행동, 태도 등에 의해 결정
평판	• 화자에 관한 주변의 평판이 어떠한지에 관한 것 • 화자의 인간성, 적응력, 관계, 습관 등에 의해 결정

• 화자의 솔직하고 수용적인 태도, 적극성과 ❽□□□이 드러나는 태도는 화자의 공신력에 영향을 미친다.

|정답| ❶ 목적 ❷ 전개 ❸ 청자 ❹ 이성적 ❺ 감성적 ❻ 인성적 ❼ 공신력 ❽ 자신감

확장하기

❯ 다음 과제를 수행하며 이 단원의 목표를 다시 한번 환기해 보자.

> ### '내 삶에서 가장 인상 깊은 순간'
> 선정하여 발표하기
>
> 학급 친구들 앞에서 '내 삶에서 가장 인상 깊은 순간'을 주제로 발표를 해 보자.

⋯▸ 자기 삶에서 의미 있는 경험을 떠올려 보고, 청자를 고려해 발표 내용을 구성해 본다. 발표 시간을 3분 이내로 정해 학급 친구들 앞에서 발표해 본다. 이때, 전달의 효과를 높이기 위해 다양한 시청각 자료를 활용할 수 있다.

> ### 대중에게 영향을 미친
> 졸업식 축사 찾아보기
>
> 여러 매체에서 공신력 있는 화자의 졸업식 축사를 찾아보고, 다양한 설득 전략과 그 효과를 파악해 보자.

⋯▸ 책, 방송, 인터넷 등 다양한 매체에서 대중에게 영향을 미친 훌륭한 졸업식 축사를 찾아본다. 그들이 사용한 설득 전략, 연설 태도, 사람들에게 끼친 영향을 생각하며 연설의 힘을 이해하도록 한다.

'내 삶에서 가장 인상 깊은 순간' 선정하여 발표하기

다음 활동은 위의 '확장하기' 활동 가운데 "내 삶에서 가장 인상 깊은 순간' 선정하여 발표하기" 활동이다. 발표를 할 때는 청자를 분석하여 내용을 구상해야 발표의 목적을 달성할 수 있다는 것을 이해하고, 청자와 교감할 수 있는 내용을 구성하여 발표를 해 보자.

❯ 활동 순서

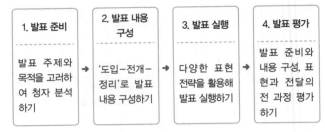

1. 발표 준비	2. 발표 내용 구성	3. 발표 실행	4. 발표 평가
발표 주제와 목적을 고려하여 청자 분석하기	'도입-전개-정리'로 발표 내용 구성하기	다양한 표현 전략을 활용해 발표 실행하기	발표 준비와 내용 구성, 표현과 전달의 전 과정 평가하기

1. 발표 준비

• 발표 주제: 내 삶에서 가장 인상 깊은 순간
• 발표 목적: 나의 삶을 되돌아보고, 학급 친구들에게 '내 삶에서 가장 인상 깊은 순간'이 언제였는지, 왜 그 순간이 가장 기억에 남는지 알려 준다.
• 청자 분석

청자	학급 친구들
청자의 요구	'내 삶에서 가장 인상 깊은 순간'에 대해 알고 공감하고 싶음.
청자의 지적 수준	고등학생 평균의 지적 수준을 가지고 있음.
주제에 관한 사전 지식	나와 친한 친구들은 내가 나의 삶에서 가장 인상 깊다고 생각하는 순간에 관해 어느 정도 알고 있지만, 평소 나와 가깝게 지내지 않는 친구들은 주제에 관한 사전 지식이 거의 없음.
주제와 관련된 입장	나에 관해 알고 싶어 하는 친구들도 있지만 그렇지 않은 친구들도 있음.

2. 발표 내용 구성

• 생애 곡선을 그려 보기

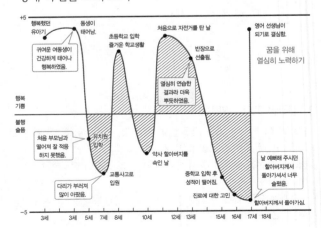

- 내 삶에서 인상 깊은 순간

1	처음으로 자전거를 탄 날
2	열심히 노력하여 반장으로 선출된 날
3	귀여운 동생이 태어난 날

- 발표 내용 구성하기

구성	발표 내용
도입	자기소개 및 나의 특징 제시
전개	내 삶에서 가장 인상 깊은 순간, 그 순간이 가장 인상 깊은 이유, 그 순간을 통해 깨달은 점 제시
정리	격언을 활용하여 감성적 메시지 전달

3. 발표 실행

안녕하세요? 저는 2학년 3반 이경아입니다.

저는 무척 소심한 아이였던 저의 어린 시절 경험을 이야기하려고 해요. 제가 소심한 아이였다는 것이 믿어지지 않으시죠? 여러분의 어린 시절은 어땠나요? 여러분의 어린 시절과 비교하며 제 이야기를 들으시면 더 좋을 것 같아요.

저는 학년이 바뀌고 반이 바뀌어 겨우 친해진 친구들과 뿔뿔이 흩어져야 하는 새 학기가 너무 싫었어요. 같은 반이 되기를 바랐던 친구는 언제나처럼 저와 다른 반이 되었고, 제발 같은 반이 되지 않게 해 달라고 빌고 빌었던 친구와는 항상 같은 반이 되었지요. 그래서 저는 학년이 바뀌면 처음 얼마 동안은 늘 마음을 잡지 못했어요.

초등학교 4학년이 되던 해, 어김없이 새 학기가 되었고 저는 또다시 친한 친구 하나 없는 외톨이가 되었어요. 그런 저에게 사막의 오아시스처럼 예쁘고 착한 친구가 다가왔어요. 이름도 참 예쁜 고운이. 다른 친구들은 하나둘씩 친한 친구를 만들어 급식도 먹고, 방과 후 수업도 같이 가는데, 그 속에서 혼자 조용히 다니는 제가 안쓰러웠나 봐요. 고운이는 제게 같이 점심을 먹자고, 방과 후 수업도 함께 가자고 먼저 손을 내밀어 주었고, 고운이와 저는 금세 단짝이 되었어요. 그런데 어느 날 고운이가 학교 수업이 없는 일요일에 공원에 가서 자전거를 타자고 했어요. 저는 고운이가 실망할까 봐 자전거를 못 탄다는 말을 차마 하지 못했어요.

소심한 데다 겁까지 많았던 저는 10살이 넘도록 자전거를 한 번도 혼자 타 본 적이 없었답니다. 고운이와 약속을 한 그날, 저는 자전거를 배우기 위해 오빠에게 자전거를 빌렸어요. 좀 낡고 크긴 했지만 충분히 탈 수 있을 것 같았어요. 저는 학교가 끝나자마자 학원 수업도 빼먹고 사람이 없는 아파트 공터로 갔어요. 자전거에 올라서 보지도 못하고 수십 차례 넘어지기만 했어요. 같은 실수를 수백 번쯤 한 것 같아요. 다리는 후들후들 떨리고 손바닥 피부는 다 벗겨졌어요. 날이 저물도록 연습을 했지만 결국 자전거 타기는 실패했어요.

저는 더 어두워지기 전에 집으로 돌아가야 했어요. 오르막길을 올라가서 잠시 숨을 고르는데, 문득 자전거를 타고 내리막길을 달려 보고 싶다는 생각이 들었어요. 내리막길 아래쪽은 화단이 있어서 넘어지더라도 크게 다치지는 않을 거란 계산도 했지요. 하지만 겁이 났어요. 그러다 문득 이런 식으로는 앞으로 어떤 도전도 하지 못할 거라는 생각이 머릿속을 스쳤어요. 그때 저는 성공을 위해서는 공포를 극복해야 한다는 절박함을 느꼈던 것 같아요.

자전거를 통제하지 못하면 다칠 수도 있는 상황이었지만 저는 저도 모르게 자전거에 올라섰어요. 그리고 해야만 한다면 과감하게 한번 시도해 보자는 생각으로 자전거를 출발시켰답니다.

여러분, 어떤 결과가 저를 기다리고 있었을까요? 여러분이 짐작하시는 대로 저는 난생처음 자전거를 타고 하늘을 나는 것 같은 기쁨을 맛보았습니다. 자전거 페달을 돌리지도 않았는데 자전거는 앞으로 쭉쭉 나가고 있었어요. 저는 소프라노 가수가 낼 법한 소리를 지르며 자전거와 한 몸이 되어 있었습니다. 내리막길을 달려 평지에 왔을 때 저는 힘차게 자전거 페달을 밟고 있었어요. 이리저리 방향도 제가 원하는 대로 조정할 수 있었습니다. 굳게 마음먹고 노력한 끝에 저는 자전거를 탈 수 있게 되었습니다.

화창한 봄날의 어느 일요일, 저는 지금까지도 영혼을 함께 나누고 있는 단짝 친구 고운이와 시간 가는 줄 모르고 자전거를 탔습니다. 저는 그때의 경험을 통해 실패를 두려워하지 않고 계속 노력하면 원하는 것을 이룰 수 있다는 것을 깨달았습니다. 그리고 이제는 새 학기가 되고 반이 나뉘어도 두려워하지 않게 되었어요. 성공의 경험이 저를 아주 단단한 사람으로 만들어 주었으니까요.

월트 디즈니는 "추구할 수 있는 용기가 있다면 우리의 모든 꿈은 이뤄질 수 있다." 라고 말했어요. 여러분, 꿈을 위해 도전할 준비가 되셨나요? 어차피 해야 할 일이라면 실패를 두려워하거나 피하지 말고 즐기면서 도전해 보세요. 저 역시 제 가슴속 도전의 불꽃이 꺼지지 않도록 노력하며 살 것입니다. 감사합니다.

4. 발표 평가

- 평가표에 따라 발표 내용 평가하기

발표 준비	• 발표의 주제와 목적은 적절한가? • 발표를 듣는 청자의 관심과 수준 등을 고려하였는가?
내용 구성	• '도입'은 주제에 대한 청자의 개인적 관련성 정도에 따라 구성하였는가? • '전개'는 발표의 내용을 효과적으로 전달할 수 있도록 구성하였는가? • '정리'에서 발표 내용을 적절하게 요약하고, 중요한 내용을 효과적으로 강조하였는가?
표현과 전달	• 구체적이고 간명한 언어 표현을 사용하였는가? • 준언어적·비언어적 표현을 통해 발표자에 대한 긍정적인 인상과 신뢰감을 주었는가? • 매체 자료를 적절하게 사용하였는가?

- 발표 후 자신의 발표 활동 성찰하기

'내 삶에서 가장 인상 깊은 순간'을 준비하여 발표한 내 모습을 동영상으로 보면서, 내가 발표에 많이 서투르다는 것을 느꼈다. 시간적 압박과 긴장 때문에 내용을 좀 더 많이 청중에게 전달하려고 말을 너무 빨리 한 점, 나도 모르게 불필요한 단어를 자주 언급해 발표의 효율이 떨어진 점, 그리고 쓸데없는 몸짓과 불안정한 시선 처리 때문에 산만했다는 것을 알게 되었다. 그러나 시각 자료를 활용하여 내용 전달 효과를 높인 점, '도입' 부분에서 질문으로 청중의 관심을 유발하려고 한 점은 만족스러웠고, 이를 통해 시각 자료의 효과와 발표 도입 부분의 중요성을 깨달았다.

'노력한 만큼 얻는다.'라는 말처럼, 발표 전에 더 열심히 연습하면 청중과 편안한 기분으로 교감하면서 발표할 수 있지 않을까 하고 생각했다.

3

상호 작용을 통한 문제 해결의 화법

학습 목표 <<
- 질문의 의도를 파악하고 효과적인 답변 전략을 사용하여 면접할 수 있다.
- 상대측 입론과 반론의 타당성에 관해 반대 신문하며 토론할 수 있다.
- 문제 해결의 절차에 따라 상황에 맞는 전략을 사용하여 협상할 수 있다.

– 라파엘로, 「아테네 학당」

단원의 짜임

(1) 효과적인 면접
면접관의 의도를 파악하는 방법과 전략적으로 답변하는 방법을 이해하고
⋯➤ 다양한 면접 상황에 효과적으로 참여해 본다.

(2) 생산적인 토론
반대 신문의 형식과 논리적 주장, 반박의 방법을 이해하고
⋯➤ 친숙한 토론 주제에 관해 반대 신문식 토론을 해 본다.

(3) 성공적인 협상
협상의 절차와 전략, 유의점을 이해하고
⋯➤ 가상의 협상에 참여하여 합리적으로 문제를 해결해 본다.

공적인 말하기에서 발표와 연설은 화자의 말하기에 초점을 둔 화법이다. 그에 비해 화자와 청자의 상호 작용이 중요한 공적인 화법도 있는데 면접, 토론, 협상 등이 그것이다.
▶ 화자와 청자의 상호 작용이 중요한 면접, 토론, 협상

면접은 <u>우리가 동아리에 가입하려고 할 때,</u> 대학에 진학하려고 할 때, 회사에 취업하고
면접은 선발을 목적으로 이루어지는 사회적 상호 작용임.
자 할 때 등 여러 상황에서 직면하는 일이다. 면접을 볼 때는 면접관의 질문에 담긴 의도를 잘 파악하고, 그에 맞는 답변 전략을 세워 효과적으로 답변하는 것이 중요하다.
▶ 면접을 성공적으로 이끄는 방법

토론은 쟁점에 관해 서로 다른 견해를 가지고 있는 양측이 각자 논리적인 근거를 제시하며 자신의 견해가 타당함을 주장하는 화법이다. 토론을 성공적으로 이끌기 위해서는 <u>상대측 논리의 허점을 잘 파악하여 드러내고, 자신의 주장이 더 논리적이고 합리적임을 강</u>
반대 신문식 토론의 특징
<u>조해야 한다.</u> 반대 신문식 토론은 이 절차를 잘 보여 준다.
▶ 토론을 성공적으로 이끄는 방법

협상은 서로의 이해관계가 충돌하는 갈등 상황에서 양측이 원만한 합의점을 찾아 가는 화법이다. 협상에서는 <u>쟁점을</u> 파악하고 절차에 따라 협상을 진행하여 서로의 입장 차이를
서로 다투는 중심이 되는 점
좁히고 상호 만족할 만한 이익을 찾는 것이 중요하다. 이때 자신에게 유리한 결과를 이끌어 내기 위해서는 효과적인 협상 전략을 마련해야 한다.
▶ 협상을 성공적으로 이끄는 방법

이 단원에서는 면접, 토론, 협상에서 효과적으로 문제를 해결하고 목적을 달성하는 전략과 방법을 익히기로 한다. '단원의 짜임'을 중심으로 학습할 내용을 확인해 보자.
▶ 학습할 내용 안내

(1) 효과적인 면접

핵심 질문 면접관의 질문에 효과적으로 답변하려면 어떻게 해야 할까?

>> 면접을 볼 때 가장 중요한 것은 면접관이 어떤 질문을, 왜 하는지를 파악하는 것이다. 그러므로 면접관의 질문에 효과적으로 답변하기 위해서는 면접이 이루어지는 목적과 상황을 분석한 뒤, 면접관이 왜 그런 질문을 했을지 생각해 보고 질문의 내용과 의도를 파악해야 한다.

알기

• **면접은 어떤 방식으로 이루어지나?**

|예시 답안| 면접은 면접 대상자를 평가하기 위한 공적 대화로, 면접관이 질문하고 면접 대상자가 그 질문에 답변하는 형식으로 진행된다.

• **면접에서의 답변 전략에는 무엇이 있나?**

|예시 답안| 면접에서 면접관은 면접 대상자의 지식이나 성품, 잠재력 등을 평가할 목적으로 질문을 한다. 때로는 면접 대상자를 정확히 파악하기 위해 질문 의도를 숨기고 질문을 하기도 한다. 따라서 면접에서는 면접 상황과 목적에 대한 이해를 바탕으로 면접관의 질문에 담긴 의도를 정확히 파악하여 그 의도에 맞는 내용으로 답변하는 것이 가장 중요하다.

••• 위의 뉴스에서 사례로 제시한 질문에는 어떤 의도가 담겨 있는가?

|예시 답안| 정해진 답이 없는 질문을 제시하고 그에 대한 면접 대상자의 생각을 들어 봄으로써, 면접 대상자의 상황 판단 능력과 가치관을 가늠해 보고자 하는 의도가 담겨 있다.

••• 질문에 따라 어떤 답변 전략을 세워야 면접을 보는 목적을 이룰 수 있을까?

|예시 답안| 면접관의 질문 내용과 의도를 파악하고, 질문 유형에 따라 적절한 답변 전략을 세워 효과적으로 답변해야 면접을 보는 목적을 이룰 수 있다.

하기

• **면접 맥락에 따라 질문의 의도 파악하기**

>> 다양한 면접 상황과 목적에 따른 면접관의 질문을 분석하여 질문 의도를 파악하는 활동 하기

• **여러 가지 답변 전략을 사용하여 면접에 응하기**

>> 동아리 부원 선발 면접, 대학 입학을 위한 면접, 취업을 위한 면접 등 다양한 면접 상황에서 주어지는 면접관의 질문에 담긴 의도를 파악하고, 그에 맞는 적절한 답변 전략을 세워 효과적으로 답변하는 활동과 모의 면접 해 보기

알아 두기

) 면접의 개념 및 목적과 준비 과정

》 면접의 개념

면접관이 면접 대상자와의 문답을 통해 면접 대상자의 지식, 경험, 성품, 의사소통 능력과 상황 대처 능력, 잠재력 등을 평가하기 위한 공적 대화

》 면접의 목적

- 면접을 실시하는 기관이나 단체에 필요한 사람을 선발하는 데 그 목적이 있다.
- 동아리 가입, 상급 학교 진학, 회사 취업 등 다양한 상황에서 이루어진다.

》 면접의 준비 과정

면접이 이루어지는 상황을 고려하여 면접 목적 파악	→	면접 실시 기관이나 단체에 관해 조사	→	면접 예상 질문을 만들고 답변 준비

) 면접에서의 질문과 답변

》 면접에서의 질문

- 면접을 할 때 면접관은 선발이라는 목적을 이루기 위해 다양한 질문을 한다.
- 면접 대상자는 면접관의 질문 내용을 확인하고 그 의도를 추론하면서 듣는다.
- 질문의 유형

폐쇄형 질문	'예, 아니요'와 같이 주어진 항목에서 답변할 수 있는 질문
개방형 질문	면접 대상자에게 광범위하게 생각하고 진술하도록 하는 질문

》 면접에서의 답변

- 면접 대상자는 면접 목적을 고려하여 질문에 담긴 의도를 파악하고, 질문 유형에 따라 답변 전략을 세워 효과적으로 답변해야 한다.
- 질문 유형에 따른 답변 전략

폐쇄형 질문	자신이 알고 있는 것을 정확하게 답변
개방형 질문	논리적으로 근거를 제시하며 자신의 의견을 분명하게 답변

- 면접관의 질문 의도에 적합한 답변 내용을 구성하여 어법에 맞게 답변한다.
- 언어적 표현을 보강할 수 있는 준언어적·비언어적 표현을 적절히 사용하는 것이 좋다.

하면서 **배우기** 📖 ━━━━━━━━━━ 교과서 107p

1. 다음 대화를 보고, 아래의 활동을 해 보자.

규현 형, 나 이번 주에 ○○ 동아리 <u>신입 부원 선발 면접</u> 보는
　　　 거 알지?
　　　　　　　　　　　　　_{면접 상황}

태현 응. 알고 있어. 준비는 많이 했어?

규현 아니. 걱정은 되는데 뭘 어떻게 준비해야 할지 모르겠어.

태현 음……. 그 동아리에서 면접을 하는 까닭이 뭐겠니?

규현 <u>동아리 활동을 하는 데 가장 적합한 사람을 선발하려</u>
　　　 <u>는 거겠지.</u>
　　　　　_{면접의 목적}

태현 그렇다면 그 동아리에 관해 조사해서 네가 어떤 면에서
　　　 그 동아리에 필요한 사람인지를 보여 주면 되지 않을까?

규현 그런데 어떤 질문을 할지 모르잖아?

태현 그럼, 형이랑 모의 면접 한번 해 볼래? 예상 질문을 생
　　　 각해 보고, 그에 따라 답을 어떻게 할지 준비해 보자.

규현 정말? 고마워, 형

(1) '규현'이 이번 주에 보게 될 면접의 상황과 목적을 정리해
보자.

|예시 답안|

면접 상황	○○ 동아리 신입 부원 선발 면접
면접관(동아리 관계자)의 목적	○○ 동아리의 설립 목적, 활동 방향 등에 어울리는 신입 부원을 선발하는 것
면접 대상자(규현)의 목적	자신이 ○○ 동아리의 설립 목적, 활동 방향 등에 어울리는 사람임을 인정받아 ○○ 동아리의 신입 부원으로 선발되는 것

(2) '규현'이 지원한 '○○ 동아리'가 아래와 같을 때, '규현'이
조사해야 할 것은 무엇인지 각각 이야기해 보자.

|예시 답안|

천체 동아리	문예 동아리
• 동아리에서 주로 하는 활동 • 동아리의 역사 • 천체를 연구하고 관찰하기 위한 장소 모색 • 해당 동아리가 갖추고 있는 관측 장비	• 동아리의 역사 • 문학적 소양을 기르기 위한 동아리 내의 소모임 구성 • 문학 감상 활동과 창작 활동의 비중 • 해당 동아리 출신의 작가

(3) (2)의 두 가지 동아리 중 하나를 선택하여 '규현'이 면접에
서 받을 질문을 예상해 보고, 그에 대한 답변을 작성해 보자.

|예시 답안|

예상 질문	• 천체 동아리의 부원이 되려는 까닭은 무엇입니까? • 문학을 좋아하는 이유는 무엇입니까?
예상 답변	• 천체 동아리에서 진행하는 주요 활동이 제 적성과 진로에 맞기 때문입니다. 제 꿈은 천문 연구원인데 천체 동아리 활동을 열심히 하면 제 꿈에 한 발짝 더 다가갈 수 있을 것이라 생각합니다. • 문학은 제가 직접 경험할 수 없는 것들을 간접적으로나마 경험할 수 있게 해 주고, 그 속에서 여러 사람의 입장이 되어 생각해 볼 수 있게 해 줍니다. 또한, 사람에 대한 이해의 폭을 넓히고 제 마음과 생각을 반성하고 가다듬을 수 있게 해 주기 때문에 문학을 좋아합니다.

✍ 배워서 **하기** ❶ ▶ 교과서 108p

면접 상황을 설정하고 예상 질문과 답변 작성하기

● **4명씩 모둠을 구성하고, 다음의 면접 상황 중 한 가지를 골라
보자.**

|예시 답안| 회사 취업을 위한 면접

● **면접 목적에 따라 예상 질문을 만들고 그에 대한 예상 답변을
작성해 보자.**

|예시 답안| 면접 목적: (회사에 애정을 가지고 회사가 가치 있게 여기는 문화를
이어 갈) 신입 사원 선발

예상 질문	예상 답변
1. 우리 회사에 지원한 동기는 무엇입니까?	평소 ○○ 회사에서 만든 제품을 좋아했습니다. ○○ 회사에서는 세계 일류의 제품을 만들어 우리나라 경제에 기여하는 바가 매우 큽니다. 그래서 저는 ○○ 회사의 사원이 되어 좋은 제품을 만들고 우리나라의 경제 발전에 도움이 되고자 귀사에 지원하였습니다.
2. 평소 우리 회사에 대해 어떻게 생각했는지를 이유와 함께 말해 주세요.	저는 평소 ○○ 회사가 우리나라의 경제 발전에 크게 기여하는 회사라고 생각해 왔습니다. ○○ 회사는 적극적인 시장 개척과 일류 제품 생산을 통해 우리나라의 수출 실적을 올리는 데 큰 역할을 해 왔기 때문입니다.
3. 우리 회사에 입사하게 되면 어떻게 업무를 수행할 것인지, 직장인으로서 어떻게 지내고 싶은지 말해 보세요.	최근 세계 무역 환경의 불확실성이 커지고 있습니다. 하지만 기존과 다른 방식의 사업 모델로 세계 시장을 공략한다면 우리나라는 무역 강국으로 성장할 수 있을 것입니다. 저는 ○○ 회사가 국가 수출의 핵심 축 역할을 지속할 수 있도록 이바지하겠습니다. 또한, 제가 맡은 일을 기쁜 마음으로 완벽하게 해내는 책임감 있는 직장인이 될 것입니다.

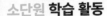

하면서 배우기 📖 •••••••••• 교과서 109p

2. 다음 면접 상황을 보고, 아래의 활동을 해 보자.

⑦ 면접관 학생의 생활 기록부와 자기소개서를 보니 디자인 학부에 지원하는 학생답게 디자인에 관한 책을 많이 읽었더군요.『책에서 읽은 구체적인 디자인 작품을 예로 들
『 : 개방형 질문
어 그 작품을 보고 느낀 점을 말하고, 어떤 디자인이 훌륭한 디자인이라고 생각하는지 이야기해 보세요.』

면접 대상자 『수많은 사람에게 음료를 제공해야 하는 항공사
『 : 구체적인 디자인 작품을 예로 듦.
승무원을 위해 디자인된 ○○ 항공사 커피 주전자가 있습니다. 손잡이의 위치를 바꾸어 무게 중심을 옮겼고 주전자의 분출구 각도를 조절해 손목을 많이 움직이지 않고도 안정적으로 음료가 나올 수 있도록 하였으며, 주전자를 기울일 때 어깨와 손목에 무리가 가지 않도록 디자인되었습니다.』『저는 이처럼 디자이너가 애정을 가지고 사람들의 평범한 일상을 관찰하고, 사람들이 인식하지
『 : 작품에 대해 느낀 점과 훌륭한 디자인에 대한 자신의 견해를 밝힘.
못하는 불편한 점을 찾아내어 그 개선 사항을 반영한 디자인이 훌륭한 디자인이라고 생각합니다.』

⑭ 면접관 다음 자료를 분석하여, 사람들의 기부를 활성화하는 방안을 마련할 때 무엇에 중점을 두어야 할지 말해 보세요.

● 기부 경험 및 기부 의향

	있다.	없다.
기부 경험	26.7%	73.3%
향후 기부 의향	41.2%	58.8%

● 기부하지 않은 이유

자료: 통계청(2017년)

(1) (가)에서 면접관의 질문 의도가 무엇인지 파악하고, 그에 비추어 면접 대상자의 답변 내용이 적절한지 평가해 보자.

Ⅰ예시 답안Ⅰ • 면접관의 질문 의도: 디자인을 전공하고자 하는 면접 대상자가 디자인에 대해 어떤 관점을 가지고 있는지를 파악하고자 한다.
• 답변 내용의 적절성: 구체적인 디자인 작품을 예로 들고 그 작품에 대해 느낀 점을 밝혔으며, 자신이 생각하는 훌륭한 디자인이 무엇인지를 적절하게 대답하였다.

(2) (나)에 제시된 면접관의 질문에 효과적으로 답변하기 위한 전략을 세워 보자.

Ⅰ예시 답안Ⅰ

질문에 담긴 의도	면접 대상자가 짧은 시간 내에 자료를 분석할 수 있는지, 자료 분석 결과를 바탕으로 문제의 원인을 파악하고 그에 대한 해결 방안을 수립할 수 있는 능력을 지녔는지를 알아보고자 함.
자료 분석 결과	• 현재 기부 경험이 있는 사람의 비율보다 향후 기부 의향이 있는 사람의 비율이 14.5% 높음. • 대부분의 사람들은 '경제적 여유 없음.–기부에 관심 없음.–기부 단체를 신뢰하지 않음.'의 이유로 기부를 하지 않음. • 사람들이 기부하지 않는 이유와 관련된 문제를 해결하면 기부 의향이 있는 14.5%가 실제로 기부를 할 가능성이 커짐. 또한, 기부 의향이 없다고 한 사람들도 기부를 할 가능성이 생김. • 경제적 여유가 있어야만 기부하는 것은 아니라는 설득, 기부에 관심을 가져야 하는 이유 홍보, 기부 단체의 신뢰도를 높이기 위한 방안 마련 등의 문제 해결 방안을 제시할 수 있음.
의도를 고려한 답변 전략	자료 분석 결과를 바탕으로 한 구체적인 실행 방안 수립 능력 등이 잘 드러나도록 답변하는 전략
예상 답변	통계 자료를 보면 현재 기부 경험이 있는 사람의 비율보다 향후 기부 의향이 있는 사람의 비율이 14.5% 더 높습니다. 기부를 활성화하기 위해서는 이런 사람들이 기부를 하도록 유도해야 합니다. 사람들이 기부를 하지 않는 이유는 '경제적 여유 없음.–기부에 관심 없음.–기부 단체를 신뢰하지 않음.' 등의 순서로 조사되었습니다. 따라서 기부하지 않는 이유에 해당하는 문제를 해결하는 것이 곧 기부를 활성화하는 방안이 될 것입니다. 사람들이 기부를 하지 않는 이유 중 가장 큰 비중을 차지하고 있는 것은 '경제적 여유가 없어서'입니다. 이 문제를 해결하기 위해서는 경제적으로 여유 있는 사람만이 기부를 하는 것이 아니라는 점을 알려야 합니다. 소득을 늘리는 일은 쉽지 않고, 또 소득이 는다고 해서 기부가 반드시 활성화되는 것은 아니므로 국민들의 인식을 변화시키는 데 초점을 맞춰야 합니다. 경제적 형편이 어려운 사람들이 기부를 더 많이 한다는 통계 자료를 근거로 하여 경제적 여유가 있어야만 기부를 하는 것이 아니라는 점을 홍보하고 설득하면 기부가 활성화될 것이라 생각합니다. 사람들이 기부를 하지 않는 이유 중 두 번째로 큰 비중을 차지하고 있는 것은 '기부에 관심이 없어서'입니다. 이런 생각을 가지고 있는 사람들이 기부에 관심을 가질 수 있도록 하면 기부를 활성화하는 데 도움이 될 것입니다. 기부를 통해 어려운 사람들에게 큰 도움을 줄 수 있다는 것을 알림으로써 작은 관심으로도 큰 변화를 이끌어 낼 수 있는 기부의 참된 가치를 깨닫고 손쉽게 기부를 할 수 있도록 해야 합니다. 이와 함께 운영과 회계를 공정하게 처리하고 투명하게 밝힘으로써 기부 단체의 신뢰도를 높인다면 사람들의 기부는 활성화될 것입니다.

● '배워서 하기 ❶'에서 작성한 예상 질문을 다시 살펴보고, 그 질문에 담긴 의도를 파악해 보자. 그리고 질문 의도에 맞게 답변 전략을 세워 예상 답변 내용을 수정해 보자.

| 예시 답안 |

질문의 의도	답변 전략	예상 답변 수정
1. 면접 대상자의 지원 동기를 파악하기 위한 질문이다.	자신이 지원한 회사에 관심과 애정이 많다는 점을 강조하는 전략	저는 평소 ○○ 회사에서 만든 제품을 좋아했습니다. 좋은 제품을 만들어 소비자에게 제공하고, 우리나라의 경제에 기여하는 점이 인상적이었기 때문입니다. 또한, ○○ 회사에서 눈에 띄지 않게 우리 사회를 위해 여러 가지 활동을 하고 있다는 것을 알게 된 후부터 ○○ 회사를 더 좋아하게 되었고, ○○ 회사에 꼭 입사하고 싶다는 포부를 갖게 되었습니다.
2. 면접 대상자가 지원한 회사에 대해 얼마나 알고 있는지를 파악하기 위한 질문이다.	널리 알려져 있지 않은 ○○ 회사의 장점을 말함으로써 ○○ 회사에 관심과 애정을 가지고 있음을 드러내는 전략	○○ 회사는 기업의 이윤 추구와 함께 사회적 책임을 다하는 회사라고 생각합니다. 어려운 처지에 있는 이웃들을 위해 기금을 만들어 운용하고 있으며, 사회적으로 본받을 만한 일을 한 사람들에게 상금도 수여하고 있습니다. 또한, 큰 이익은 남기지 만 특수한 질병과 싸우고 있는 사람들에게 꼭 필요한 제품을 만들어 판매도 하고 있습니다. 이처럼 ○○ 회사는 사회에 기여하는 바가 많은 훌륭한 기업이라고 생각합니다.
3. 면접 대상자의 입사 후 포부를 확인하기 위한 질문이다.	상투적인 답변 대신 진솔하게 입사 후 포부를 밝히는 전략	저는 입사 후 ○○ 회사를 닮은 사람이 되고 싶습니다. 이윤을 창출하고 경쟁에서 우위에 서는 것도 중요하지만, 그보다는 사회적으로 의미 있는 일을 하고 싶습니다. 무한 경쟁 시대에 사회적 책임을 다하면서 어떻게 돈을 벌 수 있느냐고 반문하실 수 있습니다. 하지만 요즘은 소비자들의 의식 수준이 높아져서 사회적 책임을 다하는 기업의 제품을 구입하는 사람들이 늘고 있고, 그 덕분에 사회적 책임을 다하는 기업은 좋은 이미지를 쌓아서 더 높은 이윤을 창출할 수도 있습니다. 사람도 이와 비슷하다고 생각합니다. 주변에 어려운 이들을 돌아볼 줄 아는 사람이 외적으로나 내적으로 더 큰 성장을 할 수 있다고 믿고 있습니다.

3. 다음 면접 장면을 보고, 아래의 활동을 해 보자.

면접관 우리 대학에 지원해 줘서 고맙습니다. 긴장하지 말고
　　　　면접 상황-대학 입학을 위한 면접
마음 편하게 답변해 주기 바랍니다.

학생들 예, 감사합니다.

면접관 먼저, 우리 대학의 자율전공학부에 지원한 까닭을 말
　　　　　　　　질문 의도-지원 동기 파악
해 보세요.

학생 1 (자신 없는 목소리로) 저는 어렸을 때부터 이 대학에 오고 싶었습니다. 학교 명성도 높고, 부모님께서 좋은 학교라고……, 제가 갔으면 좋겠다고 말씀하셔서……요.

학생 2 솔직하게 말씀드리자면 합격 가능성이 제일 높아서이고……. (웃음) 그리고 비슷한 대학 중에서 이 대학이 가장 가깝고 시설이 좋아서 끌렸습니다.

학생 3 저는 교육 과정이 마음에 들었기 때문입니다. (목소리에 힘을 주어) 교육 과정을 살펴보면서 이 대학에 들어오면 대학생으로서 배워야 할 이론에 관한 깊이 있는 강의를 들을 수 있고, 이 대학과 연결되어 있는 산업 현장에서 그 이론을 적용해 볼 기회가 많을 것이라는 확신이 들었습니다.

면접관 답변 잘 들었습니다. 그런데 우리 대학에 지원한 까닭은 대답했는데, 왜 자율전공학부에 지원했는지는 답하
지 않았습니다. 이 질문에 답변해 주세요.
　　　　　보충 질문

학생 1 (시선을 땅에 두고) 저는…… 동아리 선배들의 조언을 듣고 자율전공학부를 지원했습니다. 1학년 때 전공을 정하지 않고 다양한 강의를 들으면서 전공을 선택해야 취업이 잘되는 전공을 선택하는 데 유리하다고 알려 주어서……요.

학생 2 저는 아직 진로를 정확히 결정하지 못해서입니다. (웃음) 경험의 기회가 많은 대학에서, 그것도 자율전공학부에서 제 진로에 관해 깊이 있게 고민하고 결정을 내린 다음에 전공을 선택하고 싶습니다.

학생 3 (허리를 곧추세우며) 저는 깊이 있는 전공 공부와 산업 현장에서의 체험이 잘 연결된 학과를 찾고 싶어서 자율전공학부에 지원했습니다. 소문으로 듣는 것과 제가 직

접 학교를 다니면서 파악하는 정보는 그 양과 질이 다를 것이라고 생각합니다.

면접관 솔직한 학생들이군요. (웃음) 자율전공학부는 2학년 때 전공을 선택하게 되어 있습니다. 합격한다면 1학년 때 어떤 강의를 들을지 생각해 보았습니까?

질문 의도-지원자의 학습 계획을 알아보고자 함.

학생 1 동아리 선배의 말로는 특정한 전공이 아니라 다양한 분야의 강의를 듣게 된다고 했는데요······.

학생 2 잘 모르겠습니다. 합격하게 되면 그때 제 진로를 더 깊이 고민하면서 어떤 강의를 들을지 결정하겠습니다.

학생 3 학교 누리집에 있는 교육 과정을 보니 1학년 때는 주로 교양 과목을 듣게 되어 있었습니다. 저는 기초 교양을 넓힐 수 있는 과목과 산업 현장에서 요구하는 교양을 쌓을 수 있는 과목을 적절히 선택하여 듣고 싶습니다.

(1) 위의 면접에서 면접관이 한 질문의 목적을 파악해 보자.

|예시 답안|

질문	목적
우리 대학의 자율전공학부에 지원한 까닭을 말해 보세요.	면접 대상자가 해당 대학의 자율전공학부에 지원한 동기를 파악하기 위한 질문이다.
합격한다면 1학년 때 어떤 강의를 들을지 생각해 보았습니까?	면접 대상자가 자율전공학부에 관해 정확히 알고 있는지 확인하는 질문을 통해 면접 대상자의 지원한 전공에 대한 관심 정도, 학업에 대한 열의와 능력, 전공과의 적합성 등을 파악하고자 하는 것이다.

(2) 세 학생 중에서 면접관의 질문 의도에 가장 적합하게 답변한 학생은 누구라고 생각하는지와 그렇게 판단한 까닭을 말해 보자.

|예시 답안| '학생 3'이다. '학생 3'은 자율전공학부에 지원한 동기, 자율전공학부에서 어떤 교육 과정을 통해 무엇을 배우는지 등에 관해 명확히 답변했기 때문이다.

(3) 면접관의 질문 목적을 고려하여, '학생 3'의 답변 전략과 내용을 평가해 보자.

|예시 답안|

답변 전략	• 첫 번째 질문: 지원하는 학교의 교육 과정이 지니고 있는 특징과 장점을 강조하며 답변하는 전략 • 두 번째 질문: 자율전공학부의 특징과 장점을 연결 지어 답변하는 전략 • 세 번째 질문: 면접 전 전공에 대한 조사를 통해 내린 주체적인 판단을 근거로 답변하는 전략

답변 내용	1. 교육 과정이 마음에 들었기 때문이다(이론 공부와 이론의 현장 적용). 2. 전공 공부와 산업 현장에서의 체험이 잘 연결된 학과를 찾기 위해서다. 3. 기초 교양과 산업 현장에서 요구하는 교양을 쌓을 수 있는 과목을 선택하여 들을 계획이다.

↓

평가	'학생 3'은 해당 대학의 자율전공학부에 진학하기 위해 대학과 전공에 대한 자료 조사를 하는 열의와 정성을 보여 주고, 조사 내용을 바탕으로 한 주체적인 판단을 두드러지게 나타내는 전략을 사용하여 효과적으로 답했다고 할 수 있다.

(4) 세 학생이 사용한 준언어적 · 비언어적 표현을 평가해 보자.

|예시 답안|

학생	사용한 준언어적·비언어적 표현	평가 결과
학생 1	• 자신 없는 목소리로 대답함. • 말을 정확히 끝맺지 못하고 머뭇거림. • 시선이 땅을 향함.	★☆☆☆☆ → 자신 없는 태도의 준언어적·비언어적 표현을 사용함.
학생 2	• 웃음을 섞어 가며 대답함.	★★★☆☆ → 한편으로는 여유로운 태도로, 다른 한편으로는 진지함이 부족하다고 볼 수도 있는 태도로 면접에 임함.
학생 3	• 자신이 강조하고 싶은 부분에서 힘주어 대답함. • 자신의 의지를 드러내기 위해 허리를 곧추세우며 자세를 가다듬고 말함.	★★★★★ → 자신이 강조하고 싶은 부분에서는 힘 있는 목소리로, 자신의 의지를 보이고 싶은 부분에서는 자세를 바꿈으로써 효과적으로 자기 생각을 전달함.

배워서 하기 3 교과서 113p

모의 면접하고 평가하기

● '배워서 하기 ❶, ❷'를 바탕으로, 역할을 나누어 모의 면접을 해 보자.

|예시 답안| 생략

● 다음 기준에 따라 각 면접 대상자를 평가해 보자.

|예시 답안| 생략

소단원 정리하기

출제 포인트 ① **면접의 개념과 목적**

> 면접의 개념과 목적을 정확히 알고 있는지 묻는 문제가 시험에 나올 거예요. 이를 바탕으로 면접을 어떻게 준비해야 할지도 알아보세요!

개념	면접관이 면접 대상자와의 문답을 통해 면접 대상자의 지식, 경험, 성품, 의사소통 능력과 상황 대처 능력, 잠재력 등을 평가하기 위한 공적인 대화
목적	면접을 실시하는 기관이나 단체에 필요한 사람 선발

면접의 준비 과정

상황을 고려한 목적 파악	→	면접 실시 기관에 관한 조사	→	예상 질문 및 답변 준비

출제 포인트 ② **면접에서의 질문과 답변**

> 면접에서 면접관이 던지는 질문에는 분명한 '목적'과 '의도'가 담겨 있다는 점을 잊으면 안 돼요. 그 목적과 의도를 파악해서, 그에 어울리는 적절한 답변 전략을 세워 답변하는 것이 중요해요.

면접관		면접 대상자
선발이라는 목적을 이루기 위해 의도가 담긴 질문을 함.	→	질문 내용을 확인하고 그 의도를 추론하면서 질문을 들음.

↖ 면접관의 의도와 질문 유형에 따라 답변 전략을 세워 답변함. ↖

출제 포인트 ③ **질문의 유형과 그에 따른 답변**

> 면접에서의 질문은 크게 폐쇄형 질문과 개방형 질문으로 나뉜다는 점을 잘 알고 있어야 해요. 그리고 그 유형에 따라 전략을 세워 답변해야 면접관의 질문 목적과 의도에 맞는 답을 할 수 있다는 점, 잊지 마세요!

폐쇄형 질문	특성	'예, 아니요'와 같이 주어진 항목에서 답변할 수 있는 질문
	답변 전략	자신이 알고 있는 것을 정확하게 답변
개방형 질문	특성	면접 대상자에게 광범위하게 생각하고 진술하도록 하는 질문
	답변 전략	논리적으로 근거를 제시하며 자신의 의견을 분명하게 답변

대표 문제 ① 면접에 대한 이해로 적절하지 <u>않은</u> 것은?

① 면접의 목적은 면접을 실시하는 기관이나 단체에 필요한 사람을 선발하는 데 있다.

② 면접 대상자는 면접을 준비할 때에 상황을 고려하여 면접의 목적을 파악해야 한다.

③ 면접 대상자는 면접을 준비할 때에 면접 실시 기관에 관해 조사하는 것이 필요하다.

④ 실제 면접에서 어떤 질문을 할지 모르므로 면접 대상자가 답변을 준비하기는 어렵다.

⑤ 면접은 면접관이 면접 대상자의 지식, 경험, 성품 등을 평가하기 위한 공적인 대화이다.

대표 문제 ② 면접에서의 질문과 답변에 대한 설명으로 적절하지 <u>않은</u> 것은?

① 면접관이 하는 질문에는 목적을 이루기 위한 의도가 담겨 있다.

② 면접 대상자는 면접관이 한 질문의 내용이 무엇인지 파악해야 한다.

③ 면접 대상자는 면접관이 한 질문이 어떤 유형에 해당하는지 파악해야 한다.

④ 면접 대상자는 면접관이 한 질문의 유형에 따라 적절한 답변 전략을 세워 답변해야 한다.

⑤ 면접 대상자는 면접관의 질문에 담긴 의도에 맞추려 하지 말고 자신의 소신대로 대답해야 한다.

대표 문제 ③ 다음 질문은 면접의 질문 유형 중 어떤 것에 해당하는지 쓰고, 그러한 유형의 질문에는 어떻게 답변하는 것이 효과적인지 서술하시오.

> 훈민정음의 창제 원리는 무엇입니까?

_____

_____

1. 면접관의 질문 목적으로 적절한 것을 모두 골라 바르게 짝지은 것은?

> ㉠ 면접 대상자의 가치관과 평소 생각을 알아보고자 한다.
>
> ㉡ 면접 대상자의 인품, 창의력, 의사소통 능력 등을 평가하고자 한다.
>
> ㉢ 면접 대상자가 해당 기관이나 단체에 연고가 있는지 파악하고자 한다.

① ㉠ ② ㉠, ㉡ ③ ㉠, ㉢
④ ㉡, ㉢ ⑤ ㉠, ㉡, ㉢

[2-4] 다음 글을 읽고 물음에 답하시오.

> **가** 면접관 학생의 생활 기록부와 자기소개서를 보니 디자인학부에 지원하는 학생답게 디자인에 관한 책을 많이 읽었더군요. 책에서 읽은 구체적인 디자인 작품을 예로 들어 그 작품을 보고 느낀 점을 말하고, 어떤 디자인이 훌륭한 디자인이라고 생각하는지 이야기해 보세요.
> 면접 대상자 수많은 사람에게 음료를 제공해야 하는 항공사 승무원을 위해 디자인된 ○○ 항공사 커피 주전자가 있습니다. 손잡이의 위치를 바꾸어 무게 중심을 옮겼고 주전자의 분출구 각도를 조절해 손목을 많이 움직이지 않고도 안정적으로 음료가 나올 수 있도록 하였으며, 주전자를 기울일 때 어깨와 손목에 무리가 가지 않도록 디자인되었습니다. 저는 이처럼 디자이너가 애정을 가지고 사람들의 평범한 일상을 관찰하고, 사람들이 인식하지 못하는 불편한 점을 찾아내어 그 개선 사항을 반영한 디자인이 훌륭한 디자인이라고 생각합니다.
>
> **나** 면접관 다음 자료를 분석하여, 사람들의 기부를 활성화하는 방안을 마련할 때 무엇에 중점을 두어야 할지 말해 보세요.

	있다.	없다.
기부 경험	26.7%	73.3%
향후 기부 의향	41.2%	58.8%

● 기부 경험 및 기부 의향

● 기부하지 않은 이유

직접 요청을 받지 않아서 6.3%
기부 방법을 몰라서 4.1%
기부 단체를 신뢰할 수 없어서 8.9%
기부에 관심이 없어서 23.2%
경제적 여유가 없어서 57.3%

자료: 통계청(2017년)

2. (가)에 대한 설명으로 적절하지 <u>않은</u> 것은?

① 면접 대상자는 근거를 제시하며 자기 생각을 분명하게 밝히고 있다.
② 면접 대상자는 면접관이 요구한 조건 중 일부만 수용하여 답변을 하였다.
③ 대학의 디자인학부에서 신입생을 선발하기 위한 목적으로 이루어지는 면접이다.
④ 면접관은 개방형 질문을 하여 면접 대상자가 질문에 대해 폭넓게 생각하고 답변할 것을 요구하고 있다.
⑤ 면접관은 면접 대상자가 디자인에 대해 어떤 관점을 가지고 있는지 파악하려는 의도로 질문을 하고 있다.

3. (나)에서 면접관이 질문을 통해 면접 대상자에 대해 파악하고자 하는 바로 적절하지 <u>않은</u> 것은?

① 문제 해결 능력을 갖추었는가?
② 자료를 적절히 분석할 수 있는가?
③ 논리력과 창의력을 갖추고 있는가?
④ 원만한 인간관계를 유지할 수 있는가?
⑤ 문제의 원인을 정확히 파악할 수 있는가?

서술형

4. (나)의 면접에서 면접관의 질문 의도를 고려할 때 면접 대상자가 어떤 전략을 세워 답변하면 좋을지 서술하시오.

[5~7] 다음 글을 읽고 물음에 답하시오.

> 면접관 우리 대학에 지원해 줘서 고맙습니다. 긴장하지 말고 마음 편하게 답변해 주기 바랍니다.
>
> 학생들 예, 감사합니다.
>
> 면접관 먼저, 우리 대학의 자율전공학부에 지원한 까닭을 말해 보세요.
>
> 학생 1 (자신 없는 목소리로) 저는 어렸을 때부터 이 대학에 오고 싶었습니다. 학교 명성도 높고, 부모님께서 좋은 학교라고……, 제가 갔으면 좋겠다고 말씀하셔서……요.
>
> 학생 2 ㉠ 솔직하게 말씀드리자면 합격 가능성이 제일 높아서이고……. (웃음) 그리고 비슷한 대학 중에서 이 대학이 가장 가깝고 시설이 좋아서 끌렸습니다.
>
> 학생 3 저는 교육 과정이 마음에 들었기 때문입니다. (목소리에 힘을 주어) 교육 과정을 살펴보면서 이 대학에 들어오면 대학생으로서 배워야 할 이론에 관한 깊이 있는 강의를 들을 수 있고, 이 대학과 연결되어 있는 산업 현장에서 그 이론을 적용해 볼 기회가 많을 것이라는 확신이 들었습니다.
>
> 면접관 답변 잘 들었습니다. 그런데 우리 대학에 지원한 까닭은 대답했는데, 왜 자율전공학부에 지원했는지는 답하지 않았습니다. 이 질문에 답변해 주세요.
>
> 학생 1 (시선을 땅에 두고) 저는…… 동아리 선배들의 조언을 듣고 자율전공학부를 지원했습니다. 1학년 때 전공을 정하지 않고 다양한 강의를 들으면서 전공을 선택해야 취업이 잘되는 전공을 선택하는 데 유리하다고 알려 주어서……요.
>
> 학생 2 저는 아직 진로를 정확히 결정하지 못해서입니다. (웃음) 경험의 기회가 많은 대학에서, 그것도 자율전공학부에서 제 진로에 관해 깊이 있게 고민하고 결정을 내린 다음에 전공을 선택하고 싶습니다.
>
> 학생 3 (허리를 곧추세우며) 저는 깊이 있는 전공 공부와 산업 현장에서의 체험이 잘 연결된 학과를 찾고 싶어서 자율전공학부에 지원했습니다. 소문으로 듣는 것과 제가 직접 학교를 다니면서 파악하는 정보는 그 양과 질이 다를 것이라고 생각합니다.

5. 위의 면접관에 대한 설명으로 적절하지 <u>않은</u> 것은?

① 면접관은 면접 대상자들의 지원 동기를 파악하고자 하고 있다.

② 면접관은 면접 대상자들에게 추가적인 보충 질문을 하고 있다.

③ 면접관은 자율전공학부와 관련한 전문적인 지식 위주의 질문을 하고 있다.

④ 면접관은 면접 분위기를 편안하게 만들기 위한 말로 면접을 시작하고 있다.

⑤ 면접관은 개방형 질문을 통해 면접 대상자의 생각을 파악하고자 하고 있다.

학습 활동 응용

6. '학생 3'의 답변에 대한 평가로 적절하지 <u>않은</u> 것은?

① 자신이 파악한 정보를 바탕으로 앞으로의 계획에 대해 말하고 있다.

② 면접하기 전에 해당 대학과 학과에 대한 자료를 조사했음을 알 수 있다.

③ 준언어적·비언어적 표현을 적절히 활용하여 대답을 효과적으로 하고 있다.

④ 면접관의 질문 의도를 정확하게 파악한 후 이에 부합하는 대답을 하고 있다.

⑤ 답변하기 곤란한 질문에 대해 유보적인 태도를 보이며 답변을 보류하고 있다.

서술형

7. ㉠의 답변이 지닌 문제점은 무엇인지 서술하시오.

(2) 생산적인 토론

핵심 질문　생산적으로 토론하여 합리적인 결론을 이끌어 내려면
어떻게 해야 할까?

≫ 상대측의 논증에 드러난 논리적 오류를 찾아 구체적으로 지적할 수 있어야 하며, 토론 규칙을 준수하고 상대측에 대한 예의를 갖추어야 한다.

말풍선(왼쪽): 보행 중 스마트폰 사용을 금지해야 합니다. 보행 중 스마트폰 사용으로 인한 사고가 급증하고 있기 때문입니다.

칠판: "논제" 보행중 스마트폰 사용을 금지해야 한다.

말풍선(오른쪽): 보행 중 스마트폰 사용으로 인한 사고가 급증하고 있다는 근거는 무엇입니까? 그 사고가 스마트폰 사용 때문이라는 것을 확신할 수 있습니까?

··· 여학생의 주장에 대한 근거는 무엇인가?

|예시 답안| 보행 중 스마트폰 사용으로 인해 사고가 급증하고 있다.

··· 남학생이 물음을 통해 확인하고자 한 것은 무엇인가?

|예시 답안| 보행 중 사고가 스마트폰 사용이라는 하나의 원인 때문에 발생하는 것인지와 스마트폰 사용 이외의 다른 원인을 완전히 배제해도 되는지를 확인하고자 던진 질문이다. 즉, 보행 중 사고가 급증하는 원인을 스마트폰 사용 때문이라고 보는 근거가 무엇인지 확인하고자 한 것이다.

알기

• 반대 신문은 어떤 형식으로 이루어지나?

|예시 답안| 반대 신문은 입론 및 반론 단계에서 상대측 발언 내용에 대해 논리적 허점이 드러나도록 질문하고 상대측의 답변을 듣는 토론의 절차이다.

• 논리적인 주장과 반박의 원리는 무엇인가?

|예시 답안| 자신의 주장을 펼 때는 쟁점을 중심으로 일관성과 타당성 있게 말해야 하고, 반박을 할 때는 감정을 앞세우기보다 이성적이고 논리적으로 말해야 한다. 또한, 반박을 할 때는 상대방의 주장에서 불합리한 점과 논리적인 모순이나 오류를 찾기 위해 질문을 할 수도 있다.

하기

• 반대 신문의 절차와 역할에 따라 토론하기

≫ 상대측 입론 내용의 문제점을 찾아 반대 신문을 하는 방법 배우기 / 반대 신문식 토론의 절차에 따라 실제 토론 활동 하기

• 논리적으로 반박하고 합리적으로 주장하기

≫ 반대 신문식 토론을 수행하며 상대측의 주장을 논리적으로 반박하고 자신 측의 의견을 합리적으로 주장하는 방법 배우기

알아 두기

◐ 토론과 반대 신문식 토론의 개념

≫ 토론의 개념

쟁점에 관해 서로 다른 견해를 가지고 있는 양측이 논리적이고 합리적인 근거를 제시하며 자신의 견해가 더 타당함을 주장하는 말하기

≫ 반대 신문식 토론의 개념

• 어떤 논제에 대해 찬성 혹은 반대 측이 상대측에게 질문을 하여 상대측 논지의 허점을 드러내며 반박을 함으로써 승부를 가리는 토론

• 반대 신문 토론의 주요 용어

용어	의미
입론	논제에 관해 찬성 측과 반대 측이 각각 자신들의 주장이 타당함을 입증하는 말하기
반론	찬성 또는 반대 측의 입론에 관해 상대측의 주장이 타당하지 않음을 입증하는 말하기
반대 신문	상대측 토론자가 입론을 마친 토론자에게 그 주장과 근거의 적절성을 평가하기 위해 직접 질문하는 말하기
최종 변론	찬성 혹은 반대 측이 토론 과정에서 드러난 쟁점을 정리하고 자기 측의 주장이 옳음을 다시 한번 강조하는 말하기

◐ 반대 신문식 토론의 절차와 토론 방법

≫ 반대 신문식 토론의 절차: ①~⑫의 순서에 따라 토론이 진행된다.

찬성		반대	
토론자 1	토론자 2	토론자 1	토론자 2
① 입론			② 반대 신문
④ 반대 신문		③ 입론	
	⑤ 입론	⑥ 반대 신문	
	⑧ 반대 신문		⑦ 입론
⑩ 반론		⑨ 반론	
	⑫ 최종 변론		⑪ 최종 변론

≫ 토론 방법

단계	준비 및 수행
입론	• 찬성 측: 현재 상태의 문제점을 제기하고 필수 쟁점별로 주장과 근거를 들어 논증함. • 반대 측: 논제에 대해 반대 의사를 밝히고 자신 측의 주장이 타당함을 논리적으로 입증함.
반대 신문	상대측 발언의 신뢰성, 타당성, 공정성을 비판적으로 검토하고 논리적으로 부족한 점을 찾아 이를 짚으면서 상대측 발언의 허점이 드러나도록 질문함.
반론	상대측에서 근거로 제시하는 이론, 통계, 사례 등이 참인지 거짓인지 검증해 거짓됨을 공격하거나 서로 연관성이 없음을 증명함.
최종 변론	토론 과정에서 드러난 쟁점을 정리하고 자신 측의 주장이 옳다는 것을 다시 한번 논리적으로 증명함.

• 개념 확인하기

1. 토론에 대한 설명으로 알맞은 것은 ○표, 알맞지 않은 것은 ×표를 하시오.

(1) 토론은 어떤 문제에 대해 검토하고 협의하는 의사소통 행위이다. ( )

(2) 토론을 성공적으로 이끌기 위해서는 자신의 주장이 상대방보다 더 논리적이고 합리적임을 드러내야 한다. ( )

(3) 토론을 할 때는 자신의 주장을 내세우되 상대측의 논리적 약점을 드러내서는 안 된다. ( )

2. 다음 빈칸에 알맞은 말을 쓰시오.

> 반대 신문식 토론은 어떤 논제에 대해 찬성 혹은 반대 측이 상대방에게 ( )을 하여 상대방 논증의 ( )을 드러내며 반박함으로써 승부를 가리는 토론이다.

3. 〈보기〉에서 옳은 진술을 모두 골라 기호를 쓰시오.

〈보기〉
> ㄱ. 입론은 찬성 측과 반대 측의 주장이 타당하지 않음을 입증하는 말하기이다.
> ㄴ. 반론은 논제에 관해 양측이 각각 자신들의 주장이 타당함을 입증하는 말하기이다.
> ㄷ. 반대 신문은 상대측 발언의 오류와 허점을 검증하는 기능을 한다.
> ㄹ. 반대 신문식 토론에서 각 토론자는 총 3번의 발언 기회를 가진다.

( )

| 정답 |
1. (1) × (2) ○ (3) × **2.** 질문, 허점 **3.** ㄷ, ㄹ

소단원
학습 활동

하면서 배우기 📖
교과서 115p

1. 다음은 '선거 연령을 만 18세로 낮추어야 한다.'라는 논제로 이루어진 토론의 입론 장면이다. 토론 영상을 보고, 아래의 활동을 해 보자.

사회자 최근 선거 연령을 현행 만 19세에서 만 18세로 낮추어야 한다는 논의가 활발하게 이루어지고 있습니다. 그래서 오늘은 '선거 연령을 만 18세로 낮추어야 한다.'라는 논제로 토론을 진행하려고 합니다. 이 논제에 관해 찬성과 반대 양측의 의견을 들어 보겠습니다. 토론 규칙과 예절을 지켜 주시기를 당부하며 찬성 측 제1 토론자의 입론부터 듣겠습니다.
토론의 배경 / 토론의 논제 / 발언 순서 제시

찬성 1 선거 연령은 대통령 선거를 포함해 각종 공직자 선거 등에서 선거권을 행사할 수 있는 나이를 가리킵니다. 『선거 연령을 만 18세로 낮추는 일은 국민의 참정권을 확대하는 것이므로, 국가인권위원회와 중앙선거관리위원회에서도 이를 제안한 바 있습니다. 선거권은 참정권의 핵심이고 다양한 계층의 정치적 의사를 반영하는 방법이므로 민주주의의 확대 측면에서 폭넓게 보장되어야 합니다.』 따라서 선거 연령을 만 18세로 낮추어야 한다는 데 찬성합니다.
『 : 찬성 측 주장에 대한 근거 / 찬성 측의 주장

사회자 네, 잘 들었습니다. 그럼 반대 측 제2 토론자는 반대 신문을 해 주십시오.

---

(1) 찬성 측 제1 토론자의 입론에서 주장과 그 주장을 뒷받침하는 근거를 찾아 정리해 보자.

|예시 답안| 주장: 선거 연령을 만 18세로 낮추어야 한다.
• 근거: 국민의 참정권을 확대하기 위해서 선거 연령을 낮추어야 한다.
  1. 국가인권위원회와 중앙선거관리위원회에서도 제안한 바 있다.
  2. 참정권의 핵심이고 민주주의를 확대하는 방법이므로 선거권이 폭넓게 보장되어야 한다.

(2) 반대 측의 입장에서 찬성 측 제1 토론자의 입론에 제기할 수 있는 문제점을 찾아보자.

|예시 답안| • 만 18세라는 기준은 어떤 근거로 나온 것인가?
• 만 18세 미만의 국민은 참정권을 갖지 않아도 되는가?
• 참정권이 확대되면 민주주의가 확대되는가?

✏️ 배워서 하기 ①
교과서 116p
토론 논제를 정하고 모둠을 구성하여 입론하기

● 토론 논제를 정하고, 5명씩 모둠을 구성해 사회자 1명, 찬성 측 2명, 반대 측 2명으로 역할을 나누어 보자.

|예시 답안| 토론 논제: 학교 축제 기간을 늘려야 한다.

● 위에서 정한 논제에 관한 '토론 입론서'를 작성해 보자.

|예시 답안|

… 토론 입론서 …		
논제	학교 축제 기간을 늘려야 한다.	입장: (찬성)/반대
입론	학생들이 스트레스를 풀고 다양한 재능을 발휘할 수 있는 학교 축제의 기간을 늘려야 한다.	
예상되는 상대측의 주장과 근거	학교 축제를 준비하는 기간 동안 학업 분위기가 흐트러질 수 있으므로 학교 축제 기간을 늘리는 것에 반대한다.	
상대측의 주장과 근거에서 문제를 제기할 만한 부분	• 학업 분위기 저해를 이유로 반대하는 것은 학업 중심으로 학생들의 학교생활을 보고 있기 때문이다. • 학교 축제 기간을 하루나 이틀 정도 더 늘린다고 준비 기간이 늘어나지 않으며, 학업 분위기가 흐트러진다고 보기 어렵다.	

● '토론 입론서'를 바탕으로 찬성 측에서는 입론을 하고, 반대 측에서는 그에 관해 문제를 제기할 만한 점을 찾아보자.

|예시 답안| • 찬성 측 입론: 학교 축제를 통해 학생들은 학업에 대한 부담감과 스트레스를 덜어 낼 수 있습니다. 또한, 학업 이외에 학교에서 동아리 활동 등을 하며 갈고 닦은 실력을 다른 사람들에게 보여 줄 수도 있습니다. 따라서 학교의 축제 기간을 늘려야 합니다.
• 반대 측에서 찬성 측 입론에 대해 문제를 제기할 만한 점: 학교 축제는 학생들의 학업 부담과 스트레스를 덜어 주기도 하지만 학업 분위기를 저해할 수 있다.

2. 다음은 앞에서 본 토론의 반대 신문 장면이다. 토론 영상을 보고, 아래의 활동을 해 보자.

반대 2 <u>찬성 측에서는 국민의 참정권을 확대하기 위해서 선거</u>
상대측 발언의 일부를 인용하면서 반대 신문을 시작함.
<u>연령을 만 18세로 낮추어야 한다고 하셨는데요.</u> 만 18세
라는 기준은 무엇을 근거로 한 것입니까? 찬성 측 주장
대로라면 <u>만 18세 미만은 참정권을 갖지 않아도 된다는</u>
찬성 측 입론의 논리적 허점 공격
<u>말씀인가요?</u>

찬성 1 만 18세 미만은 참정권을 갖지 않아도 된다는 뜻은 아
닙니다. 『우리나라에서는 만 18세가 되면 운전면허를 취
『 』: 다른 사회 제도의 예를 들어 만 18세라는 기준의 적절성을 제시함.
득할 수 있고, 혼인도 할 수 있습니다. 또한, 공무원 시
험 응시도 가능하며, 병역의 의무도 지게 되는데 선거권
만 행사할 수가 없습니다. 이런 점이 형평성에 맞지 않기
에 만 18세를 기준으로 말씀드린 것입니다.』

사회자 네, 다음으로 반대 측 제1 토론자의 입론을 들어 보겠
습니다.

반대 1 저는 <u>선거 연령을 낮추는 데에 반대합니다.</u> 『우리나라
반대 측의 주장
에서 만 18세는 대부분 학생 신분이므로 사회 경험이
『 』: 반대 측 주장에 대한 근거
부족하고, 그로 인해 사회에서 벌어지는 일들에 성숙한
판단을 내리기 어렵습니다. 2013년, 헌법재판소에서 "19
세 미만인 미성년자는 아직 정치적·사회적 시각을 형성
하는 과정에 있거나 부모나 교사 등 보호자에게 어느 정
도 의존할 수밖에 없는 상황이므로 이들의 정치적 의사
표현이 민주 시민으로서의 독자적인 판단에 의한 것인지
의문이 있을 수 있고, 그러한 의존성으로 말미암아 정치
적 판단이나 의사 표현이 왜곡될 우려도 있다."라고 하면
서 현행 제도가 헌법에 합치된다고 밝힌 데에서도 이를
확인할 수 있습니다.』따라서 선거 연령은 현행대로 유지
되어야 합니다.

사회자 찬성 측 제1 토론자는 반대 신문을 하십시오.

찬성 1 반대 측에서는 우리나라의 고등학생들이 선거하기에
미성숙하다고 하셨습니다. 그러면 <u>만 18세가 넘은 사람</u>
<u>은 모두 성숙하고, 만 18세가 안 된 사람은 모두 미성숙</u>
반대 측 입론의 논리적 허점 공격
<u>하다는 말씀입니까?</u>

반대 1 그런 뜻으로 한 말은 아닙니다. 『우리나라에서 만 18세
는 대부분 학교에서 많은 것을 배우는 과정에 있는 고등
『 』: 만 18세의 대부분이 이 시기에 합리적 판단과 선택에 관한 것을 배운다는
학생이고, 합리적인 판단과 선택에 관한 것들도 이때 배
점을 들어 만 18세 이후에 선거권을 부여하자고 한 것임을 말함.
웁니다. 그래서 이런 교육을 받은 후에 선거권을 부여하
는 것이 바람직하다는 뜻입니다.』

사회자 네, 잘 들었습니다. 다음으로 찬성 측 제2 토론자의
입론을 듣겠습니다.

찬성 2 청소년은 이미 성숙한 존재입니다. 앞에서 말한 바와
같이 『청소년은 만 18세부터 국방의 의무를 지고, 공무원
『 』: 헌법재판소의 결정과 피아제의 의견을 인용해 청소년을 성숙한 존재로 볼
이 될 수도 있습니다. 이는 만 18세 이상의 사람이 독자
수 있음을 주장함.
적인 의지와 판단 능력을 지니고 있음을, 다시 말해 청
소년이 성숙한 존재임을 인정하는 것입니다. 그리고 현
재 청소년의 지식수준은 선거를 하기에 충분합니다. 헌
법재판소는 1996년 선거 연령에 관한 결정에서 "18~19
세 연령층의 국민은 스스로 정치적 판단을 할 최소한의
능력이 있다."라고 밝힌 바 잇습니다. 스위스의 저명한
인지 발달 심리학자인 장 피아제 역시 "사람은 15세 정
도가 되면 이미 성년과 같은 정도의 인식 틀이 형성되
고, 그 이후에는 정보의 양과 내용이 풍부해지는 정도
의 차이만 있다."라고 했습니다.』이러한 사례로 볼 때 청
소년은 선거를 하기에 충분한 지식과 판단 능력이 있다
고 볼 수 있습니다.

사회자 네, 반대 측 제1 토론자는 반대 신문을 해 주십시오.

반대 1 찬성 측에서 말씀하신 헌법재판소의 결정은 1996년에
이루어진 것입니다. 2013년의 결정이 나중에 이루어진
것이므로, <u>후자의 결정이 시대의 흐름에 따른 변화를 더</u>
찬성 측의 주장과 근거가 지닌 논리적 허점을 공격함.
<u>잘 반영한 것이 아닐까요?</u>

찬성 2 반대 측에서 말씀하신 헌법재판소의 결정이 나중에
이루어진 것은 맞습니다. 하지만 『저희가 말씀드린 1996
『 』: 2013년의 결정이 1996년의 결정을 번복한 것이 아니라는 점을 들어 반대
년의 결정은 만 18세 연령층 국민의 정치적 판단 '능력'
측의 반대 신문에 답변함.
에 관한 것입니다. 2013년의 결정은 독자적 판단인지에
관한 의문과 그에 따른 판단이나 의사 표현의 왜곡에 관
한 우려를 나타낸 것이지 능력에 관한 것은 아닙니다.
즉, 만 18세 연령층의 국민이 미성숙하다고 본 것은 아
닙니다.』

사회자 반대 측 제2 토론자는 입론을 해 주시기 바랍니다.

반대 2 찬성 측에서는 2013년 헌법재판소의 결정이 능력에 관한 것이 아니라고 하셨는데요. 결정문을 보면 "19세 미만인 미성년자는 아직 정치적·사회적 시각을 형성하는 과정에 있거나 부모나 교사 등 보호자에게 어느 정도 의존할 수밖에 없는 상황이므로"라고 되어 있습니다. 이것은 저희 측에서 말씀드린 것처럼 청소년들이 미성숙하다는 것을 달리 표현한 것입니다. 대부분 국민이 이렇게 <u>인식하고 있기</u> 때문에 2017년 1월 전문 기관에서 실시한 여론 조사 결과처럼 선거 연령을 낮추는 것에 관해 대다수 국민이 반대하고 있는 것입니다.
<small>청소년은 미성숙하다고</small>

사회자 네, 잘 들었습니다. 찬성 측 제2 토론자는 반대 신문을 해 주십시오.

찬성 2 <u>지금 대다수 국민이 만 18세에게 선거권을 부여하는 것을 반대한다고 하셨는데, 그 근거는 무엇입니까?</u>
<small>여론 조사 결과와 해석에 의문을 제기함.</small>

반대 2 2017년 1월에 ○○ 여론 조사 기관에서 조사한 바에 따르면 선거 연령 하향에 관해 찬성 46%, 반대 48.1%가 나왔습니다.

찬성 2 <u>2% 정도의 차이를 가지고 대다수 국민이 반대하고 있다고 말할 수 있을까요?</u> 게다가『그 기관에서 선거 연령 하향에 관해 2017년 2월에 실시한 여론 조사에서는 찬성 50.4%, 반대 41.8%가 나왔고, 9월에 국회의 의뢰로 실시한 여론 조사에서는 찬성이 55.2%로 나왔습니다. 2월에 이루어진 여론 조사 결과만 봐도 선거 연령 하향을 찬성하는 국민이 더 많음을 알 수 있습니다. 그리고 무엇보다 여론 조사 결과만 가지고는 청소년이 미성숙하다고 판단할 수 없습니다.』
<small>반대 측 주장의 근거가 지닌 논리적 허점을 공격함.</small>
<small>찬성 측 반대 신문의 근거</small>

사회자 지금까지 찬성 측과 반대 측에서 입론과 반대 신문을 했습니다. 이제 상대측에 대한 반론을 시작하겠습니다. 먼저 반대 측 제1 토론자가 반론해 주십시오.

(1) 위의 토론에서 각 토론자가 질문을 통해 드러내고자 한 상대측 입론의 논리적 허점은 무엇인지 생각해 보자.

| 예시 답안 |

반대 측	만 18세라는 기준은 무엇을 근거로 한 것입니까? 찬성 측 주장대로라면 만 18세 미만은 참정권을 갖지 않아도 된다는 말씀인가요? → 선거 연령을 낮추는 것의 목적이 참정권 확대에 있다면 굳이 만 18세가 아니라 그 이상의 연령으로까지 낮추는 것이 타당하다는 점에서 찬성 측의 주장과 근거가 지닌 논리적 허점을 공격하고 있는 질문이다.
찬성 측	만 18세가 넘은 사람은 모두 성숙하고, 만 18세가 안 된 사람은 모두 미성숙하다는 말씀입니까? → 반대 측에서는 만 18세의 대부분이 학생이어서 사회에서 벌어지는 일들에 대해 성숙한 판단을 내리기 어렵다고 주장하였다. 이에 대해 만 18세가 넘은 사람은 모두 성숙한 판단을 할 수 있고 그렇지 않으면 성숙한 판단을 내리기 어렵다고 일반화할 수 없다는 점을 들어 반대 측의 주장과 근거가 지닌 논리적 허점을 공격하고 있는 질문이다.
반대 측	2013년의 결정이 나중에 이루어진 것이므로, 후자의 결정이 시대의 흐름에 따른 변화를 더 잘 반영한 것이 아닐까요? → 찬성 측은 헌법재판소의 1996년 결정을, 반대 측은 헌법재판소의 2013년 결정을 근거로 주장을 펼치고 있다. 이에 대해 2013년에 이루어진 결정은 1996년의 결정을 번복한 것으로 볼 수 있다는 점을 근거로 찬성 측의 주장과 근거가 지닌 논리적 허점을 공격하고 있는 질문이다.
찬성 측	지금 대다수 국민이 만 18세에게 선거권을 부여하는 것을 반대한다고 하셨는데, 그 근거는 무엇입니까? → 반대 측에서는 2017년 전문 기관의 여론 조사 결과를 바탕으로 '대다수 국민'이 만 18세에게 선거권을 부여하는 것을 반대한다고 해석했다. 이에 대해 여론 조사 결과의 구체적인 수치와 해석에 대한 의문을 제기함으로써 반대 측의 주장과 근거가 지닌 논리적 허점을 공격하고 있는 질문이다.

(2) (1)의 반대 신문에 관한 상대측의 답변 내용을 각각 정리하고, 그러한 답변이 적절한지 평가해 보자.

| 예시 답안 |

	답변 내용	평가
찬성 측 제1 토론자의 답변	선거 연령을 낮추는 데에 만 18세를 기준으로 한 것은 다른 권리나 의무와의 형평성을 고려했기 때문이다.	적절함.
반대 측 제1 토론자의 답변	만 18세가 안 된 사람 모두가 미성숙하다고 말한 것이 아니라, 대부분의 사람이 이 시기에 학교에서 합리적 판단과 선택에 관한 것을 포함하여 많은 것을 배우고 있다는 점을 고려하여 만 18세 이후에 선거권을 부여하자는 뜻이다.	적절함.

찬성 측 제2 토론자의 답변	2013년의 결정이 더 나중에 이루어진 것은 맞지만 1996년의 결정은 18~19세의 국민에게 정치적 판단 '능력'이 있다고 한 것이고, 2013년의 결정은 독자적인 판단인지에 대한 의문과 그에 따른 의사 표현의 왜곡에 관한 것이므로 2013년의 결정이 1996년의 결정을 번복한 것이라고 볼 수 없다.	적절함.
반대 측 제2 토론자의 답변	여론 조사 기관의 조사 결과에 따르면 찬성 46%, 반대 48.1%로 반대 여론이 2.1% 더 높다.	미흡함.

배워서 하기 ❷

📖 교과서 119p

찬성 측과 반대 측이 상대측에 질문하고 답하며 토론 수행하기

● '배워서 하기 ❶'의 활동을 바탕으로, 반대 측에서는 찬성 측 입론의 논리적 타당성을 검토하고, 찬성 측 입론의 논리적 허점을 드러내는 질문을 만들어 보자.

|예시 답안|

논리적 타당성 검토	허점을 드러내는 질문
학교 축제가 지닌 취지는 말했으나 학교 축제 기간을 늘려야 하는 이유는 말하지 않음.	학교 축제가 지닌 취지는 잘 알고 있습니다. 그런데 학교 축제 기간을 늘려야 한다고 하면서 그 이유는 말씀하지 않았네요. 학교 축제 기간을 늘려야 하는 이유는 무엇입니까?

● 순서를 바꾸어, 반대 측에서 입론을 수행하고 찬성 측에서 반대 신문을 해 보자.

|예시 답안| • 반대 측 입론: 저희는 학교 축제 기간을 늘리는 것에 반대합니다. 학교 축제를 통해 학생들이 느끼는 학업 부담과 스트레스를 덜 수 있지만, 학교 축제를 준비하는 기간 동안 학업 분위기가 많이 흐트러질 수 있습니다. 따라서 기간을 늘리지 않고 현재처럼 3일 동안 축제를 하는 것이 적절하다고 판단됩니다.
• 찬성 측 반대 신문: 학교는 학업만 하는 곳이 아닙니다. 학업은 학교생활 중 하나이고, 동아리 활동이나 축제도 중요한 학교생활이라고 생각합니다. 반대 측에서는 이에 대해 어떻게 생각하십니까?

● 반대 신문식 토론 절차에 따라 입론과 반대 신문을 이어서 해 보자.

|예시 답안| • 찬성 측 입론: 학교생활에서 학업을 중요하게 여기는 것은 당연합니다. 그러나 학교는 학업만 하는 곳이 아닙니다. 학생들은 동아리 활동도 하고 관심 있는 것들을 함께하기 위해 소모임을 만들기도 합니다. 그러면서 학업에 집중하고 싶은 학생들은 공부를 열심히 하고, 자신의 다른 재능을 발견한 친구들은 그 재능을 발휘하기 위해 열심히 노력합니다. 학교의 대부분의 행사가 학업에 맞추어져 있는 것에 비해 학교 축제는 장기 자랑이나 동아리 활동 발표 등에 초점이 맞추어져 있습니다. 따라서 학교 축제 기간을 늘려서 학업 이외의 재능을 가지고 있는 친구들에게 자신의 실력을 마음껏 보여 주면서 스트레스도 풀 수 있는 기회를 주어야 한다고 생각합니다.
• 반대 측 반대 신문: 찬성 측에서는 현재 학교 축제 기간이 짧다고 생각하시는 것 같은데 그 근거는 무엇입니까? 동아리 활동 결과 발표를 비롯하여 학교 축제에 학생들이 참여할 기회를 많이 주어야 한다는 것에는 동의합니다. 그런데 학교 축제 기간을 늘려야 한다는 찬성 측의 주장에는 현재의 축제 기간이 짧다는 것이

전제되어 있습니다. 찬성 측에서는 현재의 축제 기간이 짧다는 전제에 대한 근거를 제시해 주어야 할 것 같습니다.
• 반대 측 입론: 맞습니다. 찬성 측에서는 학교 축제 기간을 늘려야 하는 까닭을 제시하지 않았습니다. 학교 축제 기간이 길어지면 축제의 각종 공연이나 전시 등에 참여하는 학생들이 많아지고, 축제를 준비하는 기간도 더 길어질 것입니다. 현재도 축제 준비 기간에는 친구들의 관심이 온통 축제에 있어서 학업 분위기가 흐트러집니다. 그 기간이 무려 2주 이상입니다. 이런 상황에서 축제 기간을 늘리면 학업 분위기가 잡히지 않을 것이 분명합니다. 그래서 저희는 학교 축제 기간을 늘리는 것을 반대합니다.
• 찬성 측 반대 신문: 학교 축제 준비 기간에 학생들이 축제 준비에 많은 관심을 기울이는 것은 맞습니다. 그런데 그것이 학업 분위기를 해친다고 단정할 수 있습니까? 축제 준비 때문에 학업 분위기가 잡히지 않는다고 말씀하시는 근거는 무엇입니까?

하면서 배우기 📖

📖 교과서 120p

3. 다음은 앞에서 본 토론의 반론 및 최종 변론 장면이다. 토론 영상을 보고, 아래의 활동을 해 보자.

반대 1 찬성 측에서는『만 18세의 국민이 선거권을 행사할 수 없는 것은 형평성에 맞지 않는다고 하면서 만 18세가 되면 운전면허를 취득할 수 있고, 혼인도 할 수 있다고 하였습니다.』「 」: 찬성 측의 주장과 근거를 요약하여 제시함. 그런데 자세히 살펴보면『운전면허 중에서도 1, 2종 보통 면허는 취득할 수 있지만 1종 대형 면허는 취득할 수 없습니다. 그리고 혼인도 만 18세의 경우는 「 」: 찬성 측 주장의 근거가 지닌 논리적 허점을 공격함. 부모의 동의가 있어야 가능합니다.』이런 사례들로 미루어 만 18세는 여러모로 아직 미성숙하거나, 판단력이 부족하다고 우리 사회가 합의하고 있는 것으로 보아야 합니다. 1종 대형 면허 취득과 부모 동의가 필요 없는 혼인은 만 19세가 되어야 가능합니다. 만 19세는 현재 선거권을 부여하는 나이입니다. 만 19세가 되어야 비로소 미성년자가 아니라 성년으로 인정되니, 현행대로 선거 연령을 유지하는 게 맞습니다.

사회자 다음으로 찬성 측 제1 토론자가 반론해 주십시오.

찬성 1 1종 대형 면허 취득과 부모 동의 없는 혼인이 만 19세부터 가능하다는 것은 맞습니다. 다만 그것은 신체적인 조건 및 사회 · 경제적인 책임과 연관된 것입니다. 만 18세가 미성숙하다는 주장을 계속 하시는데, 그럼 만 18세 이하에게 선거권을 부여한 나라들은 어떻게 설명하

실 건가요?『세계적으로도 선거 연령은 점점 낮아지는 추세입니다. 미국, 영국, 캐나다, 오스트레일리아, 뉴질랜드 등의 나라들은 만 18세부터 선거권을 부여하고 있으며, 오스트리아와 브라질은 만 16세부터 부여하고 있습니다.』현재 경제협력개발기구 회원국 중 우리나라만 유일하게 만 19세에 선거권을 부여하고 있는 것이죠. 우리나라도 세계에 자랑할 만한 수준의 민주주의 국가이므로 세계적인 추세를 고려해 선거 연령을 낮추어야 합니다.

『 』 다른 나라의 사례를 근거로 제시함.

사회자 이제 토론의 마지막 순서로 양측 토론자들이 최종 변론을 하겠습니다. 반대 측부터 말씀해 주세요.

반대 2 경제협력개발기구 회원국 중 우리나라만 만 19세가 되어야 선거권을 부여받는 것은 맞습니다. 얼마 전까지 만 20세부터 선거권을 부여하던 일본이 그 기준을 만 18세로 바꾸었으니까요. 하지만 선거권은 그 나라의 사회적·교육적 조건을 고려해서 결정해야 합니다. 선거 연령을 다른 나라와 단순 비교해서는 안 됩니다. 경제협력개발기구의 회원국들과 우리나라의 사회적·교육적 환경이 다르다는 점을 간과해서는 안 됩니다. 우리나라에서는 만 18세의 대부분이 고등학교 3학년 학생이지만, 프랑스나 오스트레일리아 등의 나라에서는 이미 고등학교를 졸업한 나이입니다. 따라서 선거 연령을 낮추는 문제는 학제 개편과 연계해 고민해야 합니다. 우리나라에서 만 18세의 국민은 아직 배우는 단계에 있는 학생이므로 사회 경험이 부족하고 미성숙합니다. 게다가 민법에서도 만 18세는 미성년자로 규정하고 있습니다. 나라마다 처한 상황이 다르므로 세계적인 추세를 꼭 따를 필요는 없습니다. 민주주의는 성숙한 시민들의 책임 있는 선택 때문에 발전한다고 생각합니다. 따라서 저희는 선거 연령을 현행대로 유지하는 게 바르다고 봅니다.

우리나라의 사회적·교육적 환경의 특수성을 근거로 제시함.

반대측의 주장

찬성 2 우리나라에서 만 18세에 해당하는 국민의 대부분이 학생이라는 점을 강조하시는데, 반대 측에서 간과한 점이 있습니다. 과거에 비해 중등 교육 수준이 향상됨에 따라, 현재의 만 18세 이상 청소년들의 정치에 관한 의식 수준은 과거 만 19세의 수준과 같은 정도에 도달했기 때문에 선거권을 행사하는 데에 큰 지장이 없습니다.

반대 측 주장의 근거가 지닌 논리적 허점을 공격함.

저희는 만 18세의 국민에게 선거권을 부여하는 것이 민주주의를 확대하는 길이며, 세계적인 추세에도 맞는다고 생각합니다. 또한, 만 18세 국민들이 현재 지닌 권리와 의무에도 부합합니다. 앞에서도 말씀드렸듯이 대다수 국민들도 이에 찬성하고 있습니다. 따라서 현행 만 19세인 선거 연령을 만 18세로 낮추어야 합니다.

찬성 측의 주장

사회자 네, 양측 모두 수고 많았습니다. 찬성 측과 반대 측에서 다양한 자료를 준비하여 주장을 명확하게 전달해 주셨습니다. 박수와 함께 토론을 마무리합니다. 감사합니다.

(1) 위의 토론에서 찬성 측과 반대 측의 반론과 최종 변론의 내용을 정리해 보자.

|예시 답안|

단계	입장	내용
반론	반대	만 18세가 되면 운전면허를 취득할 수 있지만 1종 대형 면허는 취득할 수 없는 점, 혼인을 할 수 있지만 부모의 동의가 있어야 한다는 점을 통해 우리나라에서는 만 18세를 아직 미성숙하거나 판단력이 부족하다고 보는 것에 합의하고 있음을 알 수 있다. 그러므로 선거 연령을 만 18세로 낮추는 것은 부적절하다. 현행처럼 만 19세로 하는 것이 적절하다.
	찬성	세계적으로 선거 연령이 점점 낮아지고 있고, 경제협력개발기구 회원국 중 우리나라만 19세에 선거권을 부여하고 있다. 따라서 세계적인 추세를 고려해 선거 연령을 만 18세로 낮추어야 한다.
최종 변론	반대	세계적인 추세라고 무조건 따라서는 안 되며 그 나라의 여러 조건을 고려해야 한다. 만 18세 이하의 사람들에게 선거권을 부여하는 나라에서 만 18세인 사람들은 대부분 학생이 아니며, 우리 법체계상 만 18세는 미성년자이기도 하다. 따라서 선거 연령을 현행대로 유지해야 한다.
	찬성	만 18세인 사람들의 대부분이 학생인 것은 맞지만 그렇다고 해서 그들을 미성숙하다고 볼 수 없다. 과거에 비해 교육 수준이 높아져 현재 만 18세인 사람들의 정치에 관한 의식 수준이 과거 만 19세인 사람들의 수준에 도달했다고 볼 수 있다. 그러므로 만 18세가 되면 갖게 되는 권리와 의무, 여론, 민주주의 확대, 세계적인 추세 등을 고려하여 선거 연령을 만 18세로 낮추어야 한다.

(2) 자신이 위 토론의 배심원이라면 찬성 측과 반대 측 중 어느 쪽의 입장에 손을 들어 줄 것인지 결정하고, 그 까닭을 말해 보자.

|예시 답안| • 찬성 측의 손을 들어 줄 것이다. 만 18세의 국민이 지니고 있는 정치적인 판단 능력에 대한 1996년의 헌법재판소의 결정문, 우리나라 청소년들의 정치적·사회적 수준과 경제개발협력기구 국가들의 상황, 만 18세의 국민이 지닌 권리와 의무, 여론 등을 고려할 때 찬성 측의 주장과 근거가 더 합리적이고 타당하다고 판단되기 때문이다.
• 반대 측의 편을 들어 줄 것이다. 만 19세 미만인 미성년자는 보호자에게 의존할 수밖에 없는 상황이므로 이 의존성 때문에 그들의 정치적 판단이나 의사 표현이 왜곡될 수 있다는 2013년 헌법재판소의 결정이 타당해 보인다. 또한, 만 18세의 대부분이 고등학교 3학년인 우리나라에서 선거 연령을 낮추려면 학제 개편이 먼저 이루어져야 한다고 생각한다. 따라서 선거 연령 하향 문제는 정치 논리를 떠나 교육 현실과 부작용을 충분히 검토하며 신중을 기해야 할 것이다.

● 다음 기준에 따라 토론을 평가해 보자.

단계	입장	점수
입론	• 쟁점을 바르게 이해하고 명확하게 진술했는가? • 주장을 뒷받침하는 논거가 객관적이고 타당한가?	5 4 3 2 1
반대 신문	• 토론의 쟁점을 명확히 하는 데 도움이 됐는가? • 상대측 입론의 논리적 허점을 적절히 드러냈는가? • 상대측의 질문에 효과적으로 답변했는가?	5 4 3 2 1
반론	• 상대측의 논리적 문제점을 적절하게 부각했는가? • 상대측 주장에 타당한 증거나 까닭, 자료 등을 제시하며 적절하게 대응했는가?	5 4 3 2 1
최종 변론	• 토론 과정에서 드러난 쟁점을 정리하고 자신 측의 주장이 옳다는 것을 논리적으로 증명했는가? • 적절한 설득 전략을 사용했는가?	5 4 3 2 1

|예시 답안| 생략

배워서 하기 ③ ▶ 교과서 121p
토론의 과정을 점검하고 평가하기

● 다음 순서에 따라 반론 및 최종 변론을 수행해 보자.

|예시 답안| • 반대 측 반론: 학교 축제 준비 기간에 학업 분위기가 흐트러진다는 것의 근거를 말하라는 것은 억지입니다. 그것은 굳이 말로 하지 않아도 우리 모두가 알고 있는 것입니다. 축제 기간이 되면 많은 학생들이 축제 준비에 몰두하고, 축제 기간이 다가올수록 그런 친구들이 더 늘어나 전체적으로 들뜬 분위기가 되는 것을 우리 모두 경험하지 않았습니까? 축제 준비 기간에 학업 분위기가 저해된다는 사실 자체를 부정하라는 것은 공정하지 않습니다.
• 찬성 측 반론: 학교 축제 준비 기간에 학업 분위기가 저해된다는 것을 인정한다고 합시다. 학업 분위기가 저해되는 것이 문제라면 학교 축제 자체를 없애야 하지 않을까요? 학교 축제 기간을 조금 더 늘린다고 해서 학업 분위기가 더 저해될 것이라는 추측은 억측이라고 생각합니다.
• 반대 측 최종 변론: 저희는 우리 학교 학생들이 다양한 소질을 계발하여 발휘할 기회를 주는 축제를 하는 것에 동의합니다. 다만 앞서 말씀드린 바와 같이 축제 기간이 늘어나면 그만큼 준비 기간이 더 필요할 것이고, 학업 분위기가 많이 흐트러질 것입니다. 따라서 축제 기간은 지금처럼 유지하고, 프로그램을 지금보다 더 알차게 짜는 것이 낫다고 생각합니다.
• 찬성 측 최종 변론: 학교 축제는 학생들의 소질을 발휘할 장을 마련하고 학업 부담을 덜어 주는 역할뿐만이 아니라, 학교에 대한 애정을 두텁게 하는 기회가 되기도 합니다. 학교의 축제 기간이 부족하지 않다면 왜 굳이 기간을 늘리자고 하겠습니까? 학생들이 지금보다 더 긴 시간 동안 축제를 즐길 수 있게 되면 그들이 능동적이고 역동적인 학교생활을 하는 데 도움이 될 것입니다. 그러므로 학교 축제 기간을 늘리고 전체 프로그램을 다시 짜야 한다고 생각합니다.

참고	토론의 판정	
	단수 심사	한 사람이 토론을 판정하는 방식이다. 토론의 원칙을 이해하고 토론을 분석할 줄 알며 토론자를 비판할 능력이 있는 사람이 심사 위원을 담당한다.
	복수 심사	보통 3명의 심사 위원이 복수 심사에 임한다. 다른 심사 위원들과 의견을 조율할 줄 아는 사람이어야 한다.
	청중 심사	토론자의 장점과 논제의 중요성을 청중에게 확신시키기 위해서는 투표에 의한 청중 심사가 바람직하다. 소수이면 거수로, 다수이면 투표로 할 수 있다.

소단원 정리하기

출제 포인트 ❶ **토론과 반대 신문식 토론의 개념**

> 토론을 하기 위해서는 먼저 토론과 반대 신문식 토론의 개념을 정확히 알고 있어야 해요. 실제 토론을 하기 위해 꼭 알고 있어야 하는 기본 개념은 시험에도 자주 출제된다는 점을 잊지 마세요.

토론의 개념	쟁점에 관해 서로 다른 견해를 가지고 있는 양측이 논리적이고 합리적인 근거를 제시하며 자신의 견해가 더 타당함을 주장하는 말하기
반대 신문식 토론의 개념	어떤 논제에 대해 찬성 혹은 반대 측이 상대측에 질문을 하여 상대측 논증의 허점을 드러내며 반박을 함으로써 승부를 가리는 토론

출제 포인트 ❷ **반대 신문식 토론의 용어**

> 반대 신문식 토론을 제대로 하기 위해서는 반대 신문식 토론에 쓰이는 용어를 정확히 알아야겠지요? 토론 용어를 알아야 토론에 대한 문제를 풀 수 있으므로 토론 용어는 반드시 숙지해야 해요.

용어	의미
입론	논제에 관해 찬성 측과 반대 측이 각각 자신들의 주장이 타당함을 입증하는 말하기
반론	찬성 또는 반대 측의 입론에 관해 상대측의 주장이 타당하지 않음을 입증하는 말하기
반대 신문	상대측 토론자가 입론을 마친 토론자에게 그 주장과 근거의 적절성을 평가하기 위해 직접 하는 질문. 교차 조사라고도 함.
최종 변론	찬성 혹은 반대 측이 토론 과정에서 드러난 쟁점을 정리하고 자신 측의 주장이 옳음을 다시 한번 강조하는 말하기

출제 포인트 ❸ **입론의 전략**

> '시작이 반이다.'라는 말은 잘 알고 있지요? 토론의 시작에 해당하는 입론, 입론을 잘해야 토론에서 주도권을 쥘 수 있답니다.

입론 전략	찬성 측	• 논제에서 언급된 주요 용어를 자신 측에 유리한 방향으로 정의 • 문제의 중요성, 심각성, 즉시성, 지속성을 핵심 쟁점으로 주장 • 제기한 문제의 해결 방안을 명확하게 제시
	반대 측	• 찬성 측의 정의를 점검하고 필요하다면 자신 측에 유리한 방향으로 다시 정의 • 찬성 측의 핵심 쟁점에 대해 각각 반론을 주장 • 찬성 측이 제시한 대안이 실행되는 데 어려움이 있음을 부각

대표 문제 ❶ **토론에 대한 설명으로 적절하지 않은 것은?**

① 상대방이 내세운 논리의 허점을 파악하여 이를 드러내야 한다.
② 자신의 주장이 상대방의 주장보다 더 논리적이고 합리적임을 강조해야 한다.
③ 쟁점에 관해 서로 다른 견해를 가지고 있는 경우에 이루어지는 의사소통 행위이다.
④ 자신과 상대방의 주장에서 비슷한 부분을 찾아 차이를 줄여 가는 의사소통 행위이다.
⑤ 자신의 견해가 상대방보다 더 타당하다고 주장할 때는 그에 합당한 근거를 제시해야 한다.

대표 문제 ❷ **다음 두 단어를 포함하여 반대 신문식 토론에서 이루어지는 '반대 신문'의 개념을 서술하시오.**

> 허점, 질문

대표 문제 ❸ **다음 중 입론 단계에서 취할 수 있는 전략으로 적절하지 않은 것은?**

① 논제에서 언급된 주요 용어를 자신 측에 유리한 방향으로 정의한다.
② 문제의 중요성, 심각성, 즉시성, 지속성을 핵심 쟁점으로 주장한다.
③ 상대측이 제시한 대안이 실행되는 데 어려움이 많다는 점을 부각한다.
④ 상대측의 정의를 점검하고 필요한 경우 자신 측에 유리한 방향으로 다시 정의한다.
⑤ 토론 과정에서 드러난 쟁점을 정리하고 자신 측의 주장이 옳음을 다시 한번 강조한다.

출제 포인트 ❹ **반대 신문식 토론의 절차와 방법**

반대 신문식 토론의 절차를 알아야 토론을 할 때 자신의 순서를 예상하며 발언 준비를 할 수 있고, 상대측 발언에 대해 평가를 할 수 있어요. 그리고 반대 신문식 토론의 꽃! 반대 신문을 어떻게 해야 하는지도 알아야겠죠? 그래야 정확하게 상대방의 약점을 찌르는 질문을 할 수 있을 테니까요!

• 반대 신문식 토론의 절차

찬성		반대	
토론자 1	토론자 2	토론자 1	토론자 2
① 입론			② 반대 신문
④ 반대 신문		③ 입론	
	⑤ 입론	⑥ 반대 신문	
	⑧ 반대 신문		⑦ 입론
⑩ 반론		⑨ 반론	
	⑫ 최종 변론		⑪ 최종 변론

• 반대 신문의 방법

반대 신문 하기	반대 신문에 대응하기
• 상대측 입론이나 반론 내용을 듣고 문제를 제기할 부분 찾기 • 상대측 발언의 신뢰성, 타당성, 공정성을 비판적으로 검토하고, 논리적으로 부족한 점을 짚으면서 상대측 발언의 허점이 드러나도록 질문하기	• 상대측이 제기하는 문제가 무엇인지, 상대측이 논리적으로 허점이 있다고 판단한 것은 무엇인지 정확히 파악하여 반박하기 • 답변할 때는 간략하고 정확하게 답변하되, 자신의 입장을 적절하게 옹호하기

출제 포인트 ❺ **반론과 최종 변론하기**

토론의 마지막 단계에서 이루어지는 반론과 최종 변론을 잘 수행해야 토론을 성공적으로 마무리할 수 있겠지요? 반론 및 최종 변론을 잘하기 위해서는 어떤 준비를 해야 하는지를 묻는 문제가 나올 테니 이에 대비해야 시험의 마무리도 성공적으로 할 수 있을 거예요.

단계	준비 및 수행
반론	상대측에서 근거로 제시하는 이론, 통계, 사례 등이 참인지 거짓인지 검증해 거짓됨을 공격하거나 서로 연관성이 없음을 증명함.
최종 변론	토론 과정에서 드러난 쟁점을 정리하고 자신 측의 주장이 옳다는 것을 다시 한번 논리적으로 증명함.

대표 문제 ❹ 반대 신문식 토론에 대한 설명으로 적절하지 <u>않은</u> 것은?

① '찬성 측 – 반대 측 – 찬성 측 – 반대 측'의 순서가 반복되며 토론이 이루어진다.
② 반대 신문을 하기 위해서는 상대측 주장에서 문제를 제기할 부분을 찾아야 한다.
③ 반대 신문에 대응할 때는 간략하고 정확하게 답변하되 자신의 입장을 적절하게 옹호해야 한다.
④ 반대 신문에 대응하기 위해서는 먼저 상대측이 제기하는 문제가 무엇인지 정확히 알아야 한다.
⑤ 반대 신문을 하기 위해서는 상대측 발언의 신뢰성, 타당성, 공정성을 비판적으로 검토하고 논리적으로 부족한 점을 짚어야 한다.

대표 문제 ❺ 다음은 토론의 단계 중 어느 부분에 해당하는 내용인지 쓰고, 빈칸에 들어갈 발언자의 주장을 서술하시오.

우리나라에서 만 18세에 해당하는 국민들의 대부분이 학생이라는 점을 강조하시는데, 반대 측에서 간과한 점이 있습니다. 과거에 비해 중등 교육 수준이 향상됨에 따라, 현재의 만 18세 이상 청소년들의 정치에 관한 의식 수준은 과거 만 19세의 수준과 같은 정도에 도달했기 때문에 선거권을 행사하는 데에 큰 지장이 없습니다. 저희는 만 18세의 국민에게 선거권을 부여하는 것이 민주주의를 확대하는 길이며, 세계적인 추세에도 맞는다고 생각합니다. 또한, 만 18세 국민들이 현재 지닌 권리와 의무에도 부합합니다. 앞에서도 말씀드렸듯이 대다수 국민들도 이에 찬성하고 있습니다. 따라서 ＿＿＿＿＿＿＿＿＿＿＿＿＿＿

1. 토론의 각 단계에서 이루어지는 활동에 대한 설명으로 적절하지 <u>않은</u> 것은?

① 찬성 측은 입론에서 현재 상태의 문제점을 제기하고 필수 쟁점별로 주장과 근거를 들어 논증한다.

② 반대 측은 입론에서 논제에 대해 반대 의사를 분명하게 밝히고 자신 측의 주장이 타당함을 입증한다.

③ 반대 신문 단계에서는 상대측 발언 중 논리적으로 부족한 점을 찾아 이를 지적하며 논증을 정정한다.

④ 반론에서는 상대측에서 근거로 제시하는 통계나 사례를 검증해 거짓됨을 공격하거나 서로 연관성이 없음을 증명한다.

⑤ 최종 변론에서는 토론 과정에서 드러난 쟁점을 정리하고 자신 측의 주장이 옳다는 것을 다시 한번 논리적으로 증명한다.

[2-5] 다음 글을 읽고 물음에 답하시오.

사회자 최근 선거 연령을 현행 만 19세에서 만 18세로 낮추어야 한다는 논의가 활발하게 이루어지고 있습니다. 그래서 오늘은 '선거 연령을 만 18세로 낮추어야 한다.'라는 논제로 토론을 진행하려고 합니다. 이 논제에 관해 찬성과 반대 양측의 의견을 들어 보겠습니다. 토론 규칙과 예절을 지켜 주시기를 당부하며 찬성 측 제1토론자의 입론부터 듣겠습니다.

찬성 1 선거 연령은 대통령 선거를 포함해 각종 공직자 선거 등에서 선거권을 행사할 수 있는 나이를 가리킵니다. 선거 연령을 만 18세로 낮추는 일은 국민의 참정권을 확대하는 것이므로, 국가인권위원회와 중앙선거관리위원회에서도 이를 제안한 바 있습니다. 선거권은 참정권의 핵심이고 다양한 계층의 정치적 의사를 반영하는 방법이므로 민주주의의 확대 측면에서 폭넓게 보장되어야 합니다. 따라서 선거 연령을 만 18세로 낮추어야 한다는 데 찬성합니다.

사회자 네, 잘 들었습니다. 그럼 반대 측 제2 토론자는 반대 신문을 해 주십시오.

반대 2 찬성 측에서는 국민의 참정권을 확대하기 위해서 선거 연령을 만 18세로 낮추어야 한다고 하셨는데요. 만 18세라는 기준은 무엇을 근거로 한 것입니까? 찬성 측 주장대로라면 만 18세 미만은 참정권을 갖지 않아도 된다는 말씀인가요? [A]

찬성 1 만 18세 미만은 참정권을 갖지 않아도 된다는 뜻은 아닙니다. 우리나라에서는 만 18세가 되면 운전면허를 취득할 수 있고, 혼인도 할 수 있습니다. 또한, 공무원 시험 응시도 가능하며, 병역의 의무도 지게 되는데 선거권만 행사할 수가 없습니다. 이런 점이 형평성에 맞지 않기에 만 18세를 기준으로 말씀드린 것입니다. [B]

사회자 네, 다음으로 반대 측 제1 토론자의 입론을 들어 보겠습니다.

반대 1 저는 선거 연령을 낮추는 데에 반대합니다. 우리나라에서 만 18세는 대부분 학생 신분이므로 사회 경험이 부족하고, 그로 인해 사회에서 벌어지는 일들에 성숙한 판단을 내리기 어렵습니다. 2013년, 헌법재판소에서 "19세 미만인 미성년자는 아직 정치적·사회적 시각을 형성하는 과정에 있거나 부모나 교사 등 보호자에게 어느 정도 의존할 수밖에 없는 상황이므로 이들의 정치적 의사 표현이 민주 시민으로서의 독자적인 판단에 의한 것인지 의문이 있을 수 있고, 그러한 의존성으로 말미암아 정치적 판단이나 의사 표현이 왜곡될 우려도 있다."라고 하면서 현행 제도가 헌법에 합치된다고 밝힌 데에서도 이를 확인할 수 있습니다. 따라서 선거 연령은 현행대로 유지되어야 합니다. [C]

사회자 찬성 측 제1 토론자는 반대 신문을 하십시오.

찬성 1 반대 측에서는 우리나라의 고등학생들이 선거하기에 미성숙하다고 하셨습니다. 그러면 만 18세가 넘은 사람은 모두 성숙하고, 만 18세가 안 된 사람은 모두 미성숙하다는 말씀입니까? [D]

반대 1 그런 뜻으로 한 말은 아닙니다. 우리나라에서 만 18세는 대부분 학교에서 많은 것을 배우는 과정에 있는 고등학생이고, 합리적인 판단과 선택에 관한 것들도 이때 배웁니다. 그래서 이런 교육을 받은 후에 선거권을 부여하는 것이 바람직하다는 뜻입니다. [E]

2. 위 토론의 '찬성 1' 토론자가 입론에서 한 주장과 그 주장을 뒷받침하는 근거를 바르게 짝지은 것은?

	주장	근거
①	선거권은 참정권의 핵심이다.	국민의 참정권을 확대하기 위해서이다.
②	선거권은 참정권의 핵심이다.	다양한 계층의 정치적 의사를 반영하는 방법이다.
③	선거권은 참정권의 핵심이다.	선거 연령을 만 18세로 낮추어야 한다.
④	선거 연령을 만 18세로 낮추어야 한다.	국민의 참정권을 확대하기 위해서이다.
⑤	선거 연령을 만 18세로 낮추어야 한다.	다양한 계층의 정치적 의사를 반영하는 방법이다.

3. 위 토론의 반대 측의 입장에서 '찬성 1' 토론자의 입론에 제기할 수 있는 문제점으로 적절하지 <u>않은</u> 것은?

① 선거 연령이 선거권을 행사할 수 있는 나이를 가리키는 게 맞습니까?

② 국민의 참정권을 확대하는 방법이 선거 연령을 낮추는 방법밖에 없습니까?

③ 참정권 확대를 통해 민주주의의 확대를 이룰 수 있다고 하는 근거는 무엇입니까?

④ 선거 연령을 만 18세로 낮추자고 했는데, 이때 만 18세를 기준으로 삼은 근거는 무엇입니까?

⑤ 선거 연령을 만 18세로 낮추자고 했는데, 그러면 만 18세 미만의 국민은 참정권을 갖지 않아도 됩니까?

4. 토론 사회자의 역할 중 위의 토론에서 확인할 수 <u>없는</u> 것은?

① 토론을 하게 된 배경을 제시한다.

② 토론에서 다룰 논제에 대해 언급한다.

③ 토론 참여자들에게 토론의 규칙 준수를 당부한다.

④ 정해진 순서에 따라 토론 참여자들에게 발언 기회를 부여한다.

⑤ 토론 참여자가 언급한 내용을 요약, 정리하는 발언을 통해 토론의 진행을 돕는다.

5. 위 토론의 [A]~[E]를 분석한 내용으로 적절하지 <u>않은</u> 것은?

① [A]: 찬성 측에서 선거 연령을 낮추자면서 설정한 기준이 꼭 만 18세여야 하는 이유를 물음으로써 찬성 측 주장의 필연성이 부족함을 드러내고자 하고 있다.

② [B]: 선거 연령 하향 기준을 만 18세로 한 것에 대해 여러 가지 다른 사례를 제시함으로써 자신의 주장이 보편성과 형평성의 차원에서 타당함을 강조하며 답변하고 있다.

③ [C]: 생물학적인 근거를 바탕으로 하여 만 18세 이하인 경우 성숙한 판단을 내리기 어렵다는 것을 강조함으로써 선거권 연령을 현형대로 유지해야 한다고 주장하고 있다.

④ [D]: 만 18세 미만은 성숙한 판단을 내리기 어렵다는 주장에 대해 만 18세를 지나는 시점에 저절로 정신적 성숙도가 깊어지는지 물음으로써 반대 측 주장의 논리적 허점을 드러내고자 하고 있다.

⑤ [E]: 우리나라의 경우 만 18세의 국민들 대부분이 학교에서 중요한 것들을 배우는 고등학생이라는 교육적 환경을 제시함으로써 선거 연령을 만 18세로 낮추는 것은 적절하지 않다고 답변하고 있다.

(3) 성공적인 협상

핵심 질문 협상으로 문제를 원만하게 해결하려면 어떻게 해야 할까?

>> 협상을 통해 문제를 원만하게 해결하기 위해서는 자신의 이익이나 입장만 고수해서는 안 된다. 설득과 양보를 통해 실현 가능한 타협안을 찾기 위해 협상 참여자들이 협력해야 이해관계로 인한 갈등을 합리적으로 해결할 수 있다.

알기

· 협상은 어떤 절차로 이루어지나?

|예시 답안| 일반적으로 '시작 단계 –조정 단계–해결 단계'의 협상 과정을 거치게 된다.

· 효과적인 협상 전략에는 무엇이 있나?

|예시 답안| '시작 단계'에서는 상대측의 요구가 무엇인지 파악하고 자신 측의 요구를 상대측에 정확히 전달하는 것, '조정 단계'에서는 양측의 이익과 공동의 이익을 탐색하고 상대측의 동의를 이끌어 내거나 자신 측의 요구를 관철하는 것, '해결 단계'에서는 해결 방안의 이해관계를 따져 그 방안을 수락·유보·거절할지 등을 고려한 전략을 사용한다.

··· 위의 두 사람이 문제를 해결하기 위해 제안하고 수용한 방법은 무엇인가?

|예시 답안| 한 명이 사과를 자르고 다른 한 명이 사과를 먼저 고르는 방법

··· 협상을 통해 문제를 해결하려면 어떤 태도를 지녀야 할까?

|예시 답안| 상대방의 입장을 이해하고 공감하는 태도를 바탕으로 자신의 이익만이 아니라 상대방의 이익도 함께 고려해야 한다.

하기

· 협상의 전략과 진행 상황 분석하기

>> 일대일 협상, 일대다 협상, 다대다 협상 등 일상생활에서 접할 수 있는 다양한 협상 사례들을 통해 협상의 전략과 진행 상황 분석해 보기

· 여러 가지 전략을 사용하여 협상하기

>> 주변에서 자주 발생하는 갈등 상황 중 한 가지를 선택하여 갈등의 원인 파악, 협상안 작성, 협상, 합의문 작성 등의 협상 과정 익히기

알아 두기

협상의 개념과 요건

- 개념: 서로의 이해관계가 충돌하는 갈등 상황에서 양측이 원만한 합의점을 찾아 가는 의사 결정 과정
- 요건: 참여자 요건, 상황 요건, 행위 요건이 갖추어져야 한다.

참여자 요건	협상의 참여자는 경쟁적 협력자 관계여야 함.
상황 요건	협상을 필요로 하는 구체적 갈등 상황이 있어야 함.
행위 요건	참여자들이 공동의 목표를 추구하며 합의 결과 이행의 의무를 지킬 수 있어야 함.

협상의 준비(시작 단계)

입장 차이 확인		해결 가능성 점검		쟁점 파악
갈등이나 의견의 불일치가 일어나는 지점 확인	→	갈등 혹은 의견의 불일치가 해결될 수 있는 것인지 점검 → 협상 참여 여부 결정	→	협상을 할 때 논의할 점을 결정하는 것. 서로의 이익이 부딪치는 원인을 파악

협상의 진행 과정(조정 및 해결 단계)

협상을 할 때는 양측이 자신의 이익을 극대화하기 위한 제안이나 대안을 주고받는다.

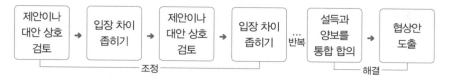

협상 전략을 사용하여 문제 해결하기

≫ 협상의 목표: 협상의 최종 목표는 협상 참여자 간에 양보와 설득 과정을 통해 실현 가능한 구체적인 타협안을 찾는 데 있다.

≫ 협상 전략: 성공적인 협상을 위해 상황에 맞는 협상 전략을 사용해야 한다.

경쟁 전략	자신의 이익을 극대화하기 위해 상대방과 경쟁하는 전략
수용 전략	자신의 일차적 이익을 극대화하기보다 상대방과의 관계를 우선순위에 두는 전략
호혜 전략	자신의 이익을 추구하면서 동시에 상대방의 이익도 고려하여 합의를 모색하는 전략
회피 전략	협상 자체를 회피하는 전략
타협 전략	양측이 조금씩 양보하여 절충점을 찾는 전략

≫ 협상에 임하는 태도

- 상대측이 제시한 대안을 정확하게 파악하고, 상대측의 입장을 이해하며 공감하는 태도를 가져야 한다.
- 자신의 이익만이 아닌 공동의 이익까지 고려해야 하며, 협상 결과를 받아들이고 책임지는 태도를 지녀야 한다.

1. 협상에 대한 설명으로 알맞은 것은 ○표, 알맞지 않은 것은 ×표를 하시오.

(1) 협상은 서로의 이해관계가 충돌하는 갈등 주체들이 합의에 이르기 위해 대안을 주고받는 의사 결정 과정을 말한다. (　　)

(2) 협상은 협상 당사자들이 갈등을 겪고 있는 상황에서 자신의 이익을 최대화하고 상대방의 이익을 최소화하는 데 그 목적이 있다. (　　)

(3) 협상의 요건에는 참여자 요건, 상황 요건, 행위 요건이 있다. (　　)

(4) 협상의 참여자들은 각자의 목표를 추구하기 때문에 성공적인 협상을 위해서는 협상 참여자들의 경쟁적 의사소통이 필요하다. (　　)

2. 다음 중 협상을 준비하는 단계에 해당하지 않는 것은?

① 입장 차이 확인
② 협상 쟁점 파악
③ 해결 가능성 점검
④ 협상 참여 여부 결정
⑤ 설득이나 양보를 통한 합의

3. 다음 빈칸에 알맞은 말을 쓰시오.

> 협상을 할 때는 양측이 자신의 (　　)을 극대화하기 위해 제안이나 대안을 주고받으며 상호 검토하는 과정을 거친다. 이 과정을 반복하면서 서로의 (　　) 차이를 좁혀 합의에 이르게 된다.

▎정답▎
1. (1) ○ (2) × (3) ○ (4) × 　2. ⑤ 　3. 이익, 입장

소단원
학습 활동

하면서 배우기 📖 교과서 123p

1. 다음 대화를 보고, 아래의 활동을 해 보자.

(1) 위의 만화에 나타난 오빠와 동생의 갈등 상황을 분석해 보자.

I예시 답안I 오빠와 동생이 서로 컴퓨터를 사용하려는 상황

(2) 오빠와 동생이 협상을 원활하게 진행하기 위해 해결해야 할 쟁점을 정리해 보자.

I예시 답안I 두 사람이 협상을 원활하게 진행하려면 갈등의 원인을 정확히 알아야 해. 오빠와 동생의 갈등의 원인은 서로 컴퓨터를 사용하려는 시간이 겹치는데 두 사람 모두 상대방이 양보하기를 원하고 있기 때문이야. 따라서 두 사람이 협상을 원활하게 진행하기 위해 해결해야 할 쟁점은 '누가 먼저 컴퓨터를 사용해야 하는가?'임을 알 수 있어.

✎ 배워서 하기 ① ▶ 교과서 124p
갈등 상황과 협상의 쟁점 분석하기

● **주변에서 자주 발생하는 갈등 상황을 떠올려 보자.**

I예시 답안I • 학급의 야외 체험 학습을 어디로 갈 것인가?
• 교실 내의 자리 배치를 어떤 원칙에 따라 할 것인가?
• 교내 체육 대회 티셔츠를 어떤 디자인으로 정할 것인가?

● **위의 갈등 상황 중 협상할 만한 상황을 고르고, 모둠을 구성해 보자. 그리고 협상 의제에 관한 모둠의 입장을 정리하여 갈등의 원인을 분석해 보자.**

I예시 답안I
• 협상할 만한 상황: 교실 내의 자리 배치를 어떤 원칙에 따라 할 것인가?

협상 의제	교실 내의 자리 배치 원칙
우리 모둠과 상대 모둠의 입장	• 우리 모둠: 자신이 원하는 대로 자리를 정하자. • 상대 모둠: 키 순서대로 자리를 정하자.
이익이 부딪치는 지점과 그 원인	• 이익이 부딪치는 지점: 자리 배치를 자유롭게 원하는 대로 할 것인지, 키 순서대로 할 것인지의 여부 • 이익이 부딪치는 원인: 자기 모둠이 원하는 원칙에 따라 자리를 배치하고자 함.

하면서 배우기 📖 교과서 125p

2. 다음은 학생들이 학급 단체 티셔츠를 구입하기 위해 옷 가게 주인아저씨와 협상하는 장면이다. 협상 장면을 보고, 아래의 활동을 해 보자.

정현　아저씨, 이 티셔츠를 저희 학급 단체 티셔츠로 정했어요.

주인아저씨　요새 그 티셔츠가 제일 잘 팔려. 학생들이 안목이 있네.

수영　감사합니다. 그런데요, 티셔츠에 그림을 그리거나 글자를 새기자는 의견이 많았어요. 여기에서도 티셔츠에 그림이나 글자를 새길 수 있죠?

주인아저씨　그럼, 우리 가게에서도 할 수 있지. 그런데 비용이 <u>더 들어.</u> _{갈등의 원인}

하민　아, 참. 티셔츠 가격을 서로 정확하게 얘기를 안 했네요. 아저씨, <u>저희 티셔츠 가격을 좀 깎아 주시면 안 될까요?</u> _{학생들의 첫 번째 제안} <u>한꺼번에 많이 사니까 좀 깎아 주세요.</u> _{제안의 이유}

주인아저씨 음……. 사실 이 티셔츠는 팔아도 이익이 별로 안 남는데……. 하지만 너희들은 학생이고, 너희들 말대로 한꺼번에 여러 장을 파는 거니 지난번에 말한 가격에서, <u>한 장당 2천 원씩 깎아 줄게.</u>
주인아저씨의 양보

정현 정말 감사합니다. 아저씨, 그럼 아까 말씀드린 대로 <u>티셔츠에 그림을 그리거나 글자를 새겨서 그 가격에 주시는 거죠?</u>
학생들의 두 번째 제안

주인아저씨 응? 그건 곤란한데……. 지난번에 티셔츠 가격을 말할 때는 그림을 그리거나 글자를 새기지 않을 때의 가격을 말한 거였어. 지금은 지난번에 말한 가격에서 깎아 준다고 한 거고.

수영 저희가 부모님께 용돈을 받아 쓰는 처지라 돈이 넉넉하지 않아요.

주인아저씨 학생들 처지야 나도 잘 알지. 하지만 나도 손해를 <u>볼 수는 없는 것 아니겠어?</u> 티셔츠 가격을 깎아 주고,
학생들의 제안을 거절하는 이유
그림이나 글자도 무료로 새겨 주는 건 힘들어. <u>다른 티셔츠를 고르는 건 어때?</u>
주인아저씨의 새로운 제안

하민 학급 친구들이 지금 고른 티셔츠가 가장 마음에 든대요. 학교 행사 때 단체로 입을 옷인데, <u>마음에 드는 옷을 입어야 하잖아요.</u>
주인아저씨의 제안을 거절하는 이유

주인아저씨 그래도 그림이나 글자를 무료로 새겨 주고, 티셔츠 가격을 2천 원씩 깎아 주는 것은 곤란해. 학생들이어서 나도 깎을 수 있는 데까지 깎아 준 거야.

(1) 위의 협상에서 학생들이 주인아저씨에게 처음 제안한 내용과 그 제안에 담긴 이익을 정리해 보자.

|예시 답안| • 제안 내용: 학급 단체 티셔츠 가격을 깎아 달라는 제안
• 제안에 담긴 이익: 티셔츠를 사는 데 드는 비용을 줄일 수 있다.

(2) 학생들의 첫 번째 제안에서 주인아저씨가 양보한 것과 얻은 것을 말해 보자.

|예시 답안|

양보한 것	얻은 것
티셔츠 한 장당 가격을 2천 원씩 깎아 줌.	여러 장의 티셔츠를 팔아 매출을 올릴 수 있게 되었음.

(3) 주인아저씨가 학생들의 두 번째 제안을 거절한 근거를 찾아보자.

|예시 답안| 티셔츠 한 장당 가격을 2천원씩 깎아 주면서 티셔츠에 그림을 그리거나 글자를 새겨 주면 손해를 보게 된다.

(4) 주인아저씨가 새롭게 제시한 대안에 담긴 숨은 의도를 생각해 보자.

|예시 답안| • 새롭게 제시한 대안: 그림이나 글자를 무료로 새기고 싶으면 원래 골랐던 티셔츠보다 가격이 싼 다른 티셔츠를 고르라는 대안을 제시
• 대안에 담긴 숨은 의도: 학생들의 요청 사항을 수용하면서 자신도 손해를 보지 않으려는 의도

배워서 하기 ❷　　　　　교과서 126p
상대측에 제안할 협상안 준비하기

● '배워서 하기 ❶'에서 정한 의제에 관해 우리 측의 협상안을 작성해 보자.

|예시 답안|

우리 측 입장: 일찍 온 순서대로 원하는 자리에 앉도록 하자.

[고려할 사항]
• 상대측에서 바라는 것을 어느 정도까지 수용할 것인가?
• 협상 과정에서 양보할 수 있는 것과 양보할 수 없는 것은 무엇인가?
• 협상이 결렬되었을 때의 대안은 무엇인가? 그 대안을 협상 과정에서 활용할 수 있는가?

협상안

상대측은 키 작은 학생들이 앞에 앉아야 수업 시간에 칠판을 볼 때 불편함이 없다고 주장하는데, 우리는 키 때문에 앉고 싶은 자리에 못 앉게 하는 것이야말로 역차별이라고 생각한다.
또한, 상대측에서는 작은 키의 학생이 뒤에 앉을 경우 칠판이 잘 안 보이는 것은 자신의 노력과 무관하게 겪는 불편함이라고 호소하는데 그것은 우리 측도 마찬가지라고 생각한다.
이에 우리 측에서는 자신의 노력에 의해 극복 가능한 것을 원칙으로 정하는 게 좋겠다는 결론에 따라 학교에 일찍 온 순서대로 원하는 자리에 앉도록 하자는 협상안을 마련하였다. 학교에 일찍 와서 앉고 싶은 자리에 앉는 것은 자신의 노력 여부에 달려 있으므로 일찍 온 순서대로 원하는 자리에 앉도록 하는 것이 가장 합리적인 방법이라고 생각한다.

하면서 배우기 ▬▬▬▬▬▬▬▬▬ 교과서 127p

3. 다음은 교내 체육 시설 조성 및 개방과 관련하여 발생한 갈등을 해결하기 위해 벌인 협상이다. 협상 장면을 보고, 아래의 활동을 해 보자.

구청 측 저희는 마땅한 터가 없어서 지역 주민들을 위한 체육 시설을 조성하는 데 어려움을 겪고 있습니다. 그래서 ○○고등학교에서 체육 시설을 조성할 터를 제공하고, 공사
<u>비를 우리 구청에서 부담하는 방식으로 체육 시설 조성</u>
구청 측의 제안
<u>사업을 추진하고자 합니다. 교내에 체육 시설을 조성하면</u>
호혜 전략
지역 주민뿐 아니라 학생들도 그 시설을 이용할 수 있으니 서로의 이익을 위한 좋은 방안이라고 생각합니다.

학교 측 구청에서 <u>우리 학교의 공터에 체육 시설을 조성하는</u>
체육 시설 조성에 관한 구청 측의 제안을 수락함.
<u>것에는 동의합니다.</u> 학교에서 터를 제공하면 구청 측에서 겪고 있는 어려움을 해소할 수 있고, 교내에 체육 시설이 생기면 학생들에게도 이로울 것 같습니다.

구청 측 동의해 주셔서 감사합니다. 그럼 이제 체육 시설 조성 후의 운영 방안에 관해 논의해 볼까요? 저희는 ○○고등학교에서 체육 시설 조성의 취지를 살려 <u>지역 주민들</u>
<u>이 체육 시설을 자유롭게 이용할 수 있도록 해 주었으면</u>
구청 측의 제안. 경쟁 전략
<u>합니다.</u>

학생 대표 학교 측에서는 학생들의 교육 환경 개선을 위해 교내 체육 시설 설치에 동의하였고, 학생들도 지역과 학교의 상생이라는 체육 시설 조성 취지에 공감합니다. 하지만 지역 주민들이 학교 내의 체육 시설을 자유롭게 이용하게 되면 여러 가지 문제가 발생할 수 있습니다. 그러므
<u>로 체육 시설을 제한적으로 이용하도록 해야 한다고 생</u>
학생 대표 측의 제안. 경쟁 전략
<u>각합니다.</u>

주민 대표 지역 주민들이 교내 체육 시설을 이용하는 데 제한을 두려는 까닭은 무엇입니까?

학교 측 주민들의 자유로운 체육 시설 이용을 반대하는 까닭은 학생들의 수업권 때문입니다. 주민들이 아무 때나 자유롭게 체육 시설을 이용하면 학생들이 체육 수업을 받을 때 불편함을 겪을 수 있습니다.

학생 대표 그리고 학교에 외부인이 자유롭게 드나들면 교통사고를 비롯해 여러 가지 예기치 못한 안전 문제가 발생할 수 있습니다. 그러므로 지역 주민들이 체육 시설을 <u>17시</u>
학생 대표 측의 제안
<u>이후부터 이용할 수 있도록 제한했으면 합니다.</u>

주민 대표 『네, 학생들의 수업권과 안전이 우선적으로 보장되어
┘ : 타협 전략
야 한다는 점에는 동의합니다. 그런데 지역 주민들의 대부분은 이른 아침에도 운동을 합니다. <u>지역 주민들이 아</u>
주민 대표 측의 제안
<u>침 운동을 할 수 있도록 9시 이전까지는 체육 시설을 이</u>
<u>용할 수 있게 하면 어떨까요?</u> 학생들의 수업 시간과 겹치지 않으면 수업권과 안전에 큰 문제가 없으리라 봅니다.』

학교 측 『알겠습니다. 학생들이 수업을 하는 9시부터 17시까지
『 ┘: 9시 이전까지는 주민들이 체육 시설을 이용할 수 있게 해 달라는 제안을 수락함.
는 학생들이 체육 시설을 우선적으로 이용하도록 하고, 그 시간 동안 지역 주민의 체육 시설 이용을 제한하면 학생들의 수업권과 안전에 큰 문제가 없을 것 같습니다.』

구청 측 <u>시간 외에 시기별, 시설별로 이용을 달리하는 방법도</u>
구청 측의 제안
<u>고려해 주셨으면 합니다.</u> 예를 들어 학생들이 정규 수업을 하지 않는 방학 동안은 주민들이 체육 시설을 자유롭게 이용할 수 있도록 하거나 학생들의 수영 수업이 없을 때 주민들의 수영장 이용에 제한을 두지 않는 것처럼요.

학교 측 『수영 수업은 늘 있는 것이 아니므로, <u>구청 측에서 학</u>
『 ┘: 타협 전략
<u>생들의 안전에 문제가 없도록 해 주신다는 전제하에 수</u>
학생들의 수영 수업이 없을 때 주민들에게 수영장을 개방해 달라는 제안을 수락함.
<u>영장을 개방하도록 하겠습니다.</u> 하지만 방학 기간에는 방과 후 수업 등을 해야 해서 체육 시설 이용을 전면적으로 허용하기는 어렵습니다.』쉽지 않겠지만 방과 후 수업 시간을 조정하여 주민들이 체육 시설을 보다 오랫동안 이용할 수 있는 방안을 모색해 보겠습니다.

구청 측 좋습니다. 저희는 등하교 시간 차량 출입으로 인한 교통사고 예방을 위해 경찰서와 지역 단체 등에 협조를 구하고, 지역 주민들에게도 홍보하겠습니다.

주민 대표 저희도 주민들에게 이런 점을 널리 홍보하고, 학생들의 안전에 이상이 없도록 최선을 다하겠습니다.

학교 측 네, 저희도 체육 시설 조성의 취지를 살리면서 학생들의 수업권과 안전을 보장할 수 있는 최선의 방안을 더 찾아보겠습니다. 그럼 다음에 구체적인 실행 방안에 관해 협상을 이어 가도록 합시다.

(1) 교내 체육 시설 이용 제한 여부에 관해 협상할 때, 구청 측과 주민 대표, 학교 측과 학생 대표가 제안한 내용과 그런 제안을 한 까닭을 정리해 보자.

|예시 답안|

	제안 내용	까닭
구청 측과 주민 대표	체육 시설 조성의 취지를 살려 지역 주민들이 교내의 체육 시설을 자유롭게 이용할 수 있도록 해 달라.	지역 주민들과 학생 모두를 위해 체육 시설을 조성하는 것이기 때문이다.
학교 측과 학생 대표	지역 주민들의 교내 체육 시설 이용을 제한해 달라.	학생들의 수업권과 안전이 보장되어야 하기 때문이다.

(2) 교내 체육 시설 이용 시간에 관해 협상할 때, 양측이 제안한 내용과 제안할 때 사용한 협상 전략을 정리해 보자.

|예시 답안|

	제안 내용	사용한 협상 전략
구청 측과 주민 대표	• 지역 주민들이 교내 체육 시설을 자유롭게 이용할 수 있게 해 달라는 제안 • 지역 주민들이 아침 운동을 할 수 있도록 9시 이전까지는 교내 체육 시설을 이용할 수 있게 해 달라는 제안 • 시기별, 시설별로 이용에 제한을 두자는 제안	경쟁 전략, 타협 전략
학교 측과 학생 대표	• 지역 주민들이 교내 체육 시설을 17시 이후부터 이용할 수 있도록 제한해 달라는 제안 • 방학 기간에는 교내 체육 시설 이용을 제한해 달라는 제안	경쟁 전략, 타협 전략

(3) 협상 결과 양측은 각각 상대방으로부터 무엇을 얻어 내고 무엇을 양보하였는지 말해 보자.

|예시 답안|

	얻은 것	양보한 것
구청 측과 주민 대표	• 지역 주민들을 위한 체육 시설을 조성할 수 있는 터를 확보함. • 9시 이전, 17시 이후 지역 주민들이 교내 체육 시설을 이용할 수 있음.	• 교내 체육 시설 조성 비용을 부담함. • 학생들이 수업을 하는 9시부터 17시까지는 지역 주민들이 교내 체육 시설을 이용할 수 없도록 제한함.
학교 측과 학생 대표	• 학생들이 이용할 수 있는 교내 체육 시설을 무료로 설치함. • 학생들의 수업권과 안전을 보장함.	• 교내 체육 시설 이용을 위한 지역 주민들의 학교 출입을 부분적으로 허용함. • 학생들의 수영 수업이 없을 때 주민들의 수영장 이용을 허용함.

교과서 129p

배워서 하기 ③

협상을 통해 문제를 해결하고 합의하기

● '배워서 하기 ❷'에서 작성한 협상안을 바탕으로 협상을 해 보자.

〈유의 사항〉
• 서로의 의견을 존중하는 표현을 사용한다.
• 상대측과 입장을 바꿔 생각해 보고, 상대측의 말을 경청한다.
• 모두가 만족할 만한 결과를 얻을 수 있도록 서로 양보하고 배려한다.

|예시 답안| 생략

● 양측이 합의한 협상 결과를 바탕으로 협상 합의문을 작성해 보자.

|예시 답안|

> 협상 합의문
>
> 자리 배치 원칙에 대해 이견을 보였던 우리는 협상 결과 다음 내용에 합의하고 그 내용을 충실히 이행하기로 약속한다.
>
> 1. 교실 내의 자리는 일찍 온 학생들이 원하는 자리에 앉도록 한다.
> 2. 당사자 간 합의가 있을 때는 서로 자리를 바꿀 수 있다.
> 3. 누구나 인정할 만한 사정으로 앞자리에 앉아야 하는 학생이 있는 경우 반 전체 학생의 2/3의 동의를 거쳐 그 학생이 앞자리에 앉을 수 있도록 우선권을 준다.

참고

협상의 전략
• **경쟁 전략**: 자신의 이익을 극대화하기 위해 상대방과 경쟁하는 행동 책략이다. 경쟁 전략을 사용하면 상대를 적대자 혹은 경쟁자로 인식하게 되므로 양측이 대립 구도를 형성하는 대신 자신의 입장이나 제의를 강력하게 표명할 수 있다. 이 전략은 상대방보다 유리한 협상 위치를 선점하고자 할 때 유용하게 사용된다.
• **수용 전략**: 자신의 일차적인 이익을 극대화하기보다는 덜 직접적인 이익, 즉 상대방과의 관계를 통해 얻을 수 있는 이익을 우선순위에 두는 행동 책략이다. 수용 전략을 사용하면 먼저 양보하거나 상대방의 제안을 수용해 줌으로써 직접적인 갈등을 피할 수 있다. 수용 전략은 관계 중심 협상에서 많이 사용된다.
• **호혜 전략**: 자신의 이익을 추구하면서 동시에 상대방의 이익도 고려하여 합의를 모색하는 행동 책략이다. 양쪽의 이익을 모두 중요시하는 전략이므로 상대방에 대해 우호적이면서 협력적인 태도가 필수적으로 요구된다.
• **회피 전략**: 전략적으로 협상 자체를 회피하는 행동 책략이다. 자신에게 유익한 어떠한 이익도 얻을 수 없다고 판단되거나, 협상을 하는 것이 오히려 손해가 되는 경우에 사용한다.
• **타협 전략**: 양측이 조금씩 양보하여 절충점을 찾는 행동 책략이다. 협상에서 이 전략은 유용한 전략으로 간주되기도 하고, 그렇지 않기도 하다.

소단원 정리하기

출제 포인트 ❶ 협상의 개념과 요건

협상의 개념과 요건을 정확히 이해하고 있는지를 묻는 문제가 시험에 나올 거예요! 협상이 무엇인지, 협상이 이루어지기 위해 갖추어져야 할 요건은 무엇인지 잘 알아 두어야겠죠?

개념	서로의 이해관계가 충돌하는 갈등 상황에서 양측이 원만한 합의점을 찾아가는 의사소통 과정
특징	쟁점을 파악하고 절차에 따라 협상을 진행하여 서로의 입장 차이를 좁히고 상호 만족할 만한 이익을 찾는 것이 중요함.
요건	• 참여자: 경쟁적 협력자 관계이어야 함. • 상황: 협상을 필요로 하는 구체적 갈등 상황이 있어야 함. • 행위: 공동의 목표를 추구하며 합의 결과 이행의 의무를 지킬 수 있어야 함.

출제 포인트 ❷ 협상의 준비와 진행

실제로 협상을 하기 위해서는 사전에 어떤 준비를 해야 하고, 협상이 어떤 과정을 거쳐서 진행되는지 잘 알아야겠지요? 성공적인 협상은 나만이 아니라 상대방도 만족해야 한다는 점을 잊지 마세요!

준비	입장 차이 확인 → 해결 가능성 점검 → 쟁점 파악
진행	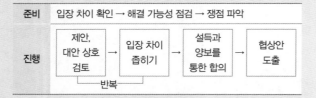

출제 포인트 ❸ 협상 전략을 사용하여 문제 해결하기

협상을 성공적으로 이끌기 위해서는 협상이 진행되는 상황에 적절한 전략을 사용해야 해요. 시험에는 상황에 맞는 협상 전략 활용 능력을 갖추고 있는지를 평가하는 문제가 자주 나와요.

경쟁 전략	자신의 이익을 극대화하기 위해 상대방과 경쟁하는 전략
수용 전략	자신의 일차적 이익을 극대화하기보다 상대방과의 관계를 우선순위에 두는 전략
호혜 전략	자신의 이익을 추구하면서 동시에 상대방의 이익도 고려하여 합의를 모색하는 전략
회피 전략	협상 자체를 회피하는 전략
타협 전략	양측이 조금씩 양보하여 절충점을 찾는 전략

대표 문제 ❶ 협상에 대한 설명으로 적절하지 않은 것은?

① 협상의 목표는 자신의 이익이나 입장을 고수하는 데 있다.

② 협상의 참여자는 서로 경쟁하면서도 협력하는 관계이어야 한다.

③ 협상 참여자는 공동의 목표를 추구하며 합의 결과를 이행해야 한다.

④ 협상이 이루어지려면 이해관계가 충돌하는 갈등 상황이 있어야 한다.

⑤ 협상은 타협과 조정을 통해 갈등 해결 방법을 찾아가는 화법의 한 유형이다.

대표 문제 ❷ 다음은 협상이 진행되는 과정을 나타낸 표이다. ㉠~㉢에 들어갈 협상 과정을 쓰시오.

대표 문제 ❸ 협상 전략에 대한 설명으로 적절하지 않은 것은?

① 수용 전략을 사용하면 상대방과의 직접적인 갈등을 피할 수 있다.

② 회피 전략은 협상을 하는 것이 오히려 손해가 되는 경우에 사용한다.

③ 경쟁 전략은 상대방보다 유리한 협상 위치를 선점하고자 할 때 사용한다.

④ 호혜 전략을 사용할 때는 상대방에 대해 우호적이면서 협력적인 태도가 요구된다.

⑤ 타협 전략은 협상을 통해 자신에게 유익한 이익을 얻을 수 없다고 판단될 때 사용한다.

소단원 시험 예상 문제

[1~3] 다음 글을 읽고 물음에 답하시오.

> **가** **구청 측** 저희는 마땅한 터가 없어서 지역 주민들을 위한 체육 시설을 조성하는 데 어려움을 겪고 있습니다. 그래서 ○○고등학교에서 체육 시설을 조성할 터를 제공하고, 공사비를 우리 구청에서 부담하는 방식으로 체육 시설 조성 사업을 추진하고자 합니다. 교내에 체육 시설을 조성하면 지역 주민뿐 아니라 학생들도 그 시설을 이용할 수 있으니 서로의 이익을 위한 좋은 방안이라고 생각합니다.
>
> **학교 측** 구청에서 우리 학교의 공터에 체육 시설을 조성하는 것에는 동의합니다. 학교에서 터를 제공하면 구청 측에서 겪고 있는 어려움을 해소할 수 있고, 교내에 체육 시설이 생기면 학생들에게도 이로울 것 같습니다.
>
> **나** **구청 측** 동의해 주셔서 감사합니다. 그럼 이제 체육 시설 조성 후의 운영 방안에 관해 논의해 볼까요? 저희는 ○○고등학교에서 체육 시설 조성의 취지를 살려 지역 주민들이 체육 시설을 자유롭게 이용할 수 있도록 해 주었으면 합니다.
>
> **학생 대표** 학교 측에서는 학생들의 교육 환경 개선을 위해 교내 체육 시설 설치에 동의하였고, 학생들도 지역과 학교의 상생이라는 체육 시설 조성 취지에 공감합니다. 하지만 지역 주민들이 학교 내의 체육 시설을 자유롭게 이용하게 되면 여러 가지 문제가 발생할 수 있습니다. 그러므로 체육 시설을 제한적으로 이용하도록 해야 한다고 생각합니다. ⟨[A]
>
> **주민 대표** 지역 주민들이 교내 체육 시설을 이용하는 데 제한을 두려는 까닭은 무엇입니까?
>
> **학교 측** 주민들의 자유로운 체육 시설 이용을 반대하는 까닭은 학생들의 수업권 때문입니다. 주민들이 아무 때나 자유롭게 체육 시설을 이용하면 학생들이 체육 수업을 받을 때 불편함을 겪을 수 있습니다. ⟨[A]
>
> **학생 대표** 그리고 학교에 외부인이 자유롭게 드나들면 교통사고를 비롯해 여러 가지 예기치 못한 안전 문제가 발생할 수 있습니다. 그러므로 지역 주민들이 체육 시설을 17시 이후부터 이용할 수 있도록 제한했으면 합니다.
>
> **주민 대표** 네, 학생들의 수업권과 안전이 우선적으로 보장되어야 한다는 점에는 동의합니다. 그런데 지역 주민들의 대부분은 이른 아침에도 운동을 합니다. 지역 주민들이 아침 운동을 할 수 있도록 9시 이전까지는 체육 시설을 이용할 수 있게 하면 어떨까요? 학생들의 수업 시간과 겹치지 않으면 수업권과 안전에 큰 문제가 없으리라 봅니다.

1. 위의 협상에 대한 설명으로 적절하지 <u>않은</u> 것은?

① 양측에서는 각각 문제에 관한 자신의 입장을 밝히고 있다.

② 양측은 교내 체육 시설 조성에 관해 이견을 보이고 있다.

③ 체육 시설 운영 방안에 관한 양측의 이해관계가 충돌하고 있다.

④ 구청 측에서는 자신 측의 이익뿐 아니라 학교 측의 이익도 고려하고 있다.

⑤ 주민 대표는 상대방의 요구 사항에 대해 우선순위를 정하고 이를 공유하고 있다.

2. (가)에서 구청 측이 사용하고 있는 협상 전략에 대한 설명으로 가장 적절한 것은?

① 전략적으로 협상 자체를 회피하고 있다.

② 양측이 절반씩 양보하여 절충점을 찾도록 하고 있다.

③ 자신의 이익을 극대화하기 위해 상대방을 경쟁자로 인식하고 있다.

④ 상대방과의 관계를 통해 얻을 수 있는 이익을 우선순위에 두고 있다.

⑤ 자신의 이익을 추구하면서 상대방의 이익도 고려하여 합의를 모색하고 있다.

> **서술형**

3. [A]에서 학생 대표와 학교 측이 제안하고 있는 것과 그러한 제안을 하는 까닭을 서술하시오.

중단원 마무리

스스로 정리하기

(1) 효과적인 면접

⟩ 면접의 개념

면접은 면접관이 면접 대상자와의 ❶□□을 통해 면접 대상자의 지식, 경험, 성품, 의사소통 능력과 상황 대처 능력, 잠재력 등을 평가하기 위해 이루어지는 공적 담화이다.

⟩ 면접의 상황과 목적

상황	단체 가입이나 진학, 취업 등의 상황
목적	적합한 인재 ❷□□과 평가

⟩ 면접에서의 질문과 답변 전략

- 면접관의 질문 의도를 정확하게 파악하는 것이 중요하다.
- 질문의 핵심을 파악하기 위해서는 면접관의 질문을 끝까지 경청해야 한다.
- 면접관의 질문 ❸□□를 추론하여 질문 유형에 맞추어 답변해야 한다.
- 면접 질문의 유형과 그에 따른 답변 전략

질문 유형	답변 전략
특정한 사실에 관한 것	구체적이고 객관적인 정보를 바탕으로 정확하게 답변해야 함.
의견에 관한 것	자신의 주관적인 견해가 명확하게 드러나도록 논리적으로 답변해야 함.

⟩ 면접에서 답변할 때 유의해야 할 점

- 정중하고 격식 있는 표현을 사용해야 한다.
- 준언어적·비언어적 표현을 효과적으로 사용해야 한다.

(2) 생산적인 토론

⟩ 토론과 반대 신문식 토론의 개념

토론	어떤 문제에 관해 의견을 달리하는 양측이 논리적 근거를 들어 자신의 주장이 옳음을 내세우는 화법의 한 유형
반대 신문식 토론	어떤 논제에 대해 찬성 혹은 반대 측이 상대방에게 ❹□□을 하여 상대방 논증의 허점을 드러내며 반박함으로써 승부를 가리는 토론

⟩ 반대 신문의 개념과 기능

개념	상대측의 발언 내용에 대해 논리적 ❺□□이 드러나도록 묻는 질문으로 교차 조사라고도 함.
기능	• 토론에서 유리한 위치를 확보하고 토론의 흐름을 주도할 수 있는 중요한 과정임. • 상대측 발언의 오류와 허점을 검증하는 기능을 함. • 청중과 판정단이 논제에 관해 올바른 판단을 하는 데 도움을 줌.

⟩ 토론의 방법과 절차

논제와 핵심 쟁점을 명확히 설정함. → ❻□□에서 주장과 근거를 제시함. → 반대 신문으로 상대의 논리적 문제점을 지적함. → 반론에서 상대측의 주장이 타당하지 않음을 입증함. → 최종 변론을 통해 자기 측의 주장이 옳음을 다시 한번 강조함.

(3) 성공적인 협상

⟩ 협상의 개념과 요건

개념	상반된 이해관계를 가진 둘 이상의 주체가 ❼□□에 이르기 위해 대안을 조정하는 의사 결정 과정
기능	• 참여자: 서로 경쟁하면서도 ❽□□하는 협상 참여자가 있어야 함. • 상황: 협상을 필요로 하는 문제가 있어야 함. • 행위: 공동의 목표를 추구하며 합의 결과를 이행해야 함.

⟩ 협상의 절차

시작 단계	조정 단계	해결 단계
서로의 입장 차이를 확인하고 갈등 해결 가능성을 판단함.	→ 구체적인 제안이나 대안을 상호 검토해 입장 차이를 좁혀 나감.	→ 제시된 대안들을 재구성하면서 합의에 이름.

⟩ 협상의 전략

경쟁 전략	자신의 이익을 ❾□□□하기 위해 상대방과 경쟁하는 전략
수용 전략	자신의 일차적 이익을 극대화하기보다 상대방과의 관계를 우선순위에 두는 전략
호혜 전략	자신의 이익을 추구하면서 동시에 상대방의 이익도 고려하여 합의를 모색하는 전략
회피 전략	협상 자체를 회피하는 전략
타협 전략	양측이 조금씩 양보하여 절충점을 찾는 전략

|정답| ❶ 문답 ❷ 선발 ❸ 의도 ❹ 질문 ❺ 허점 ❻ 입론 ❼ 합의 ❽ 협력 ❾ 극대화

확장하기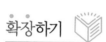

❩ 다음 과제를 수행하며 이 단원의 목표를 다시 한번 환기해 보자.

> ### 동아리 가입을 위한
> ### 모의 면접 하기
>
> 모둠을 구성해 동아리 가입 면접을 실시하고 면접 과정을 촬영해 보자.

⋯ 구체적인 면접 상황을 설정하고 면접의 목적에 맞는 예상 질문과 답변을 작성한 후 모의 면접을 진행한다. 촬영한 면접 장면을 함께 보며, 면접 대상자가 면접관의 질문 의도를 잘 파악했는지, 적절한 답변 전략을 활용해 효과적으로 답변했는지 등을 평가해 본다.

> ### 토론 프로그램을 시청한 뒤
> ### 같은 주제로 토론해 보기
>
> 모둠을 구성해 텔레비전 토론 방송을 시청하고, 그 방송에서 다룬 것과 같은 토론 주제로 모둠원끼리 토론을 해 보자.

⋯ 최근 텔레비전에서 방송하고 있는 다양한 형태의 토론 프로그램 중 하나를 고르고, 모둠원들의 관심과 흥미를 고려해 적절한 주제라고 판단되는 방송을 선정해 시청한다. 방송을 보고 난 후 방송에서 다룬 것과 같은 주제로 토론을 하되, 토론의 형식은 바꾸어서 진행해 본다.

> ### 성공적인 협상 사례
> ### 발표하기
>
> 최근 자신이 경험한 협상의 내용을 떠올려 보고, 그중 성공적이라고 평가할 만한 협상 사례를 선정해 발표해 보자.

⋯ 친구와의 협상, 가족과의 협상, 온라인에서의 협상 등 다양한 협상 경험을 떠올려 본다. 그중 타협과 조정을 통해 서로에게 이익이 되는 결과를 이끌어 낸 협상 사례를 친구들 앞에서 발표해 본다.

동아리 가입을 위한 모의 면접 하기

다음 활동은 위의 '확장하기' 활동 가운데 '동아리 가입을 위한 모의 면접 하기' 활동이다. 면접 상황을 설정하고 면접관의 질문 의도를 파악하고 전략을 세워 답변하며 모의 면접을 실시해 보자.

❩ 활동 순서

1. 면접 상황 설정	2. 예상 질문과 답변 작성	3. 모의 면접 실행	4. 면접 평가
면접을 실시하는 목적과 면접 상황 설정하기	면접 목적에 따라 예상 질문을 만들고 그에 대한 답변 작성하기	모의 면접을 실시하고 그 장면을 촬영하기	면접관과 면접 대상자의 면접 준비, 면접 과정 평가하기

1. 면접 상황 설정

- 면접 상황: 컴퓨터 동아리에 가입하기 위해 면접을 보는 상황
- 면접 목적

면접관(동아리 관계자)의 목적	컴퓨터 동아리 가입을 원하는 지원자가 회원으로 적합한지를 판단하는 것
면접 대상자의 목적	컴퓨터 동아리에서 필요로 하는 인재임을 인정받아 컴퓨터 동아리 회원으로 선발되는 것

2. 예상 질문과 답변 작성

예상 질문	질문 유형	답변
컴퓨터 동아리에 지원한 동기는 무엇입니까?	개방형 질문	컴퓨터 동아리의 활동이 제 적성에 맞으며, 컴퓨터에 대한 공부를 좀 더 하고 싶기 때문입니다.
동아리에 가입하게 되면 어떤 활동을 하고 싶습니까?	개방형 질문	컴퓨터에 대한 전문적인 지식을 쌓고, 컴퓨터를 잘 몰라서 어려움에 처한 사람들에게 도움을 주고 싶습니다.

예상 질문	질문 유형	답변
가지고 있는 자격증이 있나요?	폐쇄형 질문	중학교 때 워드프로서 1급과 정보처리기능사 자격증을 취득했고, 고등학교에 와서 전자상거래운용사 자격증을 땄습니다.
클라우드 컴퓨팅이 무엇인지 말해 보세요.	폐쇄형 질문	인터넷상의 서버를 통해 데이터 저장, 콘텐츠 사용 등 IT 관련 서비스를 한번에 사용할 수 있는 컴퓨팅 환경을 가리키는 용어라고 알고 있습니다.

4. 면접 평가

면접관의 면접 계획과 질문	• 컴퓨터 동아리라는 특성을 고려하여 면접 계획을 세우지 못했다. • 취미와 동아리 활동 사이에는 밀접한 관련이 있는데 그 부분을 자세하게 묻지 않고 지나갔다.
면접 대상자의 답변	• 비교적 면접 준비를 잘한 것 같다. • 자신의 장래 희망이나 포부 등에 대한 설명이 인상적이지 못했다.

3. 모의 면접 실행

면접관: 특별히 우리 컴퓨터 동아리에 지원한 이유가 있나요?

면접 대상자: 중학교 때부터 컴퓨터 동아리 활동을 했습니다. 그러면서 컴퓨터와 자연스럽게 친해졌고, 컴퓨터에 대한 전문적인 공부를 좀 더 하고 싶다는 생각이 들어서 지원하였습니다.

면접관: 중학교 때는 컴퓨터 동아리에서 어떤 활동을 했는지 구체적으로 말해 주세요.

면접 대상자: 회원들이 모여 컴퓨터에 관해 공부하고, 컴퓨터를 잘 모르는 선생님이나 친구들에게 도움을 주었습니다. 덕분에 선생님들께 칭찬도 받고 친구들 사이에서도 인기가 좋았어요.

면접관: 예를 들면 어떤 도움인가?

면접 대상자: 컴퓨터가 부팅이 안 된다거나 갑자기 블루 스크린이 뜬다거나……. 인터넷 연결이 안 될 때도 저희를 부르셨어요.

면접관: 자신의 취미에 대해서 간략히 소개해 주겠습니까?

면접 대상자: 제 취미는 농구입니다. 농구 경기장을 보면 어디에서고 공을 들고 바스켓을 향해 던지고 싶은 충동을 느낄 때가 많습니다. 농구 선수가 되고 싶기도 했는데, 그러지 않은 것은 실력도 조금 부족하고 부모님의 충고가 있었기 때문입니다. 부모님께서는 제가 고등학교에 다니면서 되도록 학교 수업에만 전념하기를 바라고 계세요.

면접관: 장래 희망이나 포부는 무엇인가요?

면접 대상자: 제 장래 희망은 공대에 가서 전문 엔지니어가 되어 우리나라의 기술 발전에 기여하는 것입니다. 그래서 과학 기술 분야의 동아리에 들어가야겠다고 생각했고요 동아리 부원 가운데 저하고 비슷한 꿈을 가진 친구가 있다면 언제 어디서든 자주 만나서 이야기를 나누고 싶습니다. 그리고 장래 희망이 비록 저와 다르다 해도 저에게 우정을 베풀어 주는 친구가 있다면 저 또한 좋은 벗이 될 수 있도록 최선을 다해 노력할 것입니다.

면접관: 참 좋은 포부를 가지고 있군요. 그 포부에 관해 좀 더 구체적으로 말씀해 주시겠습니까? 과학 중에서도 특히 어느 분야에 관심이 있나요?

면접 대상자: 저의 구체적인 희망은 컴퓨터 프로그래머가 되는 것입니다. 가능하다면 기계 설계나 제어 관련 소프트웨어를 전문적으로 제작해 보고 싶어요.

면접관: 마지막으로 하고 싶은 말이 있나요?

면접 대상자: 제가 이 동아리에 지원하게 된 동기는 무엇보다도 이 동아리의 활동 방향이 저의 장래 희망과 일치한다는 점이었습니다. 따라서 이 동아리에 가입이 허락된다면 이곳에서 저의 꿈과 이상을 펼칠 수 있도록 정말 열심히 노력하겠습니다. 고맙습니다.

대단원 마무리

학습한 내용

✎ 이 단원에서 학습한 내용을 확인해 보자.

개념·원리		활동
대화의 목적과 기능, 대화의 방법	<>	• 대화를 나누며 자아 인식, 자기 표현, 관계 형성, 갈등 조정 하기
상황에 맞는 말하기를 위해 고려해야 할 점	<>	• 상황에 따른 말(부탁·요청, 거절, 사과, 감사) 익히기
듣기·말하기 상황의 요소, 언어적 표현 전략, 준언어적 표현 전략, 비언어적 표현 전략	<>	• 목적과 청자를 고려하여 상황 분석하기 • 언어적·준언어적·비언어적 표현 전략 익히기
발표·연설의 목적과 기능, 발표·연설의 방법	<>	• 청자 분석을 바탕으로 내용을 구성하여 발표하기 • 이성적·감성적·인성적 설득 전략을 활용하여 연설하기
면접·토론·협상의 목적과 기능, 면접·토론·협상의 방법	<>	• 답변 전략을 생각하며 면접하기 • 반대 신문의 형식으로 토론하기 • 절차와 전략을 고려하여 협상하기

점검·평가

✎ 이 단원에서 학습한 내용을 스스로 평가해 보자.

단원	점검 내용
1. 소통과 공감을 위한 화법	대화를 중심으로, 진솔하게 말하고 자기를 표현하며 갈등을 조정하는 방법을 익혔는가?
	상황에 따른 말하기 방법을 익혔는가?
	언어적·준언어적·비언어적 표현 전략을 익혔는가?
2. 대중을 향한 의사 표현의 화법	청자에게 필요한 내용을 체계적으로 발표하는 방법을 익혔는가?
	효과적으로 청중을 설득하며 연설하는 방법을 익혔는가?
3. 상호 작용을 통한 문제 해결의 화법	면접관의 의도에 맞게 답변하며 면접하는 방법을 익혔는가?
	토론 형식에 따라 타당하게 논박하며 토론하는 방법을 익혔는가?
	서로에게 이익이 될 수 있도록 협상하는 방법을 익혔는가?

질문 만들기

✎ 다음 항목들과 관련하여 서로 질문과 대답을 나누고, 부족한 부분을 보충해 보자.

⑦ 대화가 모든 화법의 기본이자 출발점이 되는 까닭

Ⅰ예시 답안Ⅰ 갑돌: 대화가 중요한 이유는 뭘까?
을숙: 대화는 일상생활에서 가장 많이 사용하는 의사소통 방식이기도 하고, 우리가 대화를 통해 자기를 표현하고 다른 사람들과 관계를 형성해 나가기 때문이야. 대화는 일상적 의사소통의 핵심이라는 점에서 모든 화법의 기본이자 출발점이 된다고 할 수 있어.

⑦ 말하기의 내용과 방법에 영향을 주는 요소들

Ⅰ예시 답안Ⅰ 갑돌: 말을 할 때는 어떤 점들을 고려해 그 내용과 방법을 정해야 하지?
을숙: 말하기는 항상 실제적이고 구체적인 상황 속에서 이루어지므로 상황 맥락을 고려해 그 내용과 방법을 달리해야 해. 특히 부탁이나 요청, 거절, 사과, 감사 등의 말하기를 할 때는 상황 맥락을 잘 파악해야 말하기의 목적을 이룰 수 있어.

⑦ 화법에서 듣기의 역할

Ⅰ예시 답안Ⅰ 갑돌: 화법에서 듣기는 어떤 역할을 할까?
을숙: 화법은 화자가 청자에게 일방적으로 내용을 전달하는 과정이 아니야. 따라서 의사소통을 원활히 하기 위해서는 청자의 적극적이고 협력적인 듣기가 필요해. 상대방의 말을 집중하여 들으면서 더 많은 이야기를 이끌어 낼 수 있도록 격려해 주는 공감적 듣기는 상대로 하여금 신뢰와 친밀감을 가지도록 하는 데 매우 중요한 역할을 해.

⑦ 친교를 위한 화법, 정보 전달을 위한 화법, 설득을 위한 화법의 차이

Ⅰ예시 답안Ⅰ 갑돌: 친교를 위한 화법, 정보 전달을 위한 화법, 설득을 위한 화법은 어떤 점이 다를까?
을숙: 가장 큰 차이점은 말하기의 목적에 있어. 친교, 정보 전달, 설득 등 목적에 따라 그 형식과 내용도 달라져.

⑦ 화법을 배워도 공식적인 상황에서 말하기가 어려운 까닭

Ⅰ예시 답안Ⅰ
갑돌: 일상적인 대화를 할 때는 괜찮은데 왜 공식적인 상황에서 말을 하려면 자꾸 불안해지는 걸까?
을숙: 공적 담화 상황에서 화자가 말을 하면서 겪게 되는 심리적 긴장 상태와 그로 인한 말하기 장애를 말하기 불안이라고 해. 무대 공포증, 소심함이나 자신감 부족, 청자의 반응에 대한 염려, 말할 내용에 대한 확신 부족, 말하기의 경험 부족에서 오는 부끄러움 등이 말하기 불안의 원인이 될 수 있어.

[1-3] 다음을 보고 물음에 답하시오.

가

나 **선생님** 자, 이번에 우리 반에 새로운 친구가 전학을 왔어요. (ⓐ) 자기소개를 해 줄래요?

연우 (학생들 앞에서) 안녕하세요? 저는 박연우라고 합니다. 앞으로 잘 부탁합니다.

선생님 그래, 아직 모든 것이 낯설고 어색할 테니까 여러분이 잘 도와주세요. (연우를 향해) 자리는 우선 (ⓑ) 저기 윤정이 옆의 빈자리에 앉도록 하자. (연우, 윤정의 옆자리에 가서 앉는다.)

윤정 (ⓒ) 안녕? 나는 하윤정이라고 해. 반갑다.

연우 어? 그래. 반갑다.

윤정 그런데, 너 집이 어디니?

연우 어, 학교 길 건너편에 있는 ○○동 주민 센터 근처야.

윤정 그래? 우리 집도 거기서 멀지 않은데. 주민 센터 근

처에 ○○ 아파트 있잖아? 난 거기 살아.

연우 그래? 우리 집이랑 정말 가깝네.

윤정 (ⓓ) 잘됐다. 내일부터 같이 다니면 되겠다.

연우 (당황하며) 어? 어…… 그래.

윤정 우리 오늘 수업 끝나고 영화 보러 갈까? 넌 무슨 영화 좋아하니?

연우 (ⓔ) 영화? 어…… 글쎄…… 잘 모르겠어.

윤정 자기가 좋아하는 영화를 모른다는 게 말이 돼? 난 남녀 사이의 사랑 이야기를 다룬 영화가 좋은데……. 어제 재미있는 영화 하나 개봉했더라고. 이따가 같이 보러 가는 거다?

연우 어? 아…… (난처해하며) 나는 좀…….

출제 예감

1. (가)를 통해 알 수 있는 화법의 원리를 모두 골라 바르게 짝지은 것은?

> ㉠ 자아 개념은 다른 사람과의 소통 과정을 통해 형성된다.
> ㉡ 소통 과정을 통해 한번 형성된 자아 개념은 변하지 않는다.
> ㉢ 자아 개념은 다른 사람에 대한 인식과 태도에 영향을 미친다.
> ㉣ 자아 개념에는 부정적 자아 개념과 긍정적 자아 개념이 있다.

① ㉠
② ㉡, ㉣
③ ㉠, ㉢, ㉣
④ ㉡, ㉢, ㉣
⑤ ㉠, ㉡, ㉢, ㉣

2. ⓐ~ⓔ에 들어갈 준언어적·비언어적 표현으로 적절하지 <u>않은</u> 것은?

① ⓐ: 연우를 보며
② ⓑ: 윤정의 옆자리를 가리키며
③ ⓒ: 다정한 어조로
④ ⓓ: 밝게 웃으며
⑤ ⓔ: 소리가 점점 커지면서

3. (가)와 (나)의 대화에 대한 설명으로 적절하지 <u>않은</u> 것은?

① (가)의 '나'는 자신에 대한 '너'의 칭찬을 점차 진심으로 받아들이고 있다.

② (가)의 '너'는 '나'의 장점과 잘한 점을 찾아내서 지속적으로 말해 주고 있다.

③ (나)의 '연우'는 '윤정'에게 사회적 차원의 자아를 드러내고 있다.

④ (나)의 '윤정'은 관계 맺기를 너무 빠르게 진행해서 '연우'에게 부담을 주고 있다.

⑤ (나)의 '윤정'은 상대방과의 관계를 고려해 자기표현의 정도를 적절히 조절하고 있다.

[4~5] 다음을 보고 물음에 답하시오.

가 다림 한참 기다렸어요. (필름이 든 봉투를 내밀며) 저, 이거 빨리해야 되거든요. 얼마나 걸려요, 아저씨?

정원 (사진관 문을 열다 말고) 미안하지만, 조금만 이따가 오면 안 될까요?

다림 안 돼요, 아저씨. ㉠ 저, 여기 동그라미 쳐 놓은 부분만 빨리 확대해 주세요.

나

다 성준 (책상 위 과자를 보며) 어? 과자네? (과자를 뜯어서 먹는다.)

미영 야, 안성준! 왜 남의 걸 허락도 없이 먹어! 그 과자 오늘 생일인 친구한테 선물할 거란 말이야.

성준 어? 미안해. 난 몰랐지. 그런데 과자 하나 먹었다고 뭘 그렇게까지 난리를 치냐? 내가 하나 사 주면 될 거 아냐.

미영 넌 매번 그런 식이지? 지난번에도 내 물건 말도 없이 그냥 가져다 쓰고. 내가 여러 번 얘기했는데도 달라지는 게 없잖아. 번번이 내 말을 무시하고.

성준 미안하다고 했잖아! 그렇게 지난 일까지 들추면서 얘기해야 해? 내가 자꾸 까먹어서 그래. 내가 원래 자주 그러잖아. 이해 좀 해 주면 안 돼?

미영 자꾸 그런 식으로 변명하지 마. 내가 보기에는 네가 원래 잘 까먹어서가 아니라 내 말을 무시해서 그러는 것 같아.

성준 미안해. 정말 미안해. 난 네가 그렇게까지 생각하는 줄은 몰랐어. 네 말을 무시해서 그런 게 아니야. 내가 습관이 잘못 들어서 그런 거야. 다음부터는 진짜로 안 그럴게. 그러니까 화 풀어. 응?

4. (가)~(다)의 화자에 대한 설명으로 가장 적절한 것은?

① (가): '정원'은 부탁을 하면서 상대방의 부담을 최대화하는 방식으로 말하고 있다.

② (나): '우신'은 상대방의 거절에 갈등을 심화시키는 방식으로 말하고 있다.

③ (나): '성진'은 마지막 발화에서 상대방의 기분을 상하지 않게 하면서 문제를 해결하는 방식으로 말하고 있다.

④ (다): '미영'은 상대방의 행동을 탓하지 않고 자신이 느끼는 감정을 중심으로 말하고 있다.

⑤ (다): '성준'은 처음부터 끝까지 상대방에게 진정성이 담긴 사과를 하고 있다.

[수능형]

5. 〈보기〉를 참고하여 ㉠을 상대방의 부담을 최소화하는 말로 바르게 고친 것은?

---〈보기〉---
부탁이나 요청을 할 때는 상대방에게 양해를 구하는 뜻을 나타내는 말과 부탁이나 요청을 하는 까닭을 덧붙여 상대방의 부담을 최소화하는 말을 하는 것이 좋다.
---

① 저 정말 급하거든요. 여기 동그라미 쳐 놓은 부분을 빨리 확대해 주세요.
② 죄송한데요, 이것 좀 확대해 주세요. 여기 동그라미 쳐 좋은 부분만 확대해 주시면 돼요.
③ 죄송한데요, 여기 동그라미 쳐 놓은 부분만 빨리 확대해 주실 수 없을까요? 너무 급한 일이라서 그래요.
④ 아저씨, 빨리 여기 이 부분 확대해 주세요. 만약 제시간에 사진이 안 나오면 아저씨가 다 책임져야 해요.
⑤ 아저씨, 여기 동그라미 쳐 놓은 부분 보이시죠? 이 부분만 확대해 주시면 돼요. 무슨 말인지 이해하셨죠?

[서술형]

6. 다음 축구 중계방송에서 어법에 어긋난 표현을 모두 찾아 바르게 고쳐 쓰시오.

진행자   그런데 지금 선수들이 차고 있는 공은 지난 대회에서 사용한 축구공과 틀리죠?
해설자   맞습니다. 이번 대회부터 채택한 공은 이전까지 사용한 공보다 탄력이 더 좋다고 합니다.
진행자   네, 말씀드리는 순간, 청룡 팀 선수 한 명이 운동장에 누워 있습니다.
해설자   아, 조금 전 공중에 뜬 공을 차지하기 위해 다투는 과정에서 백호 팀 선수가 팔꿈치로 청룡 팀 선수의 얼굴을 가격해 쳤습니다.
진행자   안타깝군요. 큰 부상이 아니면 좋겠습니다.

[7-9] 다음 글을 읽고 물음에 답하시오.

가 동지 여러분, 저는 오늘 여러분에게 말씀드리고 싶습니다. 절망의 구렁에 빠져 허우적대지 맙시다.

비록 우리는 지금 고난을 마주하고 있지만 나에게는 꿈이 있습니다. 그 꿈은 아메리칸드림에 깊이 뿌리를 내리고 있습니다.

나에게는 꿈이 있습니다. 언젠가 이 나라가 "모든 인간은 평등하게 태어난다는 사실을 우리는 자명한 진리로 받아들인다."라는 이 나라 건국 신조의 참뜻을 되새기며 살아가리라는 꿈입니다.

나에게는 꿈이 있습니다. 언젠가 조지아주의 붉은 언덕에서 노예의 후손과 노예 주인의 후손이 형제애라는 식탁 앞에 나란히 앉을 수 있는 날이 오리라는 꿈입니다.

나에게는 꿈이 있습니다. 부당함과 억압의 뜨거운 열기로 신음하는 미시시피주도 언젠가 자유와 정의가 샘솟는 오아시스가 되리라는 꿈입니다.

나에게는 꿈이 있습니다. 언젠가 내 아이들이 자신의 피부색이 아니라 인격적으로 평가받는 나라에서 살게 되리라는 꿈입니다.

나 총장님을 비롯한 내빈 여러분께 감사합니다. 이렇게 여러분 앞에 서게 된 것을 영광으로 생각합니다. 저는 오늘 환경 전문가가 아닌, 지난 일요일 뉴욕 거리 행진에 참여한 40만 명 가운데 의무를 느끼는 한 시민으로서, 또 세계 전체에서 기후 변화를 걱정하는 수억 명 중의 한 사람으로서 이 자리에 섰습니다. [중략]

이 사안은 논쟁의 가치가 없습니다. 인류의 문제니까요. 깨끗한 물과 공기, 그리고 존재 가능한 기후는 인간에게서 빼앗을 수 없는 권리입니다. 또한, 이 문제의 해결에 정치적 갈등이 있어서도 안 됩니다. 우리의 도덕적 책무입니다. 매우 벅찬 임무라는 사실을 부인할 수 없지만요.

우리가 가진 행성은 지구뿐입니다. 우리가 우리 집을 망가뜨린 행위에 인류는 막중한 책임을 져야 합니다. 지구의 미래를 보호하기 위해서는 인간이라는 종족의 의식적인 진화가 요구됩니다. 우리는 너무나 다급한 상황에 부닥쳐 있기에 이런 다급한 이야기를 해야 합니다.

존경하는 유엔 대표님들, 또 세계 지도자 여러분, 저는 '가장'하는 것으로 먹고삽니다. 하지만 여러분은 아닙니다. 지난 일요일 수많은 사람들이 크게 외쳤고 그들의 행동에는 가속도가 붙었습니다. 그들은 멈추지 않을 겁니다. 이젠 여러분의 차례입니다. 인류 존재의 가장 중대한 사안에 해답을 제시할 때입니다.

바로 지금이 용기와 정직함으로 이 문제를 직시해야 할 때입니다. 감사합니다.

7. (가)와 (나)의 연설 전략에 대한 설명으로 적절하지 <u>않은</u> 것은?

① (가): 수사적 표현을 사용해 화자가 바라는 미래의 모습을 선명하게 보여 주고 있다.
② (가): 유사한 문장 구조를 반복하여 청중에게 주제를 인상적으로 전달하고 있다.
③ (가): 건국 신조를 인용하여 화자의 주장에 대한 설득력을 높이고 있다.
④ (나): 자신의 경험을 예로 제시하여 청중의 공감을 얻고 있다.
⑤ (나): 당위적 진술을 사용해서 문제 해결의 필요성을 강조하고 있다.

8. 〈보기〉를 참고하여 (가)의 화자의 말이 설득력을 가지는 이유를 설명한 내용으로 가장 적절한 것은?

〈보기〉
이 연설은 인권 운동가 마틴 루서 킹이 1963년, 노예 해방 100주년 기념 평화 행진에서 한 연설이다. 1863년에 있었던 링컨 대통령의 노예 해방 선언 이후에도 미국 내에서의 흑인 차별은 여전히 존재했다. 이러한 시대 상황 속에서, 마틴 루서 킹은 미국의 인종 차별 정책에 반대하며 흑인의 권리를 되찾기 위해 애썼다.

① 가난으로 인해 고통받았던 화자의 삶에 청중이 공감하기 때문이다.
② 인권 운동가라는 화자의 독특한 이력이 청중에게 영감을 주기 때문이다.
③ 인종 차별 철폐를 위해 화자가 해 온 노력들이 청중에게 신뢰를 주기 때문이다.
④ 사회 지도자라는 화자의 명성이 연설에 대한 대중적 관심을 불러일으키기 때문이다.
⑤ 어려움을 극복하고 높은 성취를 이룬 화자의 모습이 청중에게 감동을 주기 때문이다.

수능형

9. 다음은 (나)의 화자가 연설을 하기 전에 세운 계획이다. ㉠~㉤ 중 위의 연설에 반영되지 <u>않은</u> 것은?

연설 상황	유엔(UN) 대표들과 세계 지도자들에게 '기후 변화'에 대해 시민의 한 사람으로서 의견을 전달함. ·········· ㉠
연설 주제	기후 변화 문제에 대한 시민의 의식 변화 촉구 ·········· ㉡
연설 내용	• 기후 변화를 막기 위한 노력은 인류의 도덕적 임무임을 강조함. ·········· ㉢ • 뉴욕 거리 행진을 언급하며 많은 시민들이 기후 변화를 심각한 문제로 인식하고 있음을 보여 줌. ·········· ㉣
연설 시 유의할 점	공식적인 자리이므로 격식에 맞는 언어를 사용함. ·········· ㉤

① ㉠　② ㉡　③ ㉢　④ ㉣　⑤ ㉤

[10~12] 다음 글을 읽고 물음에 답하시오.

면접관　우리 대학에 지원해 줘서 고맙습니다. 긴장하지 말고 마음 편하게 답변해 주기 바랍니다.
학생들　예, 감사합니다.
면접관　먼저, ㉠ <u>우리 대학의 자율전공학부에 지원한 까닭을 말해 보세요.</u>
학생 1　ⓐ <u>(자신 없는 목소리로)</u> 저는 어렸을 때부터 이 대학에 오고 싶었습니다. 학교 명성도 높고, 부모님께서 좋은 학교라고……, 제가 갔으면 좋겠다고 말씀하셔서……요.
학생 2　솔직하게 말씀드리자면 합격 가능성이 제일 높아서이고……. ⓑ <u>(웃음)</u> 그리고 비슷한 대학 중에서 이 대학이 가장 가깝고 시설이 좋아서 끌렸습니다.
학생 3　저는 교육 과정이 마음에 들었기 때문입니다. ㉢ <u>(목소리에 힘을 주어)</u> 교육 과정을 살펴보면서 이 대학에 들어오면 대학생으로서 배워야 할 이론에 관한 깊이 있는 강의를 들을 수 있고, 이 대학과 연결되어 있는 산업 현장에서 그 이론을 적용해 볼 기회가 많을 것이라는 확신이 들었습니다.

면접관 답변 잘 들었습니다. ㉡그런데 우리 대학에 지원한 까닭은 대답했는데, 왜 자율전공학부에 지원했는지는 답하지 않았습니다. 이 질문에 답변해 주세요.

학생 1 ⓐ(시선을 땅에 두고) 저는…… 동아리 선배들의 조언을 듣고 자율전공학부를 지원했습니다. 1학년 때 전공을 정하지 않고 다양한 강의를 들으면서 전공을 선택해야 취업이 잘되는 전공을 선택하는 데 유리하다고 알려 주어서……요.

학생 2 저는 아직 진로를 정확히 결정하지 못해서입니다. (웃음) ㉢경험의 기회가 많은 대학에서, 그것도 자율전공학부에서 제 진로에 관해 깊이 있게 고민하고 결정을 내린 다음에 전공을 선택하고 싶습니다.

학생 3 ⓔ(허리를 곧추세우며) 저는 깊이 있는 전공 공부와 산업 현장에서의 체험이 잘 연결된 학과를 찾고 싶어서 자율전공학부에 지원했습니다. 소문으로 듣는 것과 제가 직접 학교를 다니면서 파악하는 정보는 그 양과 질이 다를 것이라고 생각합니다.

면접관 솔직한 학생들이군요. (웃음) 자율전공학부는 2학년 때 전공을 선택하게 되어 있습니다. ㉣합격한다면 1학년 때 어떤 강의를 들을지 생각해 보았습니까?

학생 1 동아리 선배의 말로는 특정한 전공이 아니라 다양한 분야의 강의를 듣게 된다고 했는데요…….

학생 2 잘 모르겠습니다. 합격하게 되면 그때 제 진로를 더 깊이 고민하면서 어떤 강의를 들을지 결정하겠습니다.

학생 3 ㉤학교 누리집에 있는 교육 과정을 보니 1학년 때는 주로 교양 과목을 듣게 되어 있었습니다. 저는 기초 교양을 넓힐 수 있는 과목과 산업 현장에서 요구하는 교양을 쌓을 수 있는 과목을 적절히 선택하여 듣고 싶습니다.

10. 위의 면접에 대한 설명으로 적절하지 <u>않은</u> 것은?

① 사회적인 의사소통 형태의 하나이다.
② 질의와 응답의 방식으로 면접이 진행된다.
③ 선발을 위한 평가를 목적으로 하는 면접이다.
④ 집단 면접인 동시에 토론형 면접에 해당한다.
⑤ 면접관은 면접 대상자들의 인품이나 역량 등을 평가하고자 한다.

출제 예감

11. ㉠~㉤에 대한 설명으로 적절하지 <u>않은</u> 것은?

① ㉠: 개방형 질문을 통해 면접 대상자들의 창의적이고 개성적인 답변을 듣고자 한다.
② ㉡: 답변이 부족하다고 생각하는 부분에 대해 추가적인 답변을 요구하고 있다.
③ ㉢: 지원하는 학부의 세부적인 교육 과정의 장점을 강조하는 답변 전략을 사용하고 있다.
④ ㉣: 면접 대상자가 지원 학부에 관해 정확하게 알고 있는지를 확인하려는 의도가 담겨 있다.
⑤ ㉤: 면접 전 전공에 대한 조사를 통해 내린 주체적인 판단을 근거로 답변하는 전략을 사용하고 있다.

12. ⓐ~ⓔ에 대한 평가로 가장 적절한 것은?

① ⓐ: 신중한 태도를 보임으로써 면접관에게 긍정적인 인상을 주었겠군.
② ⓑ: 진지한 태도를 보임으로써 면접관에게 긍정적인 인상을 주었겠군.
③ ⓒ: 여유로운 태도를 보임으로써 면접관에게 긍정적인 인상을 주었겠군.
④ ⓓ: 겸손한 태도를 보임으로써 면접관에게 긍정적인 인상을 주었겠군.
⑤ ⓔ: 자신감을 드러내는 태도를 보임으로써 면접관에게 긍정적인 인상을 주었겠군.

[13~14] 다음 글을 읽고 물음에 답하시오.

사회자 최근 선거 연령을 현행 만 19세에서 만 18세로 낮추어야 한다는 논의가 활발하게 이루어지고 있습니다. 그래서 오늘은 '선거 연령을 만 18세로 낮추어야 한다.'라는 논제로 토론을 진행하려고 합니다. 이 논제에 관해 찬성과 반대 양측의 의견을 들어 보겠습니다. 토론 규칙과 예절을 지켜 주시기를 당부하며 찬성 측 제1 토론자의 입론부터 듣겠습니다.

찬성 1 선거 연령은 대통령 선거를 포함해 각종 공직 자 선거 등에서 선거권을 행사할 수 있는 나이 를 가리킵니다. 선거 연령을 만 18세로 낮추는 일은 국민의 참정권을 확대하는 것이므로, 국 가인권위원회와 중앙선거관리위원회에서도 이 를 제안한 바 있습니다. 선거권은 참정권의 핵 심이고 다양한 계층의 정치적 의사를 반영하는 방법이므로 민주주의의 확대 측면에서 폭넓게 보장되어야 합니다. 따라서 선거 연령을 만 18 세로 낮추어야 한다는 데 찬성합니다. [A]

사회자 네, 잘 들었습니다. 그럼 반대 측 제2 토론자 는 반대 신문을 해 주십시오.

반대 2 찬성 측에서는 국민의 참정권을 확대하기 위 해서 선거 연령을 만 18세로 낮추어야 한다고 하셨는데요. 만 18세라는 기준은 무엇을 근거 로 한 것입니까? 찬성 측 주장대로라면 만 18 세 미만은 참정권을 갖지 않아도 된다는 말씀 인가요? [B]

찬성 1 만 18세 미만은 참정권을 갖지 않아도 된다는 뜻은 아닙니다. 우리나라에서는 만 18세가 되면 운전면허를 취득할 수 있고, 혼인도 할 수 있습 니다. 또한, 공무원 시험 응시도 가능하며, 병역 의 의무도 지게 되는데 선거권만 행사할 수가 없습니다. 이런 점이 형평성에 맞지 않기에 만 18세를 기준으로 말씀드린 것입니다. [중략] [C]

찬성 2 2% 정도의 차이를 가지고 대다수 국민이 반대 하고 있다고 말할 수 있을까요? 게다가 그 기관 에서 선거 연령 하향에 관해 2017년 2월에 실시 한 여론 조사에서는 찬성 50.4%, 반대 41.8%가 나왔고, 9월에 국회의 의뢰로 실시한 여론 조사 에서는 찬성이 55.2%로 나왔습니다. 2월에 이 루어진 여론 조사 결과만 봐도 선거 연령 하향 을 찬성하는 국민이 더 많음을 알 수 있습니다. 그리고 무엇보다 여론 조사 결과만 가지고는 청 소년이 미성숙하다고 판단할 수 없습니다. [D]

사회자 지금까지 찬성 측과 반대 측에서 입론과 반 대 신문을 했습니다. 이제 상대측에 대한 반론 을 시작하겠습니다. 먼저 반대 측 제1 토론자 가 ㉠반론해 주십시오.

반대 1 찬성 측에서는 만 18세의 국민이 선거권을 행 사할 수 없는 것은 형평성에 맞지 않는다고 하 면서 만 18세가 되면 운전면허를 취득할 수 있 고, 혼인도 할 수 있다고 하였습니다. 그런데

자세히 살펴보면 운전면허 중에서도 1, 2종 보 통 면허는 취득할 수 있지만 1종 대형 면허는 취득할 수 없습니다. 그리고 혼인도 만 18세의 경우는 부모의 동의가 있어야 가능합니다. 이런 사례들로 미루어 만 18세는 여러 모로 아직 미 성숙하거나, 판단력이 부족하다고 우리 사회가 합의하고 있는 것으로 보아야 합니다. 1종 대형 면허 취득과 부모 동의가 필요 없는 혼인은 만 19세가 되어야 가능합니다. 만 19세는 현재 선 거권을 부여하는 나이입니다. 만 19세가 되어야 비로소 미성년자가 아니라 성년으로 인정되니, 현행대로 선거 연령을 유지하는 게 맞습니다. [E]

13. [A]~[E]에 대한 설명으로 적절하지 <u>않은</u> 것은?

① [A]: 공신력 있는 기관의 의견을 덧붙여 자신의 주 장에 신뢰성을 부여하고 있다.

② [B]: 상대측의 주장과 근거가 지닌 논리적 허점을 공격하고 있다.

③ [C]: 자신이 주장한 내용이 형평성에 근거하여 나온 것임을 밝히고 있다.

④ [D]: 상대측이 근거로 들고 있는 여론 조사 해석에 이견을 보이며 상대측의 주장을 반박하고 있다.

⑤ [E]: 상대측에서 제기한 주장의 일부를 수용하면서 도 자신의 주장이 더 타당한 이유를 제시하고 있다.

14. ㉠의 단계에서 토론 참여자들이 해야 하는 핵심적인 활동 으로 가장 적절한 것은?

① 질문을 통해 상대측 입론의 내용에 포함된 오류를 지적한다.

② 근거를 들어 상대측 반대 신문의 내용을 반박하고 새로운 대안을 제시한다.

③ 논제에 대한 입장을 분명히 표명하고 그러한 입장을 지지하게 된 이유를 밝힌다.

④ 상대측 입론에서 쟁점이 된 주장과 그것을 뒷받침하 는 논거의 문제점을 반박한다.

⑤ 논제와 관련된 핵심 용어의 개념을 분명히 정의하여 토론이 주제에서 벗어나지 않도록 유도한다.

[15~18] 다음 글을 읽고 물음에 답하시오.

가 장그래 안녕하십니까? 신입 사원 장그래입니다.

(오 과장과 김 대리가 장그래를 쳐다본다.)

장그래 과장님, 저 왔습니다.

오 과장 그러니까, 왜 또 너냐고?

김 대리 ㉠ 축하해! 장그래 씨!

장그래 감사합니다. 그럼, 업무 보겠습니다.

오 과장 야, 안영이는 어디 간 거야?

김 대리 안영이 씨가…….

장그래 안영이 씨는 자원 팀으로 갔습니다. 한석율 씨는 섬유 팀, 장백기 씨는 철강 팀으로 갔습니다. 김석호 씨는 본사로 갔다고 합니다.

김 대리 그렇게 됐다고 합니다.

오 과장 야, 근데 너, 너는 왜 우리 팀이야?

장그래 과장님이 부르신 걸로 알고 있습니다.

오 과장 ㉡ 내, 내, 내가? 내, 내가 언제? 앗, 네가 불렀니? 내가 부른 거 아냐. 야, 내가 부른 게 아니라니까! 너, 너 왜 웃어? 내가 안 불렀어. 야, 얘기 좀 해 봐. 내가 부른 게 아니라니까.

김 대리 아, 저도 아니에요.

오 과장 야, 고 과장, 고 과장, 내가 부른 거 아냐.

나 ㉢ 학교 앞 떡볶이 가게에서 오밀조밀 모여 앉아 떡볶이를 사 먹어 보지 않은 학생이 있을까요? 아마 없을 거예요. 평소에 외식을 거의 하지 않는 저희 엄마도 저와 함께 학교 앞 떡볶이 가게는 자주 가신답니다. 교복을 입고 삼삼오오로 모여서 맛있게 떡볶이를 먹던 시절이 생각난다고 하시면서요. 이처럼 세대를 연결하는 고리이자 학창 시절의 추억이 담긴 떡볶이는 언제부터 만들어 먹기 시작했을까요? [중략]

[A]
궁중 요리였던 떡볶이는 어떻게 대중 음식이 되었을까요? 정확한 시점은 알려지지 않았지만, 대체로 육이오 전쟁 중이던 1950년대부터라고 추정됩니다. 식재료가 변변치 않던 시절, 떡과 고추장, 채소 등을 버무려 볶아 낸 떡볶이가 시중에 팔리게 되면서 인기를 끌게 되었다고 해요. 그 후로도 떡볶이는 시대상을 반영하면서 여러 번 변모했어요. 가스가 공급되기 시작한 1970년대부터는 즉석에서 요리할 수 있어 길거리에서도 팔기 시작했고, 떡볶이 가게가 밀집된 지역도 생겨났어요. 1980년대부터는 자율화 물결에 따라 청소년 문화가 급속히 발전하면서 떡볶이는 지역

곳곳에 분포한 분식점들의 대표 메뉴 중 하나가 되었지요. 2000년대 이후로는 프랜차이즈 시스템이 등장하여 떡볶이에도 상표가 달렸으며, 다양한 소스와 메뉴가 개발되면서 한국의 대표 먹거리가 되었습니다.

옛날 궁중에서 즐기던 떡볶이는 오늘날 대중적인 음식으로 바뀌어 계속 여러 형태로 발전하고 있습니다. 치즈 떡볶이, 카레 떡볶이는 물론이고 국물 떡볶이도 등장하였습니다. 이런 떡볶이가 앞으로도 다양한 형태로 발전하여 한국인의 입맛뿐 아니라 세계인의 입맛을 사로잡는 날이 오기를 바랍니다. 이상으로 발표를 마칩니다.

다 구청 측 저희는 마땅한 터가 없어서 지역 주민들을 위한 체육 시설을 조성하는 데 어려움을 겪고 있습니다. 그래서 ○○고등학교에서 체육 시설을 조성할 터를 제공하고, 공사비를 우리 구청에서 부담하는 방식으로 체육 시설 조성 사업을 추진하고자 합니다. 교내에 체육 시설을 조성하면 지역 주민뿐 아니라 학생들도 그 시설을 이용할 수 있으니 서로의 이익을 위한 좋은 방안이라고 생각합니다.

학교 측 구청에서 우리 학교의 공터에 체육 시설을 조성하는 것에는 동의합니다. 학교에서 터를 제공하면 구청 측에서 겪고 있는 어려움을 해소할 수 있고, 교내에 체육 시설이 생기면 학생들에게도 이로울 것 같습니다.

구청 측 ㉣ 동의해 주셔서 감사합니다. 그럼 이제 체육 시설 조성 후의 운영 방안에 관해 논의해 볼까요? 저희는 ○○고등학교에서 체육 시설 조성의 취지를 살려 지역 주민들이 체육 시설을 자유롭게 이용할 수 있도록 해 주었으면 합니다.

학생 대표 학교 측에서는 학생들의 교육 환경 개선을 위해 교내 체육 시설 설치에 동의하였고, 학생들도 지역과 학교의 상생이라는 체육 시설 조성 취지에 공감합니다. 하지만 지역 주민들이 학교 내의 체육 시설을 자유롭게 이용하게 되면 여러 가지 문제가 발생할 수 있습니다. 그러므로 체육 시설을 제한적으로 이용하도록 해야 한다고 생각합니다.

주민 대표 지역 주민들이 교내 체육 시설을 이용하는 데 제한을 두려는 까닭은 무엇입니까?

학교 측 주민들의 자유로운 체육 시설 이용을 반대하는 까닭은 학생들의 수업권 때문입니다. 주민들이 아무 때나 자유롭게 체육 시설을 이용하면 학생들이 체육 수업을 받을 때 불편함을 겪을 수 있습니다.

학생 대표 그리고 학교에 외부인이 자유롭게 드나들면 교통사고를 비롯해 여러 가지 예기치 못한 안전 문제가 발생할 수 있습니다. 그러므로 ㉤ 지역 주민들

이 체육 시설을 17시 이후부터 이용할 수 있도록 제한했으면 합니다.

주민 대표 네, 학생들의 수업권과 안전이 우선적으로 보장되어야 한다는 점에는 동의합니다. 그런데 지역 주민들의 대부분은 이른 아침에도 운동을 합니다. 지역 주민들이 아침 운동을 할 수 있도록 9시 이전까지는 체육 시설을 이용할 수 있게 하면 어떨까요? 학생들의 수업 시간과 겹치지 않으면 수업권과 안전에 큰 문제가 없으리라 봅니다.

학교 측 알겠습니다. 학생들이 수업을 하는 9시부터 17시까지는 학생들이 체육 시설을 우선적으로 이용하도록 하고, 그 시간 동안 지역 주민의 체육 시설 이용을 제한하면 학생들의 수업권과 안전에 큰 문제가 없을 것 같습니다.

구청 측 시간 외에 시기별, 시설별로 이용에 제한을 두는 방법도 고려해 주셨으면 합니다. 예를 들어 학생들이 정규 수업을 하지 않는 방학 동안은 주민들이 체육 시설을 자유롭게 이용할 수 있도록 하거나 학생들의 수영 수업이 없을 때 주민들의 수영장 이용에 제한을 두지 않는 것처럼요.

학교 측 수영 수업은 늘 있는 것이 아니므로, 구청 측에서 학생들의 안전에 문제가 없도록 해 주신다는 전제하에 수영장을 개방하도록 하겠습니다. 하지만 방학 기간에는 방과 후 수업 등을 해야 해서 체육 시설 이용을 전면적으로 허용하기는 어렵습니다. 쉽지 않겠지만 방과 후 수업 시간을 조정하여 주민들이 체육 시설을 보다 오랫동안 이용할 수 있는 방안을 모색해 보겠습니다.

수능형

15. (가)~(다)를 비교한 내용으로 가장 적절한 것은?

① (가)~(다)의 화자는 정보 전달을 목적으로 발화를 하고 있다.

② (가)~(다)는 상호 작용을 통해 문제를 해결하고자 하는 화법이 나타난다.

③ (가)는 사적인 성격의 의사소통인 데 비해, (나)와 (다)는 공적인 성격의 의사소통이다.

④ (가)와 (나)는 화자와 청자가 명확하게 구분되지만, (다)는 화자와 청자가 명확하게 구분되지 않는다.

⑤ (가)와 (다)는 이익과 관련된 갈등 상황이 나타나고, (나)는 친교와 화합을 도모하는 상황이 나타난다.

16. ㉠~㉤에 어울리는 준언어적 표현과 그 표현에 담긴 의도로 적절하지 않은 것은?

① ㉠: 상대방을 축하하는 마음과 상대에 대한 반가움이 드러나도록 다정하고 나긋나긋한 목소리로 말한다.

② ㉡: 예상하지 못한 대답에 대한 당황스러움이 나타나도록 빠른 속도와 큰 목소리로 말한다.

③ ㉢: 청자에게 친근한 느낌을 줄 수 있도록 부끄럽고 수줍은 어조로 말한다.

④ ㉣: 상대방에 대한 감사의 마음이 나타나도록 부드러운 목소리로 말한다.

⑤ ㉤: 목소리에 힘을 주어 자신이 주장하는 바를 강조하도록 한다.

서술형

17. [A]에 나타난 내용과 그 구성 방식에 대해 서술하시오.

출제 예감

18. (다)에서 협상의 각 참여자들이 요구하는 바와 그 이유로 적절하지 않은 것은?

① 구청 측: 지역 주민들을 위한 체육 시설을 조성하는 데 어려움을 겪고 있으므로 지역의 체육 시설을 학교에 조성할 수 있도록 해 달라.

② 구청 측: 체육 시설 조성 취지를 살릴 수 있도록 학교의 체육 시설을 주민들이 자유롭게 이용할 수 있게 해 달라.

③ 학생 대표: 학생들의 수업권을 저해할 수 있으므로 지역 주민들이 교내 체육 시설을 제한적으로 이용하도록 해 달라.

④ 주민 대표: 이른 아침에 운동하는 지역 주민들이 많으므로 오전 9시 이전까지는 지역 주민들이 학교의 체육 시설을 이용할 수 있게 해 달라.

⑤ 학교 측: 학생들의 안전에 문제가 없어야 하므로 지역 주민들에게 수영장을 개방하지 않도록 해 달라.

1. 정보를 정리하여 전달하는 작문	(1) 가치 있는 정보를 전달하는 글	• 기준을 정해 가치 있는 정보를 선별하고 범주화하여 내용 조직하기 • 다양한 방법으로 자료를 수집하여 정보를 전달하는 글 쓰기
	(2) 나를 소개하는 글	• 소개하는 글의 구성 요소와 요건 이해하기 • 목적과 독자 등의 맥락을 고려하여 나를 소개하는 글 쓰기
	(3) 탐구 결과를 보고하는 글	• 보고서의 구성 요소와 요건 이해하기 • 탐구 과제를 조사하여 절차와 결과가 잘 드러나게 보고하는 글 쓰기
2. 의견을 펼치며 설득하는 작문	(1) 논리적으로 설득하는 글	• 독자의 요구, 관심사, 수준 등을 고려하여 논거를 수집하고, 수집한 논거의 타당성, 신뢰성, 공정성 판단하기 • 주제, 목적, 독자를 고려하여 적절한 설득 전략을 활용해 설득하는 글 쓰기
	(2) 시사 문제를 비평하는 글	• 시사 현안이나 쟁점을 다양한 관점에서 분석하여 자신의 관점 정하기 • 자신의 관점에 따라 의견이나 주장, 견해가 명료하게 드러나도록 비평하는 글 쓰기
	(3) 현안에 관해 건의하는 글	• 건의문의 구성 요소와 요건 이해하기 • 현안을 분석하여 쟁점을 파악하고 해결 방안을 담은 건의하는 글 쓰기
3. 사람을 이해하고 성찰하는 작문	(1) 친교를 위한 글	• 친교를 위한 글쓰기에서 맥락의 중요성 이해하기 • 작문 맥락을 고려하여 친교의 내용을 표현하는 글 쓰기
	(2) 성찰과 정서 표현을 위한 글	• 진정성 있는 글이 독자에게 감동을 줄 수 있음을 이해하기 • 경험의 성찰에서 얻은 감동이나 정서를 진솔하게 표현하는 글 쓰기

핵심 역량

비판적·창의적 사고 역량

⌄⌄

상황과 목적에 맞게 작문을 계획하고
비판적·창의적으로 실행하기

자료·정보 활용 역량

⌄⌄

적절한 자료와 정보를
활용하여 글 쓰기

의사소통 역량

⌄⌄

정보 전달, 설득, 친교 및 정서 표현의
글을 통해 효과적으로 의사소통하기

자기 성찰·계발 역량

⌄⌄

작문의 과정과 결과로써
자신을 이해하고 성찰하기

공동체·대인 관계 역량

⌄⌄

작문을 통하여 공동의 문제를 해결하기

작문의 원리와 실제

III

1. 정보를 정리하여 전달하는 작문

2. 의견을 펼치며 설득하는 작문

3. 사람을 이해하고 성찰하는 작문

정보를 정리하여 전달하는 작문

단원의 짜임

(1) 가치 있는 정보를 전달하는 글

정보의 중요성과 정보를 선별, 조직하는 원리를 이해하고
··· 친숙한 주제에 관해 가치 있는 정보를 전달하는 글을 써 본다.

(2) 나를 소개하는 글

소개하는 글의 구성 요소와 요건을 이해하고
··· 임의의 상황을 정하여 자기소개서를 써 본다.

(3) 탐구 결과를 보고하는 글

보고서의 구성 요소와 요건을 이해하고
··· 하나의 탐구 주제를 골라 절차와 결과가 드러나게 보고서를 써 본다.

— 「봉수당진찬도」

글쓰기는 목적에 따라 여러 정보를 수집하고 적절하게 조직하여 글로 표현하는 일을 말한다. 특히 정보 전달을 위한 글을 쓸 때는 정보의 <u>객관성과 정확성, 풍부성</u> 등에 유의 _{정보 수집 시 유의할 점} 해야 한다. 이때 활용할 수 있는 정보는 수없이 많지만 그 많은 정보를 모두 활용하는 것은 가능하지도 않고 불필요하다. 그러므로 글의 목적, 주제, 독자 등에 따라 가치 있는 정보 _{가치 있는 정보를 고르는 기준} 를 골라서 효과적으로 조직하고 표현하는 일이 중요하다.

▶ 가치 있는 정보를 전달하는 글을 쓰는 방법

학생들은 일상생활이나 학교생활을 하면서 <u>자기를 소개하는 글을 써야 하는 경우가 많다. 자기소개서를 효과적으로 쓰기 위해서는 <u>자기를 소개하는 목적, 독자, 주제 등의 작문 맥락을 정확하게 파악해야 한다.</u> 개성이 있으면서도 독자가 필요로 하는 정보가 모두 담겨 있어야 좋은 자기소개서이다.

▶ 자기소개서를 효과적으로 쓰는 방법

또한, <u>어떤 것을 탐구한 내용을 보고하는 글을 써야 하는 경우도 많은데</u>, 이때는 <u>탐구의 절차와 결과가 잘 드러나게 써야 한다.</u> 그러려면 <u>탐구를 치밀하게 계획하고 정확하게 조사를 수행하여 객관적이고 의미 있는 결론을 이끌어 내야 한다.</u> 그리고 이를 바탕으로 보고서의 형식에 맞게 효과적으로 구성해야 한다.

▶ 탐구 보고서를 효과적으로 쓰는 방법

이 단원에서는 가치 있는 정보를 수집, 선별하고 조직하여 정보를 전달하는 글의 원리를 배우고, 자기소개서와 보고서를 쓰는 전략과 방법을 익히기로 한다. '단원의 짜임'을 중심으로 학습할 내용을 확인해 보자.

▶ 학습할 내용 안내

(1) 가치 있는 정보를 전달하는 글

글에 가치 있는 정보를 담으려면 어떻게 해야 할까?

> 글에 가치 있는 정보를 담으려면 글을 쓸 때에 작문의 맥락을 고려하여 독자에게 가치 있는 정보가 무엇인지 파악하고, 그에 맞는 정보를 수집·선별·조직하여 글을 쓰는 게 중요하다.

••• 위의 두 사람에게 가치 있는 정보는 각각 무엇인가?

| 예시 답안 | 빵집을 차리려고 하는 사람에게는 빵집의 수익성, 빵집을 열 때 드는 비용 등에 관한 정보가 가치 있는 정보이고, 갓 나온 빵을 먹고 싶어 하는 사람에게는 주변 빵집의 빵이 나오는 시간, 파는 빵의 종류와 가격 등이 가치 있는 정보가 된다.

••• 글을 통해 정보를 성공적으로 전달하려면 어떻게 해야 할까?

| 예시 답안 | 가치 있는 정보를 독자에게 제대로 전달하기 위해서는 독자가 정보를 정확하고 쉽게 파악할 수 있도록 글을 조직하고 표현해야 한다.

알기

• **정보 수집의 경로와 방법에는 무엇이 있나?**

| 예시 답안 | 정보 수집 경로에는 책, 사전, 신문, 방송, 인터넷 등 다양한 매체가 있고, 정보 수집 방법에는 설문 조사, 전문가 면담, 전문 기관 방문 등이 있다.

• **정보를 선별하는 기준은 무엇인가?**

| 예시 답안 | 글의 목적, 주제, 독자, 매체의 속성 등을 고려하되, 정보의 신뢰성, 객관성, 전문성 등도 따져 봐야 한다.

• **정보를 조직하는 방법에는 무엇이 있나?**

| 예시 답안 | 정보의 성격에 따라 나열 구조, 순서 구조, 비교·대조 구조, 문답 구조, 인과 구조, 문제 해결 구조 등으로 내용을 조직할 수 있다.

하기

• **여러 가지 방법으로 가치 있는 정보 찾기**

> 여러 매체의 특성에 따라 정보를 수집하되, 전달의 목적과 대상을 고려하여 수집하는 정보를 달리하기

• **객관성, 정확성, 신뢰성을 고려하여 정보 선별하기**

> 객관적인 사실에 근거한 정보인지, 목적에 맞는 정보인지, 믿을 만한 정보인지 등을 판단해 보기

• **맥락과 정보 특성을 고려하여 정보 조직하기**

> 글의 목적, 주제, 대상 등을 고려하여 정보를 조직하는 방법 학습하기

• **가치 있는 정보를 전달하는 글 쓰기**

> 글의 목적, 주제, 대상 등을 고려하여 가치 있는 정보를 선별하고 조직하여 정보를 전달하는 글 쓰기

알아 두기

〕 정보를 전달하는 글의 개념과 종류

» **개념:** 어떤 객관적인 사실이나 정보를 다른 사람에게 알리고 설명하기 위한 목적으로 쓰는 글

» **종류:** 설명문, 안내문, 보도문, 관찰 기록문, 자기소개서, 탐구 보고서, 법조문, 계약서, 사용 설명서, 기행문, 전기 등

〕 정보를 전달하는 글 쓰기의 과정

정보 수집	• 글의 목적과 대상, 매체의 특성과 수집 방법 등을 고려하여 풍부하고 정확한 정보를 수집함. – 매체의 종류: 책, 신문, 방송, 인터넷 등 – 수집 방법: 설문 조사, 전문가 면담, 전문 기관 방문 등
정보 선별	• 글을 쓰는 목적, 주제, 대상 등을 명확히 파악하고 그것을 바탕으로 수집한 정보의 가치를 판단함. • 가치 있는 정보 선별을 위한 질문 – 전달하고자 하는 정보가 독자에게 의미 있는 정보인가? – 알릴 만한 가치가 있는 정보인가? – 글의 목적에 맞고, 믿을 만한 정보인가? – 객관적 사실에 근거한 정보인가? – 과장되거나 왜곡된 정보는 아닌가?
정보의 범주화 및 내용 조직	• 정보의 속성과 독자의 특성 등을 고려하여 선별한 정보들을 적절히 조직함. • 정보를 전달하는 글은 일반적으로 3단 구성이나 4단 구성을 취함. • 세부 정보의 성격에 따른 내용 전개 방식 – 나열 구조: 서로 대등한 관계에 있는 정보를 늘어놓는 방법 – 순서 구조: 과정이나 순서에 따라 내용을 조직하는 방법 – 비교·대조 구조: 두 대상 간의 공통점과 차이점을 중심으로 내용을 조직하는 방법 – 문답 구조: 묻고 답하는 방식으로 내용을 조직하는 방법 – 인과 구조: 원인과 결과에 따라 정보를 배열하는 방법 – 문제 해결 구조: 어떤 현상에 대한 문제점을 밝히고 그 문제의 해결 방안을 제시하는 방법
글쓰기	• 효과적으로 표현하기 – 단어와 문장을 어법에 맞게 사용하며, 객관적이고 정확한 문장을 써야 하고, 모호한 표현이나 함축적 표현, 주관적인 표현, 장황한 표현 등은 사용하지 않아야 함. – 제목과 소제목, 차례, 이끄는 글, 그림이나 사진, 표나 그래프, 색인 등을 활용하여 효과적으로 정보를 전달함. – 독자의 특성을 고려한 정보를 활용하여 독자의 배경지식을 활성화하고, 관심과 이해도를 높여 새로운 정보를 쉽게 이해할 수 있도록 함. – 지시어, 접속어, 연결 표현 등을 적절히 사용함. • 글 점검하기 – 내용의 생성, 조직, 표현 등의 과정이 적절한지 점검함. – 글 수준, 문단 수준, 문장 수준, 단어 수준 등에서 고쳐 쓸 부분을 점검함. – 쓰기 윤리에 어긋난 내용은 없는지 점검함.

• 개념 확인하기

1. 정보를 전달하는 글에 대한 설명으로 알맞은 것은 ○표, 알맞지 <u>않은</u> 것은 ×표를 하시오.

(1) 정보를 수집할 때는 전달하는 목적과 대상을 고려하여 수집하는 정보를 달리해야 한다. (   )

(2) 수집한 정보는 독자의 특성만을 고려하여 내용을 조직해야 한다. (   )

(3) 독자의 이해를 돕기 위해 글 앞에 개관을 제시하거나 제목과 소제목, 차례, 그림이나 사진, 표나 그래프 등을 활용한다. (   )

2. 〈보기〉에서 빈칸에 들어갈 알맞은 말을 찾아 쓰시오.

〈보기〉
> 나열, 문답, 인과

(1) (   ) 구조: 묻고 답하는 방식으로 내용을 조직하는 방법

(2) (   ) 구조: 서로 대등한 관계에 있는 정보를 늘어놓는 방법

(3) (   ) 구조: 원인과 결과에 따라 정보를 배열하는 방법

3. 다음 빈칸에 알맞은 말을 쓰시오.

(1) 정보를 전달하는 글에서 정보의 (   )는 글을 쓰는 목적, 주제, (   ) 등에 따라 달라진다.

(2) 정보를 수집할 때는 책, 신문, 방송, 인터넷 등 다양한 (   )를 이용한다.

4. 정보를 전달하는 글이 갖추어야 할 요건이 <u>아닌</u> 것은? (정답 2개)

① 공정성　　② 신뢰성
③ 객관성　　④ 주관성
⑤ 추상성

┃정답┃
1. (1) ○ (2) × (3) ○　**2.** (1) 문답 (2) 나열 (3) 인과　**3.** (1) 가치, 대상 (2) 매체　**4.** ④, ⑤

하면서 **배우기** 📖 ⸺⸺⸺⸺⸺⸺⸺ 교과서 139p

1. 다음 대화를 보고, 아래의 활동을 해 보자.

수민   요즘 방송을 보면 윤리적 소비를 해야 한다는 말을 많이
       하던데, 넌 윤리적 소비가 뭔지 알아?
정운   윤리적 소비? 잘 모르겠는데.
수민   인터넷으로 검색해 볼까?
       _{정보 수집 매체}
정운   그래자. 윤리적 소비에 관한 정보를 찾아서 이번 학교 신
       _{정보 전달 매체}
       문 정보란에 윤리적 소비가 무엇인지 알려 주는 글을 실
       _{정보 전달 목적}
       으면 좋을 것 같아.

(1) 다음은 인터넷에서 '윤리적 소비'를 검색한 화면이다. 정보
전달의 목적과 대상을 고려하여, '수민'과 '정운'이 윤리적 소비
에 관해 수집해야 할 정보를 말해 보자.

통합 검색 뉴스 사진 어학 사전 동영상 블로그 더 보기	🔍 윤리적 소비

연관 검색어
윤리적 소비 공모전, 착한 소비, 윤리적 소비의 한계,
윤리적 소비의 개념, 공정 무역, 녹색 소비,
윤리적 소비의 실천 방법, 윤리적 소비의 사례,
윤리적 소비 관련 인증 제도, 윤리적 소비의 필요성,
소비자의 사회적 책임, 윤리적인 삶
	더 알아보기
	• 커피도 착할 수 있나요?
	• 착한 소비, 공정한 무역이
	  란 무엇인가요?
	• 소비자가 가지는 권리와 책
	  임이 있어요?

| 예시 답안 |

정보 전달의 목적	윤리적 소비가 무엇인 지 알려 주고자 함.	➡	**수집해야 할 정보**
정보 전달 대상	학교 친구들		윤리적 소비의 개념, 윤리적 소 비의 실천 사례, 윤리적 소비의 동향, 윤리적 소비의 한계 등

(2) 〈보기〉에 제시된 매체의 특성을 고려하여 (1)에서 선정한
정보를 수집하기 위해 활용할 매체를 고르고, 그 매체를 고른
까닭을 말해 보자.

─〈보기〉─
책   내용을 폭넓고 깊이 있게 다루므로 풍부한 정보를 얻
     을 수 있지만 자료 수집에 오랜 시간이 걸린다.

사전   대상에 관한 설명이나 주제의 뜻을 명백하게 밝혀
       규정할 수 있으나 정보의 양이 풍부하지 않을 수 있
       다. 예전에는 종이로 된 사전을 많이 사용했으나 최근
       에는 인터넷 사전을 많이 사용한다.
신문   주제와 관련된 사례들을 수집하거나 최근 동향이
       담긴 기사 자료를 얻을 수 있으며, 최근에는 인터넷의
       발달로 자료의 검색이 쉽다. 그러나 편향되거나 과장
       된 정보가 있을 수도 있으므로 비판적으로 필요한 자
       료를 선택해야 한다.
방송   생생한 동영상 자료를 얻을 수 있으며, 최근에는
       인터넷이 발달하여 자료를 쉽게 검색할 수 있다. 그러
       나 책 등에 비해 깊이 있는 정보를 얻는 데에는 한계
       가 있을 수 있다.

| 예시 답안 |

수집하고자 하는 정보	활용할 매체	매체를 선택한 까닭
윤리적 소비의 개념	사전	대상의 개념을 이해하기 쉽게 정의해 놓은 매 체이기 때문이다.
윤리적 소비의 실천 사례	방송	윤리적 소비를 실천하는 사례들을 직접 볼 수 있는 매체이기 때문이다.
윤리적 소비의 동향	신문	윤리적 소비와 관련된 최근의 동향을 살필 수 있는 매체이기 때문이다.
윤리적 소비의 한계	책	윤리적 소비에 대한 깊이 있는 정보를 얻을 수 있는 매체이기 때문이다.

✏️ **배워서** 하기 **①** ▶ 교과서 140p

다양한 매체를 활용하여 정보 수집하기

● 다음 중 한 가지의 주제를 골라 정보를 전달하는 글을 쓰려고
한다. 다양한 매체를 활용하여 글을 쓰는 데 필요한 정보를 수
집해 보자.

☐ 한국의 풍속화   ☐ 청소년 스마트폰 중독
☐ 훈민정음의 우수성   ☐ (   )

| 예시 답안 | 훈민정음의 우수성

활용 매체	수집한 정보
• 사전 • 책 • 인터넷 • 면담	• 훈민정음의 개념 • 훈민정음의 과학성 • 훈민정음의 옛 모습 • 세계 문화유산으로서의 가치

하면서 **배우기** 📖 ━━━━━━━━ 교과서 141p

2. 다음은 '토마토와 건강'이라는 주제로 글을 쓰기 위해 수집한 정보이다. 수집한 정보를 바탕으로, 아래의 활동을 해 보자.

가 **토마토의 효용성**

토마토가 건강식품으로 주목받는 가장 큰 이유는 '리코펜' 때문이다. 토마토의 붉은색을 만드는 리코펜은 노화의 원인이 되는 활성 산소를 배출시켜 세포가 젊음을 유지할 수 있도록 해 준다. _{리코펜의 기능 ①} 또한, 리코펜은 남성의 전립샘암, 여성의 유방암, 소화기 계통의 암을 예방하는 데 효과가 있다. _{리코펜의 기능 ②} 토마토에 들어 있는 칼륨은 체내 염분을 몸 밖으로 배출시켜 우리나라 사람들의 짜게 먹는 식습관에서 비롯된 고혈압 예방에도 도움이 _{칼륨의 기능} 된다. 토마토는 다이어트에도 제격이다. 토마토 1개(200g)의 _{토마토의 효능} 열량은 35kcal에 불과하며 수분과 식이성 섬유가 많아 포만감을 준다. 식사 전에 토마토를 먹으면 식사량을 줄일 수 있으며, 소화를 돕고 신진대사를 촉진하는 효과도 있다.

– 인터넷 백과사전

나 **신선한 토마토 과육으로 만들어 더 맛있는 토마토케첩**

『01_ 토마토는 윗면에 칼집을 내고 끓는 물에 넣는다.

02_ 껍질이 일어나면 토마토를 건져 찬물에 헹군 뒤 껍질을 벗긴다.

03_ 토마토와 양파는 적당히 썰고, 마늘은 칼등으로 으깨어 준비한다.

04_ 믹서에 토마토, 양파, 마늘, 소주를 넣어 곱게 간 뒤, 체에 걸러 냄비에 쏟고 월계수 잎을 함께 넣는다.

05_ 센 불에 올려 끓기 시작하면 약한 불로 줄여 20분간 잘 저어 가며 끓이다가 꿀을 넣고 10분간 졸인다.

06_ 어느 정도 졸아들면, 식초와 소금을 넣어 간하고 월계수 잎을 건진다.

07_ 전분 물을 조금씩 넣어 가며 농도를 맞춰 한 번 더 끓인 뒤 충분히 식혀 밀폐 용기에 담는다.』『 』: 토마토케첩을 만드는 순서에 따라 내용을 구성함.

• 재료: 토마토 중간 크기 5개(800g), 소주 2 큰술, 월계수 잎 2장, 양파 작은 것 1개, 마늘 8쪽, 식초 3 큰술, 소금 1 작은술, 꿀 6 큰술, 전분 물 2 큰술(감자 전분 2 큰술 + 물 2 큰술)

• 물: 700~800㎖

– 김상영, 『양념 & 소스』

다 **같이 먹으면 '득'이 되는 음식 궁합**

기자 토마토는 올리브유와 볶아서 드시면 좋고요. 아보카도와 함께 먹으면 몸에 흡수가 더 잘되고요. 브로콜리를 함께 먹으면 전립샘암을 예방하는 효과가 있다고 합니다.

– 와이티엔(YTN) 뉴스, 2015. 3. 31.

라 **빈속에 토마토를 먹으면 안 좋은 이유**

빈속에 토마토를 먹으면 별로 좋지 않다는 사실 알고 계셨나요?

토마토는 탄닌산(tannic acid)을 다량 함유하고 있는데, 이는 위장 내의 산도를 높여 위염이나 궤양과 같은 위장 질환을 높일 수 있기 때문입니다.

– 블로그

마 **토마토를 조심해야 하는 사람**

토마토는 칼륨 함량이 높아 신장병 환자는 조심해야 해요. _{토마토를 조심해야 하는 사람 ①} 또 위산 과다, 역류성 식도염이 있는 사람들은 토마토를 많이 _{토마토를 조심해야 하는 사람 ②} 먹지 말아야 합니다. 토마토의 초록색 씨는 알레르기를 유발할 수 있어 아토피나 천식이 있는 사람들은 주의해야 한답니 _{토마토를 조심해야 하는 사람 ③} 다. 고추, 파프리카와 같은 과인 토마토는 체질적으로 위장에 _{토마토를 조심해야 하는 사람 ④} 열과 산이 많은 사람에게 적합한 음식이 아니에요. 그 대신 소화 기능이 약하고 소화 효소 분비가 적은 사람들에게 적합한 음식이라고 할 수 있어요.

– ○○○ 병원 가정 의학과 전문의

(1) 위의 정보를 바탕으로, 다음 맥락에 따라 정보를 전달하는 글을 쓰려고 한다. (가)~(마) 중 활용할 정보를 골라 전달할 내용을 정리해 보자.

| 예시 답안 | 주제: 토마토를 건강하게 먹는 법

• 활용할 정보: (다)

• 전달할 내용: 토마토를 먹을 때 같이 먹으면 좋은 음식을 알려 줌으로써 독자의 취향에 따라 토마토의 효능을 보다 극대화시키는 요리를 할 수 있음을 알려 준다.

독자: 토마토를 싫어하는 친구

• 활용할 정보: (가), (나)

• 전달할 내용: 토마토가 건강에 좋은 식품임을 알려 주면서, 토마토를 직접 먹지 않고 케첩 등으로 만들어 먹을 수도 있음을 알려 준다.

(2) 매체의 특성을 고려하여 (가)~(마)의 신뢰도를 평가해 보고, 정보를 활용할 때 주의할 점을 말해 보자.

| 예시 답안 |

매체	신뢰도	주의할 점
(가)	⑤ 4 3 2 1	백과사전을 만든 출판사가 믿을 만한지 알아본다.
(나)	5 ④ 3 2 1	책을 쓴 저자와 출판사의 신뢰도를 평가해 본다.
(다)	5 ④ 3 2 1	방송사의 신뢰도를 생각해 본다.
(라)	5 4 ③ 2 1	개인적인 의견이나 주장일 수 있으므로 반드시 공신력 있는 다른 매체의 자료와 비교해 본다.
(마)	⑤ 4 3 2 1	전문가의 수준이나 능력을 생각해 본다.

(3) 위의 정보를 바탕으로 다이어트를 하려는 친구에게 '토마토'에 관해 알려 주는 글을 쓸 때, 가장 유용한 정보는 무엇인지 생각해 보자.

| 예시 답안 | (가)에서는 토마토가 다이어트에 제격이라는 정보와 함께 다이어트에 도움이 되는 이유를 구체적으로 제시하고 있다. 따라서 다이어트를 하고자 하는 친구에게는 (가)의 정보가 가장 유용할 것이다.

배워서 하기 ②

교과서 143p

수집한 정보 중에서 가치 있는 정보 선별하기

● '배워서 하기 ❶'에서 수집한 정보 중에서 글의 목적, 주제, 독자를 고려하여 자신이 사용할 정보를 선별해 보자.

| 예시 답안 |

목적	훈민정음의 우수성을 알리고자 함.
주제	훈민정음의 우수성
독자	고등학생
선별한 정보	• 사전: 훈민정음의 개념을 알 수 있는 국립국어원 『표준국어대사전』의 자료 • 책: 훈민정음의 과학성이 드러나는 훈민정음의 제자 원리와 훈민정음의 독창성에 대해 설명한 자료 • 인터넷(공공 기관 홈페이지): 훈민정음의 옛 모습을 알 수 있는 시각 자료(『훈민정음』 해례본 등) • 면담: 세계 문화유산으로서의 훈민정음

● 다음 기준에 따라 위에서 선별한 정보의 가치를 평가해 보자.

평가 기준
• 글의 목적을 달성하기에 적합한가?   • 신뢰할 수 있는 기관의 정보인가? • 독자에게 가치 있는 정보인가?   • 출처가 분명한 최근의 정보인가?

| 예시 답안 | 생략

하면서 배우기

교과서 144p

3. 다음 글을 읽고, 아래의 활동을 해 보자.

가 윷을 던졌을 때 나오는 결과는 도, 개, 걸, 윷, 모 다섯 가지이다. 윷이 모두 엎어지면 '모', 네 개 모두 잦혀지면 '윷', 세 개가 엎어지고 한 개가 잦혀지면 '도', 두 개가 엎어지고 두 개가 잦혀지면 '개', 한 개가 엎어지고 세 개가 잦혀지면 '걸'이라고 한다. 도는 1점, 개는 2점, 걸은 3점, 윷은 4점, 모는 5점을 얻는다. 그리고 모나 윷이 나오면 '사리'라 하여 윷을 한 번 더 던지는 권리가 주어지므로 많은 점을 얻을 수 있다. 또 '낙'이라는 규칙이 있는데, '낙'은 윷을 던졌을 때 윷가락이 윷판 밖으로 나가는 것을 이른다. '낙'이 되면 나온 점이 무효가 되고 윷을 던지는 기회가 상대편으로 넘어간다.   ▶ 윷놀이의 규칙

나 『윷놀이는 윷가락을 던지고 말[馬]을 사용하여 승부를 겨루는 우리나라 고유의 민속놀이이다.』 윷놀이는 『중국의 '저포'라는 놀이에서 전래되었다는 이야기도 있지만, 우리나라에서는 이미 삼국 시대 이전부터 널리 행해져 왔다.』 부여의 왕이 다섯 종류의 가축을 다섯 마을에 나누어 주고, 그 가축을 잘 번식시키기 위하여 윷놀이를 하였다고 한다. 그래서 윷을 던졌을 때 나오는 결과를 이르는 말인 '도, 개, 걸, 윷, 모'를 '돼지, 개, 양, 소, 말'에 비유하기도 한다.   ▶ 윷놀이의 개념과 유래

설명 대상 / 윷놀이의 개념 / 윷놀이의 유래

다 윷놀이는 원래 정월 무렵에 농민들이 그해 농사가 높은 지대에서 잘될까, 낮은 지대에서 잘될까를 점치는 옛날 풍습 중 하나였다. 그러나 오늘날에는 계절과 관계없이 남녀노소 누구나 즐기는 놀이가 되었다.   ▶ 윷놀이의 전승

과거-윷놀이를 하는 시기와 윷놀이를 하는 사람들

오늘날-윷놀이를 하는 시기와 윷놀이를 하는 사람들

라 윷놀이는 말을 움직이는 데 머리를 많이 써야 한다. 승패가 굳어져 가다가도 한순간에 바뀔 수 있기 때문이다. 우리 편이 지는가 싶다가도 앞에 가는 상대편의 말을 잡을 수 있고, 우리 편이 이기는가 싶다가도 우리 말이 상대편에게 잡힐 수도 있다. 또 우리의 인생처럼 때로는 지름길로 가고 때로는 한 바퀴를 빙 돌아가는 등 변화가 다양하여 언제 역전이 될지 모르는 묘미를 느낄 수 있는 놀이이다.   ▶ 윷놀이의 묘미

윷놀이의 말을 움직일 때 머리를 많이 써야 하는 이유

(1) (가)~(라)를 '처음-가운데-끝'의 구조로 배열하고, 중심 내용을 정리해 보자.

| 예시 답안 |

문단의 구성		문단의 중심 내용
처음	(나)	윷놀이의 개념과 유래
가운데	(가)	윷놀이의 규칙
	(라)	윷놀이의 묘미
끝	(다)	윷놀이의 전승

(2) 각 문단의 내용 전개 방식과 그에 따른 효과를 말해 보자.

| 예시 답안 |

	내용 전개 방식	효과
(가)	열거	윷놀이의 규칙을 구체적으로 알려 주는 데 효과적임.
(나)	정의, 인과	윷놀이의 개념과 유래를 알기 쉽게 전달하는 데 효과적임.
(다)	대조	옛날 윷놀이의 의미와 오늘날 윷놀이의 의미를 비교하여 정확하게 제시할 수 있음.
(라)	인과, 비유	윷놀이에서 말을 쓰는 묘미를 논리적이고 구체적으로 설명할 수 있음.

(3) 윗글에 '윷놀이의 변천 과정'을 설명하는 문단을 추가하려고 한다. 이 문단은 어떤 방식을 활용해 내용을 전개하는 것이 효과적일지 생각해 보자.

| 예시 답안 | 윷놀이의 모습이나 규칙 등이 변해 온 과정을 순서대로 제시해야 독자들이 '윷놀이의 변천 과정'을 정확하고 쉽게 이해할 수 있으므로, '과정'의 방식으로 내용을 전개하는 것이 효과적이다.

배워서 하기 ③ ▶ 교과서 145p

정보의 특성을 고려해 글 조직하기

• '배워서 하기 ❷'에서 선별한 정보를 바탕으로 글을 쓰기 위한 개요를 작성하고, 어떤 방법으로 글을 전개하면 효과적일지 생각해 보자.

| 예시 답안 |

	글의 개요	내용 전개 방식
처음	훈민정음의 개념과 우수성	정의, 설의
중간	• 훈민정음의 제자 원리와 독창성 • 세계가 인정하는 훈민정음	열거, 분석, 대조, 인용
끝	훈민정음을 가꾸는 바람직한 자세	설의

하면서 **배우기** 📖 ●●●●●●●●●●●●● 교과서 146p

4. 다음 글을 읽고, 아래의 활동을 해 보자.

생명을 구하는 심장 충격기

심정지가 의심되는 사람을 발견하면 신속하고 적절하게 응급 처리를 해야 한다. 지금부터 심장이 정지한 사람을 목격할 _{잘못된 단어 사용} 경우를 대비하여 심장 충격기 사용법에 관해 구체적으로 살 _{뒤에 이어질 내용을 알려 줌.} 펴보자.

• 심장 충격기란?
_{심장 박동을}
심장 충격기는 심장에 일정량의 전기 충격을 주어 정상 상 _{심장 충격기의 개념} 태로 회복시켜 주는 기계이다. 심정지 환자를 발견하면 즉시 심폐 소생술을 실시하고, 심폐 소생술을 하는 중에 심장 충격 기가 준비되면 지체 없이 심정지 환자에게 사용해야 한다.

• 심장 충격기 사용법
『㉠ 먼저 심장 충격기의 전원을 켠다. ㉡ 그다음 환자의 상의 를 벗겨 두 개의 패드를 부착한다. 하나는 환자의 오른쪽 빗 장뼈 아래쪽에 붙이고, 다른 하나는 환자의 왼쪽 겨드랑이에 붙인다. 패드에 연결된 선을 기계에 꽂으면 기계에서 자동으 로 "심장 박동 분석 중"이라는 말이 나온다. 이때 환자에게 손 이나 몸이 닿지 않도록 해야 심장 박동이 정확하게 분석된다. 심장 박동을 분석하여 심장 충격이 필요하면 기계가 자동으 로 심장 충격을 위한 에너지를 충전하고, 충전이 완료되면 '심 장 충격' 버튼을 누르라는 메시지가 나온다. '심장 충격' 버튼 을 누르기 전에 주변 사람들에게 환자에게서 떨어지도록 주 의를 준 후, 버튼을 눌러 환자에게 전기 충격을 가한다.』심장 _{『 』: 심장 충격기의 작동 순서 및 방법} 충격 후에는 심폐 소생술을 즉시 시행해야 한다. 심장 충격기 는 2분마다 자동으로 심장 박동을 분석하므로, ㉢ 그 결과에 따라 환자가 회복되거나 구급대가 올 때까지 위의 행위를 반 복해야 한다.

지금까지 심정지 환자의 생명을 구하는 데 도움을 주는 심 장 충격기의 사용법을 알아보았다. 응급 환자에게 가장 중요 한 것은 빠른 처치이다. 심장 충격기의 사용법을 익혀 보다 빠르게 위급 상황에 대처할 수 있도록 하자.

(1) 윗글에서 글의 '도입'과 '정리'를 나타내는 표현을 찾아보고, 그러한 표현의 효과를 생각해 보자.

|예시 답안|

	표현	효과
도입	지금부터 심장이 정지한~구체적으로 살펴보자.	독자로 하여금 글의 전체 구조를 알 수 있게 해 줌으로써 글의 내용을 이해하는 데 도움을 준다.
정리	지금까지 심정지 환자의~심장 충격기의 사용법을 알아보았다.	앞에서 다룬 글의 내용을 요약해 줌으로써 독자가 글의 내용을 되새길 수 있게 도와준다.

(2) 윗글에서 ㉠~㉢과 같은 표현이 어떤 기능을 하고 있는지 파악해 보자.

|예시 답안|
• ㉠, ㉡: 글의 구조가 잘 드러나도록 해 줌.
• ㉢: 앞의 내용과 뒤의 내용을 유기적으로 연결해 줌.

(3) 윗글에서 단어 선택이나 문장 표현이 잘못된 부분을 찾아 고쳐 써 보자.

|예시 답안| • 단어 선택: 응급 처리 → 응급 처치
• 문장 표현: 심장 충격기는 심장에 일정량의 전기 충격을 주어 정상 상태로 회복시켜 주는 기계이다. → 심장 충격기는 심장에 일정량의 전기 충격을 주어 심장 박동을 정상 상태로 회복시켜 주는 기계이다.

(4) 윗글에 다음의 시각 자료를 추가함으로써 얻을 수 있는 효과를 말해 보자.

❶ 심장 충격기 전원 켜기 ❷ 두 개의 패드 부착하기 ❸ 심장 박동 분석하기
❹ 심장 충격기 시동하기 ❺ 심폐 소생술 시행하기

|예시 답안| 시각 자료를 사용하면 글만으로는 쉽게 파악하기 어려운 심장 충격기의 구조, 심폐 소생술을 하는 방법, 심정지 환자에게 심장 충격기의 패드를 붙이는 위치 등을 쉽고 정확하게 전달할 수 있다.

✎ 배워서 하기 ❹ 　▶ 교과서 148p
효과적으로 정보를 전달하는 글 쓰기

• '배워서 하기 ❸'에서 작성한 개요를 바탕으로, 다음 <조건>에 따라 정보를 전달하는 글을 써 보자.

<조건>
• 글 전체 내용의 개관을 제시한다.
• 객관적이고 정확한 문장을 사용한다.
• 독자의 이해를 돕는 시각 자료를 활용한다.

|예시 답안| 훈민정음의 우수성

우리나라 사람 중 훈민정음을 모르는 사람은 거의 없을 것이다. 훈민정음은 무엇일까? 훈민정음은 '백성을 가르치는 바른 소리'라는 뜻으로, 1443년에 세종이 창제한 우리나라 글자를 이르는 말이기도 하지만, 조선 세종 28년(1446)에 훈민정음 28자를 세상에 반포할 때 찍어 낸 판각 원본, 즉 책을 가리키는 말이기도 하다. 이 훈민정음 덕분에 우리는 누구보다 편하게 한글을 읽고 쓸 수 있게 되었다. 우리가 훈민정음

◎ 국보 제70호 『훈민정음』 해례본, 문화재청

이 만들어진 지 수백 년이 지난 오늘날까지 훈민정음을 사용하고 있는 것과 훈민정음을 우수한 문자라고 하는 이유는 무엇일까? 지금부터 그 이유를 살펴보기로 하자.
훈민정음의 우수성은 그 제자 원리를 보면 알 수 있다. 훈민정음 초성 28자 중 기본 자음자는 발음 기관을 본떠 만들고, 기본 모음자는 각각 '하늘, 땅, 사람'의 형상을 본떠 만들었다. 초성은 모두 17자인데, 기본 자음자는 'ㄱ, ㄴ, ㅁ, ㅅ, ㅇ' 다섯 글자이다. 어금닛소리 'ㄱ'은 혀뿌리가 목구멍을 닫은 모양을 본떴고, 혓소리 'ㄴ'은 혀가 윗잇몸에 붙은 모양을 본떴다. 입술소리 'ㅁ'은 입의 모양을, 잇소리 'ㅅ'은 이의 모양을, 목구멍소리 'ㅇ'은 목구멍의 모양을 본뜬 것이다. 이와 같은 기본자의 제자 원리를 '상형의 원리'라고 한다.
이 밖의 초성 글자들은 앞의 다섯 글자에 '가획의 원리'를 적용하여 만들었다. 가획은 다섯 개의 기본 글자에 획을 하나 또는 둘을 더하여 같은 위치에서 나는 강한 소리를 표시하는 글자를 만드는 원리이다. 단, 이체자인 'ㆁ, ㄹ, ㅿ'은 가획의 원리를 따르지만 소리가 강해진다는 의미는 없는 글자이다.
초성 글자들이 발음 기관의 상형을 기본 방법으로 삼아 만들어졌음에 비해 중성 글자들은 상형이기는 하되 그 대상이 달랐다. 중성의 기본 글자는 각각 '하늘, 땅, 사람'의 모양을 본떠 'ㆍ, ㅡ, ㅣ'의 모양으로 만들었다. 이는 중성의 경우 그것이 소리 나는 발음 기관의 모양을 본뜨기 어렵다는 이유도 있었지만, 당시의 지배적 이론이었던 성리학을 반영하고자 하는 의도가 있었던 것으로 보인다. 예로부터 동양 철학에서는 '하늘, 땅, 사람'을 '삼재(三才)'라고 하여 우주 만물의 기본 요소로 생각했는데, 이들의 상형으로 중성의 기본 글자를 만든 것이다.
이 밖의 중성 글자들은 기본 중성 글자들의 합성으로 이루어졌다. 먼저 'ㅡ'와 'ㅣ'의 위와 아래, 오른쪽과 왼쪽에 'ㆍ'가 덧붙어 'ㅗ, ㅜ, ㅏ, ㅓ'가 만들어졌고, 이들에 다시 'ㆍ'가 하나씩 덧붙어 'ㅛ, ㅠ, ㅑ, ㅕ'가 만들어졌다. 이렇게 기본자의 합성으로 총 열한 자의 모음자를 완성하였다. 이와 같은 모음자의 제자 원리를 '합성의 원리'라고 한다.
한편 종성을 위한 글자는 따로 만들지 않고 초성 글자를 다시 쓰도록 하였다. 예를 들어 '밥'의 초성 'ㅂ'은 양 입술을 붙인 후 터뜨리며 내는 소리이고, 종성의 'ㅂ'은 양 입술을 붙이고 터뜨리지 않는 소리로 실제로 발음할 때 그 소리가 다르다. 그러나 이를 표기할 때는 똑같이 'ㅂ'으로 쓰도록 한 것이다. 이처럼 한글은 표음 문자 가운데 음소 단위의 음을 표기하는 문자인 '음소 문자'이다.
한글은 한자 문화권에서 만들어진 유일한 음소 문자이면서 글자를 만드는 방식이나 운용하는 방법 등이 매우 독창적이다. 사실 한글과 같이 한 개인이 주도적으로 창제한 문자가 성공을 거둔 것은 그 전례를 찾기 어렵다. 한글을 두고 미국의 언어학자 레드야드는 "비교할 수 없는 문자학적 사치"라는 찬사를 보낸 바 있다. 이렇듯 한글은 세계적으로 인정받는 독창적이고 과학적인 문자이다.
훈민정음은 1997년에 세계 기록 유산으로 등재되었다. 이때 세계 기록 유산으로 등재된 것은 한글 자체가 아니라 한글을 기록한 『훈민정음』이라는 책이다. 그렇지만 이것은 한글에 대해 기록한 자료가 그만큼 중요함을 방증하는 것이 아닐까?
위에서 살펴본 것처럼 훈민정음은 어느 나라, 어느 민족의 문자보다 독창적이고 우수한 문자이다. 우리는 이러한 훈민정음을 잘 가꾸고 보존해야 하는 책임이 있음을 잊지 말아야 할 것이다.

소단원 정리하기

정보를 전달하는 글의 개념을 정확히 이해하고 있어야 해요. 정보를 전달하는 글의 종류까지 공부해 둔다면 문제 해결에 큰 도움이 될 거예요.

개념	객관적인 사실이나 정보를 다른 사람에게 알리고 설명하기 위한 목적으로 쓴 글
종류	설명문, 안내문, 보도문, 관찰 기록문, 자기소개서, 탐구 보고서, 법조문, 계약서, 사용 설명서, 기행문, 전기 등

출제 포인트 ② 정보의 수집

글의 목적과 주제, 상황을 제시한 후, 그에 적합한 정보를 수집하는 방법에 대하여 묻는 문제가 출제됩니다. 특히 적절한 방법으로 정보를 수집할 수 있는 능력을 갖추고 있는지를 확인하는 문제가 자주 출제되므로, 정보 수집 경로의 특성은 반드시 숙지하고 있어야 해요.

	책	내용을 폭넓고 깊이 있게 다루므로 풍부한 정보 수집이 가능함.
	사전	대상에 관한 설명이나 주제의 뜻을 명백하게 밝혀 규정할 수 있음.
	신문	주제와 관련된 사례나 최근 동향이 담긴 기사 자료를 얻을 수 있음.
수집 경로와 특징	방송	생생한 자료를 얻을 수 있음.
	인터넷	다양하고 방대한 자료를 손쉽게 얻을 수 있음.
	전문가 면담	구체적이고 상세한 정보를 얻을 수 있으며, 원하는 방향의 정보를 얻을 수 있음.
	전문 기관 방문	해당 분야의 폭넓은 지식과 정보를 얻을 수 있음.

출제 포인트 ③ 정보의 선별

수집한 정보를 선별하고 분류한 방법 등이 적절한지 다양하게 평가하는 문제가 시험에 나올 거예요! 이런 유형의 문제를 해결하기 위해서는 먼저 독자의 관심, 요구, 수준에 맞는 정보인지, 정보 활용에 전달자의 주관이 개입되지 않았는지 비판적으로 평가할 수 있는 안목을 길러야겠죠?

선별 기준	글을 쓰는 목적, 주제, 대상 등
가치 있는 정보의 요건	• 객관적 사실에 근거해야 함. • 알릴 만한 가치가 있어야 함. • 과장되거나 왜곡되지 않아야 함. • 전달하고자 하는 정보가 독자에게 의미 있어야 함. • 글의 목적에 맞고 주제를 뒷받침하는 내용이어야 함.

대표 문제 ① **정보를 전달하는 글에 대한 설명으로 적절한 것은?**
① 필자가 자기 생각을 있는 그대로 표현하는 글이다.
② 독자의 생각이나 행동, 태도의 변화를 목적으로 하는 글이다.
③ 독자가 이미 알고 있는 정보를 우선적으로 선정하여 조직한 글이다.
④ 독자에게 어떤 대상, 사실, 현상 등에 대한 정보를 전달하기 위해 쓰는 글이다.
⑤ 필자가 자신의 주장과 관점을 명료하게 내세우면서도 신중한 태도로 쓰는 글이다.

대표 문제 ② **'훈민정음의 우수성'에 대한 정보를 전달하는 글을 쓰려고 할 때 매체를 활용한 정보 수집 방법으로 적절하지 않은 것은?**
① 훈민정음의 개념을 이해하기 쉽도록 사전의 정의를 활용한다.
② 훈민정음의 과학성에 대하여 깊이 있는 지식을 얻기 위해 전문 서적을 활용한다.
③ 훈민정음의 옛 모습을 연구하기 위해 자주 만나는 주변의 어르신들과 면담을 한다.
④ 훈민정음에 대한 이해를 쉽게 하고 독자의 관심을 끌 수 있도록 방송 매체의 내용을 활용한다.
⑤ 훈민정음이 세계 문화유산으로서 가지는 가치를 알아보기 위해 사전에 계획을 세워 전문가와 면담을 한다.

대표 문제 ③ **정보를 전달하는 글을 쓰기 위하여 수집한 자료를 선별하는 기준으로 적절하지 않은 것은?**
① 믿을 만한 정보인가?
② 직접 수집한 정보인가?
③ 글의 목적에 맞는 정보인가?
④ 알릴 만한 가치가 있는 정보인가?
⑤ 객관적 사실에 근거한 정보인가?

출제 포인트 ❹ 정보의 내용 조직

> 정보를 전달하는 글은 전달하려는 정보의 특성에 따라 정보 조직의 방식을 달리해야 해요. 따라서 정보의 내용 조직과 관련해서는 글의 구조나 내용이 어떤 방식으로 조직되었는지 묻는 문제와 정보의 속성과 독자의 특성을 고려하여 적합하게 구성되었는지 판단하는 문제가 출제됩니다. 다양한 내용 구성 방식의 종류를 알아 두고 예문을 통해 정보의 특성을 파악하는 연습을 자주 해 보세요.

내용 구성과 전개 방식	• 일반적으로 3단 구성이나 4단 구성 • 나열 구조: 서로 대등한 관계에 있는 정보를 늘어놓는 방법 • 순서 구조: 과정이나 순서에 따라 내용을 조직하는 방법 • 비교·대조 구조: 두 대상 간의 공통점과 차이점을 중심으로 내용을 조직하는 방법 • 문답 구조: 묻고 답하는 방식으로 내용을 조직하는 방법 • 인과 구조: 원인과 결과에 따라 정보를 배열하는 방법 • 문제 해결 구조: 어떤 현상에 대한 문제점을 밝히고 그 문제의 해결 방안을 제시하는 방법

대표 문제 ❹ 〈보기〉에 사용된 내용 전개 방식으로 가장 적절한 것은?

─〈보기〉─

빈속에 토마토를 먹으면 안 좋은 이유

　빈속에 토마토를 먹으면 별로 좋지 않다는 사실 알고 계셨나요?

　토마토는 탄닌산(tannic acid)을 다량 함유하고 있는데, 이는 위장 내의 산도를 높여 위염이나 궤양과 같은 위장 질환을 높일 수 있기 때문입니다.

① 대상에 대한 정의를 내리고 있다.
② 두 대상의 차이점을 강조하고 있다.
③ 구체적 사례를 제시하여 이해를 돕고 있다.
④ 묻고 답하는 방식으로 내용을 전개하고 있다.
⑤ 서로 대등한 관계에 있는 정보를 나열하고 있다.

출제 포인트 ❺ 전달 효과를 높이는 표현과 고쳐쓰기

> 쓰기의 과정과 결과물을 점검하고 고쳐 쓰는 능력을 평가하는 문항이 출제됩니다. 정확성, 간결성, 명료성이 고쳐쓰기의 가장 기본적인 원칙이므로, 모호하거나 함축적이고 장황한 표현을 바르게 고쳐 써 보는 공부를 해 두세요.

전달 효과를 높이는 표현	• 단어와 문장을 어법에 맞게 사용함. • 객관적이고 정확하며 간단명료하게 표현함. • 지시어, 접속어, 연결 표현 등을 적절히 사용함. • 독자의 특성을 고려한 정보를 활용하여 독자의 배경지식을 활성화함. • 모호한 표현이나 함축적 표현, 주관적인 표현, 장황한 표현 등은 사용하지 않아야 함. • 제목과 소제목, 차례, 이끄는 글, 그림이나 사진, 표나 그래프, 색인 등을 활용하여 효과적으로 정보를 전달함.
고쳐쓰기의 수준	• 작문의 과정 전체: 내용의 생성, 조직, 표현 등의 과정이 적절한지 점검, 쓰기 윤리 점검 등 • 글 수준: 문단 간의 연결, 문단의 이동·삭제·첨가, 제목 점검 등 • 문단 수준: 문장의 이동·삭제·대체·첨가 점검 등 • 문장 수준: 단어의 이동·삭제·대체·첨가 점검, 문장의 호응, 연결 표현 점검 등 • 단어 수준: 단어의 적절성, 맞춤법 점검 등

대표 문제 ❺ 정보를 전달하는 글의 전달 효과를 높이기 위한 표현 방법으로 적절하지 <u>않은</u> 것은?

① 단어와 문장을 어법에 맞게 사용한다.
② 간결한 표현을 사용하여 독자의 이해를 돕는다.
③ 결론을 명확히 제시한 후 그에 맞추어 자료를 해석한다.
④ 글 전체의 내용을 개관하는 제목이나 소제목을 활용하여 독자의 이해를 돕는다.
⑤ 독자가 잘 알지 못하는 것에 대한 정보를 전달하는 것이므로 독자가 이해하기 쉽도록 풀어 쓴다.

1. 다음 대화를 통해 알 수 있는 작문 계획으로 가장 적절한 것은?

> 수민 요즘 방송을 보면 윤리적 소비를 해야 한다는 말을 많이 하던데, 넌 윤리적 소비가 뭔지 알아?
> 정운 윤리적 소비? 잘 모르겠는데.
> 수민 인터넷으로 검색해 볼까?
> 정운 그러자. 윤리적 소비에 관한 정보를 찾아서 이번 학교 신문 정보란에 윤리적 소비가 무엇인지 알려 주는 글을 실으면 좋을 것 같아.

① 예상 독자의 수준을 고려하여 자료를 수집하자.
② 작문의 목적과 그 목적에 맞는 글의 형식을 정하자.
③ 수집한 자료의 출처를 제시하여 내용의 신뢰성을 높이자.
④ 작문 과정에 대한 전체적인 계획을 세우고 내용 조직 방법을 정하자.
⑤ 필자와 예상 독자가 속한 집단의 성격을 밝혀 정보의 필요성을 강조하자.

[2-3] 다음 글을 읽고 물음에 답하시오.

> **가** 윷을 던졌을 때 나오는 결과는 도, 개, 걸, 윷, 모 다섯 가지이다. 윷이 모두 엎어지면 '모', 네 개 모두 잦혀지면 '윷', 세 개가 엎어지고 한 개가 잦혀지면 '도', 두 개가 엎어지고 두 개가 잦혀지면 '개', 한 개가 엎어지고 세 개가 잦혀지면 '걸'이라고 한다. 도는 1점, 개는 2점, 걸은 3점, 윷은 4점, 모는 5점을 얻는다. 그리고 모나 윷이 나오면 '사리'라 하여 윷을 한 번 더 던지는 권리가 주어지므로 많은 점을 얻을 수 있다. 또 '낙'이라는 규칙이 있는데, '낙'은 윷을 던졌을 때 윷가락이 윷판 밖으로 나가는 것을 이른다. '낙'이 되면 나온 점이 무효가 되고 윷을 던지는 기회가 상대편으로 넘어간다.

> **나** 윷놀이는 윷가락을 던지고 말[馬]을 사용하여 승부를 겨루는 우리나라 고유의 민속놀이이다. 윷놀이는 중국의 '저포'라는 놀이에서 전래되었다는 이야기도 있지만, 우리나라에서는 이미 삼국 시대 이전부터 널리 행해져 왔다. 부여의 왕이 다섯 종류의 가축을 다섯 마을에 나누어 주고, 그 가축을 잘 번식시키기 위하여 윷놀이를 하였다고 한다. 그래서 윷을 던졌을 때 나오는 결과를 이르는 말인 '도, 개, 걸, 윷, 모'를 '돼지, 개, 양, 소, 말'에 비유하기도 한다.

> **다** 윷놀이는 원래 정월 무렵에 농민들이 그해 농사가 높은 지대에서 잘될까, 낮은 지대에서 잘될까를 점치는 옛날 풍습 중 하나였다. 그러나 오늘날에는 계절에 관계없이 남녀노소 누구나 즐기는 놀이가 되었다.

> **라** 윷놀이는 말을 움직이는 데 머리를 많이 써야 한다. 승패가 굳어져 가다가도 한순간에 바뀔 수 있기 때문이다. 우리 편이 지는가 싶다가도 앞에 가는 상대편의 말을 잡을 수 있고, 우리 편이 이기는가 싶다가도 우리 말이 상대편에게 잡힐 수도 있다. 또 우리의 인생처럼 때로는 지름길로 가고 때로는 한 바퀴를 빙 돌아가는 등 변화가 다양하여 언제 역전이 될지 모르는 묘미를 느낄 수 있는 놀이이다.

학습 활동 응용

2. 윗글에 나타난 내용 전개 방식으로 적절하지 않은 것은?

① 윷놀이의 규칙을 구체적으로 제시하고 있다.
② 윷놀이의 유래를 유사한 대상에 빗대어 설명하고 있다.
③ 윷놀이의 개념을 정의하여 이해하기 쉽게 설명하고 있다.
④ 옛날과 오늘날 윷놀이의 의미를 대조의 방식으로 제시하고 있다.
⑤ 인과의 방법을 활용해 윷놀이의 묘미를 구체적으로 설명하고 있다.

서술형

3. 윗글을 '처음-가운데-끝'의 구조로 배열할 때, '처음'에 배치할 문단을 고르고 그 이유를 서술하시오.

[4-6] 다음 글을 읽고 물음에 답하시오.

㉠ 생명을 구하는 심장 충격기

심정지가 의심되는 사람을 발견하면 신속하고 적절하게 응급 ㉡ 처리를 해야 한다. 지금부터 심장이 정지한 사람을 목격할 경우를 대비하여 심장 충격기 사용법에 관해 구체적으로 살펴보자.

• 심장 충격기란?

심장 충격기는 심장에 일정량의 전기 충격을 주어 심장 박동을 정상 상태로 회복시켜 주는 기계이다. 심정지 환자를 발견하면 즉시 심폐 소생술을 실시하고, 심폐 소생술을 하는 중에 심장 충격기가 준비되면 지체 없이 심정지 환자에게 사용해야 한다.

• 심장 충격기 사용법

먼저 심장 충격기의 전원을 켠다. 그다음 환자의 상의를 벗겨 두 개의 패드를 부착한다. 하나는 환자의 오른쪽 빗장뼈 아래쪽에 붙이고, 다른 하나는 환자의 왼쪽 겨드랑이에 붙인다. 패드에 연결된 선을 기계에 꽂으면 기계에서 자동으로 "심장 박동 분석 중"이라는 말이 나온다. 이때 환자에게 손이나 몸이 닿지 않도록 해야 ㉢ 정확하게 분석된다. 심장 박동을 분석하여 심장 충격이 필요하면 기계가 자동으로 심장 충격을 위한 에너지를 충전하고, 충전이 완료되면 '심장 충격' 버튼을 누르라는 메시지가 나온다. '심장 충격' 버튼을 누르기 전에 주변 사람들에게 환자에게서 떨어지도록 주의를 준 후, 버튼을 눌러 환자에게 전기 충격을 가한다. 심장 충격 후에는 심폐 소생술을 즉시 시행해야 한다. ㉣ 오늘날 심장 질환자가 기하급수적으로 늘고 있으므로 심폐 소생술을 하는 방법을 익혀야 한다. 심장 충격기는 2분마다 자동으로 심장 박동을 분석하므로, 그 결과에 따라 환자가 회복되거나 구급대가 올 때까지 위의 행위를 반복해야 한다.

지금까지 심정지 환자의 생명을 구하는 데 도움을 주는 심장 충격기의 사용법을 알아보았다. ㉤ 하지만 응급 환자에게 가장 중요한 것은 빠른 처치이다. 심장 충격기의 사용법을 익혀 보다 빠르게 위급 상황에 대처할 수 있도록 하자.

---

4. 윗글의 정보 조직 방식에 대한 설명으로 적절한 것은?

① 대상의 특성을 비유를 통해 제시하고 있다.
② 구체적 사례를 육하원칙에 따라 제시하고 있다.
③ 대상의 종류를 하위 범주로 분류해 제시하고 있다.
④ 구체적인 상황을 예로 들어 예상되는 문제점을 제시하고 있다.
⑤ 대상의 사용 방법을 일을 진행하는 순서에 따라 제시하고 있다.

학습 활동 응용

5. 윗글을 고쳐 쓰기 위한 의견으로 적절하지 않은 것은?

① ㉠을 필자의 의도가 드러나도록 '생과 사를 가르는 심장 충격기'로 구체화해야겠군.
② ㉡의 어휘가 적절하지 않으므로 '처치'로 고쳐야겠군.
③ ㉢에 필요한 문장 성분이 빠져 있으므로 '심장 박동이'를 첨가해야겠군.
④ ㉣은 글의 통일성을 해치므로 삭제해야겠군.
⑤ ㉤은 문장의 연결이 자연스럽지 않으므로 '하지만'을 삭제해야겠군.

6. 윗글을 쓴 필자의 작문 과정에 대한 설명으로 적절하지 않은 것은?

① 설명 목적: 심장 충격기 사용의 필요성을 강조하고 사용 방법을 알리는 글을 써야지.
② 자료 수집: 정확한 정보를 얻기 위해 심장 충격기의 사용 설명서를 숙지하고 전문가에게 자문을 구해야겠어.
③ 내용 조직: 정보를 체계적으로 전달하기 위해 심장 충격기에 대한 개념을 제시한 후 사용 방법을 설명하는 구조로 글을 써야겠어.
④ 내용 전개 방식: 심장 충격기의 사용 방법에 대한 이해가 부족한 현상의 문제점을 밝히고 그 문제의 해결 방안을 제시하는 순서로 내용을 전개해야겠어.
⑤ 점검과 수정: 정보를 전달하는 글은 객관성과 신뢰성이 중요하므로 주관적 편견이나 애매한 내용이 없는지 살펴봐야겠어.

(2) 나를 소개하는 글

맥락에 맞는 자기소개서를 쓰려면 어떻게 해야 할까?

> ≫ 자기소개서를 쓰기 위해서는 독자, 목적, 주제, 매체 등의 작문 맥락을 꼼꼼하게 분석하고 그 분석 결과에 따라 내용을 구성하고 표현해야 한다. 특히 자기소개서는 다른 사람에게 자기를 알리는 글이므로 독자와 자기소개서를 쓰는 목적을 고려하는 것이 중요하다.

••• (가)와 (나)의 거울에 비친 병아리의 모습은 어떻게 다른가?

|예시 답안| (가)의 거울에 비친 모습은 병아리의 현재 모습이고, (나)의 거울에 비친 모습은 병아리의 미래 모습이다.

••• 자기소개서를 쓸 때 (가)와 (나)의 거울에 비친 모습은 어떤 맥락에서 활용할 수 있을까?

|예시 답안| (가)의 거울에 비친 모습은 자신의 현재의 삶을 드러내는 데 활용할 수 있고, (나)의 거울에 비친 모습은 자신의 미래의 삶을 이야기하는 데 활용할 수 있다.

알기

• 자기소개를 할 때 고려해야 할 맥락 요소는 무엇인가?

|예시 답안| 자기소개를 할 때 고려해야 하는 맥락 요소에는 주제, 목적, 대상, 매체 등이 있다.

• 소개하는 글이 소통되는 매체를 고려한 전략에는 무엇이 있나?

|예시 답안| 자기소개서를 글로만 쓸 것인지, 시각 자료를 활용할 것인지, 인터넷 매체를 통해 전달할 것인지 등에 따라 전략이 달라지므로 매체의 특성을 고려하여 자기를 표현하는 세부 전략을 세울 수 있다.

하기

• 자기소개의 맥락 파악하기

≫ 일상생활에서 자기를 소개해야 하는 상황에 대해 알아본 뒤 자기소개의 맥락을 파악하고 분석하는 활동해 보기

• 맥락에 어울리는 자기소개서 쓰기

≫ 취업과 대학 진학을 위해 자기소개서를 써야 하는 상황을 설정하고, 각각의 맥락을 분석한 뒤 그 결과에 따라 적절한 내용을 구성하여 자기소개서를 써 보기

알아 두기

자기소개서의 개념과 필요성

개념

자신을 알지 못하는 독자에게 자신을 알리기 위해 쓰는 글

필요성

- 현대 사회에서는 자신을 남에게 알리고 자신의 능력을 증명하는 일이 매우 중요하다.
- 타인과 관계를 맺고 사회의 구성원으로 자리 잡는 데 필요하다.

자기소개서 쓰기의 과정

맥락 분석		내용 구성		글쓰기
목적, 주제, 독자 등의 작문 맥락 파악	→	지원하는 곳의 인재상을 고려하여 맥락에 맞는 내용을 구체적으로 구상	→	구체적인 내용을 간명하고 진솔하게 작성

자기소개서를 쓰는 맥락

- 자기소개서를 쓰는 목적, 주제, 독자 등의 작문 맥락을 정확하게 분석해야 한다.
- 상대방이 나에 관해 알고자 하는 정보가 무엇인지 정확하게 파악해야 한다.
- 적절한 매체를 활용하여 자기를 효과적으로 드러내야 한다.

자기소개서의 내용 구성

- 자기소개서의 내용을 맥락에 맞게 구성한다.
- 자신이 지원하는 곳의 인재상을 고려하여 내용을 구성한다.
- 자기소개서의 독자는 자기소개서를 통해 지원자의 능력과 개성 등을 파악하려는 목적을 지니고 있으므로, 지원자 자신의 특성이 잘 드러나도록 내용을 구성한다.
- 너무 많은 경험을 나열하기보다는 적은 항목이라도 그 경험을 통해 무엇을 배우고 느꼈는지, 어떤 변화를 겪었는지를 구체적으로 쓰는 것이 좋다.

자기소개서를 쓸 때 유의할 점

- 과장하거나 꾸며 쓰는 등 허위로 작성해서는 안 된다.
- 독자에 대한 예의를 지키고 격식과 품격을 갖추어 써야 한다.
- 지원자의 특성을 진솔하게 서술하여 독자에게 신뢰감을 주어야 한다.
- 일상적 표현이나 비속어, 은어, 어법에 맞지 않는 표현 등 잘못된 표현을 사용하지 않는다.

소단원
학습 활동

하면서 배우기 📖

교과서 150p

1. 다음 그림을 보고, 아래의 활동을 해 보자.

가 ○○대학교 신입생 모집

나 동아리 부원 모집

다 신입 사원 모집

(1) 위의 그림을 바탕으로, 일상생활에서 자신을 소개하는 글을 써야 하는 상황을 떠올려 보자.

|예시 답안| • (가): 대학에 진학하기 위해 자기소개서를 써야 하는 상황
• (나): 동아리 부서에 가입하기 위해 자기소개서를 써야 하는 상황
• (다): 회사에 입사하기 위해 자기소개서를 써야 하는 상황

(2) (가)~(다)의 상황에서 지원자는 상대방에게 어떤 정보를 알려 주는 것이 좋을지 말해 보자.

|예시 답안| • (가): 지원 동기, 학업에 대한 능력과 의지, 해당 학과 졸업 후 이루고 싶은 나의 꿈 등을 알려 주어야 해.
• (나): 지원 동기, 동아리 내에서 내가 하고 싶은 일, 동아리에 도움이 되는 나의 자질 등을 알려 주어야 해.
• (다): 내 성격의 장단점, 경력 사항, 지원 동기, 입사 후 포부 등을 알려 주어야 해.

2. 다음 동아리의 회원이 되기 위해 자기소개서를 쓰려고 한다. 자기소개서의 맥락을 분석한 후, 그 분석 결과에 따라 내용을 구상해 보자.

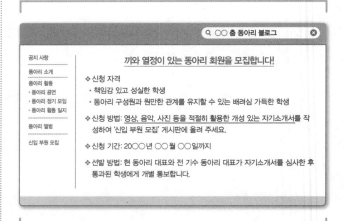

Q ○○ 춤 동아리 블로그

공지 사항
동아리 소개
동아리 활동
• 동아리 공연
• 동아리 정기 모임
• 동아리 활동 일지
동아리 앨범
신입 부원 모집

끼와 열정이 있는 동아리 회원을 모집합니다!

❖ 신청 자격
• 책임감 있고 성실한 학생
• 동아리 구성원과 원만한 관계를 유지할 수 있는 배려심 가득한 학생

❖ 신청 방법: 영상, 음악, 사진 등을 적절히 활용한 개성 있는 자기소개서를 작성하여 '신입 부원 모집' 게시판에 올려 주세요.

❖ 신청 기간: 20○○년 ○○월 ○○일까지

❖ 선발 방법: 현 동아리 대표와 전 기수 동아리 대표가 자기소개서를 심사한 후 통과된 학생에게 개별 통보합니다.

|예시 답안|

맥락 분석	• 춤에 재능이 있으면서, 책임감이 강하고 성실하며 배려심 있는 사람을 선발하고자 함. • 영상, 음악, 사진 등을 활용한 개성 있는 자기소개서를 요구함. • 자기소개서는 동아리 블로그 게시판에 올려야 함.
내용 구상	• 춤에 대한 끼와 열정을 드러낼 수 있는 구체적인 사례를 제시함. • 책임감과 성실함을 드러낼 수 있는 경험을 제시함. • 원만한 친구 관계를 드러낼 수 있는 경험을 제시함.
시청각 자료의 활용 방안	• 자신이 춤을 추는 모습을 찍은 동영상을 첨부함. • 경험을 드러내는 부분에서 경험과 관련된 사진을 제시하여 신뢰성을 확보함. • 친구들의 동의를 얻은 후 친구들과 함께한 사진을 첨부하여 원만한 친구 관계를 구체적으로 보여 줌.

배워서 하기 ✏️ ① ▶

교과서 151p

진학을 위한 자기소개서의 맥락 분석하기

● 대학에 진학하기 위해 자기소개서를 쓴다고 가정하고, 자기소개서의 맥락을 분석해 보자.

|예시 답안|

희망하는 대학	○○대학교
희망하는 학과	국어국문학과
독자	○○대학교 입학 사정관
주제	○○대학교 입학을 위한 자기소개

● 자신이 대학에서 신입생을 선발하는 사람이라면 지원자로부터 어떤 정보를 얻고 싶을지 말해 보자.

|예시 답안| 지원자가 우리 학교의 인재상을 잘 알고 있는지와 그 인재상에 적합한 사람인지 알고 싶을 것이다. 또한, 지원하는 학과에 대한 관심도와 입학 후에 우수한 인재로 발전할 가능성이 있는지를 중점적으로 볼 것 같다.

하면서 배우기 📖 ──────────── 교과서 152p

3. 다음은 근로자의 복지 증진을 위해 설립된 단체의 인재상이다. 이 단체에서 요구하는 인재상의 내용을 바탕으로, 아래의 활동을 해 보자.

일하는 사람에게 희망을 드리는 동반자

인재상

 고객
따뜻한 가슴으로 고객을 섬기는 사람

 효율
끊임없는 자기 계발로 전문성을 갖춘 사람

 미래
창의와 열정으로 미래를 개척하는 사람

"우리 단체가 추구하는 인재는 따뜻한 가슴으로 고객을 섬기며, 끊임없는 자기 계발로 전문성을 갖추고 창의와 열정으로 미래를 개척하는 사람입니다."

(1) 위의 단체가 위와 같은 세 가지의 인재상을 제시한 까닭을 단체의 특성과 관련하여 생각해 보자.

|예시 답안| • 따뜻한 가슴으로 고객을 섬기는 사람: 근로자의 복지 증진을 위해 설립된 단체이므로 고객, 즉 사회에서 힘들게 일하는 근로자들을 따뜻하게 대해 줄 수 있는 성품을 가진 사람이 필요하기 때문이다.
• 끊임없는 자기 계발로 전문성을 갖춘 사람: 근로자의 복지 증진을 위해 자기 계발 의지와 전문성을 지닌 사람이 필요하기 때문이다.
• 창의와 열정으로 미래를 개척하는 사람: 해당 단체가 미래에도 사회에서 중요한 역할을 하는 단체가 되기 위해서는 창의와 열정을 가진 사람이 필요하기 때문이다.

(2) 위 단체에 입사를 원하는 지원자가 단체의 세 가지 인재상에 적합한 사람임을 드러낼 수 있는 내용을 떠올려 보자.

|예시 답안| • 따뜻한 가슴: 헌혈 캠페인, 지역 사회 단체 등에서의 봉사 활동
• 끊임없는 자기 계발: 독서, 운동을 통한 자기 계발 등
• 창의와 열정: 문예 백일장, 그림 그리기 대회, 아이디어 공모전 등에서 수상한 경험

✎ 배워서 하기 ② ▶ 교과서 153p

정보를 수집하여 자기소개서의 내용 구성하기

● 자신이 희망하는 대학이나 학과의 인재상을 찾아 정리해 보자.

|예시 답안| • 비전: 세계 최고의 대학
• 목표: 혁신적 리더십을 갖춘 리더 양성

창조적 지식 | 봉사적 성품 | 미래형 기술 | 건강한 심신

● 다음은 대학 진학을 위한 자기소개서 문항의 일반적인 예이다. 작문 맥락과 위에서 찾은 인재상을 고려하여 자기소개서의 내용을 구성해 보자.

1. 고등학교 재학 기간 중 학업에 기울인 노력과 학습 경험을 통해 배우고 느낀 점을 중심으로 기술해 주시기 바랍니다.

↓

2. 고등학교 재학 기간 중 본인이 의미를 두고 노력했던 교내 활동(3개 이내)을 통해 배우고 느낀 점을 중심으로 기술해 주시기 바랍니다.

↓

3. 학교생활 중 배려, 나눔, 협력, 갈등 관리 등을 실천한 사례를 들고, 그 과정을 통해 배우고 느낀 점을 기술해 주시기 바랍니다.

|예시 답안|

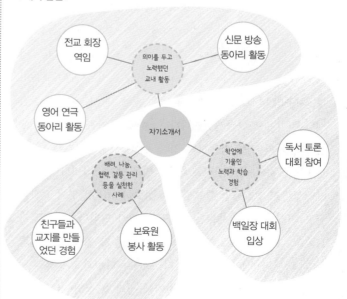

하면서 **배우기** 📖 ══════════ 교과서 154p

4. 다음은 대학 진학을 위해 학생이 쓴 자기소개서이다. 글을 읽고, 아래의 활동을 해 보자.

저는 <u>제 꿈을 이루기 위해</u> 영어 교육과에 지원하게 되었습
_{지원 동기}
니다. 제 꿈은 영어 교사가 되는 것입니다. 이것저것 되고 싶
은 것이 많았던 초등학교 시절,『어린 제자들을 따뜻하게 보살
펴 주시던 5학년 때 담임 선생님 덕분에 제 꿈은 구체화되었
습니다. 이후 여러 선생님들을 만나면서 누군가를 가르치는
일이 무엇보다 의미 있는 일이라는 생각이 확고해졌습니다.
그리고 고등학교 때, 가장 자신 있는 과목인 영어를 가르치는
교사가 되겠다고 결심했습니다.』『 ♪ : 영어 교사가 되겠다고 결심한 이유

『영어 교사가 되고자 마음먹은 후부터는 영어 선생님들의 수
『 ♪ : 꿈을 이루기 위한 자신의 경험을 구체적으로 제시함.
업 방식에 관심을 기울였습니다. 특히 선생님께서 문법이 부
족한 학생을 지도하는 방법과 회화가 부족한 학생을 지도하는
방법 등을 유심히 살폈습니다. 또한, 영어 수행 평가를 할 때
다른 친구들을 도와 가며 누구보다 열심히 했습니다. 모둠별
로 상황극을 만들어 영어로 발표하는 수행 평가에서는 '한정
식을 주문하는 외국인에게 우리나라의 음식을 설명하면서 벌
어지는 상황'을 재미있게 표현하여 좋은 평가를 받았습니다.』

『저는 주말이면 복지 회관에 가서 몸이 불편한 노인들을 도
『 ♪ : 봉사 활동을 하며 깨달은 점을 구체적으로 제시함.
와 드리는 일을 했습니다. 주로 그분들에게 옷을 입혀 드리
고, 머리를 빗겨 드리거나 목욕을 도와 드리는 일을 했습니
다. 처음의 낯설고 서먹했던 감정은 봉사 활동을 하면서 점점
정다운 마음으로 바뀌었습니다. 날마다 헤어지는 연습을 했
을 그분들이 저를 따뜻하게 안아 주셨을 때, 봉사와 나눔은
일방적인 것이 아니라 상호적인 것임을 깨달았습니다.』

고등학교 3년 동안 학교생활을 성실히 하면서 영어 교사의
꿈을 키웠고, 이제 새로운 배움을 얻고자 합니다.『배우고 가
르치고 나누면서 생각한 교사의 꿈을 이루기 위해 영어 실력
『 ♪ : 입학 후의 학업 계획을 구체적으로 제시함.
도 더욱 단단히 다지고자 합니다. 교사는 학생과 소통하는 일
이 무엇보다 중요하다고 생각하기에 심리학, 상담 기법 등도
공부하고 싶습니다. 기회가 주어진다면 어학연수를 통해 외
국의 국어 교육, 즉 영어 교육의 현장도 살펴볼 것입니다.』

<u>루소는 '교육의 목적은 기계가 아니라 인간을 만드는 데 있</u>
_{명언을 인용하여 글의 품격을 높임.}
<u>다.'라고 하였습니다.</u> 저는 이 말을 좌우명으로 삼아 학생들
의 마음속에는 인성을, 머릿속에는 지성의 씨앗을 뿌리는 교
_{비유적인 표현을 활용함.}
사가 되기 위해 노력할 것입니다. 이런 저의 모습은 ○○대학
교 영어 교육과에서 바라는 학생의 모습이 아닐까 합니다.

**(1) 위의 학생이 자기소개서에서 제시한 구체적인 경험의 내용
을 정리해 보자.**

|예시 답안| 영어 수행 평가의 학업 과정 내용, 복지 회관 봉사 활동 등

**(2) 위의 자기소개서에서 봉사 활동 경험에 관해 기술한 부분
을 위 학생의 꿈과 관련지어 다시 써 보자.**

|예시 답안| 저는 주말이면 복지 회관에 가서 몸이 불편한 노인들을 도와 드리는 일을 했습니다. 처음에는 몸이 불편한 노인들께 옷을 입혀 드리고, 그분들의 머리를 빗겨 드리거나 몸을 씻겨 드리는 일이 무척 어렵게 느껴졌습니다. 하지만 시간이 흘러감에 따라 처음의 낯설고 서먹했던 감정은 정다운 마음으로 바뀌었고, 그분들께서 저를 따뜻하게 안아 주시던 날, 저는 봉사와 나눔이 상호적인 것임을 깨달았습니다. 저는 학생들을 가르치는 일도 이처럼 상호적인 일이라는 것을 알고 있습니다. 저는 일방적으로 학생들을 지도하고 이끌어 가는 교사가 아니라, 학생들과 호흡하면서 학생들을 도와주는 교사가 될 것입니다. 무엇이든 잘하는 학생보다 저의 도움이 필요한 학생들이 저에게 더 큰 기쁨과 보람을 줄 것이라고 생각합니다.

(3) 위의 자기소개서를 다음 기준에 따라 평가해 보자.

|예시 답안|

평가 기준
• 작문 맥락을 반영하였는가? 예 → 대학 진학을 목적으로 하는 자기소개서의 맥락을 고려해 학업에 기울인 노력과 학습 경험, 진로 계획 등을 중심으로 하여 내용을 구성했음.
• 내용이 구체적으로 진술되었는가? 예 → 영어 수행 평가 및 복지 회관 봉사 활동 경험을 구체적이고 깊이 있게 썼음.
• 개성 있게 작성하였는가? 아니요 → 경험에 관한 서술이 너무 평범하여 개성을 보여 주기에 부족함.
• 어법에 맞고 품격 있게 작성하였는가? 예 → 어법에 어긋난 표현이 없고, 가벼운 표현이나 비속어 등을 사용하지 않았음.

(4) 자신이 위 학생이 지원한 대학의 입학 담당자라면 위의 학생을 선발할 것인지 선발하지 않을 것인지 판단하고 그 까닭을 말해 보자.

| 예시 답안 | • 위의 학생을 (선발할 것이다 / 선발하지 않을 것이다). 왜냐하면 자신의 경험을 바탕으로 영어 교사가 되고자 하는 꿈과 노력, 그리고 교사가 가져야 할 인품 등을 구체적으로 제시하고 있어서 신뢰감을 주기 때문이다.

• 위의 학생을 (선발할 것이다 / 선발하지 않을 것이다). 왜냐하면 경험을 바탕으로 꿈과 노력 등을 구체적으로 제시하고는 있으나 내용 구성과 표현이 전형적이라서 개성이 드러나지 않기 때문이다.

배워서 하기 **3** ▶ 교과서 156p

자기소개서 쓰기

● '배워서 하기 ❶, ❷'의 활동을 바탕으로, 다음 〈조건〉에 따라 자기소개서를 써 보자.

〈조건〉
• 지망하고자 하는 대학에 관한 정보를 충분히 조사하여 쓴다.
• 지망하고자 하는 대학의 인재상과 학과의 특성을 고려하여 쓴다.
• 비유적인 표현을 활용하거나 유명한 사람의 말을 맥락에 맞게 인용한다.

| 예시 답안 | 저에게는 기자로서의 소명 의식이 있습니다. 대한민국의 일원임에도 실시간으로 외신 보도에 의존하는 상황과 온갖 정치와 돈 문제로 얽힌 언론계의 왜곡된 진실을 보면서, 감춰진 모든 것을 드러내는 진정한 기자가 필요하다는 것을 느꼈습니다. 그리고 ○○대학교를 졸업하여 기자가 된 언니의 직업 소개 강연을 듣고, 여자가 기자를 하기 힘들다는 주변 사람들의 말은 편견이자 패배주의적 사고라는 것을 깨달았습니다.

기자가 되기 위해 정보방송학을 전공으로 선택하는 길도 있지만, 저는 모든 학문의 기본인 인문학적 소양을 쌓는 것이 중요하다고 판단하였습니다. 인문학은 사회 현상의 본질에 대한 진리를 탐구하기에 가장 좋은 학문이며, 어떠한 기술도 인문학적 토대 없이는 완전하지 못합니다. 높은 안목과 올바른 가치관을 지니는 것은 기자의 필수적인 소양입니다.

1학년 때는 배낭여행을 하면서 세상을 보는 안목을 키우고 싶습니다. 그리고 국어학의 이해, 한국 문법론, 국어 정서법, 실용 화법 등 ○○대학교의 국어국문학과 수업을 들으며 기자에게 가장 필요한 국어 사용 능력을 배양하고, 정보방송학을 복수 전공이나 부전공으로 공부할 것입니다. 특히 타 대학교에는 없는 리더십 연계 전공을 통하여 언론인이 되기 위한 준비를 할 것입니다.

저는 기자가 되면 해외 특파원이 되고 싶습니다. 그래서 영어뿐 아니라 제2외국어까지 구사할 수 있는 어학 능력을 키우기 위해 해외 연수를 틈틈이 다녀올 것입니다. 그리고 우리 사회의 다양한 사람을 만나고 뜨거운 마음을 갖추기 위해 봉사 활동도 많이 할 것입니다.

졸업 후에는 미국에 있는 대학교에 유학을 가서 세계적인 경험을 쌓고 지식을 배울 것입니다.

대부분 기자들은 사건이 터지면 타오르는 불을 취재합니다. 그러나 저는 타고 난 뒤에 남은 재를 보여 주기 위해 노력하는 기자가 되고 싶습니다. 굳은 결심은 유용한 지식이라는 말이 있습니다. 오늘의 결심은 ○○대학교를 통해서만 지켜 나갈 수 있으며 저는 분명 ○○대학교를 빛낼 인간 자원이 될 것입니다.

– 김정원, 『입학 사정관이 탐내는 자기소개서』

● 자신이 쓴 자기소개서를 짝과 바꾸어 읽고, 짝의 검토 의견을 반영하여 자기소개서를 고쳐 보자.

| 예시 답안 |

> 검토 의견
> 혁신적 리더십을 갖춘 대학의 인재상을 잘 반영하고 있으며, 인문학적 소양을 갖춘 기자가 되겠다는 가치관이 뚜렷하게 드러나 있는 자기소개서이다.

참고 다양한 자기소개 글의 예시

• '숫자'로 대표되는 객관적 정보를 중심으로 한 자기소개
나는 1958년 여름에 세상에 태어났다. 양력으로 8월 16일, 음력으로는 7월 2일이다. 명쾌한 성격과 뜨거운 열정을 지녔다는 사자자리 태생이다. 혈액형은 A형 Rh⁺ 타입. 내가 세상에 태어나던 1958년에 대해서는 별다른 감회가 없다. 그런데 세상 사람들은 내가 1958년에 태어났다고 하면 으레 "아, 오팔 년 개띠!"라며 새삼스러운 눈빛으로 특이한 변종을 바라보듯 한다. 1958년에 세상에 태어난 개띠에게 무슨 저주의 마술이라도 걸렸다는 것인가? 지금도 나는 그 이유를 알지 못한다.

– 박상우, 「우주의 다리를 건너서」에서

• 심리와 행동을 중심으로 한 자기소개
나는 손재주가 좋은 편이었다. 가장 뛰어난 아이보다는 뒤졌지만 두 번째 정도로는 빠르게 주판알을 튕겨 냈고 거의 틀리지 않은 답안을 제출했다. 만약 그래야 했다면 나는 가장 빠른 속도로 계산을 하고 남보다 높은 급수를 따내서 여자 상업 고등학교에 진학했을 것이다. 그 때의 나는 이상하게도 단조롭고 일정한 일, 변하지 않고 답이 분명한 세계에 매혹되어 있었다. 제복을 입고 창구에서 기계적으로 돈을 세고 무표정한 낯으로 또 다른 사람의 통장을 받아 드는 내 모습을 그려 보는 일이 나는 마음에 들었다.

– 서하진, 「미련함에 대하여」에서

• 가상의 인물과의 문답 형식을 취하고 있는 자기소개
거울 속의 '이상(李箱)'이 나에게 묻는다 – 왜?
이상: '왜' 굳이 나를 불러냈습니까? 거울 속에서 잘살고 있는 나를.
나: 이번에 지학박물관에서 인턴을 모집하는데, 제가 꼭 되고 싶으니 저를 소개하는 데 도움을 주세요.
이상: '왜' 하필 박물관 인턴입니까?
나: 초등학교 때 국립박물관에 처음 갔을 때의 감동을 잊을 수 없습니다. 시간이 멈추어 있는 듯하면서 또 수백 년, 수천 년을 건너뛴 것 같기도 하고. 그때부터 박물관에서 일하는 것이 제 꿈이 되었습니다.

소단원 정리하기

출제 포인트 ❶ 자기소개서의 특성

자기소개서의 개념을 정확히 이해하고 있는지를 묻는 문제와 자기소개서의 목적이나 필요성 등과 관련된 문제가 시험에 나올 거예요!

개념	자신을 알지 못하는 사람에게 자신을 알리기 위해 쓰는 글
목적	자신의 성장 과정, 성격과 가치관, 성실성, 대인 관계 능력, 재능, 특기 등을 상대방에게 알리는 것

출제 포인트 ❷ 자기소개서의 내용

자기소개가 요구되는 맥락을 고려하여 자기를 효과적으로 소개하는 글을 쓰려면 어떤 내용으로 구성해야 하는지 알아 두어야 해요. 시험에는 주로 자기소개서에 포함된 내용이 적절한지 묻는 문제가 출제됩니다!

맥락	• 자기소개서를 쓰는 목적, 주제, 독자 등의 작문 맥락을 정확하게 파악해야 함. • 상대방이 나에 관해 알고 싶어 하는 정보가 무엇인지 정확하게 파악해야 함.
내용	• 맥락에 맞게 구성함. • 자신의 특성이 잘 드러나도록 내용을 구성함. • 자신이 지원하는 곳의 인재상을 고려하여 구성함. • 경험을 통해 무엇을 배우고 느꼈는지, 어떤 변화를 겪었는지를 구체적으로 쓰는 것이 좋음. • 성장 과정, 성격 및 가치관, 학창 생활 및 경력 사항, 인상적인 경험, 지원 동기 및 포부 등을 드러냄.

출제 포인트 ❸ 자기소개서의 표현

자기소개서를 통해 자신을 알리기 위해서는 효과적인 표현 전략을 활용해야 해요! 시험에서는 자기소개서의 효과적인 표현 방법과 유의할 점을 물어보는 문제가 나올 수 있어요.

| 표현 | • 거짓 없이 진솔하게 써야 함.
• 요점을 분명하고 일관성 있게 써야 함.
• 모호하거나 틀린 부분이 없도록 해야 함.
• 생각이나 경험, 계획 등을 구체적으로 써야 함.
• 지나친 과장이나 허위 사실, 화려한 수사는 피해야 함.
• 독자에 대한 예의를 지키고 격식과 품격을 갖추어야 함.
• 일상적 표현이나 비속어, 은어, 어법에 맞지 않는 표현 등을 쓰지 않아야 함. |

대표 문제 ❶ ⊙~ⓒ 중 자기소개서에 대한 설명으로 적절하지 않은 것의 기호를 쓰시오.

자기소개서는 ⊙ 다른 사람에게 자기를 알리고자 하는 목적으로 작성하는 글을 말한다. 보통 ⓛ 자신의 성격과 가치관, 대인 관계 능력, 재능, 특기 등을 주요 내용으로 삼는다. 자기소개서를 쓸 때는 상대방의 공감과 이해를 얻는 데 주력하기보다는 ⓒ 자기중심적인 정보를 주체적으로 전달하는 것이 바람직하다.

(   )

대표 문제 ❷ 다음 동아리의 회원이 되기 위해 자기소개서를 쓸 때 고려할 점으로 적절하지 않은 것은?

Q ○○ 춤 동아리 블로그 ✕
공지 사항 동아리 소개 동아리 활동 •동아리 공연 •동아리 정기 모임 •동아리 활동 일지 동아리 앨범 신입 부원 모집	**끼와 열정이 있는 동아리 회원을 모집합니다!** ❖ 신청 자격 　• 책임감 있고 성실한 학생 　• 동아리 구성원과 원만한 관계를 유지할 수 있는 배려심 가득한 학생 ❖ 신청 방법: 영상, 음악, 사진 등을 적절히 활용한 개성 있는 자기소개서를 작성하여 '신입 부원 모집' 게시판에 올려 주세요. ❖ 신청 기간: 20○○년 ○○월 ○○일까지 ❖ 선발 방법: 현 동아리 대표와 전 기수 동아리 대표가 자기소개서를 심사한 후 통과된 학생에게 개별 통보합니다.

① 자기소개서는 동아리 게시판에 올려야겠군.
② 춤추는 모습을 찍은 동영상을 첨부하면 좋겠군.
③ 책임감과 성실함을 보여 주는 경험을 제시해야겠군.
④ 춤에 대한 열정을 드러낼 수 있는 구체적인 경험을 언급해야겠군.
⑤ 친구들과 함께한 사진을 첨부하여 지도력이 있다는 것을 보여 줘야겠군.

대표 문제 ❸ 자기소개서의 표현에 대한 설명으로 적절하지 않은 것은?

① 진솔하게 써야 한다.
② 명료하게 써야 한다.
③ 일관성 있게 써야 한다.
④ 지나치게 화려한 수사는 피해야 한다.
⑤ 경험이나 계획은 개략적으로 써야 한다.

소단원 시험 예상 문제

[1~4] 다음 글을 읽고 물음에 답하시오.

저는 제 꿈을 이루기 위해 영어 교육과에 지원하게 되었습니다. 제 꿈은 영어 교사가 되는 것입니다. 이것저것 되고 싶은 것이 많았던 초등학교 시절, 어린 제자들을 따뜻하게 보살펴 주시던 5학년 때 담임 선생님 덕분에 제 꿈은 구체화되었습니다. 이후 여러 선생님들을 만나면서 누군가를 가르치는 일이 무엇보다 의미 있는 일이라는 생각이 확고해졌습니다. 그리고 고등학교 때, 가장 자신 있는 과목인 영어를 가르치는 교사가 되겠다고 결심했습니다.

영어 교사가 되고자 마음먹은 후부터는 영어 선생님들의 수업 방식에 관심을 기울였습니다. 특히 선생님께서 문법이 부족한 학생을 지도하는 방법과 회화가 부족한 학생을 지도하는 방법 등을 유심히 살폈습니다. 또한, 영어 수행 평가를 할 때 다른 친구들을 도와 가며 누구보다 열심히 했습니다. 모둠별로 상황극을 만들어 영어로 발표하는 수행 평가에서는 '한정식을 주문하는 외국인에게 우리나라의 음식을 설명하면서 벌어지는 상황'을 재미있게 표현하여 좋은 평가를 받았습니다.

저는 주말이면 복지 회관에 가서 몸이 불편한 노인들을 도와 드리는 일을 했습니다. 주로 그분들에게 옷을 입혀 드리고, 머리를 빗겨 드리거나 목욕을 도와 드리는 일을 했습니다. 처음의 낯설고 서먹했던 감정은 봉사 활동을 하면서 점점 정다운 마음으로 바뀌었습니다. 날마다 헤어지는 연습을 했을 그분들이 저를 따뜻하게 안아 주셨을 때, 봉사와 나눔은 일방적인 것이 아니라 상호적인 것임을 깨달았습니다.

고등학교 3년 동안 학교생활을 성실히 하면서 영어 교사의 꿈을 키웠고, 이제 새로운 배움을 얻고자 합니다. 배우고 가르치고 나누면서 생각한 교사의 꿈을 이루기 위해 영어 실력도 더욱 단단히 다지고자 합니다. 교사는 학생과 소통하는 일이 무엇보다 중요하다고 생각하기에 심리학, 상담 기법 등도 공부하고 싶습니다. 기회가 주어진다면 어학연수를 통해 외국의 국어 교육, 즉 영어 교육의 현장도 살펴볼 것입니다. / 루소는 '교육의 목적은 기계가 아니라 인간을 만드는 데 있다.'라고 하였습니다. 저는 이 말을 좌우명으로 삼아 학생들의 마음속에는 인성을, 머릿속에는 지성의 씨앗을 뿌리는 교사가 되기 위해 노력할 것입니다. 이런 저의 모습은 ○○대학교 영어 교육과에서 바라는 학생의 모습이 아닐까 합니다.

1. 위와 같은 글에 대한 설명으로 적절한 것은?

① 사안에 대한 당위성이 부각되어야 한다.
② 구체적인 경험을 중심으로 서술해야 한다.
③ 다른 글들과 구별되지 않게 무난해야 한다.
④ 최대한 많고 다양한 경험이 드러나야 한다.
⑤ 다양한 표현 전략을 활용해 설득력을 높여야 한다.

2. 윗글에 제시되어 있지 **않은** 내용은?

① 앞으로의 포부   ② 봉사 활동 경험
③ 어학연수의 경험   ④ 좌우명 및 생활신조
⑤ 지원 동기 및 학업 노력

3. 윗글을 쓸 때 필자가 활용한 글쓰기 전략으로 가장 적절한 것은?

① 나의 단점을 장점으로 승화시켜 제시하자.
② 속담을 활용해 나의 성장 가능성을 제시하자.
③ 명언을 인용하여 나의 인식 변화와 연결하자.
④ 상반되는 결과를 보인 두 경험을 바탕으로 나만의 특성을 분명하게 드러내자.
⑤ 시간의 흐름에 따라 내용을 조직하여 영어 교사가 되겠다고 결심하게 된 과정을 보여 주자.

`학습 활동 응용`

4. 윗글을 평가한 내용으로 적절하지 **않은** 것은?

① 비속어나 은어를 사용하지 않고 어법에 맞게 작성하였다.
② 봉사한 경험을 통해 무엇을 배우고 느꼈는지 구체적으로 서술하였다.
③ 영어 수행 평가 등 학습 경험을 구체적으로 서술하여 영어 능력이 우수함을 드러내었다.
④ 지원하는 대학의 구체적인 인재상을 언급하며 영어 교사로서의 자질이 충분함을 강조하였다.
⑤ 대학 진학을 목적으로 하는 맥락을 고려하여 학업에 기울인 노력과 진학 이후의 계획으로 내용을 구성하였다.

(3) 탐구 결과를 보고하는 글

핵심 질문 탐구 결과를 글로 정확하게 보고하려면 어떻게 해야 할까?

>> 탐구 결과를 보고하는 글을 쓸 때는 탐구 절차가 드러나도록 써야 한다. 탐구 보고서는 탐구의 과정에 참여하지 않은 사람들이 독자라는 점을 고려하여, 보고서에 담긴 내용을 독자가 잘 이해할 수 있도록 탐구 절차를 자세히 기록해야 한다.

알기

• 탐구 계획은 어떻게 수립하나?

I 예시 답안 I 탐구 시기와 대상, 탐구 내용 및 방법, 역할 분담 등 탐구 활동 수행과 관련해 세부적으로 계획을 수립한다.

• 보고서에서 꼭 다루어야 할 내용은 무엇인가?

I 예시 답안 I 탐구 목적, 탐구 기간, 탐구 주제와 방법, 탐구 결과 등을 포함하여 작성해야 한다.

• 보고서를 쓸 때 중요한 요소는 무엇인가?

I 예시 답안 I 탐구 절차가 구체적으로 드러나야 하고, 신뢰할 만한 탐구 결과를 제시해야 한다.

하기

• 보고서의 주제와 목적을 정해 계획서 작성하기

>> 탐구 계획 수립 방법을 학습한 후 탐구 주제를 정하고 탐구 계획 세워 보기

• 보고서에서 다루어야 할 내용을 조사하여 정리하기

>> 보고서의 주제와 목적에 적합한 자료의 수집·선별·분류 방법에 대해 학습하기

• 조사의 절차와 결과를 잘 보여 주는 보고서 쓰기

>> 탐구의 절차와 결과가 잘 드러나게 보고서를 쓰는 방법에 대해 알아보고, 다양한 표현 방법을 활용해 보고서를 직접 써 보기

••• 탐구 보고서에는 어떤 내용을 써야 하는가?

I 예시 답안 I 탐구 보고서에 포함할 내용에는 탐구 주제, 탐구 절차, 탐구 방법, 탐구 결과, 탐구 소감, 참고 자료 및 출처 등이 있다.

••• 탐구 보고서에 쓸 내용은 어떻게 마련해야 할까?

I 예시 답안 I 탐구 보고서의 내용은 인쇄, 방송, 인터넷 등의 매체를 활용한 간접 조사와 현장 답사, 면담, 설문 조사 등의 직접 조사를 통해 마련할 수 있다.

알아 두기

⟩ 탐구 결과를 보고하는 글의 개념과 종류

» **개념:** 조사, 실험, 관찰 등을 통해 탐구한 내용을 다른 사람에게 알리기 위해 그 절차와 결과를 정리하여 기록한 정보 전달의 글

» **종류:** 조사 보고서, 관찰 보고서, 실험 보고서 등

⟩ 탐구 결과를 보고하는 글 쓰기의 과정

탐구 계획 수립	• 보고서의 주제와 목적 정하기 • 조사 항목과 시기, 방법 등에 대한 세부 계획 세우기 • 탐구 계획서 작성하기

자료 조사 및 정리

• 탐구할 내용의 성격에 따라 적절한 조사 방법을 정한 뒤, 조사의 순서나 진행 과정 등의 절차를 계획하고 세부 과제에 따라 탐구를 진행함.
• 간접 조사 방법과 직접 조사 방법 중에서 보고서의 주제와 목적에 적합한 자료 수집 방법을 선택하여 자료를 수집함.
• 정보 수집 방법

	직접 조사 방법	간접 조사 방법
종류	답사, 실험, 관찰, 면담, 설문 조사 등	• 인쇄 매체: 책, 사전, 신문, 잡지, 전문 서적, 보고서, 통계 자료 등 • 방송 매체: 텔레비전, 라디오 등 • 복합 매체: 인터넷 등
특징	• 구체적이고 정확한 정보를 수집할 수 있음. • 시간과 비용, 노력이 많이 소요됨.	• 짧은 시간과 적은 비용으로 정보를 수집할 수 있음. • 정보 내용의 신뢰성에 신중을 기해야 함.

• 수집한 자료의 쓰임과 특징을 분석한 뒤, 일정한 기준을 정해 자료를 선별하고 분류함.

글쓰기	• 보고서의 주제, 목적, 의의, 탐구 방법 및 절차, 탐구 결과 및 소감 등을 정리하여 작성함. • 탐구의 절차와 결과가 잘 드러나도록 작성함. 　– 소제목을 달아 주제를 항목별로 기술함. 　– 실험, 답사, 조사한 내용을 상세하게 작성함. 　– 사진, 도표 등의 시각 자료를 활용하여 정보를 효과적으로 전달함. 　– 정확한 용어와 간결한 문장, 명료하고 사실적인 표현을 사용함. 　– 자료의 출처를 명확하게 밝히고, 정확하고 객관적인 사실만을 전달함.

하면서 배우기 📖 ━━━━━━━ 교과서 158p

1. 다음은 국어 시간에 '우리 지역의 역사적 유물'을 탐구하여 보고서를 제출하라는 과제를 받고, '남한산성'에 관한 보고서를 쓰기 위해 세운 계획이다. 탐구 계획서를 읽고, 아래의 활동을 해 보자.

━━━━━━━━━━━━━━━━━━━━

탐구 계획서

━━━━━━━━━━━━━━━━━━━━

○○ 모둠

* 탐구 주제: '남한산성'의 역사적 의미

* 탐구 목적

우리 지역에 있는 남한산성은 2014년에 그 역사적·문화적 가치를 인정받아 유네스코 세계 유산으로 지정되었다. 또한, 영화 「남한산성」을 통해 널리 알려졌지만 <u>남한산성에서 있었던 역사적 사건을 정확히 아는 학생들은 많지 않다</u>. 이에 우

<탐구 배경>

리 모둠에서는 우리 학교 학생들이 남한산성에 관해 얼마나 알고 있는지 조사한 후, 다양한 매체와 현장 답사를 통해 남한산성의 역사적 의미를 살펴보고자 한다.

* 탐구 계획
• 조사 기간: 9월 10일~9월 20일
• 조사 방법
  – 설문 조사하기 ┐
  – 전문가와 면담하기 ├ 직접 조사 방법
  – 현장 답사하기 ┘
  – <u>책, 신문, 방송, 인터넷 등에서 관련 정보 수집하기</u>
    <간접 조사 방법>

(1) 위의 모둠에서 쓰려고 하는 탐구 보고서의 목적과 주제를 말해 보자.

|예시 답안| • 목적: 우리 학교 학생들에게 남한산성의 역사적·문화적 가치를 알려 주고자 한다.

• 주제: 우리 지역의 역사 유물인 남한산성의 역사적·문화적 가치

(2) 다음은 위 모둠에서 조사 방법을 정하기 위해 나눈 대화이다. 각 모둠원이 탐구하려는 내용에 어울리는 조사 방법을 생각해 보자.

> 은영: 탐구 주제에 관한 우리 학교 학생들의 이해도를 알아보는 게 어때?
> 영민: 남한산성에서 있었던 역사적 사건에 관해 전문적인 의견을 듣는 것도 필요해.
> 세라: 현재 남한산성의 모습이 어떠한지도 확인해야 해.
> 연수: 남한산성을 소재로 한 다양한 콘텐츠를 조사해 보고 싶어.

|예시 답안|

은영	영민	세라	연수
• 설문 조사 • 면담 조사	• 면담 조사 • 텔레비전 역사 프로그램 조사	• 현장 답사 • 인터넷 자료 조사	• 인터넷 자료 조사 • 책, 영화, 텔레비전 드라마 조사

배워서 하기 ❶ ▶ 교과서 159p

탐구 주제를 정하고 계획 수립하기

● 모둠을 구성해 사회나 과학 과목의 내용과 관련된 탐구 주제를 정하고, 탐구 계획을 세워 보자.

|예시 답안|

탐구 주제	제설제로 쓰는 염화 칼슘의 영향
탐구 계획	• 조사 기간: 20○○년 12월 15일 ~ 19일 • 탐구 내용 – 염화 칼슘의 개념과 특성 – 염화 칼슘이 식물에 주는 피해 – 염화 칼슘에 대한 철근의 반응 – 환경을 오염시키지 않는 제설 방법 • 조사 방법: 인터넷 검색, 면담, 실험·실습, 책 조사
모둠원 역할 분담	• 인터넷 검색: 홍길동　　• 면담: 성춘향 • 실험·실습: 모둠원 전체　　• 책 조사: 이몽룡

2. 다음은 '남한산성의 역사적 의미'를 주제로 탐구 보고서를 쓰기 위해 수집한 자료이다. 자료를 보고, 아래의 활동을 해 보자.

가 설문 조사 → 설문 조사를 통해 우리 학교 학생들이 남한산성 하면 떠오르는 것, 남한산성에 관해 알고 싶어 하는 것이 무엇인지 알아봄.

• 설문 조사 주제: 남한산성에 관한 우리 학교 학생들의 인식

• 설문 대상: 우리 학교 2학년 학생 200명

• 설문 조사 내용 및 결과

① 남한산성 하면 떠오르는 것은 무엇입니까?

　→ 관광지, 영화 촬영지라고 답한 학생이 83명으로 41.5%, 병자호란과 관련한 역사적 사건이라고 답한 학생이 45명으로 22.5%, 유네스코 세계 문화유산이라고 답한 학생이 33명으로 16.5%를 차지했다. 등산, 먹거리 등이라고 답한 학생이 소수 있었고, 생각나는 것이 없다고 답한 학생도 있었다.

② 남한산성에 관해 무엇을 알고 싶습니까?

　→ 병자호란의 중심에 있었던 남한산성과 관련한 역사적 사건을 알고 싶다고 답한 학생이 87명으로 43.5%, 유네스코 세계 문화유산이 된 까닭을 알고 싶다는 학생이 42명으로 21%, 등산로나 등산 시간 등을 알고 싶다는 학생이 31명으로 15.5%를 차지했다. 그리고 이 질문에 답을 하지 않은 학생은 40명으로 20%를 차지했다.

나 우리 학교 역사 선생님 면담 → 면담을 통해 남한산성에서 있었던 역사적 사건에 대해 알아봄.

면담 질문: 남한산성에서 있었던 역사적 사건에 관해 알려 주세요.

선생님 답변: 조선 인조 때 청나라는 명나라를 멸망시키기 전에 후환을 없애려고 조선을 침략해 굴복시키려고 했어요. 청이 쳐들어왔을 때 인조는 강화도로 피신하려고 했으나 청의 군대가 이를 눈치채고 길목을 점령하는 바람에 남한산성으로 피란하게 된 거예요. 당시 최강의 군사력을 지닌 청나라 군사에 맞서 45일을 버텼으나 식량 부족의 문제와 당쟁만 거듭하는 조정 대신들, 왕실이 피란해 있던 강화도를 청나라가 점령하면서 인조는 직접 청나라 장수에게 항복할 수밖에 없었답니다.

다 매체를 통한 정보 수집 → 책과 인터넷, 방송 매체를 통해 남한산성을 소재로 한 다양한 문화 콘텐츠에 대해 알아봄.

• 문헌 조사

『조선왕조실록』, 「인조실록」 33권, 인조 14년 12월 19일

　적병이 남한산성을 포위한 지 벌써 엿새째가 되었다. 군신 상하가 고립된 성에 의지하며 위태롭기가 한 가닥 머리카락과 같은데, 외부의 원병은 이르지 않고 서로 연락할 길도 끊어졌다. 경들은 이런 뜻으로 도원수, 부원수 및 각 도의 감사와 병사에게 연락하여 빨리 달려와 구원하여 위급함을 구하게 하라. 그리고 그곳의 방비도 철저히 해야 할 것이니 나루를 건너는 자를 엄히 조사하여 조금이라도 소홀함이 없도록 하라. 그리고 결사대를 모집하여 기필코 답을 하라.

• 인터넷 조사　🔍 남한산성을 소재로 한 문화 콘텐츠

　남한산성은 우리 역사가 살아 숨 쉬는 장소로 여러 드라마, 소설, 영화의 소재가 되었다. 1986년 22부작으로 제작된 「조선 왕조 5백 년」 '남한산성'은 인조, 효종 시대와 병자호란을 그린 제7화 드라마이다.

　김훈의 소설 「남한산성」은 병자호란 때 남한산성에서 있었던 지도층 간의 치열한 논쟁과 백성들의 극한적인 삶을 객관적 시각으로 그린 현대 소설이다. 이 소설은 2017년 영화 「남한산성」으로 제작되어 많은 이들에게 당시의 역사를 되새기게 했다.

라 현장 답사 → 현장 답사를 통해 남한산성의 현재 모습에 대해 알아봄.

　남한산성 성곽의 길이는 약 12km이며 구조는 큰 돌 위에 작은 돌을 쌓는 방식으로 되어 있다. 동서남북에 4개의 문과 장대, 16개의 암문을 내었으며, 현재 4대문과 수어 장대, 서문 중간쯤의 일부 성곽은 원형이 잘 보존되어 있다. 남한산성은 사적 제57호와 도립 공원으로 지정되어 있다.

(1) 보고서의 주제와 (가)의 설문 조사 결과를 바탕으로 탐구 보고서 작성에 활용할 자료들을 수집하려고 한다. 위에서 찾은 자료 외에 추가로 조사해야 할 자료는 무엇인지 생각해 보고, 그 자료들을 수집하려는 까닭을 말해 보자.

|예시 답안|

추가로 조사할 자료	수집하려는 까닭
세계 문화유산으로서의 남한산성	남한산성의 문화유산으로서의 가치를 알려 주고자 함.

(2) (나)와 (다)의 자료를 바탕으로, 아래의 탐구 일지에 남한산성에 관해 조사한 자료를 정리해 보자.

|예시 답안|

> ──────── 탐구 일지 ────────
>
> • 조사 기간: 9월 11일
> • 조사자: 오영민, 박세라
> • 면담 대상: 김영호 역사 선생님
> • 조사 방법: 면담(녹취)
> • 탐구 내용
>
> > • 남한산성에서 발생한 역사적 사건
> > 병자호란 당시 인조 임금이 남한산성으로 피난함. 남한산성에는 식량이 부족했고 신하들은 당쟁을 벌임. 인조 임금은 남한산성에서 45일을 버텼으나 끝내 항복함.
>
> • 조사 기간: 9월 12일 ~ 9월 14일
> • 조사자: 모둠원 전체
> • 조사 대상: 책, 인터넷, 방송 매체
> • 조사 방법: 검색, 기록
> • 탐구 내용
>
> > • 문헌 속의 남한산성과 병자호란
> > 『조선왕조실록』, 『인조실록』, 33권, 인조 14년 12월 19일
> > 남한산성에 갇힌 지 6일째 되는 날에 인조는 외부에 원병을 요청할 것을 지시함.
> >
> > • 남한산성을 소재로 한 다양한 문화 콘텐츠
> > 드라마─「조선 왕조 5백년」 '남한산성', 소설─김훈의 「남한산성」, 영화─「남한산성」

배워서 하기 ❷   교과서 162p

적절한 방법으로 자료를 조사하고 정리하기

● '배워서 하기 ❶'에서 세운 탐구 계획을 바탕으로, 다양한 방법을 활용하여 자료를 수집해 보자.

|예시 답안|

조사 방법	수집한 자료
인터넷 검색	• 염화 칼슘은 염소(Cl)와 칼슘(Ca)이 반응하여 만들어진 이온성 화합물임. • 염화 칼슘은 낮은 온도에서 물에 잘 녹음. • 염화 칼슘은 수분을 잘 흡수함. • 염화 칼슘은 미세 먼지 제거 효과가 있음.
면담	염화 칼슘이 나무에 주는 직접 피해와 간접 피해
실험·실습	염화 칼슘이 철근을 부식시키는 정도
책 조사	염화 칼슘을 대체할 수 있는 제설제

● 보고서의 목적과 주제를 고려하여 위에서 수집한 자료를 선별하고 분류해 보자.

|예시 답안| 생략

하면서 배우기   교과서 163p

3. 다음은 '남한산성의 역사적 의미'에 관한 탐구 보고서이다. 글을 읽고, 아래의 활동을 해 보자.

> ──────── 탐구 보고서 ────────
>
> | 주제 | 남한산성의 역사적 의미 | 작성자 | 2학년 3반 ○○ 모둠 |
> |---|---|---|---|
> | 작성일 | 20○○년 9월 20일 | 모둠원 | 김은영, 박세라, 오영민, 유연수 |

1 보고서의 목적과 의의

　최근 우리가 사는 지역에 있는 남한산성과 똑같은 제목의 영화가 상영되었다. 그 영화를 통해 우리 지역의 남한산성도 덩달아 주목을 받았다. <u>우리는 남한산성을 알고는 있었지만, 그곳에 어떤 역사적 의미가 있는지는 잘 모르고 있던 게 사실 이다.</u>(탐구 배경) 이에 우리 모둠에서는 남한산성에 관한 자료를 조사하고, 답사를 통해 남한산성의 역사적 의미를 탐구해 보기로 하였다. <u>이 보고서가 우리 지역의 건축물에 담긴 역사를 알고, 그 유물의 가치를 제대로 인식하는 계기가 되었으면 한다.</u>(보고서의 목적과 의의)

2 탐구 방법 → 구체적인 탐구 방법과 절차를 자세히 제시함.

(1) 설문 조사

- 조사 기간: 20○○년 9월 10일~11일
- 설문 대상: 우리 학교 2학년 학생 200명
- 조사 내용: 남한산성에 관한 우리 학교 학생들의 인식

(2) 면담

- 조사 기간: 20○○년 9월 11일
- 면담 대상: 우리 학교 김영호 역사 선생님
- 조사 내용: 남한산성에서 발생한 역사적 사건

(3) 매체 자료 조사

- 조사 기간: 20○○년 9월 12일~9월 14일
- 조사 방법: 문헌, 인터넷, 방송
- 조사 내용: 문헌 속의 남한산성과 병자호란, 남한산성을 소재로 한 다양한 문화 콘텐츠, 세계 문화유산으로서의 남한산성

(4) 현장 답사

- 답사 기간
  20○○년 9월 16일
  오전 10시~오후 4시
- 답사 구간
  남한산성 둘레길 2코스(지수당 → 연무관 → 수어 장대)

→ 지도를 통해 남한산성의 배치를 보여 줌.

(5) 자료 정리: 20○○년 9월 17일 오후 4시, 문예반 교실

3 탐구 결과 → 조사한 자료들을 바탕으로 탐구한 내용을 개관하고,
탐구 결과를 주제별로 정리하여 소제목과 함께 제시함.

(1) 개관

→ 남한 산성의 현재 모습을 보여 주는 사진 자료를 제시함.

과거 한양을 지키던 4대 요새 중 하나인 남한산성은 <u>서울에서 동남쪽으로 24km, 성남시에서 북동쪽으로 6km 떨어진 남한산에 있으며</u>, <u>길이는 총 12.4km, 높이는 7.3m이다.</u>
남한산성의 위치 / 남한산성의 규모

『원래 남한산성은 2천여 년 전, 고구려 동명왕의 아들이자 백제의 시조인 온조의 왕성이었다는 기록이 있고, 나당 전쟁이 한창이던 신라 문무왕 13년(673년)에 한산주에 쌓은 주장성이라는 기록도 있다. 그 옛터를 활용하여 후대에도 여러 번 고쳐 쌓다가, 조선 시대 광해군 때(1621년) 본격적으로 축성하였다고 한다.』우리에게는 병자호란 때 인조가 청나라 군사를 피해 머문 곳으로 널리 알려져 있으며, 최근에는 다양한 역사 문화 콘텐츠의 소재가 되어 주목받았다.
『 』: 남한산성 축성과 관련된 과거의 기록

(2) 남한산성에 관한 우리 학교 학생들의 인식

남한산성 하면 떠오르는 것 / 남한산성에 관해 알고 싶은 것

→ 설문 조사의 결과를 그래프로 제시하여 한눈에 볼 수 있도록 함.

20○○년 9월 10~11일 우리 학교 2학년 학생 200명을 대상으로 우리 지역의 문화유산인 남한산성에 관한 인식을 조사하였다. 남한산성 하면 떠오르는 것을 묻는 항목에 많은 학생들이 관광지나 영화 촬영지(41.5%)라고 대답하였고, 역사적 사건이 떠오른다는 대답(22.5%)이 뒤를 이었다. 세계 문화유산(16.5%), 등산(8%)이나 먹거리(6.5%) 등의 의견이 있었고, 떠오르는 것이 없다(5%)는 학생들도 있었다. 이에 반해 남한산성에 관해 알고 싶은 것을 묻는 항목에는 역사적 사건(43.5%)과 세계 문화유산이 된 까닭(21%)이라고 대답한 학생들이 많았다. 즉 관광지나 영화 촬영지로 접하게 된 남한산성에서 발생한 역사적 사실이 무엇인지를 알고 싶어 하였다.

(3) 남한산성의 역사와 현대의 가치

남한산성은 삼국 시대 때 축조된 이후 이런저런 전란을 겪었다. 가장 널리 알려진 사건은 병자호란이다.『병자호란은 조선 인조 14년 청나라가 조선을 침입하여 일어난 전쟁이다. 병자호란 당시 인조는 남한산성으로 피란하여, 45일간 청나라 군사에 맞서 싸웠다. 하지만 식량 부족 문제와 왕실 가족이 피란해 있던 강화도가 점령되는 사건 등으로 인조는 어쩔 수 없이 청나라 군사에게 항복한다.』이때 45일간 남한산성 안에
『 』: 남한산성에서 발생한 역사적 사실을 객관적·구체적으로 제시함.

서 벌어졌던 주화파와 척화파의 논쟁은 현대인에게도 유의미하다. 이런 까닭으로 남한산성은 다양한 문화 콘텐츠로 제작이 되었는데, 특히 김훈의 『남한산성』을 원작으로 하여 철저한 역사적 고증을 거친 영화 「남한산성」이 제작되어 화제가 되었다. 당시 굴욕의 역사를 다시 생각하게 하는 두 충신의
병자호란 패배
뜨거운 말은 현대를 살아가는 오늘날의 우리에게도 많은 것을 생각하게 만드는 역사적 교훈이었다.

> "죽음은 견딜 수 없고 치욕은 견딜 수 있사옵니다."
> – 청과의 화친을 통해 위기를 극복하려 하는 최명길의 굳은 신념을 고스란히 담아낸 대사
>
> "오랑캐에게 무릎을 꿇고 삶을 구걸하느니 사직을 위해 죽는 것이 신의 뜻이옵니다."
> – 죽음을 각오하고 청과 맞서 싸워 대의를 지키고자 했던 김상헌의 곧은 기개를 느끼게 하는 대사
> → 영화 「남한산성」의 등장인물 대사와 포스터를 제시함.

이런 역사적 배경을 지닌 남한산성은 2014년, 우리나라의 문화유산으로는 11번째로 유네스코(UNESCO) 세계 문화유산으로 지정되었다. 이는 남한산성이 우리 민족뿐 아니라 세
남한산성의 문화적 가치
계적으로도 가치가 있으며 보존해야 할 문화유산임을 인정받은 것으로 해석할 수 있다.

④ **탐구 소감** → 탐구하면서 느끼고 깨달은 점을 제시함.

　다양한 자료를 조사하며 남한산성의 역사와 문화를 이해하고, 최○○ 남한산성 문화유산 지도 선생님의 설명을 들으면서 탐방로 곳곳을 거닐었다. 지금은 관광지로 사랑받고 있는 남한산성. 그 산성의 돌무더기 하나, 나무 한 그루마다 굴곡진 우리의 역사가 담겨 있음을 새삼 느끼게 되었다. 우리의 역사는 여전히 살아 숨 쉬고 있으며, 그 숨결에 많은 울림이 전해지고 있다는 생각이 들었다. 탐구 보고서를 쓰면서 우리 모둠원들은 우리 지역에 있는 소중한 문화유산을 바르게 아는 것이 곧 역사에 동참하는 행동이라는 이야기를 나누었다. 우리 문화유산을 계승하고 창조하는 것, 그것은 역사가 살아 있는 우리 문화유산에 관한 바른 이해에서 시작하는 것이다.

- 도움을 주신 분들
  - 김영호 역사 선생님
  - 최○○ 남한산성 문화유산 지도 선생님

- 참고 자료
  - 경기도남한산성세계유산센터 누리집(http://www.gg.go.kr/namhansansung－2)
  - 김훈 원작·황동혁 감독, 『남한산성』
  - 윤용철, 『병자호란 47일의 굴욕』
- 사진 출처
  - 경기도남한산성세계유산센터 누리집(http://www.gg.go.kr/namhansansung－2)
  - 네이버 영화 『남한산성』(https://movie.naver.com/movie/bi/mi/photoViewPopup.nhn?movieCode= 150637)

(1) 위의 보고서를 통해 알 수 있는 탐구 보고서의 구성 요소와 특징을 정리해 보자.

|예시 답안|

> - 보고서의 목적과 의의: 탐구 보고서를 쓰게 된 목적이나 과제를 선택한 까닭 등을 쓴다.
> - 탐구 방법: 조사 방법, 조사 기간, 조사 대상, 조사 내용을 쓴다.
> - 탐구 결과: 조사한 자료들을 바탕으로 탐구한 내용을 개관하고, 탐구 보고서에 담을 소주제를 정해 주제별로 분류하여 탐구 결과가 구체적으로 드러나도록 쓴다.
> - 탐구 소감: 탐구하면서 느낀 점을 쓴다.
> - 도움을 주신 분들: 탐구 보고서를 작성하는 동안 면담이나 답사 등에 도움을 주신 분들을 쓴다.
> - 참고 자료 및 사진 출처: 탐구 보고서에 활용한 자료와 사진의 출처를 쓴다.

(2) 위의 보고서에서 시각 자료를 활용하여 얻고 있는 효과를 말해 보자.

|예시 답안|

활용한 시각 자료	효과
남한산성 둘레길 안내 지도	지도를 보여 줌으로써 남한산성의 배치, 성곽 안에 남아 있는 건물 등에 대한 독자들의 이해를 도울 수 있다.
남한산성 사진	탐구 결과를 개관하면서 남한산성의 모습을 직접 보여 줌으로써 독자들이 현장감을 느낄 수 있도록 한다.
그래프	그래프를 통해 독자들이 설문 조사의 결과를 시각적으로 쉽고 빠르게 인지할 수 있도록 한다.
영화 포스터	영화 포스터를 영화의 대사와 함께 보여 줌으로써 역사적 배경을 흥미롭게 파악할 수 있도록 한다.

(3) 다음 기준에 따라 위의 탐구 보고서에 담긴 정보의 가치와 신뢰성을 평가해 보자.

|예시 답안| 생략

탐구 절차와 결과가 드러나게 보고서 쓰기

● '배워서 하기 ❷'에서 정리한 자료를 바탕으로, 탐구 절차와 결과가 잘 드러나는 보고서를 써 보자.

|예시 답안|

기간	20○○년 12월 15일~12월 19일
모둠	○○고등학교 2학년 3반 △△ 모둠(홍길동, 성춘향, 이도령)
제목	제설제로 쓰는 염화 칼슘의 영향
탐구 목적	우리 학교는 진입로가 길고 경사가 있어서 겨울에 눈이 오면 등·하교가 어렵다. 그래서 눈이 오는 날이면 제설을 위해 염화 칼슘을 뿌린다. 그런데 염화 칼슘을 뿌리고 난 후 진입로의 콘크리트 길이 깨지고 진입로 옆에 심어 놓은 은행나무가 고사하는 일이 생겼다. 이에 우리는 겨울철에 뿌리는 염화 칼슘이 콘크리트 파손과 은행나무의 고사에 영향이 있는 것은 아닌지 알아보고, 이를 예방할 방법을 찾아보고자 한다.
탐구 방법	• 조사 기간: 20○○년 12월 15일~12월 19일 • 탐구 내용 　– 염화 칼슘의 개념과 특성: 인터넷 검색(홍길동) 　– 염화 칼슘이 식물에 주는 피해: 국립산림과학원 연구원 ○○○ 박사님 면담(성춘향) 　– 염화 칼슘에 대한 철근의 반응: 실험·실습(모둠원 전체) 　– 환경을 오염시키지 않는 제설 방법: 책 조사(이몽룡)

(1) 염화 칼슘의 개념과 특성
염화 칼슘은 염소(Cl)와 칼슘(Ca)이 반응하여 만들어진 이온성 화합물을 말한다. 염화 칼슘은 낮은 온도에서도 물에 잘 녹는다는 특징이 있다. 또한, 공기에 포함된 수분을 흡수하기 때문에 밀폐된 공간의 수분을 제거하거나 순수한 기체에 포함된 수분을 제거하는 데 이용된다. 그리고 수분에 의해 변질되기 쉬운 민감한 화학 물질을 밀봉이 된 건조 용기에 염화 칼슘과 함께 보관하면 화학 물질이 수분에 의해서 변질되는 것을 막을 수 있다. 길에 뿌려진 염화 칼슘은 대기의 수분을 흡수하여 물을 머금은 축축한 막을 형성하기도 하는데, 그런 얇은 층은 도로의 미세 먼지를 제거하는 효과도 있다.

(2) 염화 칼슘이 식물에 주는 피해
제설용으로 뿌린 염화 칼슘이 식물에 주는 직접적인 피해는 제설 과정에서 염화 칼슘이 바람에 날려 튀거나 분진 형태로 나무에 묻을 때 나타난다. 염소는 광합성 작용에 필요한 산소를 발생시키는 필수 원소지만, 나무에 많이 쌓이면 뿌리, 줄기, 잎 조직의 생장을 억제하고 나무를 말려 죽일 수 있다. 칼슘은 광합성 작용에 필요한 칼륨과 균형을 이루어 식물 속 유해 물질을 중화시키는데, 염화 칼슘이 토양에 쌓여 뿌리로 흡수되면 나무 속 이온 농도가 높아지고, 엽록소 생성에 관여하는 철을 흡수하지 못해 나무의 잎이 누렇게 변한다.

또한, 염화 칼슘의 염분 성분은 토양 속 수분의 삼투압을 늘려 뿌리가 물을 흡수하는 것을 방해한다. 정상 토양인 약산성이 알칼리성으로 변해 필수 양분을 흡수하는 능력이 떨어져 결핍이 발생하기 때문이다. 이에 토양 구조가 나빠짐에 따라 통기성과 배수성이 떨어져 결국 뿌리의 호흡과 수분 흡수가 어려워진다.

(3) 염화 칼슘에 대한 철근의 반응

염화 칼슘의 농도를 다르게 하고 철근에 10볼트의 전기를 흐르게 한 다음 각각의 용기에 3일 동안 철근을 담가 두는 실험을 하였더니 염화 칼슘의 농도가 높을수록 부식의 정도가 심해지는 결과가 나타났다. 이를 통해 염화 칼슘이 철근의 부식에 영향을 주고 있음을 확인할 수 있었다.

(4) 환경을 오염시키지 않는 제설 방법
1980년대 후반 경제개발협력기구(OECD)는 염화 칼슘 제설제의 위험성을 경고했다. 이에 따라 그 대체제로 초산 칼슘 같은 친환경 제설제들이 개발됐다. 국내에서는 2010년 제설제에 대한 환경부 인증이 시행되며 상수원 보호 구역에서 환경을 오염시키지 않는 제설제를 쓰기 시작했다. 지금은 도심에서도 '친환경 제설제'라고 쓴 제설 차량을 찾아볼 수 있다. 조달청은 2013년 9월부터 환경 표지 인증 제설제만을 나라 장터에 등록하고 있다. 2015년 기준으로 17개의 친환경 제설제 제품이 등록되어 있다.
세계는 제설제의 유해성을 경고하며 염화 칼슘과 염화 나트륨을 퇴출하고 있다. 인력과 제설 장비를 이용한 기계적 제설을 우선시하며, 대중용 제설기도 널리 보급하고 있다.
　　　　　　　　　　　　– 녹색연합, 「작은 것이 아름답다」

(5) 탐구 소감
눈이 올 때 제설을 하지 않으면 불편하고 위험하다. 사람들이 미끄러져 넘어질 수 있고 자동차 사고의 발생 확률도 높아진다. 그래서 제설을 하지 않을 수는 없다.
제설 시에 가장 흔하게 사용하는 것이 염화 칼슘이다. 염화 칼슘은 제설에 효과적인 물질이지만 많이 사용할 경우 철을 부식시켜 길을 파손하거나 길가의 나무를 죽게 만들 수 있다.
이를 예방하기 위해 염화 칼슘의 대체제를 개발하고 나라마다 적절한 규범을 제정하고 있다. 하지만 아무리 좋은 제설제라 하더라도 인력으로 치우는 것만큼 환경에 도움이 되는 것은 없을 것이다. 인류의 삶을 위해 만들어지는 물질들이 오히려 인류에게 해가 되는 일이 없었으면 좋겠다. 무슨 일이든 근시안적으로 보지 말고 보다 먼 미래를 생각하며 인류의 문제를 해결해 갈 필요가 있다.

| 참고 자료 출처 | • 도움을 주신 분들: 국립산림과학원 연구원 ○○○ 박사님
• 참고 자료
　– EBS, 「제설제 염화 칼슘의 두 얼굴」(http://www.ebs.co.kr/tv/show.jsessionid=CgzceZeTMETjKqoBRr01GlapOkwJ6Oo2j0G0xh3qWxP54P5X0uRnUCfk1UoMrSAz.enswasp01_servlet_engine1?courseId=BP0PAPF0000000022&stepId=01BP0PAPF0000000022&lectId=3067642)
　– 녹색연합, 「작은 것이 아름답다」, 2006년 1월호 |

출제 포인트 ① **탐구 계획 수립 방법**

보고서를 쓰기 위해 가장 먼저 해야 할 일은 무엇일까요? 탐구 계획을 수립하는 것이겠죠? 탐구 계획 수립 방법에 관한 문제는 주로 보고서의 특징과 함께 묻는 경우가 많으니 이 두 가지는 같이 엮어서 공부해 두는 것이 좋아요.

보고서의 주제와 목적 정하기	• 무엇을, 왜 보고하는지를 분명히 정함. • 보고서의 주제는 가치 있고 흥미 있으며 실질적이고 구체적인 것으로 정해야 함.
세부 계획 세우기	조사 항목과 시기, 방법 등에 관한 세부 계획을 세움.
탐구 계획서 작성하기	탐구 방법과 절차를 구체적으로 검토하고 세부적으로 계획해야 함.

출제 포인트 ② **탐구 자료 조사 방법**

탐구 보고서를 작성하는 과정에서 다양하고 풍부한 자료를 수집하는 것은 매우 중요합니다. 시험에는 다양한 자료 수집의 경로와 방법을 묻는 문제가 출제되므로 이를 중점적으로 공부해 두세요.

자료 수집 방법	종류
간접 수집 방법	• 인쇄 매체: 책, 사전, 신문, 잡지, 전문 서적, 보고서, 통계 자료 등 • 방송 매체: 텔레비전, 라디오 등 • 복합 매체: 인터넷 등
직접 수집 방법	현장 답사, 실험, 관찰, 전문가 면담, 설문 조사 등

출제 포인트 ③ **정보의 가치와 신뢰성 평가**

탐구 보고서는 정확성이 중요하므로 수집한 정보가 가치 있고 신뢰할 만한 것인지 판단하는 과정이 필요해요. 평가 기준을 기억해 두고 정보의 적합성을 판별하는 연습을 해야 합니다.

가치 평가 기준	• 정보의 내용이 독자에게 의미 있는 것인가? • 정보 전달의 대상, 사실, 현상 등이 알릴 만한 가치가 있는 것인가?
신뢰성 평가 기준	• 출처가 분명한가? • 믿을 만한 정보인가? • 객관적 사실에 근거한 것인가? • 정보를 사용할 때 논란이 될 여지는 없는가? • 필자의 주관적인 견해를 바탕으로 한 정보는 아닌가?

대표 문제 ① 탐구 보고서에 대한 설명으로 적절하지 <u>않은</u> 것은?

① 보고서의 주제와 목적, 작성 시기 등을 뚜렷이 밝혀야 한다.

② 보고서의 목적은 독자에게 유용한 정보를 제공하는 데 있다.

③ 보고서의 내용과 자료는 독자의 관심과 요구, 수준에 맞게 구성해야 한다.

④ 탐구한 내용을 다른 사람에게 알리는 글이므로 그 절차와 결과를 체계적으로 정리해야 한다.

⑤ 보고서는 내용의 정확성이 중요하므로 결론을 명확히 한 후 그에 맞추어 자료를 해석해야 한다.

대표 문제 ② 〈보기〉의 특성을 지닌 자료 수집 방법으로 가장 적절한 것은?

─〈보기〉─
• 구체적이고 정확한 정보를 수집할 수 있다.
• 시간과 비용, 노력이 많이 소요된다.
• 원하는 방향의 정보를 얻을 수 있다.

① 문헌 연구　　　　② 라디오 청취
③ 전문가 면담　　　④ 신문 보도 자료 검색
⑤ 인터넷 블로그 검색

대표 문제 ③ 정보를 수집할 때 고려할 내용으로 적절하지 <u>않은</u> 것은?

① 다양한 경로와 방법으로 풍부한 정보를 수집한다.

② 탐구 보고서의 주제에 비추어 가치 있는 정보를 수집한다.

③ 인터넷 정보는 주관적 편견이나 부정확한 내용이 없는지 확인한다.

④ 자료 수집과 정리 시간을 단축하기 위해서 인터넷을 주로 활용한다.

⑤ 면담을 통해 정보를 얻기 위해서는 사전에 면담 계획을 세워서 준비한다.

출제 포인트 ❹ 시각 자료의 효과

시각 자료를 활용하면 전달하고자 하는 정보를 독자에게 훨씬 더 효율적으로 전달할 수 있어요. 시험에는 정보의 내용이나 성격, 독자의 특성에 따라 적절한 시각 자료를 활용할 수 있는지 평가하는 문제가 나와요.

사진, 동영상 중심의 시각 자료	• 전체적인 인상을 쉽게 파악할 수 있음. • 분석적으로 핵심 정보에 접근하기 어려움.
표, 도표, 도해 중심의 시각 자료	• 요약적 진술을 중심으로 함. • 핵심 정보 추출이 용이함.

■ '남한산성의 역사적 의미'에 관한 탐구 보고서에서 시각 자료를 활용하여 얻고 있는 효과

남한산성 둘레길 안내 지도	지도를 보여 줌으로써 남한산성의 배치, 성곽 안에 남아 있는 건물 등에 대한 독자들의 이해를 도울 수 있음.
남한산성 사진	탐구 결과를 개관하면서 남한산성의 모습을 직접 보여 줌으로써 독자들이 현장감을 느낄 수 있도록 함.
그래프	그래프를 통해 독자들이 설문 조사의 결과를 시각적으로 쉽고 빠르게 인지할 수 있도록 함.
영화 포스터	영화 포스터를 영화의 대사와 함께 보여 줌으로써 역사적 배경을 흥미롭게 파악할 수 있도록 함.

출제 포인트 ❺ 탐구 보고서 쓰기

탐구 보고서에 들어가야 하는 구성 요소를 반드시 알아 두세요. 시험에는 주로 탐구 보고서의 구성 요소가 적절하게 포함되어 있는지와 그 내용의 적절성에 대해 묻는 문제가 출제됩니다!

구성 요소	특징
목적과 의의	탐구 보고서를 쓰게 된 목적이나 과제를 선택한 까닭을 씀.
탐구 방법	조사 방법, 조사 기간, 조사 대상, 조사 내용을 씀.
탐구 결과	조사한 자료들을 바탕으로 탐구한 내용을 개관하고, 탐구 보고서에 담을 내용을 주제별로 분류하여 탐구 결과가 구체적으로 드러나도록 씀.
탐구 소감	탐구하면서 느낀 점을 씀.
도움을 주신 분들	탐구 보고서를 작성하는 동안 면담이나 답사 등에 도움을 주신 분들을 씀.
참고 자료 및 사진 출처	탐구 보고서에 활용한 자료와 사진의 출처를 씀.

대표 문제 ❹ 탐구 보고서 작성 시 시각 자료를 활용하여 얻을 수 있는 장점을 세 가지 이상 서술하시오.

_____

_____

대표 문제 ❺ 〈보기〉는 '남한산성의 역사적 의미'를 주제로 한 보고서를 작성하는 과정에서 수집한 자료를 해석한 내용이다. 〈보기〉에 대한 설명으로 가장 적절한 것은?

〈보기〉

　남한산성은 삼국 시대 때 축조된 이후 이런저런 전란을 겪었다. 가장 널리 알려진 사건은 병자호란이다. 병자호란은 조선 인조 14년 청나라가 조선을 침입하여 일어난 전쟁이다. 병자호란 당시 인조는 남한산성으로 피란하여, 45일간 청나라 군사에 맞서 싸웠다. 하지만 식량 부족 문제와 왕실 가족이 피란해 있던 강화도가 점령되는 사건 등으로 인조는 어쩔 수 없이 청나라 군사에게 항복한다. 이때 45일간 남한산성 안에서 벌어졌던 주화파와 척화파의 논쟁은 현대인에게도 유의미하다. 이런 까닭으로 남한산성은 다양한 문화 콘텐츠로 제작이 되었는데, 특히 김훈의 「남한산성」을 원작으로 하여 철저한 역사적 고증을 거친 영화 「남한산성」이 제작되어 화제가 되었다. 당시 굴욕의 역사를 다시 생각하게 하는 두 충신의 뜨거운 말은 현대를 살아가는 오늘날의 우리에게도 많은 것을 생각하게 만드는 역사적 교훈이었다.

① 남한산성이 가지는 현대적 가치를 강조하고 있다.

② 영화 「남한산성」을 소개하며 주제 선정의 이유를 밝히고 있다.

③ 직접 답사를 다녀온 경험을 활용하여 남한산성의 위치를 구체적으로 설명하고 있다.

④ 남한산성 이외에도 더 가 볼 만한 곳을 나열하여 주제에 대한 관심을 유도하고 있다.

⑤ 남한산성의 지리에 대한 사실적 정보뿐 아니라 그곳을 답사하면서 느낀 점을 제시하고 있다.

소단원 시험 예상 문제

[1~3] 다음 글을 읽고 물음에 답하시오.

---

*탐구 주제 '남한산성'의 역사적 의미

*탐구 목적

  우리 지역에 있는 남한산성은 2014년에 그 역사적·문화적 가치를 인정받아 유네스코 세계 유산으로 지정되었다. 또한, 영화 「남한산성」을 통해 널리 알려졌지만 남한산성에서 있었던 역사적 사건을 정확히 아는 학생들은 많지 않다. 이에 우리 모둠에서는 우리 학교 학생들이 남한산성에 관해 얼마나 알고 있는지 조사한 후, 다양한 매체와 현장 답사를 통해 남한산성의 역사적 의미를 살펴보고자 한다.

*탐구 계획

• 조사 기간: 9월 10일~9월 20일

• 조사 방법

 – 설문 조사하기

 – 현장 답사하기

 – 전문가와 면담하기

 – 책, 신문, 방송, 인터넷 등에서 관련 정보 수집하기

---

1. 윗글에 대한 설명으로 적절하지 <u>않은</u> 것은?

① 탐구 과제 조사 계획 내용이 담겨 있다.

② 조사의 내용과 범위를 간략하게 언급하고 있다.

③ 탐구를 시작하게 된 동기를 명확히 밝히고 있다.

④ 조사를 통해 얻고자 하는 바가 분명하게 나타나 있다.

⑤ 조사한 세부 내용을 항목화하여 체계적으로 제시하고 있다.

서술형

2. 윗글을 작성한 모둠에서 쓰려고 하는 탐구 보고서의 목적과 독자를 서술하시오.

학습 활동 응용

3. 윗글을 쓴 모둠에서 구체적인 조사 방법을 정하기 위해 모둠원들이 나눈 의견으로 적절하지 <u>않은</u> 것은?

① 윤희: 인터넷 자료 조사를 통해 현재 남한산성의 모습이 어떠한지 확인해 보자.

② 연정: 현장 답사를 통해 시간의 변화에 따른 남한산성의 변천 양상도 알아봐야겠어.

③ 주희: 책이나 영화 등 남한산성을 소재로 한 다양한 콘텐츠에 관해 조사해 보고 싶어.

④ 동현: 남한산성에 관한 우리 학교 학생들의 이해도를 알아보는 설문 조사를 하는 건 어때?

⑤ 재성: 전문가와의 면담을 통해 남한산성에 있었던 역사적 사건에 관한 의견을 듣는 것도 필요해.

[4~6] 다음 글을 읽고 물음에 답하시오.

가 탐구 결과

⑴ 개관

  과거 한양을 지키던 4대 요새 중 하나인 남한산성은 서울에서 동남쪽으로 24km, 성남시에서 북동쪽으로 6km 떨어진 남한산에 있으며, 길이는 총 12.4km, 높이는 7.3m이다.

  원래 남한산성은 2천여 년 전, 고구려 동명왕의 아들이자 백제의 시조인 온조의 왕성이었다는 기록이 있고, 나당 전쟁이 한창이던 신라 문무왕 13년(673년)에 한산주에 쌓은 주장성이라는 기록도 있다. 그 옛터를 활용하여 후대에도 여러 번 고쳐 쌓다가, 조선 시대 광해군 때(1621년) 본격적으로 축성하였다고 한다. 우리에게는 병자호란 때 인조가 청나라 군사를 피해 머문 곳으로 널리 알려져 있으며, 최근에는 다양한 역사 문화 콘텐츠의 소재가 되어 주목받았다.

⑵ 남한산성에 관한 우리 학교 학생들의 인식

  20○○년 9월 10~11일 우리 학교 2학년 학생 200명을 대상으로 우리 지역의 문화유산인 남한산성에 관한 인식을 조사하였다. 남한산성 하면 떠오르는 것을 묻는 항목에 많은 학생들이 관광지나 영화 촬영지(41.5%)라고 대답하였고, 역사적 사건이 떠오른다는 대답(22.5%)이 뒤를

이었다. 세계 문화유산(16.5%), 등산(8%)이나 먹거리 (6.5%) 등의 의견이 있었고, 떠오르는 것이 없다(5%)는 학생들도 있었다. [중략]

⑶ 남한산성의 역사와 현대의 가치

남한산성은 삼국 시대 때 축조된 이후 이런저런 전란을 겪었다. 가장 널리 알려진 사건은 병자호란이다. 병자호란은 조선 인조 14년 청나라가 조선을 침입하여 일어난 전쟁이다. 병자호란 당시 인조는 남한산성으로 피란하여, 45일간 청나라 군사에 맞서 싸웠다. 하지만 식량 부족 문제와 왕실 가족이 피란해 있던 강화도가 점령되는 사건 등으로 인조는 어쩔 수 없이 청나라 군사에게 항복한다. 이때 45일간 남한산성 안에서 벌어졌던 주화파와 척화파의 논쟁은 현대인에게도 유의미하다. 이런 까닭으로 남한산성은 다양한 문화 콘텐츠로 제작이 되었는데, 특히 김훈의 「남한산성」을 원작으로 하여 철저한 역사적 고증을 거친 영화 「남한산성」이 제작되어 화제가 되었다. 당시 굴욕의 역사를 다시 생각하게 하는 두 충신의 뜨거운 말은 현대를 살아가는 오늘날의 우리에게도 많은 것을 생각하게 만드는 역사적 교훈이었다.

🄽 탐구 소감

다양한 자료를 조사하며 남한산성의 역사와 문화를 이해하고, 최○○ 남한산성 문화유산 지도 선생님의 설명을 들으면서 탐방로 곳곳을 거닐었다. 지금은 관광지로 사랑받고 있는 남한산성. 그 산성의 돌무더기 하나, 나무 한 그루마다 굴곡진 우리의 역사가 담겨 있음을 새삼 느끼게 되었다. 우리의 역사는 여전히 살아 숨 쉬고 있으며, 그 숨결에 많은 울림이 전해지고 있다는 생각이 들었다. 탐구 보고서를 쓰면서 우리 모둠원들은 우리 지역에 있는 소중한 문화유산을 바르게 아는 것이 곧 역사에 동참하는 행동이라는 이야기를 나누었다. 우리 문화유산을 계승하고 창조하는 것, 그것은 역사가 살아 있는 우리 문화유산에 관한 바른 이해에서 시작하는 것이다.

4. 윗글을 읽을 때 유의할 점으로 적절하지 <u>않은</u> 것은?

① 사실과 의견을 구분하며 읽는다.
② 대상에 대한 배경지식을 떠올리며 읽는다.
③ 전달하려는 핵심 정보에 집중하며 읽는다.
④ 정보들이 객관적이고 믿을 만한지 확인하며 읽는다.
⑤ 보고자의 개인적인 의견이 타당한지 분석하며 읽는다.

5. 윗글을 작성한 후 다음 신문 기사 자료를 추가로 수집하였다고 할 때, 다음 자료의 구체적인 활용 방안에 관해 생각해 본 내용으로 적절하지 <u>않은</u> 것은?

남한산성이 한국의 11번째 유네스코 세계 문화유산에 선정됐다. 유네스코는 남한산성이 ▲ 동아시아 지역의 무기 발달과 축성술이 상호 교류한 군사 유산이며 조선의 자주·독립의 수호를 위해 유사시 임시 수도로 축조된 유일한 산성 도시인 점 ▲ 자연 지형을 활용해 성곽과 방어 시설을 구축함으로써 7세기부터 19세기에 이르는 축성술의 시대별 발달 단계를 잘 나타내고 있다는 점을 들어 세계 유산적 가치가 있다고 평가했다. 남한산성의 세계 문화유산 등재는 남한산성이라는 우리의 유적이 세계적으로 보호해야 할 가치가 있는 유적임을 공인받았다는 점에서 의미가 있다.

① 보고서의 어떤 부분에서 활용하면 좋을지 생각해 본다.
② 독자인 우리 학교 학생들에게 가치 있는 정보인지 판단해 본다.
③ 이 자료가 '남한산성의 역사적 의미'라는 주제와 긴밀하게 연관되는지 판단해 본다.
④ 신문 기사의 내용에 주관적 내용이나 편견이 반영되지는 않았는지 꼼꼼히 살펴본다.
⑤ 유네스코가 신뢰할 만한 단체인지 확인하고 유네스코에서 하는 활동들을 조사해 본다.

6. 윗글에 대한 조언으로 적절하지 <u>않은</u> 것은?

① (가)-⑴에서 인용한 자료의 출처를 밝히면 내용에 대한 신뢰성이 높아지지 않을까?
② (가)-⑴에서 역사적 사건에 대한 설명을 각주로 달아 독자의 이해를 도우면 좋지 않을까?
③ (가)-⑵에서 설문 조사 결과를 그래프로 정리하여 시각적으로 보여 주면 정보를 효과적으로 전달할 수 있지 않을까?
④ (가)-⑶에서 주화파와 척화파의 논쟁을 보여 주는 두 충신의 대사를 제시하는 것은 어떨까?
⑤ (나)에서 현장 답사를 하면서 생각하고 느낀 점을 전달하는 것은 어떨까?

중단원 마무리

스스로 정리하기

(1) 가치 있는 정보를 전달하는 글

- 정보를 수집할 때는 정보를 전달하는 ❶□□과 대상을 고려해야 한다.
- 선별한 정보를 범주화하여 내용을 분류할 때는 정보의 속성, 독자의 특성 등을 고려해야 한다.
- 정보를 전달하는 글을 쓸 때는 독자의 이해를 돕기 위해 글 전체의 내용이나 ❷□□을 미리 알려 주거나 제목과 소제목, 시각 자료, 도해나 도표 등을 활용하는 것이 좋다.

정보 수집 → 가치 있는 정보 ❸□□ → 짜임새 있게 조직

작문 맥락에 따라 정보 선별 / 작문 맥락을 고려하여 내용 조직

(2) 나를 소개하는 글

- 자기소개서는 독자, 목적, 주제 등의 ❹□□을 고려하여 써야 한다.
- 자기소개서에는 자신의 인생관이나 가치관을 드러내는 구체적인 내용이 있어야 한다.
- 자기소개서는 ❺□□ 있고 구체적으로 써야 한다.

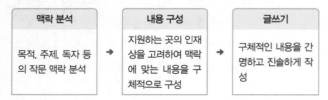

맥락 분석	내용 구성	글쓰기
목적, 주제, 독자 등의 작문 맥락 분석	지원하는 곳의 인재상을 고려하여 맥락에 맞는 내용을 구체적으로 구성	구체적인 내용을 간명하고 진솔하게 작성

(3) 탐구 결과를 보고하는 글

- 보고서의 주제와 목적을 정한 뒤에는 세부 계획을 세워 탐구 계획서를 작성한다.
- 조사를 통해 수집한 자료는 일정한 기준에 따라 선별하고 분류한다.
- 목적과 의의, 탐구 방법과 ❻□□, 탐구 결과 및 소감 등을 정리하여 보고서를 작성한다.

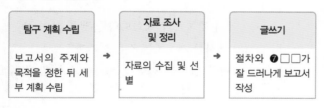

탐구 계획 수립	자료 조사 및 정리	글쓰기
보고서의 주제와 목적을 정한 뒤 세부 계획 수립	자료의 수집 및 선별	절차와 ❼□□가 잘 드러나게 보고서 작성

확장하기

❱ 다음 과제를 수행하며 이 단원의 목표를 다시 한번 환기해 보자.

누리 소통망 서비스(SNS)에 자신의 꿈을 알리는 글 올리기

시청각 자료를 활용해 자신의 꿈을 소개하는 글을 써서 누리 소통망 서비스에 올려 보자.

⋯ 작문 맥락을 분석하여 자신의 꿈과 관련된 자료를 수집하고, 누리 소통망 서비스에 글을 써서 자신의 꿈을 소개해 본다. 친구들이 누리 소통망 서비스에 올린 글을 읽고, 격려와 평가의 글을 남겨 주도록 한다.

우리 학교를 알리는 홍보 책자 만들기

중학교 학생들에게 우리 학교를 알리는 홍보 책자를 제작해 보자.

⋯ 중학생들이 진학하려는 고등학교와 관련하여 가치 있는 정보가 무엇인지 파악하고, 우리 학교를 알릴 수 있는 자료를 수집한다. 글과 시각 자료 등을 효과적으로 구성하여 홍보 책자를 제작한 후 주변의 중학생들에게 나누어 준다.

친구의 일상을 탐구하여 친구와 대화하기

학급에서 친한 친구와 짝을 이루어 서로의 일상을 관찰하고 그 친구의 행동 방식을 탐구해 보자.

⋯ 학교에서 친구의 일상을 관찰하여 일지를 작성해 본다. 작성한 일지를 바탕으로 그 친구의 행동 방식을 분석하여 정리하고, 탐구 보고서의 작성 절차와 방법에 따라 보고서를 쓴다.

|정답| ❶ 목적 ❷ 형식 ❸ 선별 ❹ 맥락 ❺ 개성 ❻ 절차 ❼ 결과

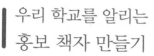

우리 학교를 알리는 홍보 책자 만들기

다음 활동은 위의 '확장하기' 활동 가운데 '우리 학교를 알리는 홍보 책자 만들기' 활동이다. 홍보 책자를 만들 때는 독자를 분석하여 내용을 구상해야 홍보의 목적을 달성할 수 있다는 것을 이해하고, 독자의 관심을 끌 수 있는 내용을 구성하여 글을 써 보자.

) 활동 순서

1. 맥락 분석	→	2. 정보 수집 및 선별	→	3. 내용 조직	→	4. 홍보하는 글 쓰기
홍보 책자의 주제와 목적, 독자 분석하기		수집 방법과 매체 등을 고려하여 정보 수집하기		독자의 관심 내용을 바탕으로 내용 조직하기		시각 자료를 활용하여 홍보 책자 제작하기

1. 맥락 분석

- 주제: ○○예술고등학교를 알리는 홍보 책자 만들기
- 목적: 고등학교에 진학하려는 중학생들에게 가치 있는 정보를 담은 홍보 책자 제작하기
- 독자: 고등학교 진학을 앞둔 중학생들

2. 정보 수집 및 선별

글을 쓰는 목적과 대상에 맞게 정보 수집하기

- 학교 활동: 무용 발표회, 음악 연주회, 미술 전시회와 학생들이 흥미를 느낄 수 있는 다양한 동아리 활동, 체육 대회, 봉사 활동 등을 소개하는 자료
  → 팸플릿, 사진 자료
- 학교 시설: 교과 학습실과 전공 실습실, 교수·학습 시설, 쾌적하고 안전한 학교 시설물을 소개하는 자료
  → 학교 시설 배치도, 사진 자료
- 대학 진학: 대학 진학을 내실 있게 준비할 수 있는 학교임을 보여 주는 자료
  → 대학 진학률 통계 자료
- 학교 만족도: 실제로 학교생활을 경험하고 있는 학생과 학부모의 학교 만족도 자료
  → 설문 조사 결과

3. 내용 조직

'처음 – 가운데 – 끝'으로 내용 조직하기

처음	학교의 역사와 가장 큰 특징 소개
가운데	• 학교생활 만족도에 관한 설문 조사 결과 제시 • 다양한 학교 활동 소개
끝	학교의 장점을 요약·강조

4. 홍보하는 글 쓰기

창조적이고 전인적인 예술인을 양성하는 학교
○○예술고등학교는 40년 동안 창조적이고 전인적인 예술인을 길러 왔습니다. 우리 학교는 몸으로 혼을 표현하는 무용과, 천사의 소리를 만드는 음악과, 화룡점정을 꿈꾸는 미술과가 있습니다. 이제는 오랜 역사를 바탕으로 스승과 제자, 선배와 후배가 하나 되어 서로 이끌고 따르며 진정한 예술인의 꿈을 키워 가고 있습니다. 안분지족, 이것이 우리가 입학하기 전 선배들에게 들은 말이며 입학 후 우리가 느끼는 정서입니다. 물론 전교생 모두가 학교에 대해 만족감을 가지고 있는 것은 아닐 겁니다. 만족에 대한 기준이 다를 수 있으니까요. 그렇지만 매년 전국적으로 실시하는 학교에 대한 만족도 조사에서 우리 학교는 교육 활동, 생활 지도, 진로 활동 등 여러 영역에서 5점 만점에 가까운 점수를 받고 있습니다.

〈우리 학교 만족도 설문 조사 결과〉

조사 대상	조사 내용	만점	2018년
학생	1-1. 교육 활동	5	4.4점
	1-2. 학교생활 지도	5	4.2점
	1-3. 진로 활동	5	4.6점
학부모	2-1. 자녀의 학교생활	5	4.6점
	2-2. 학교 안전·의사소통	5	4.5점
	2-3. 자녀의 진로 활동	5	4.8점

우리 학교는 '창의적 예술인이 되자.'라는 교훈을 내걸고 전공과 관련하여 전문성과 창의성을 키우기 위한 교육 활동을 하고 있습니다. 정기 무용 발표회, 정기 음악회, 미술 전시회는 하나의 행사가 아니라 수업과 연계하여 이루어지는 표현 활동입니다. 수업 시간에 배운 이론을 몸으로 느끼고 표현하는 활동을 반복적으로 수행하면서 예술 작품을 직접 창작해 내고 이를 발표하는 것입니다. 또한, 자기 전공뿐만 아니라 다른 전공 예술인들과 함께 활동하면서 폭넓은 예술관을 형성하고 예술의 저변을 확대하여 이 시대에 필요한 융합 예술의 인재로 성장해 갈 수 있습니다. 이것이 우리 학교의 교육 활동의 가장 큰 장점입니다.

무용·음악·미술 등 3개의 전공 분야로 나누어 각 전공 특성에 맞게 수업을 진행하고, 학생 개개인의 능력과 적성에 맞는 진학 및 진로 상담을 효율적으로 이끌어 내어 73.3%의 높은 대학 진학률과 만족도를 자랑하는 ○○예술고등학교로 오세요!

2

의견을 펼치며 설득하는 작문

- 타당한 논거를 바탕으로 적절한 전략을 활용하여 설득하는 글을 쓸 수 있다.
- 현안이나 쟁점에 관해 자신의 관점을 수립하여 비평하는 글을 쓸 수 있다.
- 현안을 분석하여 문제의 해결 방안을 건의하는 글을 쓸 수 있다.

– 카우프만, 「파리스의 구혼을 받아들이도록 헬레네를 설득하는 비너스」

단원의 짜임

(1) 논리적으로 설득하는 글
설득력을 높이기 위해 논거가 갖추어야 할 요건을 이해하고
··· 관심 있는 주제에 관하여 적절한 논거를 들어 설득하는 글을 써 본다.

(2) 시사 문제를 비평하는 글
관점의 중요성과 비평문 쓰기의 방법을 이해하고
··· 관심 있는 시사 문제에 관해 주체적인 관점에서 비평하는 글을 써 본다.

(3) 현안에 관해 건의하는 글
좋은 건의문의 요건이 무엇인지 이해하고
··· 합리적인 해결 방안을 제시하며 책임감 있게 건의문을 써 본다.

때때로 우리는 다른 사람을 설득하는 글을 써야 할 때가 있다. 이때에는 합리적인
_{다른 사람의 생각이나 행동을 변화시키기 위한 목적으로 쓰는 글}
주장을 내세우되, 주장을 뒷받침하는 타당하고 공정하며 신뢰할 만한 논거를 풍부하게 활
_{설득하는 글에서의 논거의 요건}
용해야 한다. 또한, 글의 주제, 독자의 수준이나 관심사, 주변 맥락 등을 고려하여 적절한
설득 전략을 활용해야 한다. ▶ **설득하는 글의 목적과 전략**

시사 비평문은 시사적인 현안이나 쟁점에 관해 자신의 생각을 서술하는 글이다. 비평문
_{시사 비평문의 뜻}
을 쓸 때는 해당 현안이나 쟁점에 관한 다양한 관점을 비판적으로 분석한 후 자신의 관점
_{필자의 관점이나 해석이 강하게 작용}
을 정하는 것이 중요하다. 그리고 자신의 관점과 다른 관점들을 비교하며 현안에 관한 의
견을 드러내야 한다. 그 과정에서 자신의 관점에 일관성을 유지하며, 자신이 선택하지 않
은 관점의 단점이나 문제점을 분석할 수 있어야 한다. ▶ **시사 비평문을 쓰는 방법**

건의문은 문제 상황을 분석하여 개선을 요구하거나 해결 방안을 제시하기 위해 쓰는 글
_{건의문의 뜻}
이다. 건의문을 쓸 때 중요한 것은 문제의 원인과 쟁점을 다각도에서 분석한 후 합리적이
고 실현 가능한 해결 방안을 모색하는 것이다. 또한, 자신이 쓰는 글이 사회에 미치게 되
는 영향을 고려하여 윤리적이고 책임감 있는 태도로 글을 써야 한다. ▶ **건의문을 쓰는 목적과 방법**

이 단원에서는 독자를 논리적으로 설득하는 글을 쓰는 원리를 배우고, 비평문과 건의문을
쓰는 전략과 방법을 익히기로 한다. '단원의 짜임'을 중심으로 학습할 내용을 확인해 보자.
▶ **학습할 내용 안내**

(1) 논리적으로 설득하는 글

핵심 질문 글쓰기에서 설득력을 높이려면 어떻게 해야 할까?

> 설득의 목적은 상대방이 마음이나 행동을 바꾸도록 하는 데 있다. 이때 상대방의 마음이나 행동을 바꾸기 위해서는 관점의 일관성을 유지하고 적절한 근거를 들어야 한다. 또한, 설득하는 글을 쓸 때는 설득을 위한 적절한 요건을 갖추고 효과적인 전략을 사용해야 한다.

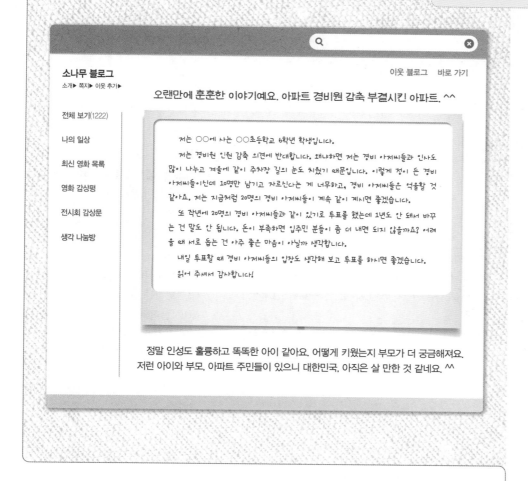

소나무 블로그
소개 ▶ 쪽지 ▶ 이웃 추가 ▶

오랜만에 훈훈한 이야기예요. 아파트 경비원 감축 부결시킨 아파트. ^^

전체 보기(1222)

나의 일상

최신 영화 목록

영화 감상평

전시회 감상문

생각 나눔방

> 저는 ○○에 사는 ○○초등학교 6학년 학생입니다.
>
> 저는 경비원 인원 감축 의견에 반대합니다. 왜냐하면 저는 경비 아저씨들과 인사도 많이 나누고 겨울에 같이 주차장 길의 눈도 치웠기 때문입니다. 이렇게 정이 든 경비 아저씨들이신데 10명만 남기고 자르신다는 게 너무하고, 경비 아저씨들은 억울할 것 같아요. 저는 지금처럼 20명의 경비 아저씨들이 계속 같이 계시면 좋겠습니다.
>
> 또 작년에 20명의 경비 아저씨들과 같이 있기로 투표를 했는데 1년도 안 돼서 바꾸는 건 말도 안 됩니다. 돈이 부족하면 입주민 분들이 좀 더 내면 되지 않을까요? 어려울 때 서로 돕는 건 아주 좋은 마음이 아닐까 생각합니다.
>
> 내일 투표할 때 경비 아저씨들의 입장도 생각해 보고 투표를 하시면 좋겠습니다.
>
> 읽어 주셔서 감사합니다!

정말 인성도 훌륭하고 똑똑한 아이 같아요. 어떻게 키웠는지 부모가 더 궁금해져요. 저런 아이와 부모, 아파트 주민들이 있으니 대한민국, 아직은 살 만한 것 같네요. ^^

알기

• 논거는 어떤 요건을 갖추어야 하나?

| 예시 답안 | 설득을 목적으로 하는 글의 논거는 타당성, 신뢰성, 공정성을 갖추어야 한다.

• 설득의 전략에는 무엇이 있나?

| 예시 답안 | 설득력을 높이기 위해서는 주제, 목적, 독자 등을 고려하여 이성적 설득, 감성적 설득, 인성적 설득 등의 적절한 설득 전략을 활용하여 글을 써야 한다.

하기

• 타당성·신뢰성·공정성을 갖춘 논거 마련하기

> 설득하는 글을 쓰기 위한 논거를 수집하고, 수집한 논거들의 타당성, 신뢰성, 공정성 여부를 판단해 보기

• 독자를 고려하여 설득 전략 활용하기

> 글의 설득력을 높이기 위해 주제, 목적, 독자를 고려하여 적절한 설득 전략을 활용하는 방법 학습하기

• 타당한 논거와 주장을 갖추어 설득하는 글 쓰기

> 논거의 적절성을 판단하여 여러 가지 설득 전략과 표현법을 활용해 설득하는 글 쓰기

••• 위의 쪽지 글을 쓴 학생의 주장과 그 주장을 뒷받침하는 근거는 무엇인가?

| 예시 답안 |

주장	경비원 인원 감축 의견에 반대한다.
근거	① 정이 든 경비원 아저씨들을 해고하는 것은 잘못된 일이다. ② 작년에 투표를 통해 경비원 인원을 감축하지 않기로 결정한 바 있다. ③ 경비원 고용에 드는 비용은 입주민들이 조금씩 분담하면 된다.

••• 초등학생의 글이 사진 아래 달린 글과 같은 반응을 이끌어 낼 수 있었던 이유는 무엇일까?

| 예시 답안 | 초등학생의 글이 긍정적인 반응을 이끌어 낼 수 있었던 것은 사회적 약자를 배려할 줄 아는 학생의 따뜻한 마음씨와 함께 자신의 주장에 대한 명확한 근거를 제시하여 글의 내용이 읽는 이들에게 설득력 있게 받아들여졌기 때문이다.

알아 두기

논거의 개념과 논거 수집의 필요성

» 논거의 개념

설득하는 글에서 주장을 뒷받침하는 논리적이고 합리적인 근거를 말한다.

» 논거 수집의 필요성

설득하는 글의 목적	독자의 공감을 이끌어 내어 독자의 행동이나 인식을 변화시킴.

↓

독자의 요구, 관심사, 수준, 해당 언어 공동체의 요구나 필요, 가치를 분석하여 적합한 논거를 수집해야 함.

참고 **논거의 유형**
• 사실 논거: 통계, 사례 등 객관적이고 구체적인 사실을 바탕으로 한 논거
• 의견 논거: 해당 분야의 전문가나 권위자의 주관적인 판단이나 생각을 바탕으로 한 논거

논거의 타당성, 신뢰성, 공정성

타당성	주장이나 의견, 근거 등이 논리적인 입증 절차를 잘 따르고 있는지, 논리적인 비약이 있지는 않은지, 논리적인 체계를 갖추었는지 등에 관한 것
신뢰성	자료의 출처가 어디인지, 출처가 믿을 만한지, 작성 시기는 언제인지, 인용의 방법은 적절한지 등에 관한 것
공정성	주장이나 의견이 한쪽으로 치우치지 않았는지, 공동체의 보편적 가치에 부합하는지 등에 관한 것

논거의 점검

글의 설득력을 높이기 위해서는 타당하고, 믿을 만하며, 어느 한쪽으로 치우치지 않은 논거를 통해 주장을 뒷받침해야 함.	→	• 수집한 논거가 타당성, 신뢰성, 공정성을 갖추고 있는지 점검함. • 논거가 독자와 사회·문화적 관습을 고려한 것인지를 살펴 논거의 적절성을 판단함.

설득 전략

이성적 설득 전략	필자가 어떤 주장에 대해 논리적으로 타당하다는 것을 증명함으로써 독자를 설득하는 방법. 이것은 곧 필자의 글에 합리성, 공익성, 현실성 등이 있음을 밝히면서 독자를 이성적으로 설득하는 것임.
감성적 설득 전략	필자가 독자의 욕구, 분노심, 질투심, 동정심, 자긍심, 죄책감 등과 같은 감정에 호소하여 자신의 주장을 받아들이도록 설득하는 방법
인성적 설득 전략	성품, 평판, 전문성 등과 같은 필자의 공신력을 바탕으로 설득하는 방법. 공신력은 공적인 신뢰를 받을 만한 능력으로, 설득하는 글에서 독자의 태도 변화를 좌우하는 것 중의 하나임.

1. 논거에 대한 설명으로 알맞은 것은 ○표, 알맞지 않은 것은 ×표를 하시오.

(1) 설득하는 글에서 필자의 주장을 뒷받침하는 근거를 논거라고 한다. (　　)

(2) 설득하는 글의 목적은 필자가 자신의 주장을 관철하여 독자의 인식 또는 행동을 변화시키는 데 있다. (　　)

(3) 특정 분야의 전문가의 판단을 바탕으로 한 논거는 사실 논거이다. (　　)

2. 〈보기〉에서 빈칸에 들어갈 알맞은 말을 찾아 쓰시오.

〈보기〉
타당성, 신뢰성, 공정성

(1) 논거의 (　　) 판단: 논거가 편파적이거나 왜곡된 것은 아닌지를 판단하는 것

(2) 논거의 (　　) 판단: 논거가 논리적이고 객관적이며 정확한 사실을 바탕으로 하는지를 판단하는 것

(3) 논거의 (　　) 판단: 논거가 정확하고 믿을 만한 것인지를 판단하는 것

3. 다음 빈칸에 들어갈 말로 적절한 것은?

(　　) 설득 전략은 필자의 글에 합리성, 공익성, 현실성 등이 있음을 밝혀 설득하는 전략을 말한다.

① 감성적　　② 이성적
③ 개성적　　④ 인성적
⑤ 대중적

┃정답┃
1. (1) ○ (2) ○ (3) × **2.** (1) 공정성 (2) 타당성 (3) 신뢰성 **3.** ②

소단원
학습 활동

하면서 배우기 📖

교과서 173p

1. 다음 글은 학교 신문에 실린 사설이다. 글을 읽고, 아래의 활동을 해 보자.

> 최근 우리 학교 전교생을 대상으로 실시한 설문 조사 결과에 따르면 「"친구들과 대화할 때 습관적으로 욕설을 사용하는 편이다."에 "그렇다."라고 답한 학생이 57%에 달했고, 친구의 욕설 때문에 상처를 받은 경험이 있다고 답한 학생은 무려 82%에 이르렀다. 반면 욕설을 한다고 응답한 학생들 가운데 자신이 사용하는 욕설이 친구에게 상처를 줄 것이라고 생각하는 학생은 23%에 불과해 욕설이 타인에게 주는 부정적 영향에 관한 인식이 현저히 떨어지는 것으로 나타났다.
>
> 말은 '양날의 검'이다. 습관적으로 욕설을 사용하는 것은 타인을 향해 날이 선 칼을 휘두르는 것과 같다. 타인에게 상처를 준 그 말의 칼날은 결국 자기에게로 향하게 된다는 것을 잊어서는 안 된다. 속담에서는 말 한마디에 천 냥 빚도 갚는다고 했지만, 잘못하면 말 한마디에 천 년이 지나도 아물지 않는 상처를 남길 수도 있다.
>
> 욕설을 줄이기 위해서는 무엇보다 우리들의 인식 전환이 필요하다. 내가 무심코 한 욕설이 누군가에는 큰 상처가 될 수 있다는 사실을 심각하게 받아들여야 한다. 이를 위해 학생회 차원에서 정기적으로 욕설 추방을 위한 운동을 벌일 것을 제안한다.

(본문 옆 주석)
- 근거의 신뢰성을 높임.
- 「」: 설문 조사 결과를 통해 파악한 학생들의 욕설 사용 실태
- 욕설의 부정적 영향에 대한 인식이 부족함.
- 관용 표현 사용
- 관용 표현 사용
- 학생들의 욕설 사용을 줄이기 위한 해결 방안 제시

(1) 윗글의 필자가 글을 쓴 목적과 글의 주제를 말해 보자.

| 예시 답안 |

목적	욕설 사용에 대한 인식을 전환하도록 설득하기 위해서
주제	욕설 사용에 대한 학생들의 인식 전환을 위해 학생회가 정기적으로 욕설 추방 운동을 벌여야 한다.

(2) 윗글은 어떤 독자를 대상으로 쓴 것인지 생각해 보자.

| 예시 답안 |

독자	요구	친구의 욕설 때문에 상처를 받은 경험이 있는 학생들이 많으나, 대부분의 학생들은 자신이 사용하는 욕설이 친구에게 상처를 줄 것이라고 생각하지 않는 경향이 있다. 이에 욕설 사용에 대한 인식을 전환할 필요가 있다.
	관심사	욕설 사용에 대한 인식을 바꾸고, 욕설 사용을 막을 수 있는 방법
	수준	고등학생으로 지식 수준, 어휘력 등에서 필자와 큰 차이가 없다.

(3) 필자가 윗글을 쓰기 위해 수집한 논거들을 정리해 보자.

| 예시 답안 | 욕설 사용에 관한 교내 설문 조사 결과, '말'과 관련된 관용 표현

(4) (3)에서 파악한 논거들을 다음의 두 가지 측면에서 검토해 보자.

- 독자를 고려하였는가?

| 예시 답안 | 학교 신문에 실린 사설임을 고려할 때 욕설 사용에 관한 교내 설문 조사 결과는 욕설에 관한 학생들의 인식과 욕설로 인한 피해 등을 객관적으로 제시할 수 있다는 점에서 독자를 고려한 적절한 논거로 볼 수 있다.

- 언어 공동체의 사회·문화적 관습을 고려하였는가?

| 예시 답안 | '말'과 관련된 관용 표현은 우리나라 사람들이 오래전부터 '말'의 중요성에 대해 공감해 왔음을 보여 주는 예이므로 언어 공동체의 사회·문화적 관습을 고려한 논거로 볼 수 있다.

배워서 하기 ❶

교과서 174p

독자를 고려하여 논거 수집하기

● 다음 중 하나를 선택해 학급 친구들을 설득하는 글을 쓰려고 한다. 아래의 표에 작문 맥락을 정리해 보자.

☐ 우리 학급의 문제점과 해결 방안

☐ 친구들을 배려하는 태도의 중요성

|예시 답안| 우리 학급의 문제점과 해결 방안

목적		깨끗하고 좋은 교실 만들기에 학급 구성원 모두가 동참하도록 설득함.
주제		교실 환경의 중요성과 깨끗한 교실 환경 조성을 위한 노력의 필요성
독자	요구	최근 교실이 지저분한 것에 대해 문제를 제기하는 친구들이 있음.
	관심사	학교생활, 성적, 친구 관계 등
	수준	지저분한 교실 환경이 가져오는 부정적인 영향에 대해 잘 모르고 있거나 별로 관심이 없는 친구들이 많음.

● **위에서 정리한 작문 맥락을 고려하여 논거를 수집해 보자.**

|예시 답안| • 설문 조사: 학급 구성원들을 대상으로 실시한 우리 교실 환경의 문제점과 해결 방안에 관한 설문 조사의 결과

• 다양한 매체를 통해 수집한 논거

– 교실 환경이 학업 성적에 미치는 영향
영국의 연구 팀은 교실 설계가 성적에 영향을 미친다는 연구 결과를 발표했는데요. 영국 ○○ 지역의 초등학교 34개의 교실 환경과 학생들의 성적 간의 관계를 분석한 결과 성적의 25퍼센트는 교실 설계와 연관이 있었습니다. 성적이 10점 올랐다면 그중 2.5점은 교실 환경 덕분이라는 것입니다. 과연 좋은 교실은 어떤 모습일까요?
연구진은 책상의 배치를 자유롭게 바꿀 수 있는 넓은 교실과 학생들의 흥미를 이끌어 낼 수 있는 책상과 의자, 자연광이 들어오는 창문이 하나 이상 있는 교실을 좋은 교실로 꼽았습니다. 교실과 학교 건물 주변에 식물이 많을수록 학생들이 안정감을 느끼고 집중력도 높아졌기 때문이죠. 이상적인 교실 환경은 성적뿐만 아니라, 학생들의 자부심과 소속감 또한 높여 주었습니다. 여러분이 알고 있는 교실은 이상적인 교실 환경과 얼마나 닮아 있는지요?

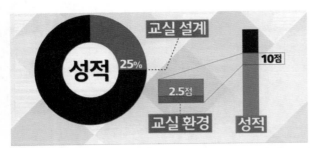

– 『이비에스(EBS) 뉴스 지(G)』, 2015. 12. 9.

– 분필 가루 날리는 교실 그냥 놔 둘 것인가
제주도 내 초·중·고등학교 분필용 칠판 교체 사업에 대해 일부 학교가 부정적인 반응을 보인다고 하니 고개가 갸우뚱해진다. 일반인들의 생각과는 달리 신형 칠판보다 분필용 칠판을 오히려 선호해서이다. 하지만 분필 가루가 교사와 학생들의 호흡기 건강 등을 위협할 수 있기 때문에 분필용 칠판을 그대로 둘 수는 없다. [중략] 도 교육청은 추후에 재실시한 수요 조사 결과에 따라 분필용 칠판을 전면 교체하겠다고 밝혔다. 이번 기회를 통해 신형 칠판에 대해서도 교육적 효과 등을 제대로 모니터링하여 미비점이 있으면 보완해야 한다.

– 『제주신(新)보』, 2018. 5. 20.

하면서 **배우기** ▩▨ ●━━━━━━━━━━━ 교과서 175p

2. 다음은 인터넷 게시판에 '노인 기준 연령 상향' 문제에 관한 주장을 담은 글을 올리기 위해 학생이 쓴 초고이다. 글을 읽고, 아래의 활동을 해 보자.

노인 인구의 삶의 질 개선이 우선 돼야 합니다

가 노인 인구의 증가로 고령화 사회에 접어들면서 노인 기준 연령을 올려야 한다는 목소리가 커지고 있습니다. ㉠ 실제로 어느 설문 조사에서는 우리나라 국민 중 48%가 70세 이상을 노인으로 인식한다는 결과가 나왔습니다.
<small>출처를 밝히지 않아 신뢰성이 떨어짐.</small>
현행 노인 기준 연령이 65세인 것을 생각하면 법과 사람들의 인식 사이에 괴리가 있어 보이는 것은 분명합니다.
<small>노인 기준 연령에 관한 법과 사람들의 인식 사이의 괴리를 드러냄으로써 문제를 제기함.</small>

나 하지만 우리나라 노인 인구의 삶의 질을 고려할 때 노인 기준 연령을 올리는 것은 시기상조입니다.
<small>필자의 주장</small>
주변을 둘러보면 『하루하루 폐지를 주워 살아가는 할아버지와 할머니들을 쉽게 찾아볼 수 있습니다. 아파도 병원 치료조차 제대로 받을 수 없는 형편에 놓인 분들도 많습니다.』
<small>『 』: 필자의 주장을 뒷받침하는 논거 – 삶의 질이 낮은 노인들이 많음.</small>

다 이러한 현실에서 노인 기준 연령을 상향하면 여러 가지 사회 문제가 초래될 것입니다. 첫째, 가뜩이나 열악한 우리나라 노인 인구의 삶의 질을 더욱 악화시킬 것입니다. 노인 기
<small>노인 기준 연령 상향 시 발생할 사회 문제 ①</small>
준 연령을 올리게 되면 공적 연금이나 복지 서비스 수급 연령도 같이 올라갈 가능성이 높기 때문입니다.

라 둘째, 우리 민족의 전통이라고도 할 수 있는 경로사상이
<small>노인 기준 연령 상향 시 발생할 사회 문제 ②</small>
퇴색할 것입니다. 노인 기준 연령을 올려야 한다는 주장의 이면에는 이런 사회적 분위기가 자리 잡고 있기 때문입니다.

마 저출산 현상과 노인 인구의 증가로 우리 사회는 급속하게 고령화 사회로 접어들고 있습니다. 이에 따라 노인 인구 부양을 위한 젊은 세대의 부담이 커지면서 노인 기준 연령을 올려야 한다는 젊은이들이 늘어나고 있지만, 그렇다고 해서 노인들의 삶의 질 문제를 외면해서는 안 될 것입니다.
<small>노인들의 삶의 질 문제를 우선시해야 함.</small>

(1) 윗글의 ㉠을 다음과 같이 고쳐 써서 얻을 수 있는 효과를 말해 보자.

실제로 어느 설문 조사에서는 우리나라 국민 중 48%가 70세 이상을 노인으로 인식한다는 결과가 나왔습니다.

➡

○○ 신문에서 전국의 15세 이상 남녀 1,000명을 대상으로 실시한 설문 조사의 결과(7월 7일 자 ○○ 신문 3면)에 따르면 응답자의 48%가 70세 이상을 노인으로 인식하는 것으로 나타났습니다.

|예시 답안| 논거의 출처를 명확하게 밝힘으로써 신뢰성을 높일 수 있다.

(2) (라)에서 필자가 제시한 논거가 타당한지 평가하고, 그렇게 평가한 까닭을 말해 보자.

|예시 답안|

필자가 제시한 논거

노인 기준 연령을 올리면 경로사상이 퇴색된다.

➡

필자가 제시한 논거는 (타당하다/타당하지 않다). 왜냐하면 글에 제시된 내용만으로는 노인 기준 연령을 올림으로써 경로사상이 퇴색하게 되는 까닭을 확인할 수 없기 때문이다.

(3) 다음은 공정성을 기준으로 (마)를 평가한 내용이다. 평가 내용을 바탕으로, (마)를 수정하여 써 보자.

평가 내용: 젊은 세대들이 노인 기준 연령을 올리는 것에 찬성하는 까닭에 관해서는 구체적으로 언급하고 있지 않아서 공정하지 않아. 찬반의 입장이 나뉠 수 있는 사안은 자신의 주장과 상반되는 견해도 함께 밝히고 그것을 논리적으로 반박하는 것이 글의 설득력을 높이는 데 도움이 돼.

|예시 답안| 저출산 현상과 노인 인구의 증가로 우리 사회는 급속하게 고령화 사회로 접어들고 있습니다. 이에 따라 노인 인구 부양을 위한 젊은 세대의 부담이 커지면서 노인 연령 기준을 올려야 한다는 젊은이들이 늘어나고 있습니다. 출산율 저하 등으로 경제 활동에 참여하는 인구가 갈수록 줄어들고 있는 상황에서 노인 기준 연령을 올리지 않을 경우 젊은 세대들이 책임져야 하는 세금 부담이 너무 크다는 것이 이들의 논리입니다. 하지만 정부 부처의 불필요한 예산 사용을 줄이고 노인 복지에 관한 예산을 확대 편성하는 방법 등을 고려한다면 젊은 세대들의 이러한 우려는 크게 문제될 것이 없다고 생각합니다. 노인 기준 연령 상향의 문제는 이러한 경제적 관점에서의 접근도 필요하지만 그보다 우선시되어야 하는 것은 국민의 한 사람으로서 모든 노인들이 인간다운 삶의 질을 누릴 수 있도록 국가가 보장하는 것이어야 합니다.

(4) 윗글의 내용을 보완하기 위해 다음 두 자료를 추가하려고 한다. 설득하는 글에서 논거가 갖추어야 할 요건을 고려하여 두 자료의 활용 방안을 제시해 보자.

자료 1

경제협력개발기구(OECD) 주요 국가 노인 빈곤율
단위: %, 2012~2014년 기준   OECD 평균 12.1

한국 호주 멕시코 미국 일본 영국 스웨덴 덴마크 프랑스 네덜란드

49.6 25.7 25.6 21 19 13.5 7.6 3.8 3 2.2

자료: OECD

- 『동아일보』, 2017. 2. 13.

자료 2 노인 기준이 현재의 65세에서 70세로 확대될 경우, 노인을 대상으로 하는 기초 연금 수급권자의 기준 또한 65세에서 70세로 조정될 수 있다. 우려가 현실이 된다면 65세에서 69세 사이의 기초 연금 수령자 약 150만 명(2016년 기준)이 수급권을 상실하게 됨으로써, 기초 연금 확대로 주춤해진 노인 빈곤율이 다시 상승할 것이다.

- 『경향신문』, 2017. 1. 19.

|예시 답안| [자료 1]은 신문에 실린 경제협력개발기구(OECD) 주요 국가의 노인 빈곤율에 관한 통계 자료이고, [자료 2]는 노인 기준 연령의 상향이 노인 빈곤율에 미치는 영향에 관해 소개한 신문 기사 자료이다. [자료 1]은 우리나라 노인 인구의 열악한 삶의 질을 언급하고 있는 (나)를 뒷받침하는 내용으로 추가하면 논거의 신뢰성을 높일 수 있고, [자료 2]는 노인 기준 연령의 상향에 따른 사회 문제를 언급하고 있는 (다)에 추가하면 논거의 타당성과 신뢰성을 높일 수 있다.

배워서 하기 ❷   교과서 177p

수집한 논거의 타당성, 신뢰성, 공정성 판단하기

● '배워서 하기 ❶'에서 수집한 논거의 적절성을 다음 기준에 따라 평가해 보자.

|예시 답안|

평가 기준
논리적으로 이치에 맞는 논거인가? 아니요
믿을 수 있는 논거인가? 예
어느 한쪽으로 치우치지 않은 논거인가? 예

● 위의 평가 결과에 따라 수집한 논거를 수정·보완하거나 새로운 논거를 마련해 보자.

l예시 답안l · 수정해야 할 논거: '분필 가루 날리는 교실 그냥 놔 둘 것인가'에 관한 내용

· 수정의 이유: 우리 학교의 경우 물분필을 쓰는 칠판을 사용하기 때문에 해당 내용을 인용하는 것은 타당하지 않다. 따라서 해당 논거는 글의 내용에 반영하지 않고, 교실의 미세 먼지 문제 등 우리 반 교실 환경의 문제와 연관된 새로운 논거를 수집하여 반영하는 것이 좋을 것으로 생각된다.

· 새로운 논거: '초·중·고 교실 실내 미세 먼지 어쩌나… 11.6% 야외 기준 '나쁨' 이상 수준'
초등학생 자녀를 둔 학부모 주 모 씨는 미세 먼지가 심한 날이면 찜찜한 마음이 든다. 학교에서 '미세 먼지가 심한 날은 야외 활동을 하지 않고 교실 창문도 닫는다.'라는 안내문을 보냈지만 창문만 닫는다고 능사는 아니라는 생각이 들기 때문이다. [중략]
현재 교육부는 공기 정화 장치를 갖춘 학교가 전체의 23% 수준인 것으로 보고 있다. 교육부 관계자는 "올 하반기 중 설비 효용성을 따져 보고, 공기 청정 시범 사업 계획을 수립할 예정"이라고 밝혔다.
— 『동아일보』, 2017. 7. 20.

◯ 하면서 배우기 📖 ━━━━━━━━━━ 교과서 178p

3. 다음은 존엄사에 관한 내용을 담은 신문 사설이다. 글을 읽고, 아래의 활동을 해 보자.

죽음에 관한 한국인의 인식 변화, 존엄사 도입

<u>소생 불능의 환자가 연명 치료를 거부하고 최소한의 품위를 지키면서 생을 마감할 수 있는 존엄사</u>가 가능해진다. 보건
<small>존엄사의 개념</small>
복지부는 내년 2월 '연명의료결정법' 시행을 앞두고 23일부터 시범 사업을 실시한다고 밝혔다. 연명의료결정법이 시행되면 <u>회생 가능성이 없는 환자가 자신의 결정이나 가족의 동의에 따라 연명 치료를 받지 않거나 중단할 수 있다.</u> 다만 통증 완화를 위한
<small>연명의료결정법의 의의</small>
진통제 투여나 영양분·물·산소 공급 등은 중단할 수 없다.

존엄사 인정을 반대하는 사람 중에는 존엄사와 안락사를 혼동하는 경우도 적지 않다. ㉠ <u>존엄사는 안락사와 엄연히 다르다. 존엄사가 자연스럽게 생을 마감하는 것이라면 안락사는</u>
<small>존엄사와 안락사의 차이점(대조법)</small>
<u>죽음을 의도적으로 유도한다는 점에서 차이가 있다.</u> 존엄사는 '임종 과정에 있는 환자'만 선택할 수 있다. 임종 과정에 있는 환자란 회생 가능성이 없다는 의학적 판단을 받은 환자. 반면 안락사는 회복 불능의 환자가 자신의 결정으로 고통에서 벗어나기 위해 의료적 조치를 하는 것을 말한다. ㉡ <u>이런 점들을 고려할 때 과연 존엄사와 안락사를 같다고 할 수 있을까?</u>
<small>존엄사와 안락사의 차이점 강조(설의법)</small>

존엄사는 영국·네덜란드·타이완·프랑스 등 여러 나라에
<small>존엄사를 법적으로 인정하고 있는 국가들을 나열함.</small>
서 법적으로 인정하고 있다. 한국 사회에서도 반대 의견이 없는 것은 아니지만 존엄사를 인정해야 한다는 데는 공감대가 형성돼 있다. 2013년 한국보건사회연구원의 조사에서는 65세 이상 노인의 89%가 무의미한 연명 치료를 반대했다. 하지만
<small>존엄사를 인정해야 한다는 데 공감대가 형성돼 있음을 보여 주는 근거</small>
한국인은 생의 마지막 10년 중 절반을 질병으로 앓다가 세상을 떠난다는 통계가 말해 주듯 '죽음의 질'이 나쁜 편이다. 영국 ◯◯ 연구소가 2015년 40개국을 대상으로 한 '죽음의
<small>한국인의 죽음의 질이 나쁘다는 것을 보여 주는 근거</small>
질' 조사에서 한국은 최하위권인 32위를 차지했다. 게다가 한해 전체 사망자의 20%가 심폐 소생술이나 항암제 투여 등으로 고통을 겪으며 죽음에 이르고 있다.

연명의료결정법이 본격적으로 시행되기 전에 준비해야 할 일이 많다. 2015년 7월부터 호스피스에 건강 보험이 적용된 것 말고는 존엄사를 배려하는 제도적 장치는 미흡한 상태다.
<u>전국 완화 의료 전문 기관 81곳을 통틀어 호스피스 병상은</u>
<small>연명의료결정법을 시행하기에 부족한 시설</small>
<u>1,321개에 불과하다.</u> 전체 말기 암 환자의 10% 수준이다. 정부는 연명 치료를 거부한 환자들이 호스피스 서비스를 받을 수 있도록 기반 시설을 서둘러 구축해야 할 것이다. 아울러
<small>연명의료결정법 시행을 위해 준비해야 할 일</small>
<u>연명 치료 중단이 생명 경시로 흐르지 않도록 의료 윤리 교육</u>
<small>연명의료결정법 시행을 위해 준비해야 할 일</small>
<u>도 강화해야 한다.</u> ㉢ 복지 국가라면 시민들의 삶의 질을 개선하는 것 못지않게 죽음의 질을 높이는 데도 전력을 다하지 않으면 안 된다. ㉣ 품위 있는 죽음은 인간이 누릴 수 있는 마
<small>존엄사의 필요성을 강조(비유법)</small>
지막 복지이기 때문이다.
— 『경향신문』, 2017. 10. 23.

(1) 윗글의 마지막 문단에서 필자의 핵심 주장과 논거를 찾아 정리해 보자.

ㅣ예시 답안ㅣ

주장	논거
• 정부는 연명 치료를 거부한 환자들이 호스피스 서비스를 받을 수 있도록 기반 시설을 서둘러 구축해야 할 것이다. • 연명 치료 중단이 생명 경시로 흐르지 않도록 의료 윤리 교육도 강화해야 한다.	• 전국 완화 의료 전문 기관 81곳을 통틀어 호스피스 병상은 암 환자의 10% 수준인 1,321개로 연명의료결정법을 시행하기에 부족한 실정이다. • 연명 치료 중단은 자칫하면 생명 경시 풍조를 낳을 우려가 있다.

(2) 윗글의 필자가 설득력을 높이기 위해 사용한 설득 전략을 말해 보자.

ㅣ예시 답안ㅣ 필자는 이성적 설득 전략을 사용하였다. 존엄사와 안락사를 대조하고, 존엄사를 법적으로 인정하고 있는 국가들을 나열하며 우리나라의 존엄사에 관한 국가적 시각과 사람들의 인식 등을 논거로 존엄사의 필요성을 주장하고 있다.

(3) ㄱ~ㄹ에 사용된 표현법을 파악하고 그 표현 효과를 써 보자.

ㅣ예시 답안ㅣ

	표현법	표현 효과
ㄱ	대조법	존엄사와 안락사의 차이점을 명확하게 제시함으로써 존엄사에 관한 필자의 주장을 뒷받침하고 있다.
ㄴ	설의법	존엄사와 안락사는 엄연히 다른 것임을 강조하고 있다.
ㄷ	이중 부정	삶의 질뿐만 아니라 죽음의 질을 높이는 데도 국가적 노력이 필요함을 강조하고 있다.
ㄹ	비유법	'품위 있는 죽음'을 '마지막 복지'로 표현함으로써 존엄사의 필요성을 강조하고 있다.

배워서 하기 3 ▶ 교과서 180p
다양한 전략을 활용하여 설득하는 글 쓰기

● '배워서 하기 ❶, ❷'의 활동을 바탕으로, 다음 〈조건〉에 따라 글을 써 보자.

┌─〈조건〉─────────────
│ • 독자의 특성, 글의 유형과 목적에 맞는 설득 전략을 활용한다.
│ • 이중 부정, 비유법, 설의법 중 한 가지 이상의 표현법을 사용한다.
└──────────────────

ㅣ예시 답안ㅣ 최근 우리 반 교실 환경이 지저분한 것에 불만을 제기하는 친구들이 늘어나고 있다. 고등학생인 우리들에게 교실은 하루 중 8시간 이상 생활해야 하는 공간으로, 교실 환경은 우리들의 건강이나 학업 등에 중요한 영향을 미칠 수밖에 없다. 문제는 우리 반 교실 환경에 불만을 제기하는 친구들이 많은데도 그것을 개선하기 위해 노력하는 친구는 거의 없다는 것이다.

우리 반 교실 환경에 대해 우리 학급 구성원들이 가지고 있는 불만은 무엇일까? 지난주에 우리 반 전체 24명을 대상으로 실시한 설문 조사에서 '우리 반 교실 환경과 관련하여 가장 큰 문제점은 무엇이라고 생각하십니까?'라는 물음에 응답자의 50%에 해당하는 12명의 학생들이 '교실 청소가 제대로 되지 않는 것'을 1순위로 꼽았으며, 다음으로는 8명의 학생들이 '학습에 집중하기 어려운 어수선한 분위기'를 꼽았다.

영국의 한 교육 전문지 연구 팀은 좋은 교실 환경이 성적에 영향을 미친다는 연구 결과를 발표하였다. 지저분한 환경이 학습에 부정적인 영향을 미친다는 것이다. 지저분한 교실 환경이 건강에도 악영향을 끼친다는 것은 두말할 것도 없다. 최근 □□ 신문의 보도에 따르면 전국 초·중·고등학교 교실의 미세 먼지 오염 문제가 심각한 수준이라고 한다. 청소가 제대로 되지 않는 교실에서는 미세 먼지 문제가 더 심각할 수밖에 없다는 사실을 굳이 설명할 필요가 있을까? 교실 청소가 제대로 되지 않는다는 것에 불만만 가질 것이 아니라 내 주변부터 청소하고, 내 책상부터 정리하는 등 깨끗하고 정돈된 교실을 만들기 위해 우리 스스로 변화하려고 노력하지 않으면 안 된다.

우리 반 교실 환경을 개선하기 위해서는 무엇보다 우리들 모두의 인식 전환과 깨끗한 교실을 만들기 위해 솔선수범하는 태도가 필요하다. 앞에서 밝힌 바와 같이 교실 환경이 우리의 삶에 큰 영향을 미친다는 사실을 심각하게 받아들이고, 누가 시키지 않아도 깨끗하고 쾌적한 교실을 만들기 위해 나부터 행동할 줄 알아야 한다. 학교는 우리 모두의 또 다른 '집'이고, 교실은 우리 모두의 소중한 '방'이기 때문이다.

참고	글의 설득력을 높이는 표현 방법
이중 부정	• 부정을 부정하는 형태로 강한 긍정을 나타내는 표현 방법 • 이중 부정을 사용하면 긍정 표현보다 훨씬 더 강한 느낌을 줄 수 있음.
비유법	• 어떤 현상이나 사물을 다른 현상이나 사물에 빗대어 서술하는 표현 방법 • 비유는 주로 필자가 독자의 배경지식을 이용하여 자신의 주장을 쉽고 빠르게 전달하기 위해서 사용함.
설의법	• 평서문을 의문문의 형태로 바꾸어 그 문장에 담긴 주장이나 감정을 강조하는 표현 방법 • 누구나 쉽게 판단할 수 있는 사실을 의문문의 형식으로 표현함으로써 독자가 스스로 판단하게 하여 그 의미를 강조할 수 있음.

소단원 정리하기

출제 포인트 ❶ 논거의 개념 및 논거 수집의 필요성

설득하는 글에서 논거는 글의 목적을 성취할 수 있게 해 주는 중요한 요소예요. 독자를 설득하는 데 논거가 중요함은 두말할 필요가 없기 때문에 설득하는 글 쓰기에서는 논거의 개념과 수집의 필요성에 대한 문제가 기본적으로 출제됩니다.

개념	필자의 주장을 뒷받침하는 논리적인 근거
필요성	독자의 인식이나 행동을 변화시키기 위해서는 합당한 근거를 들어야 함.
유의점	• 글의 주제와 목적을 분명히 정한 후, 독자의 수준, 요구, 관심사 해당 언어 공동체의 요구나 필요, 가치를 분석해 적합한 논거를 수집해야 함. • 글의 종류에 따라 다양한 매체를 활용할 수 있음.

출제 포인트 ❷ 논거의 타당성·신뢰성·공정성 판단

논거의 타당성·신뢰성·공정성의 개념도 중요하지만, 타당성·신뢰성·공정성을 판단할 수 있는 질문이 무엇인지도 알고 있어야 해요. 시험에 대비해서 설득하는 글을 읽고 직접 논거의 타당성·신뢰성·공정성을 판단하는 연습을 해야 합니다.

설득하는 글의 설득력을 높이는 방법

↓

논리적으로 이치에 맞고(타당성), 믿을 수 있으며(신뢰성), 어느 한쪽으로 치우치지 않은(공정성) 논거를 활용

논거의 타당성·신뢰성·공정성을 판단하기 위한 질문

타당성	• 논리적인 입증 절차를 따르고 있는가? • 논리적인 비약이 있지 않은가? • 논리적인 체계를 갖추었는가?
신뢰성	• 출처는 믿을 만한가? • 작성 시기는 언제인가? • 인용의 방법은 적절한가?
공정성	• 어느 한쪽으로 치우치지 않았는가? • 공동체의 보편적 가치에 부합하는가?

※ 다음 글을 읽고 물음에 답하시오.

최근 우리 학교 전교생을 대상으로 실시한 설문 조사 결과에 따르면 "친구들과 대화할 때 습관적으로 욕설을 사용하는 편이다."에 "그렇다."라고 답한 학생이 57%에 달했고, 친구의 욕설 때문에 상처를 받은 경험이 있다고 답한 학생은 무려 82%에 이르렀다. 반면 욕설을 한다고 응답한 학생들 가운데 자신이 사용하는 욕설이 친구에게 상처를 줄 것이라고 생각하는 학생은 23%에 불과해 욕설이 타인에게 주는 부정적 영향에 관한 인식이 현저히 떨어지는 것으로 나타났다.

말은 '양날의 검'이다. 습관적으로 욕설을 사용하는 것은 타인을 향해 날이 선 칼을 휘두르는 것과 같다. 타인에게 상처를 준 그 말의 칼날은 결국 자기에게로 향하게 된다는 것을 잊어서는 안 된다. 속담에서는 말 한마디에 천 냥 빚도 갚는다고 했지만, 잘못하면 말 한마디에 천 년이 지나도 아물지 않는 상처를 남길 수도 있다.

욕설을 줄이기 위해서는 무엇보다 우리들의 인식 전환이 필요하다. 내가 무심코 한 욕설이 누군가에는 큰 상처가 될 수 있다는 사실을 심각하게 받아들여야 한다. 이를 위해 학생회 차원에서 정기적으로 욕설 추방을 위한 운동을 벌일 것을 제안한다.

대표 문제 ❶ 윗글을 쓰기 전에 독자에 대해 분석한 내용으로 적절하지 않은 것은?

① 욕설의 폐해에 대한 인식이 부족하다.
② 욕설 사용에 대한 인식 전환의 필요성에 동감할 것이다.
③ 일반적인 고등학생의 지식수준과 어휘력을 지니고 있다.
④ 욕설을 습관적으로 사용하므로 욕설의 어원이나 유래에 대해 알고 싶어 할 것이다.
⑤ 욕설 사용 문제가 심각하므로 욕설 사용을 막을 수 있는 방법에 관심이 있을 것이다.

대표 문제 ❷ 윗글의 논거에 대한 설명으로 가장 적절한 것은?

① 전문가의 견해를 인용하고 있다.
② 말의 중요성을 보여 주는 속담을 활용하고 있다.
③ 욕설 사용의 원인을 통시적 관점에서 살펴보고 있다.
④ 독자의 수준에서 이해하기 어려운 단어를 제시하고 있다.
⑤ 학생들이 사용하는 욕설의 구체적인 예를 보여 주고 있다.

출제 포인트 ❸ 설득 전략의 활용

독자를 설득하기 위해서는 어떠한 설득 전략이 있는지 정확히 이해하고 있어야 해요. 시험에는 설득 전략을 글에 적용해 보는 문제가 출제될 가능성이 크니 이에 대비할 필요가 있습니다.

• 주제, 목적, 독자 등의 맥락을 고려하여 적절한 설득 전략을 활용해야 함.

이성적 설득 전략	필자가 어떤 주장에 대해 논리적으로 타당하다는 것을 증명함으로써 필자의 글에 합리성, 공익성, 현실성 등이 있음을 밝혀 독자를 설득하는 방법
감성적 설득 전략	필자가 독자의 분노심, 동정심, 자긍심, 죄책감 등과 같은 감정에 호소하여 자신의 주장을 받아들이도록 설득하는 방법
인성적 설득 전략	성품, 평판, 전문성 등과 같은 필자의 공신력(공적인 신뢰를 받을 만한 능력으로, 설득하는 글에서 독자의 태도 변화를 좌우하는 것 중의 하나)을 바탕으로 설득하는 방법

• 체계적인 구성과 호소력 있는 표현도 설득 효과를 높이는 데 기여함.

이중 부정	• 부정을 부정하는 형태로 강한 긍정을 나타내는 표현 방법 • 긍정 표현보다 더 강한 느낌을 줌. 예 복지 국가라면 시민들의 삶의 질을 개선하는 것 못지않게 죽음의 질을 높이는 데도 전력을 다하지 않으면 안 된다.
비유법	• 어떤 현상이나 사물을 다른 현상이나 사물에 빗대어서 서술하는 표현 방법 • 독자의 배경지식을 이용하여 자신의 주장을 쉽고 빠르게 전달할 수 있음. 예 품위 있는 죽음은 인간이 누릴 수 있는 마지막 복지이기 때문이다.
대조법	• 서로 반대되는 대상이나 내용을 내세워 서술하는 표현 방법 • 주장을 강조하거나 뚜렷하게 보이도록 할 수 있음. 예 존엄사가 자연스럽게 생을 마감하는 것이라면 안락사는 죽음을 의도적으로 유도한다는 점에서 차이가 있다.
설의법	• 쉽게 판단할 수 있는 사실을 의문의 형식으로 표현하여 독자 스스로 답하도록 함으로써 그 문장에 담긴 주장이나 감정을 강조하는 표현 방법 • 평서문과 의미는 같지만 격정적인 느낌을 주어 상대방의 마음을 움직이는 데 효과적임. 예 과연 존엄사와 안락사를 같다고 할 수 있을까?

대표 문제 ❸ 다음 글에 대한 설명으로 적절하지 않은 것은?

존엄사 인정을 반대하는 사람 중에는 존엄사와 안락사를 혼동하는 경우도 적지 않다. 존엄사는 안락사와 엄연히 다르다. 존엄사가 자연스럽게 생을 마감하는 것이라면 안락사는 죽음을 의도적으로 유도한다는 점에서 차이가 있다. 존엄사는 '임종 과정에 있는 환자'만 선택할 수 있다. 임종 과정에 있는 환자란 회생 가능성이 없다는 의학적 판단을 받은 환자다. 반면 안락사는 회복 불능의 환자가 자신의 결정으로 고통에서 벗어나기 위해 의료적 조치를 하는 것을 말한다. 이런 점들을 고려할 때 과연 존엄사와 안락사를 같다고 할 수 있을까?

존엄사는 영국·네덜란드·타이완·프랑스 등 여러 나라에서 법적으로 인정하고 있다. 한국 사회에서도 반대 의견이 없는 것은 아니지만 존엄사를 인정해야 한다는 데는 공감대가 형성돼 있다. 2013년 한국보건사회연구원의 조사에서는 65세 이상 노인의 89%가 무의미한 연명 치료를 반대했다. 하지만 한국인은 생의 마지막 10년 중 절반을 질병으로 앓다가 세상을 떠난다는 통계가 말해 주듯 '죽음의 질'은 나쁜 편이다. 영국 ○○ 연구소가 2015년 40개국을 대상으로 한 '죽음의 질' 조사에서 한국은 최하위권인 32위를 차지했다. 게다가 한 해 전체 사망자의 20%가 심폐 소생술이나 항암제 투여 등으로 고통을 겪으며 죽음에 이르고 있다.

연명의료결정법의 본격적인 시행까지 남은 기간에 준비해야 할 일이 많다. 2015년 7월부터 호스피스에 건강 보험이 적용된 것 말고는 존엄사를 배려하는 제도적 장치는 미흡한 상태다. 전국 완화 의료 전문 기관 81곳을 통틀어 호스피스 병상은 1,321개에 불과하다. 전체 말기 암 환자의 10% 수준이다. 정부는 연명 치료를 거부한 환자들이 호스피스 서비스를 받을 수 있도록 기반 시설을 서둘러 구축해야 할 것이다. 아울러 연명 치료 중단이 생명 경시로 흐르지 않도록 의료 윤리 교육도 강화해야 한다. 복지 국가라면 시민들의 삶의 질을 개선하는 것 못지않게 죽음의 질을 높이는 데도 전력을 다하지 않으면 안 된다. 품위 있는 죽음은 인간이 누릴 수 있는 마지막 복지이기 때문이다.

① 설의적 표현을 활용하여 주장을 강조하고 있다.
② 이성적 설득 전략을 활용하여 독자를 설득하고 있다.
③ 구체적인 통계 자료를 근거로 내세워 타당성을 갖추고 있다.
④ 조사를 실시한 기관을 밝힘으로써 신뢰성을 확보하고 있다.
⑤ 독자에게 경각심을 불러일으키기 위해 극단적인 상황을 가정하고 있다.

[1–3] 다음 글을 읽고 물음에 답하시오.

> ㉮ 노인 인구의 증가로 고령화 사회에 접어들면서 노인 기준 연령을 올려야 한다는 목소리가 커지고 있습니다. 실제로 어느 설문 조사에서는 우리나라 국민 중 48%가 70세 이상을 노인으로 인식한다는 결과가 나왔습니다. 현행 노인 기준 연령이 65세인 것을 생각하면 법과 사람들의 인식 사이에 괴리가 있어 보이는 것은 분명합니다.
>
> ㉯ 하지만 우리나라 노인 인구의 삶의 질을 고려할 때 노인 기준 연령을 올리는 것은 시기상조입니다. 주변을 둘러보면 하루하루 폐지를 주워 살아가는 할아버지와 할머니들을 쉽게 찾아볼 수 있습니다. 아파도 병원 치료조차 제대로 받을 수 없는 형편에 놓인 분들도 많습니다.
>
> ㉰ 이러한 현실에서 노인 기준 연령을 상향하면 여러 가지 사회 문제가 초래될 것입니다. 첫째, 가뜩이나 열악한 우리나라 노인 인구의 삶의 질을 더욱 악화시킬 것입니다. 노인 기준 연령을 올리게 되면 공적 연금이나 복지 서비스 수급 연령도 같이 올라갈 가능성이 높기 때문입니다.
>
> ㉱ 둘째, 우리 민족의 전통이라고도 할 수 있는 경로사상이 퇴색할 것입니다. 노인 기준 연령을 올려야 한다는 주장의 이면에는 이런 사회적 분위기가 자리 잡고 있기 때문입니다.
>
> ㉲ 저출산 현상과 노인 인구의 증가로 우리 사회는 급속하게 고령화 사회로 접어들고 있습니다. 이에 따라 노인 인구 부양을 위한 젊은 세대의 부담이 커지면서 노인 기준 연령을 올려야 한다는 젊은이들이 늘어나고 있지만, 그렇다고 해서 노인들의 삶의 질 문제를 외면해서는 안 될 것입니다.

1. 다음 중 윗글의 제목으로 가장 적절한 것은?

① 제2의 청년기, 선물 같은 노인 일자리

② 올해도 따뜻한 노인 복지가 찾아갑니다

③ 100세 시대, '노인'의 기준은 몇 살일까?

④ 나이 들면 지원 중단 … 노인 복지 '거꾸로'

⑤ 고령화 시대, 노인 인구의 삶의 질 개선이 우선돼야

2. 윗글의 논거에 대한 설명으로 적절하지 <u>않은</u> 것은?

① (가)에서 현행 노인 기준 연령과 사람들의 인식을 비교한 것은 이치에 맞는다.

② (가)의 논거가 신뢰성을 갖추려면 설문 조사 결과의 출처를 정확히 밝혀야 한다.

③ (다)에서 노인의 삶의 질을 근거로 노인 기준 연령을 올려야 한다는 주장을 반박한 것은 적절하다.

④ (라)에서 노인 기준 연령을 올리면 경로사상이 퇴색될 것이라는 근거는 논리적으로 타당하다.

⑤ (마)에서 논거가 공정성을 갖추려면 노인 기준 연령을 올리자는 측의 근거에 관해서도 구체적으로 언급해야 한다.

3. 〈보기〉는 윗글의 내용을 보완하기 위해 추가로 수집한 자료이다. (가)~(마) 중 〈보기〉를 활용하기에 적절한 문단과 그 까닭을 서술하시오.

> ─〈보기〉─
> 노인 기준이 현재의 65세에서 70세로 확대될 경우, 노인을 대상으로 하는 기초 연금 수급권자의 기준 또한 65세에서 70세로 조정될 수 있다. 우려가 현실이 된다면 65세에서 69세 사이의 기초 연금 수령자 약 150만 명(2016년 기준)이 수급권을 상실하게 됨으로써, 기초 연금 확대로 주춤해진 노인 빈곤율이 다시 상승할 것이다.
>
> – 『경향신문』, 2017. 1. 19

[4–6] 다음 글을 읽고 물음에 답하시오.

> ㉮ ㉠소생 불능의 환자가 연명 치료를 거부하고 최소한의 품위를 지키면서 생을 마감할 수 있는 존엄사가 가능해진다. 보건복지부는 내년 2월 ㉡'연명의료결정법' 시행

을 앞두고 23일부터 시범 사업을 실시한다고 밝혔다. 연명의료결정법이 시행되면 회생 가능성이 없는 환자가 자신의 결정이나 가족의 동의에 따라 연명 치료를 받지 않거나 중단할 수 있다. 다만 통증 완화를 위한 진통제 투여나 영양분·물·산소 공급 등은 중단할 수 없다.

나 존엄사 인정을 반대하는 사람 중에는 존엄사와 안락사를 혼동하는 경우도 적지 않다. 존엄사는 안락사와 엄연히 다르다. 존엄사가 자연스럽게 생을 마감하는 것이라면 안락사는 죽음을 의도적으로 유도한다는 점에서 차이가 있다. 존엄사는 '임종 과정에 있는 환자'만 선택할 수 있다. 임종 과정에 있는 환자란 회생 가능성이 없다는 의학적 판단을 받은 환자다. 반면 안락사는 회복 불능의 환자가 자신의 결정으로 고통에서 벗어나기 위해 의료적 조치를 하는 것을 말한다. 이런 점들을 고려할 때 ⓒ과연 존엄사와 안락사를 같다고 할 수 있을까?

다 존엄사는 영국·네덜란드·타이완·프랑스 등 여러 나라에서 법적으로 인정하고 있다. 한국 사회에서도 반대 의견이 없는 것은 아니지만 존엄사를 인정해야 한다는 데는 공감대가 형성돼 있다. 2013년 한국보건사회연구원의 조사에서는 ②65세 이상 노인의 89%가 무의미한 연명 치료를 반대했다. 하지만 한국인은 생의 마지막 10년 중 절반을 질병으로 앓다가 세상을 떠난다는 통계가 말해 주듯 '죽음의 질'이 나쁜 편이다. 영국 ○○ 연구소가 2015년 40개국을 대상으로 한 '죽음의 질' 조사에서 한국은 최하위권인 32위를 차지했다. 게다가 한 해 전체 사망자의 20%가 심폐 소생술이나 항암제 투여 등으로 고통을 겪으며 죽음에 이르고 있다. ⓜ

라 연명의료결정법이 본격적으로 시행되기 전에 준비해야 할 일이 많다. 2015년 7월부터 호스피스에 건강 보험이 적용된 것 말고는 존엄사를 배려하는 제도적 장치는 미흡한 상태. 전국 완화 의료 전문 기관 81곳을 통틀어 호스피스 병상은 1,321개에 불과하다. 전체 말기 암 환자의 10% 수준이다. 정부는 연명 치료를 거부한 환자들이 호스피스 서비스를 받을 수 있도록 기반 시설을 서둘러 구축해야 할 것이다. 아울러 연명 치료 중단이 생명 경시로 흐르지 않도록 의료 윤리 교육도 강화해야 한다. 복지 국가라면 시민들의 삶의 질을 개선하는 것 못지않게 죽음의 질을 높이는 데도 전력을 다하지 않으면 안 된다. 품위 있는 죽음은 인간이 누릴 수 있는 마지막 복지이기 때문이다.

4. 윗글에 대한 설명으로 적절하지 <u>않은</u> 것은?

① 존엄사와 안락사의 차이점을 밝히고 있다.

② 존엄사를 인정하는 국가를 구체적으로 열거하고 있다.

③ 존엄사를 정착시키기 위해 개선해야 할 점을 지적하고 있다.

④ 존엄사를 반대하는 사람들의 근거를 제시하여 공정성을 확보하고 있다.

⑤ 한국인의 죽음의 질이 나쁘다는 통계를 근거로 존엄사의 정당성을 주장하고 있다.

5. 윗글의 독자를 고등학생으로 한정하여 글을 고쳐 쓰려고 할 때, ㉠~㉢에 대한 고쳐쓰기의 계획으로 적절하지 <u>않은</u> 것은?

① ㉠: 독자에게 너무 어려운 단어일 수 있으니 '다시 살아날 가능성이 없는' 정도로 고친다.

② ㉡: 독자의 이해를 돕기 위해 '연명의료결정법'이 존엄사와 어떻게 연결되는지에 대한 설명을 추가한다.

③ ㉢: 독자의 수준을 감안하여 의문문의 형태로 제시하는 대신 평서문의 형태로 제시한다.

④ ②: 독자의 나이를 고려하여 무의미한 연명 치료에 대한 청소년들의 인식을 조사한 자료로 교체한다.

⑤ ⓜ: 독자가 글의 내용에 관심을 가질 수 있도록 존엄사 문제가 노인에게만 국한되는 것이 아니라는 것을 보여 주는 사례를 덧붙인다.

서술형

6. 윗글에서 필자가 활용한 설득 전략에 대해 구체적으로 서술하시오.

(2) 시사 문제를 비평하는 글

>> 비평문을 쓰기 전에 글에서 다루고자 하는 현안이나 쟁점에 관한 다양한 관점들을 충분히 검토하고, 자신의 글이 독자에게 어떤 영향을 끼칠지 고려하여 글을 써야 한다.

핵심 질문 독자의 공감을 얻는 비평문을 쓰려면 어떻게 해야 할까?

◐ 미세 먼지

무인 자동차 ◐

알기

• **문제점을 발견하고 쟁점을 분석하는 방법은 무엇인가?**

|예시 답안| 시사 문제를 분석할 때는 문제의 심각성, 해결 방안의 실현 가능성, 해결 방안의 실행에 따른 기대 효과 등의 쟁점을 파악해야 한다.

• **관점은 왜 중요하며, 어떻게 수립하나?**

|예시 답안| 시사 현안이나 쟁점은 서로 다른 생각을 가진 사람들의 이해관계가 얽혀 있는 경우가 많으므로 해당 현안이나 쟁점에 관한 다양한 관점들의 장단점을 분석한 후, 자신의 관점을 정해야 한다.

하기

• **시사 문제를 다양한 관점에서 분석하기**

>> '벽화 마을 조성'에 관한 다양한 관점과 그러한 관점의 장단점을 분석해 보면서 독자들의 공감을 얻을 수 있는 관점을 정하는 방법 학습하기

• **시사 문제에 관한 자신의 관점 수립하기**

>> 글에 나타난 설득 전략을 분석해 보는 활동을 통해 글의 주제, 목적, 독자를 고려하고 적절한 설득 전략을 활용하여 글의 설득력을 높이는 방법 학습하기

• **자신의 관점에 따라 비평문 쓰기**

>> 자신의 관점을 정한 후 그 관점에 따라 일관성 있게 글을 쓰고, 자신이 선택하지 않은 관점의 단점이나 약점, 문제점 등을 근거로 들어 비평문 쓰기

••• 위에 제시된 사회 문제에서 각각 쟁점이 되는 것은 무엇인가?

|예시 답안| • 미세 먼지: 미세 먼지 발생원에 대한 쟁점, 미세 먼지 저감 대책에 관한 쟁점 등
• 무인 자동차: 사고 발생 시 책임의 주체에 관한 쟁점, 해킹이나 프로그램 오류로 인한 사고 가능성에 관한 쟁점 등

••• 사회적 쟁점에 관해 자신의 관점을 정하기 위해서는 어떻게 해야 할까?

|예시 답안| 해당 문제를 다양한 관점에서 충분히 살펴보고 분석한 후, 독자에게 어떤 영향과 반향을 불러일으킬지를 고려하여 자신의 관점을 정해야 한다.

알아 두기

비평하는 글의 개념과 구성

》 비평하는 글의 개념

비평문은 특정 대상을 분석하고 그 가치를 논하는 글로, 대상에 대한 필자의 관점과 의견을 제시한다는 점에서 설득적 성격을 지닌다. 문학, 영화, 음악, 미술 등의 예술 작품뿐 아니라 시사 현안이나 쟁점 등도 비평문의 소재가 될 수 있다.

》 비평하는 글의 구성

서론		본론		결론
비평 대상 소개	→	비평에 대한 근거 제시	→	본론 내용의 요약·정리 및 강조

> **참고** 비평문의 유형
> • **본격 비평**: 가치 판단에 대한 객관적인 근거나 기준을 제시
> • **인상 비평**: 대상이나 현상에 대한 주관적인 가치 판단을 서술

비평하는 글 쓰기의 과정

비평의 대상 선정 및 이해	→	자신의 관점 수립	→	비평의 근거 마련	→	비평하는 글 쓰기

관점의 개념과 수립 시 유의 사항

》 관점의 개념

관점은 대상이나 현상을 바라보는 필자의 태도나 방향을 의미한다. 관점은 글을 쓰는 목적이나 필자의 가치관, 필자가 처한 상황 등의 영향을 받는다.

》 관점 수립 시 유의 사항

• 글은 사람들의 가치관이나 삶에 영향을 주고 사회를 변화시키는 결과를 낳기도 하므로 필자가 어떤 관점으로 글을 쓰는지가 매우 중요하다.
• 관점을 정할 때는 대상이나 현상에 대해 다양하고 풍부한 자료를 참고해야 한다.

시사 현안에 관해 비평하는 글을 쓸 때 유의할 점

• 해당 현안이나 쟁점에 관한 다양한 관점을 분석한 후 자신의 관점을 정해야 한다.
• 주장을 간결하고 명료하게 드러내고, 주장을 뒷받침하는 타당한 근거를 제시해야 한다.
• 자신이 선택하지 않은 관점에 대해서도 근거를 들어 비판할 수 있어야 한다.
• 관점의 일관성을 유지하며 책임감 있는 태도로 글을 써야 한다.

하면서 **배우기** 📖 ━━━━━━━━━ 교과서 182p

1. 다음은 '벽화 마을 조성'에 관한 다양한 관점을 보여 주는 자료이다. 자료를 보고, 아래의 활동을 해 보자.

도시 재생 사업의 일환으로 벽화 마을을 적극 조성해야 한다.			
경제적 관점		**생활적 관점**	
찬성	관광객 유입을 통한 수익 증대, 부동산 가치의 상승 등을 기대할 수 있다.	찬성	관광객들의 방문을 통해 마을 분위기를 활기차게 만들 수 있다.
반대	임대료 폭등 등으로 기존 주민과 상인이 마을에서 쫓겨날 수 있다.	반대	소음, 사생활 노출 등으로 인한 주민들의 피해가 크다.

(1) 위와 같이 '벽화 마을 조성'에 관해 다양한 관점이 존재하는 까닭을 생각해 보자.

I예시 답안I 경제적·생활적 관점에서 벽화 마을을 조성하여 얻을 수 있는 이익이 크다고 보는 사람들이 있는 반면, 이익보다는 피해가 더 크다고 생각하는 사람들도 있기 때문이다.

(2) 다음 글을 읽고, '벽화 마을 조성'에 관해 추가로 살펴볼 관점에는 어떤 것들이 있을지 말해 보자.

관광 콘텐츠의 '베끼기' 수준이 심각하다. 축제는 말할 것도 없다. 걷기 길은 우후죽순이다. 하나가 잘되면 무조건 따라 하다 보니 나타난 결과이다.
벽화도 마찬가지다. 요즘 가장 인기 있는 '베끼기 1순위' 대상이다. 전국 어디를 가도 알록달록한 벽화 하나쯤은 볼 수 있다. 아예 마을 전체가 '도배'된 곳도 있다. 벽화 거리가 본격적으로 조성되기 시작한 것은 5~6년 전쯤이다. 일부 지자체에서 낡고 허름한 거리에 색을 입혔고, 이후 지역 명소로 탈바꿈하면서부터다. 한 언론 보도에 따르면 정부 지원으로 조성된 벽화 거리는 전국에 100곳이 넘는다고 한다. 지자체와 민간이 단독으로 만든 곳까지 합치면 헤아릴 수 없을 정도다. 한마디로 벽화 과잉 시대이다.
가장 큰 문제는 독창성이다. 대부분의 벽화가 천편일률적이다. '날개 그림'은 전국 공통이다. 사정이 이렇다 보니

관광객들이 식상해할뿐더러 발길이 끊긴 곳도 하나둘씩 나오고 있다. 이렇게 인적이 뜸해지자 벽화의 유지·보수 관리는 뒷전이다. 이 때문에 색이 바래 무슨 그림인지 형체를 구분할 수 없는 곳이 수두룩하다.

– 『영남일보』, 2015. 8. 10.

I예시 답안I 독창성을 지닌 관광 콘텐츠의 관점, 벽화의 유지·보수의 관점

배워서 하기 ① ▶ 교과서 183p

시사 현안이나 쟁점을 다양한 관점에서 살펴보기

● 다음 중 하나를 선택하여 해당 문제에 관한 다양한 관점을 살펴볼 수 있는 자료를 조사해 보자.

I예시 답안I 생략

하면서 **배우기** 📖 ━━━━━━━━━ 교과서 184p

2. 다음은 '소규모 학교 통폐합' 문제에 관한 신문 사설이다. 글을 읽고, 아래의 활동을 해 보자.

<u>교육부가 추진 중인 소규모 학교 통폐합 정책</u>이 뜨거운 논란
　　　글에서 다루고 있는 시사 현안
이 되고 있다. 교육부는 지난해 말 전국 17개 시·도 교육청에 기준이 대폭 강화된 '소규모 학교 통폐합 권고 기준'을 통보하고 올해부터 적용하기로 했다. 이 권고안에 따르면『읍 지역은
　　　　　　　『 : 소규모 학교 통폐합 정책의 구체적 방안
학생 수가 120명 이하인 초등학교와 180명 이하의 중·고교, 도시 지역은 240명 이하 초등학교와 300명 이하 중·고교가 통폐합 대상이다. 면 지역은 초·중·고교 모두 60명 이하 학교가 대상이다. 교육부의 새 기준을 적용하면 전국의 1만 1천여 개 학교 중 10%가 넘는 1,570개 학교가 폐교 대상이 된다.』
교육부의 정책에 찬성하는 이들은 소규모 학교 통폐합이 지방 교육 재정 효율화와 교육의 질 향상을 위해 불가피한 조
　　　소규모 학교 통폐합 정책을 찬성하는 측의 주장
치라는 입장이다.『저출산 등으로 학생 수가 계속 감소하고 있
　　　　　『 : 소규모 학교 통폐합 정책을 찬성하는 측의 근거
는 상황에서 재정 낭비를 줄이고, 복식 학급 운영과 같은 파행적인 교육 과정 운영을 정상화함으로써 교육의 질을 향상할 수 있다』는 것이 이들의 논리이다.

하지만 학부모 등 농어촌 지역 교육 수요자들은 대부분 교육부의 강화된 학교 통폐합 정책을 강하게 반대하고 있다. <u>통학 거리와 농촌 공동체의 특성을 고려하지 않고 백년대계를 단순히 경제 논리로 접근해서는 곤란하다는</u> 지적이다. _{소규모 학교 통폐합 정책을 반대하는 측의 주장} 소규모 학교 통폐합을 통해 교육의 질을 향상할 수 있다는 주장 또한 그러한 비판에서 자유로울 수 없다. 『비용이 문제되지 않는다면 교사 증원 등을 통해서도 교육의 질을 향상할 수 있으므로 굳이 학교를 통폐합하지 않아도 된다.』_{『 』: 소규모 학교 통폐합 정책을 반대하는 측의 근거}

소규모 학교 통폐합 문제는 경제적 관점보다 공동체 문화적 관점에서 고려되어야 한다. _{소규모 학교 통폐합 정책에 대한 필자의 관점} 농산어촌 학교는 단지 아이들을 가르치는 장소 그 이상의 의미를 함축하고 있기 때문이다. <u>농산어촌의 학교들은 지역 공동체의 구심점이자 문화의 중심지, 주민들의 소통과 어울림의 터전임을 간과해서는 안 된다.</u> _{필자가 소규모 학교 통폐합 정책에 대해 공동체 문화적 관점을 취하게 된 이유} 학교가 사라지면 주민 이탈이 가속화되고 농촌 사회 해체가 빨라질 것은 뻔하다. 이는 정부의 귀농·귀촌 권장 정책과도 맞지 않고 교육의 공공성과 자치를 훼손하는 일이기도 하다.

<u>정부는 시·도 교육청이 지역적 특성과 여건을 감안해 학교 통폐합을 진행할 수 있도록 최대한 자율성을 보장해야 한다.</u> _{소규모 학교 통폐합 정책에 대한 필자의 주장} 단순히 효율성만 내세워 밀어붙일 일이 아니다. 아무리 좋은 정책이라 하더라도 수요자가 필요성에 공감하고 신뢰해야만 정당성과 효율성을 담보할 수 있기 때문이다. 『교육부는 무리한 통합보다 ○○시 교육청이 2011년부터 운영하고 있는 '행복 학교'처럼 지역별로 특색 있는 학교를 육성해 성공한 사례에 주목할 필요가 있다.』_{『 』: 특정 사례를 제시해 주장을 뒷받침함.}

- 『영남일보』, 2016. 1. 30.

(1) 윗글에서 제기하고 있는 현안은 무엇인지 말해 보자.

| 예시 답안 | 소규모 학교 통폐합 정책에 관한 문제

(2) 현안에 관한 필자의 관점과 주장을 정리해 보자.

| 예시 답안 |

관점	공동체 문화적 관점
주장	소규모 학교 통폐합 정책은 교육의 공공성과 자치를 훼손하는 일이므로 시·도 교육청이 지역적 특성과 여건을 감안해 학교 통폐합을 진행할 수 있도록 자율성을 보장해야 한다.

(3) 필자가 '소규모 학교 통폐합' 문제에 관한 자신의 관점을 정하기 위해 살펴본 다른 관점들을 말해 보자.

| 예시 답안 | • 지방 교육 재정 효율화의 관점(경제적 관점)
• 교육의 질 향상에 관한 관점

(4) 필자가 자신의 관점을 뒷받침하기 위해 든 근거와 자신이 선택하지 않은 관점을 비판하기 위해 든 근거를 정리해 보자.

| 예시 답안 |

자신의 관점을 뒷받침하기 위해 든 근거	자신이 선택하지 않은 관점을 비판하기 위해 든 근거
농어촌 학교는 단지 아이들을 가르치는 장소 그 이상의 의미를 함축하고 있다. 또한, 지역 공동체의 구심점이자 문화의 중심지, 주민들의 소통과 어울림의 터전임을 간과해서는 안 된다.	농어촌 지역 교육 수요자들의 반대(교육부의 '소규모 학교 통폐합 권고 기준'은 통학 거리와 농촌 공동체의 특성을 고려하지 않고 백년대계를 단순히 경제 논리로 접근한 것임.)

(5) 다음 글을 읽고, 해당 현안에 관한 윗글과 다음 글의 관점 차이를 비교해 보자.

> 지역 주민들이 합심해 학교 살리기에 성공한 사례들이 있다. 전남 해남군 땅끝마을 ○○초등학교 ○○분교가 그런 경우다. 학교 발전 기금으로 통학 버스를 마련해 40km나 떨어진 해남 읍내 학생들을 태워 와 전교생이 당초 5명에서 80명으로 늘었다고 한다. 그러나 폐교 대상 학교들 가운데 학교 살리기 운동이 성공한 경우는 많지 않다. 지역 주민의 반발이 커 폐교도 하지 못하고, 학교를 살리지도 못하는 상태인 학교가 많다는 얘기다. 우리는 이런 학교들을 마냥 유지할 수는 없다고 본다. 무상 급식 등의 영향으로 지방 교육 재정이 바닥을 드러내고 있고, 일부 교육청의 경우 직원 월급을 정상적으로 지급하기도 어려운 상황이기 때문이다. [중략]
>
> 우리는 시골 학교가 지역 공동체의 중심으로서 기능해 온 것을 부정하지 않는다. 또한, 학생 수가 적다고 해서 해당 학생들의 학습권을 소홀히 여기는 것도 옳지 않다. 그러나 교육 재정의 효율화라는 측면을 무시해서는 안 된다. 저출산 추세에 따라 학생 수는 앞으로도 지속적으로 줄어들 것이다.
>
> - 『파이낸셜 뉴스』, 2015. 2. 10.

| 예시 답안 | 지방 교육 재정의 효율화라는 관점에서 소규모 학교 통폐합에 찬성하는 주장을 펼치고 있다는 점에서 차이가 있다.

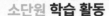

✍ 배워서 하기 ❷ ▶ 교과서 186p

시사 현안이나 쟁점에 관한 자신의 관점을 수립하고 근거 수집하기

● '배워서 하기 ❶'에서 조사한 자료들을 검토하여 해당 문제에 관한 자신의 관점을 정하고, 자신의 관점을 뒷받침할 근거들과 자신이 선택하지 않은 관점을 비판할 근거들을 수집해 보자.

| 예시 답안 |

> • 내가 선택한 관점: 어린이집 시시티브이(CCTV) 열람권 강화는 아동 학대 문제의 근본적인 해결책이 될 수 없다는 관점
> • 관점을 뒷받침할 근거
>   – 어린이집 아동 학대 예방을 위해 보육 교사 자격증 취득 조건과 인성 교육을 강화할 필요가 있음.
>   – 시시티브이(CCTV) 열람권 강화는 보육 교사의 기본권을 침해할 우려가 있음.
>   – 아동 학대 사건에 대한 처벌 수위를 강화해야 할 필요가 있음.

> • 내가 선택하지 않은 관점: 시시티브이(CCTV) 열람권을 강화함으로써 아동 학대를 예방해야 한다는 관점
> • 관점을 비판할 근거
>   – 시시티브이(CCTV) 설치가 의무화된 2015년 이후에도 보육 교사에 의한 아동 학대 사건이 늘어남.
>   – 현재도 법률에 정해진 절차에 따라 시시티브이(CCTV)를 열람할 수 있음.

◜ 하면서 **배우기** 📖 ▶ 교과서 187p

3. 다음은 '로봇세 도입' 문제에 관한 신문 사설이다. 글을 읽고, 아래의 활동을 해 보자.

㉠ 요즈음 4차 산업 혁명으로 일자리가 줄 것인지 늘 것인지의 문제가 큰 관심을 모으고 있다. 『최근 ○○ 아이티(IT) 기업에서는 2015~2020년에 로봇 등과 같은 인공 지능이 지구촌 180만 개의 일자리를 없애는 대신 230만 개의 새로운 일자리를 창출할 것』이라는 보고서를 내놓았다.
  └ 『 』: 4차 산업 혁명과 일자리의 관계에 대한 낙관

하지만 일자리 감소론자들은 "새로운 변화는 과거와 완전히 다르다."라고 주장한다. 『종전에는 일자리 대체의 주체가 하드웨어였지만, 미래에는 인공 지능 소프트웨어가 된다는 점 때문이다. 하드웨어는 개발 후에 그것을 생산하기 위해 또 다른 노동력이 필요한 반면, 소프트웨어는 추가적인 인력 소요가 적다.』 이렇게 낙관과 비관이 교차하는 경우 대비책을 강구할 때는 낙관보다 비관적인 상황을 상정하고 대비해야 한다.
  └ 『 』: 4차 산업 혁명과 일자리의 관계에 대한 비관

㉡ 먼저 일자리가 줄면서 생기는 실업자를 어떻게 할 것인가? 사람의 일자리를 인공 지능 로봇이 차지하면, 사람은 실업자로 전락해 부양 대상자가 된다. 세금은 취업자의 근로 소득에서 나오는데 취업자가 줄어드니, 정부는 조세 수요를 충당하기 위해 세율을 높일 것이고, 근로 소득자들은 이에 저항할 것이다. 결국 취업자도 불만이고 실업자도 불만인 사회가 될 수밖에 없다. 이러한 상황은 새로운 세원의 발굴을 통해 해결할 수 있다. 지금부터라도 '로봇세'를 부지런히 연구해야 하는 이유이다.
  └ 일자리 감소로 인한 문제점 ①
  └ 일자리 감소로 인한 문제점 ②

㉢ 로봇세 논의에 불을 붙인 건 유럽 의회다. 2017년 2월 유럽 의회는 로봇에게 '특수한 권리와 의무를 가진 전자 인간'이라는 법적 지위를 부여하자는 안건을 승인하여 '로봇 인간'의 법률적 존재를 인정해 로봇세를 징수할 가능성을 열어 주었다.
  로봇에 세금을 부과하는 방안은 크게 두 가지가 있다. 첫째는 로봇이 창출하는 부가 가치에 세금을 부과하는 것이다. 이를 위해서는 로봇을 부가 가치를 창출하는 독립적 경제 활동 주체로 인정해야 한다. 현행 부가가치세법 시행령 제8조에서는 무인 자동판매기가 위치한 장소를 사업장으로 보고, 각 무인 자동판매기마다 사업자 등록 번호를 부여하여 세금을 매기고 있는데, 이 개념을 확대 적용하면 된다. 두 번째는 로봇을 재산으로 간주하여 재산세를 부과하는 방법이다. 재산세는 토지·주택·자동차 등에 부과하는데, 여기에 로봇을 추가하면 된다.
  └ 로봇에 세금을 부과하는 방안 ①
  └ 로봇에 세금을 부과하는 방안 ②

㉣ 그렇다 해도 로봇세 도입은 말처럼 간단하지 않다. 로봇세 도입을 반대하는 이들은 세금을 부과하면 로봇 산업의 발전이 지체돼 국제 경쟁에서 뒤처질 것이라는 주장을 편다. 로봇세를 먼저 도입할수록 이러한 문제에 직면할 가능성이 크다. 그러므로 더 이상 세수입을 확보할 수 없어 사회가 견디기 어려울 때 로봇세를 도입하면 된다.
  └ 로봇세 도입을 반대하는 측의 주장 ①
  └ 로봇세 도입을 반대하는 측의 주장 ①에 대한 필자의 의견

또한, 어떤 로봇에 세금을 부과해야 하는지에 관한 기준이
_{로봇세 도입을 반대하는 측의 주장 ②}
명확하지 않다는 것도 로봇세 도입을 반대하는 이들이 제기
하는 주요 문제 중 하나이다. 이 문제는 한꺼번에 모든 로봇
에 과세하려 하지 않고 부과 가능한 것부터 하나씩 시작하면
_{로봇세 도입을 반대하는 측의 주장 ②에 대한 필자의 의견}
해결할 수 있다.

(마) 4차 산업 혁명의 시대적 흐름 속에서 기술은 효율성을,
_{로봇세 도입에 대한 필자의 관점}
제도는 인간성을 추구해야 한다. 즉 기술 발전에 따라 제도를
개선해 인간 중심의 사회를 이어 가야 한다. 4차 산업 혁명이
만들어 낼 미래 사회에서 기존의 근로·복지·조세 제도는 온
전하게 존속할 수 없을 것이다. 로봇세가 이런 문제를 해결하
는 방안이 될 수 있다. 이에 로봇세 도입을 위한 연구와 논의
_{로봇세 도입에 대한 필자의 주장}
를 당장 시작할 필요가 있다.

– 「중앙일보」, 2017. 10. 26.

(1) 윗글에서 제기하고 있는 현안과 그에 관한 필자의 관점을
정리해 보자.

| 예시 답안 |

현안	로봇세 도입에 관한 문제
관점	기술의 효율성, 제도의 인간성

(2) 윗글에서 필자의 주장을 직접 드러내는 문장을 찾아 써 보
자.

| 예시 답안 | 로봇세 도입을 위한 연구와 논의를 당장 시작할 필요가 있다.

(3) 윗글의 필자가 로봇세 도입에 관해 일관된 관점을 유지하
고 있는지 평가해 보고, 그렇게 평가한 까닭을 말해 보자.

| 예시 답안 | 필자는 4차 산업 혁명으로 인한 기술과 사회의 변화에 대비하는 방
안으로써 로봇세를 도입해야 한다는 관점을 일관성 있게 유지하고 있다.

(4) 윗글이 사회적으로 어떤 영향을 미칠지 생각해 보자.

| 예시 답안 | 필자의 주장이 설득력 있게 받아들여진다면 윗글은 우리나라의 조세
제도 등에 영향을 미칠 것이다.

**● '배워서 하기 ❶, ❷'의 활동을 바탕으로, 시사 현안이나 쟁점에
관한 비평문을 써 보자.**

| 예시 답안 | 지난 2015년 1월, 여러 언론 매체를 통해 한 어린이집 보육 교사가 김
치를 뱉었다는 이유로 4살 아이를 무자비하게 때리는 시시티브이(CCTV) 영상이
공개되어 국민들의 공분을 산 일이 있다. 이 사건으로 말미암아 우리 사회에서는
아동 학대 문제 해결을 위한 대책 마련이 필요하다는 여론이 형성되었고, 이에 정
부에서는 영유아 보육법을 개정하여 2015년 9월 19일부터 어린이집에 시시티브이
(CCTV)를 의무적으로 설치하도록 하는 등 아동 학대 문제 해결을 위한 조치들을
시행해 왔다.

하지만 이러한 조치에도 어린이집 보육 교사에 의한 아동 학대 문제는 여전히 근절
되지 않고 있는 실정이다. 이에 일부에서는 어린이집에 설치된 시시티브이(CCTV)
를 지금보다 자유롭게 열람할 수 있도록 해야 한다는 주장을 펴고 있다. 학부모들
이 어린이집에 설치된 시시티브이(CCTV)를 지금보다 자유롭게 열람할 수 있게 되
면 아동 학대 사건을 보다 효과적으로 예방할 수 있다는 것이다. 그러나 시시티브
이(CCTV) 열람권 강화를 아동 학대 예방을 위한 수단으로 보는 관점은 보육 교사
들의 기본권을 심각하게 침해할 수 있다는 점에서 문제의 소지가 있으며, 아동 학
대 사건 예방을 위한 근본적인 대책으로 보기도 어렵다.

시시티브이(CCTV)를 통해 아동 학대를 예방하는 데는 한계가 있다. 보건복지부의
발표에 따르면 지난 2017년에 적발된 보육 교사에 의한 아동 학대 사건은 776건으
로, 어린이집에 시시티브이(CCTV)를 설치하는 것이 의무화되기 전이었던 2014년
의 295건보다 오히려 늘어났다. 시시티브이(CCTV) 열람권을 강화한다고 해서 이
같은 상황이 크게 개선되리라는 보장은 없는 것이다. 현재도 '시시티브이(CCTV) 영
상물 열람 요청서'를 제출하는 등의 절차를 통해서 학부모들이 시시티브이(CCTV)
를 열람할 수 있으며, 아동 학대가 의심되는 경우 의사 소견서 등을 제출하면 즉시
열람할 수 있도록 하고 있기 때문이다. 또한, 시시티브이(CCTV) 열람권을 강화하
는 것은 교사의 교육 자율권을 저해함으로써 결과적으로 다른 아이들의 보육에도
지장을 줄 수 있다.

따라서 어린이집에서 일어나는 아동 학대 사건을 예방하기 위해서는 시시티브이
(CCTV)에 의존할 것이 아니라 보다 근본적인 해결 방안을 모색해야 한다. 2018년
부터는 정부에서 보육 교사 자격증 취득 요건과 보육 교사들에 대한 인성 교육을
강화하고, 정기적으로 아동 학대 예방을 위한 교육을 실시하기로 하였다. 아동 학
대를 근절하기 위해서는 이러한 제도적 조치와 함께 아동 학대 문제에 대한 인식의
전환과 아동 학대 사건의 처벌 수위를 강화할 필요가 있다. 아동은 어른의 소유물
이 아니라 존중받아야 할 권리를 지니고 있는 하나의 인격체이며, 아동 학대는 심
각한 범죄에 해당한다는 것을 사회 구성원 모두가 충분히 인지할 수 있도록 하는
활동들을 전개해 나가야 할 것이다. 그동안 아동 학대 사건의 판결에서 '훈육'을 이
유로 이루어진 감경 조치 등을 시정하고, 아동 학대 사건에 대한 처벌 수위를 강화
하는 것도 아동 학대를 예방하는 데 도움이 될 것이다.

**● 위에서 쓴 글을 짝과 바꾸어 읽고, 서로의 글을 평가해 보자. 그
리고 짝의 글이 자신에게 어떤 영향을 주었는지에 관해 이야기
해 보자.**

| 예시 답안 | 아동 학대의 심각성을 깨달을 수 있었고, 이 문제를 해결하기 위해서
는 우리가 먼저 잘못된 인식을 바로잡아야겠다는 생각이 들었다.

소단원 정리하기

출제 포인트 ❶ 비평하는 글의 개념과 구성

> 비평하는 글 중 시사 현안이나 쟁점에 대해 비평하는 글은 필자의 주장이나 의견이 명료하게 드러나는 편이에요. 그러므로 시사 현안이나 쟁점에 대한 비평문이 설득하는 글에 포함된다는 사실을 꼭 기억하고 있어야 해요.

개념	• 특정 대상에 대한 가치를 평가하여 쓰는 글로 크게 예술 작품의 가치를 평가하는 글과 시사 현안에 대해 가치 판단을 담아 논의하는 글로 나뉨. • 시사 현안에 대해 비평하는 글은 우리 사회의 여러 가지 사건이나 문제에 대해 필자가 자신의 관점에 따라 평가하여 논의하는 글로서 필자의 주장, 의견 등이 명료하게 드러난다는 점에서 설득하는 글에 포함됨.
구성	• 일반적으로 '서론-본론-결론'의 구성을 취함. • 서론에서는 비평 대상 소개, 본론에서는 비평에 대한 근거 제시, 결론에서는 본론의 내용을 요약·정리하고 강조하는 내용을 담음.

출제 포인트 ❷ 관점 수립 및 근거 수집

> 비평문은 시사 현안이나 쟁점에 대해 필자가 특정한 관점을 정하고 쓴 글이에요. 그러므로 필자가 어떤 관점을 취하고 있는지 묻는 문제가 출제될 수 있어요. 그리고 관점 수립 시 유의 사항을 묻거나 필자가 수집한 근거의 적절성을 판단하는 문제가 나올 수도 있습니다.

관점의 개념	• 대상이나 현상을 바라보는 필자의 태도나 방향을 의미함. • 관점은 글을 쓰는 목적이나 필자의 가치관, 필자가 처한 상황 등의 영향을 받음. • 글의 내용은 필자의 관점에 따라 달라질 수 있음.
관점 수립 시 유의 사항	• 시사 현안이나 쟁점에 관한 다양한 관점들의 장단점과 문제점 등을 분석하고, 이를 바탕으로 자신의 관점을 정해야 함. • 관점을 정할 때는 자신의 관점과 그에 따른 주장이 어떤 가치를 지니고, 어떤 영향과 반향을 불러일으킬지 생각해야 함.
근거 수집	관점을 정한 뒤에는 자신의 관점과 주장을 뒷받침할 수 있는 근거들과 자신이 선택하지 않은 관점을 비판할 수 있는 근거들을 수집해야 함.

※ **다음 글을 읽고 물음에 답하시오.**

> 소규모 학교 통폐합 문제는 경제적 관점보다 공동체 문화적 관점에서 고려되어야 한다. 농산어촌 학교는 단지 아이들을 가르치는 장소 그 이상의 의미를 함축하고 있기 때문이다. 농산어촌의 학교들은 지역 공동체의 구심점이자 문화의 중심지, 주민들의 소통과 어울림의 터전임을 간과해서는 안 된다. 학교가 사라지면 주민 이탈이 가속화되고 농촌 사회 해체가 빨라질 것은 뻔하다. 이는 정부의 귀농·귀촌 권장 정책과도 맞지 않고 교육의 공공성과 자치를 훼손하는 일이기도 하다.
>
> 정부는 시·도 교육청이 지역적 특성과 여건을 감안해 학교 통폐합을 진행할 수 있도록 최대한 자율성을 보장해야 한다. 단순히 효율성만 내세워 밀어붙일 일이 아니다. 아무리 좋은 정책이라 하더라도 수요자가 필요성에 공감하고 신뢰해야만 정당성과 효율성을 담보할 수 있기 때문이다. 교육부는 무리한 통합보다 ○○시 교육청이 2011년부터 운영하고 있는 '행복 학교'처럼 지역별로 특색 있는 학교를 육성해 성공한 사례에 주목할 필요가 있다.
>
> – 「영남일보」, 2016. 1. 30.

대표 문제 ❶ 윗글에 대한 설명으로 적절하지 <u>않은</u> 것은?

① 필자의 관점과 견해를 명료하게 담고 있는 글이다.
② 오늘날 우리 사회에서 일어나고 있는 문제를 다룬 글이다.
③ 대상에 대한 독자의 정서에 초점을 맞추어 쓰는 글이다.
④ 필자가 자신의 견해를 사회 구성원들과 공유하기 위해 쓰는 공적인 성격의 글이다.
⑤ 특정 사안에 대해 논의를 진전시켜 문제 해결을 이끌어 내는 것을 목적으로 하는 글이다.

대표 문제 ❷ 윗글에 나타난 필자의 관점으로 가장 적절한 것은?

① 폐교 위기에 처한 학교를 살려야 한다.
② 소규모 학교 통폐합 정책을 철폐해야 한다.
③ 학교 발전 기금을 통해 소규모 학교를 활성화해야 한다.
④ 지역적 특성과 여건을 감안해 소규모 학교 통폐합을 진행해야 한다.
⑤ 소규모 학교 통폐합을 반대하는 지역 주민들은 이기심을 버려야 한다.

출제 포인트 ❸ 시사 비평문 쓰기의 과정 및 유의 사항

> 비평문이 어떠한 과정을 거쳐 쓰이는지 이해해야 비평문이 어떠한 글인지 확실히 알 수 있겠죠? 그리고 시험에서는 비평문을 작성할 때 유의할 사항을 묻는 문제가 출제될 가능성이 높으니 유의 사항을 꼼꼼하게 살펴볼 필요가 있어요.

비평문 쓰기의 과정	비평 대상 선정 및 이해 → 자신의 관점 수립 → 비평의 근거 마련 → 비평문 작성
비평문 작성 시 유의 사항	• 현안이나 쟁점에 관한 여러 관점들을 분석한 후에 자신의 관점을 정해야 함. • 주장을 분명하고 간결하게 드러내고, 주장을 뒷받침하는 합당한 근거를 제시해야 함. • 자신이 선택하지 않은 다른 관점에 대해서도 근거를 들어 비판할 수 있어야 함. • 관점의 일관성을 유지하며 작문의 사회적 책임을 인식하고 신중하고 책임감 있는 태도로 글을 써야 함.

■ '로봇세 도입'에 관한 비평문 쓰기 과정의 예

비평 대상 선정 및 이해	• 최근 사회적으로 화제가 되고 있는 시사적인 쟁점 중 하나인 '로봇세 도입'을 비평의 대상으로 선정함. • 여러 매체를 통해 '로봇세 도입'에 관한 자료를 충분히 수집한 후 이를 비교하여 문제의 속성과 맥락, 사람들의 이해관계 등을 면밀하게 분석함.
자신의 관점 수립	• '로봇세 도입'과 관련해 경제적, 사회적, 제도적, 과학적 관점 등 다양한 관점들의 장단점을 분석함. • '로봇세 도입'이 우리나라의 조세 제도 등에 영향을 미칠 수 있다는 점 등을 고려하여 기술의 효율성과 제도의 인간성이라는 관점에서 '로봇세 도입'에 관한 논의를 해야 할 필요가 있음을 주장함.
비평의 근거 마련	• 로봇으로 인해 일자리가 줄면서 생기는 다양한 문제들을 로봇세 도입이라는 새로운 세원의 발굴을 통해 해결할 수 있다는 점을 근거로 제시함. • 로봇에 세금을 부과하는 구체적인 방안을 제시함. • 로봇세 도입을 반대하는 관점과 주장을 찾아보고 그것을 비판할 수 있는 근거를 마련함.
비평문 작성	• 로봇세 도입의 의의와 효용을 강조함. • 관점을 일관되게 유지하면서 로봇세 도입을 위한 연구와 논의를 당장 시작해야 함을 명료하게 드러냄. • 로봇세 도입을 찬성하는 글이 사회적으로 어떤 영향을 끼칠지를 고려하여 신중하게 글을 쓰고, 글을 다 쓴 후에는 로봇세 도입이 특정 집단에 유리하거나 불리하게 작용하지 않는지 등을 검토함.

대표 문제 ❸ 다음 글에 대한 설명으로 적절하지 **않은** 것은?

> 로봇에 세금을 부과하는 방안은 크게 두 가지가 있다. 첫째는 로봇이 창출하는 부가 가치에 세금을 부과하는 것이다. 이를 위해서는 로봇을 부가 가치를 창출하는 독립적 경제 활동 주체로 인정해야 한다. 현행 부가가치세법 시행령 제8조에서는 무인 자동판매기가 위치한 장소를 사업장으로 보고, 각 무인 자동판매기마다 사업자 등록 번호를 부여하여 세금을 매기고 있는데, 이 개념을 확대 적용하면 된다. 두 번째는 로봇을 재산으로 간주하여 재산세를 부과하는 방법이다. 재산세는 토지·주택·자동차 등에 부과하는데, 여기에 로봇을 추가하면 된다.
>
> 그렇다 해도 로봇세 도입은 말처럼 간단하지 않다. 로봇세 도입을 반대하는 이들은 세금을 부과하면 로봇 산업의 발전이 지체돼 국제 경쟁에서 뒤처질 것이라는 주장을 편다. 로봇세를 먼저 도입할수록 이러한 문제에 직면할 가능성이 크다. 그러므로 더 이상 세수입을 확보할 수 없어 사회가 견디기 어려울 때 로봇세를 도입하면 된다.
>
> 또한, 어떤 로봇에 세금을 부과해야 하는지에 관한 기준이 명확하지 않다는 것도 로봇세 도입을 반대하는 이들이 제기하는 주요 문제 중 하나이다. 이 문제는 한꺼번에 모든 로봇에 과세하려 하지 않고 부과 가능한 것부터 하나씩 시작하면 해결할 수 있다.
>
> 4차 산업 혁명의 시대적 흐름 속에서 기술은 효율성을, 제도는 인간성을 추구해야 한다. 즉 기술 발전에 따라 제도를 개선해 인간 중심의 사회를 이어 가야 한다. 4차 산업 혁명이 만들어 낼 미래 사회에서 기존의 근로·복지·조세 제도는 온전하게 존속할 수 없을 것이다. 로봇세가 이런 문제를 해결하는 방안이 될 수 있다. 이에 로봇세 도입을 위한 연구와 논의를 당장 시작할 필요가 있다.

① 필자는 자신의 관점을 일관성 있게 유지하고 있군.

② 필자가 관점을 수립하기까지의 과정이 잘 드러나는군.

③ 필자는 로봇세 도입에 대한 자신의 주장을 분명하게 밝히고 있군.

④ 필자의 주장을 따른다면 부과 가능한 것부터 로봇세를 도입해야겠군.

⑤ 필자는 자신과 달리 로봇세 도입을 반대하는 측의 근거도 제시하고 있군.

1. 설득하는 글에서 '필자의 관점'에 대한 설명으로 적절하지 않은 것은?

① 필자가 지닌 관점은 글의 내용에 영향을 미친다.
② 필자의 개인적 가치관이나 상황 등의 영향을 받는다.
③ 대상이나 현상을 바라보는 필자의 태도나 방향을 뜻한다.
④ 필자는 자신의 글이 사회에 미칠 영향을 고려하여 관점을 정한다.
⑤ 설득하는 글을 쓸 때는 관점의 변화 과정이 명확하게 드러나도록 한다.

`학습 활동 응용`

2. 〈보기〉의 ⒜와 ⒝에 들어갈 알맞은 말을 각각 쓰시오.

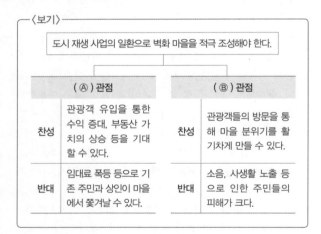

〈보기〉

도시 재생 사업의 일환으로 벽화 마을을 적극 조성해야 한다.

(⒜) 관점		(⒝) 관점	
찬성	관광객 유입을 통한 수익 증대, 부동산 가치의 상승 등을 기대할 수 있다.	찬성	관광객들의 방문을 통해 마을 분위기를 활기차게 만들 수 있다.
반대	임대료 폭등 등으로 기존 주민과 상인이 마을에서 쫓겨날 수 있다.	반대	소음, 사생활 노출 등으로 인한 주민들의 피해가 크다.

[3~4] 다음 글을 읽고 물음에 답하시오.

교육부가 추진 중인 소규모 학교 통폐합 정책이 뜨거운 논란이 되고 있다. 교육부는 지난해 말 전국 17개 시·도 교육청에 기준이 대폭 강화된 '소규모 학교 통폐합 권고 기준'을 통보하고 올해부터 적용하기로 했다. [중략] 교육부의 새 기준을 적용하면 전국의 1만 1천여 개 학교 중 10%가 넘는 1,570개 학교가 폐교 대상이 된다.

교육부의 정책에 찬성하는 이들은 소규모 학교 통폐합이 지방 교육 재정 효율화와 교육의 질 향상을 위해 불가피한 조치라는 입장이다. 저출산 등으로 학생 수가 계속 감소하고 있는 상황에서 재정 낭비를 줄이고, 복식 학급 운영과 같은 파행적인 교육 과정 운영을 정상화함으로써 교육의 질을 향상할 수 있다는 것이 이들의 논리이다.

하지만 학부모 등 농어촌 지역 교육 수요자들은 대부분 교육부의 강화된 학교 통폐합 정책을 강하게 반대하고 있다. 통학 거리와 농촌 공동체의 특성을 고려하지 않고 백년 대계를 단순히 경제 논리로 접근해서는 곤란하다는 지적이다. 소규모 학교 통폐합을 통해 교육의 질을 향상할 수 있다는 주장 또한 그러한 비판에서 자유로울 수 없다. 비용이 문제되지 않는다면 교사 증원 등을 통해서도 교육의 질을 향상할 수 있으므로 굳이 학교를 통폐합하지 않아도 된다.

소규모 학교 통폐합 문제는 경제적 관점보다 공동체 문화적 관점에서 고려되어야 한다. 농산어촌 학교는 단지 아이들을 가르치는 장소 그 이상의 의미를 함축하고 있기 때문이다. 농산어촌의 학교들은 지역 공동체의 구심점이자 문화의 중심지, 주민들의 소통과 어울림의 터전임을 간과해서는 안 된다. 학교가 사라지면 주민 이탈이 가속화되고 농촌 사회 해체가 빨라질 것은 뻔하다. 이는 정부의 귀농·귀촌 권장 정책과도 맞지 않고 교육의 공공성과 자치를 훼손하는 일이기도 하다.

정부는 시·도 교육청이 지역적 특성과 여건을 감안해 학교 통폐합을 진행할 수 있도록 최대한 자율성을 보장해야 한다. 단순히 효율성만 내세워 밀어붙일 일이 아니다. 아무리 좋은 정책이라 하더라도 수요자가 필요성에 공감하고 신뢰해야만 정당성과 효율성을 담보할 수 있기 때문이다. 교육부는 무리한 통합보다 ○○시 교육청이 2011년부터 운영하고 있는 '행복 학교'처럼 지역별로 특색 있는 학교를 육성해 성공한 사례에 주목할 필요가 있다.

3. 윗글에 대한 설명으로 적절하지 않은 것은?

① 소규모 학교 통폐합 정책에 관한 문제를 다루고 있다.
② 필자는 소규모 학교 통폐합 정책에 대해 공동체 문화적 관점을 취하고 있다.
③ 필자는 소규모 학교 통폐합 정책이 교육의 공공성을 신장시킬 수 있다고 보고 있다.
④ 필자는 경제적 관점에서 소규모 학교 통폐합 정책을 찬성하는 측의 주장을 비판하고 있다.
⑤ 필자는 농산어촌 학교가 주민들의 소통과 어울림의 터전임을 근거로 들어 자신의 주장을 뒷받침하고 있다.

4. 윗글에서 언급된, 소규모 학교 통폐합에 대한 관점 중 필자가 선택하지 않은 관점 두 가지를 서술하시오.

5. 다음 글을 읽은 독자의 반응으로 적절하지 <u>않은</u> 것은?

가 요즈음 4차 산업 혁명으로 일자리가 줄 것인지 늘 것인지의 문제가 큰 관심을 모으고 있다. 최근 ○○ 아이티(IT) 기업에서는 2015～2020년에 로봇 등과 같은 인공 지능이 지구촌 180만 개의 일자리를 없애는 대신 230만 개의 새로운 일자리를 창출할 것이라는 보고서를 내놓았다.

하지만 일자리 감소론자들은 "새로운 변화는 과거와 완전히 다르다."라고 주장한다. 종전에는 일자리 대체의 주체가 하드웨어였지만, 미래에는 인공 지능 소프트웨어가 된다는 점 때문이다. 하드웨어는 개발 후에 그것을 생산하기 위해 또 다른 노동력이 필요한 반면, 소프트웨어는 추가적인 인력 소요가 적다. 이렇게 낙관과 비관이 교차하는 경우 대비책을 강구할 때는 낙관보다 비관적인 상황을 상정하고 대비해야 한다.

나 먼저 일자리가 줄면서 생기는 실업자를 어떻게 할 것인가? 사람의 일자리를 인공 지능 로봇이 차지하면, 사람은 실업자로 전락해 부양 대상자가 된다. 세금은 취업자의 근로 소득에서 나오는데 취업자가 줄어드니, 정부는 조세 수요를 충당하기 위해 세율을 높일 것이고, 근로 소득자들은 이에 저항할 것이다. 결국 취업자도 불만이고 실업자도 불만인 사회가 될 수밖에 없다. 이러한 상황은 새로운 세원의 발굴을 통해 해결할 수 있다. 지금부터라도 '로봇세'를 부지런히 연구해야 하는 이유이다.

다 로봇세 논의에 불을 붙인 건 유럽 의회다. 2017년 2월 유럽 의회는 로봇에게 '특수한 권리와 의무를 가진 전자 인간'이라는 법적 지위를 부여하자는 안건을 승인하여 '로봇 인간'의 법률적 존재를 인정해 로봇세를 징수할 가능성을 열어 주었다.

로봇에 세금을 부과하는 방안은 크게 두 가지가 있

다. 첫째는 로봇이 창출하는 부가 가치에 세금을 부과하는 것이다. 이를 위해서는 로봇을 부가 가치를 창출하는 독립적 경제 활동 주체로 인정해야 한다. 현행 부가가치세법 시행령 제8조에서는 무인 자동판매기가 위치한 장소를 사업장으로 보고, 각 무인 자동판매기마다 사업자 등록번호를 부여하여 세금을 매기고 있는데, 이 개념을 확대 적용하면 된다. 두 번째는 로봇을 재산으로 간주하여 재산세를 부과하는 방법이다. 재산세는 토지·주택·자동차 등에 부과하는데, 여기에 로봇을 추가하면 된다.

라 그렇다 해도 로봇세 도입은 말처럼 간단하지 않다. 로봇세 도입을 반대하는 이들은 세금을 부과하면 로봇 산업의 발전이 지체돼 국제 경쟁에서 뒤처질 것이라는 주장을 편다. 로봇세를 먼저 도입할수록 이러한 문제에 직면할 가능성이 크다. 그러므로 더 이상 세수입을 확보할 수 없어 사회가 견디기 어려울 때 로봇세를 도입하면 된다.

또한, 어떤 로봇에 세금을 부과해야 하는지에 관한 기준이 명확하지 않다는 것도 로봇세 도입을 반대하는 이들이 제기하는 주요 문제 중 하나이다. 이 문제는 한꺼번에 모든 로봇에 과세하려 하지 않고 부과 가능한 것부터 하나씩 시작하면 해결할 수 있다.

마 4차 산업 혁명의 시대적 흐름 속에서 기술은 효율성을, 제도는 인간성을 추구해야 한다. 즉 기술 발전에 따라 제도를 개선해 인간 중심의 사회를 이어 가야 한다. 4차 산업 혁명이 만들어 낼 미래 사회에서 기존의 근로·복지·조세 제도는 온전하게 존속할 수 없을 것이다. 로봇세가 이런 문제를 해결하는 방안이 될 수 있다. 이에 로봇세 도입을 위한 연구와 논의를 당장 시작할 필요가 있다.

① 이 글은 로봇세 도입에 관한 문제를 다루고 있군.
② 필자는 제도에는 인간성이 있어야 한다는 관점을 취하고 있어.
③ 4차 산업 혁명으로 일자리가 줄 것인지 늘 것인지에 대해서는 논란이 있군.
④ 필자의 주장이 받아들여진다고 해도 우리나라 조세 체계에는 큰 변화가 없겠군.
⑤ 자신과 상반되는 주장을 하는 측에서 제기할 문제점을 예상하고 그에 대한 해결책을 제시하고 있군.

(3) 현안에 관해 건의하는 글

핵심 질문 건의가 반영될 수 있도록 글을 쓰려면 어떻게 해야 할까?

≫ 필자가 요구하는 바를 전달함으로써 독자의 행동을 촉구하여 문제 상황을 해결하는 데 가장 중요한 것은 문제 상황의 심각성과 해결의 필요성에 대한 독자의 공감을 이끌어 내는 것이다. 따라서 건의문을 쓸 때는 현안의 원인을 다각도에서 분석하여 적절한 해결 방안을 모색하는 것이 중요하다.

"우리도 세상을 바꿀 수 있다니……. 정말 신기해요."

경기 성남시 ○○중학교 2학년 김○○(14) 양 자매와 또래 친척 등 6명은 요즘 자부심과 뿌듯함이 넘쳐난다. 크레파스나 물감의 색깔 표현인 '살색'을 차별 없고 알기 쉬운 우리말로 바꿔 달라는 이들의 '당돌한' 제안이 받아들여졌기 때문이다.

– 『한겨레신문』, 2005. 5. 20.

••• 위의 기사에 소개된 학생들의 건의는 어떤 점에서 의미가 있는가?

|예시 답안| 학생들의 건의를 통해 우리 사회에 존재하는 인종 차별적인 요소를 없앴다는 점에서 의미가 있다.

••• 건의문에 담을 내용을 선정할 때 고려해야 할 점은 무엇일까?

|예시 답안| 문제의 원인을 다각도에서 분석하여 각각의 원인에 대한 해결 방안을 모색한 후, 건의를 하는 대상을 고려하여 건의문에 담을 내용을 선정해야 한다.

알기

• 건의하는 글은 어떤 목적과 성격을 지니고 있나?

|예시 답안| 건의문은 현안에 대한 해결 방안을 제시하여 독자를 설득하는 데에 목적이 있다. 이러한 건의문은 개인이나 사회가 지닌 문제를 해결하고 더 나은 공동체를 만들기 위한 사회적 의사소통의 성격을 지닌다.

• 건의하는 글에는 어떤 내용을 담아야 하나?

|예시 답안| 건의문에는 현안, 문제 상황의 심각성, 문제를 해결하기 위한 방안이나 요구 사항을 구체적으로 담아야 한다. 또한, 필자가 제시하는 해결 방안이나 요구 사항이 실현되었을 때 나타날 수 있는 긍정적인 효과를 함께 제시하면 보다 설득력 있는 건의문이 된다.

하기

• 현안을 분석하고 적절한 해결 방안 찾기

≫ 일상생활에서 접할 수 있는 현안을 분석하고, 그 문제를 해결할 합리적인 방안 모색해 보기

• 자신이 쓴 글이 다른 사람에게 미치는 영향을 예측하며, 책임감 있는 태도로 건의하는 글 쓰기

≫ 건의문을 쓰는 것은 작문을 통한 사회적 의사소통 행위임을 인식하고, 자신의 글이 다른 사람이나 사회에 미칠 영향을 생각하며 책임감 있는 태도로 글 쓰기

알아 두기

) 건의문의 개념과 구성

» 건의문의 개념

건의문은 특정 현안에 관해 개인이나 기관에 문제 해결을 요구하거나 제안하고자 쓰는 글로 탄원서, 제안서, 민원서, 각종 투고 등이 있다.

» 건의문의 구성

처음		중간		끝
인사말, 건의문을 쓰는 목적	→	문제 상황, 해결 방안 및 기대 효과	→	건의 내용 요약, 인사말

) 건의문을 쓰는 방법

- 문제 상황의 해결을 위해 문제 상황의 심각성에 대한 독자의 공감을 이끌어 내는 것이 중요하다.
- 문제 상황의 해결을 위한 요구 사항이나 해결 방안을 구체적으로 제시해야 한다.
- 독자를 고려하여 예의 바르고 공손한 표현을 사용해야 한다.
- 자신이 쓴 글이 사회적으로 어떤 영향을 끼칠 수 있을지 생각해 보고, 책임감 있는 태도로 글을 써야 한다.
- 적절한 설득 전략을 활용하여 독자를 효과적으로 설득해야 한다.

) 건의문에 담을 해결 방안이 갖추어야 할 요건

- 실현 가능성: 일반적으로 건의문의 독자는 현안의 해결에 직접적인 영향력을 행사할 수 있는 사람인 경우가 많으므로 해결 방안을 모색할 때는 독자를 고려하여 제시하고자 하는 방안의 실현 가능성을 따져 보는 것이 중요하다.
- 도덕적 규범의 준수: 건의문은 공동체의 현안에 대해 문제점을 지적하고 해결 방안을 제시하는 글이므로 건의문에서 제시하는 해결 방안은 해당 공동체의 도덕적 규범에 어긋나지 않는 것이어야 한다.
- 공정성: 사회 현안의 경우 쟁점에 따라 여러 사람의 이해관계가 얽혀 있는 경우가 많으므로 건의문에서 제시하는 해결 방안은 어느 한쪽으로 치우치지 않는 것이어야 한다.
- 합리성: 건의문에서 제시하는 해결 방안은 논리적으로 따져 보았을 때 타당한 것이어야 한다.

1. 건의문을 쓰는 방법으로 알맞은 것은 ○표, 알맞지 **않은** 것은 ×표를 하시오.

(1) 문제 상황의 심각성에 대한 독자의 공감을 이끌어 내는 것이 좋다. ( )

(2) 문제 상황의 해결을 위한 요구 사항이나 해결 방안은 함축적으로 제시한다. ( )

2. 다음 빈칸에 알맞은 말을 쓰시오.

> 건의문은 '건의문을 쓰는 목적 → 문제 상황과 ( ) 방안 제시 → 건의 내용의 요약, 인사말'로 구성된다.

3. 빈칸에 들어갈 알맞은 말을 〈보기〉에서 찾아 쓰시오.

〈보기〉
실현 가능성, 도덕적 규범, 공정성, 합리성

(1) 건의문에서 제시하는 해결 방안은 ( )을 갖춰 어느 한쪽으로 치우치지 않아야 한다.

(2) 문제 상황에 대한 해결 방안을 모색할 때는 독자를 고려해 제시하고자 하는 방안의 ( )을 따져 보는 것이 중요하다.

(3) 건의문에서 해결 방안을 제시할 때는 그것이 논리적이고 이치에 맞는지 ( )을 따져 보아야 한다.

(4) 건의문의 해결 방안은 해당 공동체의 ( )에 어긋나지 않아야 한다.

┃정답┃
1. (1) ○ (2) × **2.** 해결 **3.** (1) 공정성 (2) 실현 가능성 (3) 합리성 (4) 도덕적 규범

하면서 **배우기** 📖 ········· 교과서 191p

1. 다음은 여름 교복에 관한 학생들의 불만 사항을 해결하기 위해 실시한 설문 조사의 결과이다. 이를 바탕으로, 아래의 활동을 해 보자.

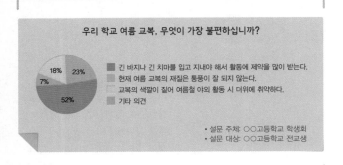

우리 학교 여름 교복, 무엇이 가장 불편하십니까?

- 긴 바지나 긴 치마를 입고 지내야 해서 활동에 제약을 많이 받는다.
- 현재 여름 교복의 재질은 통풍이 잘 되지 않는다.
- 교복의 색깔이 짙어 여름철 야외 활동 시 더위에 취약하다.
- 기타 의견

23% / 18% / 7% / 52%

- 설문 주체: ○○고등학교 학생회
- 설문 대상: ○○고등학교 전교생

(1) 위의 설문 조사는 여름 교복에 관한 현안을 해결하는 데 어떤 측면에서 도움이 되는지 말해 보자.

|예시 답안| 해당 문제에 관한 학생들의 의견을 통해 문제의 원인을 분석하고 해결 방안을 모색하는 데 도움이 된다.

(2) 위의 설문 조사 결과를 바탕으로, 학생회가 현안을 해결하기 위해서 할 수 있는 일을 생각해 보자.

|예시 답안| 학교 측에 여름 교복에 대한 학생들의 불만 사항을 개선해 줄 것을 요구하는 건의문을 쓴다.

📝 배워서 하기 ① ▶ 교과서 191p

건의하고 싶은 문제와 그 문제의 원인 분석하기

● 모둠별로 다음 중 하나를 선택하여 건의하고자 하는 현안의 원인을 다각도에서 분석해 보자.

|예시 답안|

- 우리 모둠의 선택: (학교 / 지역 자치 단체 / 국가 행정 기관)에 건의하고 싶은 문제
- 현안   우리 학교 동아리 활동비 운영 방식이 합리적이지 않다.

- **원인**
  ① 우리 학교에서는 모든 동아리에 일률적으로 같은 액수의 활동비를 지급하고 있으나, 실제로 동아리마다 필요한 비용이 다르다. 동아리 지도 교사를 대상으로 "동아리 지원금의 액수에 대한 의견을 '부족/적절/넘침' 중 선택하여 답해 주세요."라는 내용의 설문을 실시한 결과, 9개 동아리의 지도 교사는 동아리 지원금이 '부족'하다고 답한 반면, 12개 동아리의 지도 교사는 '보통', 8개 동아리의 지도 교사는 '넘침'이라고 답하였다. 1개 동아리(방송반)의 지도 교사는 선택지를 벗어나 '장비 교체 등이 필요하여 매우 부족'이라는 답변을 하였다.
  ② 학교 지원금을 제외한 동아리 회비에 대해 학교 규율이 정해져 있지 않아 학생들이 불필요한 활동비 부담을 감수하는 경우가 있다. 우리 학교에 있는 30개 동아리의 회장을 상대로 조사한 결과, 20개 동아리에서 동아리 회원들의 사비를 걷고 있다고 대답했다. 그리고 그 20개 동아리의 회원들 중 65%의 학생이 회비 납부에 부담을 느낀다고 답하였다.

하면서 **배우기** 📖📖 ········· 교과서 192p

2. 다음은 건의문을 쓰기 위해 정리한 내용이다. 글을 읽고, 아래의 활동을 해 보자.

건의문을 쓰는 맥락

- 건의문을 쓰는 사람: 고등학생
- 건의를 받는 사람: ○○시 시장
- 현안: 불법 투기된 쓰레기들로 거리가 지저분하다.
- 건의문을 쓰는 목적: 깨끗한 거리를 만들기 위한 해결 방안을 마련하기를 촉구한다.

현안의 원인 분석과 그에 따른 해결 방안

원인	해결 방안
공공 도덕 준수에 관한 시민들의 의식 수준이 떨어진다.	⊙ 시민들을 대상으로 쓰레기 불법 투기 방지를 위한 홍보를 한다. ⓒ 법률 개정을 통해 쓰레기 무단 투기의 과태료를 2배 인상한다.
쓰레기 상습 불법 투기 지역의 관리가 미흡하다.	ⓒ 쓰레기 상습 불법 투기 지역에 시시티브이(CCTV)를 증설하고 단속을 늘린다. ⓔ 쓰레기를 불법 투기하다 적발된 사람들의 실명과 얼굴을 공개한다는 경고문을 세운다.

| 유동 인구가 많은데도 쓰레기통이 설치되지 않은 곳이 많다. | ⓜ 유동 인구를 분산시켜 쓰레기 발생량을 줄인다.
ⓑ 유동 인구가 많은 곳에 쓰레기통을 추가로 설치하고, 관리를 철저히 한다. |
| 거리 청소를 담당하는 환경미화원의 수가 절대적으로 부족하다. | ⓐ 공공 기관 내 다른 분야의 일자리를 줄이고 환경미화원 채용을 늘린다.
ⓞ 환경미화원의 처우를 개선하여 업무에 최선을 다할 수 있도록 지원한다. |

(1) ㉠~◎을 다음 항목에 따라 평가하여 문제점이 있는 해결 방안의 기호를 쓰고 그 까닭을 말해 보자.

|예시 답안|

평가 항목	문제점이 있는 해결 방안	까닭
실현 가능성	ⓜ	쓰레기 발생의 문제 때문에 유동 인구를 인위적으로 분산시키는 방안은 실행하기 어렵다.
도덕 규범의 준수	㉣	쓰레기를 불법 투기한 사람들의 실명과 얼굴을 공개하는 것은 도덕적 기준으로 볼 때 적절한 방안으로 보기 어렵다.
공정성	ⓐ	환경미화원의 수를 늘리기 위해서 공공 기관 내 다른 분야의 일자리를 줄이는 것은 다른 업무에 종사하는 사람들의 입장을 고려하지 않은 것이기 때문에 공정한 해결 방안이라고 보기 어렵다.
합리성	◎	환경미화원의 처우를 개선한다고 해서 환경미화원의 수가 절대적으로 부족한 문제를 해결할 수 있는 것은 아니므로 합리적인 해결 방안이라고 보기 어렵다.

(2) 건의를 받는 사람을 고려할 때 건의문에 담을 해결 방안으로 적절하지 않은 것을 찾고, 그 까닭을 말해 보자.

|예시 답안|

건의를 받는 사람	적절하지 않은 해결 방안	까닭
○○시 시장	㉡	시장은 법률을 개정할 수 있는 직접적인 권한이 없는 사람이므로, 쓰레기 무단 투기 행위에 대한 법률을 개정해야 한다는 내용을 건의문에 담는 것은 적절하지 않다.

교과서 193p

배워서 하기 ➋

문제 해결 방안을 모색하여 건의문에 담을 내용 선정하기

● '배워서 하기 ➊'에서 선택한 현안에 관해 누구에게 건의할 것인지 정해 보자.

|예시 답안| 교장 선생님

● '배워서 하기 ➊'에서 분석한 원인에 관한 해결 방안을 모색하여 건의문에 담을 내용을 정리해 보자.

|예시 답안|

현안의 원인	해결 방안
우리 학교에서는 모든 동아리에 일률적으로 같은 액수의 활동비를 지급하고 있으나, 실제로 동아리마다 필요한 비용이 다르다.	최근 2년간 동아리 예산 사용 내역을 꼼꼼히 살핀 후, 동아리에 따라 활동비를 필요한 만큼 차등 지급하는 방안을 실시한다.
동아리 회비에 대한 규율이 정해져 있지 않아 학생들이 불필요한 활동비 부담을 감수하는 경우가 있다.	• 학교에서 동아리 관련 전체 예산 규모를 확대하여 학생들이 가급적 개인 비용을 부담하지 않도록 한다. • 동아리 자체적으로 회비를 걷을 경우 일정 액수 이상을 넘기지 않도록 규약을 만들어 제시한다.

하면서 배우기 교과서 194p

3. 다음 글을 읽고, 아래의 활동을 해 보자.

동물 실험을 막아 주세요

대한의료협회 회장님께.
<small>건의를 받는 사람</small>
존경하는 회장님! 저는 행복고등학교에 다니는 김상진입니
<small>독자를 고려한 격식 있는 표현</small>　　　　　　　　　　　<small>건의를 하는 사람</small>
다. 회장님께 간곡히 부탁드릴 말씀이 있어 이 글을 올립니
　　　　　<small>건의를 받는 사람</small>
다. 그것은 현재 화장품이나 의약품 개발을 위해 시행되고 있
　　　　　　　　　　　　　　　　　<small>건의 내용</small>
는 동물 실험을 막아 달라는 것입니다.

저는 얼마 전 학교에서 실시한 토론 대회를 통해 동물 실험
의 심각성을 알게 되었습니다. 약품 개발뿐만 아니라 화장품
<small>현안</small>
개발이나 성형 시술을 위해서도 동물들이 죽어 간다는 사실
　　　　　　　　　　<small>현안의 원인</small>
에 놀라지 않을 수 없었습니다.
　　<small>이중 부정 표현</small>

인간의 건강과 생명 과학 기술 발달을 위해 동물 실험이 불가피하다고 주장하는 사람들이 있습니다. 하지만 인간이 아니라는 이유만으로 동물들을 실험 대상으로 삼아 엄청난 고통 속에서 죽어 가게 두는 것은 옳지 않습니다.

  회장님!『동물도 생명체로서 누려야 할 권리가 있다는 점과
구체적인 해결 방안 제시
동물 실험의 비윤리적 측면을 널리 알리는 교육 활동 및 운동을 전개해』주십시오. 이를 통해 사람들의 인식이 바뀌어 동물 실험을 통해 개발된 의약품이나 화장품을 사는 사람이 줄어들면 동물 실험도 자연스럽게 사라질 것입니다.

  존경하는 회장님! 신약이나 화장품의 부작용을 확인하기 위해 해마다 전 세계에서 1억 5천만 마리 정도의 동물들이 희생되고 있다는 사실을 알고 계십니까?

  『동물은 인간과 다릅니다. 인간에게 투여할 의약품을 동물
건의의 내용을 뒷받침하는 근거
에게 실험해서는 안 됩니다. 동물 실험에 사용되는 방법과 동물의 복용량은 인간이 처한 실제 상황과는 차이가 있습니다. 또한, 인간이 가진 질병 3만 가지 가운데 동물이 공유하는 질병은 1.16%에 불과하므로 동물 실험의 결과가 인간을 치료하는 데 큰 도움이 되지 않습니다. 실제로 클리오퀴놀이나 페니실린 등은 인간과 동물에게서 완전히 다른 효과를 나타내었다고 합니다. 동물 실험 결과를 믿고 인간에게 약물을 투여했다가는 오히려 인간을 위험에 빠뜨릴 수도 있습니다.』

  『동물 실험이 아니더라도 신약이나 화장품으로 인한 부작용
동물 실험을 대신할 수 있는 방안 제시
을 확인할 수 있는 방법들이 많이 있습니다. 환자 관찰이나 사체 연구, 컴퓨터 모의실험을 통한 연구 등을 적절히 활용하면 동물 실험을 통해 얻는 것 이상의 정보를 얻을 수 있습니다. 게다가 최근에는 사람의 장기와 똑같은 기능을 하지만 크기는 작은 '오가노이드'로도 동물 실험을 대신할 수 있습니다.』이와 같은 대체 실험법을 활용하면 잔인한 방법으로 동물 실험을 하지 않아도 되고, 실험으로 고통 속에서 죽어 가는 수많은 동물들을 살릴 수 있습니다. 그런데도 동물 실험을 계속하는 것은 자연에 폭력을 행사하는 것입니다.

  회장님! 저희 집에는 햄스터 두 마리가 살고 있습니다. 제가 학교에서 돌아오면 그 녀석들이 얼마나 행복해하는지 모릅니다. 그리고 저도 행복합니다. 회장님께서도 혹시 어린 시절 동물을 길러 보지 않으셨는지요? 그때를 기억해 보십시오.
독자의 감성을 자극함.

  동물은 기계와 같이 생명이 없거나 고통을 못 느끼는 존재가 아닙니다. 게다가 동물의 몸은 인체와 동일하지 않습니다. 동물은 존중받아야 할 생명체이며, 인간을 위한 실험의 대상이 아닙니다. 이제는 동물 실험을 대체할 방법도 다양하게 연구되고 있습니다.

  존경하는 회장님! 사람들이 동물과 함께 꿈을 꾸고 행복을
                                         간결하고 명료하게 건의 내용을 강조함.
나누며 살아갈 수 있도록 동물 실험을 막아 주십시오.

  끝까지 읽어 주셔서 고맙습니다.

20○○년 ○○월 ○○일

행복고등학교 김상진 올림.

(1) 위 건의문의 내용을 정리해 보자.

ㅣ예시 답안ㅣ

현안	동물 실험으로 많은 동물이 희생되고 있는 현실
현안의 원인	동물들이 화장품이나 의약품 개발을 위한 실험 대상으로 이용됨.
해결 방안	• 동물도 권리가 있다는 점과 동물 실험의 비윤리적 측면을 널리 알려야 함. • 대체 실험법을 활용해야 함.
건의하는 내용	동물 실험을 막아야 함.

(2) 위의 건의문에서 다음 내용을 확인할 수 있는 문장이나 표현을 찾아보자.

ㅣ예시 답안ㅣ

건의하는 내용이 잘 드러나는 간결하고 명료한 문장	사람들이 동물과 함께 꿈을 꾸고 행복을 나누며 살아갈 수 있도록 동물 실험을 막아 주십시오.
독자를 고려한 정중하고 격식에 맞는 표현	존경하는 회장님! / 끝까지 읽어 주셔서 고맙습니다.

(3) 위의 건의문이 우리 사회에 미칠 영향을 생각해 보자.

ㅣ예시 답안ㅣ 위의 건의문이 설득력 있게 받아들여진다면 동물 실험의 문제점을 이해하고 문제 해결의 필요성에 공감하는 사람들이 늘어나 문제를 해결하는 데 긍정적인 영향을 미칠 것이다.

(4) 다음 기준에 따라 위의 건의문을 평가해 보자.

평가 기준
현안의 원인과 해결 방안을 구체적으로 제시하였는가?
건의하는 내용이 잘 드러나도록 명료하고 간결한 문장을 사용하였는가?
독자를 고려하여 정중하고 격식에 맞는 표현을 사용하였는가?
실현 가능한 해결 방안을 제시하였는가?
해결 방안이 도덕적으로 문제가 없으며, 공정하고 합리적인가?
책임감 있는 태도로 글을 썼는가?

ㅣ예시 답안ㅣ 생략

건의문의 형식에 맞춰 정중한 표현으로 건의문 쓰기

● '배워서 하기 ❶, ❷'의 활동을 바탕으로, 다음 〈조건〉에 따라 건의문을 써 보자.

─〈조건〉─
• 건의문의 일반적인 형식에 따라 쓴다.
• 자신이 쓴 글이 사회적으로 어떤 영향을 미칠 수 있는지를 생각하고 책임감 있는 태도로 글을 쓴다.

ㅣ예시 답안ㅣ 교장 선생님께.

존경하는 교장 선생님! 안녕하세요? 저희는 2학년 5반 ○○ 모둠의 모둠원들입니다. 건의문 쓰기 모둠 활동을 하며 교장 선생님께 간곡히 건의드리고 싶은 것이 있어 이렇게 글을 올립니다. 저희 모둠에서 건의드릴 내용은 '동아리 활동비 운영 방식'을 개선해 달라는 것입니다.

현재 우리 학교의 동아리 활동비 운영 방식은 합리적이지 않습니다. 동아리 지도 선생님 및 동아리 회장에게 설문을 실시한 결과, 합리적이지 않다고 생각하는 이유는 크게 두 가지로 조사되었습니다.

첫째, 우리 학교에서는 모든 동아리에 일률적으로 같은 액수의 활동비를 지급하고 있으나, 실제로 동아리마다 필요한 비용이 다릅니다. 그래서 어떤 동아리에서는 활동비가 남고, 어떤 동아리에서는 활동비가 부족한 상황이 발생하고 있습니다.

둘째, 동아리 회비에 대한 규율이 정해져 있지 않아 학생들이 불필요한 활동비 부담을 감수해야 하는 경우가 있습니다. 활동비가 부족한 동아리는 물론이고 활동비가 남는 동아리에서조차 관행에 따라 회비를 걷는 경우가 있습니다. 이는 동아리 활동을 하는 학생들을 위해 하루 빨리 해결되어야 할 문제가 아닐 수 없습니다.

이에 아래와 같은 내용을 건의합니다.

첫째, 동아리 지원금을 일률적으로 지급하지 말고, 동아리에 따라 필요한 만큼 차등을 두어 지급해 주십시오. 최근 2년간 동아리 예산 사용 내역을 꼼꼼히 살핀 후, 동아리별로 반드시 필요한 비용만 요청하도록 학교에서 관리하고 감독해 주십시오.

둘째, 학교에서 동아리 관련 전체 예산 규모를 확대하여 학생들이 가급적 개인 비용을 부담하지 않도록 해 주십시오. 부득이하게 동아리에서 자체적으로 회비를 걷을 경우, 일정 액수 이상을 넘기지 않도록 규약을 만들어 제시해 주십시오.

끝까지 읽어 주셔서 감사합니다.

20○○년 ○○월 ○○일
○○ 모둠 올림.

소단원 정리하기

출제 포인트 ❶ 현안 분석하기

건의문은 어떤 문제에 대한 해결을 요구하고자 쓰는 글이므로, 건의문에서 다루고 있는 현안을 분석하는 문제가 자주 출제됩니다. 따라서 건의문에서 다루고 있는 문제가 무엇인지, 그 문제의 원인은 무엇인지를 분석하는 연습을 해 두어야 해요.

건의문	어떤 현안에 관해 개인이나 기관에 문제 해결을 요구하거나 제안하고자 쓰는 글

↓

• 건의하고자 하는 문제의 원인을 분석해 쟁점을 파악해야 함.
• 원인을 다각도로 분석해야 설득력 있는 해결 방안을 도출할 수 있음.

출제 포인트 ❷ 해결 방안의 모색

건의문에서 다루고 있는 문제점의 원인별 해결 방안을 모색하는 문제가 출제될 거예요. 그리고 건의문에서 제시한 해결 방안의 실현 가능성, 공정성, 합리성, 근거의 적절성 등을 묻는 문항도 출제될 가능성이 크니 이에 대한 대비도 해야 해요.

현안의 원인 분석	→	원인별 해결 방안 모색

해결 방안 모색 시 유의 사항

• 해결 방안의 실현 가능성, 도덕적 규범의 준수 여부, 공정성, 합리성 등을 따져 봐야 함.
• 건의를 받는 대상은 문제 해결과 직접적으로 관련이 있으므로, 설득력을 높이기 위해서는 건의를 받는 대상을 고려하여 적절한 해결 방안을 제시해야 함.

출제 포인트 ❸ 건의문을 쓸 때 유의할 점

건의자가 건의문 쓰기의 유의 사항을 잘 지켰는지 여부를 판단하는 문제가 출제될 가능성이 커요. 유의 사항에 어떠한 것이 있는지 이해한 후에 그것을 글에 적용시켜 보는 연습이 필요하겠죠?

건의문 작성 시 유의 사항

• 현안의 원인과 그에 맞는 해결 방안을 구체적으로 제시함.
• 건의하는 내용이 잘 드러나도록 명료하고 간결한 문장으로 표현함.
• 독자를 고려하여 내용을 선정하고, 정중하고 격식에 맞는 표현을 사용함.
• 해결 방안에 관한 주장을 제시할 때에는 주장을 뒷받침하는 적절한 근거를 들어야 함.
• 자신이 쓴 글이 사회적으로 어떤 영향을 미칠 수 있는지를 생각하고 책임감 있는 태도로 글을 써야 함.

대표 문제 ❶ 다음 중 '불법 투기된 쓰레기들로 거리가 지저분하다.'라는 현안의 원인을 분석한 내용으로 적절하지 <u>않은</u> 것은?

① 쓰레기 종량제 봉투의 가격이 너무 저렴하다.
② 쓰레기 상습 불법 투기 지역의 관리가 미흡하다.
③ 공공 도덕 준수에 관한 시민들의 의식 수준이 떨어진다.
④ 유동 인구가 많은데도 쓰레기통이 설치되지 않은 곳이 많다.
⑤ 거리 청소를 담당하는 환경미화원의 수가 절대적으로 부족하다.

대표 문제 ❷ 건의문에서 제시할 해결 방안을 모색할 때 유의해야 할 점으로 옳은 것끼리 짝지은 것은?

> ㉠ 해결 방안은 논리적으로 따졌을 때 타당한 것이어야 한다.
> ㉡ 독자를 고려할 때 제시하고자 하는 방안이 실현 가능한지 고려해야 한다.
> ㉢ 공공의 이익보다는 특정 개인이나 단체의 이익을 우선시해야 한다.
> ㉣ 공동체의 도덕적 규범에 비추어 가장 이상적인 해결 방안을 찾아야 한다.

① ㉠, ㉡   ② ㉠, ㉣   ③ ㉡, ㉢
④ ㉡, ㉣   ⑤ ㉢, ㉣

대표 문제 ❸ 건의문을 쓸 때 유의해야 할 사항으로 적절하지 <u>않은</u> 것은?

① 건의문을 읽을 대상을 고려하여 내용을 선정한다.
② 건의하는 내용이 분명히 드러나도록 간결하게 표현한다.
③ 전문가에게 의뢰하여 현안의 원인을 다각도로 분석한다.
④ 자신이 쓰는 글이 사회에 어떤 영향을 미칠지를 생각하면서 쓴다.
⑤ 해결 방안에 관한 주장을 뒷받침할 수 있는 합리적이고 타당한 근거를 제시한다.

소단원 시험 예상 문제

학습 활동 응용

1. 다음 자료를 분석한 내용으로 가장 적절한 것은?

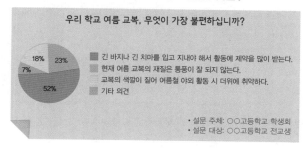

우리 학교 여름 교복, 무엇이 가장 불편하십니까?

■ 긴 바지나 긴 치마를 입고 지내야 해서 활동에 제약을 많이 받는다.
■ 현재 여름 교복의 재질은 통풍이 잘 되지 않는다.
■ 교복의 색깔이 짙어 여름철 야외 활동 시 더위에 취약하다.
■ 기타 의견

23%
18%
7%
52%

• 설문 주체: ○○고등학교 학생회
• 설문 대상: ○○고등학교 전교생

① 설문 대상이 설문 취지에 맞지 않는다.
② 교복 문제의 원인이 다각도로 제시되어 있다.
③ 교복에 대한 학생들의 의견만 묻고 있어 편파적이다.
④ 설문 대상을 우리 학교 학생들로 한정하여 신뢰성이 떨어진다.
⑤ 설문 조사 결과 기타 의견에 무엇이 있었는지 알 수 없어 신빙성이 떨어진다.

[2-3] 다음 글을 읽고 물음에 답하시오.

가 대한의료협회 회장님께.

존경하는 회장님! 저는 행복고등학교에 다니는 김상진입니다. 회장님께 간곡히 부탁드릴 말씀이 있어 이 글을 올립니다. 그것은 현재 화장품이나 의약품 개발을 위해 시행되고 있는 동물 실험을 막아 달라는 것입니다.

나 존경하는 회장님! 신약이나 화장품의 부작용을 확인하기 위해 해마다 전 세계에서 1억 5천만 마리 정도의 동물들이 희생되고 있다는 사실을 알고 계십니까?

동물은 인간과 다릅니다. 인간에게 투여할 의약품을 동물에게 실험해서는 안 됩니다. 동물 실험에 사용되는 방법과 동물의 복용량은 인간이 처한 실제 상황과는 차이가 있습니다. 또한, 인간이 가진 질병 3만 가지 가운데 동물이 공유하는 질병은 1.16%에 불과하므로 동물 실험의 결과가 인간을 치료하는 데 큰 도움이 되지 않습니다.

다 동물 실험이 아니더라도 신약이나 화장품으로 인한 부작용을 확인할 수 있는 방법들이 많이 있습니다. 환자 관찰이나 사체 연구, 컴퓨터 모의실험을 통한 연구 등을 적절히 활용하면 동물 실험을 통해 얻는 것 이상의 정보를 얻을 수 있습니다. 게다가 최근에는 사람의 장기와 똑같은 기능을 하지만 크기는 작은 '오가노이드'로도 동물 실험을 대신할 수 있습니다. 이와 같은 대체 실험법을 활용하면 잔인한 방법으로 동물 실험을 하지 않아도 되고, 실험으로 고통 속에서 죽어 가는 수많은 동물들을 살릴 수 있습니다.

라 회장님! 저희 집에는 햄스터 두 마리가 살고 있습니다. 제가 학교에서 돌아오면 그 녀석들이 얼마나 행복해하는지 모릅니다. 그리고 저도 행복합니다. 회장님께서도 혹시 어린 시절 동물을 길러 보지 않으셨는지요? 그때를 기억해 보십시오.

마 존경하는 회장님! 사람들이 동물과 함께 꿈을 꾸고 행복을 나누며 살아갈 수 있도록 동물 실험을 막아 주십시오. 끝까지 읽어 주셔서 고맙습니다.

20○○년 ○○월 ○○일
행복고등학교 김상진 올림.

2. 윗글에 대한 설명으로 적절하지 <u>않은</u> 것은?

① 건의문의 형식에 따라 내용을 전개하고 있다.
② 문제 상황에 대한 해결 방법을 제시하고 있다.
③ 독자의 감성에 호소하는 전략을 활용하고 있다.
④ 독자를 고려하여 예의를 갖추어 공손하게 표현하고 있다.
⑤ 동물 실험에 참여했던 경험을 제시하여 설득력을 높이고 있다.

3. 윗글을 읽은 독자의 반응으로 적절하지 <u>않은</u> 것은?

① 동물 실험으로 많은 동물들이 희생되고 있군.
② 의약품 개발을 위해 동물 실험은 불가피하군.
③ 동물 실험을 대체할 수 있는 여러 방안들이 개발되고 있군.
④ 동물 실험 결과만 믿고 인간에게 약물을 투여해서는 안 되겠군.
⑤ 동물들이 화장품 개발을 위한 실험 대상으로 이용되기도 하는군.

중단원 마무리

스스로 정리하기

(1) 논리적으로 설득하는 글

❯ 논거의 개념

주장을 뒷받침하는 논리적이고 합리적인 근거

❯ 논리적으로 설득하는 글 쓰기

• 설득하는 글을 쓸 때는 ❶□□를 고려하여 적절한 논거를 수집하고 효과적인 설득 전략을 사용해야 한다.
• 글의 설득력을 높이기 위해서는 ❷□□□, 신뢰성, 공정성을 갖춘 논거를 풍부하게 활용하는 것이 좋다.

타당성	주장이나 의견, 근거 등이 논리적인 입증 절차를 잘 따르고 있는지, 논리적인 비약이 있지는 않은지, 논리적인 체계를 갖추었는지 등을 검토함.
❸□□□	자료의 출처가 어디인지, 출처가 믿을 만한지, 작성 시기는 언제인지, 인용의 방법은 적절한지 등을 검토함.
❹□□□	주장이나 의견이 한쪽으로 치우치지 않았는지, 공동체의 보편적 가치에 부합하는지 등을 검토함.

(2) 시사 문제를 비평하는 글

❯ 비평문의 개념

시사 현안이나 쟁점을 분석하고 비평하는 글로, 대상에 대한 필자의 주장과 의견을 제시한다는 점에서 ❺□□적 성격을 지닌 글

❯ 시사 문제를 비평하는 글 쓰기

• 시사 문제를 비평하는 글을 쓸 때는 해당 문제에 관한 다양한 ❻□□을 비판적으로 분석한 후 자신의 관점을 정해야 한다.
• 비평문을 쓸 때는 관점의 ❼□□□을 유지하며 자신의 주장이나 견해가 명료하게 드러나도록 하고, 자신이 선택하지 않은 관점의 단점이나 문제점을 비판할 수 있어야 한다.

(3) 현안에 관해 건의하는 글

❯ 건의문의 개념

어떤 ❽□□에 관해 개인이나 기관에 문제 해결을 요구하거나 제안하고자 쓰는 글

❯ 현안에 관해 건의하는 글 쓰기

• 건의문을 쓸 때는 현안의 원인을 다각도에서 분석한 후 적절한 해결 방안을 모색해야 한다.
• 건의문에 담을 해결 방안은 실현 가능한 것이어야 하며, 도덕적으로 문제가 없는 것이어야 한다.
• 건의문을 쓸 때는 자신이 쓴 글이 사회에 미칠 영향을 생각하며 ❾□□□ 있는 태도로 써야 한다.

확장하기

❯ 다음 과제를 수행하며 이 단원의 목표를 다시 한번 환기해 보자.

> ### 블로그에
> ### 비평문 올리기
>
> 시사 문제 중 하나를 선택해 자신의 블로그에 비평문을 작성해 보자.

⋯❯ 시사 문제에 관한 다양한 관점을 비판적으로 분석하여 자신의 관점을 정하고 그에 입각하여 주장과 견해가 명료하게 드러나는 비평문을 쓴다. '블로그'라는 매체의 특성을 고려하여 의사소통의 효율성을 높일 수 있는 방법을 고민해 본다.

> ### 건의하는 내용을 담은
> ### 손수 제작물(UCC) 만들기
>
> 학교나 지역 사회의 현안에 관한 건의 사항을 담은 손수 제작물을 만들어 보자.

⋯❯ 모둠별로 협의를 통해 제작 계획을 구체적으로 세운 뒤 손수 제작물을 만들고, 완성된 손수 제작물을 학급 누리집 등에 올린다. 다른 모둠에서 만들어 올린 손수 제작물을 본 학생들은 해당 게시물에 댓글을 다는 방식으로 평가 활동을 함께 진행한다.

> ### 학교 신문에
> ### 설득하는 글 기고하기
>
> 하나의 주제를 정하여 전교생을 대상으로 설득의 의도를 지닌 글을 써서 학교 신문에 기고해 보자.

독자를 고려하여 적절한 설득 전략을 수립한 뒤 글을 쓰도록 한다. 신문이라는 매체의 특성을 고려해 표제, 부제 등을 정하고, 시각 자료를 활용해 내용 전달의 효과를 높이도록 한다.

|정답| ❶ 독자 ❷ 타당성 ❸ 신뢰성 ❹ 공정성 ❺ 설득 ❻ 관점 ❼ 일관성 ❽ 현안 ❾ 책임감

학교 신문에
설득하는 글 기고하기

다음 활동은 위의 '확장하기' 활동 가운데 '학교 신문에 설득하는 글 기고하기' 활동이다. 주장과 근거가 명확하게 드러나도록 하고, 적절한 설득 전략과 표현법을 사용하여 설득하는 글을 써 보자.

◗ 활동 순서

1. 글쓰기 준비	→	2. 논거의 수집과 선정	→	3. 내용 조직	→	4. 글쓰기
글의 목적과 주제 정하기		독자를 고려하여 논거를 수집하고 논거의 적절성 판단하기		설득 전략을 활용하여 글의 내용 조직하기		다양한 표현 방법을 활용하여 설득하는 글 쓰기

1. 글쓰기 준비

목적		올바른 인터넷 이용 습관을 기르도록 설득함.
주제		인터넷을 올바르게 이용하는 습관을 기르자.
독자	요구	인터넷을 효과적으로 이용하고 싶어 함.
	관심사	청소년들의 인터넷 사용 문화
	수준	인터넷을 매일 사용하면서도 인터넷 사용의 부작용에 대해서는 정확히 알지 못함.
매체		학교 신문 사설란

2. 논거의 수집과 선정

수집한 논거		논거의 선정
인터넷 이용 부분에 대한 설문 조사 결과	→	독자가 우리 학교 학생인 점을 고려하여 우리 학교 학생들을 대상으로 설문 조사를 실시하고 그 결과를 분석함.
2005년 인터넷 중독에 대한 통계 자료	→	논거의 신뢰성을 확보하기 위해 통계청에서 인터넷 중독에 대한 최근의 통계 자료를 찾아봄.
인터넷 사용의 부작용에 관한 블로그 글	→	블로그 글은 신뢰하기 어려우므로 신문, 책 등에서 자료를 찾아봄. 이때 공정성 확보를 위해 인터넷 사용의 장점에 대한 정보도 함께 찾음.

3. 내용 조직

이성적 설득 전략 활용하기
• 객관적인 통계 자료를 제시한다.
• 비유법, 관용 표현 등을 활용해 주장을 강조하고 설득력을 높인다.

'서론 – 본론 – 결론'으로 내용 조직하기

서론	인터넷의 필요성과 특성
본론	• 인터넷의 유용성과 유해성 • 청소년들의 인터넷 사용 분야와 빈도 • 인터넷 중독 실태
결론	올바른 인터넷 사용 습관의 필요성

4. 글쓰기

건강한 인터넷 이용 습관 여든까지 간다

현대인들은 인터넷을 떠나 살 수 없을 정도가 되었다. 집에서도 학교에서도 길에서도 인터넷을 통해 정보를 얻거나 게임을 하거나 소식을 주고받는다. 이제 인터넷은 생활의 이해를 따져 존폐를 말할 시기는 지난 듯하다. 하지만 한때 정보의 바다라 불리던 인터넷이 요즘은 불법의 바다로 불리고 있다.

청소년들은 학습을 하기 위해 인터넷을 이용하고 과제를 해결하기 위한 정보를 얻거나 취미 생활이나 오락을 위해 인터넷을 이용한다. 그러나 무엇이든 지나치면 해가 되는 법! 지나친 인터넷 사용은 부작용을 낳을 수도 있으므로 올바른 인터넷 문화를 익혀야 한다.

청소년들은 학습보다는 다른 일을 하기 위해 인터넷을 사용하는 경우가 많다. 우리 학교 학생들을 대상으로 설문 조사를 실시한 결과 75퍼센트 이상이 게임을 위해 인터넷을 한다고 대답하였다. 게임을 위해 인터넷을 사용하는 빈도가 다른 어떤 경우보다 높았다. 게임을 해서 안 되는 것은 아니지만 자료 검색 이외의 통계로 볼 때 인터넷이 학생들의 학습을 방해할 것으로 보인다.

또 인터넷 중독에 대한 2018년 통계청의 자료에 따르면 인터넷 사용에 대한 우려가 기우가 아님을 알 수 있다. 성인에 비해 인터넷 위험 사용자가 월등히 높으며, 고위험 사용자도 만 16세에서 19세 사이에서 가장 높게 나타났다. 청소년의 경우 다른 다양한 활동을 할 수 있는 연령에 비해 인터넷에 중독될 위험이 높은 것이다.

이로 볼 때 인터넷을 올바로 사용하는 문화를 익히지 못할 경우 인터넷에 중독되거나 학습에 방해를 받을 수 있는 청소년이 많다고 할 수 있다. 구슬이 서 말이라도 꿰어야 보배라는 말이 있다. 청소년들은 자신이 인터넷을 사용할 때 느끼는 기분과 인터넷을 사용하는 시간 등을 스스로 파악하여 인터넷을 효과적으로 이용하는 습관을 길러야 할 것이다.

3 사람을 이해하고 성찰하는 작문

학습 목표 ≪
• 작문의 맥락을 고려하여 친교의 뜻을 표현하는 글을 쓸 수 있다.
• 대상에 관한 생각이나 느낌을 바탕으로 진솔하게 정서를 표현하는 글을 쓸 수 있다.
• 일상의 체험을 기록하는 습관을 바탕으로 자신의 삶을 성찰하는 글을 쓸 수 있다.

– 테르보르흐, 「편지 쓰는 여인」

단원의 짜임

(1) 친교를 위한 글

친교를 위한 글쓰기에서 맥락의 중요성을 이해하고
⋯ 독자와 상황을 고려하며 안부, 감사, 축하, 격려의 글을 써 본다.

(2) 성찰과 정서 표현을 위한 글

진정성 있는 글이 독자에게 감동을 줄 수 있음을 이해하고
⋯ 경험의 성찰에서 얻은 감동이나 정서를 진정성 있게 표현해 본다.

일상에서 우리는 실용적인 목적 외에도 삶을 성찰하고 사람들과 관계를 유지하기 위해 글을 쓰거나 다른 사람과 감동을 공유하기 위해 글을 쓰기도 한다. 이런 글을 쓰려면 자신의 내면을 잘 살펴보고 생각이나 감정을 적절하게 표현할 수 있어야 한다. 또한, 다른 사람의 생각이나 감정을 이해하고 공감하는 자세도 필요하다. ▶친교나 성찰을 위한 글쓰기

_{성찰}

친교를 위한 글은 다른 사람과 관계를 맺으며 원만한 삶을 살아가는 데 도움이 된다. 친_{친교를 위한 글이 갖는 가치}구나 가족에게 쓰는 안부 편지부터 공적인 감사, 축하, 격려 등의 내용을 담은 글들이 이에 해당한다. 이런 글들은 사람과 사람 사이에 관계를 맺거나 유지, 발전시키는 데 목적이 있_{친교를 위한 글의 종류}_{친교를 위한 글의 목적}기 때문에 상대방을 배려하고 존중하는 자세로 글을 써야 한다. ▶친교를 위한 글을 쓰는 방법

자신을 성찰하고 정서를 표현하는 글은 대상에 관한 생각이나 느낌을 바탕으로 자신의 내면을 진심으로 드러냄으로써 독자의 공감을 이끌어 내야 한다. 일기, 회고록, 감상문 등의 글은 자신의 경험과 생각을 표현한 글이라는 점에서 우리에게 성찰의 기회를 제공한_{성찰이 담긴 대표적인 글의 종류}다. 나아가 문학을 포함한 대부분의 정서 표현의 글은 이러한 성찰을 토대로 독자에게 감동과 즐거움을 준다. ▶성찰과 정서 표현을 위한 글이 갖는 의미

이 단원에서는 친교를 위한 글과 성찰 및 정서를 진정성 있게 표현하는 글을 쓰는 방법과 태도를 익히기로 한다. '단원의 짜임'을 중심으로 학습할 내용을 확인해 보자.

▶학습할 내용 안내

(1) 친교를 위한 글

핵심 질문 친교의 뜻을 표현하는 글을 쓸 때는 어떤 점을 고려해야 할까?

≫ 친교를 위한 글의 주된 목적은 필자와 독자와의 친교 형성에 있다. 따라서 친교를 위한 글을 쓸 때의 목적, 곧 '친교'의 목적을 달성하기 위해서는 여러 작문 맥락 중에서도 특히 독자를 중요하게 고려해야 한다.

영희 엄마, 며칠 있으면 영희 생일이죠? 마침 고향 부모님께서 미역을 보내와 같이 나누고 싶어서 드립니다.

쪽지 1
보내 주신 미역은 잘 받았어요, 철이 엄마. 영희가 고 3이고, 더군다나 미역을 좋아하지 않지만 어쨌든 고마워요.

쪽지 2
고마워요, 철이 엄마. 저희 애 생일까지 챙겨 주시는 정성에 감동했어요.

알기

• **친교를 위한 글은 어떤 가치를 지니나?**

Ⅰ예시 답안Ⅰ 친교를 위한 글을 쓰는 행위는 친교를 목적으로 독자와 상호 작용하는 개인적·사회적 의사소통의 과정이다.

• **친교를 위한 글은 어떤 상황에서 필요한가?**

Ⅰ예시 답안Ⅰ 친교를 위한 글은 친구나 가족에게 편지를 쓰는 것과 같은 개인적 의사소통뿐 아니라 공적으로 감사, 축하, 격려 등의 내용을 담은 글을 쓰는 사회적 의사소통 상황에서도 필요하다.

• **친교를 위한 글을 쓸 때 고려할 요소는 무엇인가?**

Ⅰ예시 답안Ⅰ 친교를 목적으로 하는 글은 독자와의 상호 작용이 중요하므로 작문 맥락 중 독자를 우선적으로 고려해야 한다.

• • • '쪽지 1'과 '쪽지 2'를 받은 철이 엄마의 반응은 각각 어떻게 다를까?

Ⅰ예시 답안Ⅰ 철이 엄마는 이웃을 배려하는 마음으로 영희 엄마에게 미역을 선물하였다. '쪽지 1'은 이러한 맥락을 제대로 고려한 답장이라고 보기 어려우므로 철이 엄마는 '쪽지 1'을 받았을 때 다소 불쾌한 감정을 느낄 것이다. 반면 '쪽지 2'는 철이 엄마를 배려하며 고마움을 전달하고 있는 답장이므로 철이 엄마는 '쪽지 2'를 받았을 때 흐뭇한 감정을 느낄 것이다.

• • • 친교의 내용을 표현하는 글을 쓸 때 맥락을 고려하는 것이 왜 중요한가?

Ⅰ예시 답안Ⅰ 맥락을 고려하지 않고 글을 쓰면 친교의 목적을 제대로 달성할 수 없기 때문이다.

하기

• **친교를 위한 글이 필요한 상황과 맥락 분석하기**

≫ 다양한 사적·공적 상황에서 어떤 경우에 친교를 위한 글을 쓰는지 환기하고, 친교를 목적으로 쓴 여러 글들을 읽으며 작문 맥락 분석하기

• **다양한 맥락에서 안부·감사·축하·격려의 내용을 담은 글 쓰기**

≫ 일상생활 중 겪을 수 있는 다양한 상황에서 안부, 감사, 축하, 격려의 내용을 담은 친교의 글 써 보기

알아 두기

◗ 친교를 위한 글의 개념과 특징

» 개념

다른 사람과 관계를 원만하게 유지하거나 발전시키기 위해 쓰는 글

» 특징

독자는 작문 과정에 직간접적으로 관여하는 존재이므로, 글을 쓸 때는 독자를 존중하고 배려하는 일이 중요하다. 특히 친교를 위한 글에서는 독자와의 상호 작용이 더욱 중요하다.

| 참고 | 필자와 독자의 상호 교섭 |

필자	상호 교섭적 관계	독자
독자를 고려하여 글의 내용, 형식, 어휘 수준 등을 결정함.	필자와 독자가 의미를 구성하며 서로 영향을 미침.	글의 내용, 형식, 수준 등을 결정짓게 하는 요소이며, 필자와의 상호 작용을 통해 글의 의미를 구성함.

◗ 친교를 위한 글쓰기가 필요한 상황

친교를 목적으로 하는 글은 사적인 의사소통뿐만 아니라 공적인 의사소통의 상황에서도 쓸 수 있다.

사적인 의사소통의 상황	친구나 가족에게 쓰는 편지
공적인 의사소통의 상황	공적으로 감사, 축하, 격려 등의 내용을 담은 글

◗ 친교를 위한 글을 쓸 때 유의할 점

- 사적인 친교를 위한 글은 마음을 글로써 주고받는 의사소통의 과정이라 할 수 있으므로, 진실된 마음으로 인간미와 따뜻한 정감이 드러나도록 써야 한다.
- 공적인 친교를 위한 글은 전달하고자 하는 바가 명확하고 간결하게 드러나도록 써야 한다.
- 친교를 위한 글은 대개 독자가 정해져 있으므로, 예의와 격식을 갖추어 써야 한다.
- 친교를 위한 글은 독자와의 상호 작용이 중요하므로 작문 맥락에 맞게 글을 써야 한다.

| 참고 | 작문의 맥락 |

작문의 상황		사회·문화적 맥락		작문의 관습
글의 목적, 주제, 독자	+	필자와 동일한 언어를 사용하는 공동체가 처한 역사적·사회적 상황, 공동체의 가치와 신념	+	갈래에 따른 글의 고유한 형식이나 표현 방식

• 개념 확인하기

1. 친교를 위한 글에 대한 설명으로 알맞은 것은 ○표, 알맞지 않은 것은 ×표를 하시오.

(1) 편지는 친교를 표현하는 글에 해당한다. (　　)

(2) 친교를 표현하는 글은 한 사람의 독자를 상대로 의사소통이 이루어진다. (　　)

(3) 친교를 위한 글에서는 필자와 독자의 상호 작용이 중요하다. (　　)

2. 다음 빈칸에 알맞은 말을 쓰시오.

> 친교를 표현하는 글은 친구나 가족에게 안부를 묻는 것과 같이 (　　)인 의사소통의 상황에서도 쓰이지만 (　　)으로 축하, 감사, 격려 등의 내용을 담은 글은 사회적 의사소통의 상황에서도 활용된다.

3. 빈칸에 들어갈 알맞은 말을 〈보기〉에서 찾아 쓰시오.

〈보기〉
사적, 공적, 독자, 맥락

(1) 친교를 위한 글은 대개 (　　)가 정해져 있다.

(2) (　　)인 친교를 위한 글은 진실한 마음과 태도로 인간미와 따뜻한 정감이 드러나도록 써야 한다.

(3) 친교를 위한 글은 작문 (　　)에 맞게 써야 한다.

(4) (　　)인 친교를 위한 글은 전달하고자 하는 내용이 간결하고 명확하게 드러나도록 써야 한다.

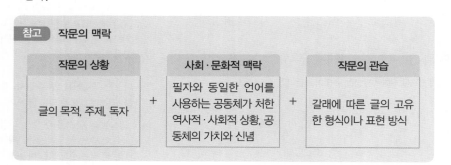

| 정답 |
1. (1) ○ (2) × (3) ○ 2. 사적, 공적 3. (1) 독자 (2) 사적 (3) 맥락 (4) 공적

하면서 배우기 📖 .... 교과서 203p

1. 다음은 일상생활에서 우리가 접할 수 있는 상황들이다. 그림을 보고, 아래의 활동을 해 보자.

가	나	다

(1) (가)~(다)의 작문 맥락을 파악해 보자.

|예시 답안|

	(가)	(나)	(다)
독자	부모님	선배	친구
목적	감사	축하	격려
주제	부모님께 감사하는 마음	선배의 졸업을 축하하는 마음	우승을 놓친 것에 낙담하지 말고 열심히 준비한 과정에서 의미를 찾자.

(2) (가)~(다)의 상황에서 친교의 목적으로 글을 쓸 때 유의할 점을 말해 보자.

|예시 답안| 맥락을 고려하여 상대방을 존중하고 배려하며 글을 써야 한다.

✍ 배워서 하기 **❶** ▶ 교과서 203p

친교의 뜻을 전달할 대상을 고르고 작문 맥락 분석하기

● 친교의 뜻을 전달하기 위한 목적으로 글을 쓸 대상을 정한 후, 작문 맥락을 분석해 보자.

|예시 답안|

목적	감사	독자	선생님
주제	선생님께 감사한 마음	매체	편지

하면서 배우기 📖 .... 교과서 204p

2. 다음 초대 글의 작성 과정을 보고, 아래의 활동을 해 보자.

··· 작문 맥락 ···

＊**주제** 우리 학교 축제가 개최됨을 알리고 축제에 초대함.

＊**독자** 다른 학교 학생들

＊**매체** 초대 글

··· 초대 글 개요 ···

Ⅰ. 서두: 학생 회장임을 밝히고 계절을 소재로 하는 인사말을 함.

Ⅱ. 본문
　1. 축제 기간 및 내용 소개
　　① 축제 일시를 정확하게 밝힘.
　　② 공연, 전시, 체험 활동 등 다채로운 행사를 준비했음을 강조함.
　2. 초대의 말
　　① 축제에 초대하는 내용을 정중하게 표현함.
　　② 방문객에게는 작은 기념품을 증정함을 알림.

Ⅲ. 맺음말: 우리 학교를 이해하고 우정을 돈독히 할 수 있는 시간이 될 것이라는 내용을 강조함.

> **모시는 글**
> 　안녕하십니까? ○○고등학교 학생 회장 지은수입니다.
> 　한여름 교정을 가득 채웠던 매미 소리가 잠잠해지고 어느덧 선선한 바람과 함께 귀뚜라미의 울음소리가 들려오기 시작합니다.
> 　저희 ○○고등학교는 전통적으로 10월 둘째 주에 학교 축제를 개최해 왔습니다. 올해도 마찬가지입니다. 특히 올해는 개교 50주년을 맞아 예전보다 다채로운 공연과 전시 행사, 체험 활동 등을 정성껏 준비하였습니다.
> 　여러 가지 일로 바쁘시겠지만 저희 학교 축제에 참석하셔서 자리를 빛내 주시기를 바랍니다. 잠시나마 일상의 스트레스를 날려 버릴 수 있는 즐거운 시간이 될 수 있도록 노력하겠습니다. 참석하시는 분들께는 작은 기념품도 증정할 예정입니다.

아무쪼록 이번 축제가 ○○고등학교를 좀 더 자세히 이해하고 친구들 사이의 우정을 돈독히 하는 기회가 될 수 있기를 기원합니다. 감사합니다.

(1) '초대 글 개요'의 내용을 다음 기준에 따라 평가해 보자.

| 예시 답안 | 생략

(2) 개요의 내용 중 초대 글에 제대로 반영되지 않은 것을 찾아보고, 어떻게 수정하면 좋을지 말해 보자.

| 예시 답안 | 'Ⅱ-1-①'의 '축제 일시를 정확하게 밝힘.'이 제대로 반영되지 않았다. 모시는 글의 "저희 ○○고등학교는 전통적으로 10월 둘째 주에 학교 축제를 개최해 왔습니다. 올해도 마찬가지입니다."라는 부분을 축제가 펼쳐지는 구체적인 날짜와 시간이 드러나도록 고쳐 써야 한다.

배워서 하기 ❷ ▶ 교과서 205p

맥락에 맞는 내용을 선정하고 구성하기

● '배워서 하기 ❶'에서 분석한 작문 맥락에 따라 글에 담을 내용을 선정하고, 글을 구성해 보자.

| 예시 답안 |

- **서두**: 인사말, 그동안 연락을 드리지 못한 것에 대한 죄송한 마음
- **본문**
  – 담임 선생님으로서 한 해 동안 우리 반을 잘 이끌어 주신 것에 대한 감사의 마음
  – 나의 개인적인 고민을 잘 들어주신 것에 대한 감사의 마음
- **맺음말**: 선생님께 감사하는 마음 강조, 끝인사

하면서 배우기 📖 교과서 206p

3. 다음 편지를 읽고, 아래의 활동을 해 보자.

형님께.
편지를 받는 대상
형님의 결혼은 저에게도 무척 기쁜 일입니다. 그러나 지금
형님의 결혼에 대한 필자의 감정
의 제가 할 수 있는 유일한 일은 다만 한 장의 엽서를 드리는

것입니다. 저는 이 한 장의 엽서를 앞에 놓고 허용된 여백에 비해서 너무나 많은 생각에 잠시 아픈 마음이 됩니다. 이 아픔은 제가 처하고 있는 상황의 표출인 동시에 또 제가 부상(浮上)해 볼 수 있는 기쁨의 상한(上限)이기도 합니다.
엽서를 쓰는 일이 아픔인 동시에 기쁨임.(역설법)

이는 형님의 결혼식에 결석한 동생이 뒤늦게 엽서를 적음으로써 처음으로 느끼는 그런 아픔이 아닙니다. 이것은, 서울의 외곽, 비탈진 세가(貰家)를 살아오면서도 내내 격려하고 격찬해 주시던 일체의 배려에 생각이 뻗칠 때마다 '형'이라는 일상의 '이미지'를 넘어서 농밀한 감정을 비집고 올라오던 뜨거운 회한인 것입니다.

제가 수형 생활을 통하여 새로이 지니게 된 습관이 있다면 그것은 흡사 '싯다르타'의 그것처럼 동일한 문제를 여러 차례
석가모니가 출가하기 전 세자 때의 이름
에 걸쳐서 거듭 생각하는 버릇입니다. 어머니, 아버지를 비롯
필자가 수형 생활을 하며 새롭게 지니게 된 습관
하여 형님과 동생 그리고 제가 겪었던 많은 사람들을 곰곰이 생각해 보는 것입니다. 대개의 경우 그것은 면벽(面壁)이나
벽을 마주 대하고 좌선하는 일
불면의 무료함을 달래기 위한 회상의 형식으로써 그저 돌이켜보는 것에 불과하지만 저는 이러한 것에 의하여 일련의 새로운 판단을 가지게 된 것을 매우 다행스럽게 생각합니다.

형님에 관한 기억 중에서 우선 여기서 말씀드리고 싶은 것은, 이를테면 저와 형님과의 관계도, 다른 대부분의 형제들의
기계적이고 습관화된 대화에 의해 형성
경우에서 볼 수 있듯이 거의 기계적이고 습관화된 대화에 의해서 형성되어 왔었다는 사실입니다. 이러한 경향은 비록 애정과 이해의 기초 위에서 비로소 가능한 하나의 미덕이라고 하더라도 그것은 창의와 노력이 결여되어 있다는 점에서 별로 바람직한 것은 아니리라 믿습니다. 기계적이고 습관화된 대화는 인간관계의 정체를 가져오며 인간관계의 정체는 관계 그 자체의 퇴화를 가져오며 필경은 양 당사자에게 오히려 부담과 질곡만을 안겨 주게 되는 것입니다. 저와 형님과의 관계가 지금 말씀드린 것과 같은 정도로 심각한 것이었다고 하는 것은 결코 아닙니다. 여기서는 단지 기계적이고 습관화된 대화 그리고 그것의 발전된 형태로서의 정체는 특히 경계되어야 한다는 점을 말씀드리고자 할 뿐입니다.

더욱이 부부라는 가장 기본적인 관계에 있어서는 항상 의식적인 노력에 의해서 이것이 배제되어야 하리라 믿습니다.
기계적이고 습관화된 대화, 정체
만일 중용과 관용을 비교적 중시하는 편인 형님의 그 장자(長子)적 성격 속에 그럴 가능성이 없지 않다고 말씀드린다면

……? 그러나 형님에게는 원만하고 밝은 가정을 영위해 나감에 충분한 이해가 있다고 확신하고 있습니다. 그뿐만 아니라 이번 형님의 결혼은 비단 형님에게만이 아니라 가정 전반에 있어서도 현저한 발전을 가져오는 계기가 되리라 믿습니다. 물론, 이 발전(근대화라면 좀 서투른 표현입니까?)의 질과 양 그리고 속도는 형수님의 역량에 크게 의존되리라 생각합니다. 이 편지는 <u>형수님께서도 열람하시리라 짐작됩니다만</u> 다음에 형수님 앞으로도 서신을 드리겠습니다. 형수님께 드리는 뜨거운 인사를 여기에 적는 바입니다. 형수님의 건강과 노력을 기원합니다.

_{이 편지의 또 다른 독자}

저 역시 건강합니다. 그리고 부지런히 살아가고 있습니다. <u>창밖에는 그런대로 5월의 녹향이 심심치 않습니다.</u> <u>어머님께</u>

_{필자 자신의 안부를 전함.}

<u>서 편찮으시지나 않은지 꿈에 보이시기도 합니다.</u>

_{어머니에 대한 그리움을 전함.}

이만 펜을 놓겠습니다.

1971. 5. 25.

– 신영복, 『감옥으로부터의 사색』에서

갈래	수필, 편지글
성격	사색적, 고백적
재제	형님의 결혼
주제	형님과의 관계에 대한 성찰
특징	감옥에 수감된 상황에서 쓴 편지로, 가족에 대한 따뜻한 시선과 애정이 담겨 있으며, 독자로 하여금 자신의 삶과 가족 관계에 대해 성찰할 수 있도록 이끌어 줌.

(1) 윗글의 필자가 어떤 상황에 처해 있는지와 위의 편지를 쓴 의도는 무엇인지 말해 보자.

|예시 답안| • 처해 있는 상황: 옥살이를 하고 있는 상황

• 편지를 쓴 의도: 형님의 결혼을 축하하기 위해서

(2) 위 편지의 독자와 필자의 관계를 바탕으로, 필자가 어떤 점에 유의해서 편지를 썼는지 생각해 보자.

|예시 답안| 형님을 배려하고 존중하는 마음과 형님의 결혼식에 가지 못한 것에 대한 미안함, 가족을 생각하는 진심을 편지에 담아내기 위해 애썼을 것이다.

(3) 윗글에서 〈보기〉의 내용이 잘 드러나는 표현들을 찾아보고, 그 표현의 효과를 말해 보자.

<보기>
> 친교를 목적으로 하는 글을 쓸 때는 글쓰기가 독자와의 상호 작용임을 이해하고, 독자를 존중하고 배려하는 표현과 상대방에 관한 진솔한 마음을 효과적으로 전달할 수 있는 표현들을 적절히 사용하는 것이 좋다.

|예시 답안|

표현	효과
형님의 결혼은 저에게도 무척 기쁜 일입니다.	'무척 기쁜'이라는 표현을 통해 형님의 결혼에 관한 자신의 정서를 진솔하게 드러내고 있다.
이 아픔은 제가 처하고 있는 상황의 표출인 동시에 또 제가 부상(浮上)해 볼 수 있는 기쁨의 상한(上限)이기도 합니다.	역설법을 통해 한 장의 엽서에 형님에 대한 마음을 담아낼 수밖에 없는 상황에 대한 아픔과 엽서로나마 마음을 전할 수 있는 것에 대한 기쁨을 드러내고 있다.
이를테면 저와 형님과의 관계도, 다른 대부분의 형제들의 경우에서 볼 수 있듯이 거의 기계적이고 습관화된 대화에 의해서 형성되어 왔었다는 사실입니다.	직유법을 통해 자신과 형님과의 관계가 기계적이고 습관적인 대화에 의해서 형성되어 온 것이 다른 형제들의 경우와 다르지 않은 일반적인 것임을 말하고 있다.

배워서 하기 ❸ 교과서 208p

독자를 배려하는 표현을 사용해 친교의 내용을 표현하는 글 쓰기

● '배워서 하기 ❶, ❷'의 활동을 바탕으로, 자신의 마음을 전하는 편지를 써 보자.

|예시 답안| ○○○ 선생님께

선생님, 안녕하세요? 중학교 3학년 때 선생님 반 말썽꾸러기였던 △△△입니다. 고등학교에 입학한 지가 엊그제 같은데 제가 벌써 2학년이 되었습니다. 중학교를 졸업하면서 꼭 선생님을 찾아뵙겠다고 말씀드렸는데 약속을 지키지 못해 죄송합니다. 스승의 날을 앞두고 선생님께 죄송한 마음과 감사한 마음을 전하기 위해 이렇게 펜을 들게 되었습니다.

선생님께서는 제 마음속에 남아 있는 가장 좋은 선생님이십니다. 유독 말썽꾸러기들이 많았던 저희 반을 맡으셔서 많이 힘드셨을 텐데도 선생님께서는 얼굴 한 번 붉히시지 않고 저희들을 마치 자식을 대하듯 늘 따뜻하게 잘 이끌어 주셨습니다.

진로 문제 때문에 고민하던 저의 이야기를 귀 기울여 들어주시고 진심 어린 조언을 해 주셨던 선생님의 모습을 잊을 수가 없습니다. 그때는 잘 표현하지 못했지만 지금은 꼭 이 말씀을 드리고 싶습니다. 선생님, 정말 감사합니다.

선생님을 만나지 못했다면 전 지금까지 방황하며 지내고 있을지 모릅니다. 선생님이 베풀어 주신 은혜 잊지 않고 살도록 하겠습니다. 그리고 저 또한 누군가에게 선생님과 같은 존재가 될 수 있도록 노력하겠습니다.

선생님, 항상 건강하시기를 기원합니다.

20○○년 ○○월 ○○일 / 제자 △△△ 올림

소단원 정리하기

출제 포인트 ❶ 친교를 위한 글의 특징

> 친교를 위한 글쓰기가 필자와 독자 사이에 이루어지는 의사소통 행위임을 이해하고 있어야 해요. 문제는 주로 글의 목적이나 주제, 독자 등 작문의 맥락을 파악하거나 분석하는 유형이 나올 겁니다!

- 친교를 위한 글은 사람들이 서로의 생각과 느낌을 진술하게 주고받으면서 서로의 관계를 더 가깝게 하고 유지하기 위해 쓰는 글이다. 대표적인 예로 편지글이 있다.
- 친교의 목적을 효과적으로 달성하기 위해서는 작문 맥락을 분석해야 하고, 특히 필자와 독자의 관계를 분명히 설정해야 한다.

출제 포인트 ❷ 친교를 위한 글의 내용 선정 및 구성

> 친교의 목적에 따라 글의 내용 선정이 제대로 되었는지 평가하는 문제가 출제될 거예요. 그리고 친교를 위한 글의 구성에 따라 글이 조직되었는지를 판단하는 문제도 출제될 수 있어요.

- 내용의 선정

작문 맥락 분석	→	내용 선정

- 편지글의 구성

서두	본문	맺음말
호칭, 첫인사, 안부	글을 쓰는 의도나 용건	끝인사, 날짜, 보내는 사람의 이름

출제 포인트 ❸ 친교를 위한 글을 쓸 때 유의할 점

> 의사소통 상황이 사적이냐 공적이냐에 따라 친교를 표현하는 글을 쓸 때 주의해야 할 사항이 달라진다는 것을 유의해야 문제의 함정에 빠지지 않을 수 있어요.

- 친교를 위한 글은 독자와의 상호 작용이 중요하므로 작문의 맥락에 맞게 글을 써야 한다.
- 친교를 위한 글은 대개 독자가 명확하게 정해져 있으므로 예의와 격식을 갖추어 써야 한다.
- 개인적 친교를 위한 글은 진실된 마음으로 인간미와 따뜻한 정감이 드러나도록 써야 한다.
- 공적인 친교를 위한 글은 전달하고자 하는 바가 명확하고 간결하게 드러나도록 써야 한다.

대표 문제 ❶ 다음 중 친교를 표현하는 글이 <u>아닌</u> 것은?

① 주변의 대상을 관찰하고 떠오른 생각을 적은 일기
② 부모님에 대한 감사의 마음을 담아 보낸 문자 메시지
③ 친구의 생일을 축하하기 위해 학급 누리집의 게시판에 올린 글
④ 자신이 활동하는 동아리의 행사에 초대하기 위해 친구에게 쓴 초대장
⑤ 달리기 대회에서 아깝게 우승을 놓친 선배를 위로하기 위해 보낸 편지

대표 문제 ❷ 작문의 맥락이 다음과 같을 때 초대하는 글에 포함해야 하는 내용으로 적절하지 <u>않은</u> 것은?

> 작문 맥락
> - 주제: 우리 학교 축제가 개최됨을 알리고 축제에 초대함.
> - 독자: 다른 학교 학생들
> - 매체: 초대장

① 참석 요청
② 간단한 인사말
③ 개인의 감정과 정보
④ 행사 목적 및 행사 내용
⑤ 행사 장소 및 날짜와 시간

대표 문제 ❸ 친교를 위한 글을 쓸 때 유의해야 할 점으로 적절하지 <u>않은</u> 것은?

① 작문 맥락을 고려해야 한다.
② 독자에 따라 글의 내용과 표현을 달리해야 한다.
③ 의사소통 상황에 어울리는 매체를 선정해야 한다.
④ 자신의 생각이나 느낌을 있는 그대로 드러내야 한다.
⑤ 일정한 형식이 있는 글을 쓸 때는 그 구성 형식을 지켜야 한다.

소단원 시험 예상 문제

[1-4] 다음 글을 읽고 물음에 답하시오.

안녕하십니까? ○○고등학교 학생 회장 지은수입니다.

한여름 교정을 가득 채웠던 매미 소리가 잠잠해지고 어느덧 선선한 바람과 함께 귀뚜라미의 울음소리가 들려오기 시작합니다.

저희 ○○고등학교는 전통적으로 10월 둘째 주에 학교 축제를 개최해 왔습니다. 올해도 마찬가지입니다. 특히 올해는 개교 50주년을 맞아 예년보다 다채로운 공연과 전시 행사, 체험 활동 등을 정성껏 준비하였습니다.

여러 가지 일로 바쁘시겠지만 저희 학교 축제에 참석하셔서 자리를 빛내 주시기를 바랍니다. 잠시나마 일상의 스트레스를 날려 버릴 수 있는 즐거운 시간이 될 수 있도록 노력하겠습니다. 참석하시는 분들께는 작은 기념품도 증정할 예정입니다.

아무쪼록 이번 축제가 ○○고등학교를 좀 더 자세히 이해하고 친구들 사이의 우정을 돈독히 하는 기회가 될 수 있기를 기원합니다. 감사합니다.

1. 위와 같은 글의 특징으로 가장 적절한 것은?

① 일상의 체험을 기록하는 글이다.

② 독자를 설득하기 위해 쓰는 글이다.

③ 자기가 어떤 사람인지 알리기 위해 쓰는 글이다.

④ 대상에 대한 느낌을 표현하기 위해 쓰는 글이다.

⑤ 다른 사람과 관계를 발전시키기 위해 쓰는 글이다.

2. 필자가 윗글을 쓰기 전에 고려한 사항들 중 윗글에 반영된 것만 골라 바르게 짝지은 것은?

㉠ 정중하고 격식 있는 표현을 사용한다.

㉡ 초대하는 글의 구성 형식을 지켜 쓴다.

㉢ 다양한 자료를 활용해 누리 소통망에 글을 쓴다.

㉣ 핵심이 되는 내용은 한눈에 알아보기 좋게 따로 제시한다.

① ㉠, ㉡　　② ㉠, ㉢　　③ ㉠, ㉣

④ ㉡, ㉢　　⑤ ㉢, ㉣

학습 활동 응용

3. 다음은 윗글의 필자가 글을 쓰기 전에 작성한 개요이다. 개요의 내용 중 윗글에 반영되지 않은 것은?

··· 초대 글 개요 ···

I. 서두: 학생 회장임을 밝히고 계절을 소재로 하는 인사말을 함. ·················· ㉠

II. 본문

　1. 축제 기간 및 내용 소개

　　① 축제 일시를 정확하게 밝힘. ·············· ㉡

　　② 공연, 전시, 체험 활동 등 다채로운 행사를 준비했음을 강조함. ·············· ㉢

　2. 초대의 말

　　① 축제에 초대하는 내용을 정중하게 표현함.

　　② 방문객에게는 작은 기념품을 증정함을 알림. ·· ㉣

III. 맺음말: 우리 학교를 이해하고 우정을 돈독히 할 수 있는 시간이 될 것이라는 내용을 강조함. ········· ㉤

① ㉠　　② ㉡　　③ ㉢　　④ ㉣　　⑤ ㉤

학습 활동 응용

4. 윗글을 평가하기 위한 질문으로 적절하지 않은 것은?

① 독자와의 상호 작용을 충분히 고려하여 썼는가?

② 독자를 고려하여 예의와 격식을 갖추어 썼는가?

③ 글의 목적, 주제, 독자 등 작문 맥락에 맞게 글을 썼는가?

④ 전달하고자 하는 바가 명확하고 간결하게 드러나도록 썼는가?

⑤ 진솔한 마음으로 인간미와 따뜻한 정감이 드러나도록 썼는가?

[5-6] 다음 글을 읽고 물음에 답하시오.

형님께.

형님의 결혼은 저에게도 무척 기쁜 일입니다. 그러나 지금의 제가 할 수 있는 유일한 일은 다만 한 장의 엽서를 드리는 것입니다. 저는 이 한 장의 엽서를 앞에 놓고 허용된 여백에 비해서 너무나 많은 생각에 잠시 아픈 마음이 됩니다. ㉠이 아픔은 제가 처하고 있는 상황의 표출인 동시에 또 제가 부상(浮上)해 볼 수 있는 기쁨의 상한(上限)이기도 합니다.

이는 형님의 결혼식에 결석한 동생이 뒤늦게 엽서를 적음으로써 처음으로 느끼는 그런 아픔이 아닙니다. 이것은, 서울의 외곽, 비탈진 세가(貰家)를 살아오면서도 내내 격려하고 격찬해 주시던 일체의 배려에 생각이 뻗칠 때마다 '형'이라는 일상의 '이미지'를 넘어서 농밀한 감정을 비집고 올라오던 뜨거운 회한인 것입니다.

제가 수형 생활을 통하여 새로이 지니게 된 습관이 있다면 그것은 흡사 '싯다르타'의 그것처럼 동일한 문제를 여러 차례에 걸쳐서 거듭 생각하는 버릇입니다. 어머니, 아버지를 비롯하여 형님과 동생 그리고 제가 겪었던 많은 사람들을 곰곰이 생각해 보는 것입니다. 대개의 경우 그것은 면벽(面壁)이나 불면의 무료함을 달래기 위한 회상의 형식으로써 그저 돌이켜보는 것에 불과하지만 저는 이러한 것에 의하여 일련의 새로운 판단을 가지게 된 것을 매우 다행스럽게 생각합니다.

형님에 관한 기억 중에서 우선 여기서 말씀드리고 싶은 것은, 이를테면 저와 형님과의 관계도, 다른 대부분의 형제들의 경우에서 볼 수 있듯이 거의 기계적이고 습관화된 대화에 의해서 형성되어 왔다는 사실입니다. 이러한 경향은 비록 애정과 이해의 기초 위에서 비로소 가능한 하나의 미덕이라고 하더라도 그것은 창의와 노력이 결여되어 있다는 점에서 별로 바람직한 것은 아니리라 믿습니다. 기계적이고 습관화된 대화는 인간관계의 정체를 가져오며 인간관계의 정체는 관계 그 자체의 퇴화를 가져오며 필경은 양 당사자에게 오히려 부담과 질곡만을 안겨 주게 되는 것입니다. 저와 형님과의 관계가 지금 말씀드린 것과 같은 정도로 심각한 것이었다고 하는 것은 결코 아닙니다. 여기서는 단지 기계적이고 습관화된 대화 그리고 그것의 발전된 형태로서의 정체는 특히 경계되어야 한다는 점을 말씀드리고자 할 뿐입니다.

더욱이 부부라는 가장 기본적인 관계에 있어서는 항상 의식적인 노력에 의해서 이것이 배제되어야 하리라 믿습니다. 만일 중용과 관용을 비교적 중시하는 편인 형님의 그 장자(長子)적 성격 속에 그럴 가능성이 없지 않다고 말씀드린다면……? 그러나 형님에게는 원만하고 밝은 가정을 영위해 나감에 충분한 이해가 있다고 확신하고 있습니다. 그뿐만 아니라 이번 형님의 결혼은 비단 형님에게만이 아니라 가정 전반에 있어서도 현저한 발전을 가져오는 계기가 되리라 믿습니다. 물론, 이 발전(근대화라면 좀 서투른 표현입니까?)의 질과 양 그리고 속도는 형수님의 역량에 크게 의존되리라 생각합니다. 이 편지는 형수님께서도 열람하시리라 짐작됩니다만 다음에 형수님 앞으로도 서신을 드리겠습니다. 형수님께 드리는 뜨거운 인사를 여기에 적는 바입니다. 형수님의 건강과 노력을 기원합니다.

저 역시 건강합니다. 그리고 부지런히 살아가고 있습니다. 창밖에는 그런대로 5월의 녹향이 심심치 않습니다. 어머님께서 편찮으시지나 않은지 꿈에 보이시기도 합니다.

이만 펜을 놓겠습니다.

1971. 5. 25.

5. 윗글을 이해한 내용으로 적절하지 <u>않은</u> 것은?

① 필자는 현재 옥살이를 하고 있는 상황이다.

② 가족을 걱정하고 생각하는 필자의 진심이 담겨 있다.

③ 직접적인 표현을 통해 형님의 결혼에 관한 정서를 솔직하게 드러내고 있다.

④ 필자는 형님과 자신의 처지를 대조하며 정체된 자신의 인간관계를 성찰하고 있다.

⑤ 필자는 자신이 설정한 독자 외에 또 다른 독자가 있을 수 있음을 염두에 두고 있다.

서술형

6. ㉠에서 사용한 표현 방법은 무엇인지 쓰고, 그러한 표현의 사용 효과에 대해 서술하시오.

(2) 성찰과 정서 표현을 위한 글

핵심 질문 성찰에서 얻은 생각이나 느낌을 감동적으로 쓸 때는 어떤 점을 고려해야 할까?

> 자신의 삶에 관해 성찰한 내용과 정서를 표현하는 글을 쓸 때는 자신의 삶의 경험에서 얻은 정서를 과장이나 왜곡 없이 진정성 있게 표현해야 독자의 공감을 얻을 수 있다. 이밖에도 글의 내용이 평소 필자의 행동이나 가치관과 일치할 때 독자에게 감동을 줄 수 있다.

산모퉁이를 돌아 논가 외딴 우물을 홀로 찾아가선
가만히 들여다봅니다.

우물 속에는 달이 밝고 구름이 흐르고 하늘이
펼치고 파아란 바람이 불고 가을이 있습니다.

그리고 한 사나이가 있습니다.
어쩐지 그 사나이가 미워져 돌아갑니다.

돌아가다 생각하니 그 사나이가 가엾어집니다.
도로 가 들여다보니 사나이는 그대로 있습니다.

다시 그 사나이가 미워져 돌아갑니다.
돌아가다 생각하니 그 사나이가 그리워집니다.

우물 속에는 달이 밝고 구름이 흐르고 하늘이 펼치고 파아란
바람이 불고 가을이 있고 추억처럼 사나이가 있습니다.

– 윤동주, 「자화상」

••• 위의 시는 누구를 의식하며 쓴 것인가?

l예시 답안l '자화상'이라는 제목으로 미루어 볼 때 시인은 자신을 의식하며 이 시를 썼을 것이다.

••• 성찰과 정서를 표현하는 글이 갖추어야 할 요건에는 어떤 것들이 있을까?

l예시 답안l 자신의 생각이나 느낌을 진솔하게 드러내는 것이 무엇보다 중요하다.

알기

• 성찰과 정서 표현의 글은 어떤 가치를 지니나?

l예시 답안l 필자에게는 자신의 삶을 되돌아보는 기회를 제공하고 독자에게는 즐거움과 감동을 줄 수 있다.

• 체험을 깊이 있게 성찰하려면 어떻게 해야 하나?

l예시 답안l 일상의 삶을 섬세하게 관찰함으로써 의미를 발견하고 그 의미를 기록하는 습관을 가지는 것이 중요하다.

• 정서를 진솔하게 표현하려면 어떻게 해야 하나?

l예시 답안l 자신의 경험에서 얻은 정서를 진정성 있게 표현하여 독자의 공감을 얻는 것이 무엇보다 중요하다.

하기

• 체험을 바탕으로 생각이나 느낌을 성찰하기

>> 자기 성찰이나 정서 표현의 글을 쓰기 위해 가치 있는 소재를 찾아 일상의 경험에 가치를 부여하는 방법에 대해 학습하기

• 자기 성찰의 모습이 드러나는 글 쓰기

>> 일기, 수필, 자서전 등을 읽고 자신의 삶을 성찰하는 글을 쓸 때 고려해야 할 점들을 파악하고 자기를 성찰하는 글 쓰기

• 독자에게 즐거움과 감동을 주는 글 쓰기

>> 일상의 경험에서 얻은 정서와 체험을 바탕으로 자신의 삶을 성찰한 내용을 글로 써 보기

알아 두기

◗ 성찰과 정서 표현의 글의 개념과 유형

≫ 개념

일상생활의 경험을 통해 가지게 된 생각이나 느낌을 표현(정서 표현의 글)하거나 자신의 삶을 되돌아보고 성찰하는 내용을 담은 글(자기 성찰의 글)

≫ 유형

넓게 보았을 때, 딱딱한 설명문이나 안내문 등 오로지 정보 전달만을 위한 글을 제외하면 모든 글은 필자의 생각과 느낌을 담는다는 점에서 자기표현적이다. 하지만 정보 전달이나 설득과 같은 실제적 기능보다 정서 표현, 자기 성찰, 체험의 기록 등의 표현적 특성이 더 두드러지는 글들이 있는데, 그 대표적인 예가 일기, 회고록, 자서전, 수필, 감상문 등이다.

> **참고** 회고록, 감상문, 수필
> • 회고록: 자신에 대한 이야기를 쓴다는 점에서 자서전과 비슷하지만, 일대기로 구성되는 자서전과 달리 회고록은 필자가 자신의 생애에서 중요하다고 생각하는 시기를 다룬 글이다.
> • 감상문: 대상에 대한 소개와 작품의 주제, 필자의 감상이 드러나도록 작성한 글이다. 감상문은 논설문, 설명문, 수필, 편지, 일기 등의 다양한 형식으로 쓸 수 있다.
> • 수필: 정해진 형식 없이 일상의 일을 사색과 관찰을 통해 표현한 글이다. 수필의 유형에는 비교적 가벼운 내용과 소재를 다루는 경수필과 철학적 사색이 담긴 중수필이 있다.

◗ 성찰과 정서 표현의 글이 지니는 가치

• 성찰과 정서 표현의 글을 쓰는 행위는 자신의 경험을 통해 가지게 된 생각이나 느낌을 정리하고, 자신의 삶을 되돌아보며 성찰하는 기회를 갖게 해 줌으로써 필자의 정서적, 인격적 성장을 돕는다.
• 성찰과 정서 표현의 글은 독자에게 즐거움과 감동을 주는 사회적 의사소통의 행위로서의 의미도 지니고 있다.

◗ 성찰과 정서 표현의 글을 쓸 때 유의할 점

진정성	• 성찰과 정서 표현의 글을 통해 독자에게 즐거움과 감동을 주기 위해서는 독자가 글의 내용에 공감할 수 있도록 해야 함. • 경험에서 얻은 정서를 과장하거나 왜곡하지 않고 진정성 있게 드러낼 때 독자의 공감을 얻을 수 있음.
일상의 체험을 기록하는 습관	자신의 삶을 되돌아보고 성찰하는 글을 쓰기 위해서는 평소 무심코 지나쳐 버리기 쉬운 일상의 체험들을 꼼꼼히 기록하는 습관을 갖는 것이 중요함.
의미 있는 내용 선정	성찰과 정서 표현의 글을 쓸 때는 일상의 체험 중 가치 있는 소재를 찾거나, 경험에 가치를 부여하는 과정을 거쳐 내용을 선정해야 함.
표현 방법의 고려	내용 전달의 효과를 높일 수 있는 표현법들을 활용해야 함.

1. 다음 설명 중 알맞은 것은 ○표, 알맞지 **않은** 것은 ×표를 하시오.

(1) 성찰과 정서 표현의 글은 일상의 느낌을 표현하거나 자신의 삶을 성찰하는 내용을 담은 글이다.
( )

(2) 설명문과 안내문은 필자가 자신의 생각과 느낌을 담는다는 점에서 자기표현적이다. ( )

(3) 성찰과 정서 표현의 글에는 회고록, 수필, 감상문 등이 있다.
( )

2. 다음 빈칸에 알맞은 말을 쓰시오.

> 성찰과 정서 표현의 글은 독자에게 즐거움과 감동을 준다는 점에서 사회적 ( )의 행위로서의 의미를 지닌다.

3. 빈칸에 들어갈 알맞은 말을 〈보기〉에서 찾아 쓰시오.

> 〈보기〉
> 진정성, 기록, 가치

(1) 성찰과 정서 표현의 글을 쓸 때는 일상의 체험 중 ( ) 있는 소재를 찾거나 경험에 ( )를 부여하는 과정을 거쳐 내용을 선정해야 한다.

(2) 성찰과 정서 표현의 글을 쓸 때는 글의 ( )이 드러나도록 경험에서 얻은 정서를 과장하거나 왜곡하지 않아야 한다.

(3) 삶을 성찰하는 글을 쓰기 위해서는 평소 무심코 지나치는 일상의 체험들을 꼼꼼히 ( )하는 습관을 갖는 것이 필요하다.

┃정답┃
1. (1) ○ (2) × (3) ○ **2.** 의사소통 **3.** (1) 가치, 가치 (2) 진정성 (3) 기록

1. 다음은 어느 학생이 쓴 수학여행 감상문이다. 글을 읽고, 아래의 활동을 해 보자.

이번 수학여행 코스 중 단연 기억에 남는 것은 한라산 등반이다. 한라산에 오르던 그날의 날씨는 9월이라기에는 너무 무더웠다.

『'내가 완주할 수 있을까?'라는 생각에 머뭇거리던 나는 선생님의 불호령에 등을 떠밀려 산을 오르기 시작했지만 오래지 않아 지치고 말았다. 한 걸음 한 걸음 옮겨 놓기도 버거울 무렵,

"<u>힘들어 보여. 내가 배낭 들어 줄까?</u>"
힘든 친구를 배려하는 영주의 말

수학여행을 오기 전 사소한 문제로 다퉈 서먹서먹했던 영주가 말을 걸어 왔다. 나는 잠시 망설였지만 영주가 내민 도움의 손길을 뿌리칠 수 없었다. 너무 힘들기도 하였고 나 또한 <u>내심 영주와의 화해를 바라고 있었기 때문이다.</u>
필자의 진솔한 마음

정상으로 향하는 오르막길, 숨이 턱까지 차올라 연신 가쁜 숨을 내뱉고 있던 그때 내 눈에 들어온 영주의 뒷모습이 지금도 잊히지 않는다. 내 것까지 두 개의 배낭을 짊어진 영주의 뒷모습은 여태껏 내가 보아 왔던 영주의 그것보다 갑절은 커 보였다.』
『 』: 한라산 등반을 하며 경험한 일과 그 경험에 대한 필자의 생각

『살다 보면 분명 한라산 등반보다 더 큰 역경들이 어느 순간
『 』: 한라산 등반을 통해 느끼고 깨달은 점
내게 닥쳐올지 모른다. 내 주변의 사람들에게도 그것은 마찬가지일 것이다. 그런 순간이 왔을 때 나는 영주와 같은 사람이 되리라 다짐했다.』 한라산은 나에게 큰 가르침을 준 스승이다.

---

(1) 윗글의 필자가 한 경험과 그러한 경험을 통해 가지게 된 생각이나 느낌을 정리해 보자.

| 예시 답안 |

주요 경험	수학여행 때 한라산 등반을 하면서 영주에게 도움을 받은 일
생각이나 느낌	영주가 넓은 마음을 가졌다고 생각하며, 자신도 영주처럼 주변 사람들이 힘들어할 때 도움을 주는 사람이 되겠다고 다짐함.

(2) 윗글의 필자는 '영주'의 행동에 어떤 가치를 부여하고 있는지 말해 보자.

| 예시 답안 | 아무런 대가 없이 자신을 희생하며 힘든 친구를 돕는 선한 행동이라는 가치를 부여하고 있다.

2. 다음 글을 읽고, 아래의 활동을 하며 삶을 성찰하는 글의 의의를 생각해 보자.

드디어 문제의 핵심, 내가 왜 일기를 쓰기 시작했는가에 대해서 말할 차례인데, 그건 한마디로 말해서 <u>마음을 털어놓을 만한 참다운 친구가 나에게는 없기 때문입니다.</u>
일기를 쓰기 시작한 이유
좀 더 분명히 말하겠어요. 열세 살 먹은 여자아이가 스스로 이 세상에서 외톨이라고 느끼고 있다, 아니 실제로 외톨이라고 해도 아무도 믿지 않을 테니까요.

나에게는 사랑하는 부모님과 열여섯 살인 언니가 있습니다. 친구라고 부를 만한 사람은 서른 명쯤 알고 있습니다. 남자 친구도 많습니다. 모두들 어떻게 해서든 나의 관심을 끌려고 하죠. 그게 잘 안 되면 교실의 거울을 통해 몰래 나를 볼 정도니까요. 친척도 많고 상냥한 아주머니들도, 좋은 집도 있습니다.

그래요. 무엇 하나 부족한 게 없는 것처럼 보입니다. 그 '진짜' 친구를 제외하면요. 내 친구들은 모두 그냥 장난을 치거나 농담을 하는 사이일 뿐입니다.

『주변의 그저 그렇고 그런 일 말고는 아무에게도 얘기하고
『 』: '나'에게 진짜 '친구'가 없는 이유
싶지 않으니 아무래도 서로 더 이상 가까워지는 건 무리인 것 같습니다. 그것이 문제의 핵심입니다. 어쩌면 내게 남을 신뢰하는 마음이 부족한 탓인지도 모르겠습니다.』 그렇다고 해도
자신의 삶에 관한 성찰
그건 엄연한 사실이며, 달리 뾰족한 수도 없는 것 같습니다. 그래서 일기를 쓰기로 한 겁니다.

오랫동안 기다리고 바라던 이 친구의 모습이 내 마음의 눈에 한층 빛나 보이도록, 보통 사람들처럼 일기 속에 진솔한 사실을 쭉 늘어놓지는 않을 생각이지만, 그래도 이 일기장을 마음의 친구로 삼아 앞으로 내 친구 '키티'라고 부르겠어요.

– 안네 프랑크, 『안네의 일기』에서

갈래	일기
성격	일상적, 고백적, 서사적
제재	일기를 쓰기 시작한 일
주제	자신의 일상에 대한 성찰과 일기를 쓰게 된 이유
특징	일기장을 '키티'로 의인화하여 동화적인 시선으로 자신의 생각을 표현함.

(1) 위 일기의 핵심 내용을 요약해 보자.

| 예시 답안 | 나에게는 가족과 친구들이 있지만 마음을 털어놓을 만한 참다운 친구가 없다. 그것은 어쩌면 나에게 남을 신뢰하는 마음이 부족한 탓일 수도 있다. 그래서 일기장을 마음의 친구로 삼아 '키티'라고 부르고, 일기를 쓰기로 결심했다.

(2) 위의 일기에서 자신의 삶에 관한 성찰의 내용이 잘 드러나는 부분을 찾아보자.

| 예시 답안 | "어쩌면 내게 남을 신뢰하는 마음이 부족한 탓인지도 모르겠습니다."

(3) 훗날 '안네'가 자신의 회고록을 쓰는 상황이 온다고 가정할 때, 위의 일기가 어떤 측면에서 도움이 될지 생각해 보자.

| 예시 답안 | 일상의 체험과 그러한 체험에 대한 생각과 느낌 등을 일기로 써 두면, 훗날 자신의 삶을 되돌아보고 성찰하는 데 좋은 자료가 될 것이다.

(4) 위의 활동을 바탕으로, 일기를 쓰는 행위가 삶에 미칠 수 있는 긍정적 영향을 말해 보자.

| 예시 답안 | 일기를 쓰면 일상을 기록할 수 있고, 자신의 삶을 되돌아보고 성찰하는 기회를 가질 수 있다.

배워서 하기 **①**　　　　　　　교과서 212p

자기 성찰이나 정서 표현의 글에 담을 내용 선정하기

● **다음 중 하나를 택하여 글을 쓰기 위한 내용을 정리해 보자.**

| 예시 답안 | 자신의 삶에 큰 영향을 끼친 책이나 영화 중 하나를 골라 감상문 쓰기

- 영화: 「그대를 사랑합니다」
- 글의 종류: 감상문
- 글에 쓸 내용
  – 영화를 보게 된 계기
  – 영화의 내용 및 주제
  – 이 영화를 추천하는 이유

하면서 **배우기** 📖　　　　　　　교과서 213p

3. 다음은 감명 깊게 본 영화에 관한 생각과 느낌을 담고 있는 글이다. 글을 읽고, 아래의 활동을 해 보자.

페이드인 되듯이 서서히 세상을 인지하고 보니 날 키우고
　　　영화나 텔레비전에서, 화면이 처음에 어둡다가 점차 밝아지는 일
있던 사람이 엄마가 아니라 할머니였다는 걸 알게 됐다. 객지
에 나가 장사를 해야 했던 부모님이 어린 나를 할머니에게 맡
　　　필자가 할머니와 살게 된 이유
겼고, 그 덕분에 나는 애초에 내가 태어난 곳이 지리산 두메
산골이라고 느끼며 자랐다. 할머니는 첫 손자인 나를 애지중
지 키우셨고, 나는 누구의 간섭도 받지 않은 채 산과 들로 뛰
어다니며 미친 듯이 놀았다. 내가 일곱 살 때 마을에 전기가
들어왔다. 점등식을 하던 날, 집집마다 호롱불로 겨우 어둠을
밝히던 마을이 한순간에 대낮처럼 밝아지는 경이로운 체험을
　　　　　　　　　　　　　　점등식을 보며 느낀 정서
했다. 그때까지 그런 빛을 본 적이 없었다. 『열 살이 되던 해,
　　　　　　　　　　　　　『 』: 부모님과 함께 살게 되었으나 새로운 생활에 적응하지 못함.
부모님은 청주에 어렵사리 장만한 집으로 나를 데려왔다. 소
심한 성격 탓에 새로운 세계에 쉽게 적응하지 못했다. 공부도
변변치 않은 데다 촌놈이라 놀리는 반 아이들 때문에 하루하
루가 지옥 같았다. 할머니가 있는 시골로 돌아가고 싶었다.』

그렇게 방황하다가 슈퍼맨과 로봇 태권브이가 그려진 동시
　　　　　　　　　　　　　　　　　　필자가 영화에 빠지게 된 계기
상영관의 영화 간판을 우연히 발견하고는 뭔가에 홀린 듯 영
화를 봤다. 산골에서 내려와 처음으로 보게 된 영화가 하늘을
나는 영웅과 로봇이라니……. 이 엄청난 간극에서 오는 몽환
적인 기분은 뭐지? 그때 이후로 『난 영화라는 미지의 세계에
　　　　　　　　　　　　　　　영화를 보고 나서 느낀 정서
완전히 빠져들었고 언제부턴가 영화 얘기를 듣겠다고 내 앞
『 』: 처음 영화를 보고 난 후부터 달라진 점
으로 아이들이 몰려들었다. 그리고 아이들은 더 이상 나를 촌
놈이라고 놀리지도 않았다.』 그렇게 영화를 향한 지독한 사랑
이 시작됐고 몇 해가 지나 운명처럼 영화 한 편이 내게 나타
났다. 그것은 「이티」였다.

『이티』는 지구에 홀로 남겨진 겁먹은 외계인과 그룹에서 소
『 』: 영화 「이티」의 내용
외된 소년이 서로에 대한 공포를 극복하는 과정에서 특별하
고도 신비로운 유대가 형성되면서 영혼이 연결되는 것을 보
여 주고 있는 영화이다.』 외계 생명체와 조우하는 할리우드 블
록버스터라면 응당 최고 권위의 과학자나 군 장성이 등장하
엄청난 비용을 투자한 거대 규모의 영화나 드라마
고 대규모 전투가 벌어져야 하지만 『이 영화는 그런 상투적인
설정과는 정반대로 달려간다. 마술적 상징과 시각 언어로 가

득 찬 이야기 전개 방식은 관객의 눈을 사로잡는다. 그중에서
『 』: 영화 「이티」의 특징과 영화 「이티」에 대한 감상
도 자신들을 뒤쫓는 어른들로부터 탈출하기 위해 미친 듯 자
전거를 모는 소년들을 이티가 모두 하늘로 날아오르게 하는
장면은 영화사에 길이 남을 비약적 쾌감의 진수다.』

　무엇보다 내 인생에서 「이티」가 의미 있는 건 <u>내가 어떤 종
류의 인간인지, 어떤 생각을 하며 사는 인간인지를 알게 해
준 영화라는 점</u> 때문이다. 내게 「이티」 같은 초현실적 존재가
　　　　　영화 「이티」가 필자의 삶에서 의미 있는 이유
바로 영화였다. 산골 소년이었던 나는 낯선 세계에서 헤매고
있을 때 마법처럼 영화를 만났고, 그것은 한순간에 날 빨아들
였다. 그리고 나는 더 이상 외로워하지 않게 됐다. 아마도 나
는 <u>「이티」를 본 후부터 영화를 만들고 싶다는 생각까지 한 것
　　　　　영화 「이티」가 필자에게 미친 영향
같다.</u> 자그마한 외계인이 지구라는 미지의 세계에 홀로 남겨
져 방황할 때 엘리엇이 손을 내밀어 친구가 돼 준 것처럼 나
도 <u>외로워하고 있을 누군가를 향해 손을 내밀고 싶었다.</u> 그래
　　　　　영화를 통해 필자가 실현하고 싶은 가치
서 「이티」를 볼 때의 나처럼 관객에게 비약의 순간을 경험하
게 해 줘야 한다는 부채 의식 같은 게 생긴 게 아닐까.

　　　　　　－ 박광현, 『씨네21』, 「박광현의 「이티」 비약적 쾌감을 알게 해 준 영화」

영화	감상문, 수필
성격	회고적, 주관적, 사색적
제재	영화 「이티」
주제	영화 「이티」에 대한 감상과 그 영화가 자신의 삶에 끼친 영향
특징	고백적이고 담담한 어조로 자신의 경험과 인생관을 드러냄.

(1) 윗글의 문단별 중심 내용을 정리해 보자.

| 예시 답안 |

문단	중심 내용
1문단	두메산골에서 할머니와 함께 살던 어린 시절의 체험
2문단	영화를 향한 지독한 사랑이 시작된 계기와 영화 「이티」와의 만남
3문단	영화 「이티」에 대한 소개
4문단	필자의 삶에 있어서 영화 「이티」의 의미

**(2) 윗글의 필자가 다음의 체험에 관해 성찰한 점은 무엇인지
말해 보자.**

| 예시 답안 | 어린 시절의 체험: 할머니를 떠나 청주 부모님 집으로 왔을 때 새
로운 세계에 적응하지 못한 것을 자신의 소심한 성격 탓으로 보고 있다.

영화와의 만남: 방황하던 시절 처음으로 영화를 보게 되었고, 영화에 관한 자신
의 이야기를 듣기 위해 친구들이 자신의 앞으로 몰려들면서 영화에 대한 지독한 사
랑이 시작되었음을 밝히고 있다.

영화 「이티」 관람: 자신이 영화 「이티」를 보고 그랬던 것처럼, 외로워하고 있을 누
군가를 향해 손을 내밀어 줄 수 있는 사람이 되어야겠다는 생각을 하게 되었다.

**(3) 윗글의 필자가 영화 「이티」를 보지 않은 사람들을 독자로
하여 윗글을 고쳐 쓴다고 할 때, 다음의 자료를 활용해 글의 구
성을 어떻게 달리하면 좋을지 말해 보자.**

| 예시 답안 | 영화 「이티」를 보지 않은 사람들은 영화의 내용을 궁금해할 수 있으
므로 3문단에서 제시한 자료를 활용하여 영화의 줄거리를 소개하면 좋을 것이다.
또한, 필자가 '비약적 쾌감의 진수'라고 강조하고 있는 장면을 시각 자료로 추가하
면 독자들의 공감을 이끌어 내는 데 도움이 될 것이다.

배워서 하기 ❷　　　　　　　교과서 215p

글의 종류를 고려하여 작문 계획 세우기

● '배워서 하기 ❶'에서 정리한 내용을 토대로, 작문 맥락을 고려
하여 글의 내용을 어떻게 구성할지 계획해 보자.

| 예시 답안 |

작문 맥락	• 독자: 영화를 보지 않은 친구들, 선생님 • 주제: 영화 「그대를 사랑합니다」 소개 • 글의 유형: 감상문

글의 개요	Ⅰ. 처음: 영화를 보게 된 계기 　(1) 웹툰 동호회를 통한 소개 　(2) 웹툰을 각색한 영화에 대한 설명 Ⅱ. 가운데: 영화의 내용 및 주제 　(1) 노인들이 처한 사회적 상황　(2) 노년기의 사랑 Ⅲ. 끝: 이 영화를 추천하는 이유 　(1) 가족의 소중함을 느낄 수 있음. 　(2) 노인 문제 해결을 위한 사회의 노력에 대해 고민해 　　보게 됨.
글쓰기와 관련된 기타 계획	영화의 원작인 웹툰을 함께 소개함.

하면서 배우기　　　　　　　교과서 216p

4. 다음 글을 읽고, 아래의 활동을 하며 효과적으로 정서를 표현하는 방법을 생각해 보자.

재작년이던가, 여름날에 있었던 일이다. 날씨가 화창하여 밀린 빨래를 해치웠었다. 성미가 비교적 급한 나는 빨래를 하더라도 그날로 풀을 먹여 다려야지 그렇지 않으면 찜찜해서 심기가 홀가분하지 않다. ‹단점일 수도 있는 자신의 성격을 드러내어 진솔한 느낌을 줌.› 그날도 여름 옷가지를 빨아 다리고 나서 노곤해진 몸으로 마루에 누워 쉬려던 참이었다. 팔베개를 하고 누워서 서까래 끝에 열린 하늘을 무심히 바라보고 있었다. 『그러다가 모로 돌아누워 산봉우리에 눈을 주었다. 갑자기 산이 달리 보였다. 하, 이것 봐라 하고 나는 벌떡 일어나,『 』영탄법, 도치법 등을 활용해 자신이 느낀 감정을 효과적으로 전달함. 필자가 깨달음을 얻게 된 계기 이번에는 가랑이 사이로 산을 내다보았다. 우리들이 어린 시절 동무들과 어울려 놀이를 하던 그런 모습으로.』

그건 새로운 발견이었다. 『하늘은 호수가 되고, 산은 호수에『 』거꾸로 보기를 함으로써 새롭게 보게 된 아름다운 풍경 잠긴 그림자가 되었다. 바로 보면 굴곡이 심한 산의 능선이 거꾸로 보니 훨씬 유장하게 보였다. 그리고 숲의 빛깔은 원색이 낱낱이 분해되어 멀고 가까움이 선명하게 드러나 얼마나 아름다운지 몰랐다.』 나는 하도 신기해서 일어서서 바로 보다가 다시 거꾸로 보기를 되풀이했었다.

이러한 동작을 누가 지켜보고 있었다면 필시 미친 중으로 여겼을 것이다. 그러나 여기에서 나는 새로운 사실을 캐낼 수 있었다.

『우리가 일상적으로 사람을 대하거나 사물을 보고 인식하는 것『 』거꾸로 보기 경험을 통해 필자가 성찰한 내용 은 틀에 박힌 고정 관념에 지나지 않는다. 그렇기 때문에 이미 알아 버린 대상에서는 새로운 모습을 찾아내기 어렵다. 아무개 하면, 자신의 인식 속에 들어와 이미 굳어 버린 그렇고 그런 존재로밖에 볼 수가 없는 것이다.』 이건 얼마나 그릇된 오해인가. 사람이나 사물은 끝없이 형성되고 변모하는 것인데.

그러나 보는 각도를 달리함으로써 그 사람이나 사물이 지 도치법을 활용해 거꾸로 보기의 필요성을 강조함. 닌 새로운 면을, 아름다운 비밀을 찾아낼 수 있다. 필자가 거꾸로 보기를 통해 깨달은 사실 『우리들이 시들하게 생각하는 그저 그렇고 그런 사이라 할지라도 선입견에서 벗어나 맑고 따뜻한 ‘열린 눈’으로 바라본다면 시들한 관계의 틀에 생기가 돌 것이다.』『 』비유법을 활용해 인간관계에서도 서로를 보는 각도를 달리해야 할 필요성 내 눈이 열리면 그 눈으로 보는 세상도 열리는 법이다. 이 있다는 주제를 효과적으로 전달함.

인도의 명상가이며 철학자, 그리고 구루(영적인 스승)인 크리슈나무르티는 그의 저서 『아는 것으로부터의 자유』에서 다음과 같이 말하고 있다.

“우리가 보는 법을 안다면 그때는 모든 것이 분명해질 것이다. 그리고 보는 일은 어떤 철학도, 선생도 필요로 하지 않는다. 아무도 당신에게 어떻게 볼 것인가를 가르쳐 줄 필요가 없다. 당신이 그냥 보면 된다.”

『그 어떤 고정 관념에도 사로잡히지 말고 허심탄회 빈 마음『 』크리슈나무르티의 말에 담긴 의미를 해석한 내용 으로 보라는 것. 남의 눈을 빌릴 것 없이 자기 눈으로 볼 때 우리는 대상을 보다 정확하게 파악할 수 있을 거라는 말이다.』

차를 즐기는 사람들은 흔히 이런 말을 한다. 어디서 나오는 무슨 차는 맛이 좋고, 어디 차는 맛이 시원치 않다고. 물론 기호에 따라 그렇게 말할 수도 있겠지만 차 맛에 어떤 표준이 있는 것은 아니다. 형편없는 찻감만 아니라면 한 잔의 차를 통해 삶에 대한 잔잔한 기쁨과 감사를 누릴 수 있을 것이다. 요는 그 차가 지닌 특성을 알맞게 우릴 때 바로 ‘그 차 맛’을 알 수 있다. 사람의 일도 마찬가지다. 인격에 고정된 어떤 틀이 있는 것은 아니다. 그 사람이 지닌 좋은 덕성을 찾아낼 수 있다면, 그는 내게 좋은 친구가 될 것이다.

– 법정, 「거꾸로 보기」에서

갈래	수필
성격	사색적, 성찰적, 교훈적
제재	거꾸로 보기의 경험
주제	고정 관념에서 벗어나 새로운 시각을 갖는 것의 중요성
특징	소소한 일상의 경험에서 발견한 깨달음을 담담하게 서술함.

(1) 윗글에 나타난 필자의 경험과 그에 관한 필자의 깨달음을 파악해 보자.

|예시 답안| 경험: 가랑이 사이로 풍경을 거꾸로 바라본 일
깨달음: 틀에 박힌 고정 관념을 버리고 새로운 시각으로 사람이나 사물을 바라보는 태도의 필요성

(2) 다음과 같은 필자의 행동을 바탕으로, 윗글이 감동을 주는 까닭을 말해 보자.

> 법정은 다른 종교와의 벽을 허문 것으로 큰 발자취를 남겼다. 1997년 길상사 개원 법회에 김수환 추기경이 방문했고, 법정은 이에 대한 화답으로 이듬해 명동 성당에서 특별 강론을 했다. 이후 길상사는 타 종교인들의 발길이 이어지면서 종교 화해와 나눔의 장이 되었다. 이뿐 아니라 법정은 길상사 마당의 관음보살상 조각을 천주교 신자에게 맡겨 화제를 모으기도 했다.

|예시 답안| 일반적으로 사람들은 자신의 종교 외의 타종교에 대해서는 보수적인 입장을 취하는 경우가 많다. 하지만 승려인 필자가 성당에서 특별 강연을 한 것은 그 틀을 깨뜨린 것으로 볼 수 있다. 이러한 행동은 필자의 글에서 확인할 수 있는 필자의 생각과 맥을 같이하는 것이므로 글에서 필자의 진정성을 느낄 수 있다.

(3) 다음 표현들의 특징과 그 효과를 정리해 보자.

|예시 답안| • 성미가 비교적 급한 나는 빨래를 하더라도 그날로 풀을 먹여 다려야지 그렇지 않으면 찜찜해서 심기가 홀가분하지 않다. → 단점(으)로도 볼 수 있는 자신의 성격을 솔직하게 드러냄으로써 진실한 느낌을 준다.
• 그러다가 모로 돌아누워 산봉우리에 눈을 주었다. 갑자기 산이 달리 보였다. 하, 이것 봐라 하고 나는 벌떡 일어나, 이번에는 가랑이 사이로 산을 내다보았다. 우리들이 어린 시절 동무들과 어울려 놀이를 하던 그런 모습으로. → 영탄법, 도치법 등을 활용해 자신이 느낀 감정을 강조함으로써 독자들로 하여금 필자가 느낀 감정에 몰입하게 하고 있다.

(4) 윗글에서 필자의 생각이나 느낌을 효과적으로 전달하는 데 기여하고 있는 표현법들을 찾아 발표해 보자.

|예시 답안| • 도치법: 이건 얼마나~형성되고 변모하는 것인데.
• 비유법: 우리들이 시들하게 생각하는~관계의 뜰에 생기가 돌 것이다.

5. 다음 자서전을 읽고, 아래의 활동을 해 보자

> 지적으로 나를 바꾼 한 순간만을 꼭 집어내서 말할 수는 없
> <small>헤아릴 수 없이 많기 때문에</small>
> 지만 지금까지 살아오면서 그러한 순간들은 헤아릴 수 없이
> <small>지적으로 나를 바꾼</small>

많았다. 지적으로 나에게 결정적 영향을 준 철학자나 작가나 학자, 사상가는 어느 한 사람이라고 말하기 힘들다.

나는 십 대부터 오늘날까지 수많은 이들로부터 다양한 영향을 끊임없이 받아 왔고 지금도 받고 있다. 하물며 나의 생각과 인생을 바꾼 한 권의 책을 꼽기는 더더욱 어렵다. 나의 <small>수많은 책들에 의해서 형성되었기 때문에</small> 지적 세계는 수많은 책들에 의해서 형성되었다. 그런데도 굳이 한 순간만을, 한 사람만을, 하나의 저서만을 들라면 나는 1953년 봄 어느 날에 읽은 한 권의 책을 들고 싶다. 바로 사르트르의 저서 『존재와 무』에 담긴 그의 실존주의를 해설한 일 <small>필자의 삶에 중요한 영향을 미침.</small> 본어 번역서였다.

『당시는 일선에서 아직도 수많은 이들이 죽어 가고 있던 <small>『 』: 극심한 고통 속에서 젊은 시절을 보냄.</small> 6.25 전쟁 와중의 어느 무렵이었다. 그때 나는 부산 제5 육군 병원에 입원하고 있다가 군에서 제대한 후에 부산 부두에서 잠깐씩 일을 하면서 서대신동에 위치한 전시연합대학에 적을 둔 채, 동래 온천 근방에 방을 하나 얻어 숙식하고 동래고등학교에서 프랑스어 시간 강사로 근무를 하면서 겨우 끼니를 때우고 있었다. 당시 대부분의 사람들이 그러했듯이 나는 극심한 경제적·신체적 고통과 지적 혼미 속에서 절망적 악몽에 빠져 있던 스물셋의 젊은 문학도였다.』

세계는 캄캄했다. 나는 인간의 삶과 세계를 밝혀 주는 빛을 갈구하고 있었다. 이 무렵 나는 동래에서 당시 세계적으로 영 <small>희망</small> 향을 미치고 있던 사르트르와 실존주의에 대한 일본어 번역서를 적지 않게 갖고 있던 양병식 씨를 우연히 알게 되었다. 그의 서가에는 현재 정확히 그 제목이 기억나지 않지만 『존재와 무』에 담겨 있는 사르트르의 실존 철학을 해설한 책이 있었다. 나는 그 책을 통해서 그때까지 말로만 듣던 사르트르의 실존주의야말로 내가 품고 있던 세상과 삶에 대한 모든 물음의 해답을 갖고 있다는 느낌을 강하게 가졌다. 『앞으로의 삶에 <small>『 』: 『존재와 무』에 담겨 있는 사르트르의 실존주의 철학이 필자의 삶에 준 영향 ①</small> 대한 전망이 전혀 보이지 않는 절망적 상황에서 지적 혼돈과 정서적 허무주의라는 수렁에서 헤매고 있던 나에게 사르트르의 실존주의는 지적 혼미에서 벗어나도록 세상을 밝혀 주는 한 줄기 빛이자, 정서적 허무주의의 수렁에 비친 한 줄기 구원의 손길로 느껴졌다.』 이러한 신념은 그 후 10년 가까이 지난 1962년 초 파리에서 방대한 양의 『존재와 무』를 원서로 몇 번이나 읽고 또 읽고, 그에 대한 수많은 해설과 논평을 읽은 후에도 근본적으로 변하지 않았다.

사르트르와 그의 실존주의를 처음 만난 후 반세기가 지난 오늘날 나는 그의 철학에 과거처럼 전적으로 공감하지는 않는다. 세계와 인간의 모든 문제가 그의 실존주의 하나만 가지고서 만족스럽게 조명되거나 설명되지 않으며, 시원하게 풀리지도 않는다고 생각한다. 그러나 한 가지 확실한 것은 『사르트르와의 만남이 나의 운명을 바꾸었고, 『존재와 무』의 독서와 사르트르의 실존주의에 관한 수많은 책들이 나의 삶을 때로는 고독과 고통으로, 때로는 열정과 긍지로 충만케 했다는 사실이다.』 사르트르를 만나지 않았더라면 나는 서른이 넘은 나이에 지적 모험심으로 힘든 방랑의 길에 나서지 않았을 것이고, 실존주의와 접하지 않았더라면 나는 현재의 나와 전혀 다른 인간이 되었을 것이다. 『그 뒤에 알게 된 니체의 '망치로 하는 철학'과 더불어 사르트르의 실존주의 철학은 인생을 보는 시각과 삶에 대한 오늘날의 나의 태도를 형성하는 데 결정적인 요인이 되었다.』

「 」:『존재와 무』에 담긴 사르트르의 실존주의 철학이 필자의 삶에 준 영향 ②
「 」:『존재와 무』에 담긴 사르트르의 실존주의 철학이 필자의 삶에 준 영향 ③

－ 박이문, 『박이문 지적 자서전』에서

갈래	자서전
성격	회고적, 사색적, 자전적
제재	사르트르의 저서 『존재와 무』
주제	자신의 삶에서 사르트르의 실존주의 철학이 미친 영향에 대한 회고
특징	사르트르의 실존주의 철학에 대한 사색과 그에 따른 인간적인 성찰이 담겨 있음.

(1) 윗글에서 필자의 삶에 중요한 영향을 미친 사건을 찾아 정리해 보자.

|예시 답안| 1953년 봄, 『존재와 무』에 담긴 사르트르의 실존주의를 해설한 책을 읽었던 일

(2) (1)에서 파악한 사건이 필자의 삶에 미친 영향을 드러내고 있는 문장들을 찾아보자.

|예시 답안| • 앞으로의 삶에 대한 전망이 전혀 보이지 않는 절망적 상황에서 지적 혼돈과 정서적 허무주의라는 수렁에서 헤매고 있던 나에게 사르트르의 실존주의는 지적 혼미에서 벗어나도록 세상을 밝혀 주는 한 줄기 빛이자, 정서적 허무주의의 수렁에 비친 한 줄기 구원의 손길로 느껴졌다.
• 그러나 한 가지 확실한 것은 사르트르와의 만남이 나의 운명을 바꾸었고, 『존재와 무』의 독서와 사르트르의 실존주의에 관한 수많은 책들이 나의 삶을 때로는 고독과 고통으로, 때로는 열정과 긍지로 충만케 했다는 사실이다.

• 그 뒤에 알게 된 니체의 '망치로 하는 철학'과 더불어 사르트르의 실존주의 철학은 인생을 보는 시각과 삶에 대한 오늘날의 나의 태도를 형성하는 데 결정적인 요인이 되었다.

(3) (2)에서 찾은 문장들을 다음 기준에 따라 평가해 보자.

|예시 답안| 생략

(4) 윗글처럼 자신의 삶을 돌아보고 성찰하는 글을 쓰면 어떤 점이 좋을지 생각해 보자.

|예시 답안| 성찰하는 글을 쓰면 자신의 삶을 되돌아보고 자신의 내면이 성숙해지는 기회를 가질 수 있다.

배워서 하기　❸　교과서 221p
작문 계획에 따라 정서를 표현하는 글이나 자신의 삶을 성찰하는 글 쓰기

● '배워서 하기 ❷'에서 세운 계획에 따라 자기 성찰이나 정서를 표현하는 글을 써 보자.

|예시 답안| 평소 웹툰에 관심이 있던 나는 웹툰 동호회 카페에 가입하여 웹툰에 관한 정보를 얻고는 했다. 그러던 어느 날 「그대를 사랑합니다」라는 웹툰을 추천하는 글을 읽게 되었다. '자극적이지 않은 내용으로 마음을 따스하게 만들어 주는 웹툰'이라는 짧은 소개 글만 있을 뿐 그 웹툰이 어떤 내용인지는 쓰여 있지 않았다. 내용을 알고 보면 재미없을 것이라는 배려의 말과 함께.
　나는 그 소개 글에 끌려 인터넷에서 작품명을 검색해 보았고, 그 과정에서 이 웹툰이 영화로도 제작되었다는 것을 알 수 있었다. 나는 두 작품을 모두 감상하여 장르의 차이, 내용의 차이 등을 분석해 보았다. 그러나 가장 중요한 것은 '형식'의 차이를 넘어 '내용'에 있었다. 이 작품은 처음에 소개받은 대로 '가슴이 따뜻해지는 작품'이었다. 또, 인생과 가족, 사랑에 대해 많은 것을 생각하게 해 주었다.
　영화에서는 여러 가지 노인 문제를 다루고 있다. 이를 통해 '자식들이 부모를 외면하는 문제', '치매와 같은 노인 질병을 사회가 도와주어야 하는 이유' 등에 관해 생각해 볼 수 있었다. 또한, 송이뿐 할머니를 통해 '독거노인 문제'의 심각성을 알 수 있었다. 한편으로는 송이뿐 할머니와 김만석 할아버지를 통해 노년기의 사랑을 그리고 있는데, 두 노인이 서로 배려하는 모습에서 훈훈함과 따스함을 느낄 수 있었다. 게다가 부분적으로 코믹한 장면도 많이 나와 끝까지 재미있게 볼 수 있었다.
　이 작품은 영화로 보든 웹툰으로 보든 중요하지 않지만, 좀 더 편하게 따뜻함을 느끼고 싶다면 영화를 먼저 보라고 추천하고 싶다. 어른들과 함께 보아도 좋을 것 같다.
　이 영화를 보면서 가족의 소중함을 다시 한 번 느꼈다. 가족들이 서로 배려하고 위한다면 어떤 슬픔도 극복할 수 있기 때문이다. 많은 자식을 두고도 임종의 순간에 외면받는 장군봉 할아버지의 모습은 생각할수록 마음이 아프다. 그런데도 자식을 먼저, 일방적으로 배려하는 부모님의 모습에 진한 감동이 느껴짐과 동시에 죄책감이 들기도 했다. 임종의 순간 쓸쓸한 노인이 있는가 하면 가족과 함께하는 노인이 있다. 우리는 이 문제에 대해 깊이 고민해 볼 필요가 있다.
　다른 측면에서는 노인들이 겪는 어려움을 가족에게만 맡겨 두지 말고 사회에서 함께 책임지고 도와야 한다는 생각이 들었다. 물론 가족이 서로 배려하며 해결하는 것이 가장 바람직하지만, 사회의 도움이 절실한 경우도 많기 때문이다. 또한, 개인주의, 이기주의가 만연한 현실을 냉정하게 인정하고 대책을 세워야 한다고 생각한다. 따스한 인정만으로 해결되지 않는 문제도 많기 때문이다.

소단원 정리하기

출제 포인트 ❶ **성찰과 정서 표현의 글의 개념**

성찰과 정서 표현의 글에는 성찰의 내용과 필자의 느낌이나 정서가 담겨 있어요. 그러므로 이러한 글이 시험에 나올 때는 필자가 자신의 삶의 어떠한 부분을 어떻게 되돌아보고 있는지, 일상적 삶에서 느낀 어떠한 정서를 드러내고 있는지에 주목해야 해요.

성찰하는 글	• 일상의 체험을 바탕으로 자신의 삶을 성찰하고 거기서 얻은 깨달음을 쓴 글 • 성찰하는 글에는 일기, 회고문 등이 있음.		
	일기	하루 동안 겪은 일이나 생각을 기록한 글	
	회고문	자신의 삶에서 의미 있는 체험이나 사건을 회상의 형식으로 표현한 글	
정서를 표현하는 글	• 마음속의 생각이나 느낌, 감정 등을 표현하는 글 • 정서를 표현하는 글에는 수필, 감상문, 기행문 등이 있음.		
	수필	삶의 체험이나 관찰에서 얻은 생각이나 느낌을 자유로운 형식으로 표현한 글	
	감상문	음악, 미술, 문학, 공연 등을 접하고 느낀 자신의 정서를 표현한 글	
	기행문	여행하면서 보고 느끼고 생각한 것을 기록한 글	

출제 포인트 ❷ **성찰과 정서 표현의 글의 특징 및 의의**

성찰과 정서 표현의 글은 자신의 체험에 대한 정서를 기록·공유하고, 자기의 삶에 의미를 부여한다는 데 의의가 있어요. 시험에는 필자가 어떤 경험을 통해 어떤 깨달음을 얻게 되었는지를 묻는 문제가 주로 출제됩니다.

성찰하는 글	• 필자는 성찰하는 글을 쓰며 자신의 삶을 돌아보고 자신의 삶에서 새로운 의미를 발견할 수 있음. • 성찰하는 글을 쓰는 과정에서 자기의 참모습을 발견하고, 자기의 삶을 반성하며 변화의 가능성을 찾을 수 있음. • 성찰의 내용이 담긴 글을 공유함으로써 공동체의 글쓰기 문화를 형성하는 데 기여할 수 있으며, 이러한 기록은 먼 훗날 역사적으로 의미가 있는 기록물이 될 수도 있음.
정서를 표현하는 글	• 대상을 관찰하고 거기에서 떠오르는 생각과 느낌 등을 표현함으로써 이전에 깨닫지 못했던 삶의 가치를 새롭게 발견할 수 있음. • 진심을 담아 표현한 글은 독자의 공감을 얻고 독자에게 감동을 줄 수 있음. • 정서를 표현하는 글을 쓰면 자신의 생각과 느낌 등을 객관적으로 바라보는 시각을 가질 수 있고, 감정이 정화되는 경험을 할 수도 있음.

※ 다음 글을 읽고 물음에 답하시오.

이번 수학여행 코스 중 단연 기억에 남는 것은 한라산 등반이다. 한라산에 오르던 그날의 날씨는 9월이라기에는 너무 무더웠다. [중략]

"힘들어 보여. 내가 배낭 들어 줄까?"

수학여행을 오기 전 사소한 문제로 다퉈 서먹서먹했던 영주가 말을 걸어 왔다. 나는 잠시 망설였지만 영주가 내민 도움의 손길을 뿌리칠 수 없었다. 너무 힘들기도 하였고 나 또한 내심 영주와의 화해를 바라고 있었기 때문이다.

정상으로 향하는 오르막길, 숨이 턱까지 차올라 연신 가쁜 숨을 내뱉고 있던 그때 내 눈에 들어온 영주의 뒷모습이 지금도 잊히지 않는다. 내 것까지 두 개의 배낭을 짊어진 영주의 뒷모습은 여태껏 내가 보아 왔던 영주의 그것보다 갑절은 커 보였다.

살다 보면 분명 한라산 등반보다 더 큰 역경들이 어느 순간 내게 닥쳐올지 모른다. 내 주변의 사람들에게도 그것은 마찬가지일 것이다. 그런 순간이 왔을 때 나는 영주와 같은 사람이 되리라 다짐했다. 한라산은 나에게 큰 가르침을 준 스승이다.

대표 문제 ❶ **윗글의 필자가 글을 쓴 목적으로 가장 적절한 것은?**

① 상대방을 설득하기 위해서
② 상대방과의 갈등을 해결하기 위해서
③ 상대방과 원만한 관계를 유지하기 위해서
④ 자기의 체험과 깨달음을 표현하기 위해서
⑤ 체험 장소에 대한 정보를 알려 주기 위해서

대표 문제 ❷ **윗글에 대한 설명으로 적절하지 않은 것은?**

① 필자는 영주의 행동에 중요한 가치를 부여하고 있다.
② 필자는 영주가 가방을 들어 주던 때의 복잡한 심경을 드러내고 있다.
③ 필자는 일상의 경험을 삶 전체로 확대하여 그 의미를 사색하고 있다.
④ 필자는 영주에게 감화되어 자신이 바라는 이상적인 세계상을 제시하고 있다.
⑤ 필자는 한라산 등반의 경험을 통해 느낀 정서와 성찰한 내용을 표현하고 있다.

출제 포인트 ❸ **성찰과 정서 표현의 글의 내용 선정 및 구성**

> 자신을 성찰하는 글이나 대상에 대한 정서를 표현하는 글은 주로 일상 생활에서 소재를 취하지만 그 안에는 깊이 있는 내용이 담겨 있어요. 글에서 다루고 있는 소재, 그것에 필자가 어떤 가치를 부여하고 있는지 등을 묻는 문제가 자주 출제된다는 점을 꼭 기억해 두세요.

내용 선정

- 성찰의 글을 쓸 때는 일상을 기록한 내용을 바탕으로 자신의 삶을 되돌아보고 성찰하는 내용을 담아야 함.
- 정서 표현의 글을 쓸 때는 대상에 관한 관찰, 대상과 관련된 경험 등으로부터 가지게 된 느낌이나 생각을 담아야 함.
- 성찰이나 정서 표현의 글을 쓸 때는 자신의 경험 중에서 가치 있는 소재를 찾거나 일상의 경험에 가치를 부여하는 과정을 거쳐야 함.

↓

내용 구성

- 대상에 대한 관찰이나 삶의 체험으로부터 느낀 점이 잘 드러나도록 유기적으로 내용을 조직함.
- 대개 자유로운 형식을 취하지만 글의 종류별로 갖는 일반적인 형식이 있는 경우 그에 따라 내용을 구성함.

출제 포인트 ❹ **성찰과 정서 표현의 글을 쓸 때의 유의 사항**

> 성찰과 정서 표현의 글을 쓸 때 필자가 어떤 태도를 갖추어야 하고, 드러내고자 하는 경험이나 생각 또는 감정을 어떻게 표현해야 하는지에 대한 문제가 출제될 가능성이 큽니다. 성찰의 내용과 정서를 표현하는 글은 특히 진정성과 진솔함이 잘 드러나도록 써야 한다는 것을 잊지 마세요!

- 자신의 생각이나 느낌을 진솔하게 드러내는 표현을 사용한다.
- 내용을 과장하거나 왜곡하지 않고 진정성 있게 표현한다.
- 성찰하는 글을 쓰기 위해서는 평소 무심코 지나쳐 버리기 쉬운 일상의 체험들을 꼼꼼히 기록하는 습관을 갖는 것이 중요하다.
- 일상의 체험 중 가치 있는 소재를 찾거나, 경험에 가치를 부여하는 과정을 거쳐 내용을 선정해야 한다.
- 내용 전달의 효과를 높일 수 있는 표현법들을 사용하는 것도 좋다.

대표 문제 ❸ **성찰과 정서 표현의 글을 쓰기 위해 내용을 구성할 때 유의해야 할 점으로 가장 적절한 것은?**

① '기 – 승 – 전 – 결'의 방식으로 내용을 구성한다.
② 독자가 철학적으로 사유할 수 있는 소재와 내용을 중심으로 선정한다.
③ 특정 대상이나 삶에서 느낀 점이 잘 드러나도록 유기적으로 내용을 조직한다.
④ 독자가 친밀하게 생각하는 대상과 소재를 선정하여 독자의 공감을 불러일으킨다.
⑤ 필자와 독자의 관계를 고려하여 친교의 목적이 분명히 드러나도록 내용을 구성한다.

대표 문제 ❹ **필자가 다음 글을 쓰기 전에 세운 글쓰기 계획으로 적절하지 않은 것은?**

> 앞으로의 삶에 대한 전망이 전혀 보이지 않는 절망적 상황에서 지적 혼돈과 정서적 허무주의라는 수렁에서 헤매고 있던 나에게 사르트르의 실존주의는 지적 혼미에서 벗어나도록 세상을 밝혀 주는 한 줄기 빛이자, 정서적 허무주의의 수렁에 비친 한 줄기 구원의 손길로 느껴졌다. [중략]
> 사르트르를 만나지 않았더라면 나는 서른이 넘은 나이에 지적 모험심으로 힘든 방랑의 길에 나서지 않았을 것이고, 실존주의와 접하지 않았더라면 나는 현재의 나와 전혀 다른 인간이 되었을 것이다. 그 뒤에 알게 된 니체의 '망치로 하는 철학'과 더불어 사르트르의 실존주의 철학은 인생을 보는 시각과 삶에 대한 오늘날의 나의 태도를 형성하는 데 결정적인 요인이 되었다.

① 내 생각과 느낌을 진솔하게 드러내야겠어.
② 대상에 대한 사색과 성찰의 내용을 담아야겠군.
③ 내 삶에서 중요한 영향을 미친 사건을 제시해야겠군.
④ 과거에 내가 처해 있던 상황을 과장하지 않고 드러내야 겠어.
⑤ 비참하고 참혹했던 젊은 시절의 실상을 생생하게 보여 주어야겠군.

소단원 시험 예상 문제

[1-2] 다음 글을 읽고 물음에 답하시오.

드디어 문제의 핵심, 내가 왜 일기를 쓰기 시작했는가에 대해서 말할 차례인데, 그건 한마디로 말해서 마음을 털어놓을 만한 참다운 친구가 나에게는 없기 때문입니다.

좀 더 분명히 말하겠어요. 열세 살 먹은 여자아이가 스스로 이 세상에서 외톨이라고 느끼고 있다, 아니 실제로 외톨이라고 해도 아무도 믿지 않을 테니까요.

나에게는 사랑하는 부모님과 열여섯 살인 언니가 있습니다. 친구라고 부를 만한 사람은 서른 명쯤 알고 있습니다. 남자 친구도 많습니다. [중략]

그래요. 무엇 하나 부족한 게 없는 것처럼 보입니다. 그 '진짜' 친구를 제외하면요. 내 친구들은 모두 그냥 장난을 치거나 농담을 하는 사이일 뿐입니다.

주변의 그저 그렇고 그런 일 말고는 아무에게도 얘기하고 싶지 않으니 아무래도 서로 더 이상 가까워지는 건 무리인 것 같습니다. 그것이 문제의 핵심입니다. 어쩌면 내게 남을 신뢰하는 마음이 부족한 탓인지도 모르겠습니다. 그렇다고 해도 그건 엄연한 사실이며, 달리 뾰족한 수도 없는 것 같습니다. 그래서 일기를 쓰기로 한 겁니다.

오랫동안 기다리고 바라던 이 친구의 모습이 내 마음의 눈에 한층 빛나 보이도록, 보통 사람들처럼 일기 속에 진솔한 사실을 쭉 늘어놓지는 않을 생각이지만, 그래도 이 일기장을 마음의 친구로 삼아 앞으로 내 친구 '키티'라고 부르겠어요.

(학습 활동 응용)

1. 윗글의 필자가 내용을 선정하는 과정에서 고려한 점으로 가장 적절한 것은?

① 이름을 붙일 만큼 가치 있는 일기장에 얽힌 사연을 이야기하자.

② 내가 직면한 문제를 통해 미래의 내 삶을 예상한 결과를 드러내자.

③ 가족과의 관계를 언급하면서 공허함이 인간관계의 본질임을 부각하자.

④ 주변 친구들을 관찰한 내용을 바탕으로 표면적인 친구 관계의 부질없음을 말하자.

⑤ 내가 처한 상황을 솔직하게 이야기하면서 일기를 쓰게 된 이유를 진솔하게 표현하자.

2. 윗글을 읽은 후의 반응으로 적절하지 않은 것은?

① 필자는 주변 친구들이 자신에게 농담하는 것을 무척 싫어하고 있어.

② 필자는 주변 친구들에게 말할 수 없는 것들을 '키티'를 통해 드러내겠군.

③ 필자가 주변 친구들과 마음을 트고 지냈다면 일기를 쓰지 않았을 수도 있겠군.

④ 필자는 다양하고 풍부한 인간관계를 맺고 있지만 그 속에서 고독감을 느끼고 있어.

⑤ 필자는 주변 친구들과 더 이상 가까워질 수 없다는 사실을 문제의 핵심으로 보고 있어.

[3-5] 다음 글을 읽고 물음에 답하시오.

페이드인 되듯이 서서히 세상을 인지하고 보니 날 키우고 있던 사람이 엄마가 아니라 할머니였다는 걸 알게 됐다. 객지에 나가 장사를 해야 했던 부모님이 어린 나를 할머니에게 맡겼고, 그 덕분에 나는 애초에 내가 태어난 곳이 지리산 두메산골이라고 느끼며 자랐다. 할머니는 첫 손자인 나를 애지중지 키우셨고, 나는 누구의 간섭도 받지 않은 채 산과 들로 뛰어다니며 미친 듯이 놀았다. 내가 일곱 살 때 마을에 전기가 들어왔다. 점등식을 하던 날, 집집마다 호롱불로 겨우 어둠을 밝히던 마을이 한순간에 대낮처럼 밝아지는 경이로운 체험을 했다. 그때까지 그런 빛을 본 적이 없었다. 열 살이 되던 해, 부모님은 청주에 어렵사리 장만한 집으로 나를 데려왔다. 소심한 성격 탓에 새로운 세계에 쉽게 적응하지 못했다. 공부도 변변치 않은 데다 촌놈이라 놀리는 반 아이들 때문에 하루하루가 지옥 같았다. 할머니가 있는 시골로 돌아가고 싶었다.

그렇게 방황하다가 슈퍼맨과 로봇 태권브이가 그려진 동시 상영관의 영화 간판을 우연히 발견하고는 뭔가에 홀린 듯 영화를 봤다. 산골에서 내려와 처음으로 보게 된 영화가 하늘을 나는 영웅과 로봇이라니…… 이 엄청난 간극에서 오는 몽환적인 기분은 뭐지? 그때 이후로 난 영화라는 미지의 세계에 완전히 빠져들었고 언제부턴가 영화 얘기를 듣겠다고 내 앞으로 아이들이 몰려들었다. 그리고 아이들은 더 이상 나를 촌놈이라고 놀리지도 않았다. 그렇게 영화를 향한 지독한 사랑이 시작됐고 몇 해가 지나 운명처럼 영화 한 편이 내게 나타났다. 그것은 「이티」였다.

「이티」는 지구에 홀로 남겨진 겁먹은 외계인과 그룹에서 소외된 소년이 서로에 대한 공포를 극복하는 과정에서 특별하고도 신비로운 유대가 형성되면서 영혼이 연결되는 것을 보여 주고 있는 영화이다. 외계 생명체와 조우하는 할리우드 블록버스터라면 응당 최고 권위의 과학자나 군 장성이 등장하고 대규모 전투가 벌어져야 하지만 이 영화는 그런 상투적인 설정과는 정반대로 달려간다. 마술적 상징과 시각 언어로 가득찬 이야기 전개 방식은 관객의 눈을 사로잡는다. 그중에서도 자신들을 뒤쫓는 어른들로부터 탈출하기 위해 미친 듯 자전거를 모는 소년들을 이티가 모두 하늘로 날아오르게 하는 장면은 영화사에 길이 남을 비약적 쾌감의 진수다.

무엇보다 내 인생에서 「이티」가 의미 있는 건 내가 어떤 종류의 인간인지, 어떤 생각을 하며 사는 인간인지를 알게 해 준 영화라는 점 때문이다. 내게 「이티」 같은 초현실적 존재가 바로 영화였다. 산골 소년이었던 나는 낯선 세계에서 헤매고 있을 때 마법처럼 영화를 만났고, 그것은 한순간에 날 빨아들였다. 그리고 나는 더 이상 외로워하지 않게 됐다. 아마도 나는 「이티」를 본 후부터 영화를 만들고 싶다는 생각까지 한 것 같다. 자그마한 외계인이 지구라는 미지의 세계에 홀로 남겨져 방황할 때 엘리엇이 손을 내밀어 친구가 돼 준 것처럼 나도 외로워하고 있을 누군가를 향해 손을 내밀고 싶었다. 그래서 「이티」를 볼 때의 나처럼 관객에게 비약의 순간을 경험하게 해 줘야 한다는 부채 의식 같은 게 생긴 게 아닐까.

3. 윗글에 대한 설명으로 가장 적절한 것은?

① 필자는 부모님과 할머니에게 느낀 감정을 진솔하게 표현하고 있다.

② 필자는 회상적인 어조로 과거의 추억에 대한 그리움을 표출하고 있다.

③ 필자는 영화 용어를 활용하여 자신의 삶에 대해 인식한 내용을 말하고 있다.

④ 필자는 지리산 두메산골에서의 체험과 청주에서의 체험의 유사성을 연관 짓고 있다.

⑤ 필자는 자신이 청주에 와서 적응하지 못한 것을 부모가 부재했던 과거의 탓으로 돌리고 있다.

4. 윗글의 내용과 일치하지 <u>않는</u> 것은?

① '나'가 할머니와 함께 살던 곳은 도시에서 멀리 떨어진 산골이다.

② '나'는 어린 시절 경제적인 이유 때문에 부모님과 떨어져 살았다.

③ '나'는 영화를 사랑하게 되면서 영화를 만들고 싶다는 생각을 하게 된다.

④ '나'는 친구들과 어울리지 못하고 방황하던 때 우연히 영화를 보게 된다.

⑤ 「이티」는 외계 생명체가 등장하는 할리우드 블록버스터의 문법을 충실히 따른 영화이다.

서술형

5. 윗글에서 영화를 보기 전과 보고 난 후 필자에게 일어난 삶의 변화에 관해 서술하시오.

_____

_____

[6-8] 다음 글을 읽고 물음에 답하시오.

재작년이던가, 여름날에 있었던 일이다. 날씨가 화창하여 밀린 빨래를 해치웠었다. 성미가 비교적 급한 나는 빨래를 하더라도 그날로 풀을 먹여 다려야지 그렇지 않으면 찜찜해서 심기가 홀가분하지 않다. 그날도 여름 옷가지를 빨아 다리고 나서 노곤해진 몸으로 마루에 누워 쉬려던 참이었다. 팔베개를 하고 누워서 서까래 끝에 열린 하늘을 무심히 바라보고 있었다. 그러다가 모로 돌아누워 산 봉우리에 눈을 주었다. 갑자기 산이 달리 보였다. 하, 이것 봐라 하고 나는 벌떡 일어나, 이번에는 가랑이 사이로 산을 내다보았다. 우리들이 어린 시절 동무들과 어울려 놀이를 하던 그런 모습으로.

그건 새로운 발견이었다. 하늘은 호수가 되고, 산은 호수에 잠긴 그림자가 되었다. 바로 보면 굴곡이 심한 산의 능선이 거꾸로 보니 훨씬 유장하게 보였다. 그리고 숲의 빛깔은 원색이 낱낱이 분해되어 멀고 가까움이 선명하게 드러나 얼마나 아름다운지 몰랐다. 나는 하도 신기해서 일어서서 바로 보다가 다시 거꾸로 보기를 되풀이했었다.

이러한 동작을 누가 지켜보고 있었다면 필시 미친 증으로 여겼을 것이다. 그러나 여기에서 나는 새로운 사실을 캐낼 수 있었다.

우리가 일상적으로 사람을 대하거나 사물을 보고 인식하는 것은 틀에 박힌 고정 관념에 지나지 않는다. 그렇기 때문에 이미 알아 버린 대상에서는 새로운 모습을 찾아내기 어렵다. 아무개 하면, 자신의 인식 속에 들어와 이미 굳어 버린 그렇고 그런 존재로밖에 볼 수가 없는 것이다. 이건 얼마나 그릇된 오해인가. 사람이나 사물은 끝없이 형성되고 변모하는 것인데.

그러나 보는 각도를 달리함으로써 그 사람이나 사물이 지닌 새로운 면을, 아름다운 비밀을 찾아낼 수 있다. 우리들이 시들하게 생각하는 그저 그렇고 그런 사이라 할지라도 선입견에서 벗어나 맑고 따뜻한 '열린 눈'으로 바라본다면 시들한 관계의 뜰에 생기가 돌 것이다.

내 눈이 열리면 그 눈으로 보는 세상도 열리는 법이다.

인도의 명상가이며 철학자, 그리고 구루(영적인 스승)인 크리슈나무르티는 그의 저서 『아는 것으로부터의 자유』에서 다음과 같이 말하고 있다.

"우리가 보는 법을 안다면 그때는 모든 것이 분명해질 것이다. 그리고 보는 일은 어떤 철학도, 선생도 필요로 하지 않는다. 아무도 당신에게 어떻게 볼 것인가를 가르쳐 줄 필요가 없다. 당신이 그냥 보면 된다."

그 어떤 고정 관념에도 사로잡히지 말고 허심탄회 빈 마음으로 보라는 것. 남의 눈을 빌릴 것 없이 자기 눈으로 볼 때 우리는 대상을 보다 정확하게 파악할 수 있을 거라는 말이다.

차를 즐기는 사람들은 흔히 이런 말을 한다. 어디서 나오는 무슨 차는 맛이 좋고, 어디 차는 맛이 시원치 않다고. 물론 기호에 따라 그렇게 말할 수도 있겠지만 차 맛에 어떤 표준이 있는 것은 아니다. 형편없는 찻감만 아니라면 한 잔의 차를 통해 삶에 대한 잔잔한 기쁨과 감사를 누릴 수 있을 것이다. 요는 그 차가 지닌 특성을 알맞게 우릴 때 바로 '그 차 맛'을 알 수 있다. 사람의 일도 마찬가지다. 인격에 고정된 어떤 틀이 있는 것은 아니다. 그 사람이 지닌 좋은 덕성을 찾아낼 수 있다면, 그는 내게 좋은 친구가 될 것이다.

학습 활동 응용

6. 윗글의 서술상 특징으로 가장 적절한 것은?

① 필자의 실제 경험을 극적으로 재구성하고 있다.

② 영탄법을 통해 자연의 아름다움을 표현하고 있다.

③ 앞으로 벌어질 일을 예측하여 문제의 심각성을 강조하고 있다.

④ 비유적 표현을 활용하여 세태에 대한 안타까움을 드러내고 있다.

⑤ 도치법을 활용하여 필자의 경험에 독자가 공감하도록 하고 있다.

7. 윗글을 읽은 독자의 반응으로 적절하지 않은 것은?

① 필자는 우연히 하게 된 행위를 통해 깨달음을 얻고 있어.

② 필자가 자신의 단점을 솔직하게 말하니 글에서 진솔함이 느껴져.

③ 필자는 의미 있는 행위를 반복할 때 진정한 성찰을 할 수 있다고 보는군.

④ 필자는 우리가 보는 각도를 달리하면 사람이나 사물을 새롭게 볼 수 있다고 말하고 있군.

⑤ 필자는 차가 각기 다른 맛을 내듯이 시각을 바꾸면 사람들이 각각 지닌 덕성을 찾아낼 수 있다고 생각하는군.

서술형

8. 〈보기〉는 윗글을 쓴 필자와 관련된 일화이다. 〈보기〉와 윗글을 통해 필자가 드러내고자 한 가치는 무엇인지 서술하시오.

─〈보기〉─

법정은 다른 종교와의 벽을 허문 것으로 큰 발자취를 남겼다. 1997년 길상사 개원 법회에 김수환 추기경이 방문했고, 법정은 이에 대한 화답으로 이듬해 명동 성당에서 특별 강론을 했다. 이후 길상사는 타 종교인들의 발길이 이어지면서 종교 화해와 나눔의 장이 되었다. 이뿐 아니라 법정은 길상사 마당의 관음보살상 조각을 천주교 신자에게 맡겨 화제를 모으기도 했다.

중단원 마무리

스스로 정리하기

(1) 친교를 위한 글

친교를 위한 글의 개념과 특징

개념	다른 사람과 관계를 원만히 유지하거나 발전시키기 위해 쓰는 글로, 편지, 문자 메시지, 초대장 등이 있음.
특징	• 글의 주제, 목적, 독자, 매체 등의 작문 ❶□□에 대한 이해를 바탕으로 독자와 상호 작용을 해야함. • 사적으로 친구나 가족에게 안부를 묻거나 용건을 전하는 상황과 ❷□□으로 감사, 축하, 격려 등의 내용을 전달하는 상황에서 활용됨.

친교를 위한 글의 구성

편지글이나 초대하는 글처럼 일정한 형식이 있는 경우 그 구성 형식에 따라 쓰는 것이 좋음.

• 편지글

서두	본문	맺음말
받는 사람의 호칭, 첫 인사(계절 인사, 상대방 안부, 자기 안부 등)	글을 쓰는 의도나 용건	끝인사, 날짜, 보내는 사람의 이름

• 초대하는 글

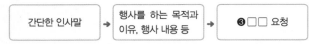

간단한 인사말	→	행사를 하는 목적과 이유, 행사 내용 등	→	❸□□ 요청

친교를 위한 글 작성 시 유의 사항

• 사적 친교를 위한 글은 진실된 마음으로 인간미와 따뜻한 정감이 드러나도록 써야 함.
• 공적인 친교를 위한 글은 전달하고자 하는 바가 명확하고 간결하게 드러나도록 써야 함.
• 친교를 위한 글은 대개 독자가 명확하게 정해져 있으므로 예의와 ❹□□을 갖추어 써야 함.
• 친교를 위한 글은 독자와의 상호 작용이 중요하므로 작문 맥락에 맞게 글을 써야 함.

(2) 성찰과 정서 표현을 위한 글

성찰과 정서 표현을 위한 글의 개념과 종류

성찰하는 글	• 일상의 체험을 바탕으로 자신의 삶을 성찰하고 거기서 얻은 깨달음을 쓰는 글 • 성찰하는 글에는 일기, 회고문 등이 있음.
정서를 표현하는 글	• 마음속의 생각이나 느낌, 감정 등을 표현하는 글 • 정서를 표현하는 글에는 수필, 감상문, 기행문 등이 있음.

성찰과 정서 표현을 위한 글의 내용 선정

• 자기 성찰의 글에는 자신의 ❺□을 되돌아보고 성찰하는 내용을 담는다.
• 정서 표현의 글에는 대상과 관련된 경험으로부터 얻게 된 생각이나 느낌을 담는다.
• 자기 성찰이나 정서 표현의 글을 쓸 때는 일상에서 가치 있는 소재를 찾거나 일상의 경험에 ❻□□를 부여하는 과정을 거친다.

성찰과 정서 표현을 위한 글의 내용 구성

• 독자, 주제, 매체 등의 작문 맥락을 고려하여 내용을 선정하고 조직한다.
• 대상에 대한 관찰이나 삶의 체험으로부터 느낀 점이 잘 드러나도록 유기적으로 내용을 조직한다.
• 대개 자유로운 형식을 취하지만 글의 종류별로 갖는 일반적인 형식이 있는 경우는 그에 따라 내용을 구성한다.

성찰과 정서 표현을 위한 글 쓰기

• 성찰이나 정서 표현의 글은 대상에 관한 관찰이나 삶의 체험으로부터 느낀 점이 잘 드러나도록 유기적으로 내용을 조직해야 한다.
• 자기 성찰이나 정서 표현의 글을 통해 독자의 공감을 얻기 위해서는 내용을 ❼□□□ 있게 표현해야 한다.

성찰과 정서 표현을 위한 글의 가치

• 필자의 정서적·인격적 성장을 돕는다.
• 독자에게 ❽□□과 즐거움을 주는 사회적 의사소통 행위로서의 의미를 지닌다.

|정답| ❶ 맥락 ❷ 공적 ❸ 참석 ❹ 격식 ❺ 삶 ❻ 가치 ❼ 진정성 ❽ 감동

확장하기

❯ 다음 과제를 수행하며 이 단원의 목표를 다시 한번 환기해 보자.

고마운 사람에게
감사의 마음을 전하는
영상 편지 만들기

고마운 사람에게 감사의 마음을 전하는 영상 편지를 만들어 보내 보자.

⋯ 작문 맥락을 정확히 분석하여 영상 편지에 담을 내용을 글로 쓴 후, 매체의 특성을 고려하여 영상과 음악 등을 활용하여 영상 편지를 만든다.

친구가 추천하는 책을 읽고
감상문 쓰기

친구끼리 짝을 이루어 서로 추천해 준 책을 읽고 감상문을 작성해 보자.

⋯ 친구가 추천해 준 책을 읽으면서 가지게 된 생각이나 느낌을 진정성 있게 표현한다. 감상문을 다 쓴 후 학급 누리집에 감상문을 올리는 것도 좋다. 그리고 학급 누리집에 친구가 올린 감상문을 읽고 공감하는 내용의 댓글을 달아 본다.

여행을 통해 얻은 깨달음을
담아 **일기 쓰기**

여행을 하면서 자신의 삶을 되돌아본 경험을 떠올려 성찰의 내용을 담은 일기를 써 보자.

⋯ 여행을 하면서 접한 대상이나 경험에 대한 느낌을 진솔하게 표현하고, 일기의 형식에 따라 글을 써 본다. 일기장에 사진 자료 등을 붙여 현장감을 살리는 것도 좋다.

친구가 추천하는 책을 읽고 감상문 쓰기

다음 활동은 위의 '확장하기' 활동 가운데 '친구가 추천하는 책을 읽고 감상문 쓰기' 활동이다. 이 활동의 결과물을 학급 구성원끼리 공유하고 의견을 교환함으로써 정서를 표현하는 글쓰기 능력을 기르고 독서를 통한 경험의 폭을 넓혀 보자.

❯ **활동 순서**

책 읽기		감상문 쓰기		공유하기
친구가 추천해 준 책 읽기	→	자신만의 정서를 담아 감상문 쓰기	→	쓴 글을 학급 누리집에 올리기

1. 책 읽기

• 독서 일지를 작성하며 친구가 소개해 준 책 읽기
• 작문 맥락을 고려하며 책 읽기

2. 감상문 쓰기

• 감상문의 개요 작성하기

Ⅰ. 처음
감상하게 된 동기: 친구 세라가 꼭 읽어 보라면서 빌려주었기 대문에 읽게 되었다.
책을 처음 보았을 때의 인상: 제목이 생소했다.

Ⅱ. 가운데
• 책의 줄거리: 작고 연약한 겉모습과 달리 강인한 생명력과 의지를 지닌 병아리 '빼떼기'의 일생 이야기
• 책에 대한 감상
 − 빼떼기가 화상을 입는 장면: 강인한 생명력과 의지를 느낄 수 있었고, 평소 나의 생활을 반성하였다.
 − 빼떼기가 어미와 형제들로부터 괴롭힘을 당하는 장면: 우리 사회의 약자들이 빼떼기처럼 고통을 받지 않도록 많이 고민을 해야 할 것 같다는 생각이 들었다.
 − 빼떼기가 죽음을 맞는 장면: 순진이네 가족이 빼떼기를 잡아 먹는 것이 이해되지 않았다.

Ⅲ. 끝
결말에 담긴 자각의 의도를 생각해 보았다.

• 글쓰기

세라가 『빼떼기』라는 책을 건넸을 때, 책 제목이 생소한데다 연상되는 것이 별로 없어서 그다지 흥미를 갖지 못했다. '빼떼기'가 무슨 사물의 이름이 아닐까 하고 심상하게 페이지를 넘기던 나는 점점 이야기에 몰입할 수 있었는데, 글의 후반부에 들어서는 책장을 넘기는 게 여간 고통스럽지 않았다.

'빼떼기'는 빼딱빼딱 걷는 닭의 이름이다. '빼떼기'는 왜 여느 닭처럼 두 다리로 종종 걷지 못하고 이쪽저쪽으로 쓰러지듯이 걷게 된 것일까. 한국 전쟁이 일어나기 전인 1948년, 순진이네 집에 '깜둥이'라는 암탉이 살게 되고 '깜둥이'에게서 '빼떼기'가 태어난다. '빼떼기'도 처음에는 다른 병아리들처럼 귀여운 모습이었다. 그러나 어느 날 따뜻한 기운을 느낀 '빼떼기'가 부엌 아궁이에 뛰어들고 심한 화상을 입는다. '빼떼기'는 그날의 사고로 솜털이 거의 다 빠져 알몸뚱이가 되고, 발가락이 한 마디 이상 떨어져 나가 제대로 걸을 수 없게 된다. 하지만 살아날 수 없을 것 같던 상황에서 '빼떼기'는 반이 뭉뚱그려진 부리로 제대로 집히지 않는 좁쌀을 먹고 물을 넘겨서 살아난다. 너무 작고 연약해서 죽는 게 당연할 것 같던 '빼떼기'가 다시 일어서는 모습에 생명의 강인함과 의지를 느낄 수 있었고 평소의 내 느슨한 삶을 되돌아보게 되었다.

'빼떼기'는 사고의 아픔을 이기고 조금씩 성장한다. 그러나 화상으로 모습이 달라진 '빼떼기'는 어미인 '깜둥이'와 형제들로부터 외면을 당한다. 특히, '빼떼기'가 '깜둥이'의 부리에 쪼여 쫓겨나는 모습은 비극적이다. '빼떼기'의 그런 모습에 외모가 다르거나 힘이 없다고 해서 차별을 당하는 사회적 약자가 떠올랐다. 우리 사회에 있는 '빼떼기'들이 '빼떼기'처럼 고통스럽게 울부짖는 일이 없어지도록 우리가 많은 고민을 해야 하지 않을까.

'빼떼기'는 뭉툭한 발가락 때문에 높은 화에 올라가지 못하지만, 어미와 형제 닭과 같이 있고 싶어 닭장에서 지낸다. 닭들은 더 이상 '빼떼기'를 괴롭히지 않지만, '빼떼기'는 다른 닭들과 달리 성장이 더디다. 게다가 집 밖으로 놀러 나갔다가 건넛집 개에게 물려 한쪽 날개가 처져 짝짝이 날개가 되어 버리고 만다. 그러나 '빼떼기'는 짝짝이 날개를 엉거주춤 치켜들면서 "꼬르륵" 하고 울었다. 다른 닭처럼 "꼬끼요" 하고 울지 못했지만, 수탉으로서 온전한 모습이 되지는 못했지만, 사고로 인한 상처를 극복하고 경이로운 생명력을 보여 준 '빼떼기'의 "꼬르륵"은 다른 닭들의 "꼬끼요"보다 우렁차게 느껴졌다.

'빼떼기'의 이야기가 여기에서 끝나면 좋겠다는 생각이 들 때, 이야기는 생각지 못한 막다른 길로 달려갔다. 한국 전쟁이 터지고 순진이네는 피란을 가게 되었는데 '빼떼기'를 도저히 피란에 데려갈 수 없는 상황이었다. 어린 순진이와 순금이는 '빼떼기'를 데려가자고 떼를 썼지만 순진이 아버지는 '빼떼기'를 데려갈 수도 집에 놓고 갈 수도 없으니 '빼떼기'를 잡아먹자는 결정을 내린다. 이 결정이 쉽사리 이해되지 않았다. 순진이네 가족 모두 사고를 겪고도 살아나서 성장한 '빼떼기'를 대견하게 여겼고 다른 닭들을 모두 팔고도 '빼떼기'는 남겨 놓을 만큼 가족처럼 여겼기 때문이다. 그러나 결국 '빼떼기'는 사고를 당한 아궁이 앞에서 죽음을 맞는다.

작가는 왜 '빼떼기'를 죽음에 이르게 했을까. '빼떼기'를 통해 강인한 생명력과 생명의 소중함을 일깨우던 이 이야기가 '빼떼기'의 죽음으로 끝나는 것은 결국 전쟁이 모든 생명을 파괴하기 때문일 것이다. '빼떼기'의 "꼬르륵"을 무참히 짓밟는 전쟁의 실상을 우리는 뼈아프게 깨달아야 하고, 이 세상에서 전쟁이 일어나지 않도록 하는 데에 개인의 작은 힘들이 거대하게 뭉쳐져야 할 것이다.

3. 공유하기

• 각자 쓴 글을 학급 누리집에 올리기
• 글을 읽은 친구들은 감상문을 읽은 소감을 댓글로 달아 상호 평가하기

 순진이네 가족이 빼떼기를 죽이는 게 올바른 선택일까? 전쟁 때문에 죽든 순진이네 가족들 때문에 죽든 어떻게든 빼떼기가 죽을 거라면 그냥 빼떼기 혼자 죽게 놓아두었어야 하는 게 아닐까?

 반전이 있는 결말이 흥미로운 것 같아. 우리 다음 토론 모둠 활동 시간에 빼떼기의 죽음에 관한 논제를 정해 독서 토론을 해 보면 어떨까?

네가 쓴 감상문을 보니 나도 『빼떼기』가 읽고 싶어졌어. 초등학교 시절 학교 앞에서 병아리를 사 와서 기르다가 그 병아리가 죽는 바람에 며칠 동안 학교도 가지 못하고 울기만 했던 기억도 떠올라.

대단원 마무리

학습한 내용

✎ 이 단원에서 학습한 내용을 확인해 보자.

개념·원리		활동
작문 맥락의 개념과 중요성, 작문의 맥락을 구성하는 요소	⟨⟩	• 주제, 목적, 독자, 매체, 필자의 입장, 글의 유형을 고려하여 글쓰기
정보를 전달하는 글의 특징, 정보 전달적 글쓰기의 원리, 소개문·보고문 쓰기의 방법	⟨⟩	• 작문 맥락을 고려하여 정보를 선별하고 조직하기 • 여러 가지 목적의 자기소개서 쓰기 • 절차와 결과가 분명히 드러나게 보고서 쓰기
설득하는 글의 특징, 설득적 글쓰기의 원리, 비평문·건의문 쓰기의 방법	⟨⟩	• 타당한 논거와 다양한 설득 전략 활용하기 • 시사 문제에 관한 비평문 쓰기 • 현안에 관한 건의문 쓰기
친교를 위한 글의 특징, 친교적 글쓰기의 원리	⟨⟩	• 상대를 배려하며 친교적인 글쓰기
자기 성찰과 정서 표현을 위한 글의 특징, 정서적 글쓰기의 원리	⟨⟩	• 자신을 성찰하는 글쓰기 • 진정성이 드러나게 정서 표현의 글쓰기

점검·평가

✎ 이 단원에서 학습한 내용을 확인해 보자.

단원	점검 내용
1. 정보를 정리하여 전달하는 작문	가치 있는 정보를 선별하고 조직하여 글을 쓰는 방법을 익혔는가?
	목적에 맞게 자기소개서 쓰는 방법을 익혔는가?
	탐구 절차와 결과가 잘 드러나게 보고서 쓰는 방법을 익혔는가?
2. 의견을 펼치며 설득하는 작문	타당한 논거와 효과적인 전략으로 글의 설득력을 높이는 방법을 익혔는가?
	합리적인 관점에서 비평문을 쓰는 방법을 익혔는가?
	해결 방안을 제시하며 건의문을 쓰는 방법을 익혔는가?
3. 사람을 이해하고 성찰하는 작문	맥락에 맞게 친교의 글을 쓰는 방법을 익혔는가?
	자기 성찰과 정서를 표현하는 글을 쓸 때의 원리를 익혔는가?

질문 만들기

✎ 다음 항목들과 관련하여 서로 질문과 대답을 나누고, 부족한 부분을 보충해 보자.

❓ 글쓰기가 나의 성장에 도움이 되는 까닭

ㅣ예시 답안ㅣ 갑돌: 글쓰기와 나의 성장은 무슨 관계가 있을까?

을숙: 글을 쓰면서 자신에 대해 성찰해 보고 자아 개념을 긍정적인 방향으로 조정하여 자아를 성장·발전시킬 수 있어.

❓ 글쓰기의 내용과 방법에 영향을 주는 요소들

ㅣ예시 답안ㅣ 갑돌: 글쓰기의 내용과 방법에 영향을 주는 요소는 뭐야?

을숙: 글을 쓸 때는 작문 맥락을 고려해 글의 내용과 방법을 선정해야 해. 주제, 독자, 매체와 같은 맥락뿐 아니라 글을 쓰는 과정에 개입하는 여러 가지 상황이나 관습 등을 고려해 내용을 선정하고 조직해야 해.

❓ 정보 전달을 위한 작문, 설득을 위한 작문, 친교를 위한 작문, 자기 성찰과 정서 표현을 위한 작문의 차이

ㅣ예시 답안ㅣ 갑돌: 정보 전달을 위한 작문, 설득을 위한 작문, 친교를 위한 작문, 자기 성찰과 정서 표현을 위한 작문의 차이점이 뭔지 알아?

을숙: 가장 큰 차이점은 작문의 목적이라고 할 수 있지. 목적이 정보 전달이냐, 설득이냐, 친교냐, 자기 성찰과 정서 표현이냐에 따라 글의 내용, 조직 방법, 중요하게 고려해야 할 점들이 달라져. 정보 전달을 위한 글은 정보의 신뢰성이 가장 중요하고, 설득을 위한 글은 타당한 근거를 제시하는 것이 가장 중요한 것처럼 말이야.

❓ 지속적으로 글을 쓰고 쓴 글을 관리할 때의 이점

ㅣ예시 답안ㅣ 갑돌: 지속적으로 글을 쓰고 그 글을 점검·조정하면 어떤 점이 좋아?

을숙: 글쓰기 능력이 향상되는 것은 물론이고, 깊이 있는 사고를 할 수 있어. 인간관계를 형성·유지하고 발전시키는 능력도 생길 거야. 또한, 글쓰기를 통해 자신을 좀 더 깊이 이해할 수도 있고, 정서적·심리적 안정을 도모할 수도 있어.

❓ 인터넷 발달이 작문에 미치는 영향

ㅣ예시 답안ㅣ 갑돌: 인터넷 발달이 작문에 어떤 영향을 주는지 알아?

을숙: 작문의 내용이 같아도 그것을 담아내는 매체가 달라지면 표현 방식도 달라져. 인터넷의 경우 글을 써서 올린 후 그게 인터넷상에 퍼지기 시작하면 취소는 물론이고 수정도 불가능한 경우가 많으므로 신중하게 써야 해. 또한, 인터넷은 누구나 쉽게 자신의 생각을 표현하고 소통할 수 있는 매체로서, 전문가가 아닌 일반인도 얼마든지 자신의 의견을 피력할 수 있는 열린 매체의 역할을 하고 있어.

수능형

1. 〈보기〉는 학교 친구들에게 '윤리적 소비'에 관해 알려 주는 글을 쓰기 위해 검색한 인터넷 화면이다. 〈보기〉를 바탕으로 필자가 세운 정보 수집 계획 중 적절하지 <u>않은</u> 것은?

〈보기〉

> 통합 검색 뉴스 사진 어학 사전 동영상 블로그 더 보기 　Q 윤리적 소비
>
> **연관 검색어**
> 윤리적 소비 공모전, 착한 소비, 윤리적 소비의 한계,
> 윤리적 소비의 개념, 공정 무역, 녹색 소비,
> 윤리적 소비의 실천 방법, 윤리적 소비의 사례,
> 윤리적 소비 관련 인증 제도, 윤리적 소비의 필요성,
> 소비자의 사회적 책임, 윤리적인 삶
>
> **더 알아보기**
> · 커피도 착할 수 있나요?
> · 착한 소비, 공정한 무역이
> 란 무엇인가요?
> · 소비자가 가지는 권리와 책
> 임이 있어요?

① 인터넷에서 뉴스, 사전, 블로그 등 다양한 매체의 자료를 찾아봐야겠어.

② '윤리적 소비의 사례'의 경우 사전을 활용하면 다양하고 생생한 자료를 얻을 수 있겠어.

③ 윤리적 소비에 대한 정보를 알리는 글이므로 '윤리적 소비의 개념' 항목을 눌러 확인해 봐야지.

④ '윤리적 소비 관련 인증 제도'는 독자인 학생들이 꼭 알아야 할 정보는 아니므로 조사할 필요가 없겠군.

⑤ '윤리적 소비의 한계'에 대한 자료를 수집해 제시하면 윤리적 소비에 대해 좀 더 깊이 생각하는 계기를 마련할 수 있을 거야.

[2-3] 다음 글을 읽고 물음에 답하시오.

가 윷놀이는 윷가락을 던지고 말[馬]을 사용하여 승부를 ㉠겨누는 우리나라 고유의 민속놀이이다. 윷놀이는 중국의 '저포'라는 놀이에서 전래되었다는 이야기도 있지만, 우리나라에서는 이미 삼국 시대 이전부터 널리 행해져 왔다. 부여의 왕이 다섯 종류의 가축을 다섯 마을에 나누어 주고, 그 가축을 잘 번식시키기 위하여 윷놀이를 하였다고 한다. 그래서 윷을 던졌을 때 나오는 결과를 이르는 말인 '도, 개, 걸, 윷, 모'를 '돼지, 개, 양, 소, 말'에 비유하기도 한다.

나 윷을 던졌을 때 나오는 결과는 도, 개, 걸, 윷, 모 다섯 가지이다. 윷이 모두 엎어지면 '모', 네 개 모두 잦혀지면 '윷', 세 개가 엎어지고 한 개가 잦혀지면 '도', 두 개가 엎어지고 두 개가 잦혀지면 '개', 한 개가 엎어지고 세 개가 잦혀지면 '걸'이라고 한다. 도는 1점, 개는 2점, 걸은 3점, 윷은 4점, 모는 5점을 얻는다. 그리고 모나 윷이 나오면 '사리'라 하여 윷을 한 번 더 던지는 권리가 주어지므로 많은 점을 얻을 수 있다. ㉡그러나 '낙'이라는 규칙이 있는데, '낙'은 윷을 던졌을 때 윷가락이 윷판 밖으로 나가는 것을 이른다. '낙'이 되면 나온 점이 무효가 되고 윷을 던지는 기회가 상대편으로 넘어간다.

다 윷놀이는 말을 움직이는 데 머리를 많이 ㉢쓴다. 승패가 굳어져 ㉣가다가는 한순간에 바뀔 수 있기 때문이다. 우리 편이 지는가 싶다가도 앞에 가는 상대편의 말을 잡을 수 있고, 우리 편이 이기는가 싶다가도 우리 말이 상대편에게 잡힐 수도 있다. 또 우리의 인생처럼 때로는 지름길로 가고 때로는 한 바퀴를 빙 돌아가는 등 변화가 다양하여 언제 역전이 될지 모르는 묘미를 느낄 수 있는 놀이이다.

라 윷놀이는 원래 정월 무렵에 농민들이 그해 농사가 높은 지대에서 잘될까, 낮은 지대에서 잘될까를 점치는 옛날 풍습 중 하나였다. 그러나 오늘날에는 계절에 관계없이 남녀노소 누구나 즐기는 놀이가 되었다. ㉤옛날 풍습인 윷놀이보다 재미있는 놀이가 많은 요즈음 윷놀이는 아예 없어질 위기에 처해 있다.

출제 예감

2. 윗글의 필자가 글을 쓰기 전에 세웠을 계획으로 적절하지 <u>않은</u> 것은?

① '윷놀이의 묘미'는 순서 구조를 활용하여 전개하자.

② '윷놀이의 유래'는 백과사전에서 정보를 찾아 서술하자.

③ '윷놀이의 규칙'은 열거의 방법을 활용하여 차례로 제시하자.

④ '윷놀이의 의미'는 과거와 현재를 비교하여 차이점을 밝혀 전달하자.

⑤ 유추의 방법을 활용하여 윷놀이를 인생과 연관 지어 독자의 공감을 얻어 내자.

3. ㉠~㉤을 고친 내용으로 적절하지 <u>않은</u> 것은?

① ㉠: 문맥상 의미를 고려하여 '겨루는'으로 바꾼다.

② ㉡: 앞 문장과의 연결 관계를 고려하여 '그래서'로 교체한다.

③ ㉢: 호응 관계가 어색하므로 '써야 한다'로 수정한다.

④ ㉣: 조사의 쓰임이 잘못되었으므로 '가다가도'로 고친다.

⑤ ㉤: 글의 통일성을 해치므로 삭제한다.

[4-5] 다음 글을 읽고 물음에 답하시오.

가 ㉠노인 인구의 증가로 고령화 사회에 접어들면서 노인 기준 연령을 올려야 한다는 목소리가 커지고 있습니다. 실제로 어느 설문 조사에서는 우리나라 국민 중 48%가 70세 이상을 노인으로 인식한다는 결과가 나왔습니다. ㉡현행 노인 기준 연령이 65세인 것을 생각하면 법과 사람들의 인식 사이에 괴리가 있어 보이는 것은 분명합니다.

나 하지만 ㉢우리나라 노인 인구의 삶의 질을 고려할 때 노인 기준 연령을 올리는 것은 시기상조입니다. 주변을 둘러보면 하루하루 폐지를 주워 살아가는 할아버지와 할머니들을 쉽게 찾아볼 수 있습니다. 아파도 병원 치료조차 제대로 받을 수 없는 형편에 놓인 분들도 많습니다.

다 ㉣이러한 현실에서 노인 기준 연령을 상향하면 여러 가지 사회 문제가 초래될 것입니다. 첫째, 가뜩이나 열악한 우리나라 노인 인구의 삶의 질을 더욱 악화시킬 것입니다. 노인 기준 연령을 올리게 되면 공적 연금이나 복지 서비스 수급 연령도 같이 올라갈 가능성이 높기 때문입니다.

라 둘째, 우리 민족의 전통이라고도 할 수 있는 경로사상이 퇴색할 것입니다. 노인 기준 연령을 올려야 한다는 주장의 이면에는 이런 사회적 분위기가 자리 잡고 있기 때문입니다.

마 저출산 현상과 노인 인구의 증가로 우리 사회는 급속하게 고령화 사회로 접어들고 있습니다. 이에 따라 노인 인구 부양을 위한 젊은 세대의 부담이 커지면서 노인 기준 연령을 올려야 한다는 젊은이들이 늘어나고 있습니다.

출산율 저하 등으로 경제 활동에 참여하는 인구가 갈수록 줄어들고 있는 상황에서 노인 연령 기준을 올리지 않을 경우 젊은 세대들이 책임져야 하는 세금 부담이 너무 크다는 것이 이들의 논리입니다. ㉤하지만 정부 부처의 불필요한 예산 사용을 줄이고 노인 복지에 관한 예산을 확대 편성하는 방법 등을 고려한다면 젊은 세대들의 이러한 우려는 크게 문제될 것이 없다고 생각합니다. 노인 기준 연령 상향의 문제는 이러한 경제적 관점에서의 접근도 필요하지만 그보다 우선시되어야 하는 것은 국민의 한 사람으로서 모든 노인들이 인간다운 삶의 질을 누릴 수 있도록 국가가 보장하는 것이어야 합니다.

4. ㉠~㉤에 대한 설명으로 가장 적절한 것은?

① ㉠: 현안의 해결 방안을 제시하고 있다.

② ㉡: 노인의 기준 연령을 규정한 법률 조항을 구체적으로 명시하고 있다.

③ ㉢: 감성적 설득 전략을 활용하여 독자의 감정에 호소하고 있다.

④ ㉣: 근거를 들어 필자와 상반된 주장에 대한 반박을 하고 있다.

⑤ ㉤: 현실성을 고려하지 않은 대안을 제시하고 있다.

5. 윗글의 내용을 수정·보완할 자료로 적절하지 <u>않은</u> 것은?

① (가): 제시한 설문 조사의 출처를 밝히고 조사 내용을 구체적이고 명확하게 드러낸다.

② (나): 우리나라의 노인 빈곤율이 높다는 것을 보여 주는 통계 자료를 제시한다.

③ (다): 노인 기준 연령을 올렸을 때, 노인에서 제외되는 인원의 수와 비율을 그래프로 시각화한다.

④ (라): 버스나 지하철의 경로석이 전체 좌석에서 차지하는 비율을 근거로 제시한다.

⑤ (마): 국민 연금의 고갈 시점이 계속 앞당겨지고 있다는 신문 기사를 활용한다.

[6~7] 다음 글을 읽고 물음에 답하시오.

가 교육부가 추진 중인 소규모 학교 통폐합 정책이 뜨거운 논란이 되고 있다. 교육부는 지난해 말 전국 17개 시·도 교육청에 기준이 대폭 강화된 '소규모 학교 통폐합 권고 기준'을 통보하고 올해부터 적용하기로 했다. 이 권고안에 따르면 읍 지역은 학생 수가 120명 이하인 초등학교와 180명 이하의 중·고교, 도시 지역은 240명 이하 초등학교와 300명 이하 중·고교가 통폐합 대상이다. 면 지역은 초·중·고교 모두 60명 이하 학교가 대상이다. 교육부의 새 기준을 적용하면 전국의 1만 1천여 개 학교 중 10%가 넘는 1,570개 학교가 폐교 대상이 된다.

나 교육부의 정책에 찬성하는 이들은 소규모 학교 통폐합이 지방 교육 재정 효율화와 교육의 질 향상을 위해 불가피한 조치라는 입장이다. 저출산 등으로 학생 수가 계속 감소하고 있는 상황에서 재정 낭비를 줄이고, 복식 학급 운영과 같은 파행적인 교육 과정 운영을 정상화함으로써 교육의 질을 향상할 수 있다는 것이 이들의 논리이다.

다 하지만 학부모 등 농어촌 지역 교육 수요자들은 대부분 교육부의 강화된 학교 통폐합 정책을 강하게 반대하고 있다. 통학 거리와 농촌 공동체의 특성을 고려하지 않고 백년대계를 단순히 경제 논리로 접근해서는 곤란하다는 지적이다. 소규모 학교 통폐합을 통해 교육의 질을 향상할 수 있다는 주장 또한 그러한 비판에서 자유로울 수 없다. 비용이 문제되지 않는다면 교사 증원 등을 통해서도 교육의 질을 향상할 수 있으므로 굳이 학교를 통폐합하지 않아도 된다.

라 소규모 학교 통폐합 문제는 경제적 관점보다 공동체 문화적 관점에서 고려되어야 한다. 농산어촌 학교는 단지 아이들을 가르치는 장소 그 이상의 의미를 함축하고 있기 때문이다. 농산어촌의 학교들은 지역 공동체의 구심점이자 문화의 중심지, 주민들의 소통과 어울림의 터전임을 간과해서는 안 된다. 학교가 사라지면 주민 이탈이 가속화되고 농촌 사회 해체가 빨라질 것은 뻔하다. 이는 정부의 귀농·귀촌 권장 정책과도 맞지 않고 교육의 공공성과 자치를 훼손하는 일이기도 하다.

마 정부는 시·도 교육청이 지역적 특성과 여건을 감안해 학교 통폐합을 진행할 수 있도록 최대한 자율성을 보장해야 한다. 단순히 효율성만 내세워 밀어붙일 일이 아니다. 아무리 좋은 정책이라 하더라도 수요자가 필요성에 공감하고 신뢰해야만 정당성과 효율성을 담보할 수 있기 때문이다. 교육부는 무리한 통합보다 ○○시 교육청이 2011년부터 운영하고 있는 '행복 학교'처럼 지역별로 특색 있는 학교를 육성해 성공한 사례에 주목할 필요가 있다.

출제 예감

6. 윗글에서 쟁점이 되고 있는 문제 상황에 대한 설명으로 적절하지 <u>않은</u> 것은?

① 정부와 농어촌 주민들의 이해관계가 서로 얽혀 있는 상황이다.
② 학교를 둘러싼 경제적 욕구와 공동체적 욕구가 충돌하고 있다.
③ 소규모 학교를 통합하거나 폐교하는 조치에 대해 찬반 논란이 뜨겁다.
④ 교육부는 소규모 학교를 자체의 기준에 따라 효율성을 내세워 처리하려고 한다.
⑤ 농어촌 주민들은 교육부의 정책으로 귀농·귀촌 권장 정책이 위기를 맞을 것으로 보고 있다.

7. 윗글의 필자가 취하고 있는 관점으로 가장 적절한 것은?

① 교육 예산을 과다 지출해서는 안 된다.
② 과밀 학급을 감축하고 소수 학급을 늘려야 한다.
③ 소규모 학교의 통폐합에 대한 결정은 지역 교육청이 내려야 한다.
④ 지역 사회에서 학교가 갖고 있는 의미와 의의를 훼손하지 말아야 한다.
⑤ 교육의 질을 제고하기 위해서는 적정 수준의 학급 수와 인원이 필요하다.

8. 〈보기〉는 다른 학교 학생들을 우리 학교 축제에 초대하기 위해 작성한 글이다. 필자가 글을 쓰기 전에 계획한 내용으로 적절하지 않은 것은?

〈보기〉

　안녕하십니까? ○○고등학교 학생 회장 지은수입니다.

　한여름 교정을 가득 채웠던 매미 소리가 잠잠해지고 어느덧 선선한 바람과 함께 귀뚜라미의 울음소리가 들려오기 시작합니다.

　저희 ○○고등학교는 전통적으로 10월 둘째 주에 학교 축제를 개최해 왔습니다. 올해도 10월 둘째 주인 10월 7일부터 11일까지 5일간 축제를 개최할 예정입니다. 특히 올해는 개교 50주년을 맞아 예년보다 다채로운 공연과 전시 행사, 체험 활동 등을 정성껏 준비하였습니다.

　여러 가지 일로 바쁘시겠지만 저희 학교 축제에 참석하셔서 자리를 빛내 주시기를 바랍니다. 잠시나마 일상의 스트레스를 날려 버릴 수 있는 즐거운 시간이 될 수 있도록 노력하겠습니다.

　아무쪼록 이번 축제가 ○○고등학교를 좀 더 자세히 이해하고 친구들 사이의 우정을 돈독히 하는 기회가 될 수 있기를 기원합니다. 감사합니다.

---

① 축제 일시는 명확하게 밝혀야겠군.
② 정중하고 격식 있는 표현을 사용해야겠군.
③ 서두에서는 계절을 소재로 하는 인사말을 해야겠군.
④ 방문객에게는 작은 기념품을 증정한다는 것도 알려야겠군.
⑤ 공연, 전시, 체험 활동 등 다채로운 행사를 준비했다는 것을 강조해야겠군.

[9~10] 다음 글을 읽고 물음에 답하시오.

　대한의료협회 회장님께.

　존경하는 회장님! 저는 행복고등학교에 다니는 김상진입니다. 회장님께 간곡히 부탁드릴 말씀이 있어 이 글을 올립니다. 그것은 현재 화장품이나 의약품 개발을 위해 시행되고 있는 동물 실험을 막아 달라는 것입니다.

　저는 얼마 전 학교에서 실시한 토론 대회를 통해 동물 실험의 심각성을 알게 되었습니다. 약품 개발뿐만 아니라 화장품 개발이나 성형 시술을 위해서도 동물들이 죽어 간다는 사실에 놀라지 않을 수 없었습니다. [중략]

　회장님! 동물도 생명체로서 누려야 할 권리가 있다는 점과 동물 실험의 비윤리적 측면을 널리 알리는 교육 활동 및 운동을 전개해 주십시오. 이를 통해 사람들의 인식이 바뀌어 동물 실험을 통해 개발된 의약품이나 화장품을 사는 사람이 줄어들면 동물 실험도 자연스럽게 사라질 것입니다. / 존경하는 회장님! 신약이나 화장품의 부작용을 확인하기 위해 해마다 전 세계에서 1억 5천만 마리 정도의 동물들이 희생되고 있다는 사실을 알고 계십니까?

　동물은 인간과 다릅니다. 인간에게 투여할 의약품을 동물에게 실험해서는 안 됩니다. 동물 실험에 사용되는 방법과 동물의 복용량은 인간이 처한 실제 상황과는 차이가 있습니다. 또한, 인간이 가진 질병 3만 가지 가운데 동물이 공유하는 질병은 1.16%에 불과하므로 동물 실험의 결과가 인간을 치료하는 데 큰 도움이 되지 않습니다. 실제로 클리오퀴놀이나 페니실린 등은 인간과 동물에게서 완전히 다른 효과를 나타내었다고 합니다. 동물 실험 결과를 믿고 인간에게 약물을 투여했다가는 오히려 인간을 위험에 빠뜨릴 수도 있습니다.

　동물 실험이 아니더라도 신약이나 화장품으로 인한 부작용을 확인할 수 있는 방법들이 많이 있습니다. 환자 관찰이나 사체 연구, 컴퓨터 모의실험을 통한 연구 등을 적절히 활용하면 동물 실험을 통해 얻는 것 이상의 정보를 얻을 수 있습니다. [중략]

　동물은 기계와 같이 생명이 없거나 고통을 못 느끼는 존재가 아닙니다. 게다가 동물의 몸은 인체와 동일하지 않습니다. 동물은 존중받아야 할 생명체이며, 인간을 위한 실험의 대상이 아닙니다. 이제는 동물 실험을 대체할 방법도 다양하게 연구되고 있습니다.

　존경하는 회장님! 사람들이 동물과 함께 꿈을 꾸고 행복을 나누며 살아갈 수 있도록 동물 실험을 막아 주십시오.

　끝까지 읽어 주셔서 고맙습니다.

---

9. 윗글의 내용과 일치하지 않는 것은?

① 동물 실험을 대체할 수 있는 다양한 방법들이 연구되고 있다.

② 동물 실험은 실험 과정에서 동물이 희생된다는 점에서 윤리적으로 논란이 된다.

③ 인간처럼 생명이 있지만 몸은 인체와 다른 동물을 대상으로 실험이 자행되고 있다.

④ 사람들이 사용하는 화장품이나 의약품을 개발하기 위해 동물 실험이 시행되고 있다.

⑤ 동물 실험의 결과로 만들어진 의약품의 부작용으로 인간이 고통받는 사례가 늘고 있다.

서술형

10. 필자가 윗글에서 독자를 고려한 부분을 내용 선정과 표현 면에서 서술하시오.

_____

[11~12] 다음 글을 읽고 물음에 답하시오.

페이드인 되듯이 서서히 세상을 인지하고 보니 날 키우고 있던 사람이 엄마가 아니라 할머니였다는 걸 알게 됐다. 객지에 나가 장사를 해야 했던 부모님이 어린 나를 할머니에게 맡겼고, 그 덕분에 나는 애초에 내가 태어난 곳이 지리산 두메산골이라고 느끼며 자랐다. [중략] 열 살이 되던 해, 부모님은 청주에 어렵사리 장만한 집으로 나를 데려왔다. 소심한 성격 탓에 새로운 세계에 쉽게 적응하지 못했다. 공부도 변변치 않은 데다 촌놈이라 놀리는 반 아이들 때문에 하루하루가 지옥 같았다. 할머니가 있는 시골로 돌아가고 싶었다.

그렇게 방황하다가 슈퍼맨과 로봇 태권브이가 그려진 동시 상영관의 영화 간판을 우연히 발견하고는 뭔가에 홀린 듯 영화를 봤다. 산골에서 내려와 처음으로 보게 된 영화가 하늘을 나는 영웅과 로봇이라니…… 이 엄청난 간극에서 오는 몽환적인 기분은 뭐지? 그때 이후로 난 영화라는 미지의 세계에 완전히 빠져들었고 언제부턴가 영화 얘기를 듣겠다고 내 앞으로 아이들이 몰려들었다. 그리고

아이들은 더 이상 나를 촌놈이라고 놀리지도 않았다. 그렇게 영화를 향한 지독한 사랑이 시작됐고 몇 해가 지나 운명처럼 영화 한 편이 내게 나타났다. 그것은 「이티」였다.

「이티」는 지구에 홀로 남겨진 겁먹은 외계인과 그룹에서 소외된 소년이 서로에 대한 공포를 극복하는 과정에서 특별하고도 신비로운 유대가 형성되면서 영혼이 연결되는 것을 보여 주고 있는 영화이다. 외계 생명체와 조우하는 할리우드 블록버스터라면 응당 최고 권위의 과학자나 군 장성이 등장하고 대규모 전투가 벌어져야 하지만 이 영화는 그런 상투적인 설정과는 정반대로 달려간다. 마술적 상징과 시각 언어로 가득찬 이야기 전개 방식은 관객의 눈을 사로잡는다. 그중에서도 자신들을 뒤쫓는 어른들로부터 탈출하기 위해 미친 듯 자전거를 모는 소년들을 이티가 모두 하늘로 날아오르게 하는 장면은 영화사에 길이 남을 비약적 쾌감의 진수다.

무엇보다 내 인생에서 「이티」가 의미 있는 건 내가 어떤 종류의 인간인지, 어떤 생각을 하며 사는 인간인지를 알게 해 준 영화라는 점 때문이다. 내게 「이티」 같은 초현실적 존재가 바로 영화였다. 산골 소년이었던 나는 낯선 세계에서 헤매고 있을 때 마법처럼 영화를 만났고, 그것은 한순간에 날 빨아들였다. 그리고 나는 더 이상 외로워하지 않게 됐다. 아마도 나는 「이티」를 본 후부터 영화를 만들고 싶다는 생각까지 한 것 같다. 자그마한 외계인이 지구라는 미지의 세계에 홀로 남겨져 방황할 때 엘리엇이 손을 내밀어 친구가 돼 준 것처럼 나도 외로워하고 있을 누군가를 향해 손을 내밀고 싶었다. 그래서 「이티」를 볼 때의 나처럼 관객에게 비약의 순간을 경험하게 해 줘야 한다는 부채 의식 같은 게 생긴 게 아닐까.

11. 윗글을 읽은 독자의 반응으로 적절하지 않은 것은?

① 영화 「이티」가 필자의 삶에 어떠한 영향을 미쳤는지 서술하고 있어.

② 영화를 즐겨 보거나 영화에 관심이 많은 독자에게 흥미가 있겠어.

③ 영화가 필자에게 어떤 의미와 가치를 지니는지를 밝히기 위해 쓴 글이야.

④ 필자처럼 어린 시절 방황한 경험이 있거나 사춘기에 있는 독자가 보면 좋겠어.

⑤ 영화에 관한 이야기이므로 글의 내용을 영상으로 제작하는 게 더 효과적이겠어.

12. 필자가 영화 「이티」를 관람한 일에 관해 성찰한 점은 무엇인지 서술하시오.

— 〈조건〉 —

'필자는 ~처럼 ~하였다.'의 형식으로 서술할 것

[13-14] 다음 글을 읽고 물음에 답하시오.

가 다양한 자료를 조사하며 남한산성의 역사와 문화를 이해하고, 최○○ 남한산성 문화유산 지도 선생님의 설명을 들으면서 탐방로 곳곳을 거닐었다. 지금은 관광지로 사랑받고 있는 남한산성. 그 산성의 돌무더기 하나, 나무 한 그루마다 굴곡진 우리의 역사가 담겨 있음을 새삼 느끼게 되었다. 우리의 역사는 여전히 살아 숨 쉬고 있으며, 그 숨결에 많은 울림이 전해지고 있다는 생각이 들었다. ㉠탐구 보고서를 쓰면서 우리 모둠원들은 우리 지역에 있는 소중한 문화유산을 바르게 아는 것이 곧 역사에 동참하는 행동이라는 이야기를 나누었다. 우리 문화유산을 계승하고 창조하는 것, 그것은 역사가 살아 있는 우리 문화유산에 관한 바른 이해에서 시작하는 것이다.

나 최근 우리 반 교실 환경이 지저분한 것에 불만을 제기하는 친구들이 늘어나고 있다. 고등학생인 우리들에게 교실은 하루 중 8시간 이상 생활해야 하는 공간으로, 교실 환경은 우리들의 건강이나 학업 등에 중요한 영향을 미칠 수밖에 없다. ㉡문제는 우리 반 교실 환경에 불만을 제기하는 친구들이 많은데도 그것을 개선하기 위해 노력하는 친구는 거의 없다는 것이다.

다 벽화도 마찬가지다. 요즘 가장 인기 있는 '베끼기 1순위' 대상이다. 전국 어디를 가도 알록달록한 벽화 하나쯤은 볼 수 있다. 아예 마을 전체가 '도배'된 곳도 있다. 벽화 거리가 본격적으로 조성되기 시작한 것은 5~6년 전쯤이다. 일부 지자체에서 낡고 허름한 거리에 색을 입혔고, 이후 지역 명소로 탈바꿈하면서부터다. 한 언론 보도에 따르면 정부 지원으로 조성된 벽화 거리는 전국에 100곳이 넘는다고 한다. 지자체와 민간이 단독으로 만든 곳까지 합치면 헤아릴 수 없을 정도다. ㉢한마디로 벽화 과잉 시대이다.

라 형님의 결혼은 저에게도 무척 기쁜 일입니다. ㉣그러나 지금의 제가 할 수 있는 유일한 일은 다만 한 장의 엽서를 드리는 것입니다. 저는 이 한 장의 엽서를 앞에 놓고 허용된 여백에 비해서 너무나 많은 생각에 잠시 아픈 마음이 됩니다. 이 아픔은 제가 처하고 있는 상황의 표출인 동시에 또 제가 부상(浮上)해 볼 수 있는 기쁨의 상한(上限)이기도 합니다.

마 정상으로 향하는 오르막길, 숨이 턱까지 차올라 연신 가쁜 숨을 내뱉고 있던 그때 내 눈에 들어온 영주의 뒷모습이 지금도 잊히지 않는다. 내 것까지 두 개의 배낭을 짊어진 영주의 뒷모습은 여태껏 내가 보아 왔던 영주의 그것보다 갑절은 커 보였다.

㉤살다 보면 분명 한라산 등반보다 더 큰 역경들이 어느 순간 내게 닥쳐올지 모른다. 내 주변의 사람들에게도 그것은 마찬가지일 것이다. 그런 순간이 왔을 때 나는 영주와 같은 사람이 되리라 다짐했다. 한라산은 나에게 큰 가르침을 준 스승이다.

13. (가)~(마)에 대한 설명으로 적절하지 <u>않은</u> 것은?

① (가): 현장 답사와 설문 조사 등 다양한 자료 조사를 통해 작성된 보고서이다.

② (나): 교실 환경 개선의 필요성에 대해 논리적으로 설득하는 글이다.

③ (다): 벽화와 관련된 현안을 분석하고 비평하는 글이다.

④ (라): 필자가 독자와의 개인적 친교를 위해 쓴 글이다.

⑤ (마): 필자가 일상의 경험을 통해 갖게 된 생각을 표현한 글이다.

14. ㉠~㉤을 이해한 내용으로 가장 적절한 것은?

① ㉠: 탐구 보고서를 작성한 계기와 목적이 드러나 있다.

② ㉡: 필자의 주장을 합리적으로 뒷받침하는 논거이다.

③ ㉢: 쟁점이 되고 있는 문제에 대한 필자의 관점을 엿볼 수 있다.

④ ㉣: 필자가 고려한 여러 매체 중 가장 적합하다고 생각한 매체가 무엇인지 밝히고 있다.

⑤ ㉤: 필자가 자신의 지난 삶을 성찰하는 태도를 보이고 있다.

생활 속의 IV
화법과 작문

1. 화법과 작문의 윤리와 관습

1. 화법과 작문의 윤리와 관습	(1) 화법과 작문의 사회적 책임과 윤리	• 화법과 작문의 사회적 책임 인식하기 • 화법과 작문의 윤리를 지키며 말하고 쓰기
	(2) 화법과 작문의 관습과 문화	• 화법과 작문에 담긴 관습을 찾고 그 변화 양상 이해하기 • 화법과 작문의 문화 발전에 기여하는 태도 기르기

핵심 역량

의사소통 역량

〉〉

화법과 작문의 윤리를 지키며
생산적으로 소통하기

자기 성찰·계발 역량

〉〉

자신의 언어생활을 성찰하고
책임 있는 국어 생활 하기

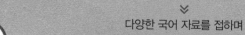

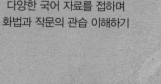

자료·정보 활용 역량

〉〉

다양한 국어 자료를 접하며
화법과 작문의 관습 이해하기

문화 향유 역량

〉〉

화법과 작문의 문화를
이해하고 즐기며 참여하기

화법과 작문의 윤리와 관습

- 화법과 작문의 사회적 책임을 인식하고 의사소통 윤리를 준수하는 태도를 기른다.
- 화법과 작문의 관습을 이해하고 화법과 작문의 문화 발전에 기여하는 태도를 기른다.

– 다빈치, 「모나리자」

– 보테로, 「모나리자」

단원의 짜임

(1) 화법과 작문의 사회적 책임과 윤리

화법과 작문의 사회적 책임과 윤리를 이해하고

⋯→ 나의 말이나 글이 끼칠 영향을 생각하며 출처를 밝혀서 말하고 쓰는 태도를 익힌다.

(2) 화법과 작문의 관습과 문화

화법과 작문이 관습과 문화에 기반을 둔 행위임을 이해하고

⋯→ 말이나 글의 내용, 갈래나 형식, 표현 등에 담긴 관습을 찾고 그 변화 양상을 알아본다.

화법과 작문은 본질적으로 사회적인 행위이다. 그러므로 화법과 작문 활동을 할 때
_{사회적 의사소통 행위}
는 그에 따르는 사회적 책임을 인식하고 의사소통의 윤리를 지켜야 한다. 예를 들어 누군
_{말이나 글이 주는 사회적 영향력}
가에게 피해를 주거나 사회적으로 문제가 될 수 있는 표현은 하지 않아야 한다. 또한, 확
인되지 않은 내용이나 책임질 수 없는 내용을 함부로 퍼뜨려서도 안 된다. 나아가 다른 사
람의 생각, 말, 글 등은 개인의 지적 재산에 포함되므로 무단으로 사용하는 일을 삼가야
한다. ▶ 화법과 작문의 사회적 책임과 윤리

　말과 글에는 오랫동안 발전시켜 온 내용과 표현의 전통이 있다. 또한, 말을 주고받거나
_{화법과 작문의 관습 ①}
글을 쓸 때 지켜야 할 형식과 절차도 있다. 이들을 통틀어서 화법과 작문의 관습이라고 한
_{화법과 작문의 관습 ②}
다. 이러한 관습이 하나의 문화로 정착되면 화법과 작문의 문화가 된다. 화법과 작문의 문
_{언어문화}
화를 무비판적으로 따라야 하는 것은 아니지만, 그것을 이해하고 활용하면 더욱 효과적이
고 풍부한 언어생활을 할 수 있다. ▶ 화법과 작문의 관습과 문화

　이 단원에서는 통합적인 화법과 작문 활동을 하면서 화법과 작문의 책임과 윤리를 인식
하고, 화법과 작문의 관습을 지키면서 창의적인 화법과 작문 활동을 통해 언어문화의 발전
에 기여하는 태도를 기르기로 한다. '단원의 짜임'을 중심으로 학습할 내용을 확인해 보자.
▶ 학습할 내용 안내

(1) 화법과 작문의 사회적 책임과 윤리

핵심 질문 ‚ 화법과 작문에는 어떤 사회적 책임이 따를까?

>> 화법과 작문은 사회적 의사소통 행위이므로 그에 따르는 사회적 책임을 인식하고 자신의 말과 글이 타인에게 부정적인 영향을 끼치지 않도록 타인을 배려해야 한다. 또한, 타인의 생각이나 말, 글 등이 지적 재산에 포함된다는 것을 이해하고 그 지적 재산권을 존중해야 한다.

알기

- **화법과 작문은 사회적으로 어떤 역할을 하나?**

| 예시 답안 | 화법과 작문은 사회적 담론을 형성하는 기능을 하며 의사소통 문화를 형성하여 언어 환경에 영향을 미치기도 한다.

- **화법과 작문에서 지켜야 할 윤리에는 무엇이 있나?**

| 예시 답안 | 상대방에게 상처를 주거나 불쾌감을 주는 표현은 삼가고, 자신이 한 말이나 글에 책임을 지는 자세를 가져야 한다.

- **타인의 지적 재산을 존중하려면 어떻게 해야 하나?**

| 예시 답안 | 타인의 지적 재산의 가치를 인식하고, 마음대로 고치거나 무단으로 사용해서는 안 된다.

하기

- **화법과 작문의 사회적 책임 분석하기**

>> 사랑과 존중, 배려를 바탕으로 말할 때 우리가 변할 수 있다는 것을 이야기하는 강연을 보고, 화법과 작문의 사회적 책임과 윤리를 알아보기

- **상대방을 배려하며 말하고 쓰기**

>> 상대방에 대한 배려와 타인의 지적 재산을 존중하는 일의 중요성을 이해하고 이를 실천할 수 있는 구체적인 방법 학습하기

- **다른 사람의 말이나 글을 정당하게 인용하기**

>> 다른 사람의 창작물을 이용하는 방법 알아보기

••• 화법과 작문에 책임이 따른다는 말은 무엇을 의미하는가?

| 예시 답안 | '가짜 뉴스'에서는 인용한 연구 결과의 출처를 밝히지도 않고, 마치 그 연구 결과가 사실인 것처럼 보도하고 있다. 이에 사람들은 기사 내용의 사실 여부를 확인하지 않은 채 다른 사람에게 전달하고 있다. 이러한 과정이 지속되면 우리 사회는 잘못된 방향으로 나아갈 수도 있다. 이처럼 말과 글은 다른 사람에게 영향을 끼칠 수 있으므로 화법과 작문 활동에는 사회적 책임이 따른다.

••• 다른 사람의 말이나 글을 인용할 때는 어떻게 해야 할까?

| 예시 답안 | 누군가의 연구 결과를 인용할 때는 반드시 그 출처를 밝혀야 한다. 또한, 다른 사람의 저작물이나 창작물을 사용할 때는 저작권자의 허락을 받고, 출처를 밝혀 인용한 것임을 드러내야 한다.

알아 두기

화법과 작문의 사회적 책임

화법과 작문에 사회적 책임이 따르는 이유

화법과 작문은 개인적 의사소통 행위일 뿐만 아니라 사회적 의사소통 행위이다. 따라서 화법과 작문 활동을 수행할 때는 자기가 쓰는 말과 글이 다른 사람이나 사회에 끼칠 수 있는 영향을 인식하고, 책임감 있는 태도를 지니는 것이 중요하다.

화법과 작문의 의사소통 윤리

• 말을 하거나 글을 쓸 때는 의사소통 윤리를 지켜야 한다.
• 말을 할 때는 듣는 사람의 마음을 배려하고 있는지, 자신의 말이 다른 사람에게 마음의 상처를 주지는 않을지 등을 생각해야 한다.
• 글을 쓸 때는 이 글을 왜 쓰는지, 누가 이 글을 읽을 것인지, 이러한 내용의 글을 쓰면 독자들이 어떻게 생각할 것인지, 쓴 내용이 정확한 사실에 근거한 것인지 등을 생각해야 한다.

화법과 작문의 윤리

저작권의 개념

문학, 예술, 학문에 속하는 창작물에 대하여 저작자나 그 권리 승계인이 행사하는 배타적 · 독점적 권리

다른 사람의 저작물을 활용하는 절차

저작물의 원작자에게 자신이 이용할 자료의 제목과 이용 방법 등을 알리고 허락을 받음.	→	저작권법이 허용하는 범위 안에서 자료를 활용함.	→	자료의 출처를 반드시 밝힘.

인용과 표절

인용	표절
공포된 저작물에 한해 정당한 범위 내에서 다른 이의 저작물을 사용하는 것	다른 사람의 글이나 자료, 아이디어의 일부 또는 전체를 그대로 베끼는 행위

화법과 작문의 윤리를 지키기 위해 점검해야 할 사항

• 누군가에게 상처를 주거나 피해를 줄 수 있는 표현이 있지 않은가?
• 청자나 독자가 불쾌감이나 모욕감을 느낄 만한 내용이 담겨 있지 않은가?
• 다른 사람의 저작물을 자신의 것처럼 이용하지 않았는가?
• 인용한 자료의 출처를 명확히 밝히고 있는가?
• 인용한 말이나 글을 마음대로 고치지 않았는가?

• 개념 확인하기

1. 화법과 작문의 사회적 책임에 대한 설명으로 알맞은 것은 ○표, 알맞지 않은 것은 ×표를 하시오.
(1) 화법과 작문은 사회적 행위이므로 화자와 필자는 자신의 말과 글에 책임을 져야 한다. (   )
(2) 매체를 통한 의사소통이 활발해짐에 따라 말과 글의 사회적 영향력이 줄어들고 있다. (   )

2. 의사소통을 할 때 고려해야 할 사항으로 적절하지 않은 것은?
① 자신의 말과 글에 거짓된 내용이 없는지 살펴본다.
② 다른 사람의 말과 글을 인용할 때는 일정한 규범을 지킨다.
③ 자신의 말과 글이 다른 사람에게 어떤 영향을 줄지 생각해 본다.
④ 다른 사람에게 상처를 주는 언어 표현을 사용하지 않았는지 점검해 본다.
⑤ 저작자의 허락 없이 창작물을 임의로 사용할 때는 반드시 인용 표시를 해야 한다.

3. 다음 빈칸에 알맞은 말을 쓰시오.

다른 사람의 말이나 글, 생각 등을 허락 없이 사용하거나 출처를 밝히지 않고 자신의 창작물인 것처럼 사용하면 (   )이 된다.

| 정답 |
1. (1) ○ (2) × 2. ⑤ 3. 표절

우리를 변화시키는 진정한 힘은 무엇일까요

박재연

이 그림을 보시면, 여기 두 사람이 마주 보고 있죠?
<u>대화를 하기 위한 자세</u>
그리고 두 사람이 <u>머릿속에서</u> <u>어떤 해석, 자동적인 어떤 생각</u>들을 주고받고 있습니다.
<u>대화를 할 때 머릿속에 일어나는 일들</u>
예를 들어서 덕수라는 아이가 있다고 해 보겠습니다. 덕수의 나이는 열 살입니다.

엄마가 덕수에게 얘기했어요.

"덕수야, 일주일에 세 번 정도만, 많이도 아니야. 다른 데도 아니고 네 방만 청소하렴."
<u>엄마가 덕수에게 방 청소를 요청함.</u>
<u>엄마에게는 굉장히 간단한 일이고요</u>, 엄마는 <u>덕수가 충분히 할 수 있는 일이라고 생</u>
<u>어린 덕수가 하기에는 어려운 일</u>   <u>엄마의 일방적이고 주관적인 생각</u>
각하였습니다.

그런데 여러분, 열 살짜리 아이가 일주일에 세 번 방 청소를 하는 것이 <u>가능할까요?</u>
<u>가능하지 않을까요?</u> 여러분이 짐작하시는 것처럼 가능하지 않아요.
<u>질문을 활용하여 청자의 호응을 이끌어 냄.</u>
하지만 엄마는 덕수가 방 청소를 한 번 안 했다고 바로 화를 내시지는 않아요. 좀 참죠. 덕수가 하겠지 하고 기다립니다. 덕수가 할까요? 안 할까요? 안 하죠? 우리 덕수는 하지 않습니다.
<u>열 살짜리 아이가 하기에는 어려운 일이므로 화자는 당연한 행동이라고 생각함.</u>
자, 이제 두 번째가 되었습니다. 엄마는 슬슬 짜증이 나고 못마땅하지만 참습니다. 꾹 참으면서 좋은 엄마가 되려고 노력하죠.

자, 덕수가 계속 방 청소를 안 하면 엄마 마음이 어떻게 될까요? 화가 나기 시작합니다. 그래서 엄마는 덕수를 불러서 이야기를 하죠.
<u>엄마의 잘못된 행동 – 변화해야 할 것</u>

"덕수야, 이리 와 봐. 엄마가 분명히 <u>방 청소하라고 했는데 왜 안 했어?</u>"
<u>덕수의 행동을 지적하는 말</u>
엄마가 이렇게 판단하고 이야기를 하면 덕수가 얌전해지면서 뭔가 잘못한 표정을 지어야 하는데, 덕수가 그럴까요? 아니겠죠? <u>여러분이 안 그러셨던 것처럼 덕수도 그러지</u>
<u>않습니다.</u> 그러면 엄마는 점점 화가 나고, 이제 비난을 합니다.
<u>청자의 경험을 환기시키며 자신의 의견에 동의하도록 유도함.</u>
<u>엄마의 잘못된 행동 – 변화해야 할 것</u>
"너 커서 뭐가 되려고 엄마 말을 이렇게 안 듣니?"
<u>덕수를 비난하는 말</u>
그런 다음에 어떻게 하죠? 강요를 하죠.
<u>엄마의 잘못된 행동 – 변화해야 할 것</u>
"너 당장 지금 네 방 들어가서 네 방 청소하고 나와."
<u>덕수에게 방 청소를 강요하는 말</u>
그다음에는 협박도 합니다.
<u>엄마의 잘못된 행동 – 변화해야 할 것</u>
"용돈 안 줄 테니 알아서 해."
<u>덕수를 협박하는 말</u>
이제 <u>빠지면 안 되는 비교가 남았습니다.</u>
<u>엄마의 잘못된 행동 – 변화해야 할 것</u>

제재 핵심 정리

갈래	강연
성격	교훈적, 예시적, 대조적
제재	대화
주제	존중하고 배려하는 대화의 가치
특징	• 시각 자료를 활용해 청자의 이해를 도움. • 두 가지 대화의 사례를 대조하여 주제를 부각함. • 화자의 경험을 제시하여 청자의 신뢰감을 높임.

⟩ 제목에 담긴 화자의 의도

• 청자의 변화를 기대함.
• 사람들을 변하게 할 진정한 힘에 관해 알려 주고자 함.

⟩ 엄마의 말에 나타난 특징

엄마는 덕수에게 비난, 강요, 협박, 비교하는 말을 함.

1. 엄마의 말에 나타난 특징으로 적절하지 않은 것은?

① 덕수가 계속 방 청소를 하지 않자 덕수를 협박하고 있다.

② 주관적 판단을 바탕으로 덕수에게 청소를 요청하고 있다.

③ 덕수의 행동을 지적하며 덕수의 부족함을 공격하고 있다.

④ 덕수의 태도에 대해 성급하게 일반화하여 덕수를 비난하고 있다.

⑤ 덕수가 하지 못할 것을 알면서도 일부러 무리한 일을 시키고 있다.

"내가 이 말까지는 안 하려고 했는데,『네 친구 석호를 봐. 갠 방 청소만 잘하는 게 아

니야. 공부도 잘해. 내가 지금 너한테 공부를 잘하라고 했어? 네 방 청소만 제대로 하

라고.』/ 마지막으로 당연시합니다.

『 』: 덕수 친구와 덕수를 비교하는 말

엄마의 잘못된 행동 – 변화해야 할 것

㉠ "학생이 자기 방 정리 정돈하는 거 그거 당연한 거 아니야? 내가 설거지를 하라고

했니, 빨래를 하라고 했니? 네 방만 정리하라고."

비난, 강요, 비교 등 상대방을 배려하지 않은 말

이런 말을 듣고 자란 덕수가 사회에서 과연 다른 사람들과 수평적이고 조화롭고 편안한

대화를 할 수 있을까요? 제가 만나 본 많은 사람의 경우에는 가능하지 않았습니다.

그래서 어떻게 하면 좀 더 평화
롭게 서로의 마음을 주고받고 상호
존중에 기반한 대화를 할 수 있을
까, 굉장히 궁금했어요. 저는 우리
의 폭력적인 생각 중 하나가 바로
당신은 지금 뭔가 잘못되었고, 나
는 옳고, 그러니까 당신만 변하면

된다, 즉 옳은 나에게 틀린 당신이 대항하고 있다는 생각이 우리에게 화를 불러일으키

고 폭력을 저지르게 한다는 생각이 들었어요.

다음 그림을 한번 보세요.

앞의 그림과 다른 점이 보이시나요? 네, 붉은색 심장 모양이 그려져 있어요.

올바른 대화를 할 때 필요한 요소를 상징함.

덕수 엄마가 덕수에게

『덕수야, 엄마가 너한테 일주일에

『 』: 덕수를 배려하는 말하기

세 번 정도 청소를 하라고 했는데,
이번 주에 보니 두 번 정도 되어 있
는 것 같았어. 그런데 엄마는 우리
가 약속한 일들이 잘 지켜지기를
원해. 저녁 먹기 전까지 한 십 분
정도 시간이 있으니까 그 시간 동
안 네가 방 청소를 하면 어떨까?』

라고 말했다면 덕수와 덕수 엄마의 관계는 어떻게 되었을까를 생각해 봅니다. 그리고

엄마의 말에 덕수가

『네, 엄마. 제가 일주일에 두 번밖에 청소를 안 해서 많이 속상하셨죠? 방도 지저분하

『 』: 엄마를 배려하는 말하기

니 제가 지금 들어가서 방 청소하고 오겠습니다."』

하면서 총총 물러나 준다면 얼마나 예쁘겠어요.

확인 문제

2. ㉠에 대한 이해로 적절한
것은?

① 덕수가 많은 일들을 해낼
수 있으리라 믿고 있다.

② 덕수가 설거지와 빨래를
해 주기를 기대하고 있다.

③ 덕수가 자기 방 청소를 하
는 것을 당연시하고 있다.

④ 덕수가 자신의 말을 이해
하지 못했다고 생각하고
있다.

⑤ 덕수가 시키지도 않은 일
들을 하는 것을 못마땅해
하고 있다.

3. 이 강연에서 상대방을 존
중하는 마음을 상징하는 것을
찾아 3어절로 쓰시오.

여러분이 누군가를 비난하고 다른 사람과 비교하면서 그 사람에게 죄책감이나 수치심, 두려움을 느끼게 해서 그 사람을 움직이게 할 수 있지만, 그게 과연 옳은 방법일까요? 그 사람이, 그 행동을 어떤 마음으로 하는가를 생각해 본다면 우리의 언어, 태도, 방식을 바꾸어야 하는 충분한 이유를 찾을 수 있다고 생각해요.
_{사람의 마음을 움직이기 위해 화자와 청자가 변화시켜야 할 것}

그래서 저는 '당신은 나에게 대항하고 있다.'가 아니라 '당신과 내가 함께 이 문제에 _{대화할 때 적절하지 않은 관점}   _{대화할 때 필요한 관점}
대항하고 있다.'로 우리의 관점을 바꾸기를 바랍니다.

그래서 '우리는 함께 이 _{대화할 때 가져야 할 마음의 자세} 문제를 해결할 것이다.'라고 생각하게 되면 우리 안에 있던 폭력성이 다른 힘으로 발현되고, 관계를 맺는 데 유익하게 작용하지 않을까 하는 생각을 했습니다.

이런 질문을 한번 드려 봐요. 지금 여기 계신 분들도 생각해 봐 주시면 좋겠어요.

태어나서 지금까지 살아오면서 단 한 번이라도 여러분 자신이 배우거나 성장하기 위해서 그리고 변화되기 위해서 '나는 욕설을 좀 들어야 하고 멸시와 무시를 당해야 한다.'라고 생각한 적이 있는지, 저는 묻고 싶습니다. _{기존의 태도, 관점을 바꾸도록 유도하기 위한 질문} 저는 이 질문에 "네, 저는 그렇게 생각해 본 적이 있습니다."라고 답하는 분을 본 적이 없습니다. 그런데 반대로 "그 사람은 무시를 당하거나, 욕을 먹어야만 변할 수 있다고 생각한 적이 있습니까?"라고 물으면 대부분 "네."라고 대답을 해요.

저는 우리 사회에 만연해 있는 폭력의 근간이 나는 그렇지 않다고 생각하면서 저 사 _{우리가 바꾸어야 할 사회 모습} 람은, 나는 결코 원하지 않는 방식으로 대접을 받아도 된다는 생각 때문이 아닌지 묻고 싶어요. 폭력은 단 한 번이라도 정당화될 수 없고 ㉠사랑이라는 이름으로도 포장할 수 없는 것임을 분명히 알았으면 좋겠습니다. 그래야만 어떻게 하면 저 사람과 내가 서로 비난하지 않으면서 서로 원하는 것들을 대화를 통해 이루어 나갈 수 있을까 하는 쪽으로 우리의 관점을 돌릴 수 있기 때문이죠.

대화는 나의 의식 체계가 말로써 표현되는 것이기 때문에, 저는 오늘 이 자리를 통해서 우리를 진정으로 변화시킬 수 있는 힘은 오직 사랑과 서로에 대한 존중, 배려라는 말 _{우리를 변화시키기 위한 진정한 힘} 씀을 드리고 물러날까 합니다. 잘 들어 주셔서 감사합니다.

⟩ 배려하는 대화
· 관점: 당신과 내가 이 문제에 대항하고 있다.
· 대화 방식: 난 이것을 원해. 해 줄 수 있어?
· 상대방에게 주는 느낌: 존중받고 있다고 느끼게 함.
· 효과: 상대방을 변화시킬 수 있음.

확인 문제

4. 강연자가 ㉠과 같이 말한 이유로 가장 적절한 것은?
① 폭력을 저지르는 사람들이 생각보다 많기 때문에
② 폭력으로 사랑을 잃어버리는 사람이 많기 때문에
③ 폭력이 필요하다고 생각하는 사람이 있기 때문에
④ 폭력을 사랑이라고 착각하는 사람이 있기 때문에
⑤ 자신이 폭력을 사용하고 있다는 것을 모르는 사람이 있기 때문에

서술형

5. 이 강연에서 궁극적으로 말하고자 하는 바를 서술하시오.

_____

_____

6. 강연자가 강조한 대화의 자세와 어울리는 한자 성어는?
① 감탄고토(甘呑苦吐)
② 문일지십(聞一知十)
③ 애지중지(愛之重之)
④ 역지사지(易地思之)
⑤ 토사구팽(兎死狗烹)

이해하기

교과서 235p

1. 다음은 위의 강연에서 제시한 그림이다. 그림에 나타난 말하기 방식의 특징을 정리하고, 그러한 말하기 방식이 상대에게 어떤 영향을 미칠지 생각해 보자.

가

해석 | 해석

당신은 나에게 대항하고 있다.

공격적 판단과 좌절

나는 아무 문제 없어. 너만 변하면 돼!

나

해석 | 해석

당신과 내가 함께 이 문제에 대항하고 있다. 우리는 함께 이 문제를 해결할 것이다.

상호 존중과 관계 회복

난 이것을 원해. 해 줄 수 있어?

| 예시 답안 |

	말하기 방식의 특징	상대에게 미치는 영향
(가)	상대방을 비난, 강요, 협박, 비교하는 말하기	다른 사람들과 수평적이고 조화로우며 편안한 대화를 하지 못하게 된다.
(나)	함께 문제를 해결하기 위한 협력적인 말하기	다른 사람들과 상호 협력적인 대화를 함으로써 조화로운 사회를 만들 수 있다.

2. 다음은 위의 강연을 시청한 사람들이 프로그램 게시판에 남긴 댓글이다. 댓글을 읽고, 아래의 활동을 해 보자.

> ㄴ 저도 강연자 님의 의견에 공감해요. 엄마께 이 강연을 보여 드릴 거예요.
>
> > ㄴ 아직 어린가 보군. 엄마한테 보여 줘 봤자 혼만 날 거야. 어른들은 안 변해.
>
> ㄴ 강연을 듣고 제가 평소에 친구들에게 어떻게 이야기하는지를 돌아보게 되었어요. 좋은 강연 들려주셔서 감사합니다.
>
> ㄴ 뭐니 뭐니 해도 사랑이 최고죠. 상대에 대한 배려도 결국 사랑이 밑받침되어야 하는 것 같아요.

(1) 위 댓글의 내용으로 볼 때, 위 강연이 사람들에게 어떤 영향을 미쳤는지 말해 보자.

| 예시 답안 | 강연의 내용에 동의하고 공감하는 사람들은 자신의 말하기 방식을 성찰하며, 상대를 존중하는 말하기 방식에 동의하고 있지만, 강연의 내용을 수용하지 못하는 사람도 있다.

(2) 위의 댓글 중 상대방을 배려하지 않은 표현이 사용된 것을 찾아보자. 그리고 댓글이 사회에 미치는 영향을 생각하며 위의 강연에 관한 댓글을 써 보자.

| 예시 답안 | • 상대방을 배려하지 않은 표현이 사용된 댓글: 첫 번째 댓글에 댓글을 쓴 사람은 타인을 배려하지 않은 부정적인 표현을 쓰고 있다.
• 강연에 관한 댓글: 우리를 진정으로 변화시키는 힘은 배려하는 말하기라는 것을 깨달았어요. 좋은 강연 들려주셔서 감사합니다.

적용하기

교과서 236p

3. 다음은 위의 강연을 활용하여 '우리 반의 말 문화'를 주제로 학생이 쓴 글이다. 글을 읽고, 아래의 활동을 해 보자.

우리 반의 말 문화

우리 반 최정구가 농구 대회에 참가하겠다는 이미선에게

"여자가 무슨 농구냐?"
상대방의 마음에 상처를 주는 말
라고 했다가 다툰 일이 있다. 반대로 농구 연습을 하고 있는

강성필에게 문여진이

"무슨 남자가 농구도 못 하냐?"
<u>상대방의 마음에 상처를 주는 말</u>
라고 했다가 싸움이 난 적도 있다.

이처럼 차별하는 말을 들은 사람은 마음의 상처를 받고, 자신을 방어하기 위해 공격적으로 변할 수 있다.
<u>차별하는 말이 상대에게 미치는 영향</u>
폭력적인 말의 폐해는 차별하는 말보다 더 심각하다. 넘어져서 생긴 상처는 약을 바르면 되지만 말로 인해 생긴 상처에는 약도 바를 수 없다.

얼마 전에는 인터넷을 통해 나눈 말 때문에 폭력대책위원회가 열렸다. 한 친구가 다른 친구의 말을 전하면서 오해가 생겼고, 단체 대화방에서 서로를 비방하고 협박하는 말을 한 것이 화근이었다.

『나는 '당신은 지금 뭔가 잘못되었고, 나는 옳고, 그러니까 당신만 변하면 된다.'라는 생각, 즉 옳은 나에게 틀린 당신이 대항하고 있다는 생각이 우리의 화를 불러일으키고 폭력을 저지르게 한다는 생각이 들었다.』
『 』: 강연에서 강연자가 한 말을
자신의 생각인 것처럼 표현함.
만약 친구들이 '네가 나에게 대항하고 있다.'라고 생각하지 않고, '우리가 함께 이 문제에 대항하고 있다.'라고 생각했다면 폭력적인 말은 하지 않았을 것이다. '우리는 함께 이 문제를 해결할 것이다.'라고 우리가 생각하게 되면 우리 안에 있던 폭력성이 다른 힘으로 발현되고 관계를 맺는 데 유익하게 작용하지 않을까?

　나보다 먼저 상대방의 입장을 헤아리는 사랑의 마음으로
　사랑의 말을 하게 하시고 남의 나쁜 점보다는 좋은 점을
　먼저 보는 긍정적인 마음으로 긍정적인 말을 하게 하소서

<u>유명한 수녀님이 쓰신 시의 구절처럼</u> 좋은 말이란 이런 말
<u>잘못된 인용 표현 – 출처를 명확히 밝히지 않음.</u>
이겠구나 하는 생각을 해 본다.

(1) 다음 글을 참고하여, 윗글의 표현 윤리를 점검해 보자.

> 화법과 작문은 사회적인 의사소통 행위이므로 자신이 한 말이나 쓴 글에 책임을 지는 자세를 가져야 한다.
> 우선 말을 주고받을 때나 생각을 글로 옮길 때 상대방에게 상처를 주거나 피해를 줄 수 있는 표현을 삼가야 한다. 그리고 다른 사람의 지적 재산의 가치를 인식하고 이를 존중해야 한다. 다른 사람이 만든 창작물을 허락 없이

> 또는 출처를 밝히지 않고 자신의 것처럼 무단으로 베끼는 표절은 저작권 침해에 해당한다. 따라서 다른 사람의 창작물을 사용할 때는 저작권자의 허락을 받은 뒤 출처를 명확히 밝힘으로써 인용한 것임을 드러내야 한다.

|예시 답안|

점검 내용	점검 결과
누군가에게 상처를 주거나 피해를 줄 수 있는 표현이 있지 않은가?	안 좋은 일과 관련된 친구들의 실제 이름을 공개하고 있다.
독자가 불쾌감이나 모욕감을 느낄 만한 내용이 담겨 있지 않은가?	독자가 불쾌감이나 모욕감을 느낄 만한 내용은 없다.
다른 사람의 창작물을 자신의 것처럼 이용하지 않는가?	강연에서 강연자가 한 말을 자신의 것처럼 사용하고 있다.
인용한 자료의 출처를 밝히는 방식은 적절한가?	적절하지 않다. 인용한 자료의 출처를 구체적으로 밝혀야 한다.
인용한 말이나 글을 마음대로 고치지 않았는가?	인용한 시의 행과 연 구분을 원작과 다르게 고쳐 썼다.

(2) (1)에서 점검한 내용을 바탕으로, 윗글을 어떻게 다듬는 것이 좋을지 그 해결책을 말해 보자.

|예시 답안| • 반 친구들의 이름은 숨김표를 사용해 최○○처럼 쓰거나 '한 남학생'와 같이 표현해야 해.
• 인용한 자료들의 출처를 명확히 밝히고, 원작을 그대로 보존하여 써야 해.

> **참고 표절과 패러디, 그리고 저작권**
> '표절'은 다른 사람의 저작물의 전부나 일부를 그대로 또는 그 형태나 내용을 다소 변경하여 자신의 것으로 제공 또는 제시하는 행위를 의미한다. '패러디'는 기존 저작물에 대한 비평적 모방이라고 할 수 있으며, 평면적이거나 소비적인 모방이 아닌 입체적이면서 생산적인 모방이라는 점에서 표절과는 다르다. 따라서 패러디는 저작권 침해로부터 보호되고, 특별한 출처를 명시할 의무가 없는 것으로 보고 있다. 그러나 저작권법을 엄격하게 적용할 경우에는 저작권 침해의 소지가 발생할 수 있으므로 패러디를 할 경우에도 원저작자의 권리를 침해하는 일이 없도록 주의를 기울여야 한다.

소단원 정리하기

출제 포인트 ① 화법과 작문의 사회적 책임

말을 하고 글을 쓰는 행위는 사회적 행위이므로 화법과 작문은 긍정적이든 부정적이든 사회에 영향을 미치게 됩니다. 이러한 화법과 작문의 특성과 관련하여 말을 하고 글을 쓸 때는 사회적 책임이 따른다는 점을 정확히 이해하고 있는지를 묻는 문제가 시험에 나올 거예요.

화법과 작문의 사회적 책임	• 화법과 작문은 개인적 의사소통 행위일 뿐만 아니라 사회적 의사소통 행위임. • 자신의 말과 글이 타인에게 끼칠 수 있는 영향력을 인식해야 함. • 화법과 작문 활동을 할 때는 사회적 책임이 따른다는 것을 인식해야 함.

출제 포인트 ② 화법과 작문의 윤리

화법과 작문 활동을 하다 보면 다른 사람의 말이나 글을 인용해야 할 때가 있어요. 다른 사람의 말이나 글은 그들의 지적 재산이므로 이를 활용할 때 지켜야 하는 예절과 윤리를 알고 있어야 합니다. 다른 사람의 저작물을 인용할 때는 어떤 점에 유의해야 하는지를 묻는 문제가 시험에 나올 거예요.

개념	타인의 저작물을 이용할 때 지켜야 하는 규범과 가치
저작물 활용 절차	저작물의 주인에게 허락을 받음. → 저작권법이 허용하는 범위 내에서 활용함. → 저작물의 출처를 밝힘.
인용과 표절	인용은 저작권법이 허용하는 범위에서 타인의 저작물을 활용하는 것을 말하고, 표절은 저작권법을 지키지 않고 타인의 저작물을 베끼는 것을 말함.

출제 포인트 ③ 올바른 대화의 방법

올바른 대화는 우리를 긍정적으로 변화시키고 그럼으로써 사회에 긍정적인 영향을 줄 수 있어요. 시험에는 사회적 책임을 다하는 의사소통을 위한 올바른 대화법에 대해 묻는 문제가 나올 거예요.

잘못된 대화법		올바른 대화법
당신은 나에게 대항하고 있다.	→	당신과 내가 이 문제에 대항하고 있다.
공격적 판단과 좌절		상호 존중과 관계 해결
변화를 이끌어 내지 못함.		변화를 이끌어 낼 수 있음.

대표 문제 ① 화법과 작문의 사회적 책임에 대한 설명으로 적절하지 않은 것은?

① 매체의 발달로 화법과 작문의 사회적 책임이 더 무거워지고 있다.
② 개인의 말과 글은 개인의 의사와 상관없이 빠른 속도로 널리 전파될 수 있다.
③ 개인 간의 대화라 하더라도 사회적으로 문제가 될 수 있는 말은 삼가야 한다.
④ 화법과 작문은 사회에 영향을 미치는 행위이므로 사회적 책임을 의식하고 행해야 한다.
⑤ 확인되지 않은 내용을 말할 때는 다른 사람에게 그 말을 전달하지 않겠다는 약속을 받아야 한다.

대표 문제 ② 다음은 한 학생이 쓴 글의 일부이다. 작문의 윤리적 측면에서 다음 글에 나타난 문제점을 지적한 내용으로 적절한 것은?

> 우리 반 최정구가 농구 대회에 참가하겠다는 이미선에게
> "여자가 무슨 농구냐?"
> 라고 했다가 다툰 일이 있다.

① 비속어를 사용하고 있다.
② 독자를 배려하고 있지 않다.
③ 잘못된 인용 표시를 사용하고 있다.
④ 친구의 실제 이름을 공개하고 있다.
⑤ 다른 사람의 저작물을 존중하고 있지 않다.

대표 문제 ③ 다음은 자기 방 청소를 하지 않은 아들에게 엄마가 한 말이다. 엄마의 말이 지닌 문제점과 이러한 말이 아들에게 미칠 영향을 서술하시오.

> "내가 이 말까지는 안 하려고 했는데, 네 친구 석호를 봐. 걘 방 청소만 잘하는 게 아니야. 공부도 잘해. 내가 지금 너한테 공부를 잘하라고 했어? 네 방 청소만 제대로 하라고."

소단원 시험 예상 문제

[1~4] 다음 글을 읽고 물음에 답하시오.

여러분이 누군가를 비난하고 다른 사람과 비교하면서 그 사람에게 죄책감이나 수치심, 두려움을 느끼게 해서 그 사람을 움직이게 할 수 있지만, 그게 과연 옳은 방법일까요? 그 사람이, 그 행동을 어떤 마음으로 하는가를 생각해 본다면 우리의 언어, 태도, 방식을 바꾸어야 하는 충분한 이유를 찾을 수 있다고 생각해요.

그래서 저는 ㉠'당신은 나에게 대항하고 있다.'가 아니라 ㉡'당신과 내가 함께 이 문제에 대항하고 있다.'로 우리의 관점을 바꾸기를 바랍니다.

그래서 '우리는 함께 이 문제를 해결할 것이다.'라고 생각하게 되면 우리 안에 있던 폭력성이 다른 힘으로 발현되고, 관계를 맺는 데 유익하게 작용하지 않을까 하는 생각을 했습니다.

이런 질문을 한번 드려 봐요. 지금 여기 계신 분들도 생각해 봐 주시면 좋겠어요.

[A] 태어나서 지금까지 살아오면서 단 한 번이라도 여러분 자신이 배우거나 성장하기 위해서 그리고 변화되기 위해서 '나는 욕설을 좀 들어야 하고 멸시와 무시를 당해야 한다.'라고 생각한 적이 있는지, 저는 묻고 싶습니다. 저는 이 질문에 "네. 저는 그렇게 생각해 본 적이 있습니다."라고 답하는 분을 본 적이 없습니다. 그런데 반대로 "그 사람은 무시를 당하거나, 욕을 먹어야만 변할 수 있다고 생각한 적이 있습니까?"라고 물으면 대부분 "네."라고 대답을 해요.

저는 우리 사회에 만연해 있는 폭력의 근간이 나는 그렇지 않다고 생각하면서 저 사람은, 나는 결코 원하지 않는 방식으로 대접을 받아도 된다는 생각 때문이 아닌지 묻고 싶어요. 폭력은 단 한 번이라도 정당화될 수 없고 사랑이라는 이름으로도 포장할 수 없는 것임을 분명히 알았으면 좋겠습니다. 그래야만 어떻게 하면 저 사람과 내가 서로 비난하지 않으면서 서로가 원하는 것들을 대화를 통해 이루어 나갈 수 있을까 하는 쪽으로 우리의 관점을 돌릴 수 있기 때문이죠.

대화는 나의 의식 체계가 말로써 표현되는 것이기 때문에, 저는 오늘 이 자리를 통해서 우리를 진정으로 변화시킬 수 있는 힘은 오직 사랑과 서로에 대한 존중, 배려라는 말씀을 드리고 물러날까 합니다. 잘 들어 주셔서 감사합니다.

1. 위 강연자의 생각으로 보기 어려운 것은?

① 우리의 대화 속에는 폭력이 만연해 있다.

② 폭력은 어떠한 이유로도 정당화할 수 없다.

③ 이 강연의 청중은 이미 사랑과 배려를 바탕으로 대화하는 사람이라고 할 수 있다.

④ '어떤 문제를 함께 해결한다.'라는 생각은 우리의 관계를 유익하게 만들어 줄 수 있다.

⑤ 우리는 타인에게 죄책감, 수치심, 두려움 등을 줌으로써 그들의 행동을 변화시키는 경우가 있다.

학습 활동 응용

2. 다음은 위의 강연을 시청한 사람들이 프로그램 게시판에 남긴 댓글이다. 이에 대한 반응으로 가장 적절한 것은?

 저도 강연자 님의 의견에 공감해요. 엄마께 이 강연을 보여 드릴 거예요.

 아직 어린가 보군. 엄마한테 보여 줘 봤자 혼만 날 거야. 어른들은 안 변해.

 강연을 듣고 제가 평소에 친구들에게 어떻게 이야기하는지를 돌아보게 되었어요. 좋은 강연 들려주셔서 감사합니다.

 뭐니 뭐니 해도 사랑이 최고죠. 상대에 대한 배려도 결국 사랑이 밑받침되어야 하는 것 같아요.

① 말을 할 때는 보이지 않는 곳에도 청자가 있다는 점을 명심해야겠군.

② 같은 말과 글은 받아들이는 사람과 관계없이 그 의미가 동일하게 전달되는군.

③ 말을 하거나 글을 쓸 때는 청자나 독자가 어떻게 생각할지에 대해 생각해 봐야겠군.

④ 말을 하거나 글을 쓸 때는 그 내용을 오해하는 사람들을 위한 답변을 미리 준비해 두어야겠군.

⑤ 한 사람이 한 말은 그 말로써 그치는 것이 아니라 다른 사람의 말을 통해 그 내용이 변형되고 확장되는군.

3. [A]의 말하기 방식에 대한 설명으로 적절한 것끼리 짝지은 것은?

> ㄱ. 자신의 경험을 바탕으로 주장을 펼치고 있다.
> ㄴ. 대구와 설의의 방법으로 자신의 주장을 강조하고 있다.
> ㄷ. 반대되는 상황을 대조하여 자신의 생각을 드러내고 있다.
> ㄹ. 관용 표현을 활용하여 자신의 생각을 요약적으로 드러내고 있다.

① ㄱ, ㄴ   ② ㄱ, ㄷ   ③ ㄴ, ㄷ
④ ㄴ, ㄹ   ⑤ ㄷ, ㄹ

4. ㉠과 ㉡에 대한 설명으로 적절하지 <u>않은</u> 것은?

① ㉠은 상대방을 공격함으로써 수치심과 두려움을 줄 수 있다.
② ㉡은 상대방과의 관계를 원만하게 하여 상대방을 변화시킬 수 있다.
③ 강연자는 청중이 ㉠의 관점에서 ㉡의 관점으로 바뀌기를 바라고 있다.
④ ㉠은 상대방에게 초점을 두는 관점이고, ㉡은 문제에 초점을 두는 관점이다.
⑤ 강연자는 대부분이 ㉡의 관점을 갖고 있으나 일부의 사람들이 ㉠의 관점을 갖고 있다고 보고 있다.

[5-6] 다음 글을 읽고 물음에 답하시오.

> 우리 반 최정구가 농구 대회에 참가하겠다는 이미선에게
> "여자가 무슨 농구냐?"
> 라고 했다가 다툰 일이 있다. 반대로 농구 연습을 하고 있는 강성필에게 문여진이
> "무슨 남자가 농구도 못 하냐?"
> 라고 했다가 ㉠ 싸움이 난 적도 있다.
> 이처럼 차별하는 말을 들은 사람은 마음의 상처를 받고, 자신을 방어하기 위해 공격적으로 변할 수 있다.
> 폭력적인 말의 폐해는 차별하는 말보다 더 심각하다.

넘어져서 생긴 상처는 약을 바르면 되지만 말로 인해 생긴 상처에는 약도 바를 수 없다.

얼마 전에는 인터넷을 통해 나눈 말 때문에 폭력대책위원회가 열렸다. 한 친구가 다른 친구의 말을 전하면서 오해가 생겼고, 단체 대화방에서 서로를 비방하고 협박하는 말을 한 것이 화근이었다. [중략]

> 나보다 먼저 상대방의 입장을 헤아리는 사랑의 마음으로 사랑의 말을 하게 하시고 남의 나쁜 점보다는 좋은 점을 먼저 보는 긍정적인 마음으로 긍정적인 말을 하게 하소서

유명한 수녀님이 쓰신 시의 구절처럼 좋은 말이란 이런 말이겠구나 하는 생각을 해 본다.

학습 활동 응용

5. 윗글을 화법과 작문의 윤리적 측면에서 점검한 내용으로 적절한 것끼리 짝지은 것은?

> ㄱ. 인터넷에서 찾은 자료를 마치 자신의 것처럼 사용하고 있다.
> ㄴ. 다른 사람의 글을 인용하면서 정확한 출처를 밝히지 않고 있다.
> ㄷ. 독자에게 불쾌감이나 모욕감을 느낄 수 있는 내용을 담고 있다.
> ㄹ. 부정적인 일과 관련된 친구들의 이름을 그대로 노출하고 있다.

① ㄱ, ㄴ   ② ㄱ, ㄹ   ③ ㄴ, ㄷ
④ ㄴ, ㄹ   ⑤ ㄷ, ㄹ

6. ㉠이 일어난 이유를 화법의 윤리적 측면에서 찾을 때 가장 적절한 것은?

① 상대방을 무시하는 말을 했기 때문에
② 상대방이 오해하도록 말을 했기 때문에
③ 상황에 어울리지 않는 말을 했기 때문에
④ 상대방이 알아들을 수 없는 말을 했기 때문에
⑤ 상대방을 지나치게 배려하는 말을 했기 때문에

(2) 화법과 작문의 관습과 문화

화법과 작문의 관습을 바탕으로 문화를 발전시키려면 어떻게 해야 할까?

> » 전통적 관습 중에는 오늘날의 맥락에서 보면 어색한 것이 있으며 때에 따라서는 전통적 관습이 잘못 적용되어 쓰이는 경우도 있다. 따라서 전통적 관습을 비판적 안목으로 이해하여 오늘날 사회의 문화에 맞게 적용하는 것이 중요하다.

알기

• 화법과 작문의 관습과 문화에는 무엇이 있나?

| 예시 답안 | 대표적인 담화 관습에는 관용 표현 사용하기, 언어유희, 빗대어 표현하기 등이 있으며, 각 글의 종류에 따른 고유한 형식이나 표현 등과 관련된 작문 관습이 있다.

• 화법과 작문의 관습을 고려해야 하는 이유는 무엇인가?

| 예시 답안 | 화법과 작문의 관습을 따르지 않으면 상대방과 원활한 의사소통을 하기가 어렵다.

• 언어문화의 발전을 위해서는 어떻게 해야 하나?

| 예시 답안 | 화법과 작문의 관습을 올바르게 계승하는 것이 중요하며, 전통적 관습의 장점을 살리고 현대의 가치관이나 생활 모습에 맞게 변형·창조하는 것도 필요하다.

하기

• 화법과 작문의 관습 이해하기

» 화법과 작문에 관습이 있음을 인지하고, 그 필요성 이해하기

• 화법과 작문의 문화가 변화하는 양상 찾아보기

» 문학 작품을 통해 화법과 작문의 관습이 어떻게 유지되고 변화되었는지 살펴보기

• 언어문화 발전을 위한 바람직한 화법과 작문의 태도 알아보기

» 화법과 작문의 전통과 관습을 오늘날의 맥락에서 살펴보고 이를 비판적으로 이해하는 활동 하기

••• 위의 사례처럼 옛날과 다른 오늘날의 화법과 작문의 관습에는 어떤 것이 있는가?

| 예시 답안 | 옛날에는 붓으로 편지를 썼지만, 오늘날은 스마트폰이나 컴퓨터로 편지를 쓴다.

••• 화법과 작문의 관습은 의사소통에 어떤 영향을 줄까?

| 예시 답안 | 화법과 작문의 관습을 올바르게 이해하고 적용하면 효과적으로 의사소통을 할 수 있으며, 화법과 작문의 관습에서 벗어난 의사소통은 상대방을 당황하게 하거나 불쾌하게 할 수 있다.

알아 두기

화법과 작문의 관습

- 화법과 작문의 관습은 사회 구성원이 말을 하거나 글을 쓸 때 지켜야 하는 규범과 가치를 말한다.
- 의사소통을 원활하게 하기 위해서는 화법과 작문의 관습을 지켜야 한다.

언어 공동체의 개념

- 언어 공동체란 같은 언어를 사용하는 집단을 말하는데 이때 말하는 집단은 상대적이다.
- 언어 공동체는 내용과 형식적인 차원뿐 아니라 의사소통의 방식에서도 사회·문화적 관습을 갖는다.
- 언어 공동체의 화법과 작문의 관습을 이해하고 활용하면 더욱 효과적이고 풍부한 언어생활을 할 수 있다.

우리 언어 공동체의 화법과 작문의 관습

- 대표적인 화법의 관습에는 관용 표현 사용하기, 언어유희, 빗대어 표현하기(비유법) 등이 있다.
- 각 글의 종류에 따른 고유한 형식이나 표현 등과 관련된 작문 관습이 있다.

관용 표현	둘 이상의 낱말이 합쳐져 원래의 뜻과는 전혀 다른 새로운 뜻으로 굳어져서 쓰이는 표현
언어유희	동음이의어나 각운 등을 이용하여 재미있게 꾸미는 말의 표현
빗대어 표현하기	어떤 사물의 모양이나 상태 등을 보다 효과적으로 표현하기 위하여 그것과 비슷한 다른 사물에 빗대어 표현하는 방법
글의 종류에 따른 고유한 형식	• 편지글: 서두에 편지를 받을 사람을 쓰고, 전할 내용을 쓴 뒤 맺음말에 보내는 사람을 밝힘. • 전(傳): 인물의 생애와 업적을 서술한 뒤 교훈적인 내용이나 비판을 덧붙임.

바람직한 화법과 작문의 문화 형성

언어 공동체의 화법과 작문의 관습은 고정된 것이 아니라 사회·문화적 상황에 따라 변화한다. 그러므로 언어 공동체의 담화 및 작문 관습이 다양한 상황 속에서 바람직하게 수용되고 적용되는지 비판적 안목으로 이해할 필요가 있다. 또한, 화법과 작문의 관습의 특징을 고려하여 진실성과 공손성을 가지고 상대방을 배려하는 바람직한 언어문화를 형성해 나가는 태도를 길러야 한다.

1. 화법과 작문의 관습에 대한 설명으로 알맞은 것은 ○표, 알맞지 않은 것은 ×표를 하시오.

   (1) 화법과 작문의 관습은 한번 정해지면 변하지 않는다. (　)

   (2) 화법과 작문의 관습은 말을 하거나 글을 쓸 때 작용하는 규범과 가치를 말한다. (　)

   (3) 화법과 작문의 관습이 바람직하게 수용·적용되고 있는지 비판적 안목으로 이해해야 한다. (　)

2. 다음 중 관용 표현을 적절하게 사용한 것의 기호를 쓰시오.

   > ㉠ 민수는 얼굴이 두꺼워서 부끄러움을 잘 타.
   > ㉡ 나는 오도 가도 못하고 친구를 기다리고 있었다.
   > ㉢ 의사가 제 병 못 고친다더니 내가 가장 친한 친구에게 배신을 당했다.

   (　)

3. 바람직한 언어문화의 형성에 관한 설명으로 적절하지 않은 것은?

   ① 진실성과 공손성에 바탕을 둔 언어생활을 해야 한다.

   ② 말을 하거나 글을 쓸 때 청자나 독자를 고려해야 한다.

   ③ 말을 하거나 글을 쓸 때 화법과 작문의 관습을 고려해야 한다.

   ④ 현재의 사회·문화적 상황에 부합하도록 화법과 작문의 관습을 바꾸어야 한다.

   ⑤ 화법과 작문의 전통적 관습을 존중하되 현대의 가치관이나 생활 모습에 맞게 변형·창조하는 것도 필요하다.

|정답|
1. (1) × (2) ○ (3) ○　2. ㉡　3. ④

유자소전

이문구

한 친구가 있었다. / 그냥 보면 그저 그렇고 그런 보통 사람에 불과한 친구였다.

　　　유자

그러나 여느 사람처럼 이 땅에 그런 사람이 있는지 마는지 하게 그럭저럭 살다가 제

　　　　　　　　　　　　　　　　　　　　　　　　저 혼자 스스로의 바람에

물에 흐지부지하고 몸을 마친 예사 허릅숭이는 아니었다.

　　　　　　　　　　일을 실답게 하지 못하는 사람을 낮잡아 이르는 말

『그의 이름은 유재필(兪哉弼)이다. 1941년 홍성군 광천에서 태어나 보령군 대천에 와

『 』: '전(傳)'의 형식 차용 - 유자의 출생부터 일대기를 시간의 순서대로 기술함.

서 자라고 배웠다. 그리고 그 나머지는 서울에서 살았다. 그는 어려서부터 타고난 총기

와 숫기로 또래에서 별쫑맞고 무리에서 두드러진 바가 있어, 비색한 가운과 불우한 환

　　　　　　　　　　　　말이나 하는 짓이 아주 별스럽고　　　　　　　　운수가 꽉 막힌

경 속에서도 여러모로 일찍 터득하고 앞서 나아감에 따라 소년 시절은 장히 숙성하고,

청년 시절은 자못 노련하고, 장년에 들어서서는 속절없이 노성하였으니, 무릇 이것이

그가 보통 사람 가운데서도 항상 깨어 있는 삶을 살게 된 바탕이었다.』

　　　　　　　　　　　　　　　　　　　　　　　▶ 유자의 출생과 성장 과정

　　㉠ 그의 생애는 풀밭에서 뚜렷하고 쑥밭에서 우뚝하였다.

　　　　　　　유자의 존재감이 어디에서나 드러남.

그는 애초에 심성이 밝고 깔끔하였다. 매사에 생각이 깊고 침착하였으며, 성품이 곧

고 굳은 위에 몸소 겪음한 바와 힘써 널리 보고 애써 널리 들은 것을 더하여, 스스로 갖

추어진 줏대와 나름껏 이루어진 주견으로 갈피 있는 태도를 흐트리지 아니하였다.

　　　　　　　　　　　　　　　자기의 주장이 있는 의견

그러므로 주변머리 없이 기대거나 자발머리없이 나대서 남을 폐롭히거나 누를 끼

　　　　　　　　　　　'행동이 가볍고 참을성이 없이'를 뜻하는 '자발없이'를 속되게 이르는 말　　　성가시게 하고 귀찮게 하거나

치는 자는 반드시 장마의 물걸레처럼 쳐다보기를 한결같이 하였고, 분수없이 남을 제끼

　　　　　　　　쓸모없는 물건

거나 밟고 일어서서 섣불리 무엇인 척하고 으스대는 자는 「삼국지」에서 조조 망하기를

기다리듯 미워하여 매양 속으로 밑줄을 그어 두기에 소홀함이 없었다. 또 모름지기 세

　　　　　　　　　　　　　　　　　마음속에 새겨 둠.

상의 일에 알면 아는 대로 힘지게 말하고, 모르면 모르는 대로 숫지게 말하여 마땅한 자

　　　　　　　　　　　　　　　　　　　　　　　　　순박하고 인정이 두텁게

리임에도 불구하고 어딘지 떳떳지 못하게 주눅부터 들어서 좌우의 눈치를 딱 부러지게

　　　　　　　　　　　　　　　　　　　　　　　유재필이 싫어하는 인간형

흑백을 하지 못하는 자가 있으면, 마치 말만 한 딸을 서울 가게 하는 데에 힘입어 그날

로 이잣돈을 놓는 매몰스러운 구두쇠를 보듯이 으레 가래침을 멀리 뱉기에 이력이 난

터이었다.

그의 됨됨이는 물론 그것이 전부는 아니었다. 체취는 그윽하고 체온은 따뜻하며 체질

　　　　　　　　　　　　　　　　　　　　　인간미와 인정이 넘치고 속이 깊은 사람

이 묵중한 사내였다. 또한 남의 아픔이 자신의 아픔임을 깨달아 아픔을 나누고 눈물을

나누되, 자기가 아는 바 사람 사는 도리에 이르기를 진정으로 바라던 위인이었으니, 짐

짓 저 옛말을 빌려서 말한다면 그야말로 때아닌 특립독행(特立獨行)의 돌출이요, 이른

　　　　　　　　　　　　　　　　　　　　세속에 따르지 않고 스스로 믿는 바를 행함.

바 "세상 사람들의 걱정거리를 그들보다 앞서서 걱정하고, 세상 사람들이 즐거워함을

본 연후에야 즐거움을 누린다[先天下之憂而憂 後天下之樂而樂]."라고 말한 선비적인 덕

　　　　　　　　　　　　　　　　　　　　　　　　　유재필의 인물됨을 요약한 말

량의 본보기라 하지 않을 수 없는 친구였다.

제재 핵심 정리

갈래	풍자 소설, 세태 소설
성격	풍자적, 비판적, 해학적
제재	유자의 생애
주제	• 유자의 인간적인 면모에 대한 예찬과 그리움 • 물질 만능주의에 빠진 현대 사회에 대한 비판
특징	• '전(傳)'의 형식을 차용함으로써 한국 문학의 전통을 계승함. • 사투리를 사용하여 향토적 정서를 부각함. • 언어유희를 활용하여 대상을 비판하고 풍자함. • 1인칭 관찰자 시점을 중심으로 하되, 부분적으로 전지적 작가 시점을 활용함.

확인 문제　　정답과 해설 19쪽

1. 이 글의 주인공에 대한 이해로 적절하지 않은 것은?

① 주관이 뚜렷하였다.

② 어려운 환경에서 자랐다.

③ 세상일에 관심이 많았다.

④ 어렸을 때는 병약한 사람이었다.

⑤ 남을 괴롭히는 사람을 싫어하였다.

2. ㉠을 나타내는 한자 성어로 적절한 것은?

① 결초보은(結草報恩)

② 경거망동(輕擧妄動)

③ 군계일학(群鷄一鶴)

④ 청출어람(靑出於藍)

⑤ 홍익인간(弘益人間)

"이간감? 나 유가여."

<u>사투리를 사용하여 현장감과 친근감 등을 느끼게 함.</u>

그가 내게 전화를 할 때마다 매번 거르지 않던 첫마디였다.

그렇지만 유가는 이미 다른 사람을 이르는 말이었다. 그는 유자(俞子)였다. [중략]

▶ 유자의 성격과 인품

하루는 어디로 어디로 해서 어디로 좀 와 보라고 하기에 물어물어 찾아갔더니, <u>귀꿈</u>
<u>전혀 어울리지 아니하고 촌스럽게도</u>
<u>맞게도</u> 붕어니 메기니 하고 민물고기로만 술상을 보는 후미진 대폿집이었다.

나는 한내를 떠난 이래 처음 대하는 민물고기 요리여서 새삼스럽게도 <u>해감내</u>가 역하
<u>소설의 주인공인 유재필을 관찰하여 서술하는 1인칭 관찰자</u>   <u>바닷물 따위에서 흙과 유기물이 썩어서 생긴 찌꺼기의 냄새</u>
고 싫었으나, 그는 흙탕 내도 아니고 시궁 내도 아닌 그 해감내가 문득 그리워져서 부득
이 그 집으로 불러냈다는 것이었다.

"㉠ <u>허울 좋은 하눌타리지</u>, 수챗구녕 내가 나서 워디 먹겠나, 이까짓 냄새가 뭣이 그
<u>보기만 좋았지 아무 실속이 없는 사람이나 사물을 비유적으로 이르는 말</u>
리워서 이걸 다 돈 주구 사 먹어, 나 원 참, 취미두 별 움둑가지 같은 취미가 다 있구면."

내가 사뭇 마뜩잖아했더니

"그래두 좀 구적구적헌 디서 사는 고기가 <u>하꾸라이</u>버덤은 맛이 낫어."
                    <u>'다른 나라에서 배로 실어 온 물품'을 뜻하는 일본말</u>
하면서 그날사 말고 수그러들 기미를 보이지 않는 것이었다. 그가 자기주장에 완강할
때는 반드시 경험론적인 설득 논리로써 <u>무장</u>이 되어 있는 경우였다.
                <u>군인들이 쓰는 용어에서 일상생활에 비유적으로 쓰게 된 말임.</u>
"무슨 얘기가 있는 모양이구면." / "있다면 있구 옳다면 옳은디, 들어 볼라남?"
                        ▶ 비단잉어에 대한 이야기를 꺼내려는 유자

그는 이야기를 펼쳐 놓았다.

총수의 자택에 연못이 생긴 것은 그 며칠 전의 일이었다. 뜰 안에다 벽이고 바닥이고
시멘트를 들어부어 만들었으니 연못이라기보다는 수족관이라고 하는 편이 알맞은 시설
이었다. 시멘트가 굳어지자 물을 채우고 울긋불긋한 비단잉어들을 풀어놓았다.

비단잉어들은 화려하고 귀티 나는 맵시로 보는 사람마다 탄성을 자아내게 하였으나, 그
는 처음부터 <u>흘기눈</u>을 떴다. 비행기를 타고 온 수입 고기라서가 아니었다. 그 회사 직원
<u>'눈동자가 한쪽으로 쏠려, 정면으로 보지 못하고 언제나 흘겨보는 사람'을 뜻하는 '흑보기'를 잘못 쓴 말</u>
의 몇 사람 치 월급을 합쳐도 못 미치는 상식 밖의 몸값 때문이었다.

"대관절 월매짜리 고기간디 그려?" / 내가 물어보았다.

"마리당 팔십만 원씩 주구 가져왔댜."

그 회사 직원들의 봉급 수준을 모르기에 내 월급으로 계산을 해 보니, 자그마치 3년
4개월 동안이나 봉투째로 쌓아야 겨우 한 마리 만져 볼까 말까 한 값이었다.

"웬 늠으 잉어가 사람버덤 비싸다나?" / 내가 기가 막혀 두런거렸더니

┌ "보통 것은 아닐러먼그려, 뱉어낸벤또(베토벤)라나 뭬라나를 틀어 주면 또 그 가
│   ▨ <u>: 발음의 유사성을 활용한 언어유희를 통해 대상을 풍자함.</u>
│ 락대루 따러서 허구, 차에코풀구싶어(차이콥스키)라나 뭬라나를 틀어 주면 또 그
[A] 가락대루 따러서 허구, 좌우간 곡을 틀어 주는 대루 못 추는 춤이 읎는 순전 딴
│ 따라 고기닝께. 물고기두 꼬랑지 흔들어서 먹구사는 물고기가 있다는 건 이번에
└ 그 집에서 츰 봤구면."

> **비단잉어의 상징적 의미**
>
> 상류층의 사치스러움과 허영을 보여 주는 소재로, 지배 계층의 이기적인 사고방식을 드러냄.

> **유자의 말하기 방식**
>
> • 충청도 방언을 사용
> • 소리의 유사성을 이용한 언어 유희
> • 능청스럽고 의뭉스러운 말투

확인 문제

서술형

3. ㉠과 같이 속담을 활용하여 거둘 수 있는 효과를 서술하시오.

〈조건〉
'간결, 인상'의 두 단어를 포함하여 서술할 것

_____

_____

4. [A]의 말하기 방식에 대한 설명으로 가장 적절한 것은?

① 대상을 의인화하여 친근감을 드러내고 있다.

② 소리의 유사성을 이용하여 웃음을 유발하고 있다.

③ 대조의 방법을 활용하여 대상의 능력을 강조하고 있다.

④ 설의적 어법으로 대상에 대한 놀라움을 드러내고 있다.

⑤ 외양을 우스꽝스럽게 묘사하여 대상을 희화화하고 있다.

그런데 이 비단잉어들이 어제 새벽에 떼죽음을 한 거였다. 자고 일어나 보니 죄다 허옇게 뒤집어진 채로 떠 있는 것이었다.

총수가 ⊙ 실내화를 꿴 발로 뛰어나왔지만 아무 소용없는 일이었다.

"어떻게 된 거야?"

한동안 넋 나간 듯이 서 있던 총수가 하고많은 사람 중에 하필이면 유자를 겨냥하며 물은 말이었다.

"글쎄유, 아마 밤새에 고뿔이 들었던 개비네유."
<small>총수의 행태가 마음에 들지 않아 일부러 상황에 맞지 않는 말을 함.</small>
유자는 부러 딴청을 하였다.

"뭐야? 물고기가 물에서 감기 들어 죽는 물고기두 봤어?"

총수는 그가 마치 혐의자나 되는 것처럼 화풀이를 하러 드는 것이었다.

그는 비위가 상해서

"그야 팔자가 사나서 이런 후진국에 시집와 살라니께 여러 가지루다 객고가 쌓여서 조시두 안 좋았을 테구……. 그런디다가 부룻쓰구 지루박이구 가락을 트는 대루 디립다 춰 댔으니께 과로해서 몸살끼두 다소 있었을 테구……. 본래 받들어서 키우는 새 <small>가진 자들의 행태를 직접적으로 비판하고 있음.</small> 끼덜일수록이 다다 탈이 많은 법이니께……."

그는 시멘트의 독성을 충분히 우려내지 않고 고기를 넣은 것이 탈이었으려니 하면서
<small>물고기가 죽은 직접적인 원인</small>
부러 배참으로 의뭉을 떨었다.
<small>꾸지람을 듣고 그 화풀이를 다른 데다 함.</small>

"하는 말마다 저 ⓛ 말 같잖은 소리……. 시끄러 이 사람아."

총수는 말 가운데 어디가 어떻게 듣기 싫었는지 자기 성질을 못 이기며 돌아섰다.
▶ <small>비단잉어가 죽은 이유를 알면서도 모르는 척하며 총수를 비꼬는 유자</small>
그는 총수가 그랬다고 속상해할 만큼 속이 옹색한 편이 아니었다.

그렇지만 오늘 아침에 들은 말만은 쉽사리 삭일 수가 없었다.

총수는 오늘도 연못이 텅 빈 것이 못내 아쉬운지 식전마다 하던 정원 산책도 그만두고 연못가로만 맴돌더니

"유 기사, 어제 그 고기들은 다 어떡했나?"

또 그를 지명하며 묻는 것이었다.

그는 아무렇지 않게 대답했다.

"한 마리가 황소 네댓 마리 값이나 나간다는디, 아까워서 그냥 내뻔지기두 거시기 허구, 비싼 고기는 맛두 괜찮겠다 싶기두 허구……. 게 비늘을 대강 긁어서 된장끼 좀 허구, 꼬치장두 좀 풀구, 마늘두 서너 통 다져 늫구, 멀국두 좀 있게 지져서 한 고뿌덜 <small>'국물'을 잘못 쓴 말   '컵'을 잘못 쓴 말</small> 씩 했지유."

"뭣이 어쩌구 어째?" / "왜유?"

"왜애유? 이런 잔인무도한 것들 같으니……."
<small>인간을 물고기보다 하찮게 대하는 총수의 태도를 볼 수 있음.</small>

'전(傳)'의 개념과 구성

개념	인물의 생애와 업적을 서술하는 전통적인 문학의 갈래
구성	서두에서는 인물의 성명과 고향, 가계 등을 서술하고, 결말에서는 인물에 관한 평가를 요약하며 보여 주는 글이나 짤막한 시를 제시함.

확인 문제

5. 이 글로 미루어 짐작할 수 있는 내용으로 적절한 것은?

① 유자는 비단잉어가 선진국에서 왔다고 생각한다.

② 유자는 비단잉어가 죽은 진짜 이유를 알고 있다.

③ 유자는 비단잉어가 몸살이 나서 죽었다고 생각한다.

④ 총수는 유자가 비단잉어를 죽였다고 의심하고 있다.

⑤ 총수는 비단잉어가 죽은 이유를 유자가 알고 있다고 생각한다.

6. ⊙에 담긴 마음으로 가장 적절한 것은?

① 마음이 급하다.

② 마음이 아프다.

③ 마음이 언짢다.

④ 마음이 간절하다.

⑤ 마음에 들지 않는다.

7. ⓛ의 의미로 적절한 것은?

① 남을 속이는 말

② 실수로 하는 말

③ 정곡을 찌르는 말

④ 이치에 맞지 않는 말

⑤ 진심이 담기지 않은 말

총수는 <u>분기탱천</u>하여 <u>부쩌지를 못하였다</u>. 보아하니 아는 문자는 다 동원하여 호통을
<u>분한 마음이 하늘을 찌를 듯 격렬하게 북받쳐 오름.</u>   └ 안절부절못하였다.
쳤으면 하나 혈압을 생각하여 참는 눈치였다.

"달리 처리헐 방법두 읎잖은감유."

총수의 성깔을 덧들이려고 한 말이 아니었다. 그가 할 수 있는 것이 그 방법 말고는

없었기 때문에 그렇게 <u>뒷동</u>을 단 거였다.   ▶ 비단잉어를 먹은 유자에게 화를 내는 총수
         <u>일의 뒷부분. 또는 뒤 토막</u>

[중략 부분의 줄거리] 유자는 말년에 종합 병원 원무실 실장으로 근무하다 암에 걸린다. 병이 깊어 가는
중에도 어느 평론가의 장례 때 여러 일을 맡아 처리해 준 유자는 곧이어 생을 마감한다.

찬비를 맞으며 돌아섰던 그의 무덤을 나는 그 뒤로 한 번도 찾아보지 않았다. 있을 수

없는 일이었다.

그러나 나는 지금도 그를 찾아갈 수가 없다. 내가 가면 그 다정한 음성으로

"야, 너두 그 고생 그만허구 나랑 있자야, 덥두 않구 춥두 않구, 여기두 있을 만혀……."

하며 내 손을 꼭 붙들 것만 같아서.

이제 찬한다.
<u>'전'은 마지막에 인물에 대한 '찬양'의 내용을 운문으로 덧붙이는 형식을 가짐.</u>

  ┌ 유명이 갈렸건만 아직도 그대를 찾음이여

      오롯이 더불어 살은 진한 삶이었음이네.
      <u>자신보다 타인을 먼저 생각하며 살아온 유자의 삶</u>
      수필이 되고 소설이 되고 시가 되어 남음이여

      그 정신 아름답고 향기로웠음이네.
[A]
      아아 사십 중반에 만년이 되었음이여

      <u>남보다 앞서 살고 앞서 떠났음이로다.</u>
      <u>타인의 모범이 되는 삶을 살다가 마흔의 나이에 일찍 돌아가셨음.</u>
      붓을 놓으며 다시금 눈물 젖음이여

  └ 그립고 기리는 마음 가이없어라.
                                                        ▶ 유자에 대한 그리움

「유자소전」에 나타난 '전'의
특징

• 유자의 생애를 시간 순서에
  따라 기록함.
• 대표적인 일화를 통해 유자의
  특징이나 미덕을 표현함.
• 경우에 따라 서술자인 '나'의
  평가를 직접 노출함.
• 서두에서는 주인공 유자의 이
  력에 대해 서술하고, 말미에
  서는 유자를 추모하면서 미덕
  을 평가하는 시를 제시함.

확인 문제

8. 이 글에서 확인할 수 있는
내용이 **아닌** 것은?

① '나'는 죽은 유자를 그리워
  하고 있다.
② '나'는 시를 통해 유자를
  기리고 있다.
③ 유자는 암으로 사십 중반
  에 생을 마감했다.
④ '나'는 유자의 무덤을 한
  번도 찾아가지 않았다.
⑤ 유자는 생을 마감하기 직
  전까지 다른 사람을 도와
  주었다.

9. [A]에 대한 설명으로 가장
적절한 것은?

① 유자의 삶을 객관적으로
  평가하고 있다.
② 유자의 외모를 생생하게
  묘사하고 있다.
③ 유자와 함께했던 사건들
  이 제시되고 있다.
④ 유자가 살아 있기를 바라
  며 안타까움을 드러내고
  있다.
⑤ 유자를 그리워하는 마음
  을 직접적으로 드러내고
  있다.

소단원
학습 활동

이해하기

교과서 245p

1. 이 작품에 나타난 담화 관습을 알아보자.

(1) 문맥을 통해 '나'가 사용한 속담의 뜻을 추측해 보고, 속담을 사용하여 전달하고자 한 내용을 말해 보자.

> 허울 좋은 하눌타리지, 수챗구녕 내가 나서 워디 먹겠나, 이까짓 냄새가 뭣이 그리워서 이걸 다 돈 주구 사 먹어, 나 원 참, 취미두 별 움둑가지 같은 취미가 다 있구먼.

| 예시 답안 |

• 속담의 뜻: 실속은 없으면서 겉으로는 번지르르한 사람이나 사물을 비유적으로 이를 때 쓰는 말

• 속담을 사용하여 전달하고자 한 내용: 술안주로 나온 민물고기가 보기에는 그럴 듯하지만 별 맛이 없다는 것을 말하면서 유자의 식성이 별나다는 점을 드러내고자 한 것이다.

(2) '유자'의 말에서 언어유희를 통한 해학을 느낄 수 있는 부분을 찾아보자.

| 예시 답안 | "뱉어낸메네또(베토벤)라나 뭬라나를 틀어 주면 또 그 가락대루 따러서 허구, 차에코풀구싶어(차이콥스키)라나 뭬라나를 틀어 주면 또 그 가락대루 따러서 허구……." → 소리의 유사성을 활용한 언어유희를 통해 웃음을 유발하면서 총수가 비단잉어를 사고 연못을 만든 일을 풍자하고 있다.

> **참고** **해학과 풍자**
>
> 해학은 대상을 우스꽝스럽게 드러내는 표현 방법이며, 풍자는 대상을 과장 또는 왜곡함으로써 비꼬아 표현하는 방법이다. 주어진 사실을 그대로 드러내지 않는다는 점, 웃음을 유발한다는 점에서는 두 가지 방법이 유사하다. 그렇지만 해학이 동정적 웃음을 유도한다면, 풍자는 비판적 웃음을 유도한다는 점에서 차이가 있다.
> → 「유자소전」에서는 주인공 유자를 우스꽝스럽게 드러내는 것에 해학의 측면이 있다면, 총수의 모습을 과장하고 왜곡한 데는 풍자의 의도가 있다.

(3) '유자'가 다음과 같이 말한 의도를 파악하고, 그 의도가 명확하게 드러나도록 직접적인 표현으로 바꾸어 보자.

| 예시 답안 |

'유자'의 의도
회사 직원의 월급의 수십 배나 되는 비단잉어를 사다 놓고 애지중지하는 총수를 비꼬고자 하는 의도

'유자'의 말		바꾼 표현
"그야 팔자가 사나서 이런 후진국에 시집와 살라니께 여러 가지루다 객고가 쌓여서 조시두 안 좋았을 테구…… 그런디다가 부룻쓰구 지루박이구 가락을 트는 대루 디립다 춰 댔으니께 과로해서 몸살끼두 다소 있었을 테구…… 본래 받들어서 키우는 새끼덜일수록 다다 탈이 많은 법이니께……."	→ 직접적인 표현	"직원 월급의 수십 배나 되는 비단잉어를 사다 놓고 애지중지하는 것이 못마땅합니다. 비단잉어를 아끼는 마음을 직원들에게 주시면 안 되겠습니까?"

(4) (3)을 바탕으로 '유자'의 말하기 방식의 특징을 파악하고, 이러한 담화 관습의 장단점을 말해 보자.

| 예시 답안 | • '유자'의 말하기 방식의 특징: 운전기사인 '유자'는 총수의 잘못을 직접적으로 말할 수 없는 위치에 있다. 그래서 '유자'는 자기의 방식대로 완곡어법을 사용하여 총수의 잘못을 지적하고 있다.

• 완곡어법의 장점: 완곡어법은 상대방의 잘못을 완곡하게 표현하여 말할 수 있다.

• 완곡어법의 단점: 상대방이 알아야 할 내용을 정확하게 전달하지 못하고 오해하게 할 수 있다.

2. 이 작품에 나타난 작문 관습을 알아보자.

(1) 이 작품에서 사투리를 사용하여 얻고 있는 효과를 말해 보자.

| 예시 답안 | 사투리는 작품의 사회·문화적 배경을 나타내 준다. 이 작품에서는 '유자'와 '나'의 사투리를 통해 친근감과 유대감을 느낄 수 있도록 하고, 사건을 보다 현장감 있게 전달하고 있다.

(2) '유자'가 '나'에게 전해 주고 있는 일화의 내용을 간추려 보고, 작가가 그 일화를 통해 '유자'의 어떤 인물됨을 부각하고자 한 것일지 생각해 보자.

|예시 답안| 일화의 내용
'유자'가 모시는 총수가 시멘트로 연못을 만들고 비싼 잉어를 사 와서 기르다가 죽는다. 총수가 비단잉어들의 떼죽음의 원인에 대해 묻자 '유자'는 감기나 피로가 원인이었을 것이라 대답한다. 또 죽은 비단잉어들을 어떻게 했는지 물었을 때 '유자'는 술안주로 만들어 먹었다고 하며 값이 비싼 고기지만 맛은 없었다고 대답한다.

작가가 부각하고자 한 '유자'의 인물됨
'유자'는 능청스럽고 의뭉스러운 말과 언어유희를 통해 해학성을 드러내며 총수의 허영심과 위선을 비꼬고 있다. 이를 통해 작가는 '유자'가 솔직하고, 남의 눈치를 보기보다는 자신의 생각이나 신념을 지키는 인물이며, 물질 만능주의 세태에 비판적인 인물임을 드러내고 있다.

(3) 다음 설명을 참고하여, 이 작품에서 '전'의 형식적 특성이 드러나는 부분을 찾아보자.

> '전(傳)'은 인물의 생애와 업적을 서술하는 전통적인 문학 갈래로, 그 서두와 결말 부분에서 대부분의 작품이 공유하는 형식적 특성이 나타난다. 즉 서두에서는 인물의 성명과 고향, 가계(家系)와 같은 사항을 서술하고, 결말에서는 인물에 관한 평가를 요약하여 보여 주는 글이나 짤막한 시를 제시한다.

|예시 답안| 서두에서 '유자'의 성명과 고향, 업적 등을 서술하고, 결말에서는 '유자'의 죽음 이후 그의 인물됨에 관한 평가를 보여 주는 짤막한 시(찬)를 제시하고 있다.

(4) (3)의 활동을 바탕으로, 작가가 '전'의 양식을 활용하여 이 작품을 쓴 의도는 무엇일지 생각해 보자.

|예시 답안| 작가는 '유자'라는 인물의 삶을 기리는 데 우리 고유의 작문 관습이었던 '전'의 양식을 활용하는 것이 효과적이라고 판단하였을 것이다. 인물의 생애와 업적을 통해 교훈을 전달하는 '전'의 양식을 수용하여 '유자'의 삶을 드러냄으로써 독자들에게 인간다운 삶의 자세를 보여 주고자 한 것이다.

적용하기

교과서 247p

3. 다음은 어린 시절의 정조가 큰외숙모인 여흥 민씨에게 보낸 한글 편지이다. 편지를 읽고, 아래의 활동을 해 보자.

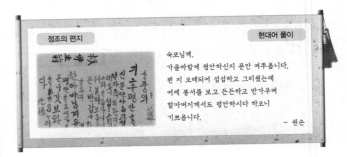

정조의 편지 / 현대어 풀이

숙모님께,
가을바람에 평안하신지 문안 여쭈옵니다.
뵌 지 오래되어 섭섭하고 그리웠는데
어제 봉서를 보고 든든하고 반가우며
할아버지께서도 평안하시다 하오니
기쁘옵니다.
　　　　　　　　　　　－ 원손

(1) 위의 편지에 드러나는 작문의 관습을 말해 보자.

|예시 답안| 서두에 편지를 받을 사람을 먼저 쓰고, 전할 내용을 쓴 뒤 맺음말에 보내는 사람을 밝히고 있다.

(2) 다음 〈조건〉에 따라 전자 우편을 써서 보내 보자.

─〈조건〉─
• 가족이나 친척, 친구 중 한 사람에게 개인적인 내용을 담은 편지를 쓴다.
• 진실성과 공손함이 드러나도록 쓴다.

|예시 답안|

> 엄마, 저 현지예요.
> 얼마 전에 성적표가 나왔는데 제 성적이 이전보다 떨어져서 많이 실망하셨죠? 죄송해요. 저는 열심히 했다고 생각했는데, 아직도 많이 부족한가 봐요. 이번에 본 시험 문제 중에 틀린 것은 오답 노트를 만들어서 다음 시험에 대비할 생각이에요. 그러니 조금만 더 지켜봐 주세요. 엄마, 사랑해요.
> 　　　　　　　　　　　　　　　　　　현지 올림.

4. 앞에서 한 활동들을 바탕으로, '화법과 작문의 관습의 바람직한 계승'을 주제로 토의해 보자.

|예시 답안| 생략

출제 포인트 ❶ 화법과 작문의 관습

우리의 말과 글에 담겨 있는 관습은 우리가 의사소통을 원활하게 할 수 있도록 해 줍니다. 화법과 작문의 관습이 지니는 의의를 묻는 문제는 화법과 작문의 관습이 형성된 배경이나 계승 방법과 연계되어 출제되는 경우가 많으니 이 점을 염두에 두고 시험을 준비하세요.

개념	사회 구성원이 말을 하거나 글을 쓸 때 지키는 규범과 가치
화법과 작문의 관습을 고려해야 하는 이유	• 화법과 작문의 관습은 상대방을 배려하는 예절임. • 우리의 전통적인 관습을 따르지 않으면 상대방과 원활한 의사소통을 하기가 어려움.

출제 포인트 ❷ 언어 공동체의 화법과 작문 관습

화법과 작문의 관습을 이해하고 활용하면 더욱 효과적이고 풍부한 언어생활을 할 수 있겠지요? 시험에는 우리나라의 대표적인 화법과 작문 관습의 특징을 묻는 문제가 나올 거예요.

언어 공동체	같은 언어를 사용하는 집단을 말하는 데 여기서의 집단은 상대적인 개념임.
담화 관습	대표적인 담화 관습으로 관용 표현 사용하기, 언어유희, 빗대어 표현하기(비유법) 등이 있음.
작문 관습	각 글의 종류에 따른 고유한 형식이나 표현 등과 관련된 작문 관습이 있음. 예 전(傳), 편지글 등

출제 포인트 ❸ 바람직한 언어문화 만들기

오랫동안 이어져 온 전통과 관습은 잘 지키고 따라야 해요. 하지만 지키고 따르기만 한다면 더 이상의 발전은 없을 거예요. 그러므로 우리는 현재의 삶에 맞게 화법과 작문의 관습을 발전시켜야 해요. 시험에는 바람직한 언어문화를 만들기 위해서는 어떤 태도를 지녀야 할지를 묻는 문제가 나올 거예요.

바람직한 언어문화 형성	• 화법과 작문의 관습의 올바른 계승이 필요함. • 화법과 작문의 전통적 관습의 장점을 살리고 현대의 가치관이나 생활 모습에 맞게 변형·창조해야 함. • 화법과 작문의 관습의 특징을 고려하여 진실성과 공손성을 가지고 상대방을 배려하는 언어생활을 해야 함.

대표 문제 ❶ 화법과 작문의 관습에 대한 설명으로 적절하지 **않은** 것은?

① 화법과 작문의 관습은 화법과 작문의 방법에 영향을 미칠 수 있다.

② 동일한 언어를 사용하는 공동체는 동일한 화법과 작문의 관습을 지니고 있다.

③ 화법과 작문의 관습은 맥락에 따라 적절한 내용과 형식으로 변형되어 나타날 수 있다.

④ 화법과 작문의 관습을 올바르게 이해하고 적용해야 효과적으로 의사소통을 할 수 있다.

⑤ 화법과 작문의 관습은 화자나 청자, 필자나 독자의 태도를 해석하는 기준으로 작용할 수 있다.

대표 문제 ❷ 언어 공동체의 화법과 작문의 관습에 대한 설명으로 적절하지 **않은** 것은?

① 우리나라 화법의 관습에는 '속담 사용하기'가 있다.

② 법조인들로 구성된 언어 공동체는 법률 용어를 사용하는 화법 관습에 익숙할 것이다.

③ 편지글은 서두에 받는 사람과 인사말을 쓰고 맺음말에 보내는 사람을 밝히는 작문 관습이 있다.

④ 화법과 작문 활동을 할 때는 자신이 속한 언어 공동체뿐만 아니라 청자나 독자가 속한 언어 공동체의 관습도 고려해야 한다.

⑤ 요즘 젊은 세대들은 신조어나 줄인 말을 많이 사용하므로 현재의 사회·문화적 상황에 맞도록 이를 작문 관습으로 정착시킬 필요가 있다.

대표 문제 ❸ 바람직한 언어문화의 형성을 위한 올바른 태도로 적절한 것끼리 짝지은 것은?

ㄱ. 진실성과 공손성을 바탕으로 의사소통을 한다.

ㄴ. 언어 공동체의 화법과 작문의 관습을 비판적으로 수용한다.

ㄷ. 사회·문화의 변화 속에서 화법과 작문의 전통적 관습을 있는 그대로 유지해야 한다.

ㄹ. 우리의 화법과 작문의 관습을 다양화하기 위해 다른 나라의 관습을 적극적으로 수용해야 한다.

① ㄱ, ㄴ   ② ㄱ, ㄷ   ③ ㄴ, ㄷ
④ ㄴ, ㄹ   ⑤ ㄷ, ㄹ

[1-3] 다음 글을 읽고 물음에 답하시오.

한 친구가 있었다.

그냥 보면 그저 그렇고 그런 보통 사람에 불과한 친구였다.

그러나 여느 사람처럼 이 땅에 그런 사람이 있는지 마는지 하게 그럭저럭 살다가 제물에 흐지부지하고 몸을 마친 예사 허릅숭이는 아니었다.

그의 이름은 유재필(兪哉弼)이다. 1941년 홍성군 광천에서 태어나 보령군 대천에 와서 자라고 배웠다. 그리고 그 나머지는 서울에서 살았다. 그는 어려서부터 타고난 총기와 숫기로 또래에서 별쭝맞고 무리에서 두드러진 바가 있어, 비색한 가운과 불우한 환경 속에서도 여러모로 일찍 터득하고 앞서 나아감에 따라 소년 시절은 장히 숙성하고, 청년 시절은 자못 노련하고, 장년에 들어서서는 속절없이 노성하였으니, 무릇 이것이 그가 보통 사람 가운데서도 항상 깨어 있는 삶을 살게 된 바탕이었다.

그의 생애는 풀밭에서 뚜렷하고 쑥밭에서 우뚝하였다.

그는 애초에 심성이 밝고 깔끔하였다. 매사에 생각이 깊고 침착하였으며, 성품이 곧고 굳은 위에 몸소 겪음한 바와 힘써 널리 보고 애써 널리 들은 것을 더하여, 스스로 갖추어진 줏대와 나름껏 이루어진 주견으로 갈피 있는 태도를 흩트리지 아니하였다.

그러므로 주변머리 없이 기대거나 자발머리없이 나대어서 남을 폐롭히거나 누를 끼치는 자는 반드시 장마의 물걸레처럼 쳐다보기를 한결같이 하였고, 분수없이 남을 제끼거나 밟고 일어서서 섣불리 무엇인 척하고 으스대는 자는 「삼국지」에서 조조 망하기를 기다리듯 미워하여 매양 속으로 밑줄을 그어 두기에 소홀함이 없었다. 또 모름지기 세상의 일에 알면 아는 대로 힘지게 말하고, 모르면 모르는 대로 숫지게 말하여 마땅한 자리임에도 불구하고 어딘지 떳떳지 못하게 주눅부터 들어서 좌우의 눈치에 딱부러지게 흑백을 하지 못하는 자가 있으면, 마치 말만 한 딸을 서울 가게 하는 데에 힘입어 그날로 이잣돈을 놓는 매몰스러운 구두쇠를 보듯이 으레 가래침을 멀리 뱉기에 이력이 난 터이었다.

그의 됨됨이는 물론 그것이 전부는 아니었다. 체취는 그윽하고 체온은 따뜻하며 체질이 묵중한 사내였다. 또한 남의 아픔이 자신의 아픔임을 깨달아 아픔을 나누고 눈물을 나누되, 자기가 아는 바 사람 사는 도리에 이르기를 진정으로 바라던 위인이었으니, 짐짓 저 옛말을 빌려서 말

한다면 그야말로 때아닌 특립독행(特立獨行)의 돌출이요, 이른바 ㉠"세상 사람들의 걱정거리를 그들보다 앞서서 걱정하고, 세상 사람들이 즐거워함을 본 연후에야 즐거움을 누린다[先天下之憂而憂 後天下之樂而樂]."라고 말한 선비적인 덕량의 본보기라 하지 않을 수 없는 친구였다.

"이간감? 나 유가여."

그가 내게 전화를 할 때마다 매번 거르지 않던 첫마디였다.

그렇지만 유가는 이미 다른 사람을 이르는 말이었다. 그는 유자(兪子)였다.

1. 윗글의 서술상 특징으로 적절하지 않은 것은?

① 인물의 생애를 시간 순서에 따라 서술하고 있다.
② 전통적인 문학 갈래인 '전(傳)'의 특징을 활용하고 있다.
③ 사투리를 사용하여 향토적인 정감을 불러일으키고 있다.
④ 인물에 대한 서술자의 평가를 자제하여 독자의 판단을 유도하고 있다.
⑤ 등장인물이 자신의 주변 인물에 초점을 맞추어 관찰한 결과를 서술하고 있다.

2. 윗글에서 확인할 수 있는 내용으로 적절하지 않은 것은?

① 인물의 가계   ② 인물의 고향
③ 인물의 성명   ④ 인물의 성품
⑤ 인물의 출생

학습 활동 응용

3. ㉠에서 유자의 인물됨을 드러내기 위해 사용하고 있는 작문의 관습으로 적절한 것은?

① 옛사람들의 말을 인용한다.
② 전해 오는 속담을 활용한다.
③ 두 대상의 차이점을 강조한다.
④ 인물들의 대화를 직접 인용한다.
⑤ 비슷한 상황에 빗대어서 표현한다.

[4-6] 다음 글을 읽고 물음에 답하시오.

총수의 자택에 연못이 생긴 것은 그 며칠 전의 일이었다. 뜰 안에다 벽이고 바닥이고 시멘트를 들어부어 만들었으니 연못이라기보다는 수족관이라고 하는 편이 알맞은 시설이었다. 시멘트가 굳어지자 물을 채우고 울긋불긋한 비단잉어들을 풀어놓았다.

비단잉어들은 화려하고 귀티 나는 맵시로 보는 사람마다 탄성을 자아내게 하였으나, 그는 처음부터 흘기눈을 떴다. 비행기를 타고 온 수입 고기라서가 아니었다.

그 회사 직원의 몇 사람 치 월급을 합쳐도 못 미치는 상식 밖의 몸값 때문이었다.

"대관절 월매짜리 고기간디 그려?" / 내가 물어보았다.

"마리당 팔십만 원씩 주구 가져왔다."

그 회사 직원들의 봉급 수준을 모르기에 내 월급으로 계산을 해 보니, 자그마치 3년 4개월 동안이나 봉투째로 쌓아야 겨우 한 마리 만져 볼까 말까 한 값이었다.

"웬 늠으 잉어가 사람버덤 비싸다냐?"

내가 기가 막혀 두런거렸더니

[A]
"보통 것은 아닐러먼그려. 뻴어낸벤토(베토벤)라나 뭬라나를 틀어 주면 또 그 가락대루 따러서 허구, 차에코풀구싶어(차이콥스키)라나 뭬라나를 틀어 주면 또 그 가락대루 따러서 허구, 좌우간 곡을 틀어 주는 대루 못 추는 춤이 읎는 순전 딴따라 고기닝께. 물고기두 꼬랑지 흔들어서 먹구사는 물고기가 있다는 건 이번에 그 집에서 츰 봤구먼."

그런데 이 비단잉어들이 어제 새벽에 떼죽음을 한 거였다. 자고 일어나 보니 죄다 허옇게 뒤집어진 채로 떠 있는 것이었다. / 총수가 실내화를 꿴 발로 뛰어나왔지만 아무 소용없는 일이었다. / "어떻게 된 거야?"

한동안 넋 나간 듯이 서 있던 총수가 하고많은 사람 중에 하필이면 유자를 겨냥하며 물은 말이었다.

"글쎄유, 아마 밤새에 고뿔이 들었던 개비네유."

유자는 부러 딴청을 하였다.

"뭐야? 물고기가 물에서 감기 들어 죽는 물고기두 봤어?"

총수는 그가 마치 혐의자나 되는 것처럼 화풀이를 하려 드는 것이었다. / 그는 비위가 상해서

[B]
"그야 팔자가 사나서 이런 후진국에 시집와 살라니께 여러 가지루다 객고가 쌓여서 조시두 안 좋았을 테구…… 그런디다가 부룻쓰구 지루박이구 가락을 트는 대루 딥다 춰 댔으니께 과로해서 몸살끼두 다소 있었을 테구…… 본래 받들어서 키우는 새끼덜일수록이 다다 탈이 많은 법이니께……"

그는 시멘트의 독성을 충분히 우려내지 않고 고기를 넣은 것이 탈이었으려니 하면서 부러 배참으로 의뭉을 떨었다.

4. 윗글을 통해 알 수 있는 내용으로 가장 적절한 것은?

① 총수가 운영하는 회사 직원들의 봉급 수준

② 유자의 시각에서 본 비단잉어 떼죽음의 원인

③ 죽은 비단잉어의 처리 방식에 대한 총수의 반응

④ 유자가 자신에 대한 총수의 평가에 동의하는 모습

⑤ 유자가 비단잉어를 죽였을 것이라는 의심을 받게 된 이유

5. 다음 중 [A]에 사용된 표현법을 활용하고 있는 예가 아닌 것은?

① "올라간 이 도령인지 삼 도령인지……"

② "어 추어라. 문 들어온다. 바람 닫아라."

③ "매아미 맵다 울고 쓰르라미 쓰다 우니"

④ "너의 서방인지 남방인지 걸인 하나 내려 왔다."

⑤ "각 읍 수령 모여들 제 울고 나니 곡성(谷城) 원님"

학습 활동 응용

6. [B]에 담긴 유자의 의도를 직접적으로 표현한 것은?

① "미운 놈 떡 하나 더 주라는 말과는 반대로 예쁠수록 더 강하게 키웠어야 합니다."

② "비단잉어가 죽은 것은 비단잉어의 팔자 때문이니 직원들을 괴롭히지 마십시오."

③ "비단잉어도 사람처럼 피곤함을 느끼므로 연못에 넣기 전에 쉴 시간을 주었어야 합니다."

④ "직원들도 듣지 못하는 음악을 왜 비단잉어에게는 틀어 주신 겁니까? 우리도 음악을 들으며 일하고 싶습니다."

⑤ "비싼 비단잉어를 사다 놓고 애지중지하는 것이 못마땅합니다. 비단잉어를 아끼는 마음을 직원들에게 주시면 안 되겠습니까?"

중단원 마무리

스스로 정리하기

(1) 화법과 작문의 사회적 책임과 윤리

• 화법과 작문은 사회적인 행위이므로, 자신이 한 말이나 쓴 글에 대해 ❶□□을 지는 자세를 가져야 한다.
• 화법과 작문 활동을 할 때는 자신의 생각, 말과 글, 행동 등에 따르는 의사소통 ❷□□를 준수해야 한다.
• 다른 사람의 생각, 말, 글 등이 ❸□□ □□에 포함된다는 점을 유념하고, 그 가치를 존중해야 한다.

(2) 화법과 작문의 관습과 문화

• 언어 ❹□□□의 화법과 작문 관습을 고려해야 효율적으로 의사소통을 할 수 있다.
• 화법과 작문의 관습은 고정된 것이 아니라 변화하는 것이며, 과거의 화법과 작문 관습이 현재의 상황에 항상 부합하는 것은 아니므로 비판적 태도로 수용해야 한다.
• 언어 사용자는 바람직한 ❺□□□□의 발전에 기여하는 자세를 가져야 한다.
• 말을 하고 글을 쓸 때는 진실성과 ❻□□□을 가지고 상대방을 배려하는 언어생활을 해야 한다.

확장하기

◗ 다음 과제를 수행하며 이 단원의 목표를 다시 한번 환기해 보자.

> ### 올바른 저작물 이용에 관한
> ### 포스터 만들기
>
> 올바른 저작물 이용 방법을 알려 주는 포스터를 만들어 보자.

⋯ 다양한 매체를 활용해 저작권, 인용, 표절의 개념을 알아보고, 저작권 침해의 사례를 조사해 본다. 조사한 내용을 바탕으로 올바른 저작물 이용을 독려하는 포스터를 만들어 본다.

> ### 우리의 언어문화를
> ### 반성하는 역할극 하기
>
> 잘못된 언어문화를 반성하는 내용으로 대본을 작성한 뒤 역할극을 해 보자.

⋯ 3, 4명씩 모둠을 구성해 외계어, 축약어, 비속어, 다른 사람을 비하하거나 차별하는 말, 잘못된 높임 표현 등을 사용하고 있는 상황을 조사한다. 그리고 이러한 언어 사용이 상대방에게 어떤 상처를 주는지 알려 주는 역할극을 해 본다.

올바른 저작물 이용에 관한 포스터 만들기

다음 활동은 위의 '확장하기' 활동 가운데 '올바른 저작물 이용에 관한 포스터 만들기' 활동이다. 창작 활동을 통한 지적 노력이 담겨 있는 저작물을 이용할 때 지켜야 할 윤리에 대해 생각해 보고, 올바른 저작물 이용 방법을 알려 주는 포스터를 제작해 보자.

◗ 활동 순서

1. 제작 준비		2. 포스터 내용 구성		3. 시각 자료 준비		4. 포스터 제작
저작물과 관련된 기존의 포스터 조사하기	→	'표어-시각 자료'로 내용 구성하기	→	그림, 사진 등 시각 자료 만들기	→	표어와 시각 자료를 활용하여 포스터 제작하기

1. 제작 준비

• 인터넷을 통해 저작물 관련 포스터를 검색하고, 주제와 밀접한 관련이 있는 포스터를 선정하여 정리하기
• 저작권, 인용, 표절의 개념을 조사하여 올바른 저작물 이용 방법에 대해 알아보기

[자료 1]

뉴스 저작권은 세탁해도
지워지지 않습니다

|정답| ❶ 책임 ❷ 윤리 ❸ 지적 재산 ❹ 공동체 ❺ 언어문화 ❻ 공손성

[자료 2]

한 곡 슬~쩍!
내게는 그저 한 곡이지만,
음악가들에겐 생명입니다.

[자료 3]

• 저작권: 문학, 예술, 학술에 속하는 창작물에 대하여 저작자나 그 권리 승계인에게 행사하는 배타적·독점적 권리
• 인용과 표절: 인용은 공포된 저작물에 한해 정당한 범위 내에서 다른 이의 저작물을 사용하는 것이고, 표절은 다른 사람의 글이나 자료, 아이디어의 일부 또는 전체를 그대로 베끼는 행위이다.

2. 포스터 내용 구성

• 인터넷에서 찾은 자료를 참고하여 올바른 저작물 이용에 관한 포스터에 넣을 글을 작성하기

〉 인터넷에서 찾은 자료 정리

표어	시각 자료
뉴스 저작권은 세탁해도 지워지지 않습니다	세탁기에 신문을 세탁하기 위해 집어넣으려는 장면을 보여 주는 사진
한 곡 슬~쩍!	음표 모양의 식물에서 잎을 살짝 떼어내는 장면을 보여 주는 사진

→ 뉴스, 음악 등의 특정 분야뿐 아니라 모든 영역의 저작물을 함부로 사용해서는 안 된다는 주제를 전달한다.

〉 사용할 표어

"저작물의 무단 도용은 태초(太初)부터 원죄입니다."

저작물 무단 도용은 태초부터의 원죄(原罪)입니다

↓

타인의 저작물을 무단 도용하는 것은 범죄 행위와 같다는 점을 부각함.

사과	선악과를 상징하는 사과를 그리거나 사과 사진 준비하기
손	사과를 가지려고 하는 손 모양 형상화하기
뱀	사람을 유혹하는 뱀의 모습 형상화하기

3. 시각 자료 준비

• 직접 그림을 그리거나 기존의 그림 또는 사진 자료 활용하기
• 다른 사람의 저작물을 활용하게 될 경우 저작권법에 맞게 활용하기

4. 포스터 제작

• 칼로 사과를 깎으면서 길게 나오는 껍질을 뱀의 형상으로 만들고 다른 사람의 지식을 상징하는 사과를 가져가려는 손을 형상화하기
• 다른 사람의 지식을 무단으로 가지려고 하는 것은 범죄이며 올바른 행위가 아님을 전달하기
• 표어와 시각 자료의 의미를 선명하게 전달하기 위해 덧붙이는 글 넣기

▲ 완성된 포스터

대단원 마무리

학습한 내용

✎ 이 단원에서 학습한 내용을 확인해 보자.

개념·원리		활동
화법과 작문의 사회적 책임	<>	• 화법과 작문이 가지는 사회적 책임 알아보기
의사소통의 윤리	<>	• 화법과 작문에서 지켜야 할 윤리 알아보기
화법과 작문의 관습과 문화	<>	• 화법과 작문의 관습 찾아보기 • 언어문화로서 화법과 작문의 가치 이해하기 • 화법과 작문의 문화 발전에 참여하는 방법 토의하기

점검·평가

✎ 이 단원에서 학습한 결과를 스스로 평가해 보자.

단원	점검 내용
(1) 화법과 작문의 사회적 책임과 윤리	화법과 작문에는 사회적인 책임이 따른다는 점을 이해하였는가?
	화법과 작문에는 지켜야 할 윤리가 있다는 점을 이해하였는가?
(2) 화법과 작문의 관습과 문화	화법과 작문에는 여러 관습이 있다는 점을 이해하였는가?
	능동적인 화법과 작문 활동을 통해 국어 문화 발전에 참여하는 자세를 갖추었는가?

질문 만들기

✎ 다음 항목들과 관련하여 서로 질문과 대답을 나누고, 부족한 부분을 보충해 보자.

❓ 한 사람의 말이나 글이 사회에 큰 영향을 끼친 사례

ㅣ예시 답안ㅣ 갑돌: 누군가의 말이나 글이 우리 사회에 영향을 준 예가 있어?
을숙: 링컨은 게티츠버그 연설에서 민주 정치를 '국민의, 국민에 의한, 국민을 위한 정치'라고 정의했어. 이 말은 지금까지도 민주주의를 가장 잘 표현하는 말로 사용되고 있어.

❓ 인터넷, 누리 소통망(SNS) 등에서 언어 예절이 더욱 중요한 이유

ㅣ예시 답안ㅣ 갑돌: 인터넷상에서 언어 예절이 더 중요한 이유는 뭐니? 서로 보이지도 않는데 말이야.
을숙: 인터넷이나 누리 소통망(SNS)은 그 파급 효과가 매우 크기 때문에 언어 예절을 지키는 것이 더욱 중요해.

❓ 표절의 폐해와 표절을 피하는 방법

ㅣ예시 답안ㅣ 갑돌: 다른 사람들의 말이나 글을 옮기는 것은 그 사람들을 더 유명하게 해 주는 거니까 좋은 것 아니야?
을숙: 출처를 밝혀 인용하는 것은 괜찮지만 표절하는 것은 안 돼. 표절은 남의 것을 나의 것처럼 쓰는 것이어서 남의 물건을 훔치는 것과 같아.

❓ 화법과 작문의 관습을 알면 의사소통이 쉬워지는 까닭

ㅣ예시 답안ㅣ 갑돌: 화법과 작문의 관습이 왜 필요해?
을숙: 구성원끼리 의사소통을 쉽게 하기 위한 것이지.
갑돌: 나는 화법과 작문의 관습을 모르는데도 소통이 잘되는데?
을숙: 너도 모르는 사이에 관습을 지키고 있는 거야. 외국에 나가서 그 나라의 화법의 관습을 몰라서 실수하는 것을 생각해 보면 돼.

❓ 우리나라의 말하기와 듣기 문화를 보여 주는 예

ㅣ예시 답안ㅣ 갑돌: 동생한테는 '밥 먹어.'라고 말하는데 아버지께는 왜 안 될까?
을숙: 우리말은 영어와 달리 존칭어가 발달해 있기 때문이야.

❓ 국어의 문화 자료로 문학 작품을 예시하는 까닭

ㅣ예시 답안ㅣ 갑돌: 국어책에는 왜 문학 작품이 많을까?
을숙: 그건 문학 작품에 우리말의 관습과 문화가 반영되어 있기 때문이야. 국어의 문화를 논할 때는 문학 작품 만한 것이 없어.

❓ 미래의 국어 문화의 모습

ㅣ예시 답안ㅣ 갑돌: 요즘 친구들이 쓰는 언어를 보면 국어의 미래가 걱정이야.
을숙: 너무 비관적으로 볼 필요는 없어. 화법과 작문의 관습이 항상 올바르게 형성되는 것은 아니야. 그러니까 우리가 그것을 비판적으로 수용하고 바람직한 언어문화를 가꾸기 위해 노력해야 하는 것이고.

❓ 바람직한 의사소통 문화 발전을 위해 갖추어야 하는 태도

ㅣ예시 답안ㅣ 갑돌: 바람직한 의사소통 문화는 어떻게 가꾸어 갈 수 있을까?
을숙: 화자와 청자, 필자와 독자 사이에 서로 존중하고 배려하는 마음과 진실성이 있다면 의사소통 문화를 올바른 방향으로 가꾸어 갈 수 있을 거야.

대단원 시험 예상 문제

[1~4] 다음 글을 읽고 물음에 답하시오.

예를 들어서 덕수라는 아이가 있다고 해 보겠습니다. 덕수의 나이는 열 살입니다.

엄마가 덕수에게 얘기했어요.

"덕수야, 일주일에 세 번 정도만, 많이도 아니야. 다른 데도 아니고 네 방만 청소하렴."

엄마에게는 굉장히 간단한 일이고요. 엄마는 덕수가 충분히 할 수 있는 일이라고 생각하였습니다.

그런데 여러분, 열 살짜리 아이가 일주일에 세 번 방 청소를 하는 것이 가능할까요? 가능하지 않을까요? 여러분이 짐작하시는 것처럼 가능하지 않아요. 하지만 엄마는 덕수가 방 청소를 한 번 안 했다고 바로 화를 내지는 않아요. 좀 참죠. 덕수가 하겠지 하고 기다립니다.

덕수가 할까요? 안 할까요? 안 하죠? 우리 덕수는 하지 않습니다.

자, 이제 두 번째가 되었습니다. 엄마는 슬슬 짜증이 나고 못마땅하지만 참습니다. 꾹 참으면서 좋은 엄마가 되려고 노력하죠.

자, 덕수가 계속 방 청소를 안 하면 엄마 마음이 어떻게 될까요? 화가 나기 시작합니다. 그래서 엄마는 덕수를 불러서 이야기를 하죠.

"덕수야, 이리 와 봐. 엄마가 분명히 방 청소하라고 했는데 왜 안 했어?"

엄마가 이렇게 판단하고 이야기를 하면 덕수가 얌전해지면서 뭔가 잘못한 표정을 지어야 하는데, 덕수가 그럴까요? 아니겠죠? 여러분이 안 그러셨던 것처럼 덕수도 그러지 않습니다.

그러면 엄마는 점점 화가 나고, 이제 비난을 합니다.

"너 커서 뭐가 되려고 엄마 말을 이렇게 안 듣니?"

그런 다음에 어떻게 하죠? 강요를 하죠.

"너 당장 지금 네 방 들어가서 네 방 청소하고 나와."

그다음에는 협박도 합니다.

"용돈 안 줄 테니 알아서 해."

이제 빠지면 안 되는 비교가 남았습니다.

"내가 이 말까지는 안 하려고 했는데, 네 친구 석호를 봐. 걘 방 청소만 잘하는 게 아니야. 공부도 잘해. 내가 지금 너한테 공부를 잘하라고 했어? 네 방 청소만 제대로 하라고."

마지막으로 당연시합니다.

"학생이 자기 방 정리 정돈하는 거 그거 당연한 거 아니야? 내가 설거지를 하라고 했니, 빨래를 하라고 했니? 네 방만 정리하라고."

이런 말을 듣고 자란 덕수가 사회에서 과연 다른 사람들과 수평적이고 조화롭고 편안한 대화를 할 수 있을까요? 제가 만나 본 많은 사람의 경우에는 가능하지 않았습니다.

그래서 어떻게 하면 좀 더 평화롭게 서로의 마음을 주고받고 상호 존중에 기반한 대화를 할 수 있을까, 굉장히 궁금했어요. 저는 우리의 폭력적인 생각 중 하나가 바로 당신은 지금 뭔가 잘못되었고, 나는 옳고, 그러니까 당신만 변하면 된다, 즉 옳은 나에게 틀린 당신이 대항하고 있다는 생각이 우리에게 화를 불러일으키고 폭력을 저지르게 한다는 생각이 들었어요.

1. 위의 강연에 대한 설명으로 적절하지 **않은** 것은?

① 변화해야 할 대화 상황을 제시하고 있다.

② 구체적인 상황을 설정하여 내용을 쉽게 전달하고 있다.

③ 묻고 대답하는 방법으로 청자의 관심을 유도하고 있다.

④ 청자의 동의를 이끌어 냄으로써 인물의 행동을 이해하도록 하고 있다.

⑤ 속담을 활용하여 청자가 문제 상황을 구체적으로 이해하도록 하고 있다.

2. 덕수와 엄마의 대화를 분석한 내용으로 가장 적절한 것은?

① 덕수는 엄마에게 대항하고 있다.

② 엄마는 덕수에게 폭력을 저지르고 있다.

③ 덕수는 엄마가 잘못되었다고 생각하고 있다.

④ 덕수는 엄마에게 죄책감을 느끼게 하고 있다.

⑤ 덕수와 엄마는 상호 존중에 기반한 대화를 하고 있다.

서술형

3. 덕수의 행동에 따라 엄마의 말하기 방식이 어떻게 변화하고 있는지 서술하시오.

수능형

4. 〈보기〉는 위 강연을 들은 학생들이 주고받은 대화이다. 강연과 관련된 학생들의 반응을 분석한 내용으로 가장 적절한 것은?

〈보기〉

민아 나도 강연 내용에 공감해. 집에 가서 엄마한테 강연 내용을 이야기해 드려야겠어.

정일 야, 넌 언제 철들래? 엄마한테 얘기해 봤자 혼만 나지. 어른들이 변할 거 같니?

다희 강연을 듣고 나니까 내가 평소에 어떻게 말했는지 반성해 보게 되던걸. 주변 사람들과 같이 공유하는 것도 좋을 것 같아.

지훈 그래. 뭐니 뭐니 해도 사랑과 배려가 제일 중요해. 우리 학급 친구들 사이도 그렇고.

진수 말하는 방식이 달라진다고 해서 나쁜 관계가 개선될 수 있을까? 당장의 말싸움은 피할 수 있겠지만 관계 개선에는 별 도움이 안 될 것 같아.

① '민아'와 '진수'는 강연의 내용에 동의하고 공감하고 있다.

② '정일'과 '다희'는 상대방을 배려하지 않은 부정적인 표현을 쓰고 있다.

③ '민아'와 '지훈'은 강연의 내용을 자신의 상황에 적용해 내면화하고 있다.

④ '다희'와 '진수'는 강연 내용의 일부를 수용하고 있지만 완전히 동의하고 있지는 않다.

⑤ '정일'과 '진수'는 실생활에서 근거를 찾아 강연의 내용을 반박하고 있다.

출제 예감

5. 〈보기 1〉의 강연을 들은 학생이 〈보기 2〉의 글을 썼다고 할 때 〈보기 2〉를 화법과 작문의 윤리적 관점에서 평가한 내용으로 가장 적절한 것은?

〈보기 1〉

여러분이 누군가를 비난하고 다른 사람과 비교하면서 그 사람에게 죄책감이나 수치심, 두려움을 느끼게 해서 그 사람을 움직이게 할 수 있지만, 그게 과연 옳은 방법일까요? 그 사람이, 그 행동을 어떤 마음으로 하는가를 생각해 본다면 우리의 언어, 태도, 방식을 바꾸어야 하는 충분한 이유를 찾을 수 있다고 생각해요.

그래서 저는 '당신은 나에게 대항하고 있다.'가 아니라 '당신과 내가 함께 이 문제에 대항하고 있다.'로 우리의 관점을 바꾸기를 바랍니다.

그래서 '우리는 함께 이 문제를 해결할 것이다.'라고 생각하게 되면 우리 안에 있던 폭력성이 다른 힘으로 발현되고, 관계를 맺는 데 유익하게 작용하지 않을까 하는 생각을 했습니다.

〈보기 2〉

얼마 전에는 인터넷을 통해 나눈 말 때문에 폭력대책위원회가 열렸다. 한 친구가 다른 친구의 말을 전하면서 오해가 생겼고, 단체 대화방에서 서로를 비방하고 협박하는 말을 한 것이 화근이었다.

나는 '당신은 지금 뭔가 잘못되었고, 나는 옳고, 그러니까 당신만 변하면 된다.'라는 생각, 즉 옳은 나에게 틀린 당신이 대항하고 있다는 생각이 우리의 화를 불러일으키고 폭력을 저지르게 한다는 생각이 들었다.

만약 친구들이 '네가 나에게 대항하고 있다.'라고 생각하지 않고, '우리가 함께 이 문제에 대항하고 있다.'라고 생각했다면 폭력적인 말은 하지 않았을 것이다.

① 강연 내용을 인용할 때는 출처를 명확하게 밝혀야 해.

② 독자가 불쾌감이나 모욕감을 느낄 만한 내용을 실었어.

③ 강연 내용을 인용할 때 정해진 문장 부호를 사용하지 않았어.

④ 강연 내용을 인용할 때 그 내용을 변형하고 왜곡하여 제시했어.

⑤ 사례와 관련된 친구들의 실명을 거론하여 글을 사실적으로 표현했어.

[6-8] 다음 글을 읽고 물음에 답하시오.

그의 이름은 유재필(兪哉弼)이다. 1941년 홍성군 광천에서 태어나 보령군 대천에 와서 자라고 배웠다. 그리고 그 나머지는 서울에서 살았다. 그는 어려서부터 타고난 총기와 숫기로 또래에서 ⓐ별종맞고 무리에서 두드러진 바가 있어, 비색한 가운과 불우한 환경 속에서도 여러모로 일찍 터득하고 앞서 나아감에 따라 소년 시절은 장히 숙성하고, 청년 시절은 자못 노련하고, 장년에 들어서는 속절없이 노성하였으니, 무릇 이것이 그가 보통 사람 가운데서도 항상 깨어 있는 삶을 살게 된 바탕이었다.

그의 생애는 풀밭에서 뚜렷하고 쑥밭에서 우뚝하였다.

그는 애초에 심성이 밝고 깔끔하였다. 매사에 생각이 깊고 침착하였으며, 성품이 곧고 굳은 위에 몸소 겪음한 바와 힘써 널리 보고 애써 널리 들은 것을 더하여, 스스로 갖추어진 ⓑ줏대와 나름껏 이루어진 주견으로 갈피 있는 태도를 흐트리지 아니하였다.

그러므로 주변머리 없이 기대거나 자발머리없이 나대어서 남을 ⓒ폐롭히거나 누를 끼치는 자는 반드시 장마의 물걸레처럼 쳐다보기를 한결같이 하였고, 분수없이 남을 제끼거나 밟고 일어서서 섣불리 무엇인 척하고 으스대는 자는 「삼국지」에서 조조 망하기를 기다리듯 미워하여 매양 속으로 밑줄을 그어 두기에 소홀함이 없었다. 또 모름지기 세상의 일에 알면 아는 대로 힘지게 말하고, 모르면 모르는 대로 ⓓ숫지게 말하여 마땅한 자리임에도 불구하고 어딘지 떳떳하지 못하게 주눅부터 들어서 좌우의 눈치에 딱 부러지게 흑백을 하지 못하는 자가 있으면, 마치 말만 한 딸을 서울 가게 하는 데에 힘입어 그날로 이잣돈을 놓는 매몰스러운 구두쇠를 보듯이 으레 가래침을 멀리 뱉기에 이력이 난 터이었다.

그의 됨됨이는 물론 그것이 전부는 아니었다. ⓞ체취는 그윽하고 체온은 따뜻하며 체질이 묵중한 사내였다. 또한 남의 아픔이 자신의 아픔임을 깨달아 아픔을 나누고 눈물을 나누되, 자기가 아는 바 사람 사는 도리에 이르기를 진정으로 바라던 위인이었으니, 짐짓 저 옛말을 빌려서 말한다면 그야말로 때 아닌 ⓔ특립독행(特立獨行)의 돌출이요, 이른바 "세상 사람들의 걱정거리를 그들보다 앞서서 걱정하고, 세상 사람들이 즐거워함을 본 연후에야 즐거움을 누린다[先天下之憂而憂 後天下之樂而樂]."라고 말한 선비적인 덕량의 본보기라 하지 않을 수 없는 친구였다.

6. 윗글을 감상한 내용으로 가장 적절한 것은?

① 이 작품에서는 다른 사람을 평가하기 좋아하는 우리 민족의 관습을 엿볼 수 있어.

② 이 작품에는 우연적인 사건 전개와 행복한 결말을 보이는 고전 소설의 전통이 반영되어 있어.

③ 이 작품은 전통적인 문학 갈래인 전의 양식을 차용하여 인물의 특징을 효과적으로 보여 주고 있어.

④ 이 작품에서는 말하고자 하는 바를 직접 표현하지 않고 간접적으로 돌려 말하는 표현 방식을 주로 쓰고 있어.

⑤ 이 작품에서 사용하고 있는 전통 양식은 작문의 관습과 문화로 정착되기에는 부족했기 때문에 널리 알려지지 않았어.

서술형

7. ㉠을 통해 말하고자 하는 유재필의 인물됨을 서술하시오.

_____

8. 문맥상 ⓐ~ⓔ의 의미로 적절하지 않은 것은?

① ⓐ: 말이나 행동이 보통 사람과 매우 다르고

② ⓑ: 자기의 생각을 꿋꿋이 지키고 내세우는 기질

③ ⓒ: 다른 사람을 못살게 괴롭히거나

④ ⓓ: 순박하고 인정이 두텁게

⑤ ⓔ: 다른 사람의 미움을 받는 특이한 행동

[9~10] 다음 글을 읽고 물음에 답하시오.

하루는 어디로 어디로 해서 어디로 좀 와 보라고 하기에 물어물어 찾아갔더니, 귀꿈맞게도 붕어니 메기니 하고 민물고기로만 술상을 보는 후미진 대폿집이었다.

나는 한내를 떠난 이래 처음 대하는 민물고기 요리여서 새삼스럽게도 해감내가 역하고 싫었으나, 그는 흙탕 내도 아니고 시궁 내도 아닌 그 해감내가 문득 그리워져서 부득이 그 집으로 불러냈다는 것이었다.

"허울 좋은 하눌타리지, 수챗구녕 내가 나서 워디 먹겠나, 이까짓 냄새가 뭣이 그리워서 이걸 다 돈 주구 사 먹어, 나 원 참, 취미두 별 움둑가지 같은 취미가 다 있구면."

내가 사뭇 마뜩잖아했더니

"그래두 좀 구적구적헌 디서 사는 고기가 하꾸라이버덤은 맛이 낫어."

하면서 그날사 말고 수그러들 기미를 보이지 않는 것이었다. 그가 자기주장에 완강할 때는 반드시 경험론적인 설득 논리로써 무장이 되어 있는 경우였다.

"무슨 얘기가 있는 모양이구면."

"있다면 있구 읎다면 읎는디, 들어 볼라남?"

그는 이야기를 펼쳐 놓았다.

총수의 자택에 연못이 생긴 것은 그 며칠 전의 일이었다. 뜰 안에다 벽이고 바닥이고 시멘트를 들어부어 만들었으니 연못이라기보다는 수족관이라고 하는 편이 알맞은 시설이었다. 시멘트가 굳어지자 물을 채우고 울긋불긋한 비단잉어들을 풀어놓았다.

비단잉어들은 화려하고 귀티 나는 맵시로 보는 사람마다 탄성을 자아내게 하였으나, 그는 처음부터 흘기눈을 떴다. 비행기를 타고 온 수입 고기라서가 아니었다. 그 회사 직원의 몇 사람 치 월급을 합쳐도 못 미치는 상식 밖의 몸값 때문이었다.

"대관절 월매짜리 고기간디 그려?"

내가 물어보았다.

"마리당 팔십만 원씩 주구 가져왔댜."

그 회사 직원들의 봉급 수준을 모르기에 내 월급으로 계산을 해 보니, 자그마치 3년 4개월 동안이나 봉투째로 쌓아야 겨우 한 마리 만져 볼까 말까 한 값이었다.

"웬 늠으 잉어가 사람버덤 비싸다나?"

내가 기가 막혀 두런거렸더니

"보통 것은 아닐러먼그려. 뱉어낸벤또(베토벤)라나 뭬라나를 틀어 주면 또 그 가락대루 따러서 허구, 차에코 풀구싶어(차이콥스키)라나 뭬라나를 틀어 주면 또 그 가락대루 따러서 허구, 좌우간 곡을 틀어 주는 대루 못 추는 춤이 읎는 순전 딴따라 고기닝께. 물고기두 꼬랑지 흔들어서 먹구사는 물고기가 있다는 건 이번에 그 집에서 츰 봤구먼."

9. 〈보기〉를 바탕으로 윗글에 사용된 담화 관습을 설명한 내용으로 가장 적절한 것은?

〈보기〉

어떤 의미를 암시하거나 전달하기 위해 말이나 단어, 문자 등을 해학적으로 사용하는 언어 표현을 언어유희라 한다. 언어유희는 보통 동음이의어를 구사하거나 유사한 발음을 이용하는 것이 대표적이다. 언어유희는 단순한 재미를 위한 말장난에 머물기도 하지만 날카로운 풍자의 수단이 되기도 한다.

① '나'는 총수를 공격하기 위해 단어를 해학적으로 사용한다.
② 유자는 '나'에게 총수에 대한 불만을 드러내기 위해 단순한 말장난을 한다.
③ 유자는 '나'에게 총수의 속물적 태도를 풍자하기 위해 유사한 발음을 이용한 말장난을 한다.
④ 총수는 유자에게 자신의 세속적 욕망을 보여 주기 위해 동음이의어를 사용하여 해학성을 드러낸다.
⑤ 유자는 총수에게 자신의 줏대 있는 삶의 태도를 드러내기 위해 유사한 발음을 이용한 말장난을 한다.

10. 윗글에서 사투리를 사용함으로써 얻고 있는 효과를 서술하시오.

_____

_____

중간·기말고사
실전 대비 문제

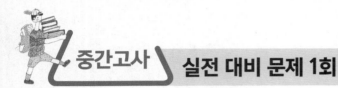

1. 의사소통에 대한 설명으로 적절하지 <u>않은</u> 것은?

① 의사소통의 목적은 정보 전달, 설득, 친교와 정서 표현 등이 있다.

② 화법과 작문은 말과 글을 통해 생각과 느낌을 나누는 의사소통 행위이다.

③ 의사소통에서 발신자와 수신자는 각각 일방적으로 의미를 전달하거나 받아들인다.

④ 의사소통 문화는 그 사회의 구성원이 중시하는 가치와 규범, 관습에 의해 형성된다.

⑤ 화법과 작문은 개인적 차원뿐 아니라 집단이나 문화와 관련된 사회적 의사소통과도 연관된다.

[2-4] 다음 글을 읽고 물음에 답하시오.

가 화법과 작문은 의사소통의 한 방법으로 화자와 청자, 필자와 독자 사이에 이루어지는 상호 작용이다. 이때 발신자(화자, 필자)는 수신자(청자, 독자)를 고려하여 표현하고, 수신자는 발신자의 의도가 무엇인지 생각하며 담화나 글을 이해하게 된다. 곧, 화법과 작문은 발신자와 수신자라는 '작은 사회'에서 이루어지는 사회적 행위이다. 예를 들어 친구에게 부탁할 때와 부탁받을 때 나의 말하기 방식이 달라지는데, 이는 부탁의 관계가 바뀔 때 친구와 나 사이의 관계도 달라지기 때문이다.

또한, 화법과 작문은 개인과 관련이 있는 집단이나 문화라는 '큰 사회'에서 이루어지는 행위이기도 하다. 앞에서 살펴본 청문회는 개인 간의 대화를 넘어서는 공적인 행위이고, 링컨 대통령의 연설이나 3.1 운동 때의 독립 선언서는 사회와 국가, 나아가 인류에 큰 영향을 끼친 행위이다. 이렇듯 우리는 말과 글을 통해 언어문화를 형성할 뿐 아니라 사회 공동의 가치를 실현하고, 그 사회와 문화는 다시 우리의 말과 글에 영향을 준다.

화법과 작문은 사회적 활동이므로 말을 주고받거나 글을 쓸 때는 높임법과 같은 언어의 관습과 문화를 고려해야 한다. 또한, 사회의 윤리, 참여자의 요구, 말과 글이 다른 사람에게 미치는 영향 등도 고려해야 한다. 논란이 될 만한 내용을 검증 없이 퍼뜨리거나, 수신자를 고려하지 않고 또래 집단에서만 통하는 줄인 말이나 이모티콘의 과도한 사용을 절제하라는 이유도 이 때문이다.

나 나는 종종 나 자신에게 질문한다. 만약 내일 우주의 파국이 닥쳐 온 세상이 파괴되고, 따라서 내일 누구도 오늘 내가 쓰는 것을 읽지 못하게 될지라도, 나는 오늘 글을 쓸 것인가? 첫 순간의 대답은 "아니요."이다. 만약 누구도 나의 글을 읽지 못할 것이라면 무엇 때문에 쓸 것인가? 두 번째 순간의 대답은 "예."이다. 왜냐하면 은하들의 파국에도 어떤 별이 살아남아서 미래에 누군가 나의 기호들을 해독할 수 있을 것이라는 절망적인 희망이 있기 때문이다. 그렇다면 묵시록의 전야에도 글쓰기는 여전히 어떤 의미를 가질 것이다.

글이란 오로지 어떤 '독자'를 위해 쓰는 것이다. 단지 자기 자신을 위해서만 쓴다고 말하는 사람은 거짓말을 하고 있다. 불행하고도 절망적인 사람은 미래의 '독자'에게 말을 건넬 줄 모르는 사람이다.

2. (가)에 대한 이해로 적절하지 <u>않은</u> 것은?

① 연설, 청문회 등은 사회적 의사소통 행위이다.

② 작문은 '작은 사회'에서 이루어지는 개인적 행위이다.

③ 화법과 작문은 사회 공동의 가치를 실현하는 행위이다.

④ 의사소통을 할 때는 발신자와 수신자의 관계가 중요하다.

⑤ 높임법은 우리나라의 언어의 관습과 문화를 잘 보여 준다.

3. (나)에서 필자가 말하고 있는 글쓰기의 특성에 대한 설명으로 가장 적절한 것은?

① 글쓰기의 참된 목적은 독자와의 소통에 있다.

② 글쓰기는 공동체의 발전을 도모하는 적극적인 실천 행위이다.

③ 글쓰기는 필자 내면의 생각을 표현하는 자기 만족적 행위이다.

④ 필자 자신만을 위한 글을 쓸 때 글쓰기는 진정한 가치를 지니게 된다.

⑤ 글쓰기는 독자의 존재 여부와 관계없이 필자의 표현 욕구를 채우기 위한 행위다.

서술형

4. (나)의 필자가 스스로 대답한 '예.'의 의미를 구체적으로 서술하시오.

_____

[5-6] 다음 글을 읽고 물음에 답하시오.

> **가** 서울 ○○구 ○○동에 장애인 특수 학교를 신설하는 문제로 지난 5일 지역 주민과 학부모들이 충돌했다. 특수 학교가 들어서면 집값이 떨어질 수 있다는 것이 반발의 주원인이었다.
>
> 이날 주민 토론회에서 장애인 부모 20여 명이 무릎을 꿇고 "장애아들도 학교는 가야 하지 않겠느냐?"라면서 눈물로 호소했다.
>
> – 『중앙일보』, 2017. 9. 9.
>
> **나** 언론 보도를 접한 뒤 ○○구 주민 사이에서는 "솔직히 집값이 떨어질 수 있다는 말에 나도 망설였다. 정말 미안하다.", "장애인, 비장애인 모두 행복한 동네로 만들자."라는 반응이 나오고 있다.
>
> 특수 학교 설립을 지지하는 서명 참여도 늘고 있다. 지역 주민들로 구성된 '○○구를 사랑하는 모임'은 지난달 말부터 누리 소통망 서비스(SNS) 등을 통해 지지 서명을 받고 있다.
>
> – 『동아일보』, 2017. 9. 11.

5. (가)와 (나)에 나타난 화법과 작문의 역할을 설명한 내용으로 가장 적절한 것은?

① (가)는 사회에서 벌어진 일에 대해 구성원들의 관심을 불러일으키는 역할을 하였다.

② (가)에 포함되어 있는 장애인 부모의 말은 보도를 접한 사람들의 반감을 증폭시키는 기능을 하였다.

③ (가)와 (나)는 매체를 통한 화법과 작문의 필요성을 강화하는 역할을 하였다.

④ (가)와 (나)는 개인 간의 의사소통을 사회적 차원으로 확대하는 역할을 하였다.

⑤ (가)와 (나)의 화법과 작문 활동은 사회 구성원들의 갈등을 야기하는 역할을 하였다.

6. (가)와 (나)를 바탕으로 화법과 작문의 사회적 역할에 대해 토의한 내용으로 적절한 것은?

① 사회 구성원들 사이에서 발생하는 갈등의 해결에 기여한다.

② 문제를 겪는 당사자의 심정을 토로하는 창구 역할을 한다.

③ 문제를 겪는 당사자들이 상대방의 입장에 반박할 수 있도록 해 준다.

④ 지면을 통해 사건을 접하는 구성원들로 하여금 사건 당사자들에 대한 편견을 갖도록 한다.

⑤ 문제 상황을 과장되게 표현함으로써 갈등 당사자들이 문제 해결에 적극적으로 나서도록 독려하는 역할을 한다.

[7-10] 다음 글을 읽고 물음에 답하시오.

> **가** 의사소통이 이루어지려면 반드시 발신자의 내면에서, 그리고 수신자의 내면에서 어떤 작용이 일어나야 한다. 머릿속 생각을 언어로 바꾸고, 언어 정보를 여러 방식으로 처리하며, 상대방이 제대로 이해할 수 있는 언어를 구사하고 있는지, 또는 언어에 담긴 상대방의 의도가 무엇인지 등을 계속해서 점검해야 한다. 이 과정에서 발신자와 수신자는 자아를 인식하고 성찰할 뿐만 아니라 남들이 자신을 바라보는 시선도 의식하게 된다. 이것이 ㉠ 개인 내적 차원의 의사소통이다.
>
> 한편 의사소통 과정에서 발신자는 자기 생각과 느낌, 경험을 말이나 글로 나타내고[표현], 수신자는 그를 바탕으로 하여 자신의 관점에서 새롭게 의미를 구성해 낸다[이해]. 이 과정은 발신자로부터 수신자에게 일방적으로 정보가 전달되는 과정이 아니라 발신자와 수신자가 언어를 통해 정보, 가치, 태도 등을 주고받으며 공동의 의미를 구성하고 발전시켜 가는 과정이다. 이것은 개인과 개인 차원의 의사소통이다.
>
> 개인과 개인 차원의 의사소통은 곧잘 사회 차원의 의사소통으로 확장된다. 대중 매체에 글을 쓰는 일은 개인과 사회의 의사소통이며, 세대와 세대, 직업과 직업 사이의 의사소통은 사회와 사회 간의 의사소통이다.

나 정확하고 효과적인 화법과 작문을 위해서는 맥락을 고려하여 표현하고 이해해야 한다. "맥락에서 벗어났다." 라거나 "(㉡)하여 맥락을 오해하게 만들었다." 등의 말은 모두 맥락을 고려하지 않았을 때 받는 비판이다.

화법과 작문에서는 의사소통의 목적, 주제, 발신자와 수신자의 관계, 그리고 매체가 매우 중요하다. 이 말은 맥락을 바탕으로 해야만 효과적으로 내용을 구성하고 상호 작용을 할 수 있다는 뜻이다. 예를 들어 "무상 의무 교육을 고등학교까지 전면적으로 확대해야 한다."라는 주제로 논설을 쓴다면 그런 주장을 하는 목적을 분명히 하고 주장을 뒷받침할 근거를 선별해야 하는데, 이때 우리나라의 사회적·경제적 맥락을 고려하지 않을 수 없다. 또한, 이런 주장에 우호적인 독자를 대상으로 할 때와 비판적인 독자를 대상으로 할 때의 내용 구성도 달라질 수밖에 없다. 이처럼 맥락이 달라지면 말이나 글의 내용과 표현 방식 모두 달라진다.

말을 하거나 글을 쓸 때는 화법과 작문의 관습을 지켜야 할 뿐 아니라, 담화나 글의 유형, 신문이나 텔레비전 같은 매체의 특성도 고려해야 한다. 예를 들어 면접과 자기소개서 쓰기의 방법은 말하기와 글쓰기의 관습으로 정착돼 있지만, 그것이 진학을 위한 것인지 취업을 위한 것인지, 아니면 동아리 가입을 위한 것인지 등에 따라 세부 내용과 전략이 달라진다. 어떤 매체에 싣느냐에 따라 담화나 글의 형식이 달라짐은 물론이다.

7. (가)의 내용과 일치하지 <u>않는</u> 것은?

① 의사소통은 다양한 층위에서 이루어진다.
② 개인과 개인 차원의 의사소통은 사회적 차원으로 확대되기도 한다.
③ 개인과 사회, 사회와 사회 간의 의사소통은 사회 차원의 의사소통에 속한다.
④ 개인과 개인 차원의 의사소통에서는 각자가 구성한 의미에 대해 우위를 다툰다.
⑤ 개인 내적 차원에서 언어적 사고가 이루어지면서 자아를 인식하고 성찰하게 된다.

8. (나)를 참고하여 화법의 맥락에 대해 이해한 내용으로 적절하지 <u>않은</u> 것은?

① 상황에 따라 말의 표현 방식에 변화가 생길 수 있다.
② 화법 활동은 다양한 맥락 요인이 결합하여 이루어진다.
③ 화법의 맥락은 말의 내용을 구성하는 데 영향을 미친다.
④ 말을 할 때는 말을 하는 목적을 고려하는 것이 중요하다.
⑤ 똑같은 말을 맥락에 따라 달리 표현하면 의사소통의 효율성이 떨어진다.

9. ㉠의 사례로 가장 적절한 것은?

① 아파트의 주차 구역을 늘려 줄 것을 관리 사무소에 건의하였다.
② 정치적인 문제에 관한 신문 사설에 대해 반 친구들과 토론을 해 보았다.
③ 조회 시간에 선생님께서 수학여행을 갈 때 유의해야 할 사항들을 알려 주셨다.
④ 텔레비전에 출연한 영화배우가 제3 세계 어린이들에 대한 지원을 호소하였다.
⑤ 글짓기 대회에서 상을 받은 후 친구가 나에게 건넨 말의 의미를 생각해 보았다.

10. ㉡에 들어갈 한자 성어로 가장 적절한 것은?

① 거두절미(去頭截尾)
② 두문불출(杜門不出)
③ 심사숙고(深思熟考)
④ 일구이언(一口二言)
⑤ 촌철살인(寸鐵殺人)

[11~12] 다음 만화를 보고 물음에 답하시오.

11. 위 만화의 주인공이 ㉠과 같이 생각하게 된 이유로 가장 적절한 것은?

① 자신에 대한 친구들의 평가 때문에
② 다른 사람들의 위선적인 태도 때문에
③ 성격이 내성적이고 소극적이었기 때문에
④ 어린 시절 성취 경험이 부재했기 때문에
⑤ 부정적인 자아 개념을 가지고 있었기 때문에

서술형

12. 위의 만화를 통해 알 수 있는 대화와 자아 개념의 관계를 서술하시오.

_____

13. 〈보기〉의 사과 표현에 대한 설명으로 적절하지 않은 것은?

─〈보기〉─
"미안해. 정말 미안해. 난 네가 그렇게까지 생각하는 줄은 몰랐어. 네 말을 무시해서 그런 게 아니야. 내가 습관이 잘못 들어서 그런 거야. 다음부터는 진짜로 안 그럴게. 그러니까 화 풀어. 응?"

① 자신의 잘못에 대해 상대에게 해명하고 있다.
② 뉘우치는 마음을 진정성 있게 전달하고 있다.
③ 자신의 잘못에 대한 재발 방지를 약속하고 있다.
④ 사과의 말을 구체적으로 하지 않고 돌려 말하고 있다.
⑤ 자신의 잘못을 말하고 상대에게 용서를 구하고 있다.

14. 〈보기 1〉을 참고하여 〈보기 2〉의 빈칸에서 '금란'이 할 수 있는 감사 표현으로 가장 적절한 것은?

─〈보기 1〉─
상대의 칭찬에 자신을 낮추어 공손히 말함으로써 예의 바른 태도를 보여 준다.

─〈보기 2〉─
금란 안녕히 주무셨어요?
나희 응. (녹즙 보며) 우리 줄라고?
금란 네. (다가가 건네며) 아버지, 드세요.
지웅 그래, 고맙다.
금란 여기 어머니 거. (건네고)
나희 살다 살다 자식한테 이런 호강두 다 받아 보고! 안 그래요 여보?
지웅 그러게. (금란 보며) 녹즙이 아주 달다.
금란 (엷게 웃고) _____

① 앞으로 녹즙 자주 갈아 드릴게요.
② 효도할 기회를 주셔서 오히려 제가 감사해요.
③ 잘 가르쳐 주신 덕분에 맛있게 만들 수 있었어요.
④ 일찍 일어나서 갈았는데 알아 주셔서 다행이네요.
⑤ 변변치 않은 걸 좋다고 해 주시니 제가 더 감사해요.

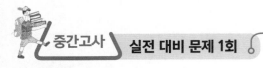

15. 〈보기〉의 말하기에 대한 평가로 적절하지 <u>않은</u> 것은?

──〈보기〉──

진행자 청취자 여러분, 지금부터 청룡 팀과 백호 팀의 축구 경기를 중계방송해 드리겠습니다. 말씀드리는 순간 청룡 팀의 선축으로 경기가 시작되었습니다. 위원님, 어떻습니까? 양 팀 선수들 시작부터 움직임이 활발한데요?

해설자 그러네요. 선수들의 움직임이 건전지를 막 갈아 끼운 장난감처럼 활발합니다.

진행자 공이 경기장 한가운데서 치열하게 양쪽 진영을 왔다 갔다 합니다. 최전방에 서 있는 공격수들이 외로워 보이네요.

해설자 네, 그렇습니다. 마치 무인도에서 구조를 기다리고 있는 사람 같습니다.

진행자 그런데 지금 선수들이 차고 있는 공은 지난 대회에서 사용한 축구공과 틀리죠?

해설자 맞습니다. 이번 대회부터 채택된 공은 이전까지 사용한 공보다 탄력이 더 좋다고 합니다.

진행자 네, 말씀드리는 순간, 청룡 팀 선수 한 명이 운동장에 누워 있습니다.

해설자 아, 조금 전 공중에 뜬 공을 차지하기 위해 다투는 과정에서 백호 팀 선수가 팔꿈치로 청룡 팀 선수의 얼굴을 가격해 쳤습니다.

진행자 안타깝군요. 큰 부상이 아니면 좋겠습니다.

① 진행자와 해설자는 어법에 맞는 표현을 사용하고 있다.

② 진행자와 해설자는 축구 경기의 실황을 청자에게 전달하고 있다.

③ 해설자는 적절한 수사법을 사용하여 청자에게 상황을 전달하고 있다.

④ 진행자는 주로 질문을 하고 해설자는 진행자의 질문에 답을 하고 있다.

⑤ 진행자와 해설자 모두 축구 중계방송에 어울리는 내용을 전달하고 있다.

16. 다음 중 준언어적 표현과 비언어적 표현에 대한 설명으로 적절하지 <u>않은</u> 것은?

① 준언어적 표현이나 비언어적 표현을 사용하여 화자의 정서나 의도를 드러낼 수 있다.

② 준언어적 표현과 비언어적 표현을 적절하게 사용하면 효과적으로 의사소통을 할 수 있다.

③ 준언어적 표현과 비언어적 표현은 언어적 표현과 독립적으로 의미 전달에 영향을 미친다.

④ 준언어적 표현에는 억양, 성량, 어조 등이 있고 비언어적 표현에는 자세, 표정, 시선 등이 있다.

⑤ 준언어적 표현과 비언어적 표현은 언어적 표현의 의미를 보다 분명하게 전달하는 기능이 있다.

17. 다음 중 발표에 대한 설명으로 적절하지 <u>않은</u> 것은?

① 발표를 준비할 때는 청자에게 필요한 내용을 이해하기 쉽게 구성해야 한다.

② 발표를 할 때는 발표 장소의 시설과 장비를 파악하고 그에 맞추어 준비해야 한다.

③ 발표를 할 때는 준언어적 표현과 비언어적 표현을 적절히 활용하는 것이 효과적이다.

④ 발표의 마지막 부분은 청자가 발표 주제에 흥미를 가질 수 있는 내용으로 구성해야 한다.

⑤ 발표를 평가할 때는 발표 준비에서부터 발표의 실행까지 전 과정을 평가 대상으로 해야 한다.

[18–19] 다음 글을 읽고 물음에 답하시오.

가 안녕하세요? 저는 1조의 조장 이나경입니다. 저희 1조는 최고의 국민 간식인 '떡볶이의 유래'에 관해 발표하겠습니다.

학교 앞 떡볶이 가게에서 오밀조밀 모여 앉아 떡볶이를 사 먹어 보지 않은 학생이 있을까요? 아마 없을 거예요. 평소에 외식을 거의 하지 않는 저희 엄마도 저와 함께 학교 앞 떡볶이 가게는 자주 가신답니다. 교복을 입고 삼삼오오로 모여서 맛있게 떡볶이를 먹던 시절이 생각난다고 하시면서요. 이처럼 세대를 연결하는 고리이자 학창 시절의 추억이 담긴 떡볶이는 언제부터 만들어 먹기 시작했을까요?

🅝 다음은 한 방송에서 소개된 떡볶이 관련 영상입니다.

오늘날 우리가 먹고 있는 대부분의 음식이 시작된 것은 조선 시대. 특히 궁궐에는 수많은 재료와 조리법으로 만들어진 다양한 요리들이 있었는데요. 그 요리의 비밀들은 여러 문헌을 통해 오늘날까지 전해지고 있습니다. 그런데 이 조리법들을 살펴보면 오늘날 우리에게 매우 익숙한 음식이 발견되는데요. 떡을 썰어 양념과 함께 볶는 음식, 바로 떡볶이입니다.

이처럼 떡볶이는 애초에 궁궐에서 만들어 먹던 요리였습니다. 가래떡에 고기와 채소를 듬뿍 넣고 버섯과 당근, 달걀 지단 등을 넣어 간장으로 양념한 음식이었지요. 궁중 떡볶이는 궁중 요리인 잡채에서 유래한 음식입니다. 고기와 채소가 주재료이지만 당면 대신 쌀떡을 넣은 것으로 쇠고기와 생나물, 마른 나물을 듬뿍 넣고 간장으로 양념을 했습니다. 떡볶이와 달리 현재의 잡채는 임금님의 수라상에 오르던 것과 큰 차이가 없습니다.

❍ 궁중 떡볶이   ❍ 잡채

🅓 궁중 요리였던 떡볶이는 어떻게 대중 음식이 되었을까요? 정확한 시점은 알려지지 않았지만, 대체로 육이오 전쟁 중이던 1950년대부터라고 추정됩니다. 식재료가 변변치 않던 시절, 떡과 고추장, 채소 등을 버무려 볶아 낸 떡볶이가 시중에 팔리게 되면서 인기를 끌게 되었다고 해요. 그 후로도 떡볶이는 시대상을 반영하면서 여러 번 변모했어요. 가스가 공급되기 시작한 1970년대부터는 즉석에서 요리할 수 있어 길거리에서도 팔기 시작했고, 떡볶이 가게가 밀집된 지역도 생겨났어요. 1980년대부터는 자율화 물결에 따라 청소년 문화가 급속히 발전하면서 떡볶이는 지역 곳곳에 분포한 분식점들의 대표 메뉴 중 하나가 되었지요. 2000년대 이후로는 프랜차이즈 시스템이 등장하여 떡볶이에도 상표가 달렸으며, 다양한 소스와 메뉴가 개발되면서 한국의 대표 먹거리가 되었습니다.

🅡 옛날 궁중에서 즐기던 떡볶이는 오늘날 대중적인 음식으로 바뀌어 계속 여러 형태로 발전하고 있습니다. 치즈 떡볶이, 카레 떡볶이는 물론이고 국물 떡볶이도 등장하였습니다. 이런 떡볶이가 앞으로도 다양한 형태로 발전하여 한국인의 입맛뿐 아니라 세계인의 입맛을 사로잡는 날이 오기를 바랍니다.

이상으로 발표를 마칩니다.

18. 위의 발표를 들은 청중의 반응으로 적절하지 않은 것은?

① 떡볶이가 잡채에서 유래되었다는 사실을 처음 알게 되었어.

② 오늘날 흔히 먹는 떡볶이가 원래 궁중 음식이었다는 사실에 놀랐어.

③ 떡볶이가 시대상을 반영하며 대중 음식으로 변모해 가는 과정이 재미있어.

④ 상업 자본이 떡볶이 시장에 유입되면서 떡볶이가 비싼 음식이 된 것이 아쉬워.

⑤ 떡볶이를 즉석에서 요리해 길거리에서 팔 수 있게 된 것은 가스의 공급과 관련이 있군.

수능형

19. 위의 발표를 위한 사전 계획 중, 발표 내용에 반영되지 않은 것은?

① 경험 공유를 통해 떡볶이에 대한 흥미를 유발해야겠어.

② 떡볶이의 대중화 과정을 시간의 변화에 따라 구성해야겠어.

③ 동영상 자료를 사용해서 발표 내용의 신뢰성을 높여야겠어.

④ 떡볶이의 미래에 대한 바람을 제시하며 발표를 마무리해야겠어.

⑤ 사진 자료를 제시하여 떡볶이와 잡채의 차이점을 강조해야겠어.

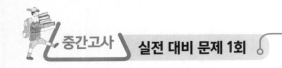

[20~22] 다음 글을 읽고 물음에 답하시오.

배우는 무언가를 '가장'하는 일로 먹고삽니다. 가상의 문제를 해결하는 가상의 역할을 주로 하지요. 그런데 우리 인류는 이제까지 기후 변화를 이와 비슷한 시각으로 본 것 같습니다. 즉 만들어 낸 이야기 또는 다른 행성에서 나 있을 법한 문제라는 마음으로 기후 변화를 부인하며 없어지기를 바란 것입니다.

하지만 그렇지 않다는 것은 너무나 뻔한 사실입니다. 우리는 매주 발생하는 문제를 통해 기후 변화의 위기에 이미 봉착했다는 것을 알고 있습니다. 가뭄은 더 심해지고 바다는 더 따뜻해지고 산성화되고 있으며 메탄 연기는 바닥에서 계속 증발하고 있습니다. 우리는 극심한 기후 변화와 지구 온난화를 눈으로 직접 보고 있습니다. 서남극과 아이슬란드의 빙하는 이전 연구에서 예측했던 것보다 수십 년 더 빠르게, 이제까지 본 적이 없는 빠른 속도로 녹고 있습니다.

제가 하는 말은 과장도 아니고 빈말도 아닙니다. 사실입니다. 미국 국방성도 사실이라는 것을 알고 있습니다. 미 해군 태평양 총독인 새뮤얼 로클리어도 기후 변화야말로 우리 보안에 가장 큰 위험 요소라고 했습니다. [중략]

[A]
정말 다행인 것은 재생 에너지 체제가 실제로 가능하며, 경제적으로도 이로운 정책이라는 것입니다. 새로운 연구에 의하면 기존의 기술을 이용해 생산하는 청정 재생 에너지로 2050년이 되면 지구의 수요를 100% 채울 수 있다고 합니다. 그리고 그런 개발에 따라 수백만의 새로운 직업이 창출될 것이라고 합니다.

이 사안은 논쟁의 가치가 없습니다. 인류의 문제니까요. 깨끗한 물과 공기, 그리고 존재 가능한 기후는 인간에게서 빼앗을 수 없는 권리입니다. 그리고 이 문제의 해결에 정치적 갈등이 있어서도 안 됩니다. 우리의 도덕적 책무입니다. 매우 벅찬 임무라는 사실을 부인할 수 없지만요.

우리가 가진 행성은 지구뿐입니다. 우리가 우리 집을 망가뜨린 행위에 인류는 막중한 책임을 져야 합니다. 지구의 미래를 보호하기 위해서는 인간이라는 종족의 의식적인 진화가 요구됩니다. 우리는 너무나 다급한 상황에 부닥쳐 있기에 이런 다급한 이야기를 해야 합니다.

존경하는 유엔 대표님들, 또 세계 지도자 여러분, 저는 '가장'하는 것으로 먹고삽니다. 하지만 여러분은 아닙니다. 지난 일요일 수많은 사람들이 크게 외쳤고 그들의 행동에는 가속도가 붙었습니다. 그들은 멈추지 않을 겁니다. 이젠 여러분의 차례입니다.

20. 위의 연설에 대한 설명으로 적절하지 <u>않은</u> 것은?

① 당위적 진술을 통해 문제 해결의 필요성을 강조하고 있다.
② 인류가 처한 다급한 상황을 제시하여 청중의 공감을 얻고 있다.
③ 신뢰할 만한 인물의 말을 인용하여 주장의 타당성을 높이고 있다.
④ 화자의 경험을 사례로 제시하여 청중의 동정심을 유발하고 있다.
⑤ 화제와 관련 있는 연구 결과를 제시하여 연설 내용의 신뢰성을 높이고 있다.

수능형

21. 〈보기〉는 위 연설의 화자에 대한 설명이다. 〈보기〉를 참고하여 위의 연설을 평가한 내용으로 가장 적절한 것은?

〈보기〉
레오나르도 디카프리오는 유명한 영화배우일 뿐 아니라 저명한 환경 운동가이기도 하다. 그는 영화 「비치」를 찍다가 영화가 환경을 파괴한다는 비난을 받자, 그에 대한 반성으로 환경 운동에 뛰어들었다. 이후 그는 자신의 이름을 딴 환경 보호 재단을 설립하고, 다양한 환경 운동을 전개하며, 여러 환경 단체에 많은 기부를 하고 있다.

① 대중적으로 유명한 배우가 도덕적인 주장을 하고 있기 때문에 청중의 감성을 자극하기가 수월하다.
② 연설에서 다루고 있는 문제에 대해 행동으로 실천하고 있다는 점에서 화자의 말은 설득력을 가진다.
③ 환경 문제와 관련된 과학적이고 전문적인 지식이 풍부하다는 점에서 화자의 말은 신뢰성을 가진다.
④ 화자가 자신에 대한 비난을 잠재우기 위해 가식적으로 한 연설이라는 점에서 화자의 말에 불신이 생긴다.
⑤ 미래에 대한 낙관적 전망을 화자 자신의 삶을 통해 보여 준다는 점에서 화자의 말은 청중에게 용기를 준다.

서술형

22. [A] 부분에서 사용된 설득 전략에 대해 구체적으로 서술하시오.

[23~25] 다음 글을 읽고 물음에 답하시오.

> 가 **면접관** 학생의 생활 기록부와 자기소개서를 보니 디자인학부에 지원하는 학생답게 디자인에 관한 책을 많이 읽었더군요. 책에서 읽은 구체적인 디자인 작품을 예로 들어 그 작품을 보고 느낀 점을 말하고, 어떤 디자인이 훌륭한 디자인이라고 생각하는지 이야기해 보세요.
> **면접 대상자** 수많은 사람에게 음료를 제공해야 하는 항공사 승무원을 위해 디자인된 ○○ 항공사 커피 주전자가 있습니다. 손잡이의 위치를 바꾸어 무게 중심을 옮겼고 주전자의 분출구 각도를 조절해 손목을 많이 움직이지 않고도 안정적으로 음료가 나올 수 있도록 하였으며, 주전자를 기울일 때 어깨와 손목에 무리가 가지 않도록 디자인되었습니다. 저는 이처럼 디자이너가 애정을 가지고 사람들의 평범한 일상을 관찰하고, 사람들이 인식하지 못하는 불편한 점을 찾아내어 그 개선 사항을 반영한 디자인이 훌륭한 디자인이라고 생각합니다.
>
> 나 **면접관** 다음 자료를 분석하여, 사람들의 기부를 활성화하는 방안을 마련할 때 무엇에 중점을 두어야 할지 말해 보세요.
>
> ● 기부 경험 및 기부 의향
>
> | | 있다. | 없다. |
> |---|---|---|
> | 기부 경험 | 26.7% | 73.3% |
> | 향후 기부 의향 | 41.2% | 58.8% |

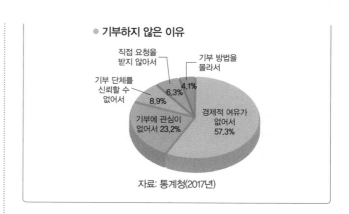

● 기부하지 않은 이유

직접 요청을 받지 않아서 6.3%
기부 방법을 몰라서 4.1%
기부 단체를 신뢰할 수 없어서 8.9%
기부에 관심이 없어서 23.2%
경제적 여유가 없어서 57.3%

자료: 통계청(2017년)

23. (가)와 (나)에서 면접 대상자가 유의해야 할 사항으로 적절하지 **않은** 것은?

① 진실되고 성실하게 답변해야 한다.
② 예의를 지켜 높임법에 맞게 대답해야 한다.
③ 질문에 대해 간결하고 분명하게 답변해야 한다.
④ 면접관의 취향에 맞는 답변을 하기 위해 노력해야 한다.
⑤ 면접 시간과 답변 제한 시간 등의 규칙을 준수해야 한다.

24. (가)의 면접에 대한 설명으로 적절하지 **않은** 것은?

① 대학에서 신입생을 선발하기 위해 실시하는 면접이다.
② 면접 대상자는 구체적인 예를 들어 지원 동기를 말하고 있다.
③ 면접 대상자는 면접관의 질문 의도 의도를 정확하게 파악하고 있다.
④ 면접관은 면접 대상자가 사전에 제출한 자료를 바탕으로 질문을 하고 있다.
⑤ 면접관은 전공과 관련한 면접 대상자의 생각을 파악하기 위한 질문을 하고 있다.

25. (나)의 면접관의 질문에 담긴 의도로 적절한 것을 골라 바르게 짝지은 것은?

> ㄱ. 면접 대상자의 자료 분석 능력을 평가하기 위해서
> ㄴ. 면접 대상자의 문제 해결 능력을 파악하기 위해서
> ㄷ. 면접 대상자의 창의적인 답변 능력을 알아보기 위해서
> ㄹ. 주제에 대한 면접 대상자의 지식수준을 파악하기 위해서
> ㅁ. 사회 현상에 대한 면접 대상자의 도덕적 기준을 알아보기 위해서

① ㄱ, ㄴ, ㄷ ② ㄱ, ㄷ, ㅁ
③ ㄴ, ㄷ, ㄹ ④ ㄴ, ㄷ, ㅁ
⑤ ㄷ, ㄹ, ㅁ

[26~28] 다음 글을 읽고 물음에 답하시오.

> 찬성 1 선거 연령은 대통령 선거를 포함해 각종 공직자 선거 등에서 선거권을 행사할 수 있는 나이를 가리킵니다. 선거 연령을 만 18세로 낮추는 일은 국민의 참정권을 확대하는 것이므로, 국가인권위원회와 중앙선거관리위원회에서도 이를 제안한 바 있습니다. 선거권은 참정권의 핵심이고 다양한 계층의 정치적 의사를 반영하는 방법이므로 민주주의의 확대 측면에서 폭넓게 보장되어야 합니다. 따라서 선거 연령을 만 18세로 낮추어야 한다는 데 찬성합니다.
> 사회자 네, 잘 들었습니다. 그럼 반대 측 제2 토론자는 반대 신문을 해 주십시오.
> 반대 2 찬성 측에서는 국민의 참정권을 확대하기 위해서 선거 연령을 만 18세로 낮추어야 한다고 하셨는데요. 만 18세라는 기준은 무엇을 근거로 한 것입니까? 찬성 측 주장대로라면 만 18세 미만은 참정권을 갖지 않아도 된다는 말씀인가요?
> 찬성 1 만 18세 미만은 참정권을 갖지 않아도 된다는 뜻은 아닙니다. 우리나라에서는 만 18세가 되면 운전면허를 취득할 수 있고, 혼인도 할 수 있습니다. 또한, 공무원 시험 응시도 가능하며, 병역의 의무도 지게 되는데 선거권만 행사할 수가 없습니다. 이런 점이 형평성에 맞지 않기에 만 18세를 기준으로 말씀드린 것입니다.

> 사회자 네, 다음으로 반대 측 제1 토론자의 입론을 들어 보겠습니다.
> 반대 1 저는 선거 연령을 낮추는 데에 반대합니다. 우리나라에서 만 18세는 대부분 학생 신분이므로 사회 경험이 부족하고, 그로 인해 사회에서 벌어지는 일들에 성숙한 판단을 내리기 어렵습니다. 2013년, 헌법재판소에서 "19세 미만인 미성년자는 아직 정치적·사회적 시각을 형성하는 과정에 있거나 부모나 교사 등 보호자에게 어느 정도 의존할 수밖에 없는 상황이므로 이들의 정치적 의사 표현이 민주시민으로서의 독자적인 판단에 의한 것인지 의문이 있을 수 있고, 그러한 의존성으로 말미암아 정치적 판단이나 의사 표현이 왜곡될 우려도 있다."라고 하면서 현행 제도가 헌법에 합치된다고 밝힌 데에서도 이를 확인할 수 있습니다. 따라서 선거 연령은 현행대로 유지되어야 합니다.
> 사회자 찬성 측 제1 토론자는 반대 신문을 하십시오.

26. 위의 토론에 대한 설명으로 가장 적절한 것은?

① 어떤 사실의 진위 여부를 가리기 위해 상대측에 질문을 던지고 있다.
② 공동의 문제에 대해 양측이 각각 자신의 주장이 옳음을 강조하고 있다.
③ 자신 측에서 주장하는 가치가 더 수용할 만하다는 점을 입증하고 있다.
④ 공동의 문제를 해결하기 위한 구체적인 방안의 실효성에 대해 논증하고 있다.
⑤ 사회 문제에 대해 가장 바람직한 해결 방안을 찾기 위해 양측이 협의하고 있다.

서술형
27. 위 토론의 논제는 무엇인지 서술하시오.

28. '반대 1' 토론자의 입론에 대해 '찬성 1' 토론자가 할 수 있는 반대 신문으로 가장 적절한 것은?

① 정치적 · 사회적 시각을 완성하는 시기를 언제라고 보는 것이 적절합니까?

② 교사나 보호자가 정치적 판단을 왜곡한다는 것은 어떻게 증명할 수 있습니까?

③ 다른 나라의 경우 만 18세의 대부분이 학생이 아니라는 것을 조사해 보았습니까?

④ 만 18세가 넘은 사람은 모두 성숙하고, 만 18세가 안 된 사람은 모두 미성숙하다는 말씀입니까?

⑤ 만 18세인데도 학생이 아닌 사람들은 선거를 해도 되고 학생일 경우는 선거를 할 수 없다는 겁니까?

[29~30] 다음 글을 읽고 물음에 답하시오.

> 정현 　아저씨, 이 티셔츠를 저희 학급 단체 티셔츠로 정했어요.
>
> 주인아저씨 　요새 그 티셔츠가 제일 잘 팔려. 학생들이 안목이 있네.
>
> 수영 　감사합니다. 그런데요, 티셔츠에 그림을 그리거나 글자를 새기자는 의견이 많았어요. 여기에서도 티셔츠에 그림이나 글자를 새길 수 있죠?
>
> 주인아저씨 　그럼, 우리 가게에서도 할 수 있지. 그런데 비용이 더 들어.
>
> 하민 　아, 참. 티셔츠 가격을 서로 정확하게 얘기를 안 했네요. 아저씨, 저희 티셔츠 가격을 좀 깎아 주시면 안 될까요? 한꺼번에 많이 사니까 좀 깎아 주세요.
>
> 주인아저씨 　음……. 사실 이 티셔츠는 팔아도 이익이 별로 안 남는데……. 하지만 너희들은 학생이고, 너희들 말대로 한꺼번에 여러 장을 파는 거니 지난번에 말한 가격에서, 한 장당 2천 원씩 깎아 줄게.
>
> 정현 　정말 감사합니다. 아저씨, 그럼 아까 말씀드린 대로 티셔츠에 그림을 그리거나 글자를 새겨서 그 가격에 주시는 거죠?
>
> 주인아저씨 　응? 그건 곤란한데……. 지난번에 티셔츠 가격을 말할 때는 그림을 그리거나 글자를 새기지 않을 때의 가격을 말한 거였어. 지금은 지난번에 말한 가격에서 깎아 준다고 한 거고.
>
> 수영 　저희가 부모님께 용돈을 받아 쓰는 처지라 돈이 넉넉하지 않아요.
>
> 주인아저씨 　학생들 처지야 나도 잘 알지. 하지만 나도 손해를 볼 수는 없는 것 아니겠어? 티셔츠 가격을 깎아 주고, 그림이나 글자도 무료로 새겨 주는 건 힘들어. ㉠다른 티셔츠를 고르는 건 어때?
>
> 하민 　학급 친구들이 지금 고른 티셔츠가 가장 마음에 든대요. 학교 행사 때 단체로 입을 옷인데, 마음에 드는 옷을 입어야 하잖아요.
>
> 주인아저씨 　그래도 그림이나 글자를 무료로 새겨 주고, 티셔츠 가격을 2천 원씩 깎아 주는 것은 곤란해. 학생들이어서 나도 깎을 수 있는 데까지 깎아 준 거야.

29. 위의 협상에 대한 설명으로 적절하지 <u>않은</u> 것은?

① 주인아저씨는 협상 자체를 회피하고 있다.

② 학생들은 자신들의 이익과 입장만 고수하고 있다.

③ 학생들과 주인아저씨 모두 경제적 이익을 추구하고 있다.

④ 학생들과 주인아저씨는 서로 경쟁하면서 협력하는 관계에 있다.

⑤ 학생들과 주인아저씨는 협상의 최종 결과를 도출하지 못하고 있다.

30. ㉠에 담긴 의도로 가장 적절한 것은?

① 학생들을 배려하는 척하며 자신의 이익을 도모하려는 의도

② 학생들의 제안을 수용하여 학생들과의 관계를 유지하려는 의도

③ 자신의 제안이 학생들에게 이익이 된다는 점을 강조하려는 의도

④ 학생들의 요청 사항을 수용하면서 자신도 손해를 보지 않으려는 의도

⑤ 학생들에게 새로운 대안을 제시함으로써 더 큰 이익을 얻으려는 의도

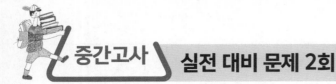

1. 화법과 작문의 사회적 특성에 대한 설명으로 적절한 것을 골라 바르게 짝지은 것은?

> ㄱ. 화자나 필자는 말을 하거나 글을 쓸 때 자신이 속한 사회의 관습과 구성원의 요구를 반영한다.
> ㄴ. 화자와 필자, 청자와 독자는 해당 사회의 언어문화를 함께 창조하고 활용하며 향유한다.
> ㄷ. 발표, 연설 등의 독화(獨話)보다 토의, 면접 등의 대화(對話)가 사회적 속성이 더 강하다.
> ㄹ. 글쓰기는 필자의 과업으로, 그 과정에 다른 사람이 개입할 여지가 거의 없다.

① ㄱ, ㄴ　　　② ㄱ, ㄷ　　　③ ㄱ, ㄹ
④ ㄴ, ㄷ　　　⑤ ㄷ, ㄹ

[2~4] 다음 글을 읽고 물음에 답하시오.

> 미영이가 초등학교 3학년 때 처음 저랑 한 미술 수업입니다. 크레용을 주면서 "마음껏 해 봐." 그랬더니 다른 여느 아이들과 달리 온몸에다가 다 검정 칠을 하더라고요. 이 아이는 다운 증후군에, 시각 장애에, 구구단도 못 외우는 지적 장애에, 신체장애까지 가진 복합 장애아였습니다. 하지만 그중에서 가장 큰 장애는 뭐냐 하면 장애 학교 안에서도 따돌림을 당하는 거예요.
> 그런데 어느 날 이렇게 작품을 들고 오더니 "선생님, 이 사진 제목이 뭐게요?" 하더군요. 그래서 제가 "뭔데?" 그랬더니 "돼지 같은 내 얼굴." 이러더라고요. 그래서 "사진 찍어 줄까?" 했더니 '탁' 이렇게 누워서 사진을 찍었습니다. 저는 그 장면을 보면서 '아, 얘가 이제 서서히 내면의 자신감을 찾아 가고 있구나.' 하고 느꼈습니다.
> ○○ 단체가 매년 시각 장애 학생들의 미술 공모전을 하는데요. 자, 미영이가 이걸 가지고 거기서 대상을 받았어요. 어떤 변화가 일어났을까요? 더 이상 미영이를 보이는 대로만 평가하지 않고, 심지어는 부러워하는 애들까지 생겼어요. 빨리 가서 미술 시간에 그림 그려야지, 하면서 미영이가 뭐 하는지 보는 거예요. 그래서 이 아이가, 정말

> 심한 따돌림을 당했고 자기 존재감이 전혀 없던 이 아이가 미술을 통해서 조금씩 자기를 찾아 가고, 자기의 모든 사소한 일상을 그리고, 만들고, 조각하는 예술가의 습관을 갖게 된 겁니다.
> 그래서 제가 물어봐요. "미영아, 뭐 되고 싶어?" 하고. 그러면 미영이는 화가가 된다고, 사진작가가 된다고 그래요. 이런 미영이가 광주 맹아 학교에도 있고, 충주 맹아 학교에도 있고, 대전 맹아 학교에도 있습니다. 이런 많은 미영이들 중에서 미술 대학에 가고 싶어 하는 아이들이 서서히 생겨났어요.
> 우리나라 헌법에 "모든 사람은 동등하게 교육받을 권리가 있다."라는 조항이 있어요. 하지만 시각 장애 학생이 미술 대학에 들어가기는 낙타가 바늘구멍 들어가는 것보다 어렵습니다. 그래서 저희가 몇 년 전에 공개 토론회를 열었어요. 그랬더니 저희한테 돌아온 답은, "보이는 사람도 미술 대학 나와서 취직하기 어려운데 안 보이는 애들에게 이런 헛된 꿈을 주고 어떻게 책임지려고 하느냐?"라는 비난이었습니다. 우리 사회의 지도적 위치에 있는 사람들이 그런 비난을 했지요. 저는 그때 14년 전 제가 시각 장애에 관해 가졌던 편견이, 그 거대한 벽이 제 앞에서 단 1cm도 움직이지 않고 그대로 있다는 사실에 다리가 후들거렸습니다. 그렇지만 저희는 시각 장애 학생들이 미술 대학에 갈 수 있도록 지금도 계속 지원하고 있습니다.

2. 화자가 위의 강연을 효과적으로 하기 위해 세울 수 있는 계획으로 적절하지 **않은** 것은?

① 미영이의 말을 인용할 때 미영이의 말투로 이야기해야겠어.
② 청중에게 질문을 던진 후 잠시 휴지를 두어 생각할 시간을 주어야겠어.
③ 미영이가 미술 공모전에서 대상을 받은 작품을 사진으로 보여 주어야겠어.
④ 강연 내용을 효과적으로 전달하기 위해 시선, 표정, 몸짓 등을 적절하게 조절해야겠어.
⑤ 미영이의 사진을 보여 주면서 미영이의 장애가 얼마나 심각한지 알려 주어야겠어.

3. 위의 강연에서 화자가 궁극적으로 전달하고자 한 내용은 무엇인지 서술하시오.

_____

4. 위 강연의 내용에 공감하는 입장에서 화자에게 할 수 있는 질문으로 적절하지 <u>않은</u> 것은?

① 사람들의 편견이 지금도 심한데 대학이라고 다를까요?

② 미영이가 강연자님께 마음을 열게 된 계기는 무엇입니까?

③ 장애에 대한 사회 전반의 의식을 바꾸려면 어떻게 해야 할까요?

④ 시각 장애 학생들을 효과적으로 지도하는 특별한 방법이 있습니까?

⑤ 시각 장애 학생들을 위한 미술 활동을 위해 지속적으로 노력을 기울이는 이유는 무엇입니까?

[5-6] 다음 글을 읽고 물음에 답하시오.

면담이 끝나기 전, 교수님은 최근에 받은 편지 한 통을 코펠에게 읽어 주었다. 전에 다른 프로그램에서 교수님에 관한 내용을 다룬 후에 그에게는 엄청난 양의 편지가 밀려들었다. 그중 펜실베이니아주의 한 학교에서 아홉 명의 어린이를 가르치는 특수 학급 교사가 아주 특별한 내용의 편지를 보내왔다. 그 학급 학생들은 모두 한쪽 부모를 잃은 아이들이었다.

"나는 그 교사에게 이런 답장을 해 주었습니다."

모리 교수님은 코와 귀에 천천히 안경을 걸치면서 말했다.

"귀하의 편지에 깊은 감동을 받았습니다. 한쪽 부모를 잃은 아이들과 함께해 온 당신의 일들이 매우 소중하게 느껴집니다. 나 또한 어린 나이에 한쪽 부모를 잃었지요."

카메라가 계속 돌아가고 있는데 갑자기 교수님은 안경을 고쳐 썼다. 그는 말을 멈추고 입술을 깨물었다. 그는 목이 메기 시작했고 이내 눈물을 흘렸다.

"어릴 때 나는 어머니를 잃었는데 이는 내게 아주 큰 충격이었습니다. 그때 당신이 가르치는 학급과 같은 곳이 있어서 나도 슬픔을 털어놓을 수 있었다면 얼마나 좋았을까요? 나 역시 그 학급에 들어가고 싶었을 거예요. 왜냐하면…….."

그의 목소리가 울음 때문에 갈라졌다.

"왜냐하면 난 너무도 외로웠으니까요."

당황한 코펠이 물었다.

"모리, 당신의 어머니는 돌아가신 지 70년이나 지났잖습니까? 그런데 아직도 그렇게나 고통스럽습니까?"

"그럼요."

우리 선생님은 그렇게 속삭였다.

5. 윗글을 통해 알 수 있는 내용으로 적절하지 <u>않은</u> 것은?

① 교수님은 어린 시절 어머니를 잃었다.

② 교수님은 특수 학급 교사에게 답장을 썼다.

③ 교수님은 특수 학급 교사의 편지를 읽으며 눈물을 흘렸다.

④ 교수님은 특수 학급 교사의 편지를 받고 깊은 감동을 받았다.

⑤ 교수님은 특수 학급 교사에게 받은 편지를 코펠에게 읽어 주었다.

6. 윗글에 제시된 의사소통에 대한 설명으로 가장 적절한 것은?

① 교수님과 코펠이 방송에서 이야기를 나눈 것은 개인과 개인 차원의 의사소통이다.

② 교수님과 특수 학급 교사가 편지를 주고받은 것은 개인과 개인 차원의 의사소통이다.

③ 교수님과 특수 학급의 학생들 사이에서 이루어진 의사소통은 사회와 사회 차원의 의사소통이다.

④ 특수 학급 교사가 교수님에 관한 내용을 다룬 프로그램을 본 것은 개인 내적 차원의 의사소통이다.

⑤ 특수 학급 교사와 그 학급의 학생들 사이에서 이루어진 의사소통은 개인 내적 차원의 의사소통이다.

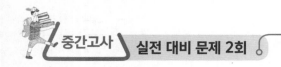

[7-8] 다음 글을 읽고 물음에 답하시오.

⑦ 정확하고 효과적인 화법과 작문을 위해서는 맥락을 고려하여 표현하고 이해해야 한다. "맥락에서 벗어났다."라거나 "거두절미하여 맥락을 오해하게 만들었다." 등의 말은 모두 맥락을 고려하지 않았을 때 받는 비판이다.

⑭ 화법과 작문에서는 의사소통의 목적, 주제, 발신자와 수신자의 관계, 그리고 매체가 매우 중요하다. 이 말은 맥락을 바탕으로 해야만 효과적으로 내용을 구성하고 상호 작용을 할 수 있다는 뜻이다. 예를 들어 "무상 의무 교육을 고등학교까지 전면적으로 확대해야 한다."라는 주제로 논설을 쓴다면 그런 주장을 하는 목적을 분명히 하고 주장을 뒷받침할 근거를 선별해야 하는데, 이때 우리나라의 사회적·경제적 맥락을 고려하지 않을 수 없다. 또한, 이런 주장에 우호적인 독자를 대상으로 할 때와 비판적인 독자를 대상으로 할 때의 내용 구성도 달라질 수밖에 없다. 이처럼 맥락이 달라지면 말이나 글의 내용과 표현 방식 모두 달라진다.

⑮ 말을 하거나 글을 쓸 때는 화법과 작문의 관습을 지켜야 할 뿐 아니라, 담화나 글의 유형, 신문이나 텔레비전 같은 매체의 특성도 고려해야 한다. 예를 들어 면접과 자기소개서 쓰기의 방법은 말하기와 글쓰기의 관습으로 정착돼 있지만, 그것이 진학을 위한 것인지 취업을 위한 것인지, 아니면 동아리 가입을 위한 것인지 등에 따라 세부 내용과 전략이 달라진다. 어떤 매체에 싣느냐에 따라 담화나 글의 형식이 달라짐은 물론이다.

7. 윗글의 내용을 잘못 이해한 것은?

① 어떤 매체를 선택하느냐에 따라 담화나 글의 주제가 달라진다.

② 맥락을 고려하여 의사소통의 목적에 맞는 주제를 선정해야 한다.

③ 작문 활동을 할 때는 독자를 고려하여 글의 내용을 구성해야 한다.

④ 화법 활동을 할 때는 호칭이나 높임법 등과 같은 화법의 관습을 지켜야 한다.

⑤ 정확하고 효과적인 화법과 작문 활동을 하기 위해서는 맥락을 고려하여 표현하고 이해해야 한다.

수능형

8. 윗글의 내용을 참고할 때 〈보기〉의 맥락을 해석한 내용으로 가장 적절한 것은?

〈보기〉

아침밥은 '선택'이 아닌 반드시 먹어야 하는 '필수'입니다.

① 우리의 작문 관습을 지키지 않고 있다.

② 쌀이 부족한 시대 상황이 반영되어 있다.

③ 아침밥을 반드시 먹자는 의도가 담겨 있다.

④ 우리나라의 경제적 맥락을 고려하지 않고 있다.

⑤ 빵을 주식으로 하는 외국인을 독자로 상정하고 있다.

[9-10] 다음 글을 읽고 물음에 답하시오.

우리나라 가족의 모습도 서구를 닮아 가고 있다. 한국인의 경우도 '우리 집'보다 '나'를 먼저 생각하는 사람들이 날로 늘어나는 추세이다. 식구 하나하나를 생활의 기본 단위로 보는 개인주의에 입각하여, 가족을 그 자체가 목적인 유기체로 보기보다는 식구들 각자의 개인적 목적 달성을 돕기 위한 수단적 성격의 조직체로 보는 경향이 우세하다. 물론, 모든 사람들이 서구적 가족상을 바람직하다고 생각하는 것은 아니며, 나이 든 세대 가운데는 우리나라의 전통적 가족상에 강한 애착을 느끼는 사람들도 적지 않다. 그러나 전체의 흐름은 서구적 핵가족의 방향으로 변하고 있다.

우리나라의 전통적 가족상에는 좋은 점이 있다. 사람들의 자아가 개인의 테두리를 벗어나서 더욱 큰 '우리' 속에 융화된다는 점이다. 작은 '나' 하나만을 지키기에 급급한 인간상보다는 좀 더 큰 '우리'를 위하여 소아(小我)를 잊을 수 있는 인간상이 바람직함에 의심의 여지가 없다. 그러나 우리나라의 전통적 가족상에는 결함도 있다. 우리나라의 전통적 가족 제도 아래서는 여성의 인권이 부당하게 침해당했으며, 젊은이들의 자유가 지나친 억압을 당했다.

개인주의의 색채가 강한 현대 서구의 가정에는 식구들이 다른 사람의 억압을 받지 않고, 각자의 뜻에 따라서 자유롭게 살 수 있다는 장점이 있다. 그러나 그것은 식구들 각자가 작은 '나'의 테두리 안에 갇혀 있는 소아적 인간상을 벗어나기 어렵다는 결점도 가지고 있다. 개인과 개인 사이의 칸막이를 넘어서, 여러 사람들이 하나의 '우리'가 되어 고락을 함께하는 심성이 인간의 삶을 더욱 값진 것으로 만든다는 사실을 고려할 때, 오늘의 서구적 가족상을 가장 바람직한 것으로 보기는 어렵다.

9. 윗글을 통해 필자가 해결하고자 하는 문제로 가장 적절한 것은?

① 시대에 따라 가족상이 달라지는 이유는 무엇인가?
② 가족상에 관한 다양한 시각들은 왜 생기는 것인가?
③ 서구적 가족상으로의 변화 속에서 바람직한 가족상은 무엇인가?
④ 전통적 가족상이 서구적 가족상으로 변화하게 된 원인은 무엇인가?
⑤ 우리나라의 전통적 가족상과 서구의 가족상이 다른 이유는 무엇인가?

10. 윗글의 맥락을 분석한 것으로 가장 적절한 것은?

① 인터넷 매체의 특성을 고려하여 효과적으로 내용을 구성한 글이다.
② 설명문의 작문 관습에 따라 '처음 – 중간 – 끝'의 구성으로 쓴 글이다.
③ '우리'가 아닌 '나'를 먼저 생각하는 서구 사람들을 독자로 하여 쓴 글이다.
④ 필자의 생각을 논리적으로 밝혀서 다른 사람들이 자신의 의견에 공감하도록 하기 위해 쓴 글이다.
⑤ 우리나라의 전통적인 가족상보다 서구의 가족상에서 개인의 자유가 더 잘 보장된다는 주제를 전달하기 위해 쓴 글이다.

[11~12] 다음 글을 읽고 물음에 답하시오.

가 연우가 전학을 온 상황

선생님 자, 이번에 우리 반에 새로운 친구가 전학을 왔어요. (연우를 보며) 자기소개를 해 줄래요?

연우 (학생들 앞에서) 안녕하세요? 저는 박연우라고 합니다. 앞으로 잘 부탁합니다.

선생님 그래, 아직 모든 것이 낯설고 어색할 테니까 여러분이 잘 도와주세요. (연우를 향해) 자리는 우선 (윤정이 옆자리를 가리키며) 저기 윤정이 옆의 빈자리에 앉도록 하자.

(연우, 윤정의 옆자리에 가서 앉는다.)

윤정 안녕? 나는 하윤정이라고 해. 반갑다.

연우 어? 그래. 반갑다.

윤정 그런데, 너 집이 어디니?

연우 어, 학교 길 건너편에 있는 ○○동 주민 센터 근처야.

윤정 그래? 우리 집도 거기서 멀지 않은데. 주민 센터 근처에 ○○ 아파트 있잖아? 난 거기 살아.

연우 그래? 우리 집이랑 정말 가깝네.

윤정 잘됐다. 내일부터 같이 다니면 되겠다.

연우 (당황하며) 어? 어…… 그래.

윤정 우리 오늘 수업 끝나고 영화 보러 갈까? 넌 무슨 영화 좋아하니?

연우 영화? 어…… 글쎄…… 잘 모르겠어.

윤정 자기가 좋아하는 영화를 모른다는 게 말이 돼? 난 남녀 사이의 사랑 이야기를 다룬 영화가 좋은데……. 어제 재미있는 영화 하나 개봉했더라고. 이따가 같이 보러 가는 거다?

연우 어? 아…… (난처해하며) 나는 좀…….

윤정 왜? 끝나고 다른 일 있어?

연우 아니, 그게 좀……. 그냥 다음에 보러 가자.

나 누나 야, 너 왜 이렇게 텔레비전 소리를 크게 켜 놓고 있어? 시끄럽잖아.

동생 뭐가 시끄럽다고 그래? 시끄러우면 귀를 막든가.

누나 뭐라고? 야, 나 시험 망치면 네가 책임질 거야?

동생 내가 왜 책임져? 공부 안 한 누나가 책임져야지.

누나 이게, 버릇없이 누나한테 말대답이나 하고. 빨리 소리 안 줄여?

동생 아, 몰라. 싫어.

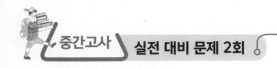
11. (가)의 대화 참여자를 분석한 내용으로 적절한 것은?

① '연우'는 '윤정'보다는 선생님에게 심리적으로 더 친밀함을 느끼고 있다.

② '윤정'은 관계 맺기를 너무 빠른 속도로 진행하여 '연우'에게 부담을 주고 있다.

③ '연우'는 '윤정'에 의해 관계가 진행되는 속도에 맞추어 자기표현을 하고 있다.

④ '윤정'은 '연우'에 대한 심리적 친밀도에 따라 자기표현의 수위를 조절하고 있다.

⑤ '연우'는 '윤정'과 처음 대화를 나누는 사이이므로 개인적 차원의 자아를 드러내고 있다.

수능형

12. (나)와 〈보기〉의 누나의 말을 비교한 내용으로 적절하지 <u>않</u>은 것은?

〈보기〉

누나 텔레비전 소리가 좀 큰 것 같아. 시험 기간인데 공부에 집중이 안 돼서 마음이 불안해. 네가 텔레비전 소리를 조금만 줄여 주면 내가 공부하는 데 도움이 될 것 같아.

① (나)는 '너 - 전달법'으로, 〈보기〉는 '나 - 전달법'으로 말하고 있다.

② (나)는 동생에게 명령하고 있고, 〈보기〉는 자신의 기대를 말하고 있다.

③ (나)는 강압적이고 대립적으로 느껴지는 반면, 〈보기〉는 부드럽고 협력적으로 느껴진다.

④ (나)는 동생의 감정을 살피며 말하고 있고, 〈보기〉는 동생의 감정이 상하게 말하고 있다.

⑤ (나)는 동생의 행동을 일방적으로 비난하고 있고, 〈보기〉는 자신의 감정을 중심으로 말하고 있다.

[13~16] 다음 글을 읽고 물음에 답하시오.

가 (사진관 앞에 서 있다가 정원이 와서 문을 열자)

다림 한참 기다렸어요. (필름이 든 봉투를 내밀며) ㉠ 저, 이거 빨리해야 되거든요. 얼마나 걸려요, 아저씨?

정원 (사진관 문을 열다 말고) ㉡ 미안하지만, 조금만 이따가 오면 안 될까요?

다림 안 돼요, 아저씨. ㉢ 저, 여기 동그라미 쳐 놓은 부분만 빨리 확대해 주세요. [중략]

(오토바이를 타고 지나가던 정원이 손에 짐을 들고 있는 다림 옆으로 다가간다.)

정원 어디 가요?

다림 구청에요.

정원 (손에 든 짐을 보며) 그건 뭐예요?

다림 ㉣ 숙녀가 이렇게 무거운 것을 들고 가야겠어요?

정원 에휴, 단골손님인데……. 자, 뒤에 타요.

나

13. (가)와 (나)를 통해 알 수 있는 내용으로 적절하지 <u>않은</u> 것은?

① 거절하는 상황은 대화 참여자 사이의 갈등을 필연적으로 낳게 된다.

② 부탁이나 요청을 할 때는 자신의 상황에 대한 설명을 덧붙이는 것이 효과적이다.

③ 부탁이나 요청, 거절하는 말을 하는 상황에서는 상대방의 입장과 감정을 고려해야 한다.

④ 거절하는 말을 할 때는 상대방의 체면이 손상되지 않도록 공손한 표현을 사용해야 한다.

⑤ 상대방의 처지를 고려하지 않고 부탁이나 요청을 하면 듣는 사람이 부담을 느낄 수 있다.

14. (나)에 나타난 비언어적 표현에 대한 설명으로 적절하지 <u>않은</u> 것은?

① '우신'은 '성진'의 어깨에 손을 올려 친근함을 드러내고 있다.

② '우신'은 눈을 크게 떠서 당황함을 드러내고 있다.

③ '성진'은 머리를 긁적이며 난처함을 드러내고 있다.

④ '우신'은 굳은 표정을 지어 불쾌감을 드러내고 있다.

⑤ '우신'은 턱을 만지며 '성진'의 말을 경청하는 태도를 드러내고 있다.

15. ㉠~㉤에 대한 설명으로 적절하지 <u>않은</u> 것은?

① ㉠: 부탁하는 까닭을 제시하여 상대방이 불쾌감을 덜 느끼게 하고 있다.

② ㉡: 요청하는 말을 하기 전에 양해를 구하는 표현을 사용하고 있다.

③ ㉢: 부탁의 내용을 직접적이고 명확하게 표현하고 있다.

④ ㉣: 질문하기 방식으로 부탁의 의도를 드러내고 있다.

⑤ ㉤: 딱 잘라 거절하면서 문제를 회피하는 전략을 사용하고 있다.

서술형

16. ⓐ에 사용된 말하기 전략과 그 효과를 서술하시오.

_____

[17-18] 다음 글을 읽고 물음에 답하시오.

영업 3팀의 오 과장은 열심히 일하는 인턴 사원 장그래에게 호감을 갖는다. 장그래가 신입 사원으로 뽑힌 사실을 안 오 과장은 상무님을 찾아가 장그래를 영업 3팀으로 보내 달라고 요청한다. 이에 신입 사원이 된 장그래는 영업 3팀으로 배정을 받게 된다.

장그래 (㉠) 안녕하십니까? 신입 사원 장그래입니다.

(오 과장과 김 대리가 장그래를 쳐다본다.)

장그래 과장님, 저 왔습니다.

오 과장 그러니까, (㉡) 왜 또 너냐고?

김 대리 축하해! 장그래 씨!

장그래 감사합니다. 그럼, 업무 보겠습니다.

오 과장 야, 안영이는 어디 간 거야?

김 대리 안영이 씨가…….

장그래 안영이 씨는 자원 팀으로 갔습니다. 한석율 씨는 섬유 팀, 장백기 씨는 철강 팀으로 갔습니다. 김석호 씨는 본사로 갔다고 합니다.

김 대리 그렇게 됐다고 합니다.

오 과장 야, 근데 너, 너는 왜 우리 팀이야?

장그래 (㉢) 과장님이 부르신 걸로 알고 있습니다.

오 과장 (㉣) 내, 내, 내가? 내, 내가 언제? 앗, 네가 불렀니? ⓐ 내가 부른 거 아냐. 야, 내가 부른 게 아니라니까!너, 너 왜 웃어? 내가 안 불렀어. 야, 얘기 좀 해 봐. 내가 부른 게 아니라니까.

김 대리 (㉤) 아, 저도 아니에요.

17. ㉠~㉤에 들어갈 준언어적 표현과 그 표현의 의도로 적절하지 <u>않은</u> 것은?

① ㉠: 큰 소리로 반가움과 기쁨이 드러나게

② ㉡: 소리가 높아지면서 따지는 듯한 느낌이 들게

③ ㉢: 수줍은 어조로 다정함과 감사함이 나타나게

④ ㉣: 느린 속도로 억울한 감정이 느껴지게

⑤ ㉤: 장난스러운 어조로 재미있는 분위기가 드러나게

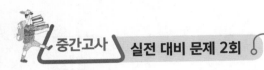

서술형

18. ⓐ에 어울리는 비언어적 표현 전략을 쓰고, 그 표현을 사용
하여 얻을 수 있는 효과를 서술하시오.

_____

[19~20] 다음 글을 읽고 물음에 답하시오.

> 태민   정우야, 구청에서 '지역 사회와 함께하는 청소년 문
> 화 활동'을 지원하는 사업을 한다고 하는데, 나랑
> 같이 지원해 볼래? / 정우   그게 뭔데?
> 태민   우리 지역 사회와 관련된 중요한 문화 자원을 찾아
> 시민들에게 알리는 활동이야. 지원 대상으로 선정
> 되면 활동을 위한 지원금도 나오고 활동도 적극적
> 으로 도와준대.
> 정우   그래? 그거 재미있겠다. 어떻게 하면 되는데?
> 태민   일단 주제를 정해서 지원해야겠지? 그런 다음 우리
> 가 활동을 어떻게 진행할 것인지에 관해 구청의 교
> 육지원과 심사 위원들 앞에서 발표하면 돼.
> 정우   좋아, 우리 같이 준비해 보자. 주제를 뭘로 정하면
> 좋을까?
> 태민   우리 집에서 학교 가는 길가에 '정철 시비' 있는 거
> 봤지? 그 시비 뒤쪽에 있는 마을이 가사 문학의 대
> 가인 송강 정철 선생님이 사셨던 곳이래. 그래서 내
> 가 좀 알아보니, 우리가 잘 아는 정철 선생님의 작
> 품 중에 우리 동네를 배경으로 한 것들이 많더라고.
> 정우   그래? 그럼 그곳을 적극적으로 알리는 운동을 하면
> 좋겠다.

19. 위의 두 학생이 발표를 준비하며 작성한 표의 내용으로 적
절하지 <u>않은</u> 것은?

주제	우리 동네의 자랑스러운 문학적 자산인 송강 마을 소개 … ㉠
목적	'지역 사회와 함께하는 청소년 문화 활동' 사업의 대상자로 선정되어, 지역 주민에게 송강 마을을 알림. ……………… ㉡
청자 분석	• 청자: 구청의 교육지원과 심사 위원 …………… ㉢ • 청자의 요구: 청소년들이 고전 문학을 좋아할 수 있는 방법을 제시할 것 ……………………… ㉣ • 청자의 지적 수준: 대체로 지역 문화에 대한 관심과 이해도가 높을 것임. ……………… ㉤

① ㉠   ② ㉡   ③ ㉢   ④ ㉣   ⑤ ㉤

20. 위의 두 학생이 발표 준비를 할 때 유의할 점으로 적절하지
<u>않은</u> 것은?

① 청자가 발표에 흥미를 느낄 수 있도록 내용을 구조화
한다.

② 전달 효과를 고려하여 매체 자료의 활용 방안을 검
토한다.

③ 발표 장소의 특성을 미리 분석하고 그에 맞추어 발
표 준비를 한다.

④ 발표 시간을 고려하여 발표 분량을 적절하게 조절하
며 사전 연습을 한다.

⑤ 발표 주제와 관련된 상황이나 배경 등을 가능한 한
구체적으로 제시한다.

[21~22] 다음 글을 읽고 물음에 답하시오.

> 지금부터 제1회 기말고사 '더불어 생활 영역' 시험을 시
> 작하겠습니다.
> 첫 번째 문제, 여러분은 여러분의 이웃을 얼마나 잘
> 알고 계신가요? 실제로 서울시가 시민 800명을 대상
> 으로 한 설문 조사에 따르면, 58%의 시민들이 자신
> 의 이웃에게 제대로 된 인사를 단 한 번도 건넨 적이
> 없다고 합니다. 2014년 기준으로, 한 가구가 자신의
> 거주지에서 머무는 기간을 약 4년이라고 할 때, 800
> 명 중에서 464명은 4년 동안 단 한 번도 자신의 이웃
> 에게 제대로 된 인사를 건넨 적이 없다는 것이죠.
> [A]   이렇듯 우리는 지구 반대편에 있는 소식을 10초 안
> 에 들을 수 있지만, 고작 열 발걸음 떨어진 곳에 사는
> 자기 이웃의 이름이 무엇인지, 나이는 어떻게 되는
> 지, 아니면 그 사람이 그냥 어떤 사람인지조차 알지
> 못하고, 알려고 하지도 않습니다. 우리는 실시간 검
> 색어에 오르는 여러 사망 사건에 관해서는 안타까워
> 하고 애도를 표하지만, 정작 옆집에서 일어날 수 있
> 는 1인 가구의 고독사에 관해서는 무관심하다는 것입
> 니다.

이렇게 우리는 바쁘게 흘러가는 사회에 발걸음을 맞추기 위해 빠르게 달려 나가는 법을 배웠지만, 그와 동시에 양옆을 바라보는 방법을 잊어버렸습니다. 즉 '더불다'의 근본적인 의미를 망각한 채 살고 있는 것이죠. 이제는 우리의 양옆을 바라봐야 할 때입니다.

다음 문제입니다. 다음은 노인들이 사회에서 이용할 수 있는 서비스들인데요. (자료를 보여 주며) 이들 중 가장 효과적인 것은 무엇일까요?

우리는 현대 사회에서 전 세계를 몇 시간 만에 누비고, 필요한 정보는 인터넷을 통해서 바로바로 구하는, 아주 편리하고 풍요로운 삶을 살고 있습니다. 어쩌면 이런 삶이 보편화된 현실이라고 생각할 수도 있는데요. 과연 이게 정말 보편적인 현실일까요?

위 자료를 보시면 (자료를 가리키며) 노인들의 인터넷 사용률이 10~30대 젊은 층의 사용률보다 현저하게 떨어지는 것을 확인할 수 있습니다. 노인들은 인터넷뿐 아니라 대중교통, 그리고 에이티엠(ATM) 기계의 이용에서도 부적응의 문제를 겪고 계십니다.

21. 위의 발표에 대한 청중의 평가로 적절하지 <u>않은</u> 것은?

① 화자의 개인적 경험을 사례로 제시해서 공감하며 들을 수 있었어.

② 구체적인 자료를 논거로 제시하니까 화자의 의견이 설득력 있게 들렸어.

③ 질문하고 답하는 방식으로 내용을 전개해서 계속 집중하고 들을 수 있었어.

④ 시험을 치르는 형식으로 내용을 구성해서 흥미를 잃지 않고 들을 수 있었어.

⑤ 비언어적 표현을 적절히 섞어 발표하고 자료도 직접 보여 주니까 내용을 쉽게 이해할 수 있었어.

서술형

22. [A]에서 화자가 발표 내용의 신뢰성을 확보하기 위해 사용한 방법은 무엇인지 서술하시오.

_____

[23~24] 다음 글을 읽고 물음에 답하시오.

동지 여러분, 저는 오늘 여러분에게 말씀드리고 싶습니다. 절망의 구렁에 빠져 허우적대지 맙시다.

비록 우리는 지금 고난을 마주하고 있지만 나에게는 꿈이 있습니다. 그 꿈은 아메리칸드림에 깊이 뿌리를 내리고 있습니다.

나에게는 꿈이 있습니다. 언젠가 이 나라가 "모든 인간은 평등하게 태어난다는 사실을 우리는 자명한 진리로 받아들인다."라는 이 나라 건국 신조의 참뜻을 되새기며 살아가리라는 꿈입니다.

나에게는 꿈이 있습니다. 언젠가 조지아주의 붉은 언덕에서 노예의 후손과 노예 주인의 후손이 형제애라는 식탁 앞에 나란히 앉을 수 있는 날이 오리라는 꿈입니다.

나에게는 꿈이 있습니다. 부당함과 억압의 뜨거운 열기로 신음하는 미시시피주도 언젠가 자유와 정의가 샘솟는 오아시스가 되리라는 꿈입니다.

나에게는 꿈이 있습니다. 언젠가 내 아이들이 자신의 피부색이 아니라 인격적으로 평가받는 나라에서 살게 되리라는 꿈입니다.

23. 위의 연설에 대한 설명으로 적절하지 <u>않은</u> 것은?

① 수사적 표현을 적절히 활용하였다.

② 청중이 지닌 감성적 영역을 자극하였다.

③ 건국 신조를 인용하여 설득력을 높였다.

④ 같은 문장을 반복하여 내용을 강조하였다.

⑤ 구체적인 자료를 제시하여 주장의 신뢰성을 높였다.

24. 위 연설의 화자가 연설 준비를 위해 쓴 메모의 내용으로 적절하지 <u>않은</u> 것은?

- 목적: 인종 차별 철폐의 필요성과 당위성을 주장함. ·················· ㉠
- 주제: 흑인이 차별받지 않는 평등한 세상이 오기를 희망함. ·················· ㉡
- 상황 분석: 흑인에 대한 차별이 거의 사라짐. ··· ㉢
- 청중 분석: 주로 흑인인 청중을 대상으로 함. ··· ㉣
- 설득 전략: 청중의 고통과 바람에 공감함. ······ ㉤

① ㉠   ② ㉡   ③ ㉢   ④ ㉣   ⑤ ㉤

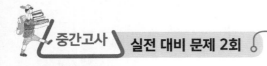

수능형

25. 다음에 제시된 화자의 이력이 화자의 공신력에 미칠 영향으로 가장 적절한 것은?

> 충청남도 당진에서 태어난 정○○ 씨는 태어난 지 11개월 만에 뇌성마비 2급 판정을 받았다. 휠체어 없이는 이동할 수 없는 신체적 불편을 겪고 있는데도, 중·고등학교를 우수한 성적으로 마친 뒤 2009년에 ○○대학교 경영학과에 입학했다. 대학생이 된 정○○ 씨는 학업에 매진하는 것 외에도 각종 봉사 활동과 학생회 활동, 장애 분야의 학술 활동 등을 하며 대학 생활을 했다.

① 화자에 대한 주변의 평판이 좋다는 점에서 청자에게 인정을 받을 만하다.
② 다른 사람들과 교감하려고 노력하려는 태도에서 청자에게 본보기가 될 만하다.
③ 화제에 대한 지식과 경험을 충분히 갖추고 있다는 점에서 청자에게 믿음을 줄 만하다.
④ 화자의 지적 수준과 사회적 지위가 높다는 점에서 청자에게 전문성을 인정받을 만하다.
⑤ 장애인으로서 어려운 환경에서도 적극적으로 노력하는 태도에서 청자에게 신뢰를 받을 만하다.

[26~28] 다음 글을 읽고 물음에 답하시오.

> **가** 면접관 우리 대학에 지원해 줘서 고맙습니다. 긴장하지 말고 마음 편하게 답변해 주기 바랍니다.
> 학생들 예, 감사합니다.
> 면접관 먼저, 우리 대학의 자율전공학부에 지원한 까닭을 말해 보세요.
> 학생 1 (자신 없는 목소리로) 저는 어렸을 때부터 이 대학에 오고 싶었습니다. 학교 명성도 높고, 부모님께서도 좋은 학교라고……, 제가 갔으면 좋겠다고 말씀하셔서……요.
> 학생 2 솔직하게 말씀드리자면 합격 가능성이 제일 높아서이고……. (웃음) 그리고 비슷한 대학 중에서 이 대학이 가장 가깝고 시설이 좋아서 끌렸습니다.

> 학생 3 저는 교육 과정이 마음에 들었기 때문입니다. (목소리에 힘을 주어) 교육 과정을 살펴보면서 이 대학에 들어오면 대학생으로서 배워야 할 이론에 관한 깊이 있는 강의를 들을 수 있고, 이 대학과 연결되어 있는 산업 현장에서 그 이론을 적용해 볼 기회가 많을 것이라는 확신이 들었습니다.
> 면접관 답변 잘 들었습니다. 그런데 우리 대학에 지원한 까닭은 대답했는데, 왜 자율전공학부에 지원했는지는 답하지 않았습니다. 이 질문에 답변해 주세요.

> **나** 사회자 최근 선거 연령을 현행 만 19세에서 만 18세로 낮추어야 한다는 논의가 활발하게 이루어지고 있습니다. 그래서 오늘은 '선거 연령을 만 18세로 낮추어야 한다.'라는 논제로 토론을 진행하려고 합니다. 이 논제에 관해 찬성과 반대 양측의 의견을 들어 보겠습니다. 토론 규칙과 예절을 지켜 주시기를 당부하며 찬성 측 제1 토론자의 입론부터 듣겠습니다.
> 찬성 1 선거 연령은 대통령 선거를 포함해 각종 공직자 선거 등에서 선거권을 행사할 수 있는 나이를 가리킵니다. 선거 연령을 만 18세로 낮추는 일은 국민의 참정권을 확대하는 것이므로, 국가인권위원회와 중앙선거관리위원회에서도 이를 제안한 바 있습니다. 선거권은 참정권의 핵심이고 다양한 계층의 정치적 의사를 반영하는 방법이므로 민주주의의 확대 측면에서 폭넓게 보장되어야 합니다. 따라서 선거 연령을 만 18세로 낮추어야 한다는 데 찬성합니다.
> 사회자 네, 잘 들었습니다. 그럼 반대 측 제2 토론자는 반대 신문을 해 주십시오.

26. (가)와 (나)의 공통점으로 가장 적절한 것은?

① 일정한 목적과 규칙이 있는 공적 담화이다.
② 상대방과의 관계를 더욱 가깝게 하기 위한 담화이다.
③ 여러 사람에게 어떤 사실이나 정보를 알리는 의사소통 활동이다.
④ 상대방에게 자신의 지식, 인성, 잠재력 등을 소개하는 말하기이다.
⑤ 상대방의 태도를 변화시킬 목적으로 자신의 견해를 전달하는 설득적 말하기이다.

27. (가)의 면접관에 대한 설명으로 가장 적절한 것은?

① 면접 대상자들이 지닌 긴장도를 높이며 면접을 시작하고 있다.

② 면접 대상자의 태도와 품성을 평가하기 위해 보충 질문을 던지고 있다.

③ 면접 대상자들의 지원 동기를 파악하려는 의도가 담긴 질문을 하고 있다.

④ 특정 상황을 가정하거나 문제 해결을 요구하는 개방형 질문을 하고 있다.

⑤ 면접 대상자들의 학업에 대한 열의와 능력을 평가하기 위한 의도가 담긴 질문을 하고 있다.

28. (나)에 대한 설명으로 가장 적절한 것은?

① 상대측 논증의 논리적 오류를 지적하고 있다.

② 토론 과정에서 드러난 쟁점을 정리하고 있다.

③ 상대측의 질문에 대해 효과적으로 답변하고 있다.

④ 상대측의 발언 내용에 대해 궁금한 점을 질문하고 있다.

⑤ 논제에 관해 근거와 사례를 들어 자신 측의 주장이 타당함을 주장하고 있다.

[29-30] 다음 글을 읽고 물음에 답하시오.

> 학생 대표   학교 측에서는 학생들의 교육 환경 개선을 위해 교내 체육 시설 설치에 동의하였고, 학생들도 지역과 학교의 상생이라는 체육 시설 조성 취지에 공감합니다. 하지만 지역 주민들이 학교 내의 체육 시설을 자유롭게 이용하게 되면 여러 가지 문제가 발생할 수 있습니다. 그러므로 ㉠체육 시설을 제한적으로 이용하도록 해야 한다고 생각합니다.
>
> 주민 대표   지역 주민들이 교내 체육 시설을 이용하는 데 제한을 두려는 까닭은 무엇입니까?
>
> 학교 측   주민들의 자유로운 체육 시설 이용을 반대하는 까닭은 학생들의 수업권 때문입니다. 주민들이 아무 때나 자유롭게 체육 시설을 이용하면 학생들이 체육 수업을 받을 때 불편함을 겪을 수 있습니다.
>
> 학생 대표   그리고 학교에 외부인이 자유롭게 드나들면 교통사고를 비롯해 여러 가지 예기치 못한 안전 문제가 발생할 수 있습니다. 그러므로 지역 주민들이 체육 시설을 17시 이후부터 이용할 수 있도록 제한했으면 합니다.
>
> 주민 대표   네, 학생들의 수업권과 안전이 우선적으로 보장되어야 한다는 점에는 동의합니다. 그런데 지역 주민들의 대부분은 이른 아침에도 운동을 합니다. 지역 주민들이 아침 운동을 할 수 있도록 9시 이전까지는 체육 시설을 이용할 수 있게 하면 어떨까요? 학생들의 수업 시간과 겹치지 않으면 수업권과 안전에 큰 문제가 없으리라 봅니다.
>
> 학교 측   알겠습니다. 학생들이 수업을 하는 9시부터 17시까지는 학생들이 체육 시설을 우선적으로 이용하도록 하고, 그 시간 동안 지역 주민의 체육 시설 이용을 제한하면 학생들의 수업권과 안전에 큰 문제가 없을 것 같습니다.

29. 윗글을 통해 알 수 있는 내용으로 가장 적절한 것은?

① 구청 측은 자신의 이익과 입장만을 고수하고 있다.

② 학교 측은 구청 측과의 협상 자체를 회피하고 있다.

③ 학교 측은 자신의 이익을 극대화하기 위해 구청 측의 양보를 강요하고 있다.

④ 구청 측은 학교 측과의 관계를 통해 얻을 수 있는 이익을 우선순위에 두고 있다.

⑤ 학교 측과 구청 측은 서로의 의견을 조정하고 양보하며 입장 차이를 좁히고 있다.

서술형

30. 학교 측과 학생 대표가 ㉠에 대한 근거로 제시한 것을 서술하시오.

[1~3] 다음 글을 읽고 물음에 답하시오.

가 윷놀이는 윷가락을 던지고 말[馬]을 사용하여 승부를 겨루는 우리나라 고유의 민속놀이이다. 윷놀이는 중국의 '저포'라는 놀이에서 전래되었다는 이야기도 있지만, 우리나라에서는 이미 삼국 시대 이전부터 널리 행해져 왔다. 부여의 왕이 다섯 종류의 가축을 다섯 마을에 나누어 주고, 그 가축을 잘 번식시키기 위하여 윷놀이를 하였다고 한다. 그래서 윷을 던졌을 때 나오는 결과를 이르는 말인 '도, 개, 걸, 윷, 모'를 '돼지, 개, 양, 소, 말'에 비유하기도 한다.

나 윷을 던졌을 때 나오는 결과는 도, 개, 걸, 윷, 모 다섯 가지이다. 윷이 모두 엎어지면 '모', 네 개 모두 잦혀지면 '윷', 세 개가 엎어지고 한 개가 잦혀지면 '도', 두 개가 엎어지고 두 개가 잦혀지면 '개', 한 개가 엎어지고 세 개가 잦혀지면 '걸'이라고 한다. 도는 1점, 개는 2점, 걸은 3점, 윷은 4점, 모는 5점을 얻는다. 그리고 모나 윷이 나오면 '사리'라 하여 윷을 한 번 더 던지는 권리가 주어지므로 많은 점을 얻을 수 있다. 또 '낙'이라는 규칙이 있는데, '낙'은 윷을 던졌을 때 윷가락이 윷판 밖으로 나가는 것을 이른다. '낙'이 되면 나온 점이 무효가 되고 윷을 던지는 기회가 상대편으로 넘어간다.

다 윷놀이는 말을 움직이는 데 머리를 많이 써야 한다. 승패가 굳어져 가다가도 한순간에 바뀔 수 있기 때문이다. 우리 편이 지는가 싶다가도 앞에 가는 상대편의 말을 잡을 수 있고, 우리 편이 이기는가 싶다가도 우리말이 상대편에게 잡힐 수도 있다. 또 우리의 인생처럼 때로는 지름길로 가고 때로는 한 바퀴를 빙 돌아가는 등 변화가 다양하여 언제 역전이 될지 모르는 묘미를 느낄 수 있는 놀이이다.

라 윷놀이는 원래 정월 무렵에 농민들이 그해 농사가 높은 지대에서 잘될까, 낮은 지대에서 잘될까를 점치는 옛날 풍습 중 하나였다. 그러나 오늘날에는 계절에 관계없이 남녀노소 누구나 즐기는 놀이가 되었다.

1. 윗글을 통해 알 수 있는 정보가 아닌 것은?

① 윷놀이의 개념 　　② 윷놀이의 규칙
③ 윷놀이의 기원 　　④ 윷놀이의 재미
⑤ 윷놀이의 종류

2. (라)에 대한 설명으로 가장 적절한 것은?

① 정의의 방식을 통해 대상의 속성을 밝히고 있다.
② 대조의 방식을 통해 대상의 변화를 설명하고 있다.
③ 점층의 방식을 통해 대상의 확대 과정을 서술하고 있다.
④ 과정의 방식을 통해 대상이 발전해 온 순서를 보여 주고 있다.
⑤ 비유의 방식을 통해 대상에 대한 인상을 구체적으로 드러내고 있다.

3. 윗글을 수정·보완하기 위해 세운 계획으로 가장 적절한 것은?

① 윷놀이의 묘미를 설명하는 부분은 인과 구조로 내용을 재조직한다.
② 과정의 방식을 활용해 '윷놀이의 변천 과정'을 설명하는 문단을 추가한다.
③ 비교와 대조의 표현 방법으로 윷놀이와 저포의 차이점과 공통점을 강조한다.
④ 인터넷에서 윷놀이를 할 때 '낙'이 나오지 않도록 하는 요령을 찾아 제시한다.
⑤ 윷놀이의 재미를 나타내는 부분은 윷놀이에 대한 부정적 인식을 심어 줄 수 있으므로 삭제한다.

[4~6] 다음 글을 읽고 물음에 답하시오.

저는 제 꿈을 이루기 위해 영어 교육과에 지원하게 되었습니다. 제 꿈은 영어 교사가 되는 것입니다. 이것저것 되고 싶은 것이 많았던 초등학교 시절, 어린 제자들을 ㉠애지중지 사랑으로 보살펴 주시던 5학년 때 담임 선생님 덕분에 제 꿈은 구체화되었습니다. 이후 여러 선생님들을 만나면서 누군가를 가르치는 일이 무엇보다 의미 있는 일이라는 생각이 확고해졌습니다. ㉡그때는 무엇보다 그림을 그리는 일에 몰두했습니다. 그리고 고등학교 때, 가장 자신 있는 과목인 영어를 가르치는 교사가 되겠다고 결심했습니다. 영어 교사가 되고자 마음먹은 후부터는 영어 선생님들의 수업 방식에 관심을 기울였습니다. 특히 선생님께서 문법이 부족한 학생을 지도하는 방법과 회화가 부족한 학생을 지도하는 방법 등을 ⓒ유난히 살폈습니다. ⓓ또한 영어 수행 평가를 할 때 다른 친구들을 도와가며 누구보다 열심히 했습니다. 모둠별로 상황극을 만들어 영어로 발표하는 수행 평가에서는 '한정식을 주문하는 외국인에게 우리나라의 음식을 설명하면서 벌어지는 상황'을 재미있게 ⓔ표현하게 되어 좋은 평가를 받았습니다.

저는 주말이면 복지 회관에 가서 몸이 불편한 노인들을 도와 드리는 일을 했습니다. 주로 그분들에게 옷을 입혀 드리고, 머리를 빗겨 드리거나 목욕을 도와 드리는 일을 했습니다. 처음의 낯설고 서먹했던 감정은 봉사 활동을 하면서 점점 정다운 마음으로 바뀌었습니다. 날마다 헤어지는 연습을 했을 그분들이 저를 따뜻하게 안아 주셨을 때, 봉사와 나눔은 일방적인 것이 아니라 상호적인 것임을 깨달았습니다.

고등학교 3년 동안 학교생활을 성실히 하면서 영어 교사의 꿈을 키웠고, 이제 새로운 배움을 얻고자 합니다. 배우고 가르치고 나누면서 생각한 교사의 꿈을 이루기 위해 영어 실력도 더욱 단단히 다지고자 합니다. 교사는 학생과 소통하는 일이 무엇보다 중요하다고 생각하기에 심리학, 상담 기법 등도 공부하고 싶습니다. 기회가 주어진다면 어학연수를 통해 외국의 국어 교육, 즉 영어 교육의 현장도 살펴볼 것입니다.

루소는 '교육의 목적은 기계가 아니라 인간을 만드는 데 있다.'라고 하였습니다. 저는 이 말을 좌우명으로 삼아 학생들의 마음속에는 인성을, 머릿속에는 지성의 씨앗을 뿌리는 교사가 되기 위해 노력할 것입니다. 이런 저의 모습은 ○○대학교 영어 교육과에서 바라는 학생의 모습이 아닐까 합니다.

4. 윗글에 대한 설명으로 가장 적절한 것은?

① 독자에게 문제 해결을 제안하기 위해 쓰는 글이다.
② 독자에게 자기가 어떠한 사람인지를 알리는 글이다.
③ 독자와 관계를 원만하게 유지하고 발전시키기 위해 쓰는 글이다.
④ 자기 자신을 관찰하고 그 절차와 결과를 독자에게 알리는 글이다.
⑤ 대상에 대한 자기의 관점을 수립하여 주장이 잘 드러나게 쓰는 글이다.

수능형

5. 〈보기〉의 ⓐ~ⓔ 중에서 윗글에 반영되지 않은 것은?

〈보기〉

　자기소개서에는 무엇을 써야 할까? ⓐ먼저 영어 교사가 되고자 하는 꿈을 가지게 된 계기를 쓰고, ⓑ영어 교사가 되기 위해 영어 공부에 열중했던 모습도 다루어야겠어. ⓒ영어 실력을 활용하여 봉사 활동을 했던 경험과 ⓓ앞으로 어떻게 공부할 것인지를 밝힌 뒤 ⓔ교육과 관련된 명언을 활용하여 마무리를 하면 되겠어.

① ⓐ　　② ⓑ　　③ ⓒ　　④ ⓓ　　⑤ ⓔ

6. ⊙~⊕을 고쳐 쓰기 위한 계획으로 적절하지 않은 것은?

① ⊙: '애지중지'와 '사랑으로'는 의미가 유사하므로 둘 중 하나를 삭제한다.
② ⊙: 앞뒤 문장과 연결이 자연스럽지 않으므로 삭제한다.
③ ⓒ: 문맥상 의미 연결이 어색하므로 '유심히'로 고친다.
④ ⓓ: 앞뒤의 문장이 대립적인 의미를 지니고 있으므로 '그러나'로 고친다.
⑤ ⓔ: 쓸데없는 피동 표현이 사용되었으므로 '표현하여'로 고친다.

[7-8] 다음 글을 읽고 물음에 답하시오.

가 보고서의 목적과 의의

최근 우리가 사는 지역에 있는 남한산성과 똑같은 제목의 영화가 상영되었다. 그 영화를 통해 우리 지역의 남한산성도 덩달아 주목을 받았다. 우리는 남한산성을 알고는 있었지만, 그곳에 어떤 역사적 의미가 있는지는 잘 모르고 있던 게 사실이다. 이에 우리 모둠에서는 남한산성에 관한 자료를 조사하고, 답사를 통해 남한산성의 역사적 의미를 탐구해 보기로 하였다. 이 보고서가 우리 지역의 건축물에 담긴 역사를 알고, 그 유물의 가치를 제대로 인식하는 계기가 되었으면 한다.

나 남한산성의 역사와 현대의 가치

남한산성은 삼국 시대 때 축조된 이후 이런저런 전란을 겪었다. 가장 널리 알려진 사건은 병자호란이다. 병자호란은 조선 인조 14년 청나라가 조선을 침입하여 일어난 전쟁이다. 병자호란 당시 인조는 남한산성으로 피란하여, 45일간 청나라 군사에 맞서 싸웠다. 하지만 식량 부족 문제와 왕실 가족이 피란해 있던 강화도가 점령되는 사건 등으로 인조는 어쩔 수 없이 청나라 군사에게 항복한다. 이때 45일간 남한산성 안에서 벌어졌던 주화파와 척화파의 논쟁은 현대인에게도 유의미하다. 이런 까닭으로 남한산성은 다양한 문화 콘텐츠로 제작이 되었는데, 특히 김훈의 「남한산성」을 원작으로 하여 철저한 역사적 고증을 거친 영화 「남한산성」이 제작되어 화제가 되었다. 당시 굴욕의 역사를 다시 생각하게 하는 두 충신의 뜨거운 말은 현대를 살아가는 오늘날의 우리에게도 많은 것을 생각하게 만드는 역사적 교훈이었다.

이런 역사적 배경을 지닌 남한산성은 2014년, 우리나라의 문화유산으로는 11번째로 유네스코(UNESCO) 세계 문화유산으로 지정되었다. 이는 남한산성이 우리 민족뿐 아니라 세계적으로도 가치가 있으며 보존해야 할 문화유산임을 인정받은 것으로 해석할 수 있다.

다 탐구 소감

다양한 자료를 조사하며 남한산성의 역사와 문화를 이해하고, 최○○ 남한산성 문화유산 지도 선생님의 설명을 들으면서 탐방로 곳곳을 거닐었다. 지금은 관광지로 사랑받고 있는 남한산성. 그 산성의 돌무더기 하나, 나무 한 그루마다 굴곡진 우리의 역사가 담겨 있음을 새삼 느끼게 되었다. 우리의 역사는 여전히 살아 숨 쉬고 있으며, 그 숨결에 많은 울림이 전해지고 있다는 생각이 들었다. 탐구 보고서를 쓰면서 우리 모둠원들은 우리 지역에 있는 소중한 문화유산을 바르게 아는 것이 곧 역사에 동참하는 행동이라는 이야기를 나누었다. 우리 문화유산을 계승하고 창조하는 것, 그것은 역사가 살아 있는 우리 문화유산에 관한 바른 이해에서 시작하는 것이다.

7. 윗글에 대한 설명으로 적절하지 <u>않은</u> 것은?

① (가)의 내용에 따라 (나)의 내용을 생성하였다.

② (가)에는 (나)를 쓰게 된 이유가 제시되어 있다.

③ (가)에서 언급한 답사의 과정을 (다)에서 구체적으로 제시하고 있다.

④ (나)에서는 (가)에서 언급한 영화 「남한산성」을 소개하고 있다.

⑤ (다)에서는 남한산성에 대해 탐구하면서 생각하고 느낀 점을 제시하며 보고서를 마무리하고 있다.

서술형

8. 〈보기〉의 자료를 (나)에 추가하여 얻을 수 있는 효과에 대해 서술하시오.

〈보기〉
"죽음은 견딜 수 없고 치욕은 견딜 수 있사옵니다."
– 청과의 화친을 통해 위기를 극복하려 하는 최명길의 굳은 신념을 고스란히 담아낸 대사

"오랑캐에게 무릎을 꿇고 삶을 구걸하느니 사직을 위해 죽는 것이 신의 뜻이옵니다."
– 죽음을 각오하고 청과 맞서 싸워 대의를 지키고자 했던 김상헌의 곧은 기개를 느끼게 하는 대사

[9~11] 다음 글을 읽고 물음에 답하시오.

보건복지부는 내년 2월 '연명의료결정법' 시행을 앞두고 23일부터 시범 사업을 실시한다고 밝혔다. 연명의료결정법이 시행되면 회생 가능성이 없는 환자가 자신의 결정이나 가족의 동의에 따라 연명 치료를 받지 않거나 중단할 수 있다. 다만 통증 완화를 위한 진통제 투여나 영양분·물·산소 공급 등은 중단할 수 없다.

존엄사 인정을 반대하는 사람 중에는 존엄사와 안락사를 혼동하는 경우도 적지 않다. 존엄사는 안락사와 엄연히 다르다. ㉠ 존엄사가 자연스럽게 생을 마감하는 것이라면 안락사는 죽음을 의도적으로 유도한다는 점에서 차이가 있다. 존엄사는 '임종 과정에 있는 환자'만 선택할 수

있다. 임종 과정에 있는 환자란 회생 가능성이 없다는 의학적 판단을 받은 환자다. 반면 안락사는 회복 불능의 환자가 자신의 결정으로 고통에서 벗어나기 위해 의료적 조치를 하는 것을 말한다. ⓛ 이런 점들을 고려할 때 과연 존엄사와 안락사를 같다고 할 수 있을까?

ⓒ 존엄사는 영국·네덜란드·타이완·프랑스 등 여러 나라에서 법적으로 인정하고 있다. 한국 사회에서도 반대 의견이 없는 것은 아니지만 존엄사를 인정해야 한다는 데는 공감대가 형성돼 있다. 2013년 한국보건사회연구원의 조사에서는 65세 이상 노인의 89%가 무의미한 연명 치료를 반대했다. 하지만 한국인은 생의 마지막 10년 중 절반을 질병으로 앓다가 세상을 떠난다는 통계가 말해 주듯 '죽음의 질'이 나쁜 편이다. 영국 ○○ 연구소가 2015년 40개국을 대상으로 한 '죽음의 질' 조사에서 한국은 최하위권인 32위를 차지했다. 게다가 한 해 전체 사망자의 20%가 심폐 소생술이나 항암제 투여 등으로 고통을 겪으며 죽음에 이르고 있다.

연명의료결정법이 본격적으로 시행되기 전에 준비해야 할 일이 많다. 2015년 7월부터 호스피스에 건강 보험이 적용된 것 말고는 존엄사를 배려하는 제도적 장치는 미흡한 상태다. 전국 완화 의료 전문 기관 81곳을 통틀어 호스피스 병상은 1,321개에 불과하다. 전체 말기 암 환자의 10% 수준이다. 정부는 연명 치료를 거부한 환자들이 호스피스 서비스를 받을 수 있도록 기반 시설을 서둘러 구축해야 할 것이다. 아울러 연명 치료 중단이 생명 경시로 흐르지 않도록 의료 윤리 교육도 강화해야 한다. ② 복지 국가라면 시민들의 삶의 질을 개선하는 것 못지않게 죽음의 질을 높이는 데도 전력을 다하지 않으면 안 된다. ⓜ 품위 있는 죽음은 인간이 누릴 수 있는 마지막 복지이기 때문이다.

9. 윗글에 대한 설명으로 가장 적절한 것은?

① 구체적인 사례를 통해 주장을 뒷받침하고 있다.
② 특정 독자를 대상으로 자신의 주장을 펼치고 있다.
③ 구체적인 수치와 자료의 출처를 밝혀 논거의 신뢰성을 확보하고 있다.
④ 독자에게 경각심을 불러일으키기 위해 극단적인 상황을 가정하고 있다.
⑤ 전문가의 말을 인용하여 상대방의 주장을 반박하는 근거로 사용하고 있다.

10. ㉠~㉤에 대한 설명으로 적절하지 않은 것은?

① ㉠: 대조법을 사용하여 존엄사와 안락사의 차이점을 강조하고 있다.
② ㉡: 설의적 표현을 통해 존엄사와 안락사는 엄연히 다른 것임을 강조하고 있다.
③ ㉢: 열거법을 사용하여 존엄사에 대한 공감대 형성의 필요성을 강조하고 있다.
④ ㉣: 이중 부정을 통해 죽음의 질을 높이는 데 국가적 노력이 필요함을 강조하고 있다.
⑤ ㉤: 비유적 표현을 사용하여 존엄사의 필요성을 강조하고 있다.

11. 윗글을 읽은 독자의 반응으로 적절하지 않은 것은?

① 지금까지는 환자가 연명 치료를 거부하는 게 불가능했구나.
② 존엄사가 차질 없이 진행되려면 부족한 시설을 보완해야겠군.
③ 존엄사가 국가적으로 허용되어야 진정한 복지 국가라고 할 수 있구나.
④ 한국인의 죽음의 질이 나쁜 것은 존엄사를 허용하지 않았던 것도 영향이 있겠군.
⑤ 존엄사와 안락사는 죽음에 대한 인위적 조치를 하느냐, 하지 않느냐로 구분할 수 있군.

[12-14] 다음 글을 읽고 물음에 답하시오.

가 먼저 일자리가 줄면서 생기는 실업자를 어떻게 할 것인가? 사람의 일자리를 인공지능 로봇이 차지하면, 사람은 실업자로 전락해 부양 대상자가 된다. 세금은 취업자의 근로 소득에서 나오는데 취업자가 줄어드니, 정부는 조세 수요를 충당하기 위해 세율을 높일 것이고, 근로 소득자들은 이에 저항할 것이다. 결국 취업자도 불만이고 실업자도 불만인 사회가 될 수밖에 없다. 이러한 상황은 새로운 세원의 발굴을 통해 해결할 수 있다. 지금부터라도 '로봇세'를 부지런히 연구해야 하는 이유이다.

나 로봇에 세금을 부과하는 방안은 크게 두 가지가 있다. 첫째는 로봇이 창출하는 부가 가치에 세금을 부과하는 것이다. 이를 위해서는 로봇을 부가 가치를 창출하는 독립적 경제 활동 주체로 인정해야 한다. 현행 부가가치세법 시행령 제8조에서는 무인 자동판매기가 위치한 장소를 사업장으로 보고, 각 무인 자동판매기마다 사업자 등록번호를 부여하여 세금을 매기고 있는데, 이 개념을 확대 적용하면 된다. 두 번째는 로봇을 재산으로 간주하여 재산세를 부과하는 방법이다. 재산세는 토지·주택·자동차 등에 부과하는데, 여기에 로봇을 추가하면 된다.

다 그렇다 해도 로봇세 도입은 말처럼 간단하지 않다. 로봇세 도입을 반대하는 이들은 세금을 부과하면 로봇 산업의 발전이 지체돼 국제 경쟁에서 뒤처질 것이라는 주장을 편다. 로봇세를 먼저 도입할수록 이러한 문제에 직면할 가능성이 크다. 그러므로 더 이상 세수입을 확보할 수 없어 사회가 견디기 어려울 때 로봇세를 도입하면 된다. 또한, 어떤 로봇에 세금을 부과해야 하는지에 관한 기준이 명확하지 않다는 것도 로봇세 도입을 반대하는 이들이 제기하는 주요 문제 중 하나이다. 이 문제는 한꺼번에 모든 로봇에 과세하려 하지 않고 부과 가능한 것부터 하나씩 시작하면 해결할 수 있다.

라 4차 산업 혁명의 시대적 흐름 속에서 기술은 효율성을, 제도는 인간성을 추구해야 한다. 즉 기술 발전에 따라 제도를 개선해 인간 중심의 사회를 이어 가야 한다. 4차 산업 혁명이 만들어 낼 미래 사회에서 기존의 근로·복지·조세 제도는 온전하게 존속할 수 없을 것이다. 로봇세가 이런 문제를 해결하는 방안이 될 수 있다. 이에 로봇세 도입을 위한 연구와 논의를 당장 시작할 필요가 있다.

12. 윗글에 대한 설명으로 적절하지 <u>않은</u> 것은?

① 독자를 설득하기 위한 목적으로 쓰는 글이다.
② 현안에 대한 자기 생각을 밝히고 있는 글이다.
③ 근거를 들어 개인적인 의견을 개진하고 있는 글이다.
④ 다수의 독자를 대상으로 하는 공적인 성격의 글이다.
⑤ 대상에 대한 독자의 정서 반응에 초점을 맞추어 쓰는 글이다.

13. 윗글의 내용을 <u>잘못</u> 이해한 것은?

① 로봇세 도입은 인간의 일자리 감소와 맞물려 있다.
② 로봇세를 도입하면 로봇 산업이 침체되어 경제 전반에 악영향을 미친다.
③ 로봇세를 시행하려면 로봇의 법적 지위를 인정하거나 로봇을 재산으로 간주해야 한다.
④ 로봇세는 로봇이 인간을 대신하게 되어 발생할 수 있는 세수(稅收) 부족을 대비하기 위한 것이다.
⑤ 로봇세는 로봇으로 인한 실업자와 세금 부담이 늘어나는 근로 소득자들의 불만을 없애기 위한 것이다.

서술형

14. 필자의 주장을 쓰고, 필자의 주장이 설득력 있게 받아들여진다면 우리 사회에 어떤 영향을 미칠지 서술하시오.

_____

[15-17] 다음 글을 읽고 물음에 답하시오.

가 대한의료협회 회장님께.

존경하는 회장님! 저는 행복고등학교에 다니는 김상진입니다. 회장님께 간곡히 부탁드릴 말씀이 있어 이 글을 올립니다. 그것은 현재 화장품이나 의약품 개발을 위해 시행되고 있는 동물 실험을 막아 달라는 것입니다.

저는 얼마 전 학교에서 실시한 토론 대회를 통해 동물 실험의 심각성을 알게 되었습니다. ㉠약품 개발뿐만 아니라 화장품 개발이나 성형 시술을 위해서도 동물들이 죽어 간다는 사실에 놀라지 않을 수 없었습니다.

나 존경하는 회장님! 신약이나 화장품의 부작용을 확인하기 위해 해마다 전 세계에서 1억 5천만 마리 정도의 동물들이 희생되고 있다는 사실을 알고 계십니까?

동물은 인간과 다릅니다. 인간에게 투여할 의약품을 동물에게 실험해서는 안 됩니다. 동물 실험에 사용되는 방법과 동물의 복용량은 인간이 처한 실제 상황과는 차이가 있습니다. 또한, 인간이 가진 질병 3만 가지 가운데 동물이 공유하는 질병은 1.16%에 불과하므로 동물 실험의 결과가 인간을 치료하는 데 큰 도움이 되지 않습니다. 실제로 클리오퀴놀이나 페니실린 등은 인간과 동물에게서 완전히 다른 효과를 나타내었다고 합니다. 동물 실험 결과를 믿고 인간에게 약물을 투여했다가는 오히려 인간을 위험에 빠뜨릴 수도 있습니다.

다 최근에는 사람의 장기와 똑같은 기능을 하지만 크기는 작은 '오가노이드'로도 동물 실험을 대신할 수 있습니다. 이와 같은 대체 실험법을 활용하면 잔인한 방법으로 동물 실험을 하지 않아도 되고, 실험으로 고통 속에서 죽어 가는 수많은 동물들을 살릴 수 있습니다. 그런데도 동물 실험을 계속하는 것은 자연에 폭력을 행사하는 것입니다.

라 회장님! 저희 집에는 햄스터 두 마리가 살고 있습니다. 제가 학교에서 돌아오면 그 녀석들이 얼마나 행복해하는지 모릅니다. 동물은 존중받아야 할 생명체이며, 인간을 위한 실험의 대상이 아닙니다. 이제는 동물 실험을 대체할 방법도 다양하게 연구되고 있습니다.

존경하는 회장님! 사람이 동물과 함께 꿈을 꾸고 행복을 나누며 살아갈 수 있도록 동물 실험을 막아 주십시오.
끝까지 읽어 주셔서 고맙습니다.

15. 윗글에 대한 설명으로 적절하지 <u>않은</u> 것은?

① 건의문의 형식에 따라 내용을 전개하고 있다.
② 문제 상황에 대한 해결 방법을 제시하고 있다.
③ 설문 조사 결과를 제시하여 설득력을 높이고 있다.
④ 독자의 감성에 호소하는 설득 전략을 사용하고 있다.
⑤ 다양한 표현 전략을 사용하여 건의 내용을 전달하고 있다.

16. 필자가 윗글을 쓰기 전에 세운 계획으로 적절하지 <u>않은</u> 것은?

① 예의 바른 태도로 공손하게 표현하자.
② 내가 경험한 것을 바탕으로 이야기하자.
③ 수신자를 환기하며 건의 내용을 반복하자.
④ 수신자에게 건의하는 사항을 직접 밝히자.
⑤ 설의적 표현을 사용하여 수신자의 잘못을 지적하자.

서술형

17. ㉠에 사용된 표현 전략과 그 효과를 서술하시오.

[18~22] 다음 글을 읽고 물음에 답하시오.

가 재작년이던가, 여름날에 있었던 일이다. 날씨가 화창하여 밀린 빨래를 해치웠었다. 성미가 비교적 급한 나는 빨래를 하더라도 그날로 풀을 먹여 다려야지 그렇지 않으면 찜찜해서 ㉠심기가 홀가분하지 않다. 그날도 여름 옷가지를 빨아 다리고 나서 노곤해진 몸으로 마루에 누워 쉬려던 참이었다. 팔베개를 하고 누워서 서까래 끝에 열린 하늘을 무심히 바라보고 있었다. 그러다가 모로 돌아 누워 산봉우리에 눈을 주었다. 갑자기 산이 달리 보였다. 하, 이것 봐라 하고 나는 벌떡 일어나, 이번에는 가랑이 사이로 산을 내다보았다. 우리들이 어린 시절 동무들과 어울려 놀이를 하던 그런 모습으로.

그건 새로운 발견이었다. 하늘은 호수가 되고, 산은 호수에 잠긴 그림자가 되었다. 바로 보면 굴곡이 심한 산의 능선이 거꾸로 보니 훨씬 ㉡유장하게 보였다. 그리고 숲의 빛깔은 원색이 낱낱이 분해되어 멀고 가까움이 선명하게 드러나 얼마나 아름다운지 몰랐다. 나는 하도 신기해서 일어서서 바로 보다가 다시 거꾸로 보기를 되풀이했었다.

이러한 동작을 누가 지켜보고 있었다면 필시 미친 중으로 여겼을 것이다. 그러나 여기에서 나는 새로운 사실을 캐낼 수 있었다.

우리가 일상적으로 사람을 대하거나 사물을 보고 인식하는 것은 틀에 박힌 고정 관념에 지나지 않는다. 그렇기 때문에 이미 알아 버린 대상에서는 새로운 모습을 찾아내기 어렵다. 아무개 하면, 자신의 인식 속에 들어와 이미 굳어 버린 그렇고 그런 존재로밖에 볼 수가 없는 것이다. 이건 얼마나 그릇된 오해인가. 사람이나 사물은 끝없이 형성되고 변모하는 것인데.

그러나 보는 각도를 달리함으로써 그 사람이나 사물이 지닌 새로운 면을, 아름다운 비밀을 찾아낼 수 있다. 우리들이 시들하게 생각하는 그저 그렇고 그런 사이라 할지라도 선입견에서 벗어나 맑고 따뜻한 '열린 눈'으로 바라본다면 시들한 관계의 틀에 생기가 돌 것이다.

나 세계는 캄캄했다. 나는 인간의 삶과 세계를 밝혀 주는 빛을 ㉢갈구하고 있었다. 이 무렵 나는 동래에서 당시 세계적으로 영향을 미치고 있던 사르트르와 실존주의에 대한 일본어 번역서를 적지 않게 갖고 있던 양병식 씨를 우연히 알게 되었다. 그의 서가에는 현재 정확히 그 제목이 기억나지 않지만 『존재와 무』에 담겨 있는 사르트르의 실존 철학을 해설한 책이 있었다. 나는 그 책을 통해서 그때까지 말로만 듣던 사르트르의 실존주의야말로 내가 품고

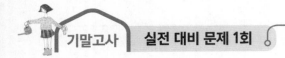

있던 세상과 삶에 대한 모든 물음의 해답을 갖고 있다는 느낌을 강하게 가졌다. 앞으로의 삶에 대한 전망이 전혀 보이지 않는 절망적 상황에서 지적 혼돈과 정서적 허무주의라는 수렁에서 헤매고 있던 나에게 사르트르의 실존주의는 지적 ⓔ혼미에서 벗어나도록 세상을 밝혀 주는 한 줄기 빛이자, 정서적 허무주의의 수렁에 비친 한 줄기 구원의 손길로 느껴졌다. 이러한 신념은 그 후 10년 가까이 지난 1962년 초 파리에서 ⓕ방대한 양의 『존재와 무』를 원서로 몇 번이나 읽고 또 읽고, 그에 대한 수많은 해설과 논평을 읽은 후에도 근본적으로 변하지 않았다.

사르트르와 그의 실존주의를 처음 만난 후 반세기가 지난 오늘날 나는 그의 철학에 과거처럼 전적으로 공감하지는 않는다. 세계와 인간의 모든 문제가 그의 실존주의 하나만 가지고서 만족스럽게 조명되거나 설명되지 않으며, 시원하게 풀리지도 않는다고 생각한다. 그러나 한 가지 확실한 것은 사르트르와의 만남이 나의 운명을 바꾸었고, 『존재와 무』의 독서와 사르트르에 관한 수많은 책들이 나의 삶을 때로는 고독과 고통으로, 때로는 열정과 긍지로 충만케 했다는 사실이다. 사르트르를 만나지 않았더라면 나는 서른이 넘은 나이에 지적 모험심으로 힘든 방랑의 길에 나서지 않았을 것이고, 실존주의와 접하지 않았더라면 나는 현재의 나와 전혀 다른 인간이 되었을 것이다. 그 뒤에 알게 된 니체의 '망치로 하는 철학'과 더불어 사르트르의 실존주의 철학은 인생을 보는 시각과 삶에 대한 오늘날의 나의 태도를 형성하는 데 결정적인 요인이 되었다.

18. (가)와 (나)에 대한 설명으로 가장 적절한 것은?

① (가)는 간접 체험을 바탕으로, (나)는 직접 체험을 바탕으로 내용을 구성하고 있다.
② (가)는 개인의 삶에 대해 성찰한 내용을, (나)는 일상적 체험에서 느낀 정서를 표현하고 있다.
③ (가)에는 독자에게 영향을 줄 수 있는 필자의 깨달음이, (나)에는 필자가 철학가로부터 영향을 받은 사상의 내용이 담겨 있다.
④ (가)와 (나)는 삶의 고비를 이겨 내는 삶의 태도를 강조하고 있다.
⑤ (가)와 (나)는 사색을 통해 얻은 깨달음을 바탕으로 독자에게 삶에 대한 철학적 질문을 던지고 있다.

19. (가)와 (나)의 필자가 대화를 나눈다고 할 때, 그 내용으로 적절하지 않은 것은?

① (가)의 필자: 어느 날 거꾸로 보기를 했더니 세상이 달리 보이더군요.
② (나)의 필자: 저는 지적으로 방황할 때 사르트르의 실존주의와 만났습니다.
③ (가)의 필자: 저는 거꾸로 보기를 통해 고정적인 틀에서 벗어나는 경험을 했습니다.
④ (나)의 필자: 저도 실존주의를 통해 기존에 제가 갖고 있던 선입견을 버릴 수 있었습니다.
⑤ (가)의 필자: 고정 관념에서 벗어나면 사람과 사물의 새로운 모습을 찾아낼 수 있습니다.

20. (가)에 대한 설명으로 가장 적절한 것은?

① 필자는 일상적인 경험을 통해 지난 삶을 성찰하고 있다.
② 필자는 사물을 연구하여 깨달은 사물의 참모습을 밝히고 있다.
③ 필자는 일화를 소개하며 그로 인해 얻은 깨달음을 전달하고 있다.
④ 필자가 세속적이지 않은 삶을 살며 도달한 종교적 진리를 설파하고 있다.
⑤ 필자가 수도 생활을 하며 명상을 통해 인식한 삶의 가치를 서술하고 있다.

21. (나)의 필자에 대한 설명으로 가장 적절한 것은?

① 필자의 서가에는 실존 철학에 관한 책이 여러 권 있었다.
② 필자는 동래에서 거주하던 시절 『존재와 무』를 원서로 읽었다.
③ 필자는 사르트르의 저서를 읽은 후 정서적 허무주의에 빠지게 되었다.
④ 사르트르의 실존주의 철학은 오늘날 필자의 태도를 형성하는 데 큰 영향을 미쳤다.
⑤ 필자는 실존주의 철학을 통해 세계와 인간의 모든 문제를 만족스럽게 조명할 수 있게 되었다.

22. 문맥상 ⊙ ~ ⑩의 의미로 적절하지 <u>않은</u> 것은?

① ⊙: 마음으로 느끼는 기분.

② ⓛ: 물 흐르듯 거침이 없음.

③ ⓒ: 간절히 바라며 구함.

④ ⓔ: 의식이 흐린 상태.

⑤ ⑩: 규모나 양이 매우 크거나 많음.

[23~27] 다음 글을 읽고 물음에 답하시오.

가 여러분이 누군가를 비난하고 다른 사람과 비교하면서 그 사람에게 죄책감이나 수치심, 두려움을 느끼게 해서 그 사람을 움직이게 할 수 있지만, ⊙그게 과연 옳은 방법일까요? 그 사람이, 그 행동을 어떤 마음으로 하는가를 생각해 본다면 우리의 언어, 태도, 방식을 바꾸어야 하는 충분한 이유를 찾을 수 있다고 생각해요.

그래서 ⓛ저는 '당신은 나에게 대항하고 있다.'가 아니라 '당신과 내가 함께 이 문제에 대항하고 있다.'로 우리의 관점을 바꾸기를 바랍니다.

그래서 '우리는 함께 이 문제를 해결할 것이다.'라고 생각하게 되면 우리 안에 있던 폭력성이 다른 힘으로 발현되고, 관계를 맺는 데 유익하게 작용하지 않을까 하는 생각을 했습니다.

이런 질문을 한번 드려 봐요. 지금 여기 계신 분들도 생각해 봐 주시면 좋겠어요.

태어나서 지금까지 살아오면서 단 한 번이라도 여러분 자신이 배우거나 성장하기 위해서 그리고 변화되기 위해서 '나는 욕설을 좀 들어야 하고 멸시와 무시를 당해야 한다.'라고 생각한 적이 있는지, 저는 묻고 싶습니다. ⓒ저는 이 질문에 "네, 저는 그렇게 생각해 본 적이 있습니다."라고 답하는 분을 본 적이 없습니다. 그런데 반대로 "그 사람은 무시를 당하거나, 욕을 먹어야만 변할 수 있다고 생각한 적이 있습니까?"라고 물으면 대부분 "네."라고 대답을 해요.

저는 우리 사회에 만연해 있는 폭력의 근간이 나는 그렇지 않다고 생각하면서 저 사람은, 나는 결코 원하지 않는 방식으로 대접을 받아도 된다는 생각 때문이 아닌지 묻고 싶어요. ⓔ폭력은 단 한 번이라도 정당화될 수 없고 사랑이라는 이름으로도 포장할 수 없는 것임을 분명히 알

았으면 좋겠습니다. 그래야만 어떻게 하면 저 사람과 내가 서로 비난하지 않으면서 서로 원하는 것들을 대화를 통해 이루어 나갈 수 있을까 하는 쪽으로 우리의 관점을 돌릴 수 있기 때문이죠.

대화는 나의 의식 체계가 말로써 표현되는 것이기 때문에, 저는 오늘 이 자리를 통해서 우리를 진정으로 변화시킬 수 있는 힘은 오직 사랑과 서로에 대한 존중, 배려라는 말씀을 드리고 물러날까 합니다. ⑩잘 들어 주셔서 감사합니다.

나 우리 반 최정구가 농구 대회에 참가하겠다는 이미선에게

"여자가 무슨 농구냐?"

라고 했다가 다툰 일이 있다. 반대로 농구 연습을 하고 있는 강성필에게 문여진이

"무슨 남자가 농구도 못 하냐?"

라고 했다가 싸움이 난 적도 있다.

이처럼 차별하는 말을 들은 사람은 마음의 상처를 받고, 자신을 방어하기 위해 공격적으로 변할 수 있다.

폭력적인 말의 폐해는 차별하는 말보다 더 심각하다. 넘어져서 생긴 상처는 약을 바르면 되지만 말로 인해 생긴 상처에는 약도 바를 수 없다.

얼마 전에는 인터넷을 통해 나눈 말 때문에 폭력대책위원회가 열렸다. 한 친구가 다른 친구의 말을 전하면서 오해가 생겼고, 단체 대화방에서 서로를 비방하고 협박하는 말을 한 것이 화근이었다.

나는 '당신은 지금 뭔가 잘못되었고, 나는 옳고, 그러니까 당신만 변하면 된다.'라는 생각, 즉 옳은 나에게 틀린 당신이 대항하고 있다는 생각이 우리의 화를 불러일으키고 폭력을 저지르게 한다는 생각이 들었다.

만약 친구들이 '네가 나에게 대항하고 있다.'라고 생각하지 않고, '우리가 함께 이 문제에 대항하고 있다.'라고 생각했다면 폭력적인 말은 하지 않았을 것이다.

'우리는 함께 이 문제를 해결할 것이다.'라고 우리가 생각하게 되면 우리 안에 있던 폭력성이 다른 힘으로 발현되고 관계를 맺는 데 유익하게 작용하지 않을까?

나보다 먼저 상대방의 입장을 헤아리는 사랑의 마음으로 사랑의 말을 하게 하시고 남의 나쁜 점보다는 좋은 점을 먼저 보는 긍정적인 마음으로 긍정적인 말을 하게 하소서

유명한 수녀님이 쓰신 시의 구절처럼 좋은 말이란 이런 말이겠구나 하는 생각을 해 본다.

23. (가)의 강연을 들은 학생이 (나)의 글을 썼다고 할 때, 〈보기〉를 참고하여 (나)를 점검한 내용으로 가장 적절한 것은?

〈보기〉

　다른 사람이 만든 창작물을 허락 없이 또는 출처를 밝히지 않고 자신의 것처럼 무단으로 베끼는 표절은 저작권 침해에 해당한다. 따라서 다른 사람의 창작물을 사용할 때는 저작권자의 허락을 받은 뒤 출처를 명확히 밝힘으로써 인용한 것임을 드러내야 한다.

① 강연자의 말을 인용할 때는 강연자가 누구인지 밝혀야 한다.

② 강연자의 말을 인용할 때는 정해진 문장 부호를 사용해야 한다.

③ 강연자의 말을 인용할 때는 그 말을 변형하거나 왜곡하지 않아야 한다.

④ 강연자의 말을 인용할 때는 적절한 상황에 효과적으로 인용하여야 한다.

⑤ 강연자의 말을 인용할 때는 인용의 범위가 어디까지인지 분명하게 드러나도록 해야 한다.

24. (가)의 강연의 주제로 가장 적절한 것은?

① 말이 폭력이 될 수 있음을 잊지 말자.

② 다른 사람에게 욕먹을 만한 말을 하지 말자.

③ 사람들을 긍정적으로 변화시키는 말을 하자.

④ 욕설을 줄이기 위해 우리의 인식을 전환하자.

⑤ 말을 할 때는 다른 사람에게 순서를 양보하자.

25. (가)의 강연자의 생각으로 적절하지 <u>않은</u> 것은?

① 우리의 대화 속에는 폭력이 만연해 있다.

② 폭력은 어떠한 이유로도 정당화할 수 없다.

③ 때로는 무시와 멸시가 성장의 밑거름이 되기도 한다.

④ 관점을 바꾸는 것만으로도 우리의 관계를 유익하게 만들 수 있다.

⑤ 사람을 진정으로 변화시킬 수 있는 힘은 서로에 대한 존중과 배려이다.

26. (나)에 대한 설명으로 적절하지 <u>않은</u> 것은?

① 구체적인 예를 제시하며 내용을 전개하고 있다.

② 안 좋은 일과 관련된 친구들의 이름은 가리는 것이 좋다.

③ 문제가 생긴 원인을 분석하며 문제 해결 방안을 제시하고 있다.

④ 운문을 인용하여 전달하고자 하는 주제를 요약적으로 제시하고 있다.

⑤ 자신의 잘못된 행동을 고친 경험을 시간 순서대로 제시하여 독자를 설득하고 있다.

27. ㉠～㉤에 대한 설명으로 적절하지 <u>않은</u> 것은?

① ㉠: 앞에서 말한 내용에 대해 의문을 제기함으로써 청중에게 생각할 여유를 주고 있다.

② ㉡: 사람들이 지닌 문제점과 그 문제의 해결 방안을 동시에 제시하고 있다.

③ ㉢: 자신과 다른 생각을 가진 사람들을 직접적으로 비판을 하고 있다.

④ ㉣: 유사한 의미를 지닌 어구를 반복함으로써 자신의 주장을 강조하고 있다.

⑤ ㉤: 청중들의 자세를 언급하며 감사의 인사로 강연을 마무리하고 있다.

[28~30] 다음 글을 읽고 물음에 답하시오.

　하루는 어디로 어디로 해서 어디로 좀 와 보라고 하기에 물어물어 찾아갔더니, 귀꿈맞게도 붕어니 메기니 하고 민물고기로만 술상을 보는 후미진 대폿집이었다.

　나는 한내를 떠난 이래 처음 대하는 민물고기 요리여서 새삼스럽게도 해감내가 역하고 싫었으나, 그는 흙탕 내도 아니고 시궁 내도 아닌 그 해감내가 문득 그리워져서 부득이 그 집으로 불러냈다는 것이었다.

　"㉠허울 좋은 하눌타리지, 수챗구녕 내가 나서 워디 먹겠나, 이까짓 냄새가 뭣이 그리워서 이걸 다 돈 주구 사먹어, 나 원 참, 취미두 별 움둑가지 같은 취미가다 있

구먼." / 내가 사뭇 마뜩잖아했더니

"그래두 좀 구적구적헌 디서 사는 고기가 하꾸라이버덤은 맛이 낫어."

하면서 그날사 말고 수그러들 기미를 보이지 않는 것이었다. 그가 자기주장에 완강할 때는 반드시 경험론적인 설득 논리로써 무장이 되어 있는 경우였다.

"무슨 얘기가 있는 모양이구먼."

"있다면 있구 읎다면 읎는디, 들어 볼라남?"

그는 이야기를 펼쳐 놓았다.

총수의 자택에 연못이 생긴 것은 그 며칠 전의 일이었다. 뜰 안에다 벽이고 바닥이고 시멘트를 들어부어 만들었으니 연못이라기보다는 수족관이라고 하는 편이 알맞은 시설이었다. 시멘트가 굳어지자 물을 채우고 울긋불긋한 비단잉어들을 풀어놓았다.

비단잉어들은 화려하고 귀티 나는 맵시로 보는 사람마다 탄성을 자아내게 하였으나, 그는 처음부터 흘기눈을 떴다. 비행기를 타고 온 수입 고기라서가 아니었다.

그 회사 직원의 몇 사람 치 월급을 합쳐도 못 미치는 상식 밖의 몸값 때문이었다.

"대관절 월매짜리 고기간디 그려?"

내가 물어보았다.

"마리당 팔십만 원씩 주구 가져왔댜."

그 회사 직원들의 봉급 수준을 모르기에 내 월급으로 계산을 해 보니, 자그마치 3년 4개월 동안이나 봉투째로 쌓아야 겨우 한 마리 만져 볼까 말까 한 값이었다.

"웬 늠으 잉어가 사람버덤 비싸다냐?"

내가 기가 막혀 두런거렸더니

"보통 것은 아닐러먼그려. 뺄어낸벤또(베토벤)나 뭬라나를 틀어 주면 또 그가락대루 따러서 허구, 차에코풀구싶어(차이콥스키)나 뭬라나를 틀어 주면 또 그 가락대루 따러서 허구, 좌우간 곡을 틀어 주는 대루 못 추는 춤이 읎는 순전 딴따라 고기닝께. 물고기두 꼬랑지 흔들어서 먹구사는 물고기가 있다는 건 이번에 그 집에서 츰 봤구먼."

그런데 이 비단잉어들이 어제 새벽에 떼죽음을 한 거였다. 자고 일어나 보니 죄다 허옇게 뒤집어진 채로 떠 있는 것이었다.

총수가 실내화를 꿴 발로 뛰어나왔지만 아무 소용없는 일이었다. / "어떻게 된 거야?"

한동안 넋 나간 듯이 서 있던 총수가 하고많은 사람 중에 하필이면 유자를 겨냥하며 물은 말이었다.

ⓒ"글쎄유, 아마 밤새에 고뿔이 들었던 개비네유."

유자는 부러 딴청을 하였다.

---

28. 윗글에 대한 설명으로 적절하지 <u>않은</u> 것은?

① 언어유희를 활용하여 인물의 외양을 희화화하고 있다.

② 주로 인물의 대화와 행동을 통해 사건을 서술하고 있다.

③ 하나의 대상을 놓고 두 인물의 갈등 상황을 보여 주고 있다.

④ 사투리를 사용하여 사건에 현장감과 실재감을 부여하고 있다.

⑤ 인물의 행동에 대한 이유를 지난 사건을 통해 알려 주고 있다.

29. ㉠과 바꾸어 쓸 수 있는 속담으로 가장 적절한 것은?

① 빛 좋은 개살구

② 공든 탑이 무너지랴.

③ 아니 땐 굴뚝에 연기 날까.

④ 참새가 방앗간을 그저 지나랴.

⑤ 콩 심은 데 콩 나고 팥 심은 데 팥 난다.

30. ㉡의 말하기 방식에 대한 설명으로 적절한 것은?

① 상대방의 입장이 되어서 그 마음을 이해하려고 노력한다.

② 상대방에게 자신의 잘못을 들킬까 봐 대화의 방향을 바꾼다.

③ 문제의 상황을 정확히 파악하고 그에 대한 해결책을 제시한다.

④ 상대방이 하는 말의 내용을 이해하지 못해 말끝을 얼버무린다.

⑤ 상대방의 마음을 알면서도 겉으로는 모르는 척하며 속을 태운다.

[1~4] 다음 글을 읽고 물음에 답하시오.

㉮ 토마토가 건강식품으로 주목받는 가장 큰 이유는 '리코펜' 때문이다. 토마토의 붉은색을 만드는 리코펜은 노화의 원인이 되는 활성 산소를 배출시켜 세포가 젊음을 유지할 수 있도록 해 준다. 또한, 리코펜은 남성의 전립샘암, 여성의 유방암, 소화기 계통의 암을 예방하는 데 효과가 있다. 토마토에 들어 있는 칼륨은 체내 염분을 몸 밖으로 배출시켜 우리나라 사람들의 짜게 먹는 식습관에서 비롯된 고혈압 예방에도 도움이 된다. 토마토는 다이어트에도 제격이다. 토마토 1개(200g)의 열량은 35kcal에 불과하며 수분과 식이성 섬유가 많아 포만감을 준다. 식사 전에 토마토를 먹으면 식사량을 줄일 수 있으며, 소화를 돕고 신진대사를 촉진하는 효과도 있다.

– 인터넷 백과사전

㉯ 01_ 토마토는 윗면에 칼집을 내고 끓는 물에 넣는다.
02_ 껍질이 일어나면 토마토를 건져 찬물에 헹군 뒤 껍질을 벗긴다.
03_ 토마토와 양파는 적당히 썰고, 마늘은 칼등으로 으깨어 준비한다.
04_ 믹서에 토마토, 양파, 마늘, 소주를 넣어 곱게 간 뒤, 체에 걸러 냄비에 쏟고 월계수 잎을 함께 넣는다.
05_ 센 불에 올려 끓기 시작하면 약한 불로 줄여 20분간 잘 저어 가며 끓이다가 꿀을 넣고 10분간 졸인다.
06_ 어느 정도 졸아들면, 식초와 소금을 넣고 간하고 월계수 잎을 건진다.
07_ 전분 물을 조금씩 넣어 가며 농도를 맞춰 한 번 더 끓인 뒤 충분히 식혀 밀폐 용기에 담는다.

– 김상영, 『양념 & 소스』

㉰ 기자 토마토는 올리브유와 볶아서 드시면 좋고요. 아보카도와 함께 먹으면 몸에 흡수가 더 잘되고요. 브로콜리를 함께 먹으면 전립샘 암을 예방하는 효과가 있다고 합니다.

– 와이티엔(YTN) 뉴스, 2015. 3. 31.

㉱ 빈속에 토마토를 먹으면 별로 좋지 않다는 사실 알고 계셨나요? 토마토는 탄닌산(tannic acid)을 다량 함유하고 있는데, 이는 위장 내의 산도를 높여 위염이나 궤양과 같은 위장 질환을 높일 수 있기 때문입니다.

– 블로그

㉲ 토마토는 칼륨 함량이 높아 신장병 환자는 조심해야 해요. 또 위산 과다, 역류성 식도염이 있는 사람들은 토마토를 많이 먹지 말아야 합니다. 토마토의 초록색 씨는 알레르기를 유발할 수 있어 아토피나 천식이 있는 사람들은 주의해야 한답니다. 고추, 파프리카와 같은 과인 토마토는 체질적으로 위장에 열과 산이 많은 사람에게 적합한 음식이 아니에요. 그 대신 소화 기능이 약하고 소화 효소 분비가 적은 사람들에게 적합한 음식이라고 할 수 있어요.

– ○○○ 병원 가정 의학과 전문의

1. (가)~(마)의 중심 내용으로 적절하지 **않은** 것은?

① (가): 토마토의 효용성
② (나): 토마토케첩을 만드는 방법
③ (다) 토마토와 함께 먹으면 좋은 음식
④ (라): 토마토의 위해성
⑤ (마): 토마토를 조심해야 하는 사람

2. 윗글을 통해 알 수 있는 정보로 가장 적절한 것은?

① 토마토케첩을 만들 때는 잡내 제거를 위해 월계수 잎을 넣어 준다.
② 토마토의 탄닌산 성분은 알레르기를 유발할 수 있어 천식 환자에게 좋지 않다.
③ 토마토는 아보카도와 같이 먹으면 좋지만 브로콜로와 함께 먹으면 좋지 않다.
④ 토마토에 들어 있는 칼륨은 우리의 몸에 있는 염분을 줄여 주는 역할을 한다.
⑤ 토마토는 고추, 파프리카와 같은 과에 속하는 음식으로 신장 기능이 약한 사람에게 적합하다.

3. (가)와 같은 자료의 특성으로 가장 적절한 것은?

① 최근 동향이 담긴 정보를 얻을 수 있다.
② 편향되거나 과장된 정보가 있을 수 있다.
③ 깊이 있는 정보를 얻는 데에는 한계가 있을 수 있다.
④ 주관적 편견이나 부정확한 내용을 담고 있는 경우가 많다.
⑤ 대상에 대한 설명이나 주제의 뜻을 명백하게 밝혀 규정할 수 있다.

4. (가)~(마) 중 다이어트를 하려는 친구에게 가장 가치 있는 정보로 적절한 것은?

① (가)   ② (나)   ③ (다)   ④ (라)   ⑤ (마)

서술형

5. 〈보기〉의 ㉠~㉢에서 잘못된 문장을 찾아 고쳐 쓰고, 그 문장의 오류를 모두 서술하시오.

〈보기〉

㉠ 심장 충격기는 심장에 일정량의 전기 충격을 주어 심장 박동을 정상 상태로 회복시켜 주는 기계이다. ㉡ 심장이 멈춘 심정지 환자를 발견하면 즉시 심폐 소생술을 실습해야 한다. ㉢ 심폐 소생술을 하는 중에 심장 충격기가 준비되면 지체 없이 심정지 환자에게 사용해야 한다.

[6-8] 다음 글을 읽고 물음에 답하시오.

저는 제 꿈을 이루기 위해 영어 교육과에 지원하게 되었습니다. 제 꿈은 영어 교사가 되는 것입니다. 이것저것 되고 싶은 것이 많았던 초등학교 시절, 어린 제자들을 따뜻하게 보살펴 주시던 5학년 때 담임 선생님 덕분에 제 꿈은 구체화되었습니다. 이후 여러 선생님들을 만나면서 누군가를 가르치는 일이 무엇보다 의미 있는 일이라는 생각이 확고해졌습니다. 그리고 고등학교 때, 가장 자신 있는 과목인 영어를 가르치는 교사가 되겠다고 결심했습니다. 영어 교사가 되고자 마음먹은 후부터는 영어 선생님들의 수업 방식에 관심을 기울였습니다. 특히 선생님께서 문법이 부족한 학생을 지도하는 방법과 회화가 부족한 학생을 지도하는 방법 등을 유심히 살폈습니다. 또한 영어 수행평가를 할 때 다른 친구들을 도와 가며 누구보다 열심히 했습니다. 모둠별로 상황극을 만들어 영어로 발표하는 수행 평가에서는 '한정식을 주문하는 외국인에게 우리나라의 음식을 설명하면서 벌어지는 상황'을 재미있게 표현하여 좋은 평가를 받았습니다.

저는 주말이면 복지 회관에 가서 몸이 불편한 노인들을 도와 드리는 일을 했습니다. 주로 그분들에게 옷을 입혀

드리고, 머리를 빗겨 드리거나 목욕을 도와 드리는 일을 했습니다. 처음의 낯설고 서먹했던 감정은 봉사 활동을 하면서 점점 정다운 마음으로 바뀌었습니다. 날마다 헤어지는 연습을 했을 그분들이 저를 따뜻하게 안아 주셨을 때, 봉사와 나눔은 일방적인 것이 아니라 상호적인 것임을 깨달았습니다.

고등학교 3년 동안 학교생활을 성실히 하면서 영어 교사의 꿈을 키웠고, 이제 새로운 배움을 얻고자 합니다. 배우고 가르치고 나누면서 생각한 교사의 꿈을 이루기 위해 영어 실력도 더욱 단단히 다지고자 합니다. 교사는 학생과 소통하는 일이 무엇보다 중요하다고 생각하기에 심리학, 상담 기법 등도 공부하고 싶습니다. 기회가 주어진다면 어학연수를 통해 외국의 국어 교육, 즉 영어 교육의 현장도 살펴볼 것입니다.

루소는 '교육의 목적은 기계가 아니라 인간을 만드는 데 있다.'라고 하였습니다. 저는 이 말을 좌우명으로 삼아 학생들의 마음속에는 인성을, 머릿속에는 지성의 씨앗을 뿌리는 교사가 되기 위해 노력할 것입니다. 이런 저의 모습은 ○○대학교 영어 교육과에서 바라는 학생의 모습이 아닐까 합니다.

6. 위와 같은 글을 쓰는 방법으로 적절하지 <u>않은</u> 것은?

① 자신의 생각이나 경험을 진솔하게 쓴다.
② 주어진 조건을 확인하고 그에 맞게 쓴다.
③ 읽는 사람의 눈에 띄도록 개성 있게 쓴다.
④ 필요한 내용을 간결하고 구체적으로 쓴다.
⑤ 전문성이 드러나도록 현학적인 어휘를 쓴다.

7. 윗글에 대한 설명으로 적절하지 <u>않은</u> 것은?

① 자신의 꿈을 구체화하게 된 이유를 밝히고 있다.
② 자신이 꿈을 이루기 위해 노력한 일들을 구체적으로 제시하고 있다.
③ 자신이 되고 싶은 교사의 모습을 비유적 표현을 통해 드러내고 있다.
④ 자신이 꿈을 이루기 위해 대학에서 무엇을 공부할 것인지 밝히고 있다.
⑤ 자신이 봉사 활동을 하면서 느낀 꿈의 소중함을 진솔하게 드러내고 있다.

8. 필자가 윗글을 쓴 목적과 윗글의 독자에 대해 서술하시오.

_____

[9~11] 다음 글을 읽고 물음에 답하시오.

가 설문 조사
• 설문 조사 주제: 남한산성에 관한 우리 학교 학생들의 인식
• 설문 대상: 우리 학교 2학년 학생 200명
• 설문 조사 내용 및 결과
① 남한산성 하면 떠오르는 것은 무엇입니까?
→ 관광지, 영화 촬영지라고 답한 학생이 83명으로 41.5%, 병자호란과 관련한 역사적 사건이라고 답한 학생이 45명으로 22.5%, 유네스코 세계 문화유산이라고 답한 학생이 33명으로 16.5%를 차지했다. 등산, 먹거리 등이라고 답한 학생이 소수 있었고, 생각나는 것이 없다고 답한 학생도 있었다.
② 남한산성에 관해 무엇을 알고 싶습니까?
→ 병자호란의 중심에 있었던 남한산성과 관련한 역사적 사건을 알고 싶다고 답한 학생이 87명으로 43.5%, 유네스코 세계 문화유산이 된 까닭을 알고 싶다는 학생이 42명으로 21%, 등산로나 등산 시간 등을 알고 싶다는 학생이 31명으로 15.5%를 차지했다. 그리고 이 질문에 답을 하지 않은 학생은 40명으로 20%를 차지했다.
나 우리 학교 역사 선생님 면담
면담 질문: 남한산성에서 있었던 역사적 사건에 관해 알려 주세요.
선생님 답변: 조선 인조 때 청나라는 명나라를 멸망시키기 전에 후환을 없애려고 조선을 침략해 굴복시키려고 했어요. 청이 쳐들어왔을 때 인조는 강화도로 피신하려고 했으나 청의 군대가 이를 눈치채고 길목을 점령하는 바람에 남한산성으로 피란하게 된 거예요. 당시 최강의 군사력을 지닌 청나라 군사에 맞서 45일을 버텼으나 식량 부족의 문제와 당쟁만 거듭하는 조정 대신들, 왕실이 피란해 있던 강화도를 청나라가 점령하면서 인조는 직접 청나라 장수에게 항복할 수밖에 없었답니다.
다 매체를 통한 정보 수집
• 문헌 조사
『조선왕조실록』, 「인조실록」 33권, 인조 14년 12월 19일

적병이 남한산성을 포위한 지 벌써 엿새째가 되었다. 군신 상하가 고립된 성에 의지하며 위태롭기가 한 가닥 머리카락과 같은데, 외부의 원병은 이르지 않고 서로 연락할 길도 끊어졌다. 경들은 이런 뜻으로 도원수, 부원수 및 각 도의 감사와 병사에게 연락하여 빨리 달려와 구원하여 위급함을 구하게 하라. 그리고 그곳의 방비도 철저히 해야 할 것이니 나루를 건너는 자를 엄히 조사하여 조금이라도 소홀함이 없도록 하라. 그리고 결사대를 모집하여 기필코 답을 하라.
• 인터넷 조사: 남한산성을 소재로 한 문화 콘텐츠
　남한산성은 우리 역사가 살아 숨 쉬는 장소로 여러 드라마, 소설, 영화의 소재가 되었다. 1986년 22부작으로 제작된 「조선 왕조 5백 년」 '남한산성'은 인조, 효종 시대와 병자호란을 그린 제7화 드라마이다.
　김훈의 소설 「남한산성」은 병자호란 때 남한산성에서 있었던 지도층 간의 치열한 논쟁과 백성들의 극한적인 삶을 객관적 시각으로 그린 현대 소설이다. 이 소설은 2017년 영화 「남한산성」으로 제작되어 많은 이들에게 당시의 역사를 되새기게 했다.

9. 위와 같이 탐구 자료를 조사하고 정리하는 과정에 대한 설명으로 적절하지 **않은** 것은?

① 탐구할 내용의 성격에 따라 조사 방법을 달리한다.
② 다양한 경로와 방법을 통해 풍부하고 객관적인 정보를 수집한다.
③ 참신성과 독자의 흥미를 끌 만한 요소를 기준으로 자료를 선별한다.
④ 조사 순서와 진행 과정 등을 정해진 절차에 따라 시행하며 기록한다.
⑤ 수집한 자료는 보고서의 목적과 주제를 고려하여 일정한 기준에 따라 분류한다.

10. 보고서를 쓸 때 (가)의 자료를 효과적으로 활용하는 방안에 대해 서술하시오.

11. 위의 자료를 바탕으로 '남한산성의 역사적 의미'에 관한 보고서를 쓰고자 할 때 추가로 조사할 자료에 대한 설명으로 가장 적절한 것은?

① 남한산성의 등산로와 등산 시간을 알아본다.
② 병자호란과 관련된 역사적 사건을 살펴본다.
③ 남한산성을 소재로 한 문화 콘텐츠들을 조사해 본다.
④ 남한산성 주변에서 파는 음식의 종류를 조사해 본다.
⑤ 남한산성이 유네스코 세계 문화유산에 등재된 상황을 조사해 본다.

[12~15] 다음 글을 읽고 물음에 답하시오.

> **㉮** 최근 우리 학교 전교생을 대상으로 실시한 설문 조사 결과에 따르면 "친구들과 대화할 때 습관적으로 욕설을 사용하는 편이다."에 "그렇다."라고 답한 학생이 57%에 달했고, 친구의 욕설 때문에 상처를 받은 경험이 있다고 답한 학생은 무려 82%에 이르렀다. 반면 욕설을 한다고 응답한 학생들 가운데 자신이 사용하는 욕설이 친구에게 상처를 줄 것이라고 생각하는 학생은 23%에 불과해 욕설이 타인에게 주는 부정적 영향에 관한 인식이 현저히 떨어지는 것으로 나타났다.
>
> (㉠   ) 습관적으로 욕설을 사용하는 것은 타인을 향해 날이 선 칼을 휘두르는 것과 같다. 타인에게 상처를 준 그 말의 칼날은 결국 자기에게로 향하게 된다는 것을 잊어서는 안 된다. 속담에서는 말 한마디에 천 냥 빚도 갚는다고 했지만, 잘못하면 말 한마디에 천 년이 지나도 아물지 않는 상처를 남길 수도 있다.
>
> 욕설을 줄이기 위해서는 무엇보다 우리들의 인식 전환이 필요하다. 내가 무심코 한 욕설이 누군가에는 큰 상처가 될 수 있다는 사실을 심각하게 받아들여야 한다. 이를 위해 학생회 차원에서 정기적으로 욕설 추방을 위한 운동을 벌일 것을 제안한다.
>
> **㉯** 관광 콘텐츠의 '베끼기' 수준이 심각하다. 축제는 말할 것도 없다. 걷기 길은 우후죽순이다. 하나가 잘되면 무조건 따라 하다 보니 나타난 결과이다.
>
> 벽화도 마찬가지이다. 요즘 가장 인기 있는 '베끼기 1순위' 대상이다. 전국 어디를 가도 알록달록한 벽화 하나쯤은 볼 수 있다. 아예 마을 전체가 '도배'된 곳도 있다. 벽화

> 거리가 본격적으로 조성되기 시작한 것은 5~6년 전쯤이다. 일부 지자체에서 낡고 허름한 거리에 색을 입혔고, 이후 지역 명소로 탈바꿈하면서부터다. 한 언론 보도에 따르면 정부 지원으로 조성된 벽화 거리는 전국에 100곳이 넘는다고 한다. 지자체와 민간이 단독으로 만든 곳까지 합치면 헤아릴 수 없을 정도다. 한마디로 벽화 과잉 시대다.
>
> 가장 큰 문제는 독창성이다. 대부분의 벽화가 천편일률적이다. '날개 그림'은 전국 공통이다. 사정이 이렇다 보니 관광객들이 식상해할뿐더러 발길이 끊긴 곳도 하나둘씩 나오고 있다. 이렇게 인적이 뜸해지자 벽화의 유지·보수 관리는 뒷전이다. 이 때문에 색이 바래 무슨 그림인지 형태를 구분할 수 없는 곳이 수두룩하다.

12. (가)와 (나)의 공통점으로 가장 적절한 것은?

① 주장과 논거로 구성되어 있다.
② 문제의 해결 방안이 나타나 있다.
③ 설문 조사를 논거로 활용하고 있다.
④ 속담을 활용하여 주장을 뒷받침하고 있다.
⑤ 감성에 호소하는 설득 전략을 활용하고 있다.

13. (가)를 학교 신문에 실린 사설이라고 할 때 (가)를 읽은 독자의 반응으로 적절하지 **않은** 것은?

① 욕설을 줄이기 위해 욕설 사용에 대한 인식을 전환할 것을 요구하고 있군.
② 학생회 차원에서 실행할 수 있는 해결 방안을 제시함으로써 설득력을 높이고 있군.
③ 설문 조사의 대상을 우리 학교 학생으로 한정하여 그 결과의 신뢰성이 떨어지는군.
④ 대부분의 학생들은 자신이 사용하는 욕설이 친구에게 상처를 줄 것이라고 생각하지 않는군.
⑤ 속담을 활용해 우리나라 사람들이 오래전부터 '말'의 중요성에 대해 공감해 왔음을 보여 주고 있군.

서술형

14. (나)의 필자가 제시할 수 있는 문제 해결 방안을 서술하시오.

15. ㉠에 들어갈 문장으로 가장 적절한 것은?

① 말은 '양날의 검'이다.

② 덕담은 많이 할수록 좋다.

③ 칭찬은 고래도 춤추게 한다.

④ 말을 많이 하는 것과 잘하는 것은 관련성이 없다.

⑤ 앞에서 할 수 없는 말은 뒤에서도 하지 말아야 한다.

수능형

16. 다음 자료를 분석한 내용으로 적절하지 <u>않은</u> 것은?

건의문을 쓰는 맥락

• 건의문을 쓰는 사람: 고등학생

• 건의를 받는 사람: ○○시 시장

• 현안: 불법 투기된 쓰레기들로 거리가 지저분하다.

• 건의문을 쓰는 목적: 깨끗한 거리를 만들기 위한 해결 방안을 마련하기를 촉구한다.

현안의 원인 분석과 그에 따른 해결 방안

원인	해결 방안
공공 도덕 준수에 관한 시민들의 의식 수준이 떨어진다.	법률 개정을 통해 쓰레기 무단 투기의 과태료를 2배 인상한다.
쓰레기 상습 불법 투기 지역의 관리가 미흡하다.	쓰레기 상습 불법 투기 지역에 시시티브이(CCTV)를 증설하고 단속을 늘린다.
유동 인구가 많은데도 쓰레기통이 설치되지 않은 곳이 많다.	유동 인구를 분산시켜 쓰레기 발생량을 줄인다.
거리 청소를 담당하는 환경미화원의 수가 절대적으로 부족하다.	공공 기관 내 다른 분야의 일자리를 줄이고 환경미화원 채용을 늘린다.

① 쓰레기 불법 투기라는 현안의 원인을 다각도로 분석하고 있다.

② 작문 맥락 중 독자를 충분히 고려하여 해결 방안을 내세우고 있다.

③ 시시티브이(CCTV)를 증설하고 단속을 늘리는 것은 실현 가능한 해결책이다.

④ 공공 기관 내 다른 일자리의 축소로 환경미화원을 늘린다는 방안은 공정하지 않다.

⑤ 쓰레기 발생의 문제 때문에 유동 인구를 인위적으로 분산시키는 방안은 실행하기 어렵다.

[17~19] 다음 글을 읽고 물음에 답하시오.

형님께.

형님의 결혼은 저에게도 무척 기쁜 일입니다. 그러나 지금의 제가 할 수 있는 유일한 일은 다만 한 장의 엽서를 드리는 것입니다. 저는 이 한 장의 엽서를 앞에 놓고 허용된 여백에 비해서 너무나 많은 생각에 잠시 아픈 마음이 됩니다. ㉠이 아픔은 제가 처하고 있는 상황의 표출인 동시에 또 제가 부상(浮上)해 볼 수 있는 기쁨의 상한(上限)이기도 합니다.

이는 형님의 결혼식에 결석한 동생이 뒤늦게 엽서를 적음으로써 처음으로 느끼는 그런 아픔이 아닙니다. 이것은, 서울의 외곽, 비탈진 세가(貰家)를 살아오면서도 내내 격려하고 격찬해 주시던 일체의 배려에 생각이 뻗칠 때마다 '형'이라는 일상의 '이미지'를 넘어서 농밀한 감정을 비집고 올라오던 뜨거운 회한인 것입니다.

제가 수형 생활을 통하여 새로이 지니게 된 습관이 있다면 그것은 흡사 '싯다르타'의 그것처럼 동일한 문제를 여러 차례에 걸쳐서 거듭 생각하는 버릇입니다. 어머니, 아버지를 비롯하여 형님과 동생 그리고 제가 겪었던 많은 사람들을 곰곰이 생각해 보는 것입니다. 대개의 경우 그것은 면벽(面壁)이나 불면의 무료함을 달래기 위한 회상의 형식으로써 그저 돌이켜보는 것에 불과하지만 저는 이러한 것에 의하여 일련의 새로운 판단을 가지게 된 것을 매우 다행스럽게 생각합니다.

형님에 관한 기억 중에서 우선 여기서 말씀드리고 싶은 것은, 이를테면 저와 형님과의 관계도, 다른 대부분의 형제들의 경우에서 볼 수 있듯이 거의 기계적이고 습관화된 대화에 의해서 형성되어 왔었다는 사실입니다. 이러한 경향은 비록 애정과 이해의 기초 위에서 비로소 가능한 하나의 미덕이라고 하더라도 그것은 창의와 노력이 결여되어 있다는 점에서 별로 바람직한 것은 아니리라 믿습니다. 기계적이고 습관화된 대화는 인간관계의 정체를 가져오며 인간관계의 정체는 관계 그 자체의 퇴화를 가져오며 필경은 양 당사자에게 오히려 부담과 질곡만을 안겨 주게 되는 것입니다. 저와 형님과의 관계가 지금 말씀드린 것과 같은 정도로 심각한 것이었다고 하는 것은 결코 아닙니다. 여기서는 단지 기계적이고 습관화된 대화 그리고 그것의 발전된 형태로서의 정체는 특히 경계되어야 한다는 점을 말씀드리고자 할 뿐입니다.

더욱이 부부라는 가장 기본적인 관계에 있어서는 항상

의식적인 노력에 의해서 이것이 배제되어야 하리라 믿습니다. [중략]

저 역시 건강합니다. 그리고 부지런히 살아가고 있습니다. 창밖에는 그런대로 5월의 녹향이 심치 않습니다. 어머님께서 편찮으시지나 않은지 꿈에 보이시기도 합니다.

이만 펜을 놓겠습니다.

17. 윗글의 필자가 세운 글쓰기의 계획 내용으로 적절하지 <u>않은</u> 것은?

① 어머니께서 어디 편찮으신 데는 없는지 안부를 묻자.
② 엽서로 축하의 뜻을 전할 수밖에 없는 심경을 솔직하게 드러내자.
③ 과거에 형님이 배려해 주었던 일들에 대해 보답하지 못하는 안타까운 마음을 표현하자.
④ 형님이 결혼 생활 동안 형수님과 진정한 인간관계를 맺기를 바란다는 마음을 전달하자.
⑤ 수형 생활 동안 한 가지 문제에 골몰하게 되어 괴로운 상황에 직면하고 있음을 알리자.

`수능형`

18. 발상과 표현 면에서 ㉠과 가장 유사한 것은?

① 어둠은 새를 낳고, 돌을 / 낳고, 꽃을 낳는다.
② 지금은 남의 땅 ─ 빼앗긴 들에도 봄은 오는가?
③ 모든 소리들이 흘러 들어간 뒤에 비로소 생겨난 저 고요
④ 해야 솟아라, 해야 솟아라. 말갛게 씻은 고운 얼굴 해야 솟아라.
⑤ 그칠 줄 모르고 타는 나의 가슴은 누구의 밤을 지키는 약한 등불입니까?

`서술형`

19. 필자가 형님과의 기억을 통해 성찰한 내용은 무엇인지 서술하시오.

[20~23] 다음 글을 읽고 물음에 답하시오.

㉮ ㉠「이티」는 지구에 홀로 남겨진 겁먹은 외계인과 그룹에서 소외된 소년이 서로에 대한 공포를 극복하는 과정에서 특별하고도 신비로운 유대가 형성되면서 영혼이 연결되는 것을 보여 주고 있는 영화이다. 외계 생명체와 조우하는 할리우드 블록버스터라면 응당 최고 권위의 과학자나 군 장성이 등장하고 대규모 전투가 벌어져야 하지만 이 영화는 그런 상투적인 설정과는 정반대로 달려간다. 마술적 상징과 시각 언어로 가득 찬 이야기 전개 방식은 관객의 눈을 사로잡는다. 그중에서도 자신들을 뒤쫓는 어른들로부터 탈출하기 위해 미친 듯 자전거를 모는 소년들을 이티가 모두 하늘로 날아오르게 하는 장면은 영화사에 길이 남을 비약적 쾌감의 진수다.

무엇보다 내 인생에서 「이티」가 의미 있는 건 내가 어떤 종류의 인간인지, 어떤 생각을 하며 사는 인간인지를 알게 해 준 영화라는 점 때문이다. 내게 「이티」 같은 초현실적 존재가 바로 영화였다. 산골 소년이었던 나는 낯선 세계에서 헤매고 있을 때 마법처럼 영화를 만났고, 그것은 한순간에 날 빨아들였다. 그리고 나는 더 이상 외로워하지 않게 됐다. 아마도 「이티」를 본 후부터 영화를 만들고 싶다는 생각까지 한 것 같다. 자그마한 외계인이 지구라는 미지의 세계에 홀로 남겨져 방황할 때 엘리엇이 손을 내밀어 친구가 돼 준 것처럼 나도 외로워하고 있을 누군가를 향해 손을 내밀고 싶었다. 그래서 「이티」를 볼 때의 나처럼 관객에게 비약의 순간을 경험하게 해 줘야 한다는 부채 의식 같은 게 생긴 게 아닐까.

㉯ 나는 동래에서 당시 세계적으로 영향을 미치고 있던 사르트르와 실존주의에 대한 일본어 번역서를 적지 않게 갖고 있던 양병식 씨를 우연히 알게 되었다. 그의 서가에는 현재 정확히 그 제목이 기억나지 않지만 『존재와 무』에 담겨 있는 사르트르의 실존 철학을 해설한 책이 있었다. 나는 그 책을 통해서 그때까지 말로만 듣던 사르트르의 실존주의야말로 내가 품고 있던 세상과 삶에 대한 모든 물음의 해답을 갖고 있다는 느낌을 강하게 가졌다. 앞으로의 삶에 대한 전망이 전혀 보이지 않는 절망적 상황에서 지적 혼돈과 정서적 허무주의라는 수렁에서 헤매고 있던 나에게 사르트르의 실존주의는 지적 혼미에서 벗어나도록 세상을 밝혀 주는 한 줄기 빛이자, 정서적 허무주의의 수렁에 비친 한 줄기 구원의 손길로 느껴졌다. 이러한 신념은 그 후 10년 가까이 지난 1962년 초 파리에서 방대한 양의 『존재와 무』를 원서로 몇 번이나 읽고 또 읽고, 그에 대한 수많은 해설과 논평을 읽은 후에도 근본적으로 변하지 않았다.

사르트르와 그의 실존주의를 처음 만난 후 반세기가 지난 오늘날 나는 그의 철학에 과거처럼 전적으로 공감하지는 않는다. 세계와 인간의 모든 문제가 그의 실존주의 하나만 가지고서 만족스럽게 조명되거나 설명되지 않으며, 시원하게 풀리지도 않는다고 생각한다. 그러나 한 가지 확실한 것은 사르트르와의 만남이 나의 운명을 바꾸었고, 『존재와 무』의 독서와 사르트르의 실존주의에 관한 수많은 책들이 나의 삶을 때로는 고독과 고통으로, 때로는 열정과 긍지로 충만케 했다는 사실이다. 사르트르를 만나지 않았더라면 나는 서른이 넘은 나이에 지적 모험심으로 힘든 방랑의 길에 나서지 않았을 것이고, 실존주의와 접하지 않았더라면 나는 현재의 나와 전혀 다른 인간이 되었을 것이다. 그 뒤에 알게 된 니체의 '망치로 하는 철학'과 더불어 사르트르의 실존주의 철학은 인생을 보는 시각과 삶에 대한 오늘날의 나의 태도를 형성하는 데 결정적인 요인이 되었다.

20. (가)와 (나)에 대한 설명으로 가장 적절한 것은?

① (가)와 (나) 모두 대상이 자신의 삶에 미친 영향에 대해 서술하고 있다.
② (가)와 (나) 모두 일상의 체험을 통해 얻은 깨달음에 대해 서술하고 있다.
③ (가)는 영화를 보고 난 후의 감상을, (나)는 책을 읽고 난 후의 감상을 서술하고 있다.
④ (가)에서는 영화의 내용을 소개하지 않았지만, (나)에서는 책의 내용을 언급하고 있다.
⑤ (가)에는 대상과 관련된 일화의 내용이, (나)에는 시대나 사회에 대한 고민이 드러나 있다.

21. (가)와 같은 글을 쓸 때 유의할 점으로 적절하지 <u>않은</u> 것은?

① 사상이나 지식만을 내세워서는 안 된다.
② 논리와 체계를 지나치게 중시해서는 안 된다.
③ 독특한 글감을 찾는 데에만 집중해서는 안 된다.
④ 서정을 드러내되 지나치게 감상적으로 써서는 안 된다.
⑤ 특별히 정해진 형식은 없지만 필자의 개성이 드러나서는 안 된다.

서술형

22. (나)에서 필자의 삶이 바뀌게 된 계기를 마련해 준 대상과 그것이 필자의 삶에 끼친 영향을 구체적으로 서술하시오.

23. ㉠에 대한 설명으로 가장 적절한 것은?

① 필자에게 공포감을 준 대상이다.
② 필자가 날카롭게 비판하고 있는 대상이다.
③ 필자가 부채 의식을 느끼고 있는 대상이다.
④ 필자의 정서를 혼란스럽게 만드는 대상이다.
⑤ 필자가 자신에 대해 새롭게 인식할 수 있도록 해 준 대상이다.

[24~27] 다음 글을 읽고 물음에 답하시오.

그리고 두 사람이 머릿속에서 어떤 해석, 자동적인 어떤 생각들을 주고받고 있습니다. 예를 들어서 덕수라는 아이가 있다고 해 보겠습니다. 덕수의 나이는 열 살입니다.
엄마가 덕수에게 얘기했어요.
"덕수야, 일주일에 세 번 정도만, 많이도 아니야. 다른 데도 아니고 네 방만 청소하렴."
엄마에게는 굉장히 간단한 일이고요, 엄마는 덕수가 충분히 할 수 있는 일이라고 생각하였습니다.

그런데 여러분, 열 살짜리 아이가 일주일에 세 번 방 청소를 하는 것이 가능할까요? 가능하지 않을까요? 여러분이 짐작하시는 것처럼 ㉠ 가능하지 않아요. 하지만 엄마는 덕수가 방 청소를 한 번 안 했다고 바로 화를 내지는 않아요. 좀 참죠. 덕수가 하겠지 하고 기다립니다. 덕수가 할까요? 안 할까요? 안 하죠? 우리 덕수는 하지 않습니다. [중략]

"용돈 안 줄 테니 알아서 해."

이제 빠지면 안 되는 비교가 남았습니다.

"내가 이 말까지는 안 하려고 했는데, 네 친구 석호를 봐. 걘 방 청소만 잘하는 게 아니야. 공부도 잘해. 내가 지금 너한테 공부를 잘하라고 했어? 네 방 청소만 제대로 하라고."

마지막으로 당연시합니다.

"학생이 자기 방 정리 정돈하는 거 그거 당연한 거 아니야? 내가 설거지를 하라고 했니, 빨래를 하라고 했니? 네 방만 정리하라고."

이런 말을 듣고 자란 덕수가 사회에서 과연 다른 사람들과 수평적이고 조화롭고 편안한 대화를 할 수 있을까요? 제가 만나 본 많은 사람의 경우에는 가능하지 않았습니다.

그래서 어떻게 하면 좀 더 평화롭게 서로의 마음을 주고받고 상호 존중에 기반한 대화를 할 수 있을까, 굉장히 궁금했어요. 저는 우리의 폭력적인 생각 중 하나가 바로 당신은 지금 뭔가 잘못되었고, 나는 옳고, 그러니까 당신만 변하면 된다, 즉 옳은 나에게 틀린 당신이 대항하고 있다는 생각이 우리에게 화를 불러일으키고 폭력을 저지르게 한다는 생각이 들었어요.

24. 윗글을 통해 알 수 있는 내용으로 가장 적절한 것은?

① 자신이 하고 싶지 않은 일을 남에게 미루는 것은 당연한 일이다.

② 어른이 어떤 꿈을 심어 주느냐에 따라 아이들의 미래가 달라질 수 있다.

③ 자라면서 어떤 말을 듣고 자라느냐에 따라 대화의 태도가 달라질 수 있다.

④ 대화의 태도보다는 대화의 내용에 따라 듣는 사람의 마음이 달라질 수 있다.

⑤ 대화를 할 때 상대방을 다른 사람과 비교하는 것보다 비난하고 협박하는 것이 더 나쁘다.

25. 위와 같은 강연을 할 때 주의해야 할 점으로 적절하지 않은 것은?

① 비언어적 · 준언어적 표현을 적절히 활용한다.

② 청중의 반응을 살피며 강연의 속도를 조절한다.

③ 청중을 고려하여 강연의 주제와 내용을 선정한다.

④ 상대방의 주장에 논리적으로 반박할 준비를 한다.

⑤ 시청각 자료를 적절히 활용하여 내용을 효과적으로 전달한다.

수능형

26. 〈보기〉는 위 강연의 강연자가 강연을 하기 전에 구상한 전략의 내용이다. 〈보기〉의 ⓐ~ⓔ 중 실제 강연에서 사용된 전략이 아닌 것은?

〈보기〉

강연의 도입에서는 ⓐ 질문을 활용하여 청자의 관심을 이끌어 내는 것이 좋겠어. 또한, 강연에서는 시각적 요소가 중요한 역할을 하므로 ⓑ 그림 자료를 활용하여 청자의 이해를 돕는 것이 좋겠지? 그리고 ⓒ 신뢰감을 높이기 위해 나의 경험을 제시해야겠어. 이와 함께 ⓓ 청자의 경험을 환기하여 나의 강연 내용에 동의하도록 유도하면 좋을 것 같아. 마지막으로 청자들이 핵심 내용을 분명하게 이해할 수 있도록 ⓔ 과거와 현재의 대조를 통해 문제점의 심각성을 드러내야겠어.

① ⓐ   ② ⓑ   ③ ⓒ   ④ ⓓ   ⑤ ⓔ

서술형

27. 덕수의 나이를 고려하여 ㉠에 담긴 의미를 구체적으로 서술하시오.

_____

[28-30] 다음 글을 읽고 물음에 답하시오.

총수의 자택에 연못이 생긴 것은 그 며칠 전의 일이었다. 뜰 안에다 벽이고 바닥이고 시멘트를 들어부어 만들었으니 연못이라기보다는 수족관이라고 하는 편이 알맞은 시설이었다. 시멘트가 굳어지자 물을 채우고 울긋불긋

비단잉어들을 풀어놓았다.

비단잉어들은 화려하고 귀티 나는 맵시로 보는 사람마다 탄성을 자아내게 하였으나, 그는 처음부터 흘기눈을 떴다. 비행기를 타고 온 수입 고기라서가 아니었다.

그 회사 직원의 몇 사람 치 월급을 합쳐도 못 미치는 상식 밖의 몸값 때문이었다.

"대관절 월매짜리 고기간디 그려?"

내가 물어보았다.

"마리당 팔십만 원씩 주구 가져왔다."

그 회사 직원들의 봉급 수준을 모르기에 내 월급으로 계산을 해 보니, 자그마치 3년 4개월 동안이나 봉투째로 쌓아야 겨우 한 마리 만져 볼까 말까 한 값이었다.

"웬 늠으 잉어가 사람버덤 비싸다나?"

내가 기가 막혀 두런거렸더니

[A]
┌ "보통 것은 아닐러먼그려. 뺄어낸벤또(베토벤)라나 뭬라나를 틀어 주면 또 그가락대루 따러서 허구, 차에코폴구싶어(차이콥스키)라나 뭬라나를 틀어 주면 또 그 가락대루 따러서 허구, 좌우간 곡을 틀어 주는 대루 못 추는 춤이 읎는 순전 딴따라 고기 닝께. 물고기두 꼬랑지 흔들어서 먹구사는 물고기가 있다는 건 이번에 그 집에서 츰 봤구먼." ┘

그런데 이 비단잉어들이 어제 새벽에 떼죽음을 한 거였다. 자고 일어나 보니 죄다 허옇게 뒤집어진 채로 떠 있는 것이었다.

ⓞ <u>총수가 실내화를 꿴 발로 뛰어나왔지만 아무 소용없는 일이었다.</u> / "어떻게 된 거야?"

한동안 넋 나간 듯이 서 있던 총수가 하고많은 사람 중에 하필이면 유자를 겨냥하며 물은 말이었다.

"글쎄유, 아마 밤새에 고뿔이 들었던 개비네유."

유자는 부러 딴청을 하였다. [중략]

그렇지만 오늘 아침에 들은 말만은 쉽사리 삭일 수가 없었다.

총수는 오늘도 연못이 텅 빈 것이 못내 아쉬운지 식전마다 하던 정원 산책도 그만두고 연못가로만 맴돌더니

"유 기사, 어제 그 고기들은 다 어떡했나?"

또 그를 지명하며 묻는 것이었다.

그는 아무렇지 않게 대답했다.

"한 마리가 황소 네댓 마리 값이나 나간다는디, 아까워서 그냥 내뻐리기두 거시기 허구, 비싼 고기는 맛두 괜찮겄다 싶기두 허구…… 게 비눌을 대강 긁어서 된장 끼 좀 허구, 꼬치장두 좀 풀구, 마늘두 서너 통 다져 늫

구, 멀국두 좀 있게 지져서 한 고뿌덜씩 했지유."

"뭣이 어쩌구 어째?" / "왜유?"

"왜애유? 이런 잔인무도한 것들 같으니……."

총수는 분기탱천하여 부쩌지를 못하였다.

28. 윗글의 '유자'의 인물됨을 평가한 내용으로 가장 적절한 것은?

① 편견 없이 누구에게나 친절한 모습을 보이고 있어.

② 상대방의 언행을 직접 비판하지 못하는 소심한 성격을 지녔어.

③ 상대방에 대한 반감을 숨기고 상냥하게 대하는 표리 부동한 인물이야.

④ 상대방의 반응에 개의치 않고 자신의 주장만 내세우는 이기적인 인물이야.

⑤ 비판적 태도를 직접 드러내지 않고 어리석은 척하는 의뭉스러운 모습을 보이고 있어.

29. [A]에 대한 설명으로 적절하지 <u>않은</u> 것은?

① 유자의 시각에서 본 비단잉어의 떼죽음의 원인을 드러내고 있다.

② 유사한 속성의 사례를 열거하여 비단잉어의 특징을 표현하고 있다.

③ 발음의 유사성을 이용한 언어유희를 구사하여 웃음을 유발하고 있다.

④ 비단잉어의 몸값이 비싼 이유를 유자의 주관적 관점에서 서술하고 있다.

⑤ 비속어를 사용하여 비단잉어에 대한 유자의 비판적 시각을 직접적으로 드러내고 있다.

30. ⓞ의 상황에 어울리는 속담으로 적절한 것은?

① 죽은 자식 나이 세기

② 아니 땐 굴뚝에 연기 날까.

③ 가는 말이 고와야 오는 말이 곱다.

④ 콩 심은 데 콩 나고 팥 심은 데 팥 난다.

⑤ 열 길 물속은 알아도 한 길 사람 속은 모른다.

화법과 작문

정답과 해설

화법과 작문의 본질

I

1. 화법과 작문의 특성

(1) 사회적 의사소통의로서의 화법과 작문

대표 문제 1 ⑤

의사소통은 발신자와 수신자가 말이나 글을 주고받으며 공동의 목표를 달성해 가는 상호적인 행위이다.

대표 문제 2 **예시 답** 개인 간의 대화나 부탁과 같이 사적 관계에서 이루어지는 화법과 작문 활동은 작은 사회에서 이루어지는 의사소통이고, 연설, 청문회, 선언 등과 같이 공적 상황에서 이루어지는 화법과 작문 활동은 큰 사회에서 이루어지는 의사소통이다. 이처럼 화법과 작문은 크고 작은 사회에서 이루어지는 행위이므로 사회적 의사소통이라고 한다.

평가 기준

'작은 사회, 큰 사회'의 두 구절을 모두 이용해 화법과 작문을 사회적 의사소통이라고 하는 이유를 적절하게 서술한 경우	5점
'작은 사회, 큰 사회' 중 한 구절만을 이용해 화법과 작문을 사회적 의사소통이라고 하는 이유를 서술한 경우	3점
'작은 사회, 큰 사회'의 두 절을 모두 이용하지 않고 화법과 작문을 사회적 의사소통이라고 하는 이유만 서술한 경우	1점

대표 문제 3 ⑤

발신자와 수신자가 맥락 구성과 추론을 통해 상호 작용을 하는 것은 작문의 특성이다.

1. ①	**2.** ③	**3.** ⑤	**4.** ⑤	**5.** ②
6. ⑤	**7.** ①	**8.** ④		

1. 의사소통을 할 때 발신자는 자신이 속한 사회의 관습과 구성원의 요구를 반영하며, 수신자와 함께 언어문화를 창조, 활용, 향유한다.
오답 해설
ⓒ: 발표, 연설 등의 독화가 토의, 면접 등의 대화보다 사회적 속성이 강하다고 할 수 없다.
ⓒ: 글쓰기에는 독자 및 사회의 글쓰기 관습 등이 개입한다.

2. 사회적 의사소통으로서의 화법과 작문은 의사소통을 통해 사회 공동의 가치를 실현하고, 그 사회와 문화 및 말과 글에 다시 영향을

준다.

3. 이 글의 필자는 자기 자신만을 위해 글을 쓸 수 있다고 주장하는 가상의 인물을 설정하고, 그 인물을 비판함으로써 글은 오로지 어떤 독자를 위해 쓰는 것이라는 자신의 주장을 강화하고 있다.

4. 이 글의 필자는 글을 쓸 때 '독자'가 중요하다고 강조하고 있다. 누구도 자신의 글을 읽지 못한다면 글을 쓰지 않을 것이며, 누군가 자신의 글을 읽을 가능성이 조금이라도 있다면 글을 쓸 것이라는 대답을 하고 있다. 이를 통해 필자가 글을 쓸 때 항상 독자를 염두에 두며, 글쓰기를 독자와의 의사소통으로 생각하고 있음을 알 수 있다.

5. ㉠과 ㉡의 대답은 '아니요.'와 '예.'로 다르지만 두 가지 대답 모두 '독자가 읽을 가능성' 때문이라는 점에서 대답의 기준은 같다고 할 수 있다(A). 그리고 ㉠과 ㉡의 대답이 다른 것은 ㉠에서는 '내일 누구도 오늘 내가 쓰는 것을 읽지 못'하는 상황이 전제되어 있고, ㉡에서는 '미래에 누군가 나의 기호들을 해독할 수 있을 것'이라는 상황이 전제되어 있기 때문이다.

6. 제시된 사회적 갈등은 (가)의 작문 활동으로 촉발된 것이 아니며, (나)의 작문 활동으로 해결된 것도 아니다. (가)와 (나)의 작문 활동은 사회적 갈등을 전달하고 조정하는 기능을 하고 있으며, 이로 인해 사회적 갈등이 해결되는 양상을 보이고 있다. 즉 (가)와 (나)는 갈등의 주체들과 사회 구성원들이 직·간접적으로 의사소통을 할 수 있도록 하는 매개체 역할을 했을 뿐 그 자체가 갈등을 촉발하거나 해결하는 기능을 한 것은 아니다.

7. (가)와 (나)는 모두 신문 기사이다. 신문 기사가 지닌 의사소통의 목적은 여러 가지가 있지만 가장 기본적인 것은 기록과 전달이다. (가)와 (나)의 경우는 특수 학교 설립을 둘러싼 문제를 기록하고 전달하는 데 그 목적이 있다.

8. 문제가 해결되지 않았을 때 발생할 상황이나 또 다른 문제점을 예측함으로써 문제 해결에 적극적으로 나서도록 할 수는 있지만, 그것을 위해 발생할 상황을 과장되게 표현하는 것은 적절하지 않다.

(2) 화법과 작문의 층위와 기능

대표 문제 1 ③

신문이나 잡지처럼 많은 사람들이 보는 대중 매체에 개인이 글을 쓰는 것은 사회 차원의 의사소통 중 개인과 사회 간의 의사소통에 해당한다.

대표 문제 2 **예시 답** 화법과 작문은 자아 성장에 기여하고 공동체 발전에 이바지하는 기능을 한다. 일기를 쓰며 다른 사람이 자신을 바라보는 것을 인식하고 조정하는 것은 화법과 작문이 자아 성장에 기여하는

예이고, 연설을 통해 대중의 마음을 움직이고 변화시켜 공동의 목적을 달성하는 것은 화법과 작문이 공동체 발전에 이바지하는 기능을 한다는 것을 보여 주는 예이다.

평가 기준

화법과 작문의 두 가지 기능을 모두 정확하게 서술하고 각각의 예를 적절하게 제시한 경우	5점
화법과 작문의 두 가지 기능을 모두 서술하고 각각의 예를 제시하였으나 다소 미흡한 경우	3점
화법과 작문의 기능 두 가지만 서술한 경우	1점

대표 문제 3 ②

개인과 개인 차원에서 수신자는 발신자가 표현한 말이나 글을 그대로 수용하는 것이 아니라 자신의 관점에서 새롭게 의미를 구성하는 과정을 거친다.

소단원 시험 예상 문제 p.24

1. ③　　　 2. ①　　　 3. ③　　　 4. ⑤　　　 5. ④

1. 의사소통으로서의 화법과 작문은 개인 내적 차원, 개인과 개인 차원의 층위(개인과 사회 차원 확장 가능)가 있으며, 개인과 개인 차원에서 이루어지는 화법과 작문 활동은 공동체의 문화를 발전시키는 기능을 한다.

오답 해설
ⓒ: 개인이 대중 매체에 자신의 의견을 밝히는 것은 개인과 사회의 의사소통에 해당한다.
ⓒ: 세대와 세대 간, 직업과 직업 사이의 의사소통은 사회와 사회 간의 의사소통에 해당한다.

2. 특수 학급 교사와 모리 교수가 편지를 쓰기 위해 준비하고 생각하는 과정은 각각 발신자의 입장에서 자아를 인식하고 성찰하며 내용을 점검하는 개인 내적 차원의 의사소통에 해당한다.

3. 모리 교수는 교사에게 보낸 답장에서 어린 시절 교사가 가르치고 있는 학급과 같은 곳이 있어서 그 일원이 되어 의사소통을 하였더라면 자신의 외로움을 달랠 수 있었을 것이라고 말하고 있다. 이는 의사소통이 개인의 삶과 분위기를 바꿀 수 있음을 보여 주는 것이지, 바꾸어 놓았음을 보여 주는 것은 아니다.

4. 이 글을 필자가 써서 발표하고 그 글을 독자가 읽는 것은 개인과 사회 차원의 의사소통에 해당한다. 하지만 그 글을 읽은 독자가 자신의 아버지를 떠올려 다시 생각해 보는 것은 개인 내적 차원의 의사소통에 해당한다.

5. ㉠은 필자가 과거에 기차 안에서 아버지의 행동을 보고 어리숙하다고 생각하여 비웃은 것이고, ㉡은 필자가 글을 쓰면서 그 당시를 돌아보며 자신을 반성한 내용이다. 즉 ㉡은 개인 내적 차원에서 이루어진 자아 인식, 성찰 등의 결과에 해당한다.

(3) 화법과 작문의 맥락

소단원 정리하기 p.30

대표 문제 1 ①

설득하기, 안내하기, 소개하기 등 의사소통 상황에 따른 독특한 관습을 따르는 것은 사회·문화적 맥락을 고려하는 것이다.

대표 문제 2 예시 답 맥락은 같은 맥락 안에 있는 발신자와 수신자를 긴밀하게 엮어 주는 기능을 한다.

평가 기준

발신자와 수신자를 중심으로 한 맥락의 기능을 적절하게 서술한 경우	5점
맥락이 발신자와 수신자의 관계에 영향을 준다고만 서술한 경우	3점
발신자와 수신자의 관계와 상관없는 맥락의 기능에 대해 서술한 경우	1점

대표 문제 3 ②

정보 전달, 설득, 자기표현과 사회적 상호 작용 등과 같은 의사소통의 목적에 따라 담화나 글의 내용을 생성하고 표현해야 한다.

소단원 시험 예상 문제 p.31

1. ②　　　 2. ③　　　 3. ③

1. 화법과 작문은 그것이 이루어지는 상황 맥락과 밀접한 관련이 있으며 나아가 그것을 둘러싼 사회·문화적 맥락과도 관련된다. 작문의 목적에 맞는 글 유형을 선택하는 것도 맥락을 중요하게 고려한 것이다. 또한, 화법과 작문은 일정한 맥락 안에서 이루어지는 의미 구성 행위이므로 두 사람이 서로 다른 맥락에서 대화를 하면 제대로 된 의사소통을 하기 어렵다.

2. 필자는 가족이 해체되어 가고 있는 현대 사회에서 우리의 전통적 가족상이 지니는 의의와 서구의 가족상이 가장 바람직한 것은 아니라며 주제 의식을 전달하고 있다.

3. 필자는 전통적 가족상을 긍정적으로 바라보고는 있으나 전통적 가족상으로 회귀해야 한다고 주장하지는 않았다.

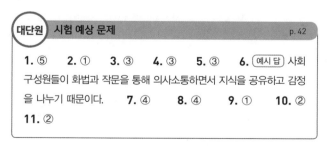

대단원 시험 예상 문제 p.42

1. ⑤　 2. ①　 3. ③　 4. ③　 5. ③　 6. 예시 답 사회 구성원들이 화법과 작문을 통해 의사소통하면서 지식을 공유하고 감정을 나누기 때문이다.　 7. ④　　 8. ④　　 9. ①　　 10. ②
11. ②

1. 제시된 글에서는 화법과 작문이 의사소통의 한 방법으로 발신자와 수신자 사이에 일어나는 상호 작용 즉 사회적인 활동이라고 하였다.

2. ㉠과 ㉡은 둘 다 작은 사회에서 이루어지는 행위이며, ㉠은 수신자가 친구이고 ㉡은 발신자가 친구이다.

오답 해설
② ㉠은 개인과 개인 사이에서 이루어지는 사적 대화이고, ㉣은 사회와 국가에 큰 영향을 준 공적 행위이다.
③ ㉡은 발화가 일대일의 관계에서 이루어지고, ㉢은 상황에 따라 일대일 또는 일대다의 관계에서 이루어질 수 있다.
④ ㉣은 사회 공동의 가치를 실현하기 위한 연설로 공적인 이익을 위한 것이다.
⑤ ㉤처럼 사회와 국가, 인류에 큰 영향을 끼칠 수 있는 행위에는 사회적 책임이 따른다.

3. 화법과 작문은 발신자와 수신자가 서로 영향을 주고받는 사회적 상호 작용이므로 화법과 작문 활동을 할 때는 의사소통의 관습과 윤리를 고려해야 한다.

4. 의사소통은 개인과 사회를 중심으로 다양한 층위에서 이루어지며, 개인과 개인 차원의 의사소통이 사회 차원으로 확장되므로 분절된다고 보기 어렵다.

5. 가족과 세대 간의 대화가 중요한 것은 그것을 통해 서로의 의미, 가치, 태도, 믿음 등을 공유하고, 이를 바탕으로 원만한 인간관계와 공동체의 발전을 추구할 수 있기 때문이다. 구성원 각자의 가치관이 견고해지면 서로의 심리적 거리와 이질감이 커질 수 있다.

6. 평가 기준

화법과 작문이 사회 구성원들의 동질감을 형성하는 기능을 할 수 있는 이유를 적절하게 서술한 경우	5점
㉠이 아닌, 자아 성찰, 공동체 문화 발전 등의 기능과 관련하여 서술한 경우	2점

7. 이 토의에서는 여러 관점에서 우리나라 저출산 문제의 원인 분석을 통해 그 해결 방안을 모색하고 있으므로 ④와 같은 제목이 가장 적절하다.

8. 〈보기〉의 자료는 여성들이 결혼을 기피하고 있음을 보여 준다. 따라서 〈보기〉의 자료는 저출산 문제를 해결하기 위해 개인들의 의식 전환이 필요하다는 의견을 뒷받침하는 근거로 활용할 수 있다.

9. 똑같은 표현의 말 또는 글이라도 맥락이 달라지면 그 의미도 달라진다.

10. 상황 맥락은 화법과 작문에 직접 영향을 주는 시·공간적, 의사소통적 변인으로 의사소통에 직접적으로 관련되면서 영향을 미친다. ①, ③, ④, ⑤는 모두 사회·문화적 맥락에 대한 설명이다.

11. ㉠, ㉢은 상황 맥락이 적용된 사례이고, ㉡, ㉣은 사회·문화 맥락이 적용된 사례이다.

화법의 원리와 실제

1. 소통과 공감을 위한 화법

(1) 대화를 통한 자기표현과 갈등 조정

소단원 정리하기   p. 55

대표 문제 1 ⑤
부정적 자아 개념을 가진 사람은 소극적이며 타인의 반응이나 평가를 거부하거나 방어하는 경향을 보인다.

대표 문제 2 ③
자기표현의 속도는 인간관계의 발전 정도에 따라 적정한 수준에서 이루어져야 한다. 무조건 자기표현의 속도를 빠르게 한다고 해서 인간관계가 발전하는 것은 아니다.

대표 문제 3 **예시 답** '나–전달법'에 따라 대화를 하면 상대의 감정을 상하지 않게 하면서 문제 해결을 모색해 나갈 수 있다.

평가 기준

갈등 상황에서 '나–전달법'으로 말을 하여 거둘 수 있는 효과를 적절하게 서술한 경우	5점
갈등을 해결할 수 있다고만 쓴 경우	3점
'나–전달법'의 특징을 쓴 경우	1점

소단원 시험 예상 문제   p. 56

1. ③   **2.** ②   **3.** ④   **4.** ⑤   **5.** ⑤   **6.** ③
7. ①   **8.** **예시 답** '나 –전달법'은 '사건–감정–기대'로 메시지를 구성한다. / "제가 한 잘못이 아닌데, 선생님께서 오해를 하시고 저를 혼내시니(사건) 속상해요(감정). 다음에는 혼을 내시기 전에 제가 잘못한 것이 맞는지 물어봐 주시면 좋겠어요(기대)."

1. 자아 개념은 자신에 관한 스스로의 생각뿐 아니라 다른 사람이 생각하는 자신의 모습에 관한 자기 인식을 말한다.

2. 긍정적 자아 개념을 지닌 사람은 대부분 적극적으로 자신을 드러내며, 타인의 반응을 개방적으로 수용하는 태도를 지닌다.

3. 연우는 윤정의 질문에 '자신이 사는 집'과 같은 사회적 자아를 드러내고 있다.

오답 해설

① 선생님의 말을 통해 연우가 새로 전학 온 상황임을 알 수 있고, 윤정과 연우가 서로 통성명을 하는 것으로 보아 둘이 처음 만나는 사이임을 알 수 있다.

②, ⑤ 통학을 같이 하자고 하거나 영화를 보러 가자는 윤정의 제안에 연우가 머뭇거리는 것으로 보아 연우가 윤정의 지나친 관심을 부담스러워하고 있고, 이로 인해 둘 사이의 관계 형성에 어려움이 있음을 알 수 있다.

③ 연우는 자신이 사는 집 등 사회적 자아 정도만 노출하고 있지만 윤정은 좋아하는 영화 취향과 같은 개인적 자아를 드러내고 있다.

4. ⓐ는 사는 곳을 묻고 있으므로 사회적 차원의 자아에 대한 질문이고, ⓑ는 취향에 대한 것이므로 개인적 차원의 자아에 대한 질문에 해당한다.

5. 연우가 가까운 공간에서 함께 생활하는 반 친구보다 멀리서 가끔 연락하는 할머니에게 더 편안함을 느끼며 개인적 자아를 자연스럽게 노출하는 것을 통해 친밀한 관계에서는 만남의 빈도가 낮더라도 개인적 차원의 자아를 드러낼 수 있음을 알 수 있다.

오답 해설

① 일반적으로 자주 만나게 되면 자아를 더 많이 노출하게 되지만, 연우는 매일 만나는 사이인 윤정과는 아직 데면데면한 반면 가끔 연락하는 사이인 할머니에게는 자기를 더 편하게 노출하고 있다.

② 연우는 윤정이 개인적 차원의 자기표현을 많이 하는 것에 대해 친밀감을 느끼기보다 오히려 부담을 느끼고 있다.

③ 연우는 할머니에게 자기표현을 함으로써 친밀감을 두텁게 하고 있다.

④ 연우와 윤정의 대화에서 사회적 자아만 노출하고 있는 것은 연우인데, 연우는 윤정과 아직 친밀한 관계를 형성하고 있지 못하다.

6. 누나는 텔레비전의 소리를 크게 한 동생을 비난하고 있고, 동생은 자신을 탓하는 누나를 비난하면서 갈등을 유발하고 있다.

7. ㉠의 발화에도 텔레비전 소리가 커서 시끄럽다는 사건에 대한 진술이 포함되어 있다.

8. 평가 기준

'나-전달법'의 메시지 구성 방식을 정확하게 쓰고, 제시된 상황에서 선생님과 나눌 대화 내용을 '나-전달법'에 따라 알맞게 서술한 경우	5점
제시된 상황에서 선생님과 나눌 대화 내용만 '나-전달법'에 따라 알맞게 서술한 경우	3점
'나-전달법'의 메시지 구성 방식만 정확하게 쓴 경우	1점

(2) 상황에 맞는 말하기

소단원 정리하기

p. 64

대표 문제 1 ⑤

⑤는 부탁·요청의 내용을 직접적이고 명확하게 표현하고 있다. ①은 좀 더 크게 말해 달라는 부탁·요청의 내용을 돌려 표현한 사례, ②,

③, ④는 질문하기의 방식으로 표현한 사례이다.

대표 문제 2 ③

수진은 영신의 입장이나 감정을 고려하지 않고 영신의 부탁을 단칼에 거절하고 있다.

오답 해설

① 영신은 수진에게 우산을 빌려 달라는 부탁을 하고 있다.

② 수진은 우산을 빌려 달라는 영신의 부탁을 단호하게 거절하고 있다.

④ 수진의 말하기 태도는 갈등을 유발하거나 인간관계를 유지하는 데 부정적인 영향을 끼칠 수 있다.

⑤ 영신은 수진에게 자신의 상황을 자세히 설명하고 잠시만 우산을 빌려 달라는 부탁의 말을 함으로써 수진의 부담을 최소화하고 있다.

대표 문제 3 ④

"네 말을 무시해서 그런 게 아니야."라는 표현은 자신의 잘못된 행동이 상대방의 말을 무시한 데서 나온 것이 아니라는 점을 해명하는 말이다.

대표 문제 4 겸양의 격률

공손성의 원리 중 자신에 대한 칭찬은 최소화하고 자신에 대한 비방을 최대화하는 겸양의 격률에 대한 설명이다.

소단원 시험 예상 문제

p. 65

1. ① **2.** ④ **3.** ① **4.** 예시 답 이유 설명하기, 대안 제시하기 / 거절의 이유를 공손하고 솔직하게 설명한 뒤, 대안을 제시하여 상대방의 기분이나 체면을 상하지 않게 하면서 문제를 해결할 수 있다.

5. 예시 답 사과하는 성준의 태도에 진정성이 담겨 있지 않다고 느꼈기 때문이다. **6.** ⑤ **7.** ⑤ **8.** ④

1. (가)에서 다림은 정원에게 필름 인화를 빨리 해 달라고 요청하면서, "이거 빨리 해야 되거든요."라고 말한다. 이는 필름 인화를 빨리 해야 하는 자신의 상황을 설명한 것이므로 〈보기〉의 밑줄 친 표현에 해당한다.

2. ⓐ의 발화 후, 정원이 다림의 부탁·요청을 흔쾌히 들어주고 있으므로, ④와 같은 진술은 적절하지 않다.

3. 거절하는 말하기는 상대방의 요청이나, 제안, 약속 등을 수용하지 않고 거부의 의사를 나타내는 것이므로, 상대방과의 갈등을 유발할 수 있다.

4. 평가 기준

ⓒ에 나타난 거절 표현 두 가지를 정확하게 쓰고, ⓒ과 같은 거절 방식의 장점을 알맞게 서술한 경우	5점
ⓒ과 같은 거절 방식의 장점만 알맞게 서술한 경우	3점
ⓒ에 나타난 거절 표현 두 가지를 정확하게 쓴 경우	2점
ⓒ에 나타난 거절 표현 두 가지 중 한 가지만 정확하게 쓴 경우	1점

5. 평가 기준

내용	점수
'진정성'과 관련지어 성준의 사과하는 태도의 문제점을 서술한 경우	5점
'진정성'이라는 단어를 사용하지는 않았지만 사과하는 말을 할 때의 태도 측면에서 성준의 사과가 부족했다는 내용을 서술한 경우	3점
태도와 관련 없이 사과 표현 측면에서의 문제점만 서술한 경우	1점

6. 마지막 구절의 "그러니까 화 풀어. 응?"은 자신을 용서해 달라는 성준의 의도가 드러난 것이므로, ⑤의 설명은 적절하지 않다.

7. 금란은 나희와 지웅의 감사 표현과 칭찬에 대해 감사의 말로써 감사함을 표현하는 대신 비언어적 표현인 '엷게 웃'음으로써 감사를 표현하고 있다.

8. 자신이 갈아 준 녹즙을 '변변치 않은' 것이라고 낮추면서 감사를 표현하고 있는 ④가 겸양의 격률에 따른 감사 표현이다.

(3) 효과적인 표현 전략

소단원 정리하기   p.73

대표 문제 1 ⑤
목소리를 크게 하거나 말의 속도를 조절하는 것은 준언어적 표현 전략에 해당한다.

대표 문제 2 ①
ⓐ~ⓒ의 발화 내용은 '엄마'로 모두 같지만, ⓐ는 놀라움을 표현한 것이고, ⓑ는 자신의 부탁을 들어주기를 바라는 마음을, ⓒ는 선물을 받은 기쁨을 표현한 것으로 그 의미가 모두 다르다.

대표 문제 3 **예시 답** 비언어적 표현은 언어적 표현을 보강하고, 강조하는 기능을 하며, 언어적 표현을 대체하기도 한다.

평가 기준

내용	점수
비언어적 표현의 기능 '보강, 강조, 대체' 세 가지를 모두 서술한 경우	5점
비언어적 표현의 기능 '보강, 강조, 대체' 세 가지 중 두 가지만 쓴 경우	3점
비언어적 표현의 기능 '보강, 강조, 대체' 세 가지 중 한 가지만 쓴 경우	1점

소단원 시험 예상 문제   p.74

1. ④   **2.** ④   **3.** ①   **4.** ③   **5.** ④   **6.** ①   **7.** ③
8. 예시 답 비언어적 표현을 사용하여 등장인물의 정서, 감정, 의도 등을 효과적으로 전달하고 있으며 언어적 표현(대사)의 의미를 보완·강화하고 있다.

1. 시선, 표정, 몸짓 등의 비언어적 표현은 언어적 메시지를 수반하지 않고도 메시지를 전달할 수 있다.

2. 문맥상 움직임이 활발한 모양을 나타내야 하므로, 이에 적당한 표현은 ④이다.

3. ④는 외롭게 고립되어 있는 모습을 나타내는 표현이므로, 이와 의미가 통하는 한자 성어는 고립무원(孤立無援)이다. 고립무원은 '고립되어 구원을 받을 데가 없음.'을 뜻한다.

오답 해설
② 독야청청(獨也靑靑): 남들이 모두 절개를 꺾는 상황 속에서도 홀로 절개를 굳세게 지키고 있음을 비유적으로 이르는 말이다.
③ 고진감래(苦盡甘來): 쓴 것이 다하면 단 것이 온다는 뜻으로, 고생 끝에 즐거움이 옴을 이르는 말이다.
④ 유아독존(唯我獨尊): 세상에서 자기 혼자 잘났다고 뽐내는 태도를 일컫는 말이다.
⑤ 유유자적(悠悠自適): 속세를 떠나 아무 속박 없이 조용하고 편안하게 사는 태도를 일컫는 말이다.

4. ㉠은 문맥상 '다르죠?'를 써야 할 자리에 '틀리죠?'라는 단어를 썼으므로 잘못된 어휘가 사용된 경우이고, ㉡은 '가격'이라는 말에 이미 상대를 쳤다는 의미가 들어가 있으므로, 중복된 표현이 사용된 경우이다.

5. 대본에는 준언어적 표현이나 비언어적 표현이 담겨 있지 않지만, 실제 영상에는 배우들의 연기에 준언어적·비언어적 표현들이 더해져 있을 것이므로 내용이 훨씬 분명하게 전달될 것이다.

오답 해설
① 실제 영상에는 대본에 나타나 있지 않은 비언어적 표현과 준언어적 표현이 나타날 것이므로 차이가 있을 것이다.
② 언어적 표현이 다소 다르게 사용될 수는 있지만 내용이 전혀 다르게 이해될 정도로 바뀌지는 않을 것이다.
③ 비언어적 표현은 언어적 표현의 의미를 보강, 대체, 강조하는 기능을 하므로 비언어적 표현이 사용되었다고 해서 내용이 전혀 다르게 이해되지는 않을 것이다.
⑤ 준언어적 표현이나 비언어적 표현은 기본적으로 언어적 표현에 수반되어 의미 전달을 용이하게 해 준다.

6. 문맥상 해당 표현은 상대에게 자신이 몰래 한 일을 들킨 상황에서 하는 말이므로 말의 속도를 빨리하여 자신의 당황한 마음을 표현하는 것이 적절하다.

7. 해당 장면에서 인물이 "잘 가!"라고 하였으므로 손을 흔드는 행위는 반가움을 표현한 것이 아니라 헤어지는 아쉬움을 표현한 것으로 보는 것이 타당하다.

8. 평가 기준

내용	점수
해당 장면에서의 비언어적 표현의 사용 효과를 구체적으로 서술한 경우	5점
비언어적 표현의 일반적인 사용 효과를 서술한 경우	3점
완성된 문장으로 서술하지 않고 '화자의 의도', '효과적 전달' 등의 내용만 제시한 경우	1점

2. 대중을 향한 의사 표현의 화법

(1) 이해하기 쉬운 발표

대표 문제 1 ③

발표를 준비할 때는 청자를 중요하게 고려해야 한다. 주제에 대한 청자의 사전 지식이 풍부하다면 발표 주제를 자세하게 설명하는 일은 불필요하고, 사전 지식이 부족하다면 보다 자세히 설명할 필요가 있으므로, 주제에 관해 가능한 한 상세히 준비하는 것은 적절하지 않다.

대표 문제 2 ①

발표의 주제가 떡볶이의 유래와 대중화 과정이므로 시간의 흐름에 따라 내용을 구성하여 설명하는 것이 효과적이다.

대표 문제 3 ②

효과적인 발표를 위해 매체 자료를 사용하는 것은 좋으나 지나친 매체의 사용은 오히려 발표의 내용을 전달하는 데 방해가 될 수 있으므로 적절하게 사용해야 한다.

대표 문제 4 ②

제시된 발표에서 발표자는 자신의 경험이 아니라 서울시의 설문 조사 결과를 바탕으로 이웃에게 무관심한 우리 사회의 문제점을 제시하고 있으므로 ②는 적절한 반응이 아니다.

1. ③   **2.** (예시 답) 청자는 구청의 교육지원과 심사 위원들이고, 그 청자가 요구하는 바는 우리 지역 사회와 관련된 중요한 문화 자원을 찾아 시민들에게 알리는 것이다.   **3.** ⑤   **4.** ⑤   **5.** ④   **6.** 발표자는 '더블 알(Double R)', 즉 다시 한번 생각하고, 도움이 필요한 곳에 능동적으로 손을 내미는 태도를 문제의 해결 방법으로 제시하고 있다.

1. 구체적인 발표 주제 및 발표에 관한 정보를 제공하고 있는 것은 정우가 아니라 태민이다.

2. 평가 기준

청자와 그 청자가 요구하는 바 모두 정확하게 서술한 경우	5점
청자가 요구하는 바만 정확하게 서술한 경우	3점
청자가 누구인지만 정확하게 쓴 경우	1점

3. (라)에서 떡볶이가 다양한 형태로 발전할 것임을 예상하고 있지만 미래의 떡볶이의 형태를 예상하고 있지는 않다.

4. 고추장 떡볶이가 대중화된 이유는 식재료가 변변치 않았던 1950년대의 사회적 환경 때문이다. 즉 고추장 떡볶이가 대중화된 이유는 대중의 선호도 때문이 아니므로 떡볶이 종류에 대한 선호도 조사 자료를 제시하는 것은 발표의 맥락에 어울리지 않는다.

5. 통계 자료를 바탕으로 더불어 사는 삶이 실천되고 있지 않음을 제시하고 있을 뿐, 청중이 경험한 바를 언급하고 있지는 않다.

오답 해설

① (가)~(다)에서 모두 청중에게 질문을 던짐으로써 청중의 주의를 환기하고 있다.

② 서울시의 설문 조사 결과를 바탕으로 한 통계 자료를 제시함으로써 발표 내용에 신뢰성을 부여하고 있다.

③ 발표자가 말하고자 하는 바를 '더불어 생활 영역'이라는 시험 형식으로 제시하고 있다.

⑤ 문제 해결 방안으로 '더불어'와 발음이 유사한 'Double R'을 제시하고 있다.

6. 평가 기준

발표자가 제시한 문제 해결 방안 두 가지 모두 적절하게 서술한 경우	5점
발표자가 제시한 문제 해결 방안을 중 한 가지만 서술한 경우	3점
'더블 알'이라고만 쓴 경우	1점

(2) 설득력 있는 연설

대표 문제 1 ④

연설이 화자의 일방적인 말하기인 것은 맞지만 다수의 청중을 대상으로 한다는 점에서 연설은 사회적 속성을 갖는다.

대표 문제 2 ④

"우리가 가진 행성은 지구뿐"이라며 현재 청중이 처한 위급한 상황을 구체적으로 제시함으로써 청중의 관심과 공감을 불러일으키는 감성적 설득 전략을 사용하고 있다.

대표 문제 3 ②

"할 수 있다고 말하면 그것은 가능해지고", "변화시킬 수 있는 건 오로지 자신뿐"이라는 말을 통해 자신의 힘과 의지로 난관을 극복할 수 있다는 화자의 자신감을 엿볼 수 있다.

1. ④   **2.** ③   **3.** ③   **4.** (예시 답) 연설에 대한 설득력이 더 높아질 것이라고 생각한다. 왜냐하면 연설의 화자가 말로만 환경 문제 해결을 외치는 것이 아니라 스스로 환경 운동을 적극적으로 실천하고 있는 사람임을 알 수 있기 때문이다.   **5.** ⑤   **6.** ①   **7.** ②   **8.** (예시 답) ㉠은 다양한 경험을 쌓아 보라는 말이었을 것이다. 화자가 ㉠을 듣고 다양한 봉사 활동, 배낭여행, 교환 학생, 연극 공연과 같은 활동 등을 하며 많은 것을 보고 배우기 위해 도전하는 것을 멈추지 않았기 때문이다.

1. 연설을 할 때는 청중이 이해하기 쉬운 단어와 문장을 사용하는 것이 효과적이며, 화자의 권위가 아니라 화자의 공신력을 높여야 한다.

2. '동지 여러분'이라는 표현을 통해 이 연설은 화자와 뜻을 같이하는 사람들, 즉 흑인들을 대상으로 하고 있음을 알 수 있다. 또한, 흑인에 대한 차별 철폐의 필요성과 당위성을 주장하며 감성적 설득 전략을 사용하고 있는 것을 통해서도 이 연설의 청중이 흑인임을 짐작할 수 있다.

3. 화자는 환경 문제는 인류의 문제이고, 지금이 환경 위기 극복을 위해 행동해야 하는 시기이며, 우리 모두 이 문제를 해결하기 위해 나서야 한다고 주장하고 있다.

4. 평가 기준

〈보기〉의 내용이 연설에 어떤 영향을 줄지 정확하게 예측하고 그 이유를 타당하게 서술한 경우	5점
〈보기〉의 내용이 화자의 공신력에 긍정적인 영향을 줄 것이라는 내용만 서술한 경우	3점
〈보기〉의 내용이 연설의 설득력을 높이는 데 영향을 미칠 것이라는 내용만 서술한 경우	1점

5. ㉠은 미 해군 태평양 총독의 견해를 제시하여 화자의 주장을 뒷받침하고 있는 부분이고, ㉡은 하나뿐인 지구를 망가뜨려서는 안 되는 절박함을 강조함으로써 청중의 공감을 얻고 있는 부분이다.

오답 해설
① ㉡은 어느 정도 청중의 자긍심이나 동정심에 호소하고 있다고 볼 수도 있으나 ㉠은 이성적이고 논리적으로 청중을 설득하고 있으므로 ①은 적절한 설명이 아니다.
② ㉠과 ㉡ 모두에 객관적인 통계 자료는 사용되지 않았다.
③ ㉠에는 이성적이고 논리적인 언어 표현이 사용되었고, ㉡에는 감성적인 언어 표현이 사용되었다.
④ ㉠에서는 구체적이고 타당한 근거를 들어 주장을 뒷받침하고 있지만 ㉡에 화자의 살아온 내력이 나타나 있지 않으므로 ④는 적절한 설명이 아니다.

6. 화자는 장애를 가지고 있지만 '가능성에 대한 믿음'을 바탕으로 노력한 끝에 여러 어려움을 극복할 수 있었다고 말하면서, 졸업을 앞둔 학우들에게 자신과 같이 믿음을 가지고 가능성을 증명하면서 세상을 바꾸는 아름다운 사람이 되자고 주장하고 있다.

7. 화자는 장애인으로서 자신이 할 수 있는 범위 안에서 다양한 활동을 했음을 언급하고 있지만 그것을 통해 자신의 전문성을 부각하지는 않았다.

오답 해설
① 장애를 약간의 불편함을 주는 요소라 하며, 꿈을 이룰 수 있다고 격려한 부모님과 '교수님 말씀 덕분에 자신이 적극적으로 활동할 수 있었다고 한 것으로 보아 화자는 주변 사람들의 말을 수용하여 어려움을 극복하고 발전의 계기로 삼았음을 알 수 있다.
③ (가)에서 장애를 가지고 태어난 자신을 시설에 맡기라고 권하는

사람들이 있었다는 사실과 장애인이라는 이유로 초등학교 입학을 거절당한 일을 솔직하게 말하고 있다.
④ (나)의 내용을 보면 장애로 인해 불편을 겪으면서도 다양한 봉사 활동, 배낭여행, 교환 학생, 연극 공연 등의 활동을 적극적으로 해 왔음을 알 수 있다.
⑤ (다)를 보면 화자가 가능성에 대한 믿음을 가지고 그것을 극복할 수 있다는 자신감을 보여 주고 있음을 알 수 있다.

8. 평가 기준

㉠의 내용이 무엇인지와 그렇게 생각한 이유 모두 논리적으로 서술한 경우	5점
㉠의 내용이 무엇인지 정확하게 추론하였으나 그렇게 생각한 이유의 논리성이 다소 부족한 경우	3점
㉠의 내용이 무엇인지만 정확하게 추론하여 서술한 경우	1점

3. 상호 작용을 통한 문제 해결의 화법

(1) 효과적인 면접

소단원 정리하기

p. 113

대표 문제 1 ④
면접을 준비할 때는 면접의 목적, 면접 실시 기관 등을 고려하여 예상되는 질문을 선정하고 그에 대한 답변을 마련해 두어야 한다.

대표 문제 2 ⑤
면접 대상자는 면접의 상황과 목적을 고려하여 면접관의 질문에 담긴 의도를 적극적으로 추론하며 듣고, 그에 맞게 적절한 답변 전략을 사용하여 답변을 해야 한다.

대표 문제 3 〔예시 답〕 폐쇄형 질문에 해당한다. 면접관이 폐쇄형 질문을 할 때는 구체적이고 객관적인 정보에 근거하여 자신이 알고 있는 것을 명료하게 답변해야 한다.

평가 기준

제시된 질문의 유형과 그 유형의 질문의 답변 전략을 적절하게 서술한 경우	5점
제시된 질문의 답변 전략에 관해서만 서술한 경우	3점
제시된 질문이 어떤 유형의 질문에 해당하는지만 쓴 경우	1점

소단원 시험 예상 문제

p. 114

1. ② 2. ② 3. ④ 4. 〔예시 답〕 자료 분석 결과를 바탕으로 한 구체적인 실행 방안 수립 능력 등이 잘 드러나도록 답변하는 전략 5. ③ 6. ⑤ 7. 〔예시 답〕 "합격 가능성이 제일 높아서"라는 식의 대답은 면접관의 의도를 파악하지 못한 답변으로 보일 수 있으며 면접관에게 좋은 인상을 주기도 어렵다.

1. 면접 대상자가 해당 기관이나 단체에 연고가 있는지의 여부는 면접 결과에 영향을 줄 수 있으므로 면접관은 이에 대해 알려고 해서는 안 된다.

2. 면접관은 면접 대상자에게 구체적인 디자인 작품을 예로 들 것, 작품을 보고 느낀 점을 말할 것, 어떤 디자인이 훌륭한 디자인이라고 생각하는지 말할 것을 요구하고 있다. 이에 면접 대상자는 항공사 주전자 디자인을 예로 들었고, 그 작품을 보며 사람들의 일상을 관찰하여 사람들이 불편하게 느끼는 점을 찾아 그 개선 사항을 반영한 디자인이라고 느꼈으며 그러한 디자인이 훌륭한 디자인이라고 생각한다고 답변하였다.

3. (나)의 질문에는 면접 대상자의 가치관, 인성, 대인 관계 능력 등을 파악하기 위한 의도가 담겨 있다고 보기 어렵다.

4. 평가 기준

면접관의 질문 의도에 맞게 답변하는 전략을 구체적으로 서술한 경우	5점
면접관의 질문 의도에 맞도록 답변하는 전략을 서술하였으나 다소 미흡한 경우	3점
면접관의 질문 의도와 관계없이 어떻게 답변하면 좋을지에 대한 자기 생각을 서술한 경우	1점

5. 대학교 신입생 선발을 위한 면접이므로 면접관은 전문적인 지식보다는 지원 동기, 학업 계획 등과 관련한 질문을 하고 있다.

6. 제시된 면접에서 면접관은 답변하기 곤란한 질문을 하지 않았으며, '학생 3'이 면접관의 질문에 유보적인 태도로 답변을 보류하지도 않았다.

7. 평가 기준

면접관의 질문 의도와 관련지어 ㉠의 답변이 지닌 문제점을 적절하게 서술한 경우	5점
면접관의 질문 의도와 관계없이 ㉠의 답변이 지닌 문제점에 관해서만 서술한 경우	3점
㉠의 답변이 지닌 문제점을 추상적으로 서술한 경우	1점

(2) 생산적인 토론

소단원 정리하기   p. 124

대표 문제 1 ④

토론은 자신과 상대방의 주장이 다른 경우에 자신의 견해가 더 타당하다는 것을 주장하는 말하기이다. 자신과 상대방의 주장에서 비슷한 부분을 찾아 차이를 줄여 가는 의사소통 행위로는 토의, 협상 등이 있다.

대표 문제 2 예시 답 반대 신문은 상대측의 주장과 근거에서 논리적 허점이나 오류를 찾아 그것이 드러나도록 하는 질문을 말한다.

평가 기준

'허점, 질문'의 두 단어를 포함하여 반대 신문의 개념을 적절하게 서술한 경우	5점
'허점, 질문' 중 한 단어만 포함하여 반대 신문의 개념을 서술한 경우	3점
'허점, 질문'의 두 단어를 포함하지 않고 반대 신문의 개념을 서술한 경우	1점

대표 문제 3 ⑤

토론 과정에서 드러난 쟁점을 정리하고 자신 측의 주장이 옳음을 다시 한번 강조하는 것은 입론이 아니라 최종 변론에 단계에서 해야 한다.

대표 문제 4 ①

반대 신문식 토론은 '찬성 측 – 반대 측'의 순서가 반복되는 것이 아니라 '찬성 측 – 반대 측 – 반대 측 – 찬성 측…'으로 진행된다.

대표 문제 5 예시 답 최종 변론 / 현행 만 19세인 선거 연령을 만 18세로 낮추어야 합니다.

평가 기준

제시된 부분이 토론의 어떤 단계에 해당하는지 정확히 쓰고, 빈칸에 들어갈 발언자의 주장을 적절하게 서술한 경우	5점
빈칸에 들어갈 발언자의 주장만 서술한 경우	3점
제시된 부분이 토론의 어떤 단계에 해당하는지만 쓴 경우	1점

소단원 시험 예상 문제   p. 126

1. ③   **2.** ④   **3.** ①   **4.** ⑤   **5.** ③

1. 반대 신문 단계에서는 논증을 정정하는 것이 아니라, 상대측 발언 내용 중 논리적으로 부족한 부분, 즉 논리적으로 허점이 있는 부분이 드러나도록 질문을 해야 한다.

2. '찬성 1' 토론자는 '선거 연령을 만 18세로 낮추어야 한다.'라는 주장을 하고 있으며, 그 주장에 대한 근거로 선거권이 참정권의 핵심이라는 점, 민주주의의 확대 측면에서 선거권이 폭넓게 보장되어야 한다는 점 등을 들었다.

3. 선거 연령이 선거권을 행사할 수 있는 나이라는 것은 명제에 대한 개념 정의로 문제 삼을 만한 것이 아니다. 이후 반대 측 토론자가 입론에서 이 정의에 대해 문제 삼지 않은 것을 통해서도 선거 연령에 대한 개념 정의는 토론의 쟁점이 아님을 알 수 있다.

4. ⑤는 토론의 마무리에 대한 설명으로, 토론의 사회자가 하는 역할은 맞지만 제시된 부분에서는 ⑤의 역할을 수행하는 사회자의 발언이 나타나 있지 않다.

5. '반대 1'은 생물학적인 근거가 아니라, 헌법재판소의 2013년 결정문의 내용을 근거로 선거 연령을 현행대로 유지해야 한다고 주장하였다.

(3) 성공적인 협상

대표 문제 1 ①

협상의 목표는 어느 한쪽만이 아니라 협상에 참여하는 양측 모두 만족할 만한 타협안을 찾는 데 있다.

대표 문제 2 **예시 답** ㉠: 제안, 대안 상호 검토 / ㉡: 입장 차이 좁히기 / ㉢: 설득과 양보를 통한 합의

평가 기준

㉠, ㉡, ㉢에 들어갈 협상 과정을 모두 정확하게 쓴 경우	5점
㉠, ㉡, ㉢에 들어갈 협상 과정 중 두 가지만 정확하게 쓴 경우	3점
㉠, ㉡, ㉢에 들어갈 협상 과정 중 한 가지만 정확하게 쓴 경우	1점

대표 문제 3 ⑤

협상을 통해 자신에게 유익한 어떠한 이익도 얻을 수 없다고 판단될 때는 협상 자체를 회피하는 회피 전략을 사용한다. 타협 전략은 양측이 조금씩 양보하여 절충점을 찾는 행동 전략이다.

소단원 시험 예상 문제   p. 135

1. ②   **2.** ⑤   **3.** **예시 답** 학생들의 수업권을 보호를 이유로 들어 주민들이 체육 시설을 제한적으로 이용할 수 있도록 하자는 제안을 하고 있다.

1. 구청 측과 학교 측 모두 교내에 체육 시설을 조성하는 것에는 동의하고 있다. 양측은 체육 시설 조성 후의 운영 방안에 관해 이견을 보이고 있다.

2. 구청 측은 자신의 이익(체육 시설을 조성할 터를 마련하는 것)을 추구하면서 상대방의 이익(무료로 교내에 체육 시설을 조성하고 학생들이 그 시설을 이용할 수 있는 것)도 고려하여 교내 체육 시설 조성에 관한 합의를 모색하고 있다.

3. 평가 기준

학교 측의 제안과 그러한 제안을 하는 까닭을 적절하게 서술한 경우	5점
학교 측에서 제안을 한 까닭에 대해서만 서술한 경우	3점
학교 측의 제안에 대해서만 쓴 경우	1점

대단원 시험 예상 문제   p. 140

1. ③   **2.** ⑤   **3.** ⑤   **4.** ③   **5.** ③   **6.** **예시 답** 틀리죠 → 다르죠 / 가격해 쳤습니다 → 가격했습니다 또는 쳤습니다
7. ④   **8.** ③   **9.** ②   **10.** ④   **11.** ③   **12.** ⑤
13. ⑤   **14.** ④   **15.** ③   **16.** ③   **17.** **예시 답** 시간의 흐름에 따라 떡볶이의 변화 양상을 설명하고 있다.   **18.** ⑤

1. (가)에서 '나'의 자아 개념은 부정적 자아 개념에서 긍정적 자아 개념으로 변하고 있다. 따라서 한번 형성된 자아 개념은 변하지 않는다고 한 ㉡의 설명은 적절하지 않다.

2. '소리가 점점 커지면서'는 '연우'의 당황한 마음을 드러내기에 적절하지 않은 준언어적 표현이다.

3. (나)의 '윤정'은 처음 만난 사이인 '연우'에게 등교를 같이할 것을 제안하고, 영화 취향을 이야기하는 등 개인적 차원의 자아를 드러내고 있으며, 이로 인해 '연우'가 불편해하고 있으므로 ⑤의 설명은 적절하지 않다.

4. '성진'은 마지막 발화에서 공책을 빌려주기 싫은 이유를 솔직하고 공손하게 설명한 뒤 대안을 제시함으로써, '우신'의 기분을 상하지 않게 하면서 문제를 해결하고 있다.

5. '죄송한데요'처럼 양해를 구하는 뜻을 나타내는 말을 사용하고, '매우 급한 일'이라는 까닭을 덧붙였다.

6. 평가 기준

어법에 어긋난 표현 두 가지를 모두 찾아 바르게 고쳐 쓴 경우	5점
어법에 어긋난 표현 중 한 가지만 찾아 바르게 고쳐 쓴 경우	3점
어법에 어긋난 표현 두 가지를 찾아 쓰기만 한 경우	1점

7. (나)의 화자는 인류가 처한 다급한 상황을 제시하여 청중의 공감을 얻는 감성적 설득 전략을 사용하고 있다. (나)의 화자는 자신의 경험을 예로 제시하지도 않았다.

8. 화자에 대한 청중의 신뢰(화자의 공신력)가 청중의 마음을 움직이게 하는 중요한 요소로 작용하기 때문에 (가)의 화자의 말이 설득력을 갖게 된 것이다.

9. (나)의 연설의 주제는 '기후 변화와 지구 온난화를 막기 위한 정책 실행 촉구'이다. ㉢은 (나)에 나타나 있지 않다.

10. 여러 학생을 함께 면접하고 있으므로 집단 면접인 것은 맞지만, 면접 대상자들 사이에서 토론이 진행되고 있지 않고, 면접관과 각 면접 대상자들이 개별적으로 문답을 진행하고 있다. 따라서 토론형 면접이 아닌 면담형 면접이라 할 수 있다.

11. ㉢에서 '학생 2'는 학부의 세부적인 교육 과정에 대해 언급하지 않고 피상적으로 답변하고 있다.

12. 허리를 곧추세우는 것은 당당하고 자신 있는 태도를 드러내 보이는 비언어적 표현이므로, 면접관에게 좋은 이미지를 줄 수 있다.

13. [E]에서 '반대 1'은 상대측의 주장이 지닌 논리적 허점을 들어 상대측 주장의 문제점을 부각시킴과 동시에, 자신의 주장이 타당함으로 내세우고 있으므로, 상대측의 주장을 일부 수용한다는 진술은 적절하지 않다.

14. '반대 1' 토론자의 반론 내용을 보면, 찬성 측이 입론에서 제시한 주장 중 토론에서 쟁점이 된 주장과 그것을 뒷받침하는 논거의 문제점을 들어 반박하고 있음을 알 수 있다.

15. (가)는 같은 직장 구성원끼리 나누는 사적인 대화 상황이고, (나)는 청중에게 정보 전달을 목적으로 하는 공적인 발표 상황, (다)는 지역의 체육 시설 조성 사업과 관련된 공적인 협상 상황이다.

16. ㉢은 발표의 도입부로 청자와의 교감을 위해 친근한 느낌의 표현을 하는 것은 적절하지만, 다수의 청자를 상대로 하는 공적인 말하기이므로 부끄럽고 수줍은 어조를 사용하는 것은 적절하지 않으며, 친근한 느낌을 표현하려는 의도에도 맞지 않는다.

17. 평가 기준

[A]에 나타난 내용과 그 내용의 구성 방식을 적절하게 서술한 경우	5점
[A]에 나타난 내용 구성 방식만 서술한 경우	3점
[A]에 나타난 내용만 서술한 경우	1점

18. 학교 측에서는 학생들의 안전에 문제가 없도록 해 주는 조건으로 수영장 개방을 허락하고 있으므로, ⑤와 같은 진술은 적절하지 않다.

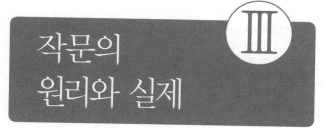

작문의 원리와 실제 III

1. 정보를 정리하여 전달하는 작문

(1) 가치 있는 정보를 전달하는 글

소단원 정리하기   p. 158

대표 문제 1   ④

정보를 전달하는 글은 필자가 어떤 대상, 사실, 현상 등에 관하여 가치 있거나 새로운 정보를 전달하려는 목적으로 쓴 글을 말한다.

오답 해설

① 정보를 전달하는 글은 객관적이어야 하므로 필자의 주관적 생각을 있는 그대로 표현해서는 안 된다.

②, ⑤ 설득하는 글의 목적과 특징에 대한 설명이다.

③ 정보를 전달하는 글을 쓸 때 독자가 이미 알고 있는 정보를 우선적으로 선정해야 하는 것은 아니다.

대표 문제 2   ③

주변의 어르신들과 면담을 하여 수집한 자료는 전문적이지 않고, 신뢰할 만한 정보로 보기도 어렵다.

대표 문제 3   ②

설문 조사나 면담 등 직접 사람을 대면하거나 현장을 조사하여 정보를 수집할 수 있지만 반드시 정보를 직접 수집해야 하는 것은 아니다.

대표 문제 4   ④

〈보기〉에서는 먼저 대상에 관한 질문을 제시한 후 그에 대해 답하는 방식으로 내용을 조직하여 정보를 전달하고 있다.

대표 문제 5   ③

정보를 전달하는 글을 쓸 때는 객관적이고 공정한 방법으로 자료를 수집하고 해석해야 한다. 결론을 먼저 제시한 후 그에 맞추어 자료를 해석하는 것은 바람직하지 않다.

소단원 시험 예상 문제   p. 160

1. ②   **2.** ②   **3.** 예시 답 (나). 설명문의 '처음' 부분에는 설명하려는 대상을 제시하는 것이 일반적이기 때문이다.   **4.** ⑤   **5.** ①   **6.** ④

1. 제시된 두 학생의 대화를 통해 작문 목적(윤리적 소비가 무엇인지에 관한 정보의 전달)과 그 목적에 맞는 글의 형식(학교 신문의 정보란에 실을 글)을 정하고 있음을 알 수 있다.

2. (나)에서는 윷놀이의 유래를 설명하면서 인과의 방법을 활용하고 있다. 가축을 잘 번식시키기 위해 윷놀이를 하였기 때문에(원인) 윷을 던졌을 때 나오는 결과를 이르는 말인 '도, 개, 걸, 윷, 모'를 '돼지, 개, 양, 소, 말'에 비유하기도 한다(결과)고 한 부분에서 인과의 설명 방식이 사용되었다. 유사한 대상에 빗대어 설명하는 비유의 방식은 사용되지 않았다.

오답 해설

① (가)에서 열거의 방식을 활용해 윷놀이의 규칙을 구체적으로 설명하고 있다.

③ (나)에서 정의의 방식을 활용해 윷놀이의 개념을 설명하고 있다.

④ (다)에서 옛날과 오늘날의 윷놀이의 의미의 차이점을 설명하고 있다.

⑤ 윷놀이의 묘미를 인과의 방식을 활용해 설명하고 있다.

3. 평가 기준

'처음' 부분에 배치해야 하는 문단을 알맞게 고르고 그 이유를 적절하게 서술한 경우	5점
'처음' 부분에 배치해야 하는 문단을 알맞게 골랐으나 그 이유가 다소 미흡하게 서술된 경우	3점
'처음' 부분에 배치해야 하는 문단만 쓴 경우	1점

4. 절차나 과정을 속성으로 갖는 대상의 사용 방법을 일을 진행하는 순서에 따라 구체적으로 제시하고 있다.

5. 제목을 '생과 사를 가르는 심장 충격기'로 바꾸면 독자에게 강렬한 인상을 줄 수 있지만, 필자의 의도는 오히려 잘 드러나지 않게 된

다. 필자가 이 글을 쓴 의도는 심장 충격기 사용 방법을 익혀 위급한 상황에 효과적으로 대처할 수 있도록 하는 데 있다.

6. 이 글에는 심장 충격기의 사용 방법에 대한 이해 부족으로 인한 문제점이 나타나 있지 않으며, 문제 해결 구조가 아닌 과정이나 순서에 따라 심장 충격기의 사용 방법을 설명하고 있다.

(2) 나를 소개하는 글

소단원 정리하기   p. 168

대표 문제 1 ㉢

일반적으로 자기중심적인 정보만 전달해서는 자기소개가 제대로 이루어졌다고 하기 어렵다. 자기소개서를 쓸 때는 상대방의 공감과 이해를 얻고, 나와 상대가 일체감을 형성할 수 있도록 하는 것이 바람직하다.

대표 문제 2 ⑤

회원을 모집하고 있는 동아리 측에서 지도력이 있는 학생을 원하고 있는지는 블로그 게시판에 나타나 있지 않으며, 친구들과 함께한 사진을 첨부하는 것만으로 지도력이 있다는 것을 드러내기도 어렵다.

대표 문제 3 ⑤

자기소개서에는 독자가 경험하지 못한 내용이 포함되는 경우가 많으므로 자기소개서를 쓸 때는 독자가 글의 내용을 이해하기 쉽도록 생각이나 경험, 계획 등을 구체적이고 명확하게 써야 한다.

소단원 시험 예상 문제   p. 169

1. ②   **2.** ③   **3.** ⑤   **4.** ④

1. 자기소개서를 쓸 때는 자기를 드러낼 수 있는 내용을 구체적으로 서술하되, 내용을 과장하거나 왜곡하지 않고 진솔하게 써야 한다.

2. 어학연수의 기회가 주어진다면 외국의 영어 교육 현장을 살펴보겠다고 언급하였을 뿐, 어학연수의 경험은 제시되어 있지 않다.

3. 시간의 흐름에 따라 영어 교사가 되기로 마음먹기까지의 과정을 구체적으로 드러내고 있다.

4. 필자가 지원한 대학의 인재상을 알 수 있는 내용은 제시되어 있지 않다.

(3) 탐구 결과를 보고하는 글

소단원 정리하기   p. 178

대표 문제 1 ⑤

보고하는 글에서 가장 중요한 것은 정확성이므로 탐구를 할 때는 객관적이고 공정한 방법으로 자료를 수집하고 해석해야 한다. 그러므로 결론을 먼저 내린 후 그에 맞추어 자료를 해석해서는 안 된다.

대표 문제 2 ③

〈보기〉는 자료를 직접 수집하는 방법의 장단점에 해당한다. 전문가 면담, 설문 조사, 현장 답사 등의 직접 수집 방법 중 전문가 면담은 원하는 방향의 정보를 얻고자 할 때 주로 활용된다.

대표 문제 3 ④

인터넷은 풍부한 정보를 얻을 수 있다는 장점이 있지만 주관적 편견이 담겨 있거나 내용이 부정확한 정보가 있을 수 있으므로 반드시 정보의 검증 과정을 거쳐야 한다. 따라서 정보를 수집할 때는 인터넷을 주로 활용하기보다 다양한 경로와 방법으로 정보를 수집하는 것이 좋다.

대표 문제 4 (예시 답) 현장감을 줄 수 있다. / 내용을 풍부하게 해 준다. / 독자의 관심을 유도할 수 있다. / 전달하려는 내용을 분명하게 보여 준다. / 독자가 정보를 친숙하게 받아들일 수 있도록 해 준다.

평가 기준

탐구 보고서 작성 시 시각 자료를 활용함으로써 얻을 수 있는 효과를 세 가지 이상 정확하게 서술한 경우	5점
탐구 보고서 작성 시 시각 자료를 활용함으로써 얻을 수 있는 효과를 두 가지만 정확하게 서술한 경우	3점
탐구 보고서 작성 시 시각 자료를 활용함으로써 얻을 수 있는 효과를 한 가지만 정확하게 서술한 경우	1점

대표 문제 5 ①

〈보기〉에서는 남한산성이 현대인에게도 유의미한 역사적 의미를 지니기 때문에 다양한 문화 콘텐츠로 제작이 되고 있음을 드러내고 있다.

소단원 시험 예상 문제   p. 180

1. ⑤   **2.** (예시 답) 우리 학교 학생들에게 남한산성의 역사적 의미를 알려 주고자 한다.   **3.** ②   **4.** ⑤   **5.** ⑤   **6.** ⑤

1. 제시된 글은 보고하는 글을 쓰기 전에 조사 항목, 시기, 방법 등에 관한 계획을 세워 작성한 탐구 계획서이다. 조사한 내용을 항목화하여 체계적으로 정리하여 제시하는 것은 조사가 끝난 뒤 보고서를 쓸 때 해야 하는 일이다.

2. 평가 기준

탐구 보고서의 목적과 독자 모두 정확하게 서술한 경우	5점
탐구 보고서의 목적만 서술한 경우	3점
탐구 보고서의 독자만 쓴 경우	1점

3. 현장 답사를 통해서는 탐구 대상의 현재 모습만 조사할 수 있다.

역사적 변천 양상에 대해 조사하려면 책이나 인터넷 자료 조사 방법을 활용하는 것이 적절하다.

4. 보고서는 설득이 아니라 정보 전달을 목적으로 하는 글이므로 보고자의 개인적인 의견의 타당성을 분석하며 읽을 필요가 없다. 정보를 전달하는 글은 출처가 명확한지, 수집한 정보가 신뢰성과 객관성을 갖추었는지, 정보가 주제와 긴밀하게 연관되어 있는 것인지 등을 평가하며 읽어야 한다.

5. 유네스코라는 단체는 세계에서 공인한 단체이므로 그 단체가 신뢰할 만한 단체인지 확인할 필요는 없으며, 유네스코에서 하는 활동들은 보고서의 주제와 긴밀한 관련이 없으므로 이에 관해 조사하는 것은 불필요하다.

6. (나)에서는 남한산성의 탐방로를 걸으며 생각하고 느낀 점 등의 탐구 소감을 전달하고 있다.

2. 의견을 펼치며 설득하는 작문

(1) 논리적으로 설득하는 글

소단원 정리하기
p. 192

대표 문제 1 ④

욕설을 습관적으로 사용하는 학생은 전교생의 57% 정도이므로, 독자 중에는 욕설을 습관적으로 사용하지 않는 학생도 있을 것이며, 욕설을 자주 쓴다고 욕설의 어원이나 유래에 관심을 가지고 있을 것이라고 보기도 어렵다.

대표 문제 2 ②

주장에 대한 설득력을 높이기 위해 '양날의 검'이라는 관용구, '말한마디에 천 냥 빚도 갚는다.'라는 속담 등 언어 공동체의 사회·문화적 관습을 고려한 논거를 제시하고 있다.

대표 문제 3 ⑤

이 글에서는 극단적인 상황을 가정하고 있지 않으며, 다양한 표현 방법, 타당하고 신뢰성 있는 조사와 연구의 결과를 바탕으로 독자를 이성적으로 설득하고 있다.

소단원 시험 예상 문제
p. 194

1. ⑤ **2.** ④ **3.** 예시 답 〈보기〉는 노인 연령 기준의 상향이 노인 빈곤율에 미치는 영향에 관한 신문 기사이다. 이 자료를 노인 연령 기준의 상향에 따른 사회 문제를 언급하고 있는 (다)에 추가하면 논거의 타당성과 신뢰성을 높일 수 있다. **4.** ④ **5.** ③ **6.** 예시 답 존엄사에 관한 설문 조사와 통계 수치 등을 근거로 독자를 설득하는 이성적 설득 전략을 활용하고 있다.

1. 필자는 노인 인구의 삶의 질을 고려할 때 노인 기준 연령을 올리는 것은 시기상조이며, 노인 기준 연령을 올려야 한다는 사람들이 늘고 있지만 그렇다고 해서 노인의 삶의 질 문제를 외면해서는 안 된다는 주장을 펴고 있다. 따라서 이 글의 제목으로 가장 적절한 것은 ⑤이다.

2. 노인 기준 연령을 올리자는 주장에 노인을 공경하지 말자는 생각이 내포되어 있지 않으며, 노인 기준 연령을 올린다고 해서 경로 사상이 퇴색되는 것은 아니다. 이는 논리적인 비약이므로 타당한 근거라고 할 수 없다.

오답 해설

① 현행 노인 기준 연령과 사람들의 인식 사이에 괴리가 있음을 들어 노인 기준 연령과 관련해 논란이 있음을 제시하는 것은 이치에 맞는다.
② 논거로 제시한 자료의 출처가 정확해야 신뢰성을 확보할 수 있다.
③ 노인 기준 연령을 올리면 노인의 삶의 질이 낮아질 가능성이 큰 것은 사실이므로 적절하다.
⑤ 필자가 자신의 주장과 반대되는 입장을 가진 사람들의 견해에 대해서는 구체적으로 언급하고 있지 않으므로 공정하다고 볼 수 없다.

3. 평가 기준

〈보기〉의 자료를 정확하게 분석하고 그 내용을 바탕으로 〈보기〉의 활용 방안에 대해 구체적으로 서술한 경우	5점
〈보기〉의 활용 방안에 대해서만 적절하게 서술한 경우	3점
〈보기〉의 자료를 활용하기에 적절한 문단만 쓴 경우	1점

4. 존엄사를 반대하는 이들 중 존엄사와 안락사를 혼동하는 사람들이 많다는 사실만 지적하고 있을 뿐 존엄사를 반대하는 사람들이 어떤 근거를 들어 존엄사를 반대하는지에 대해서는 언급하지 않았다.

오답 해설

① (나)에서 대조법을 사용해 존엄사와 안락사의 차이점을 명확하게 밝히고 있다.
② (다)에서 존엄사를 실시하고 있는 나라들을 나열하고 있다.
③ 존엄사가 제대로 시행될 수 있도록 기반 시설 구축과 의료 윤리 교육 강화가 필요함을 말하고 있다.
⑤ (다)에서 구체적인 통계 수치를 제시하며 존엄사의 필요성을 말하고 있다.

5. ㉢은 평서문을 의문문의 형태로 바꾸어 그 문장에 담긴 주장을 강조하는 설의법이 사용된 문장이다. 이는 존엄사와 안락사가 엄연히 다른 것임을 강조하는 데 효과적인 표현이므로 평서문의 형태로 바꿀 필요가 없다.

6. 평가 기준

필자가 설득력을 높이기 위해 사용한 설득 전략에 대해 구체적으로 서술한 경우	5점
필자가 설득력을 높이기 위해 제시한 근거들만 구체적으로 서술한 경우	3점
필자가 이성적 설득 전략을 활용하고 있다는 것만 서술한 경우	1점

(2) 시사 문제를 비평하는 글

대표 문제 1 ③

시사 현안이나 쟁점에 대해 비평하는 글은 현재 사회에서 발생하는 문제에 대한 자신의 견해를 밝혀 독자를 설득하기 위한 목적으로 쓰는 글이다. 따라서 대상에 대한 독자의 정서적 반응보다는 이성적 반응에 초점을 맞추어 쓰는 글이라고 할 수 있다.

대표 문제 2 ④

필자는 공동체 문화적 관점에서 농산어촌 지역의 특성을 고려해 소규모 학교 통폐합을 진행할 수 있도록 시·도 교육청에 자율성을 부여해야 한다는 주장을 펼치고 있다.

대표 문제 3 ②

필자의 관점과 주장은 명확하게 제시되어 있지만 필자가 그러한 관점을 수립하게 된 과정은 글에 드러나 있지 않다.

소단원 시험 예상 문제   p. 204

1. ⑤   **2.** ⓐ-경제적, ⓑ-생활적   **3.** ③   **4.** **예시 답** 지방 교육 재정 효율화와 교육의 질 향상에 대한 관점   **5.** ④

1. 설득하는 글에서 필자는 자신의 관점과 주장을 명확하게 드러내야 한다. 이때 필자는 자신이 정한 관점을 글의 처음부터 끝까지 일관되게 유지해야 한다.

2. ⓐ에서는 찬성과 반대가 경제적 이득이 있느냐 없느냐에 따라 나뉘고 있고, ⓑ에서는 생활의 편의가 있느냐 불편이 있느냐에 따라 찬성과 반대로 의견이 나뉘고 있다.

3. 필자는 4문단에서 소규모 학교 통폐합 정책은 교육의 공공성과 자치를 훼손하는 일이라며 비판하고 있다.

4. 평가 기준

'소규모 학교 통폐합' 문제에 관한 관점 중 필자가 선택하지 않은 관점 두 가지를 정확하게 서술한 경우	5점
'소규모 학교 통폐합' 문제에 관한 관점 중 필자가 선택하지 않은 관점 한 가지만 정확하게 쓴 경우	3점
학생 수 감소로 재정이 낭비되고 있다는 것 또는 교육 과정 운영이 파행적으로 이루어지고 있다는 것 등 필자가 선택하지 않은 다른 관점의 근거에 해당하는 내용을 서술한 경우	1점

5. 필자의 주장이 의미 있게 받아들여진다면 로봇세 도입을 위한 연구와 논의가 시작될 것이고, 그 결과 우리나라의 조세 제도에 변화가 생길 것이다.
오답 해설
① 로봇세 도입이라는 시사 현안에 관해 비평하고 있는 글이다.

② 필자는 (마)에서 기술은 효율성을, 제도는 인간성을 추구해야 한다는 자신의 관점을 드러내고 있다.
③ (가)를 보면 4차 산업 혁명에 따른 일자리의 증감 여부가 논란이 되고 있음을 알 수 있다.
⑤ 필자는 (라)에서 로봇에게 세금을 부과하면 로봇 산업 발전 지체로 국제 경쟁에서 뒤처질 것이라는 주장에 대해 더 이상 세수입을 확보할 수 없어 사회가 견디기 어려울 때 로봇세를 도입하면 된다는 해결책을 제시하고 있다. 또한, 어떤 로봇에게 세금을 부과해야 하는지에 대한 기준이 명확하지 않다는 주장에 대해서는 부과 가능한 것부터 시작하면 된다는 해결책을 제시하고 있다.

---

(3) 현안에 관해 건의하는 글

대표 문제 1 ①

거리에 불법으로 투기된 쓰레기가 많다는 것과 쓰레기 종량제 봉투의 가격은 밀접한 관련이 없으며, 쓰레기 종량제 봉투의 가격이 낮아서 쓰레기 불법 투기가 발생한다는 것 역시 논리적으로 이치에 맞지 않는다.

대표 문제 2 ①

건의문의 해결 방안은 합리적이고, 공정하며, 실현 가능한 것이어야 한다.

대표 문제 3 ③

건의문을 쓸 때 현안의 원인을 다각도로 분석해야 설득력 있는 해결 방안을 이끌어 낼 수 있는 것은 맞지만, 문제의 원인을 분석할 때 전문가의 분석이 필요한 것은 아니다.

소단원 시험 예상 문제   p. 213

1. ②   **2.** ⑤   **3.** ②

1. 우리 학교 여름 교복의 불편한 점으로 활동성, 교복의 재질, 색상 등을 제시하고 있다.

2. (나)에서 동물 실험의 사례를 제시하고는 있지만 필자가 실제로 동물 실험에 참여했던 경험이 나타나 있지는 않다.

3. 환자 관찰이나 사체 연구, 컴퓨터 모의실험 연구 등으로 동물 실험을 대체할 수 있다고 하였으므로 ②와 같은 반응은 적절하지 않다.

3. 사람을 이해하고 성찰하는 작문

(1) 친교를 위한 글

소단원 정리하기
p. 222

대표 문제 1 ①

주변 대상을 관찰하고 거기에서 얻은 정서와 깨달음을 쓴 일기는 정서를 표현하는 글에 해당한다.

대표 문제 2 ③

학교 행사에 초대하는 글은 공적으로 친교를 표현하는 글에 해당하므로, 보내는 사람의 개인 정보와 감정 등의 내용은 담지 않는 것이 적절하다.

대표 문제 3 ④

개인적인 내용을 진솔하게 쓰는 것은 친밀감을 형성하는 데 도움이 되지만 친숙하지 않은 독자나 공적인 의사소통 상황에서 친교의 글을 쓸 때 지나치게 개인적인 내용을 다루면 오히려 친교에 부정적인 영향을 줄 수도 있다.

소단원 시험 예상 문제
p. 223

1. ⑤ **2.** ① **3.** ② **4.** ⑤ **5.** ④ **6.** (예시 답) 역설법을 사용하여 한 장의 엽서에 형님에 대한 마음을 담아낼 수밖에 없는 상황에 대한 아픔과 엽서로나마 마음을 전할 수 있는 것에 대한 기쁨을 효과적으로 드러내고 있다.

1. 이 글은 학교 축제에 초대하기 위해 쓴 글로 친교를 위한 글에 해당한다. 어떤 행사에 누군가를 초대한다는 것은 그 사람과 행사의 뜻을 함께 공유하고 싶다는 의미를 내포하고 있으므로, 이 글은 다른 사람과의 관계를 친밀하게 만들기 위해 쓴 글로 볼 수 있다.

2. 공적인 초대의 글에 어울리는 표현을 사용하고 있으며(㉠), 초대하는 글의 형식에 맞추어 인사말, 행사 목적과 내용, 행사 장소와 시간, 참석 요청의 순서로 구성하였다(㉡).

3. "저희 ○○고등학교는 전통적으로 10월 둘째 주에 학교 축제를 개최해 왔습니다. 올해도 마찬가지입니다."라며 축제 일시를 정확하게 밝히지 않았다.

4. 이 글은 공적인 친교를 위한 글이다. 진솔한 마음으로 인간미와 따뜻한 정감이 드러나도록 써야 하는 것은 개인적 친교를 위한 글이다.

5. 필자는 형님과 자신의 처지를 대조하지 않았으며, 자신의 인간관계를 정체되었다고 보고 있지도 않다. 필자는 기계적이고 습관화된 대화는 인간관계의 정체와 퇴화를 가져오며 그로 인해 양 당사자에게 부담과 질곡만을 주게 되므로, 형님과 형수님은 노력을 통해 기계적이고 습관화된 대화를 배제해야 할 것이라고 했을 뿐이다.

6. 평가 기준

㉠에서 사용한 표현법(역설법)을 정확히 쓰고 그 표현 효과도 구체적으로 서술한 경우	5점
㉠의 표현이 거두고 있는 효과에 대해서만 구체적으로 서술한 경우	3점
㉠에서 사용한 표현법만 쓴 경우	1점

(2) 성찰과 정서 표현을 위한 글

소단원 정리하기
p. 233

대표 문제 1 ④

이 글은 필자가 수학여행 때 한라산 등반을 하면서 친구에게 도움을 받은 경험과 그에 대한 자신의 생각과 느낌을 기록한 글이다.

대표 문제 2 ④

필자는 영주에게 감화되어 이상적인 세계상을 제시한 것이 아니라 주변 사람들이 힘들 때 도움을 주는 사람이 되겠다는 이상적인 자아상을 제시하고 있다.

대표 문제 3 ③

성찰과 정서 표현의 글을 쓸 때는 대상에 대한 관찰이나 삶의 체험으로부터 느낀 점이 잘 드러나도록 내용을 유기적으로 조직해야 한다.

대표 문제 4 ⑤

필자가 과거를 회상하며 삶에 대한 전망이 전혀 보이지 않는 절망적 상황이라고는 하였지만 그러한 실상을 구체적으로 생생하게 보여 주고 있지는 않다.

소단원 시험 예상 문제
p. 235

1. ⑤ **2.** ① **3.** ③ **4.** ⑤ **5.** (예시 답) 필자는 영화를 보기 전 두메산골에서 자유롭게 살다가 청주에서 부모님과 함께 살면서 새로운 삶에 적응하지 못했다. 그러나 우연히 영화를 보고 난 후 영화의 매력에 빠져들면서 새로운 삶에 적응하였고 직접 영화를 만들고 싶다는 꿈을 꾸게 되었다. **6.** ⑤ **7.** ③ **8.** (예시 답) 필자는 타 종교인들을 대상으로 한 강연과 거꾸로 보기의 경험을 통해 열린 시각으로 사람이나 사물을 바라보는 일의 가치를 드러내고 있다.

1. 주변에 마음을 터놓을 사람이 없다는 자신의 상황을 말하면서 그런 상황에서 벗어나기 위해 일기를 쓰게 되었음을 밝히고 있다.

2. 필자는 주변 친구들이 자신에게 농담을 해서 싫은 것이 아니라 그들과 마음을 터놓지 못하고 농담만 주고받는 사이라는 것에 안타까운 마음을 가지고 있다.

오답 해설

② 일기를 쓰기 시작한 이유로 보아, 필자는 '키티'라는 일기장에 주변 친구들에게 말할 수 없는 것들을 쓸 것임을 짐작할 수 있다.

③ 자신이 마음을 터놓고 지낼 친구가 없기 때문에 일기를 쓰기 시작했다고 한 것으로 볼 때, 필자가 주변 친구들과 마음을 터놓고 지냈다면 굳이 일기를 쓰지 않았을 수도 있다.

④ 필자는 가족과 친구 등과 풍부한 인간관계를 맺고 있지만 자신을 외톨이라고 생각하고 있다.

⑤ 필자는 자신이 주변 친구들과 마음을 터놓을 만큼 가깝게 지내지 못하는 것이 문제의 핵심이라고 말하고 있다.

3. 필자는 첫 문장에서 '페이드인'이라는 영화 용어를 활용하여 세상을 인지하게 되면서 자신이 엄마가 아닌 할머니의 손에서 자라고 있다는 사실을 인식하게 되었음을 밝히고 있다.

4. 영화 「이티」는 외계 생명체가 등장하는 다른 할리우드 블록버스터 영화의 상투적인 설정과는 정반대로 되어 있다.

오답 해설

① '나'가 어린 시절 할머니와 살던 곳은 지리산 두메산골로 필자가 일곱 살 때까지 전기가 들어오지 않았다.

② '나'는 객지에서 장사를 해야 했던 부모님의 사정 때문에 할머니의 손에서 자랐다.

③ '나'는 이티를 보고 난 후 영화를 만들어 자신처럼 외로워하고 있을 누군가에게 도움이 되고 싶다는 생각을 하게 되었다.

④ '나'는 자신을 촌놈이라고 놀리는 친구들 때문에 힘든 시간을 보내고 있을 때 우연히 영화를 보게 되었다.

5. 평가 기준

영화를 보기 전과 보고 난 후에 필자에게 일어난 삶의 변화를 적절하게 서술한 경우	5점
영화를 보고 난 후의 필자의 삶에 대해서만 서술한 경우	3점
필자가 영화를 보기 전의 삶에 대해서만 서술한 경우	1점

6. '하, 이것 봐라. 하고 나는 벌떡 일어나, 이번에는 가랑이 사이로 산을 내다보았다. 우리들이 어린 시절 동무들과 놀이를 하던 그런 모습으로.'에서 도치법을 활용하여 독자의 공감을 이끌어 내고 있다.

7. 필자는 우연히 가랑이 사이로 풍경을 바라보게 되고 그 행위를 반복함으로써 얻은 깨달음을 전달하고 있다. 하지만 그런 행위를 반복해야 진정한 성찰을 할 수 있다고 말하고 있지는 않다.

오답 해설

① 필자는 우연히 가랑이 사이로 풍경을 보다가 고정 관념에서 벗어나 새로운 시각으로 사람이나 사물을 바라보는 태도가 중요하다는 깨달음을 얻고 있다.

② 필자가 '성미가 비교적 급한 나는'이라며 자신의 단점일 수도 있는 성격을 솔직하게 말한 것에서 진솔함을 느낄 수 있다.

④ 필자는 가랑이 사이로 풍경을 바라보는 일처럼 시각을 달리하면 사람이나 사물을 새로운 시각으로 볼 수 있음을 말하고 있다.

⑤ 필자는 형편없는 찻감만 아니라면 그 차의 특성에 맞게 맛을 우려낼 수 있듯이 고정 관념에서 벗어나 사람을 일정한 틀에 가두지 않으면 그 사람이 지닌 덕성을 찾아낼 수 있다고 생각하고 있다.

8. 평가 기준

〈보기〉와 이 글의 경험을 통해 필자가 드러내고자 한 가치를 적절하게 서술한 경우	5점
〈보기〉와 이 글의 경험과 관련하여 서술하지 않고, 필자가 드러내고자 한 가치만 서술한 경우	3점
〈보기〉와 이 글에 제시된 필자의 경험만 정리하여 서술한 경우	1점

대단원 시험 예상 문제　　　　　　　　　　　　　p. 242

1. ②　**2.** ①　**3.** ②　**4.** ④　**5.** ④　**6.** ⑤　**7.** ④
8. ④　**9.** ⑤　**10.** (예시 답) 필자는 독자가 대한의료협회장이라는 점을 고려하여 동물 실험의 비윤리성을 강조하고 있으며, 정중하고 격식에 맞는 표현을 사용하고 있다.　**11.** ⑤　**12.** (예시 답) 필자는 영화 「이티」에서 엘리엇이 이티에게 손을 내밀어 친구가 되어 준 것처럼 자신도 외로워하고 있을 누군가를 향해 손을 내밀어 줄 수 있는 사람이 되어야겠다는 생각을 하였다.　**13.** ①　**14.** ③

1. 사전은 대상의 개념을 이해하기 쉽게 정의하고 있는 매체이므로 '윤리적 소비의 사례'를 찾기 위한 매체로 적절하지 않다. '윤리적 소비의 사례'를 찾기 위해서는 방송이나 신문 매체 등을 활용하는 것이 효과적이다.

2. (다)에서 설명하고 있는 '윷놀이의 묘미'는 순서 구조가 아니라 인과와 비유의 내용 전개 방식이 사용되었다.

오답 해설

② 백과사전을 활용하면 '윷 놀이의 유래'에 관해 정확하고 공신력 있는 정보를 얻을 수 있다.

③ (나)에서 열거의 방식을 활용해 '윷놀이의 규칙'에 관한 정보를 효과적으로 전달하고 있다.

④ (라)에서 과거와 현재를 비교하는 방식을 활용해 '윷놀이의 의미'에 관한 정보를 전달하고 있다.

⑤ (다)에서 윷놀이를 우리의 인생에 빗대어 독자의 공감을 이끌어 내고 있다.

3. 앞 문장에 이어 윷놀이의 규칙을 설명하고 있으므로 '또'나 '또한'으로 바꾸는 것이 적절하다.

4. 여러 가지 사회 문제가 초래될 것임을 근거로 노인 기준 연령을 올리는 것은 시기상조라는, 필자의 주장과 상반된 주장(노인 기준 연령을 상향해야 한다.)을 반박하고 있다.

오답 해설

① 현안에 관한 필자의 주장과 상반된 주장과 그 근거를 제시하고 있다.

② 법에서 규정하고 있는 노인 기준 연령을 제시하고 있을 뿐 구체적인 법 조항을 제시하고 있지 않다.

③ '노인 인구의 삶의 질'이라는 타당한 근거를 제시하며 이성적 설득 전략을 활용하고 있다.

⑤ 불필요한 예산을 줄여 노인 복지에 관한 예산을 늘리는 것은 현실성을 고려한 대안이다.

5. 노인 기준 연령을 상향하면 경로사상이 퇴색할 것이라는 주장은 타당하지 않으므로 (라)의 내용은 글에서 삭제하는 것이 좋다. 그러므로 (라)에 자료를 더 추가할 필요가 없으며, 경로사상의 퇴색과 밀접한 관련이 없는 버스나 지하철의 경로석 비율 역시 제시할 필요가 없다.
오답 해설
① 글의 신뢰성을 높이기 위해서는 근거로 든 설문 조사 결과의 정확한 출처를 밝혀야 한다.
② 노인 빈곤율에 관한 통계 자료를 통해 우리나라 노인의 삶이 열악함을 보여 줄 수 있다.
③ 노인 기준 연령을 상향할 경우 노인에서 제외되는 사람의 수와 비율을 그래프로 제시하면 공적 연금이나 복지 서비스를 수급받지 못하게 되는 노인의 수와 비율을 한눈에 알 수 있다.
⑤ 인구의 고령화로 국민 연금이 고갈되고 있다는 내용의 신문 기사는 이 글의 필자와 상반된 주장을 하는 측의 근거에 해당한다. 따라서 이러한 자료를 제시하면 글의 공정성을 확보할 수 있다.

6. 교육부가 추진 중인 소규모 학교 통폐합 정책이 정부의 귀농·귀촌 권장 정책과 상충한다고 보고 있는 것은 농어촌 주민들이 아니라 이 글을 쓴 필자이다.

7. 필자는 소규모 학교 통폐합 문제에 대해 공동체 문화적 관점을 취하고 있다. 즉 농산어촌의 학교는 단순히 교육만을 위한 장소가 아니라 지역 공동체와 문화의 중심지이고 주민들의 소통의 터전이므로 경제적 논리만 앞세워 없애서는 안 된다는 입장을 보이고 있다.

8. 방문객에게 작은 기념품을 증정한다는 내용이 없는 것으로 보아 필자가 ④와 같은 글쓰기 계획을 세웠다고 보기 어렵다.

9. 필자는 인간과 동물에게서 완전히 다른 효과를 나타낸 약물을 예로 들면서 동물 실험을 통해 개발된 약이 인간을 위험에 빠뜨릴 것을 경고하고 있지만 동물 실험의 결과로 만들어진 의약품을 복용하였다가 그 부작용으로 고통받고 있는 인간의 사례는 제시하지 않았다.
오답 해설
① 필자는 동물 실험을 대체할 수 있는 다양한 방법이 존재하며 그에 관한 연구도 진행되고 있음을 말하였다.
② 동물 실험으로 한 해에 약 1억 5천만 마리의 동물들이 희생되고 있다고 하였다.
③ 동물은 인간처럼 고통을 느낄 수 있으며, 몸은 인체와 완전히 다른데도 인간을 위한 동물 실험이 자행되고 있다고 하였다.
④ 약품뿐만이 아니라 화장품 개발이나 성형 시술을 위해서도 동물 실험을 시행한다고 하였다.

10. 평가 기준

건의문의 내용과 표현에서 독자를 고려한 부분을 정확하게 서술한 경우	5점
건의문의 내용과 표현에서 독자를 고려한 부분을 서술하였으나 다소 미흡한 경우	3점
건의문의 내용과 표현 중 독자를 고려한 부분을 한 가지만 서술한 경우	1점

11. 영화 「이티」를 편집해서 보여 주면 글에 언급된 비약적 쾌감이 무엇을 의미하는지 이해하는 데 도움이 된다. 하지만 영상은 글에 비해 직관적으로 이해하는 데는 유리하지만 세밀하고 복잡한 심리와 상황을 드러내는 데는 한계가 있다. 따라서 이 글의 내용을 영상으로 제작하는 것이 더 효과적이라고 단정 지을 수는 없다.
오답 해설
① 이 글은 영화 「이티」에 대한 감상과 그 영화가 필자의 삶에 끼친 영향을 핵심 내용으로 하고 있다.
② 영화와 관련된 내용이므로 영화에 관심이 있는 독자에게 흥미를 줄 수 있는 글이라고 해석할 수 있다.
③ 필자는 이 글에서 영화가 자신의 삶에 어떤 의미와 가치를 지니고 있는지에 관해 이야기하고 있다.
④ 필자가 영화를 통해 방황을 극복한 일화를 말하고 있으므로 어린 시절 방황한 경험이 있거나 사춘기를 겪고 있는 독자가 보면 글의 내용에 공감할 수 있다.

12. 평가 기준

필자가 영화 「이티」를 관람한 후 성찰한 내용을 〈조건〉에 맞추어 구체적으로 서술한 경우	5점
필자가 영화 「이티」를 관람한 후 성찰한 내용을 구체적으로 서술하였으나 〈조건〉의 형식을 지키지 않은 경우	3점
필자가 영화 「이티」를 관람한 후 영화를 만들고 싶다는 생각을 하게 되었다고만 서술한 경우	1점

13. 남한산성을 현장 답사한 사실은 확인할 수 있지만 설문 조사를 했는지의 여부는 제시된 글을 통해서 확인할 수 없다.

14. '벽화 과잉 시대'라는 것에서 벽화 마을이 우후죽순으로 늘어나는 것을 부정적으로 생각하는 필자의 관점을 엿볼 수 있다.
오답 해설
① '지역에 있는 소중한 문화유산을 바르게 아는 것'을 통해 탐구 보고서의 목적은 알 수 있지만, 제시된 부분에 탐구 보고서를 작성한 계기는 나타나 있지 않다.
② 주장을 뒷받침하는 논거가 아니라 교실 환경이 개선되지 않고 있는 실태와 원인을 드러내는 부분이다.
④ 필자가 할 수 있는 유일한 일이 한 장의 엽서를 드리는 것이라고 한 부분에서 알 수 있듯이 필자는 어쩔 수 없이 엽서라는 매체를 고른 것일 뿐, 필자가 여러 매체 중 엽서가 가장 적합하다고 생각하고 있는 것은 아니다.
⑤ 필자는 앞으로 닥칠 역경에 대해 언급하고 있을 뿐 자신의 삶을 되돌아보며 반성하고 있지 않다.

생활 속의 화법과 작문 Ⅳ

1. 화법과 작문의 윤리와 관습

(1) 화법과 작문의 사회적 책임과 윤리

소단원 확인 문제   p. 253

1. ⑤ **2.** ③ **3.** 붉은색 심장 모양 **4.** ④ **5.** (예시 답)
서로에 대한 사랑과 존중, 배려를 통해 우리를 변화시키자. **6.** ④

1. 엄마는 덕수가 일주일에 세 번 자기 방 청소를 하는 일이 간단한 일이며, 덕수가 충분히 할 수 있는 일이라 생각하고 덕수에게 방 청소를 요청하였다.

2. 엄마는 덕수가 자기 방을 청소하는 것은 당연한 일이라 생각하며 방 청소를 하지 않는 덕수를 다그치고 있다.

3. 상대방이 자신에게 대항하고 있다는 관점에서 상대방이 변할 것을 강요하고 있는 위의 그림과 달리 아래의 그림에는 붉은색 심장 모양(하트)이 그려져 있다. 이로 볼 때 붉은색 심장 모양은 올바른 대화를 할 때 필요한 요소 즉 상대방을 존중하는 마음을 상징한다는 것을 알 수 있다.

4. 강연자는 자신은 결코 원하지 않는 방식의 대접을 상대방은 받아도 된다는 생각을 폭력이라고 규정하고 있다. 그리고 그런 생각을 가진 사람들이 우리 주변에 많이 있다고 하며, 그러한 폭력은 사랑이라는 이름으로 정당화할 수 없는 것임을 강조하고 있다.

5. 평가 기준

강연자가 말하고자 하는 바를 구체적으로 서술한 경우	5점
우리의 태도를 바꾸어야 한다고만 서술한 경우	2점

6. 강연자는 상대방은 내가 원하지 않는 방식으로 대접을 받아도 된다는 생각을 바꾸어야만 대화를 통해 서로 원하는 것을 이룰 수 있다고 말하고 있다. 그러므로 강연자가 강조하고 있는 대화의 자세와 가장 잘 어울리는 한자 성어는 '처지를 바꾸어서 생각하여 봄.'을 뜻하는 역지사지(易地思之)이다.

소단원 정리하기   p. 258

대표 문제 1 ⑤

확인되지 않은 내용이나 책임질 수 없는 내용을 전달해서는 안 된다.

대표 문제 2 ④

안 좋은 일과 관련된 친구의 실명을 공개하면 그 친구에게 상처를 주거나 피해를 줄 수도 있으므로 숨김표를 사용하여 최○○이라고 하거나 '한 남학생이' 등과 같이 표현해야 한다.

대표 문제 3 (예시 답) 엄마는 아들을 배려하지 않은 공격적인 언어로 말하고 있다. 이러한 말은 아들의 행동을 변화시키지 못할 뿐 아니라 아들을 사회에서 올바른 대화를 할 수 없는 사람으로 만들 수도 있다.

평가 기준

엄마의 말이 지닌 문제점과 엄마가 한 말이 아들에게 미칠 영향 모두 적절하게 서술한 경우	5점
엄마의 말이 지닌 문제점과 엄마가 한 말이 아들에게 미칠 영향 중 한 가지만 적절하게 서술한 경우	3점
엄마의 말이 아들에게 부정적인 영향을 줄 것이라고만 서술한 경우	1점

소단원 시험 예상 문제   p. 259

1. ③ **2.** ③ **3.** ② **4.** ⑤ **5.** ④
6. ①

1. 강연자는 청중이 강연을 듣고 사랑과 배려를 바탕으로 대화하는 자세를 갖추기를 원하고 있다. 그러므로 강연자가 강연의 청중을 사랑과 배려를 바탕으로 대화하는 사람이라고 생각하고 있다고 보기 어렵다.

2. 강연을 시청한 사람들이 프로그램 게시판에 남긴 댓글을 통해 강연자의 말이 사람들에게 영향을 주었다는 것을 확인할 수 있으므로 ③과 같은 반응은 적절하다.

3. 강연자는 자신이 경험한 두 가지 상황을 대조하여 자신의 주장을 분명하게 드러내고 있다.

4. ㉠과 ㉡ 중 어떤 관점을 가지고 있는 사람이 더 많은가에 대해서는 제시된 글의 내용만으로 정확히 알 수 없지만, 강연자는 대부분의 사람들이 ㉠의 관점을 가지고 대화를 한다고 생각하고 있음을 짐작할 수 있다.

5. 제시된 글의 필자는 인용한 시의 정확한 출처를 밝히지 않았으며, 친구들 사이의 문제를 말하면서 친구들의 실명을 그대로 노출하고 있다.

6. 문여진은 강성필에게 농구를 못한다고 무시하는 말을 하였다.

(2) 화법과 작문의 관습과 문화

소단원 확인 문제   p. 263

1. ④   **2.** ③   **3.** (예시 답) 속담을 활용하면 자신이 전달하고자 하는 의미를 간결하면서도 인상 깊게 전달할 수 있다.   **4.** ②
5. ②   **6.** ①   **7.** ④   **8.** ④   **9.** ⑤

1. 어렸을 때 병약한 사람이었다고 판단할 만한 내용은 나타나 있지 않다. 오히려 유자는 타고난 총기와 숫기로 무리에서 두드러졌으며, 여러모로 일찍 터득하고 앞서 나갔다.

2. ㉠은 유자의 존재감이 어디에서나 드러났다는 의미이므로, 많은 사람 가운데서 뛰어난 인물이었음을 뜻하는 '군계일학(群鷄一鶴)'이 적절하다.

3. 평가 기준

'간결, 인상'을 넣어 속담을 사용함으로써 거둘 수 있는 효과를 적절하게 서술한 경우	5점
'간결, 인상' 중 한 단어만 넣어 속담을 사용함으로써 거둘 수 있는 효과를 서술한 경우	3점
'간결, 인상'을 넣지 않고 속담을 사용함으로써 거둘 수 있는 효과에 대해서만 서술한 경우	1점

4. '뱉어낸벤또'와 '차에코풀구싶어'처럼 소리의 유사성을 이용한 언어유희를 통해 웃음을 유발하고 있다.

5. 유자는 비단잉어가 죽은 진짜 이유를 알면서도 총수에게 일부러 능청스럽고 의뭉스러운 말을 하며 비꼬고 있다.

6. ㉠은 서둘러 급하게 나가는 모양을 의미하는 '버선발로 뛰어나오다.'라는 관용 어구를 오늘날의 상황에 맞추어 사용한 것이다.

7. ㉡은 '전혀 이치에 닿지 아니한 말'이라는 의미의 관용구이다.

8. '찬비를 맞으며 돌아섰던 그의 무덤을 나는 그 뒤로 한 번도 찾아보지 않았다.'를 통해 '나'는 유자의 무덤을 찾아간 적이 있음을 알 수 있다.

9. '그립고 기리는 마음 가이없어라.'에서 '나'는 유자를 그리워하는 마음을 직접적으로 드러내고 있다.

소단원 정리하기   p. 269

(대표 문제 1) ②

우리나라 사람들은 한국어를 사용하는 언어 공동체이지만 그 내부는 다양한 언어 공동체로 구성되어 있다. 이처럼 동일한 언어를 사용하는 공동체일지라도 지역, 성별, 나이 등에 따라 그 언어 공동체가 세부적으로 나뉘며 각각의 세부 공동체마다 다양한 화법과 작문의 관습을 지닐 수 있다.

(대표 문제 2) ⑤

젊은 세대들이 많이 사용한다고 해서 무조건 작문 관습으로 정착시킬 수는 없다. 젊은 세대들이 사용하는 용어들도 현재의 사회·문화적 상황에 비추어 비판적으로 수용해야 한다.

(대표 문제 3) ①

화법과 작문의 관습은 그 전통적 관습을 존중하되 비판적으로 수용해야 하며, 진실성과 공손성을 바탕으로 의사소통을 해야 바람직한 언어문화를 형성하는 데 기여할 수 있다.

소단원 시험 예상 문제   p. 270

1. ④   **2.** ①   **3.** ①   **4.** ②   **5.** ②
6. ⑤

1. 이 소설의 서술자인 '나'는 '유자'에 대한 자신의 평가를 직접적으로 드러내고 있다.

오답 해설

①, ②, ⑤ 이 소설은 '전'의 형식을 빌려 서술자 '나'가 '유자'라는 인물의 생애를 시간 순서에 따라 서술하고 있다.
③ 충청도 사투리를 사용하여 향토적인 정감을 불러일으키며, 사실적이고 친근한 느낌을 주고 있다.

2. '전'에는 일반적으로 인물의 가계(家系)가 제시되어 있으나 이 소설에서는 유자의 가계를 밝히고 있지 않다.

3. ㉠에서는 선비들이 주로 하던 말을 인용하여 유자의 인물됨을 드러내고 있다.

4. 유자는 비단잉어가 시멘트의 독성 때문에 죽었다고 생각한다.

5. [A]는 소리의 유사성이나 동일성을 활용한 언어유희의 예에 해당한다. ②는 어휘의 배치를 바꾸어 웃음을 유발하는 언어유희가 사용된 예이다.

6. [B]는 직원들의 월급보다 비싼 값을 주고 사 온 비단잉어를 대하는 총수의 모습을 보면서 총수가 물고기보다 직원들에게 더 애정을 가졌으면 하는 마음을 완곡하게 드러낸 말이다.

대단원 시험 예상 문제   p. 275

1. ⑤   **2.** ②   **3.** (예시 답) 엄마의 말하기 방식은 요청–판단–비난–강요–협박–비교–당연시의 순서로 변화하고 있다.   **4.** ③
5. ①   **6.** ③   **7.** (예시 답) 유재필이 인간미와 인정이 넘치고 속이 깊은 사람임을 말하고 있다.   **8.** ⑤   **9.** ③   **10.** (예시 답)
이 소설에서는 사투리를 통해 토속적인 정감을 드러내고, 독자로 하여금 현장감과 친근감을 느끼도록 하고 있다.

1. 이 강연의 강연자는 속담을 활용하지 않았다.

2. 엄마는 자신이 옳고 덕수가 잘못되었으므로 덕수만 변하면 된다는 생각을 가지고 덕수에게 폭력을 저지르고 있다.

3. 평가 기준

엄마의 말하기 방식의 변화 과정을 순서대로 서술한 경우	5점
엄마의 말하기 방식의 변화 과정 중 일부를 순서대로 서술한 경우	3점
엄마의 말하기 방식의 변화 과정을 서술하였으나 순서가 맞지 않는 경우	1점

4. '민아'는 엄마, '지훈'은 학급 친구들과의 관계에 강연의 내용을 적용하여 생각하고 있다.

<u>오답 해설</u>
① '민아'는 강연 내용에 동의하고 있지만 '진수'는 의문을 품고 있다.
② '정일'은 '민아'를 배려하지 않는 표현을 사용하였지만 '다희'는 부정적인 표현을 사용하지 않았다.
④ '다희'는 강연 내용에 동의하고 있지만 '진수'는 그렇지 않다.
⑤ '정일'과 '진수'가 강연 내용에 동의하지 않는 것은 맞지만 구체적인 사례를 들어 반박하지는 않았다.

5. 강연은 타인의 저작물로 볼 수 있으므로 강연 내용을 인용할 때는 저작권자에게 허락을 받고 출처를 분명하게 밝혀야 한다.

6. 이 작품에서 사용하고 있는 전의 양식은 서두에 인물의 생애를 시간 순서대로 기록한 후 말미에 인물에 대한 평가를 덧붙이는 형식을 말한다. 이 작품에서는 이러한 전의 양식을 차용하여 주인공 유자의 특징을 효과적으로 보여 주고 있다.

7. 평가 기준

⊙이 의미하는 유재필의 인물됨을 적절하게 서술한 경우	5점
⊙과 관련 없는 유재필의 인물됨에 관해 서술한 경우	2점

8. '특립독행(特立獨行)'이란 속세에 따르지 않고 홀로 믿는 바를 행한다는 뜻으로 자기 소신을 갖고 살아가는 유재필의 성품을 요약적으로 드러내는 말이다.

9. '뺄어낸벤또, 차에코풀구싶어'에서 언어유희가 사용되었는데, 이는 유자가 '나'에게 총수의 속물적 태도가 자신의 마음에 들지 않음을 이야기하기 위한 것이다.

10. 평가 기준

사투리 사용의 효과를 적절하게 서술한 경우	5점
사실성 획득의 측면에 대해서만 서술한 경우	3점
재미의 측면에 대해서만 서술한 경우	1점

중간·기말고사 실전 대비 문제

중간고사 실전 대비 문제 1회   p. 280

1. ③   **2.** ②   **3.** ①   **4.** (예시 답) 은하계가 파괴될지라도 미래에 어떤 별에 있는 누군가가 내가 쓴 글의 기호를 읽을 수 있을 것이라는 절망적인 희망을 가지고 글을 쓰겠다.   **5.** ①   **6.** ①
7. ④   **8.** ⑤   **9.** ⑤   **10.** ①   **11.** ⑤   **12.** (예시 답) 다른 사람과의 대화를 통해 자아 개념이 형성되면 그렇게 형성된 자아 개념은 다른 사람과의 대화 방식에 영향을 미친다.   **13.** ④   **14.** ⑤
15. ①   **16.** ③   **17.** ④   **18.** ④   **19.** ⑤   **20.** ④
21. ②   **22.** (예시 답) 타당한 근거를 제시하여 논리적으로 설득하는 이성적 설득 전략을 사용하였다.   **23.** ④   **24.** ②   **25.** ①
26. ②   **27.** (예시 답) 선거 연령을 만 18세로 낮추어야 한다.
28. ④   **29.** ①   **30.** ④

1. 의사소통은 발신자와 수신자의 상호 작용, 상호 교섭을 통해서 이루어진다.

2. 작문은 '작은 사회'에서 이루어지는 개인적 행위가 아니라 사회적 행위이며, 3.1 운동 때의 독립 선언서처럼 '큰 사회'에서도 이루어진다.

3. (나)의 필자는 자기 자신만을 위해 글을 쓸 수 있다고 주장하는 가상의 인물을 설정하고 그 인물을 비판함으로써 글쓰기의 참된 목적이 독자와의 소통에 있음을 말하고 있다.

4. 평가 기준

독자의 유무와 관련지어 '예.'의 의미를 구체적으로 서술한 경우	5점
독자의 유무와 관계없이 '예.'의 의미를 서술한 경우	2점

5. (가)는 신문 기사라는 작문 활동을 통해 ○○구 ○○동에서 일어난 일에 대한 사회 구성원들의 관심을 불러일으킴으로써 (나)에 제시된 주민들의 반응, 서명 운동 등을 촉발하여 지역 사회의 문제 해결의 실마리를 마련하는 기능을 하였다.

6. (가)의 신문 기사는 장애인 부모들의 입장을 보도함으로써 ○○구 주민들로 하여금 장애인 부모들의 입장을 이해할 수 있도록 하여 사회적 문제 해결에 기여하는 역할을 하고 있다.

7. (가)에서는 개인과 개인 차원의 의사소통에서 발신자와 수신자가 언어를 통해 정보와 가치, 태도 등을 주고받으며 공동의 의미를 구성하고 발전시켜 나간다고 하였다.

8. 말의 내용과 표현 방식은 맥락 요인에 따라 달라지므로 말을 할 때는 다양한 맥락 요인을 고려해야 한다. 맥락을 고려하지 않고 말

을 하면 의사소통의 효율성이 떨어진다.

9. 친구가 건넨 말에 담긴 의도가 무엇인지를 생각하는 것은 개인 내적 차원의 의사소통에 해당한다.

10. 맥락을 오해하게 만들 수 있는 상황을 나타내는 말로는 머리와 꼬리를 잘라내고 '어떤 일의 요점만 간단히 말함.'을 뜻하는 거두절미(去頭截尾)가 가장 적절하다.

오답 해설
② 두문불출(杜門不出): 집에만 있고 바깥출입을 아니함.
③ 심사숙고(深思熟考): 깊이 잘 생각함.
④ 일구이언(一口二言): 한 입으로 두 말을 한다는 뜻으로, 한 가지 일에 대하여 말을 이랬다저랬다 함을 이르는 말
⑤ 촌철살인(寸鐵殺人): 한 치의 쇠붙이로도 사람을 죽일 수 있다는 뜻으로, 간단한 말로도 남을 감동하게 하거나 남의 약점을 찌를 수 있음을 이르는 말

11. '나는 칭찬받을 사람이 아니라 당연한 일들을 겨우 하는 사람이었다.'라는 것을 통해 '나'가 부정적인 자아 개념을 가지고 있음을 알 수 있다. 부정적인 자아 개념을 가진 사람은 칭찬을 있는 그대로 수용하지 못하고 의심하는 경향을 보인다. ①~④는 부정적인 자아 개념을 갖게 하는 원인이지만 제시된 만화의 내용만으로 '나'가 왜 부정적인 자아 개념을 갖게 되었는지는 알 수 없다.

12. 평가 기준

자아 개념이 대화 과정에서 반복적으로 순환한다는 것을 바탕으로 대화와 자아 개념의 관계를 적절하게 서술한 경우	5점
자아 개념이 대화를 통해 형성된다는 것과 자아 개념이 대화에 영향을 준다는 것 중 한 가지만 서술한 경우	3점
대화와 자아 개념이 서로 영향을 주고받는다고만 서술한 경우	1점

13. 〈보기〉에서는 '미안해.'라는 명시적 표현을 통해 직접적으로 사과를 하고 있다.

14. ⑤에서는 녹즙에 대한 부모님의 칭찬에 대해 '변변치 않은 걸'이라고 말하며 자신을 낮추고 있다.

15. 진행자의 말 중에서 '틀리죠'와 해설자의 말 중 '가격해 쳤습니다.'는 어법에 어긋난 표현이다.

16. 준언어적 표현은 언어에 수반하여 의미 전달에 영향을 미치고, 비언어적 표현은 언어 이외의 방법으로 의미 전달에 영향을 미친다.

17. 발표의 마지막 부분에서는 앞에서 다룬 내용을 간략히 정리하며 핵심 사항을 강조하는 것이 일반적이다. 청자가 흥미를 가질 만한 내용으로 구성해야 하는 부분은 발표의 '도입'이다.

18. 이 발표에는 떡볶이가 상업 자본의 유입으로 비싼 음식이 되었다는 내용이 제시되지 않았다.

19. 떡볶이와 잡채의 사진을 제시했지만 그 둘 사이의 차이점을 강조하지는 않았다.

20. 화자는 현재 우리가 처한 문제가 현실임을 강조하기 위해 자신의 직업적 특성을 이야기한 것일 뿐 청중의 동정심을 유발하기 위해 자신의 경험을 사례로 제시하지 않았다.

21. 화자는 직접 환경 운동에 뛰어들어 환경 보호 재단을 설립하고 다양한 환경 운동을 전개하고 있다. 이처럼 자신이 주장하는 문제에 대해 말뿐 아니라 행동으로 실천하고 있다는 점에서 화자의 주장은 설득력을 지닌다.

22. 평가 기준

화자가 사용한 설득 전략이 무엇인지 제시하고 그러한 설득 전략에 대해서 구체적으로 서술한 경우	5점
화자가 주장에 대한 타당한 근거를 제시하여 논리적으로 설득하고 있다고만 서술한 경우	3점
화자가 이성적 설득 전략을 사용했다는 것만 서술한 경우	1점

23. 면접관의 질문 의도에 맞게 답변하도록 노력해야 하지만 면접관의 취향에 맞추어 답변하기 위해 노력하는 것은 적절하지 않다.

24. 면접 대상자는 면접관의 질문에 대해 구체적인 예를 들어 자신이 생각하는 훌륭한 디자인에 대해 말하고 있다. 면접관이 지원 동기에 대한 질문을 하지 않았으므로 면접 대상자는 지원 동기에 대한 답을 하고 있지 않다.

25. (나)에서 면접관은 면접 대상자가 자료 분석 내용을 바탕으로 창의적인 해결 방안을 제시할 능력이 있는지의 여부를 평가하기 위한 의도로 개방형 질문을 하였다.

26. 이 토론은 반대 신문식 토론으로 양측에서는 각각 선거 연령 하향 정책에 대한 자신의 주장이 옳고 상대측의 논리는 부당하다는 것을 강조하고 있다.

27. 평가 기준

찬성 측과 반대 측의 입론 내용을 근거로 토론의 논제를 적절하게 서술한 경우	5점
토론 논제를 서술하였으나 찬성 측, 혹은 반대 측 주장으로 서술한 경우	3점
토론의 논제가 정책 논제라고만 서술한 경우	1점

28. '반대 1' 토론자가 우리나라에서 만 18세는 대부분 학생 신분이므로 사회 경험이 부족하고, 그로 인해 사회에서 벌어지는 일들에 성숙한 판단을 내리기 어렵다고 하였으므로 찬성 측 토론자는 이에 대해 만 18세 미만의 학생들이 모두 미성숙하고, 만 18세가 넘은 사람은 모두 성숙하다는 것인지에 대해 반대 신문할 수 있다.

29. 주인아저씨는 학생들의 제안을 일부 수용하면서 자신의 이익도 추구하기 위해 학생들과 협상을 하고 있다.

30. ㉠은 그림이나 글자를 무료로 새겨 달라는 학생들의 요청을 수용하면서도 자신이 경제적 손실을 보지 않기 위해 한 제안이다.

1. ①   **2.** ⑤   **3.** (예시 답) 시각 장애 학생들의 미술 활동에 대한 편견을 버려야 한다.   **4.** ①   **5.** ③   **6.** ②   **7.** ①
8. ③   **9.** ③   **10.** ④   **11.** ②   **12.** ④   **13.** ①
14. ④   **15.** ⑤   **16.** (예시 답) 거절의 이유를 솔직하게 설명한 뒤 대안을 제시하는 전략을 사용함으로써 상대방의 기분이나 체면을 상하지 않게 하면서 문제를 해결하고 있다.   **17.** ④   **18.** (예시 답) 양 손을 좌우로 크게 흔듦으로써 자신이 장그래를 부른 것이 아니라는 점을 강하게 드러낼 수 있다.   **19.** ④   **20.** ⑤   **21.** ①
22. (예시 답) 공신력 있는 기관의 통계 자료를 활용하였다.   **23.** ⑤
24. ③   **25.** ⑤   **26.** ①   **27.** ③   **28.** ⑤   **29.** ⑤
30. (예시 답) 학생들의 체육 수업에 지장을 초래할 수 있고, 예기치 못한 안전 문제가 발생할 수 있다.

1. 의사소통을 할 때 발신자는 자신이 속한 사회의 관습과 구성원의 요구를 반영하며, 수신자와 함께 언어문화를 창조하고 활용하며 향유한다.
오답 해설
ㄷ: 독화가 대화보다 사회적 속성이 더 약하다고 할 수 없다.
ㄹ: 글쓰기의 과정에는 독자 및 사회의 글쓰기 관습이 개입한다.

2. 미영이의 장애에 대해 언어적 표현으로 충분히 설명하고 있으며, 미영이의 사진을 굳이 공개할 필요도 없다.

3. 평가 기준

화자가 강연을 통해 무엇을 이야기하고자 했는지를 적절하게 서술한 경우	5점
시각 장애 학생들의 미술 활동이 지니는 의미에 대해서만 서술한 경우	3점

4. ⑦은 강연 내용에 대해 문제를 제기하는 입장에서 할 수 있는 질문이다.

5. 교수님은 특수 학급 교사의 편지를 받고 깊은 감동을 받아 답장을 썼고, 그 답장의 내용을 코펠에게 읽어 주며 눈물을 흘렸다. 교수님이 특수 학급 교사의 편지를 읽으며 눈물을 흘렸는지는 제시된 글의 내용만으로 알 수 없다.

6. 교수님과 특수 학급 교사가 편지를 쓰는 작문 활동을 통해 자신의 생각과 느낌 등을 주고받은 것은 둘 사이에 공동의 의미를 구성하고 발전시켜 가는 과정에 해당하므로 개인과 개인 차원의 의사소통에 해당한다.

7. 어떤 매체를 선택하느냐에 따라 달라지는 것은 담화나 글의 주제가 아니라 담화나 글의 형식이다.

8. 아침밥을 반드시 먹자는 사회적 담론을 형성하기 위해 제작된 자료로, 쌀 소비량이 줄어들고 있는 것과 아침밥을 먹지 않는 사람들이 많다는 시대상이 반영되어 있다.

9. 필자는 서구화되어 가는 우리의 가족 모습과 오늘의 서구적 가족상을 가장 바람직한 것으로 보기 어렵다는 점 등을 제시하며, 서구적 가족상으로의 변화 속에서 어떤 가족상이 바람직한 것인지에 대한 문제를 제기하고 있다.

10. 이 글은 필자가 자신의 견해를 밝히고 독자가 그 생각에 공감하도록 하기 위한 목적으로 쓴 논리적이고 객관적인 성격의 중수필이다.

11. (가)는 '연우'가 전학을 와서 '윤정'과 처음 대화를 나누는 상황인데, '윤정'은 처음부터 개인적 자아를 드러내며 관계 맺기를 너무 빠르게 진행하여 '연우'에게 부담을 주고 있다.

12. (나)에서는 누나가 동생의 행동을 일방적으로 비난함으로써 동생의 감정을 상하게 하고 있고, 〈보기〉에서는 누나가 사건(텔레비전 소리가 좀 큰 것 같아.), 감정(시험 기간인데 공부에 집중이 안 돼서 마음이 불안해.), 기대(네가 텔레비전 소리를 조금만 줄여 주면 내가 공부하는 데 도움이 될 것 같아.)를 말함으로써 동생의 감정이 상하지 않도록 하고 있다.

13. 거절로 인해 상대방과의 관계가 나빠지기도 하지만 거절하는 상황이 반드시 상대방과의 갈등을 유발하는 것은 아니다.

14. '우신'은 굳은 표정을 지어 '성진'에게 불쾌감을 드러내지 않았다. 오히려 자신의 글씨가 엉망이라 알아보기 힘들 거라며 공책을 빌려주는 것을 망설이는 '성진'에게 밝은 표정을 지어 보임으로써 '성진'의 걱정을 덜어 주려 하고 있다.

15. ⑪에서 '성진'은 '우신'의 부탁을 딱 잘라 거절함으로써 의견의 불일치를 조정하기보다는 '우신'으로 하여금 자신의 목적이나 의도를 포기하게 만드는 거절 방식을 사용하고 있다. 문제를 회피한 것은 아니다.

16. 평가 기준

ⓐ에 사용된 말하기 전략과 그 효과 모두 적절하게 서술한 경우	5점
ⓐ에 사용된 말하기 전략의 효과에 대해서만 서술한 경우	3점
ⓐ에 사용된 말하기 전략에 대해서만 서술한 경우	1점

17. 짐짓 모른 척 숨기고 있었던 사실을 상대가 알고 있다는 것이 드러나게 되었으므로 빠른 속도로 당황스러움과 다급함이 느껴지도록 말해야 한다.

18. 평가 기준

ⓐ에 사용할 수 있는 비언어적 표현 전략과 그 효과 모두 적절하게 서술한 경우	5점
ⓐ에 사용할 수 있는 비언어적 표현 전략만 서술한 경우	3점
ⓐ와 상관없이 비언어적 표현 전략의 일반적인 효과에 대해서 서술한 경우	1점

19. 청자가 '지역 사회와 함께하는 청소년 문화 활동' 사업의 지원 대상자를 선정하는 사람들이므로, 청자는 발표자가 지역 사회와 관련된 주요한 문화 자원을 찾아 시민들에게 알리는 방안을 제시하기를 원할 것이다.

20. 발표 준비를 할 때는 청중에 대해 면밀하게 분석하고 그 분석 결과에 따라 발표 내용을 구성해야 한다. 청자가 발표 주제에 대한 지식이 풍부하다면 주제와 관련된 상황이나 배경 등을 구체적으로 제시할 필요가 없다.

21. 화자의 개인적인 경험이 아니라 통계 자료를 통해 우리의 보편적인 모습을 제시하고 있다.

22. 평가 기준

공신력 있는 기관의 통계 자료를 활용하였다는 점을 서술한 경우	5점
통계 자료를 활용하였다는 점만 서술한 경우	3점

23. 이 연설에서는 주장을 뒷받침하는 근거가 될 만한 구체적인 자료를 제시하지 않았다.

24. "부당함과 억압의 뜨거운 열기로 신음하는 미시시피주"라는 말에서 흑인에 대한 차별이 여전한 상황에서 연설을 준비했음을 알 수 있다.

25. 화자의 공신력은 화자가 청자에게 신뢰를 받을 만한 능력을 의미한다. 제시된 화자의 이력은 화자의 성품이 신뢰할 만한 것임을 보여 준다.

26. 면접은 면접 대상자의 평가 및 선발을 목적으로 하는 공적 담화이고, 토론은 논제에 대해 찬성과 반대 측이 각각 자기 측의 주장이 정당함을 내세우는 공적 담화의 한 유형이다.

27. 면접관은 면접 대상자들이 '우리 대학의 자율전공학부'에 지원한 까닭 즉 지원 동기를 알아보기 위해 개방형 질문과 보충 질문을 하고 있다.

28. 사회자가 토론의 시작을 알리고 있으며, '찬성 1' 토론자는 국민의 참정권 확대를 근거로 선거 연령을 낮추어야 한다는 논제에 대한 자신 측의 입장을 명확히 밝히고 있다.

29. 구청 측에서는 주민들이 17시부터 체육 시설을 이용할 수 있도록 제한해 달라는 학교 측의 요구를 수용하였고, 학교 측에서는 9시 이전까지 주민들이 체육 시설을 이용할 수 있게 해 달라는 구청 측의 요구를 수용하며 입장 차이를 좁히고 있다.

30. 평가 기준

학생들의 수업권과 안전에 관한 내용을 모두 적절하게 서술한 경우	5점
학생들의 수업권과 안전에 관한 내용 중 한 가지만 서술한 경우	3점
학생들이 불편함을 겪을 수 있다고만 서술한 경우	1점

기말고사　실전 대비 문제 1회　　p. 300

1. ⑤　**2.** ②　**3.** ②　**4.** ②　**5.** ③　**6.** ④　**7.** ③
8. (예시 답) 영화 속 주인공들의 대사를 구체적으로 보여 줌으로써 역사적 배경을 흥미롭게 파악하도록 할 수 있다.　**9.** ③　**10.** ③
11. ③　**12.** ⑤　**13.** ②　**14.** (예시 답) 필자는 로봇세 도입을 위한 연구와 논의를 당장 시작해야 한다고 주장하고 있다. 이러한 필자의 주장이 설득력 있게 받아들여진다면 로봇세에 관한 연구와 논의가 활발해지고 우리나라의 조세 제도에도 영향을 줄 것이다.
15. ③　**16.** ⑤　**17.** (예시 답) 이중 부정 표현을 통해 화장품 개발이나 성형 시술을 위해서도 동물들이 죽어 간다는 사실에 대한 필자의 놀라움을 강조하는 효과를 얻고 있다.　**18.** ③　**19.** ④
20. ③　**21.** ④　**22.** ②　**23.** ①　**24.** ③　**25.** ③
26. ⑤　**27.** ③　**28.** ①　**29.** ①　**30.** ⑤

1. (가)를 통해 윷놀이의 개념과 기원, (나)를 통해 윷놀이의 규칙, (다)를 통해 윷놀이의 재미에 대해 알 수 있다.

2. (라)에서는 과거의 윷놀이의 의미와 오늘날의 윷놀이의 의미 차이를 대조의 방식을 통해 분명하게 밝히고 있다.

3. '윷놀이의 변천 과정'은 과정의 방식으로 내용을 전개하는 것이 효과적이다.

<u>오답 해설</u>
① (다)에서 이미 윷놀이의 묘미를 인과의 방법을 활용해 설명하고 있다.
③ 윷놀이와 저포의 차이점과 공통점을 강조하는 것은 불필요하다.
④ 윷놀이의 규칙을 설명하는 데 낙이 나오지 않도록 하는 요령을 설명할 필요는 없다.
⑤ (다)에 윷놀이에 대한 부정적 인식을 심어 주는 내용은 제시되어 있지 않다.

4. 이 글은 대학 진학을 목적으로 독자에게 자기가 어떠한 사람인지를 알리기 위해 쓴 자기소개서이다.

5. 이 글의 필자는 봉사 활동을 한 내용을 구체적으로 다루고 있으나, 영어 실력을 활용한 봉사 활동을 한 것은 아니다.

6. ㉣은 영어 교사가 되기 위해 기울인 노력을 병렬적으로 연결하는 위치에 있으므로 '또한'을 쓰는 것이 적절하다.

7. (다)에서 답사를 통해 탐구한 남한산성의 역사적 의미를 정리하고는 있지만, 답사의 구체적인 과정은 나타나 있지 않다.

8. 평가 기준

〈보기〉의 자료를 (나)에 추가함으로써 거둘 수 있는 효과를 구체적으로 서술한 경우	5점
시각 자료를 활용함으로써 거둘 수 있는 효과를 추상적으로 서술한 경우	2점

9. 2013년 한국보건사회연구원의 조사 결과와 영국 ○○ 연구소의

'죽음의 질' 조사 결과 및 우리나라의 호스피스 병상 수 등의 구체적인 수치를 제시함으로써 논거의 신뢰성을 확보하고 있다.

10. ㉢에서는 존엄사를 법적으로 인정하고 있는 국가들을 나열하고 있을 뿐 존엄사에 대한 공감대 형성의 필요성을 강조하고 있지 않다. 또한, ㉢ 바로 뒤의 문장을 통해 우리나라에서도 존엄사를 인정해야 한다는 데는 이미 공감대가 형성돼 있음을 알 수 있다.

11. 마지막 문단에서 필자가 삶의 질 못지않게 죽음의 질을 높이는 노력을 해야 복지 국가라고 한 것만으로, 존엄사가 허용되어야 진정한 복지 국가라고 단정지을 수는 없다. 존엄사 허용 여부 하나만으로 진정한 복지 국가인지 아닌지를 판단하기는 어렵다.
오답 해설
① 연명의료결정법이 내년 2월부터 시행될 예정이라고 한 것을 통해 아직까지는 환자가 연명 치료를 거부하는 것이 불가능함을 알 수 있다.
② 필자는 존엄사를 배려하는 제도적 장치가 미흡하고 의료 전문 기관과 호스피스 병상 수도 부족한 실정이라고 하였다.
④ 한국인은 생의 마지막 10년 중 절반을 질병으로 앓다가 세상을 떠나며, 우리나라의 전체 사망자 중 20%가 심폐 소생술이나 항암제 투여 등으로 고통을 겪으며 죽음에 이르고 있다고 하였다.
⑤ 자연스럽게 생을 마감하는 존엄사와 달리 안락사는 죽음을 의도적으로 유도하는 것을 말한다.

12. 이 글은 현안에 대한 필자의 생각을 근거를 들어 밝힘으로써 독자를 설득하기 위해 쓴 비평문이다. 따라서 대상에 대한 독자의 정서적 반응보다는 이성에 초점을 맞추어 쓴 글이라고 할 수 있다.

13. 로봇세 도입을 반대하는 측에서는 로봇세를 부과하게 되면 로봇 산업이 침체될 것이라며 우려하고 있지만, 로봇세가 경제 전반에 악영향을 미칠 것이라고 하지는 않았다.
오답 해설
① 필자는 로봇으로 인한 일자리 감소에 대비해 로봇세를 부과해야 한다는 주장을 하고 있다.
③ 로봇세를 부과하기 위해서는 로봇을 경제 활동 주체로 인정하거나 재산으로 간주해야 한다.
④ 필자는 로봇으로 인해 실업자가 늘어날 경우 세수가 부족해질 것이므로 이에 대비하기 위해 로봇세를 부과해야 한다고 주장하고 있다.
⑤ 필자는 로봇으로 인해 일자리를 잃은 실업자나 실업률 증가로 세금 부담이 늘어나는 근로 소득자들의 불만을 해소하는 데 로봇세가 기여할 것이라 보고 있다.

14. 평가 기준

필자의 주장을 명확하게 쓰고, 필자의 그런 주장이 우리 사회에 미칠 영향을 구체적으로 서술한 경우	5점
필자의 주장만 쓴 경우	2점
필자의 주장이 우리 사회에 영향을 줄 것이라고만 서술한 경우	1점

15. 이 글에는 동물 실험의 결과와 적용에 관한 언급만 있을 뿐 설문 조사 결과는 제시되지 않았다.

16. 이 글에는 설의적 표현이 사용되지 않았으며, 필자는 수신자 즉 대한의료협회 회장의 잘못을 지적하고 있지도 않다.
오답 해설
① 수신자를 '존경하는 회장님'이라고 부르면서 최대한 예의를 갖추고 있다.
② 학교에서 실시한 토론 대회를 통해 동물 실험의 심각성을 알게 되었음을 말하고 있다.
③ 수신자를 계속 환기하며 동물 실험을 막아 달라는 내용을 반복해서 말하고 있다.
④ 수신자에게 "동물 실험을 막아 주십시오."라고 하며 직접적으로 건의 내용을 전달하고 있다.

17. 평가 기준

㉠에 사용된 표현 전략과 그 효과를 적절하게 서술한 경우	5점
이중 부정 표현의 효과에 대해서만 서술한 경우	3점
이중 부정 표현이 사용되었다고만 서술한 경우	1점

18. (가)에서는 새로운 시각의 중요성에 관한 필자의 깨달음을, (나)에서는 사르트르의 실존주의 철학 깨달음에 관한 이야기를 하고 있다. 고정 관념에서 벗어나 새로운 시각을 갖는 것이 중요하다는 (가)의 필자의 깨달음은 독자에게 영향을 줄 수 있으며, 사르트르의 실존 주의 철학은 (나)의 필자의 삶에 큰 영향을 준 사상이다.
오답 해설
① (가)는 직접 체험을, (나)는 책을 통한 간접 체험을 바탕으로 내용을 구성하고 있다.
② (가)에는 일상적 체험에서 느낀 필자의 정서가, (나)에는 필자의 삶에 대한 성찰의 내용이 표현되어 있다.
④ (가)와 (나)의 필자는 삶의 고비를 이겨 내는 자세에 대해 말하고 있지 않다.
⑤ (가)와 (나)에서는 독자에게 삶에 대한 철학적 물음을 던지고 있지 않다.

19. (나)의 필자는 실존주의를 통해 지적 혼돈과 허무주의에서 벗어났다고 말하고 있을 뿐, 기존에 자신이 갖고 있던 선입견을 버렸다고는 하지 않았다.

20. (가)의 필자는 거꾸로 보기를 했던 자신의 일화를 소개하면서 고정 관념에서 벗어나 사람과 사물을 바라보는 태도의 중요성을 말하고 있다.

21. (나)의 필자는 글의 마지막 부분에서 사르트르의 실존주의 철학이 인생을 보는 시각과 삶에 대한 오늘날의 자신의 태도를 형성하는 데 결정적인 요인이 되었다고 밝히고 있다.

22. '유장하다'는 '길고 오래다.' 또는 '급하지 않고 느릿하다.'를 뜻하는 단어이다. 물 흐르듯 거침이 없음을 뜻하는 단어는 '유창하다'이다.

23. (나)의 글을 쓴 학생은 강연자의 말을 인용하면서 그것이 누구의 말인지 밝히지 않고 있다.

24. (가)에서 강연자가 "이 자리를 통해서 우리를 진정으로 변화시킬 수 있는 힘은 오직 사랑과 서로에 대한 존중, 배려라는 말씀을 드리고 물러날까 합니다."라고 말한 것을 통해 이 강연의 주제가 ③임을 알 수 있다.

25. 강연자는 이 강연에서 자신은 무시와 멸시를 당하고 싶어 하지 않으면서 상대방은 무시와 멸시를 당해도 된다는 생각이 폭력의 근간이라고 하였다.

26. 필자는 자신의 행동이 아니라 학급에서 실제로 있었던 친구들의 사례를 제시하며 독자를 설득하고 있다.

27. 자신과 다른 생각을 가진 사람들을 비판한 것이 아니라 일반적인 사람들이 지닌 잘못된 사고를 지적하고 있다.

28. 언어유희를 활용하여 비단잉어의 모습을 해학적으로 묘사하고 있으나 인물의 외양을 희화화한 것은 아니다.

29. ㉠은 실속은 없으면서 겉으로는 번지르르한 사람이나 사물을 비유적으로 이를 때 쓰는 말이다. '빛 좋은 개살구'도 겉만 그럴듯하고 실속이 없는 경우를 비유적으로 이르는 말이다.

30. 유자는 총수가 비단잉어의 죽음 때문에 속상해하고 있다는 것을 알면서도 그의 행동이 마음에 들지 않아 엉뚱한 말을 하여 총수의 마음을 상하게 하고 있다.

기말고사 실전 대비 문제 2회 p. 310

1. ④ **2.** ④ **3.** ⑤ **4.** ① **5.** 예시 답 ㉡에서는 '심장이 멈춘'과 '심정지'라는 같은 의미의 말을 중복하여 썼고, 문맥에 맞지 않는 '실습'이라는 단어를 사용했다. ㉡은 '심장이 멈춘 (또는 심정지) 환자를 발견하면 즉시 심폐 소생술을 실시해야 한다.'로 고쳐 써야 한다.
6. ⑤ **7.** ⑤ **8.** 예시 답 필자는 대학 진학을 목적으로 자기소개서를 쓴 것이며, 필자가 쓴 자기소개서의 독자는 필자가 지원한 대학의 입학 관계자이다. **9.** ③ **10.** 예시 답 설문 조사 결과를 그래프로 제시하여 시각적으로 빠르게 인지할 수 있도록 한다. **11.** ⑤
12. ① **13.** ③ **14.** 예시 답 지역의 역사와 정체성을 벽화에 담아 그 지역만의 특색을 잘 표현해야 한다. **15.** ① **16.** ②
17. ⑤ **18.** ③ **19.** 예시 답 필자는 과거 형님과의 대화가 기계적이고 습관적이었음을 밝히면서 이러한 대화 양상은 인간관계를 정체시키므로 지양해야 한다는 깨달음을 보여 주고 있다. **20.** ①
21. ⑤ **22.** 예시 답 사르트르의 실존주의 철학은 필자로 하여금 지적 혼돈과 정서적 허무주의라는 수렁에서 벗어날 수 있도록 해 주었다.
23. ⑤ **24.** ③ **25.** ④ **26.** ⑤ **27.** 예시 답 열 살짜리 아이인 덕수가 자신의 방을 일주일에 세 번씩 정기적으로 청소하는 것은 간단한 일이 아니다. **28.** ⑤ **29.** ① **30.** ①

---

1. (라)에서는 빈속에 토마토를 먹으면 안 좋은 이유를 제시하고 있을 뿐 토마토의 위험성을 언급하지는 않았다.

2. (가)에서 토마토에 들어 있는 칼륨이 체내 염분을 몸 밖으로 배출시키는 역할을 한다고 하였다.

3. 인터넷 백과사전은 대상에 관한 설명이나 주제의 뜻을 명백하게 밝혀 규정할 수 있으나 정보의 양이 풍부하지 않을 수 있다.

4. (가)에서 토마토는 열량이 적으면서도 포만감을 주는 음식으로 다이어트에 적합하다고 하였다.

5. 평가 기준

㉡의 문장이 잘못된 이유 두 가지를 모두 정확히 쓰고, ㉡을 바르게 고쳐 쓴 경우	5점
㉡의 문장이 잘못된 이유 두 가지 중 한 가지만 정확히 쓰고, 그 한 가지의 오류만 수정해서 문장을 고쳐 쓴 경우	3점
㉡의 문장이 잘못된 이유 두 가지만 쓴 경우	1점

6. 자기소개서를 쓸 때는 일방적으로 자신을 알리는 것이 아니라 상대방이 원하는 자신의 모습을 알려 주어야 한다. 그리고 자신의 능력을 알려 주기 위한 내용을 쓸 때는 구체적인 사례를 통해 드러내야 하며, 전문적이고 현학적인 어휘를 쓰는 것은 적절하지 않다.

7. 자신의 봉사 활동 경험과 그러한 경험을 통해 느낀 점을 진솔하게 드러내고 있으나 봉사 활동을 통해 느낀 꿈의 소중함에 대한 내용은 나타나 있지 않다.

8. 평가 기준

필자가 글을 쓴 목적과 필자가 쓴 글의 독자 모두 적절하게 서술한 경우	5점
필자가 글을 쓴 목적과 필자가 쓴 글의 독자 중 한 가지만 서술한 경우	3점
필자가 쓴 글이 자기소개서라는 것만 쓴 경우	1점

9. 보고서를 쓰기 위해 수집한 자료를 선별할 때는 보고서의 목적과 주제를 기준으로 삼아야 한다.

10. 평가 기준

자료 활용 효과와 관련하여 (가)의 자료 활용 방안을 구체적으로 서술한 경우	5점
(가)의 자료를 시각화하여 활용한다고만 서술한 경우	3점
설문 조사 결과를 활용하여 얻을 수 있는 효과에 대해 서술한 경우	1점

11. '남한산성의 역사적 의미'라는 탐구 주제와 관련이 있으면서 현재 조사가 안 된 자료는 ⑤이다.

12. (가)는 학교 신문에 실린 사설, (나)는 시사 문제를 비평하는 글이다. 두 글 모두 설득적인 성격을 지니고 있으며, 필자의 주장과 그 주장을 뒷받침하는 논거로 구성되어 있다.

13. (가)를 학교 신문에 실린 사설이라고 할 때 우리 학교 전교생을 대상으로 한 설문 조사의 결과는 독자를 고려한 적절한 논거로 볼 수 있다.

14. 평가 기준

필자가 가장 큰 문제점을 독창성이라고 한 것과 관련지어 적절한 해결 방안을 서술한 경우	5점
벽화의 유지·보수 측면에서의 해결 방안을 서술한 경우	3점

15. ㉠ 뒤에 이어지는 문장에서 습관적으로 욕설을 사용하는 것은 타인에게 칼을 휘두르는 것과 같으며 상처를 준 그 말의 칼날은 결국 자기에게로 향한다고 하였으므로, ㉠에 들어갈 문장으로 가장 적절한 것은 ①이다.

16. 법률 개정을 통한 과태료 인상 방안은 시장에게 법률 개정 권한이 없다는 점에서 필자가 독자를 충분히 고려하지 못하고 내세운 해결책이다.

17. 필자는 수형 생활 동안 동일한 문제를 거듭 생각하는 습관이 생겼다며 그것으로 인해 새로운 판단을 할 수 있게 된 것을 다행스럽게 생각한다고 말하고 있다.

18. ㉠은 엽서 한 장으로 축하의 뜻을 전하는 상황이 아픔이자 기쁨이라고 하고 있으므로 역설법이 사용된 표현이다. ③도 모든 소리가 흘러 들어가서 단단한 고요가 생겨난다고 했으므로 역설법이 사용되었다.

<u>오답 해설</u>
① 무생물인 '어둠'을 생물처럼 표현하고 있으므로 활유법이 사용된 표현이다.
② 국토의 일부인 '들'을 '국토'로 표현하고 있으므로 대유법이 사용된 표현이다.
④ 동일한 어구를 거듭 말하고 있으므로 반복법이 사용된 표현이다.
⑤ '나의 가슴'을 '약한 등불'에 빗대고 있으므로 은유법이 사용된 표현이다.

19. 평가 기준

필자가 형님과의 기억을 통해 성찰한 내용을 적절하게 서술한 경우	5점
필자가 성찰한 내용만 서술한 경우	3점
과거에 필자와 형님의 대화가 어떤 양상을 보였는지만 서술한 경우	1점

20. (가)에는 영화 「이티」가 필자의 삶에 미친 영향이, (나)에는 사르트르의 실존주의 철학이 필자의 삶에 미친 영향이 서술되어 있다.

21. 영화 감상문은 수필에 속한다. 수필은 특별한 형식이 정해져 있는 것이 아니므로 필자의 개성이 드러나도록 쓰는 것이 좋다.

22. 평가 기준

필자의 삶이 바뀌게 된 계기를 마련해 준 대상과 그것이 필자의 삶에 끼친 영향을 구체적으로 서술한 경우	5점
사르트르의 실존주의 철학이 필자의 삶에 끼친 영향에 대해서만 서술한 경우	3점
사르트르의 실존주의 철학이라고만 쓴 경우	1점

23. '내가 어떤 종류의 인간인지, 어떤 생각을 하며 사는 인간인지를 알게 해 준 영화라는 점' 때문에 영화 「이티」가 필자에게 의미 있다고 한 점으로 미루어 영화 「이티」가 필자로 하여금 스스로에 대해 새롭게 인식할 수 있도록 해 주었음을 알 수 있다.

24. 자신을 공격하는 말을 듣고 자란 사람은 수평적이고 조화로운 대화를 할 수 없다고 한 강연자의 말을 통해 어떤 말을 듣고 자라느냐에 따라 대화의 태도가 달라질 수 있다는 점을 알 수 있다.

25. 상대방의 주장을 논리적으로 반박하는 것은 강연이 아니라 토론에서 이루어지는 활동이다.

26. 이 강연에는 과거와 현재의 상황을 대조하는 내용이 나타나 있지 않다.

27. 평가 기준

덕수가 열 살인 점을 고려하여 ㉠의 의미를 구체적으로 서술한 경우	5점
덕수의 나이를 직접 언급하지 않고 ㉠의 의미를 서술한 경우	3점
덕수가 열 살짜리 아이이기 때문이라고만 서술한 경우	1점

28. 비단잉어의 떼죽음을 보고 분노하는 총수에게 유자는 일부러 어이없는 반응을 보이고 있다. 이를 통해 사람보다 비단잉어의 가치를 더 중시하는 총수를 우회적으로 비판하고 있는 것이다.

29. 비단잉어는 총수의 허영심과 사치를 드러내는 소재로, 유자는 이에 대해 못마땅한 태도를 취함으로써 총수에 대한 비판적 시각을 드러내고 있다. 비단잉어의 떼죽음의 원인은 나타나 있지 않다.

<u>오답 해설</u>
② 클래식 음악을 들으면 춤을 춘다는 비단잉어의 사례를 열거하며 특성을 표현하고 있다.
③ '뺄어낸벤또'와 '베토벤', '차에코풀구싶어'와 '차이콥스키'처럼 발음의 유사성을 이용한 언어유희를 구사하고 있다.
④ 유자는 본인의 관점에서 비단잉어가 음악에 따라 춤을 추기 때문에 비쌀 것이라고 해석하고 있다.
⑤ '딴따라'와 같은 비속어를 사용하여 비단잉어에 대한 비판적 시각을 드러내고 있다.

30. 이미 벌어진 일로 총수가 할 수 있는 일은 없는 ㉠의 상황에 어울리는 속담은 ①이다. '죽은 자식 나이 세기'는 '이왕 그릇된 일을 자꾸 생각하여 보아야 소용없다.'라는 뜻을 가진 속담이다.